4U (Abril) FRANCESCA Conelli

DICCIONARIO PORTUGUÊS-ESPANHOL ESPAÑOL-PORTUGUÉS

DICCIONARIO PORTUGUÊS-ESPANHOL ESPAÑOL-PORTUGUÉS

Dirección y coordinación
ANGELES MARTÍN
WALTRAUD WEISSMANN

EDITORIAL JUVENTUD

Provença, 101 - 08029 Barcelona
Dirección y coordinación: Ángeles Martín y Waltraud Weissmann

Primera edición: enero de 1995
Segunda edición: marzo de 1995
Tercera edición: julio de 1995
Cuarta edición: enero de 1996
Quinta edición: marzo de 1997
Sexta edición: junio de 1998

Depósito legal: B. 24.494-1998
ISBN 84-261-2888-2
Núm. de edición de E. J.: 9.553
Impreso en España - Printed in Spain
Barna Offset, S. L. c/ Venècia, nº 18 - 08210 Barberà del Vallès (Barcelona)

ÍNDICE

PRÓLOGO

ESTE diccionario, siguiendo la línea iniciada por Editorial Juventud con su *Diccionario inglés-español*, pretende acumular en un volumen de tamaño reducido la información más completa posible.

Para ello se ha tenido especial cuidado en la selección de los términos en función de su utilidad para los estudiantes y de su frecuencia de aparición en obras literarias.

Se ha tenido muy en cuenta también el aprovechamiento de la riqueza lexicográfica que, tanto en el caso del español como del portugués, aportan las diferencias de matiz existentes entre los idiomas hablados en América y en Europa.

La ordenación de las entradas sigue el orden alfabético romano universal, en el que las letras españolas *ch* y *ll* quedan integradas en la *c* y la *l* respectivamente.

PRÓLOGO

ESTE diccionario, continuando com a linha já começada pela Editora Juventud com o dicionário de inglês-espanhol, pretende reunir num volume de tamanho reduzido o maior número de informação possível.

Para isso se teve muito cuidado no momento de selecionar os termos em função da sua utilidade para o uso dos estudantes e a frequência com que aparecem nas obras literárias.

Teve-se em conta também aproveitar a enorme riqueza lexicográfica, que tanto no caso do Espanhol como do Português, contribuem as diferentes sutilezas que existem entre dois idiomas falados na América e na Europa.

A ordem de entradas segue a ordem alfabética romana universal, no caso das letras espanholas *ch* e *ll* estão integradas às letras *c* e *l* respectivamente.

ABREVIATURAS

	português	español
s.	substantivo	substantivo
v.	verbo	verbo
adj.	adjetivo	adjetivo
interj.	interjeição	interjección
adv.	advérbio	adverbio
prep.	preposição	preposición
pron.	pronome	pronombre
conj.	conjunção	conjunción
loc. adv.	locução adverbial	locución adverbial
art.	artigo	artículo

NUMERAIS

cardinais		ordinais
0	cero	——
1	uno	primero
2	dos	segundo
3	tres	tercero

4	cuatro	cuarto
5	cinco	quinto
6	seis	sexto
7	siete	séptimo
8	ocho	octavo
9	nueve	noveno, nono
10	diez	décimo
11	once	undécimo
12	doce	duodécimo
13	trece	decimotercero, decimotercio
14	catorce	decimocuarto
15	quince	decimoquinto
16	dieciséis	decimosexto
17	diecisiete	decimoséptimo
18	dieciocho	decimoctavo
19	diecinueve	decimonoveno, decimonono
20	veinte	vigésimo
21	veintiuno	vigésimo primero, vigésimo primo
22	veintidós	vigésimo segundo
30	treinta	trigésimo
31	treinta y uno	trigésimo primero, trigésimo primo
40	cuarenta	cuadragésimo
50	cincuenta	quincuagésimo
60	sesenta	sexagésimo
70	setenta	septuagésimo
80	ochenta	octogésimo
90	noventa	nonagésimo
100	ciento, cien	centésimo
101	ciento uno	centésimo primero
200	doscientos	ducentésimo
300	trescientos	tricentésimo
400	cuatrocientos	cuadringentésimo
500	quinientos	quingentésimo
600	seiscientos	sexcentésimo
700	setecientos	septingentésimo
800	ochocientos	octingentésimo
900	novecientos	noningentésimo
1000	mil	milésimo
1001	mil uno	milésimo primero

100.000	cien mil	cien milésimo
1.000.000	un millón	millonésimo
2.000.000	dos millones	dos millonésimos

NUMERALES

cardinales		ordinales
0	zero	——
1	um	primeiro
2	dois	segundo
3	três	terceiro
4	quatro	quarto
5	cinco	quinto
6	seis	sexto
7	sete	sétimo
8	oito	oitavo
9	nove	nono
10	dez	décimo
11	onze	undécimo, décimo primeiro
12	doze	duodécimo, décimo segundo
13	treze	décimo terceiro
14	catorze, quartoze	décimo quarto
15	quinze	décimo quinto
16	dezesseis	décimo sexto
17	dezessete	décimo sétimo
18	dezoito	décimo oitavo
19	dezenove	décimo nono
20	vinte	vigésimo
21	vinte e um	vigésimo primeiro
22	vinte e dois	vigésimo segundo
23	vinte e três	vigésimo terceiro
30	trinta	trigésimo
31	trinta e um	trigésimo primeiro

32	trinta e dois	trigésimo segundo
40	quarenta	quadragésimo
50	cinquenta	quinquagésimo
60	sessenta	sexagésimo
70	setenta	setuagésimo
80	oitenta	octogésimo
90	noventa	nonagésimo
100	cem	centésimo
101	cento e um	centésimo primeiro
102	cento e dois	centésimo segundo
200	duzentos	ducentésimo
300	trezentos	trecentésimo
400	quatrocentos	quadringentésimo
500	quinhentos	quingentésimo
600	seiscentos	seiscentésimo, sexcentésimo
700	setecentos	setingentésimo
800	oitocentos	octingentésimo
900	novecentos	nongentésimo
1000	mil	milésimo
1001	mil e um	milésimo primeiro
100.000	cem mil	cem milésimos
1.000.000	um milhão	milionésimo
2.000.000	dois milhões	dois milionésimos

PORTUGUÊS-ESPANHOL

A

a; *s.* primera letra del abecedario portugués.
a; *art.* la.
aba; *s.* faldón, ala, borde, orla.
abacate; *s.* aguacate.
abacateiro; *s.* aguacatero, árbol tropical americano.
abacaxi; *s.* piña, ananás.
ábaco; *s.* ábaco.
abade; *s.* abad, párroco, cura.
abadéssa; *s.* abadesa.
abadia; *s.* abadía.
abafado; *adj.* tapado, oculto, sofocado, irrespirable.
abafador; *adj.* sofocador.
abafar; *v.* sofocar, ahogar, asfixiar, apagar, arropar.
abaixar; *v.* bajar, rebajar, abatir, descender.
abaixo; *adv.* abajo.
abajur; *s.* luminaria.
abalançar; *v.* abalanzar.
abalar; *v.* estremecer, conmover, temblar, sacudir.
abalo; *s.* conmoción.
abanar; *v.* abanicar, soplar, abanar, sacudir.
abandonado; *adj.* abandonado, desamparado, descuidado.
abandonar; *v.* abandonar, dejar, desamparar, desistir, desocupar, renunciar.
abandono; *s.* abandono, cesión, negligencia, renuncia, repudio.
abanicar; *v.* abanicar.
abaratar; *v.* abaratar, bajar el precio.
abarcar; *v.* abarcar, ceñir, comprender.
abarrotado; *adj.* abarrotado, lleno, colmo, repleto.
abarrotar; *v.* abarrotar, llenar, cargar, colmar.
abastado; *adj.* abastado, acomodado, rico, abastecido.
abastança; *s.* abastanza, abundancia, bienestar, riqueza.
abastardar; *v.* abastardar, bastardear, falsificar.
abastecedor; *adj.* abastecedor.
abastecer; *v.* abastecer, aprovisionar, avituallar, proveer, repostar, surtir.
abastecimento; *s.* abastecimiento, aprovisionamiento, provisión, suministro.
abasto; *s.* abundancia.
abater; *v.* abatir, bajar, echar por tierra, envilecer, desalentar, matar.
abatido; *adj.* alicaído, cabizbajo, triste, desanimado.
abatimento; *s.* abatimiento, deducción, descuento, languidez, postración, matanza de ganado.
abaulado; *adj.* curvado, convexo.
abaular; *v.* encorvar.
abdicar; *v.* abdicar, renunciar, desistir.

abdômen; *s.* abdomen, barriga.
abdominal; *adj.* abdominal.
abecedário; *s.* alfabeto.
abelha; *s.* abeja.
abelhudo; *adj.* entremetido, curioso, diligente.
abençoar; *v.* bendecir, amparar, santiguarse.
aberração; *s.* aberración.
abertamente; *adv.* abiertamente.
aberto; *adj.* abierto, desembarazado, despejado, libre, sincero.
abertura; *s.* abertura, apertura, quiebra, grieta, agujero, hendidura, salida.
abeto; *s.* abeto.
abismar; *v.* abismar, hundir en un abismo.
abismo; *s.* abismo, sima, precipicio.
abjeto; *adj.* abyecto, infame.
abjurar; *v.* abjurar, renunciar.
ablação; *s.* ablación, corte.
ablução; *s.* ablución, lavatorio, purificación.
abnegação; *s.* abnegación, renuncia.
abnegado; *adj.* abnegado, desinteresado, desprendido.
abóbada; *s.* bóveda, cúpula.
abobadar; *v.* abovedar.
abobado; *adj.* abobado, hecho un tonto, atontado, idiota.
abóbora; *s.* calabaza.
abobreira; *s.* calabacera.
abocado; *adj.* abocado, aproximado.
abocanhar; *v.* morder.
aboletar; *v.* alojar, acantonar, acuartelar, alojarse.
abolição; *s.* abolición.
abolir; *v.* abolir, suprimir, anular, derogar, destruir, aniquilar.
abominação; *s.* abominación, repulsión, odio, rencor, aversión.
abominar; *v.* abominar, detestar, aborrecer, tener aversión, odiar.
abominável; *adj.* abominable, detestable, execrable.
abonado; *adj.* abonado, acaudalado, rico.
abonar; *v.* abonar, garantizar, afianzar.
abono; *s.* abono, fianza, garantía.
abordagem; *s.* abordaje.
abordar; *v.* abordar, abarloar, arribar, atracar, arrimar, llegar.
aborígene; *adj.* aborigen, nativo, autóctono.
aborrecer; *v.* aborrecer, aburrir, abominar, detestar, fastidiar, molestar.
aborrecido; *adj.* aburrido, fastidioso.
aborrecimento; *s.* aborrecimiento, aburrimiento.
abortar; *v.* abortar, malograrse, fracasar.
aborto; *s.* aborto.
abotoadura; *s.* botonadura, gemelos.
abotoar; *v.* abotonar, brotar.
abraçar; *v.* abrazar, ceñir.
abraço; *s.* abrazo.
abrandar; *v.* ablandar, suavizar, aliviar, serenar, mitigar.
abranger; *v.* comprender, contener, incluir, abarcar.
abrasador; *adj.* abrasador, ardiente, inflamado.
abrasar; *v.* abrasar, escaldar, quemar.
abrasivo; *s.* abrasivo.
abrevar; *v.* abrevar.
abreviado; *adj.* abreviado, resumido.
abreviar; *v.* abreviar, cortar, resumir.
abreviatura; *s.* abreviatura, resumen.
abricó; *s.* albaricoque.
abridor; *s.* abridor.
abrigar; *v.* abrigar, proteger, defender, acoger.
abrigo; *s.* abrigo, resguardo, protección, cobertura, acogida, refugio, asilo puerto.
abril; *s.* abril.
abrilhantar; *v.* abrillantar.

abrir; *v.* abrir, descubrir, perforar, destapar, comenzar, inaugurar, establecer, desabrochar.
abrogar; *v.* abrogar, anular.
abrolho; *s.* abrojo, escollos.
abrumar; *v.* abrumar.
abrupto; *adj.* abrupto, escarpado.
abrutalhado; *adj.* grosero, brutal, rudo, tosco.
abscesso; *s.* absceso, tumor.
absinto; *s.* ajenjo.
absolto; *adj.* absuelto.
absolutismo; *s.* absolutismo.
absoluto; *adj.* absoluto, incondicional.
absolver; *v.* absolver, indultar, perdonar, exonerar.
absolvição; *s.* absolución, indulto.
absorto; *adj.* absorto, pensativo, introvertido.
absorver; *v.* absorber, embeber, sorber, aspirar, enjugar, estancar, consumir.
abstêmio; *adj.* abstemio, moderado.
abstenção; *s.* abstención, privación, renuncia.
abster; *v.* abstener, privar, impedir, contenerse.
abstinência; *s.* abstinencia, ayuno, dieta, privación voluntaria.
abstrair; *v.* abstraer, separar, excluir.
abstrato; *adj.* abstracto.
absurdo; *adj.* absurdo, ilógico.
absurdo; *s.* absurdo, contrasentido, disparate, esperpento.
abulia; *s.* abulia.
abúlico; *adj.* abúlico.
abundância; *s.* abundancia, afluencia, exuberancia, opulencia, profusión, riqueza.
abundante; *adj.* abundante, copioso, harto, rico, fecundo.
abundar; *v.* abundar, tener copiosamente, bastar.
aburguesado; *adj.* aburguesado.
aburguesar; *v.* aburguesar.
abusador; *adj.* abusón.
abusar; *v.* abusar, ultrajar, excederse.
abuso; *s.* abuso, desmán, engaño, error.
abutre; *s.* buitre.
acabado; *adj.* acabado, gastado, avejentado, consumado.
acabamento; *s.* acabamiento, consumación, confección.
acabar; *v.* acabar, poner término, concluir, perfeccionar, rematar, finalizar, morir, extinguirse.
acaboclado; *adj.* que desciende de indígena del Brasil.
acabrunhar; *v.* agobiar, fastidiar, oprimir, abrumar.
acaçapado; *adj.* agazapado, achaparrado, encogido, bajo, corto, pequeño.
acácia; *s.* acácia.
academia; *s.* academia.
acadêmico; *adj.* académico.
açafrão; *s.* azafrán.
açaí; *s.* palmera del Amazonas, fruto de esta planta.
acaju; *s.* que tiene el color de madera.
acalentar; *v.* adormecer.
acalento; *s.* nana.
acalmar; *v.* calmar, apaciguar, tranquilizar, aplacar, sosegar, templar.
acalorado; *adj.* acalorado, sofocado, lleno de calor, irritado.
acalorar; *v.* acalorar.
acamar; *v.* encamar, enfermar.
acamaradar; *v.* hacerse camarada, amigo.
açambarcar; *v.* acaparar, monopolizar.
acampamento; *s.* campamento, camping.
acampar; *v.* acampar.
acanalhar; *v.* encanallar, envilecer.
acanhado; *adj.* tímido, corto, encogido, apretado, estrecho, mezquino, miserable, humilde, oprimido.

acanhar; *v.* apocar, acortar, estrechar, apretar, abatir, avergonzar.
acanto; *s.* acanto, planta espinosa, ornato.
ação; *s.* acción, acto, hecho.
acaramelar; *v.* acaramelar.
acareação; *s.* careo.
acarear; *v.* carear.
acariciar; *v.* acariciar, halagar.
acarretar; *v.* transportar, traer, causar.
acartonar; *v.* acartonar.
acaso; *s.* acaso, aventura, incidente, eventualidad.
acaso; *adv.* acaso, quizá, tal vez.
acastanhado; *adj.* acastañado, que tira a color castaño.
acatamento; *s.* acatamiento, obediencia, respecto, veneración.
acatar; *v.* acatar, deferir, obedecer.
acaudilhar; *v.* acaudillar, capitanear, dirigir.
acautelar; *v.* acautelar, prevenir, precaver.
acavalado; *adj.* acaballado, grosero, basto.
acebolado; *adj.* que sabe a cebolla, en que entra cebolla.
aceder; *v.* acceder.
acéfalo; *adj.* acéfalo.
aceitação; *s.* aceptación, adopción.
aceitar; *v.* aceptar, admitir, aprobar, asumir obligación.
aceitável; *adj.* aceptable, razonable, satisfactorio.
aceleração; *s.* aceleración.
acelerador; *adj.* acelerador.
acelerar; *v.* acelerar, adelantar, apresurar.
acelga; *s.* acelga.
acenar; *v.* hacer señas, llamar la atención, provocar.
acendedor; *s.* encendedor.
acender; *v.* encender, inflamar.
aceno; *s.* seña, ademán, gesto.
acento; *s.* acento.
acentuar; *v.* acentuar, atildar, puntuar.
acepção; *s.* acepción, significado.
acéquia; *s.* acequia, zanja.
acerado; *adj.* afilado, punzante, agudo, que corta.
acerbo; *adj.* acerbo, áspero, ácido.
acercar; *v.* acercar, aproximar, rodear.
acérrimo; *adj.* acérrimo.
acertado; *adj.* acertado.
acertar; *v.* acertar, concordar.
acerto; *s.* acierto, ajuste.
acervo; *s.* acervo, gran cantidad.
aceso; *adj.* encendido.
acessível; *adj.* asequible, fácil.
acesso; *s.* acceso, llegada, ingreso.
acessório; *adj.* accesorio.
acético; *adj.* acético, relativo al vinagre.
acetileno; *s.* acetileno.
acetinado; *adj.* satinado, sedoso, lustroso.
acetinar; *v.* satinar, poner lustroso, alisar, aterciopelar, suavizar.
acetona; *s.* acetona.
acha; *s.* pedazo de madera para la lumbre.
achacar; *v.* encontrar defectos, acusar, infamar.
achacoso; *adj.* achacoso, indispuesto.
achado; *s.* hallazgo, descubrimiento.
achado; *adj.* encontrado.
achaque; *s.* achaque, enfermedad, indisposición.
achar; *v.* hallar, descubrir, encontrar, averiguar.
achatamento; *s.* achatamiento.
achatar; *v.* achatar, aplastar, aplanar.
achegar; *v.* allegar, aproximar, unir, acogerse.
achego; *s.* añadidura.
achincalhar; *v.* ridiculizar, mofar.
achinesado; *adj.* achinado.
acidentado; *adj.* accidentado, modificado, escabroso.
acidental; *adj.* accidental, casual, eventual.
acidentar; *v.* accidentar.

acidente; *s.* accidente, contratiempo, desgracia, desmayo.
acidez; *s.* acidez.
ácido; *s.* ácido.
ácido; *adj.* ácido, acre.
acima; *adv.* encima, en la parte superior.
acinte; *s.* terquedad.
acinzentado; *adj.* ceniciento, color ceniza, gris.
acionar; *v.* accionar, mover, poner en acción.
acionista; *s.* accionista.
acirrar; *v.* incitar, irritar, estimular.
aclamação; *s.* aclamación.
aclamar; *v.* aclamar, aplaudir, aprobar, saludar, proclamar.
aclaração; *s.* aclaración.
aclarar; *v.* aclarar, clarear, iluminar, explicar.
aclimatar; *v.* aclimatar, acostumbrarse.
aclive; *s.* declive, cuesta, ladera.
acne; *s.* acné.
aço; *s.* acero.
acobertar; *v.* tapar con cubierta, encubrir, disimular, ocultar.
acocorar; *v.* agacharse, acuclillarse.
acoimar; *v.* multar, imputar, acusar, reprender, censurar, vengarse.
açoitar; *v.* azotar, fustigar, hostigar.
açoite; *s.* azote, látigo.
acolchetar; *v.* abrochar.
acolchoado; *s.* edredón.
acolchoar; *v.* acolchar, acolchonar, estofar.
acolhedor; *adj.* acogedor, hospitalario.
acolher; *v.* acoger, abrigar, escuchar, admitir, hospedar, proteger, refugiarse.
acolhida; *s.* acogida, asilo, refugio.
acólito; *s.* acólito.
acometer; *v.* acometer, embestir, intentar, emprender, insultar.
acometida; *s.* acometida, asalto, agresión, embestida.
acomodação; *s.* acomodación.
acomodado; *adj.* acomodado, quieto, sosegado, abrigado, pacífico, adaptado.
acomodar; *v.* acomodar, ordenar, instalar, adaptar, hospedar, pacificar.
acompanhamento; *s.* acompañamiento, comitiva, cortejo, escolta.
acompanhante; *s.* acompañante, compañía.
acompanhar; *v.* acompañar, seguir, escoltar.
aconchegar; *v.* acercar, arrimar, allegar, agasajar.
acondicionar; *v.* acondicionar, condicionar.
aconselhar; *v.* aconsejar, amonestar, avisar, convencer, sugerir.
aconselhável; *adj.* aconsejable.
acontecer; *v.* acontecer, suceder, ocurrir, sobrevenir.
acontecimento; *s.* acontecimiento, ocurrencia, suceso, acaecimiento, éxito.
acoplar; *v.* acoplar.
acordar; *v.* acordar, despertar.
acorde; *adj.* acorde, conforme.
acorde; *s.* acorde.
acordeão; *s.* acordeón.
acordo; *s.* acuerdo, ajuste, madurez, consejo, dictamen, consonancia, memoria.
açoriano; *adj.* azoreano, natural de las Azores.
acorrentar; *v.* encadenar.
acorrer; *v.* acorrer, acudir.
acossar; *v.* acosar, perseguir, molestar.
acostamento; *s.* acostamiento, ánimo, adhesión.
acostar; *v.* acostar, recostar, recluir, arrimar, juntar.
acostumado; *adj.* acostumbrado.
acostumar; *v.* acostumbrar, habituar.
açotéia; *s.* azotea.
acotovelar; *v.* codear, empujar.
açougue; *s.* carnicería.

açougueiro; *s.* carnicero.
acovardar; *v.* acobardar, amedrentar.
acracia; *s.* acracia, anarquía.
acre; *adj.* acre, agrio, ácido.
acre; *s.* acre, medida agraria.
acreditar; *v.* acreditar, creer.
acrescentar; *v.* acrecentar, añadir, incorporar, juntar.
acrescer; *v.* acrecer, acrecentar, aumentar, agregar, añadir.
acréscimo; *s.* añadidura, incremento, suplemento.
acrisolar; *v.* acrisolar, purificar en el crisol.
acritude; *s.* acritud.
acrobacia; *s.* acrobacia.
acrobata; *s.* acróbata, saltimbanqui.
acrópole; *s.* acrópolis.
acuar; *v.* arrinconar.
açúcar; *s.* azúcar, sacarosa.
açucarado; *adj.* azucarado, almibarado.
açucarar; *v.* azucarar, almibarar.
açucareiro; *adj.* azucarero.
açucena; *s.* azucena.
açude; *s.* acequia, dique, embalse, represa.
acudir; *v.* acudir, socorrer.
acuidade; *s.* acuidad, agudeza, sutileza, delgadez.
açular; *v.* azuzar, instigar.
acumulador; *s.* acumulador.
acumular; *v.* acumular, amontonar, reunir, juntar, almacenar energía.
acupuntura; *s.* acupuntura.
acusação; *s.* acusación, delación, denuncia.
acusado; *adj.* acusado, notificado, reo.
acusador; *adj.* acusador.
acusador; *s.* delator.
acusar; *v.* acusar, delatar, denunciar, imputar, avisar.
acústica; *s.* acústica.
acústico; *adj.* acústico.
adaga; *s.* daga, sable.
adágio; *s.* adagio, proverbio.
adamantino; *adj.* adamantino.
adamascado; *adj.* adamascado.
adaptação; *s.* adaptación, acomodación.
adaptar; *v.* acomodar, adaptar, ajustar.
adega; *s.* bodega, despensa, taberna.
adelgaçar; *v.* adelgazar.
ademã; *s.* ademán.
ademais; *adv.* además.
adendo; *s.* suplemento, apéndice, añadidura.
adensar; *v.* adensar, condensar, engrosar, aumentar.
adentro; *adv.* adentro.
adepto; *adj.* adepto, partidario.
adequado; *adj.* adecuado, competente, condigno, oportuno.
adequar; *v.* adecuar, amoldar, acomodar, apropiar, emparejar.
adereçar; *v.* aderezar, adornar, componer, dedicar, condimentar.
adereço; *s.* aderezo, adorno.
aderência; *s.* adherencia, cohesión.
aderente; *adj.* adherente, anexo.
aderir; *v.* adherirse, unir, juntar.
adernar; *v.* inclinar el barco.
adesão; *s.* adhesión, ligación, acuerdo.
adesivo; *adj.* adhesivo.
adestramento; *s.* adiestramiento.
adestrar; *v.* adiestrar, instruir, ejercitar, amaestrar.
adeus; *interj.* adiós, despedida.
adiamento; *s.* prórroga, retraso.
adiantado; *adj.* adelantado, temprano.
adiantamento; *s.* adelanto, anticipación.
adiantar; *v.* adelantar.
adiante; *adv.* adelante.
adiar; *v.* aplazar, diferir, postergar, reprobar en examen.
adiável; *adj.* aplazable.
adição; *s.* adición, apéndice, suma.
adicional; *adj.* adicional.

adicionar; *v.* adicionar, añadir, agregar, aumentar, sumar.
adido; *s.* agregado.
adiposidade; *s.* adiposidad, gordura.
adiposo; *adj.* adiposo, gordo, obeso.
aditivo; *adj.* adictivo.
adivinhação; *s.* adivinación, acertijo.
adivinhar; *v.* adivinar, vaticinar, predecir, descifrar, acertar, interpretar.
adivinho; *s.* adivino, zahorí.
adjacente; *adj.* adyacente, cercano, inmediato, contiguo.
adjetivo; *s.* adjetivo.
adjudicação; *s.* adjudicación.
adjudicar; *v.* adjudicar, conceder, otorgar.
adjunto; *adj.* adjunto, agregado, compañero, socio, bedel.
administração; *s.* administración, gestión.
administrador; *s.* administrador, director, gerente, gestor.
administrar; *v.* administrar, conducir, dirigir, gobernar.
admiração; *s.* admiración, espanto, asombro, sorpresa.
admirador; *s.* admirador.
admirar; *v.* admirar, mirar, contemplar, maravillar, sorprender.
admirável; *adj.* admirable, estupendo, maravilloso.
admiravelmente; *adv.* admirablemente.
admissão; *s.* admisión, entrada, ingreso, iniciación, introducción.
admissível; *adj.* admisible, aceptable.
admitir; *v.* admitir, recibir, permitir, sufrir, tolerar, aceptar, reconocer.
admoestação; *s.* amonestación, advertencia, consejo.
admoestar; *v.* amonestar, recordar, avisar.
adobe; *s.* adobe, especie de ladrillo.
adoçante; *adj.* edulcorante, dulcificante.
adoção; *s.* adopción.
adoçar; *v.* dulcificar, endulzar, azucarar, suavizar.
adoecer; *v.* adolecer, enfermar, languidecer.
adoentado; *adj.* algo enfermo, enclenque.
adoidado; *adj.* enloquecido, liviano.
adolescência; *s.* adolescencia, pubertad.
adolescente; *adj.* adolescente, púber.
adônis; *s.* adonis, joven hermoso.
adoração; *s.* adoración.
adorar; *v.* adorar, idolatrar, venerar.
adorável; *adj.* adorable.
adormecer; *v.* adormecer.
adormecimento; *s.* adormecimiento, somnolencia, letargo.
adornar; *v.* adornar, ataviar, ornar.
adorno; *s.* adorno, atavío, aderezo.
adotado; *adj.* adoptivo.
adotar; *v.* adoptar, afiliar, ahijar.
adotivo; *adj.* adoptivo.
adquirir; *v.* adquirir, comprar, conseguir, ganar, granjear.
adrede; *adv.* adrede.
adredom; *s.* edredón.
adro; *s.* atrio de las iglesias.
adstringência; *s.* astringencia.
adstringente; *adj.* astringente.
adstringir; *v.* astringir.
aduana; *s.* aduana.
aduaneiro; *s.* aduanero.
adubar; *v.* adobar, fertilizar.
adubo; *s.* adobo, estiércol, adobo, caldo, salsa, adorno.
adulação; *s.* adulación, halago, lisonja.
adulador; *adj.* adulador, halagador.
adular; *v.* adular, halagar, lisonjear.
adulteração; *adj.* adulteración, falsificación.
adulterar; *v.* adulterar, falsificar, corromper, desvirtuar.
adultério; *s.* adulterio, infidelidad.

adúltero; *adj.* adúltero, infiel.
adulto; *adj.* adulto.
adunco; *adj.* adunco, corvado, curvo.
adusto; *adj.* adusto, quemado.
adutor; *adj.* aductor.
aduzir; *v.* aducir, presentar pruebas, alegar, traer, llevar.
advento; *s.* advenimiento, venida, llegada, arribo.
advérbio; *s.* adverbio.
adversário; *adj.* adversario, opositor, enemigo, rival.
adversativo; *adj.* adversativo, opuesto.
adversidade; *s.* adversidad, contrariedad, infortunio.
adverso; *adj.* adverso, contrario, opuesto.
advertência; *s.* advertencia, consejo, amonestación.
advertir; *v.* advertir, avisar, amonestar, reparar.
advindo; *adj.* advenido, aumentado.
advir; *v.* avenir, sobrevenir, suceder, resultar, aumentar.
advocacia; *s.* abogacía.
advogado; *s.* abogado.
advogar; *v.* abogar.
aeração; *s.* aeración.
aéreo; *adj.* aéreo.
aerodinâmica; *s.* aerodinámica.
aerodinâmico; *adj.* aerodinámico.
aeródromo; *s.* aeródromo.
aerograma; *s.* aerograma.
aerólito; *s.* aerolito, meteorito.
aeromoça; *s.* azafata.
aeromodelismo; *s.* aeromodelismo.
aeronauta; *s.* aeronauta.
aeronáutica; *s.* aeronáutica, aviación.
aeronaval; *adj.* aeronaval.
aeronave; *s.* aeronave, avión.
aeroplano; *s.* aeroplano.
aeroporto; *s.* aeropuerto.
aerosol; *s.* aerosol.
aerostática; *s.* aerostática.
aerotransportar; *v.* aerotransportar.
aerovia; *s.* aerovía.
afã; *s.* afán, ansia, deseo vehemente.
afabilidade; *s.* afabilidad, llaneza, cortesía.
afadigar; *v.* fatigar, cansar, molestar, vejar.
afagador; *adj.* halagueño, halagador.
afagar; *v.* acariciar, halagar, mimar.
afago; *s.* caricia, halago.
afamado; *adj.* afamado, famoso, célebre.
afanar; *v.* afanar, robar.
afastado; *adj.* apartado, distante, retirado, remoto.
afastamento; *s.* alejamiento, separación, apartamiento, distancia.
afastar; *v.* alejar, apartar, desterrar, separar.
afável; *adj.* afable, cortés, campechano, complaciente, correcto.
afazer; *v.* habituar, acostumbrar.
afazeres; *s.* quehaceres, ocupaciones.
afear; *v.* afear.
afecção; *s.* afección.
afegã; *adj.* afgano.
afeição; *s.* afección, afecto, ternura.
afeiçoado; *adj.* aficionado.
afeiçoar; *v.* aficionar, inducir, encariñar, enamorar.
afeito; *adj.* acostumbrado, habituado.
afeminado; *adj.* afeminado.
aferir; *v.* aferir, valorar, comparar.
aferrar; *v.* aferrar, agarrar, asegurar, anclar.
aferro; *s.* terquedad, obstinación, dedicación.
aferrolhar; *v.* aherrojar.
aferventar; *v.* herventar, hervir poco tiempo.
afervorar; *v.* enfervorizar, incitar, estimular, encender.
afetação; *s.* afectación.

afetado; *adj.* afectado, presumido, rebuscado.
afetar; *v.* afectar, fingir.
afetivo; *adj.* afectivo, afectuoso.
afeto; *s.* afecto, amor, apego, cariño.
afetuoso; *adj.* afectuoso, amoroso, cariñoso, cordial, sentimental.
afiado; *adj.* afilado.
afiador; *adj.* afilador.
afiançar; *v.* abonar, afianzar, garantizar.
afiar; *v.* afilar.
aficionado; *adj.* aficionado, amador.
afidalgado; *adj.* ahidalgado.
afilado; *adj.* afilado, muy delgado.
afilhado; *adj.* ahijado.
afiliação; *s.* afiliación.
afiliar; *v.* afiliar.
afim; *adj.* afín.
afinal; *adv.* finalmente, por fin.
afinar; *v.* afinar, perfeccionar, pulir, fabricar, armonizar, afilar, aguzar.
afinco; *s.* ahínco, insistencia, tenacidad.
afinidade; *s.* afinidad.
afirmação; *s.* afirmación, aseveración.
afirmado; *adj.* afirmado.
afirmar; *v.* afirmar, asegurar, asentar, estabilizar, certificar, consolidar, fortalecer.
afirmativa; *s.* afirmación, afirmativa.
afirmativo; *adj.* afirmativo, positivo.
afivelar; *v.* unir con hebilla.
afixar; *v.* fijar, asegurar, patentizar.
afixo; *s.* afijo.
aflautado; *adj.* aflautado.
aflição; *s.* aflicción, congoja, pesar, dolor, martirio, pena
desgana.
afligir; *v.* afligir, angustiar, apesadumbrar, acongojar, inquietar, molestar.
aflitivo; *adj.* aflictivo.
aflito; *adj.* aflicto, afligido, acongojado, oprimido.
aflorar; *v.* aflorar, brotar.
afluência; *s.* afluencia, abundancia, concurso de agua.
afluente; *adj.* afluente.
afluir; *v.* afluir.
afluxo; *s.* aflujo, afluencia.
afobação; *s.* precipitación.
afobar; *v.* precipitar.
afofar; *v.* ahuecar, afofar, ablandar.
afogado; *adj.* ahogado, asfixiado, sofocado.
afogar; *v.* ahogar, sofocar, asfixiar.
afogueado; *adj.* color del fuego, ruborizado, tostado, ardiente, abochornado.
afoguear; *v.* abrasar, quemar, sonrojarse, ruborizarse, abochornarse.
afoito; *adj.* atrevido, osado, valiente.
afonia; *s.* afonía.
afônico; *adj.* afónico.
afora; *adv.* excepto, salvo, más allá, además de.
aforamento; *s.* aforamiento, foro.
aforar; *v.* aforar.
aforismo; *s.* aforismo, máxima.
aformosear; *v.* hermosear, embellecer, adornar.
afortunado; *adj.* afortunado, próspero, venturoso.
afrancesado; *adj.* afrancesado.
africano; *adj.* africano.
afrodisíaco; *adj.* afrodisíaco.
afronta; *s.* afrenta, insulto, ofensa, venganza, vejación.
afrontar; *v.* afrentar, molestar, vejar, confrontar, enfrentar.
afrontoso; *adj.* afrentoso.
afrouxamento; *s.* aflojamiento, enflaquecimiento.
afrouxar; *v.* aflojar, flojear, ablandar.
afta; *s.* afta.
afugentar; *v.* ahuyentar, hacer huir, expulsar.
afundamento; *s.* hundimiento, ahondamiento, sumersión.

afundar; *v.* ahondar, hundir, naufragar, meter en lo hondo.
afunilado; *adj.* infundibuliforme, de forma de embudo.
agachar; *v.* agachar.
agalegado; *adj.* agallegado.
ágape; *s.* ágape, comida, banquete.
agarrado; *adj.* agarrado, seguro, ahorrador, terco, obstinado, testarudo.
agarrar; *v.* agarrar, agazapar, coger, pegar, prender, tener, tomar.
agasalhar; *v.* agasajar, abrigar, defender, alojar, hospedar, aposentar.
agasalho; *s.* abrigo, prenda de vestir, calor, buen acogimiento.
agastar; *v.* encolerizar, enfadar, enojar, aburrir.
ágata; *s.* ágata.
agatanhar; *v.* arañar, rasguñar, gatear, andar a gatas.
agência; *s.* agencia, oficio y oficina de agente, sucursal, administración.
agenciar; *v.* agenciar, trabajar para obtener, alcanzar, negociar.
agenda; *s.* agenda, dietario.
agente; *s.* agente, procurador.
agigantado; *adj.* agigantado, enorme, grande, colosal.
agigantar; *v.* agigantar.
ágil; *adj.* ágil, leve, ligero, diestro, diligente.
agilidade; *s.* agilidad, desembarazo, diligencia, presteza, soltura.
ágio; *s.* agio, usura.
agiota; *s.* agiotista, logrero, usurero.
agiotagem; *s.* agiotaje, usura.
agir; *v.* obrar, hacer, proceder, actuar.
agitação; *s.* agitación, ajetreo, excitación, revuelo.
agitado; *adj.* agitado, turbulento.
agitador; *adj.* agitador, promotor de disturbios.
agitar; *v.* agitar, bullir, mecer, mover, revolver, tabalear.
aglomeração; *s.* aglomeración, reunión, amontonamiento.
aglomerado; *adj.* aglomerado, junto, amontonado.
aglomerar; *v.* acumular, aglomerar, amontonar.
aglutinar; *v.* aglutinar, unir, juntar, pegar, encolar.
agnóstico; *adj.* agnóstico.
agonia; *s.* agonía, angustia, aflicción.
agoniado; *adj.* ansioso.
agoniar; *v.* agonizar, acongojar, atormentar, mortificar, afligir.
agônico; *adj.* agónico.
agonizante; *adj.* agonizante.
agonizar; *v.* agonizar.
agora; *adv.* ahora, en el presente, hoy en día.
agostar; *v.* agostar, mustiarse la fruta o planta por falta de humedad.
agosto; *s.* agosto.
agoureiro; *adj.* agorero, adivino.
agourento; *adj.* agorero, de mal agüero.
agouro; *s.* agüero, presagio, auspicio.
agraciado; *adj.* agraciado, condecorado.
agraciar; *v.* agraciar, condecorar.
agraço; *s.* agrazón, uva verde.
agradar; *v.* agradar, complacer, contentar, gustar, halagar, satisfacer.
agradável; *adj.* agradable, apacible, armonioso, bello, bueno, grato.
agradecer; *v.* agradecer.
agradecido; *adj.* agradecido, grato.
agradecimento; *s.* agradecimiento.
agrado; *s.* agrado, afabilidad, satisfacción, encanto.
agrário; *adj.* agrario, rural.
agravar; *v.* agravar, complicar, empeorar, exacerbar, exagerar, recrudecer.
agravo; *s.* afrenta, agravio, entuerto, ofensa.

agredir; *v.* agredir, atacar, asaltar.
agregado; *adj.* agregado, asociado, reunido, junto.
agregar; *v.* agregar, asociar, añadir, juntar, unir.
agremiação; *s.* agremiación, asociación.
agremiar; *v.* agremiar, reunir, asociar, colegiarse.
agressão; *s.* agresión, ataque, violencia.
agressividade; *s.* agresividad.
agressivo; *adj.* agresivo, belicoso, ofensivo, hostil.
agressor; *adj.* agresor, provocador, atacante.
agressor; *s.* agresor.
agreste; *adj.* agreste, silvestre.
agrião; *s.* berro.
agrícola; *adj.* agrario, agrícola, rural.
agricultor; *s.* agricultor, granjero, labrador.
agricultura; *s.* agricultura, labranza.
agridoce; *adj.* agridulce.
agrilhoar; *v.* engrillar.
agrimensor; *s.* agrimensor.
agronomia; *s.* agronomía.
agrônomo; *s.* agrónomo.
agropecuário; *adj.* agropecuario.
agrupamento; *s.* agrupamiento, reunión.
agrupar; *v.* agrupar, juntar, combinar, reunir.
água; *s.* agua, líquido, lluvia, mar, río.
água-ardente; *s.* aguardiente.
aguaceiro; *s.* aguacero, chaparrón
aguada; *s.* aguada.
água-de-colônia; *s.* colonia.
aguadeiro; *s.* aguador.
aguado; *adj.* aguado.
aguador; *s.* regadera.
água-forte; *s.* aguafuerte.
água-furtada; *s.* buhardilla, ático.
água-marinha; *s.* aguamarina.
água-mel; *s.* aguamiel, hidromiel.
aguar; *v.* aguar, regar.
aguardar; *v.* aguardar, esperar.
aguardente; *s.* aguardiente, cachaza, orujo.
aguarrás; *s.* aguarrás.
água-viva; *s.* medusa.
aguazil; *s.* alguacil.
aguçar; *v.* aguzar, acuciar, afilar, amolar.
agudeza; *s.* agudeza.
agudo; *adj.* agudo, sutil, estridente, afilado, picante, ingenioso.
aguentar; *v.* aguantar, resistir, sufrir, tolerar, soportar.
aguerrido; *adj.* aguerrido.
águia; *s.* águila.
aguilhada; *s.* aguijada.
aguilhão; *s.* aguijón, rejo.
aguilhoada; *s.* aguijonada.
aguilhoar; *v.* aguijonear.
agulha; *s.* aguja.
agulhada; *s.* agujeta.
agulheiro; *s.* agujero, alfiletero.
ah; *interj.* ¡ah!, expresa alegría, espanto o admiración.
aí; *adv.* ahí.
aia; *s.* aya, niñera, criada, camarera.
aids; *s.* sida.
ainda; *adv.* aún, todavía.
aipim; *s.* mandioca.
aipo; *s.* apio.
airoso; *adj.* airoso, garboso, gallardo, brillante.
ajantarado; *adj.* parecido a una cena, comida única de los domingos.
ajardinar; *v.* ajardinar, plantar un jardín.
ajeitar; *v.* acomodar, adaptar, adecuar, aplicar, prepararse.
ajoelhar; *v.* arrodillar.
ajuda; *s.* auxilio, ayuda, colaboración, favor, protección, refuerzo, socorro.
ajudante; *adj.* asistente, auxiliar, practicante.
ajudante; *s.* ayudante, colaborador, peón.

ajudar; *v.* auxiliar, ayudar, colaborar, proteger, socorrer.
ajuizado; *adj.* ajuiciado, sensato, prudente.
ajuizar; *v.* juzgar, apreciar, valuar, demandar, ajuiciarse.
ajuntamento; *s.* juntamiento, acumulación, agrupamiento, reunión, ayuntamiento.
ajuntar; *v.* ajuntar, reunir, unir, ayuntarse, amancebarse.
ajustado; *adj.* ajustado.
ajustador; *adj.* ajustador.
ajustar; *v.* ajustar, concertar, adaptar, reconcilia, completar, igualar.
ajuste; *s.* ajuste, contrato, combinación, convenio, negociación.
ala; *s.* ala, hilera, fila.
alabastrino; *adj.* alabastrino, alabastrado.
alabastro; *s.* alabastro.
álacre; *adj.* alegre, risueño.
alado; *adj.* alado.
alagadiço; *adj.* alagadizo, pantanoso.
alagamento; *s.* inundación.
alagar; *v.* alagar, empantanar, inundar.
alambique; *s.* alambique.
alambrar; *v.* alambrar.
alameda; *s.* alameda, avenida, bulevar.
álamo; *s.* álamo.
alar; *s.* que tiene ala.
alar; *v.* halar, izar, alzar, levantar.
alaranjado; *adj.* anaranjado, naranjado.
alarde; *s.* alarde.
alardear; *v.* alardear, ostentar.
alargamento; *s.* alargamiento, ensanche.
alargar; *v.* aflojar, aumentar, ensanchar, extender.
alarido; *s.* alarido.
alarma; *s.* alarma, vocerío, tumulto.
alarmar; *v.* alarmar.
alarme; *s.* alarma, rebato.
alarmista; *adj.* alarmista.
alarve; *s.* rudo.
alastrar; *v.* alastrar, extender.
alaúde; *s.* laúd.
alavanca; *s.* barra, palanca.
alavancar; *v.* apalancar.
alazão; *adj.* alazán.
alba; *s.* alba, aurora.
albanês; *adj.* albanés.
albarda; *s.* albarda.
albatroz; *s.* alcatraz.
albergar; *v.* albergar, asilar.
albergue; *s.* albergue, asilo, parador.
albino; *adj.* albino.
albornoz; *s.* albornoz.
álbum; *s.* álbum.
albume; *s.* albumen.
albumina; *s.* albúmina.
alça; *s.* alza.
alcachofra; *s.* alcachofa.
alcaçuz; *s.* alcazuz.
alçada; *s.* alzada.
alçado; *adj.* alzado.
alcaide; *s.* alcalde.
alcalino; *adj.* alcalino.
alcaloide; *s.* alcaloide.
alçamento; *s.* alzamiento.
alcançar; *v.* alcanzar, conseguir.
alcance; *s.* alcance, extensión.
alcandorar-se; *v.* elevarse, guindarse, subir.
alcanfor; *s.* alcanfor.
alcantil; *s.* cantil, escarpa, despeñadero.
alcantilado; *adj.* acantilado.
alcanzia; *s.* alcancía.
alçapão; *s.* trampa.
alcaparra; *s.* alcaparra.
alçar; *v.* alzar, levantar.
alcatéia; *s.* manada de lobos.
alcatifa; *s.* alcatifa, alfombra, tapete.
alcatrão; *s.* alquitrán.
alcatraz; *s.* alcatraz, pelícano.
alce; *s.* alce.
álcool; *s.* alcohol.
alcoólatra; *adj.* alcohólico.
alcoólico; *adj.* alcohólico.

alcoolismo; *s.* alcoholismo.
alcorão; *s.* alcorán.
alcova; *s.* alcoba.
alcovitar; *v.* alcahuetear, intrigar.
alcoviteiro; *s.* alcahuete.
alcunha; *s.* apodo, sobrenombre.
aldeamento; *s.* aldeanismo.
aldeão; *adj.* aldeano, lugareño, campesino.
aldear; *v.* dividir en aldeas.
aldeia; *s.* aldea.
aldeola; *s.* aldea pequeña.
aldrava; *s.* aldaba.
aleatório; *adj.* aleatorio.
alecrim; *s.* romero.
alegação; *s.* alegación.
alegar; *v.* alegar, probar, exponer.
alegoria; *s.* alegoría.
alegórico; *adj.* alegórico, simbólico.
alegrão; *s.* alegrón, gran alegría.
alegrar; *v.* alegrar, desenfadar, divertir, recrear.
alegre; *adj.* alegre, contento, jovial, risueño.
alegría; *s.* alegría, animación, animación, contento, euforia, felicidad.
aléia; *s.* alameda.
aleijado; *adj.* contrahecho, lisiado.
aleijão; *s.* lesión.
aleijar; *v.* lisiar.
aleitar; *v.* amamantar.
aleivosia; *s.* alevosía.
aleivoso; *adj.* alevoso.
aleluia; *s.* aleluya.
além; *adv.* allá, ultra.
alemão; *adj.* alemán.
além-mar; *adj.* ultramar.
além-túmulo; *adv.* en la otra vida.
alentar; *v.* alentar, animar.
alento; *s.* aliento, hálito.
alergia; *s.* alergía.
alérgico; *adj.* alérgico.
alerta; *s.* alerta.
alertar; *v.* alertar.
aleta; *s.* aleta.
aletargar; *v.* aletargar.
alfa; *s.* alfa.
alfabético; *adj.* alfabético.
alfabetização; *s.* alfabetización.
alfabetizar; *v.* alfabetizar.
alfabeto; *s.* abecedario.
alface; *s.* lechuga.
alfafa; *s.* alfalfa.
alfaia; *s.* apero, arreo, joya, vajilla.
alfaiataria; *s.* sastrería.
alfaiate; *s.* sastre.
alfajor; *s.* alfajor.
alfândega; *s.* aduana.
alfandegário; *s.* aduanero.
alfange; *s.* alfanje.
alfarrábio; *s.* libro antiguo, cartapacio.
alfarroba; *s.* algarroba.
alfavaca; *s.* albahaca.
alfazema; *s.* espliego, lavanda.
alfenim; *s.* alfeñique.
alferes; *s.* alférez.
alfinete; *s.* alfiler.
alfombra; *s.* alfombra, alcatifa.
alforje; *s.* alforja.
alforria; *s.* franqueo.
alga; *s.* alga.
algarada; *s.* algara.
algaravia; *s.* algarabía.
algarismo; *s.* guarismo, número.
algazarra; *s.* algazara, griterío.
álgebra; *s.* álgebra.
algema; *s.* esposas, cadena. grilletes.
algemar; *v.* esposar, engrillar.
algibe; *s.* aljibe.
algibeira; *s.* bolsillo.
álgido; *adj.* álgido, helado.
algo; *pron.* algo.
algodão; *s.* algodón.
algodoal; *s.* algodonal.
algodoeiro; *s.* algodonero.
algoz; *s.* verdugo.
alguém; *pron.* alguien, alguna persona.
alguidar; *s.* tinaja, barreño.
algum; *pron.* alguno, algún.
algures; *adv.* en algún lugar.
alhear; *v.* enajenar.

alheio; *adj.* ajeno, extraño, distraído.
alho; *s.* ajo.
alho-poró; *s.* puerro.
alhures; *adv.* en otro lugar.
ali; *adv.* allí.
aliado; *adj.* aliado.
aliança; *s.* alianza, pacto.
aliar; *v.* aliar, asociar, reunir.
aliás; *adv.* alias, además.
álibi; *s.* alibi, justificación, coartada.
alicates; *s.* alicates.
alicerçar; *v.* cimentar.
alicerce; *s.* base, cimiento.
aliciante; *adj.* aliciente.
aliciar; *v.* persuadir, sobornar, incitar.
alienação; *s.* alienación.
alienado; *adj.* alienado, enajenado.
alienar; *v.* alienar, enajenar.
alienígena; *adj.* alienígena, extranjero, forastero.
aligeirar; *v.* aligerar.
alijar; *v.* alijar.
alimária; *s.* alimaña.
alimentação; *s.* alimentación, nutrición.
alimentar; *v.* alimentar, nutrir.
alimentício; *adj.* alimenticio, nutritivo.
alimento; *s.* alimento, comida, sustento.
alínea; *s.* párrafo.
alinhado; *adj.* correcto, estofado, alineado.
alinhamento; *s.* hila, hilera.
alinhar; *v.* alinear, aliñar, reglar.
alinhavado; *adj.* hilvanado.
alinhavar; *v.* hilvanar.
alinhavo; *s.* hilván, puntada.
alinho; *s.* aliño.
alíquota; *s.* alícuota.
alisar; *v.* alisar, cepillar.
alísio; *adj.* alísios.
alistamento; *s.* alistamiento, empadronamiento.
alistar; *v.* alistar.
aliviar; *v.* aligerar, aliviar, consolar, desahogar.
alívio; *s.* alivio, consuelo, desahogo, descanso, mejoría.
alizar; *s.* alizar, friso de madera o azulejos.
aljôfar; *s.* aljófar, perla pequeña.
alma; *s.* alma, ánima.
almanaque; *s.* almanaque, efemérides.
almejar; *v.* anhelar.
almenaras; *s.* almenaras.
almirante; *s.* almirante.
almíscar; *s.* almizcle.
almoçar; *v.* almorzar, comer.
almoço; *s.* almuerzo, comida.
almofada; *s.* almohada, cojinete.
almofadão; *s.* almohadón, cojín.
almofariz; *s.* almirez.
almôndega; *s.* albóndiga, croqueta.
almoxarifado; *s.* almacén.
alô; *interj.* hola.
alocução; *s.* alocución.
aloés; *s.* áloe.
alojamento; *s.* alojamiento, hospedaje.
alojar; *v.* albergar, alojar, aposentar, hospedar, instalar.
alongamento; *s.* alongamiento.
alongar; *v.* alargar, dilatar, prolongar.
alopata; *s.* alópata.
alopatia; *s.* alopatía.
alourar; *v.* teñir de rubio.
alpaca; *s.* alpaca.
alpargata; *s.* alpargata.
alpendre; *s.* alpende, cobertizo, barracón, porche.
alpercata; *s.* alpargata.
alpinismo; *s.* alpinismo, montañismo.
alpinista; *s.* alpinista.
alpino; *adj.* alpino.
alpiste; *s.* alpiste.
alquebrar; *v.* quebrantar, debilitar.
alquimia; *s.* alquimia.
alquimista; *s.* alquimista.
alta; *s.* alta.
altaneiro; *adj.* altanero, altivo.
altar; *s.* altar, ara, púlpito.

alteração; *s.* alteración, confusión, transformación, trastorno.
alterado; *adj.* alterado, modificado.
alterar; *v.* alterar, cambiar, desquiciar, inmutar, modificar, variar.
altercação; *s.* altercación, disputa, altercado.
altercar; *v.* altercar, discutir, debatir.
alternador; *s.* alternador.
alternar; *v.* alternar, interpolar.
alternativa; *s.* alternativa.
alternativo; *adj.* alternativo.
alterno; *adj.* alterno.
alteroso; *adj.* alteroso, elevado, alto.
alteza; *s.* alteza.
altímetro; *s.* altímetro.
altiplano; *s.* altiplanicie.
altíssimo; *adj.* altísimo, supremo.
altitude; *s.* altitud.
altivez; *s.* altanería, altivez, orgullo, soberbia.
altivo; *adj.* altivo, arrogante, soberbio.
alto; *adj.* alto, elevado, profundo, hondo, célebre, difícil, audaz, excesivo, importante.
alto-falante; *s.* altavoz, altoparlante.
altruísmo; *s.* altruismo.
altruísta; *adj.* altruista, generoso, filántropo.
altura; *s.* altura, elevación, cumbre, estatura.
aluá; *s.* determinada bebida.
aluado; *adj.* alunado, lunático, alocado.
alucinação; *s.* alucinación.
alucinante; *adj.* alucinante.
alucinar; *v.* alucinar, ofuscar, seducir, engañar, encandilar.
alucinógeno; *s.* alucinógeno.
alude; *s.* alud, avalancha.
aludir; *v.* aludir, mencionar.
alugar; *v.* alquilar, arrendar.
aluguel; *s.* alquiler, locación.
aluir; *v.* derrocar, abatir, derribar.
alúmen; *s.* alumbre.
alumiado; *adj.* alumbrado.
alumiar; *v.* alumbrar.
alumina; *s.* alúmina.
alumínio; *s.* aluminio.
alunado; *s.* alumnado.
alunissagem; *s.* alunizaje.
alunissar; *v.* alunizar.
aluno; *s.* alumno, discípulo.
alusão; *s.* alusión.
alusivo; *adj.* alusivo, referente.
aluvião; *s.* aluvión.
alva; *s.* alba.
alvacento; *adj.* blanquecino.
alvar; *adj.* albar, blanco.
alvará; *adj.* credencial.
alvedrio; *s.* albedrío.
alvejar; *v.* albear, blanquear.
alvenaria; *s.* albañilería, mampostería.
alveolar; *adj.* alveolar.
alvéolo; *s.* alvéolo.
alverca; *s.* alberca.
alvião; *s.* alcotana.
alvíssaras; *s.* premio, propina.
alvissareiro; *adj.* el que da buenas noticias.
alvitrar; *v.* arbitrar, aconsejar, proponer, sugerir.
alvitre; *s.* propuesta, sugestión, consejo.
alvo; *adj.* albo, blanco, puro, cristalino.
alvor; *s.* albor, resplandor del alba.
alvorada; *s.* alborada.
alvorecer; *v.* alborear, amanecer.
alvoroçar; *v.* alborotar, alborozar.
alvoroço; *s.* alboroto, alborozo, excitación, tumulto.
alvura; *s.* blancor, candor.
ama; *s.* ama, nodriza.
amabilidade; *s.* amabilidad, gentileza.
amaciar; *v.* ablandar, suavizar.
amada; *s.* amada, querida, novia.
ama-de-leite; *s.* ama de leche.
amador; *adj.* amador, aficionado.
amadurecer; *v.* madurar.

âmago; *s.* medula, centro, alma, esencia.
amainar; *v.* amainar, encalmarse.
amaldiçoado; *adj.* maldecido, maldito.
amaldiçoar; *v.* maldecir.
amálgama; *s.* amalgama.
amalgamar; *v.* amalgamar.
amamentação; *s.* amamantamiento.
amamentar; *v.* amamantar, lactar.
amancebar-se; *v.* amancebarse.
amaneirado; *adj.* amanerado.
amanhã; *adv.* mañana, el día siguiente.
amanhar; *v.* amañar.
amanhecer; *s.* alba, aurora.
amanhecer; *v.* amanecer, clarear.
amanho; *s.* amaño.
amansar; *v.* amansar, domesticar.
amante; *adj.* amante.
amanteígado; *adj.* mantecoso.
amanuense; *s.* amanuense.
amar; *v.* amar.
amaranto; *s.* amaranto.
amarelado; *adj.* amarillento, pálido.
amarelar; *v.* amarillear.
amarelento; *adj.* amarillento.
amarelo; *adj.* amarillo.
amarfanhar; *v.* arrugar, machacar, maltratar.
amargar; *v.* amargar, amargurar.
amargo; *adj.* amargo.
amargor; *s.* amargo.
amargoso; *adj.* amargoso.
amargura; *s.* amargura, disgusto, tribulación.
amargurado; *adj.* amargado, angustiado.
amargurar; *v.* amargar, angustiar.
amarra; *s.* amarra.
amarrar; *v.* amarrar, atar, trincar.
amarrotar; *v.* aplastar, estrujar, arrugar.
ama-seca; *s.* ama seca, niñera.
amásia; *s.* amasia, manceba, concubina.
amasiar-se; *v.* amancebarse.
amassadouro; *s.* amasador, amasadora.
amassar; *v.* amasar, sobar.
amável; *adj.* amable, amistoso, delicado, encantador.
amavios; *s.* filtros, encantos, hechizos.
amazona; *s.* amazona.
amazônico; *adj.* amazónico.
âmbar; *s.* ámbar.
ambição; *s.* ambición.
ambicionar; *v.* ambicionar, codiciar.
ambicioso; *adj.* ambicioso, codicioso.
ambidestro; *adj.* ambidextro.
ambiental; *adj.* ambiental.
ambientar; *v.* ambientar.
ambiente; *s.* ambiente.
ambiguidade; *adj.* ambigüedad.
ambíguo; *adj.* ambiguo, equívoco.
âmbito; *s.* ámbito, recinto.
ambivalência; *s.* ambivalencia.
ambivalente; *adj.* ambivalente.
ambos; *adj.* ambos, entrambos.
ambrosia; *s.* ambrosía.
ambulância; *s.* ambulancia.
ambulante; *adj.* ambulante.
ambulatório; *adj.* ambulatorio.
ameaça; *s.* amago, amenaza.
ameaçador; *adj.* amenazador.
ameaçar; *v.* amagar, amenazar, conminar.
amealhar; *v.* juntar, ahorrar.
ameba; *s.* ameba.
amedrontador; *adj.* amedrentador.
amedrontar; *v.* amedrentar, asustar, espantar.
ameigar; *v.* halagar, mimar.
amêijoa; *s.* almeja.
ameixa; *s.* ciruela.
amém; *s.* amén.
amêndoa; *s.* almendra.
amendoado; *adj.* almendrado.
amendoeira; *s.* almendro.
amendoim; *s.* cacahuete.
amenidade; *s.* amenidad.
amenizar; *v.* amenizar, suavizar.
ameno; *adj.* ameno, grato, placentero, delicado, benigno.

amercear-se; *v.* compadecerse, perdonar, apiedarse.
americanismo; *s.* americanismo.
americanista; *s.* americanista.
americanizar; *v.* americanizar.
americano; *adj.* americano.
ameríndio; *s.* amerindio.
amerissagem; *s.* amaraje.
amerissar; *v.* amerizar.
amesquinhar; *v.* tornar mezquino.
amestrar; *v.* amaestrar.
ametista; *s.* amatista.
amianto; *s.* amianto.
amídala; *s.* amígdala.
amidalite; *s.* amigdalitis.
amido; *s.* almidón.
amiga; *adj.* amiga.
amigar-se; *v.* amancebarse.
amigável; *adj.* amigable.
amigo; *adj.* amigo.
amimar; *v.* mimar.
amistoso; *adj.* amistoso, amigable.
amiudar; *v.* hacer frecuente, menudear.
amizade; *s.* amistad.
amnésia; *s.* amnesia.
amnésico; *adj.* amnésico.
amniótico; *adj.* amniótico.
amo; *s.* amo, dueño de la casa, patrón.
amoedar; *v.* amonedar.
amofinar; *v.* amohinar, enojar, aburrir, enfadar.
amoitar; *v.* esconder.
amolação; *s.* aburrimiento, fastidio.
amolado; *adj.* afilado.
amolador; *adj.* afilador.
amolante; *adj.* aburrido.
amolar; *v.* afilar, amolar.
amoldar; *v.* amoldar, moldar.
amolecer; *v.* ablandar, doblegar, enternecer, macerar.
amolgadura; *s.* abolladura.
amolgar; *v.* abollar, amasar.
amoníaco; *s.* amoníaco.
amontoamento; *s.* amontonamiento.
amontoar; *v.* amontonar, acumular, hacinar.
amontoar-se; *v.* arremolinarse.
amor; *s.* afecto, amor, cariño, querer, ternura, voluntad.
amora; *s.* mora.
amoral; *adj.* amoral.
amoralidade; *s.* amoralidad.
amordaçar; *v.* amordazar.
amorenado; *adj.* que tira a moreno.
amorfo; *adj.* amorfo.
amornar; *v.* entibiar, templar.
amoroso; *adj.* amoroso.
amor-perfeito; *s.* trinitaria.
amor-próprio; *s.* amor propio.
amortalhar; *v.* amortajar.
amortecedor; *adj.* amortiguador.
amortecer; *v.* amortiguar.
amortização; *s.* amortización.
amortizar; *v.* amortizar.
amortizável; *adj.* amortizable.
amostra; *s.* muestra, prueba.
amotinar; *v.* amotinar, sublevar.
amparar; *v.* amparar, apoyar, defender, proteger, resguardar.
amparo; *s.* amparo, apoyo, arrimo, defensa, protección, refugio.
ampere; *s.* amperio.
amperímetro; *s.* amperímetro.
amplexo; *s.* abrazo.
ampliação; *s.* ampliación.
ampliar; *v.* ampliar, aumentar, ensanchar, exagerar.
amplidão; *s.* amplitud.
amplificação; *s.* ampliación, amplificación.
amplificador; *s.* amplificador.
amplificar; *v.* amplificar, ampliar.
amplitude; *s.* amplitud.
amplo; *adj.* amplio, ancho, espacioso, lato, vasto.
ampola; *s.* ampolla.
ampulheta; *s.* ampolleta.
amputação; *s.* amputación.
amputar; *v.* amputar.
amuar; *v.* amorrar, enojar, enfadar.
amulatado; *adj.* amulatado.
amuleto; *s.* amuleto, talismán.
amuo; *s.* enojo, mal humor, enfado.

amurada; *s.* amurada, muro, muralla.
anabatista; *s.* anabatista.
anacoreta; *s.* anacoreta.
anacrônico; *adj.* anacrónico.
anacronismo; *s.* anacronismo.
anáfora; *s.* anáfora.
anagrama; *s.* anagrama.
anágua; *s.* enagua.
anais; *s.* anales.
anal; *adj.* anal.
analfabetismo; *s.* analfabetismo.
analfabeto; *adj.* analfabeto, iletrado.
analgésico; *adj.* analgésico.
analisar; *v.* analizar.
análise; *s.* análisis, comentario, examen.
analista; *s.* analista.
analítico; *adj.* analítico.
analogia; *s.* analogía, semejanza.
análogo; *adj.* análogo, semejante, igual, idéntico.
ananás; *s.* ananás, ananá, piña.
anão; *s.* enano.
anarquia; *s.* anarquía.
anárquico; *adj.* anárquico.
anarquismo; *s.* anarquismo.
anarquista; *adj.* anarquista.
anarquizar; *v.* anarquizar.
anátema; *s.* anatema.
anatomia; *s.* anatomía.
anatômico; *adj.* anatómico.
anca; *s.* anca, cuadril, nalga, cadera.
ancestral; *adj.* ancestral, antiguo.
anchova; *s.* anchoa, boquerón.
ancianidade; *s.* ancianidad, vejez.
ancião; *adj.* antiguo, viejo.
ancião; *s.* anciano.
ancinho; *s.* rastrillo.
âncora; *s.* ancla.
ancoradouro; *s.* ancladero.
ancorar; *v.* anclar, fondear.
andaço; *s.* epidemia de poca importancia, contagio.
andaime; *s.* andamio, tablado.
andaluz; *adj.* andaluz.
andamento; *s.* andadura, trámite.
andança; *s.* andanza.
andante; *adj.* andante, errante.
andar; *s.* piso, pavimento de una casa.
andar; *v.* andar, avanzar, caminar, marchar.
andarilho; *adj.* andariego, callejero.
andejo; *adj.* andariego.
andino; *adj.* andino.
andor; *s.* andas.
andorinha; *s.* golondrina.
andrajo; *s.* andrajo, harapo.
andrajoso; *adj.* andrajoso, harapiento.
androceu; *s.* androceo.
andrógino; *adj.* andrógino.
andróide; *s.* androide.
anedota; *s.* anécdota.
anedótico; *adj.* anecdótico.
anel; *s.* anilla, anillo, sortija.
anelado; *adj.* anillado.
anelante; *adj.* anhelante.
anelar; *v.* anhelar, desear.
anelo; *s.* anhelo, deseo vehemente.
anemia; *s.* anemia.
anêmico; *adj.* anémico.
anêmona; *s.* anémona.
anestesia; *s.* anestesia.
anestesiar; *v.* anestesiar, narcotizar.
anestesista; *s.* anestesista.
aneurisma; *s.* aneurisma.
anexação; *s.* anexión, incorporación.
anexar; *v.* anexar, anexionar.
anexo; *adj.* anexo, anejo, agregado, unido.
anfíbio; *adj.* anfibio.
anfibiologia; *s.* anfibología.
anfiteatro; *s.* anfiteatro, circo.
anfitrião; *s.* anfitrión.
ânfora; *s.* ánfora.
angariar; *v.* atraer, cautivar, seducir, reclutar.
angélica; *s.* angélica.
angelical; *adj.* angelical, inocente.
angélico; *adj.* angélico, hermoso, cándido.
angina; *s.* angina.
anglicanismo; *s.* anglicanismo.

anglicismo; *s.* anglicismo.
anglo; *adj.* anglo, inglés.
anglófilo; *adj.* anglófilo.
anglo-saxão; *adj.* anglosajón.
angorá; *adj.* angora.
angra; *s.* angra, bahía, ensenada.
angu; *s.* masa hecha con harina de maíz.
angular; *adj.* angular.
ângulo; *s.* ángulo, arista, esquina.
anguloso; *adj.* anguloso.
angústia; *s.* angustia, ansiedad, congoja, zozobra.
angustiado; *adj.* angustiado.
angustiante; *adj.* angustiante.
angustiar; *v.* angustiar, afligir, acongojar, atormentar.
anho; *s.* cordero.
anhuma; *s.* cierta ave de Brasìl.
aniagem; *s.* harpillera, estopa.
anil; *s.* añil.
anileira; *s.* añil.
anilina; *s.* anilina.
animação; *s.* animación, entusiasmo, jaleo.
animado; *adj.* animado, movido, entusiasmado.
animador; *adj.* animador.
animal; *s.* animal.
animar; *v.* animar, dar ánimo.
anímico; *adj.* anímico.
animismo; *s.* animismo.
ânimo; *s.* ánimo, alma, espíritu, coraje, voluntad.
animosidade; *s.* animosidad, aversión.
animoso; *adj.* animoso, valiente, audaz, brioso.
aninhar; *v.* anidar.
aniquilar; *v.* aniquilar, destruir, anular, arruinar, abatir.
anis; *s.* anís.
anisete; *s.* anisete, licor de anís.
anistia; *s.* amnistía, indulto.
anistiar; *v.* amnistiar, indultar.
aniversariar; *v.* cumplir años.
aniversário; *s.* aniversario, cumpleaños.
anjo; *s.* ángel, querubín.
ano; *s.* año.
ano-bom; *s.* año nuevo.
anódino; *adj.* anodino.
anoitecer; *v.* anochecer.
anomalia; *s.* anomalía, anormalidad.
anômalo; *adj.* anómalo, irregular.
anonimato; *s.* anonimato.
anônimo; *adj.* anónimo, incógnito.
ano-novo; *s.* año nuevo.
anormal; *adj.* anormal, anómalo.
anormalidade; *s.* anomalía, anormalidad.
anoso; *adj.* añoso, añejo, viejo, caduco, senil.
anotação; *s.* anotación, apunte, nota.
anotar; *v.* anotar, apuntar, inscribir, registrar.
anseio; *s.* ansiedad, deseo, anhelo.
ânsia; *s.* ansia, angustia, congoja, anhelo.
ansiar; *v.* ansiar, afligir acongojar, sentir ansias.
ansiedade; *s.* angustia, ansiedad, impaciencia.
ansioso; *adj.* angustiado, ansioso, impaciente.
anta; *s.* anta, tapir.
antagônico; *adj.* antagónico, opuesto, contrario.
antagonismo; *s.* antagonismo, oposición.
antagonista; *adj.* antagonista, adversario.
antagonizar; *v.* oponer.
antanho; *adv.* antaño.
antártico; *adj.* antártico.
ante; *prep.* antes, ante, delante de, antes de.
antebraço; *s.* antebrazo.
antecâmara; *s.* antecámara, recámara.
antecedência; *s.* antecedencia, antecedente.
antecedente; *adj.* antecedente, precedente, anterior.

anteceder; *v.* anteceder, preceder, ir a delante.
antecessor; *s.* antecesor, precursor.
antecipação; *s.* anticipación.
antecipadamente; *adv.* anticipadamente, de antemano.
antecipar; *v.* anticipar, adelantar.
antedatar; *v.* antedatar.
antediluviano; *adj.* antidiluviano.
antelação; *s.* antelación, preferencia, anticipación.
antemão; *adv.* antemano, anticipadamente.
antena; *s.* antena.
anteontem; *adv.* anteayer.
antepara; *s.* antipara, mampara, biombo.
anteparo; *s.* resguardo, tabique, biombo, defensa.
antepassado; *adj.* antepasado, pasado.
antepassados; *adj.* antepasados, ascendientes, antecesores.
antepasto; *s.* aperitivo, entremés.
antepenúltimo; *adj.* antepenúltimo.
antepor; *v.* anteponer.
anteposição; *s.* anteposición, precedencia.
anteprojeto; *s.* anteproyecto, esbozo.
anterior; *adj.* anterior, precedente, previo.
anterioridade; *s.* anterioridad, prioridad en el tiempo.
anteriormente; *adv.* anteriormente, en tiempo anterior.
antes; *adv.* ante, antes.
ante-sala; *s.* antesala, recibidor.
antever; *v.* antever, prever.
antevéspera; *s.* antevíspera.
antiácido; *adj.* antiácido.
antiaéreo; *adj.* antiaéreo.
antialcolismo; *s.* antialcoholismo.
antiatômico; *adj.* antiatómico.
antibiótico; *adj.* antibiótico.
anticlerical; *adj.* anticlerical.
anticoagulante; *adj.* anticoagulante.
anticomunista; *adj.* anticomunista.
anticoncepcional; *adj.* anticonceptivo.
anticongelante; *adj.* anticongelante.
anticorpo; *s.* anticuerpo.
antidemocrático; *adj.* antidemocrático.
antidemoníaco; *adj.* antidemoníaco.
antídoto; *s.* antídoto.
antiestético; *adj.* antiestético.
antifebril; *adj.* antifebril.
antigo; *adj.* antiguo, arcaico, desusado, viejo.
antiguidade; *s.* antigüedad.
antilhano; *adj.* antillano.
anti-higiênico; *adj.* antihigiénico.
antílope; *s.* antílope.
antimônio; *s.* antimonio.
antinomia; *s.* antinomia.
antipatia; *s.* antipatía, aversión.
antipático; *adj.* antipático.
antipatizar; *v.* antipatizar.
antipirético; *adj.* antipirético.
antípoda; *s.* antípoda.
antiquado; *adj.* anticuado, obsoleto.
antiqualha; *s.* antigualla, antigüedad.
antiquário; *s.* anticuario.
antiquíssimo; *adj.* antiquísimo.
anti-rábico; *adj.* antirrábico.
anti-roubo; *s.* antirrobo.
anti-semita; *adj.* antisemita.
anti-sepsia; *s.* antisepsia.
anti-séptico; *adj.* antiséptico.
anti-social; *adj.* antisocial, insociable.
antítese; *s.* antítesis.
antitóxico; *adj.* antitóxico.
antitoxina; *s.* antitoxina.
antivenéreo; *adj.* antivenéreo.
antologia; *s.* antología.
antológico; *adj.* antológico.
antônimo; *s.* antónimo.
antonomásia; *s.* antonomasia.
antracite; *s.* antracita.
antraz; *s.* ántrax, tumor.
antro; *s.* antro, caverna, cubil, cueva.
antropofagia; *s.* antropofagia.
antropófago; *adj.* antropófago.

antropóide; *adj.* antropoide.
antropologia; *s.* antropología.
antropólogo; *s.* antropólogo.
antropônimo; *s.* patronímico.
antropomorfo; *adj.* antropomorfo.
anual; *adj.* anual.
anualidade; *s.* anualidad.
anuário; *s.* anuario.
anuência; *s.* anuencia, aquiescencia, consentimiento.
anuidade; *s.* anualidad.
anuir; *v.* consentir, asentir.
anulação; *s.* anulación, supresión.
anular; *v.* anular, destruir, eliminar.
anular; *adj.* anular, cn forma de anillo.
anunciação; *s.* anunciación.
anunciar; *v.* anunciar, presagiar, avisar.
anúncio; *s.* anuncio, aviso, cartel, programa.
ânus; *s.* ano.
anuviar; *v.* nublar.
anverso; *s.* anverso.
anzol; *s.* anzuelo.
aonde; *adv.* adonde, donde.
aorta; *s.* aorta.
apadrinhamento; *s.* padrinazgo.
apadrinhar; *v.* apadrinar.
apagado; *adj.* apagado, extinto, sumido, gastado.
apagar; *v.* apagar, borrar, cancelar, desvanecer.
apaixonado; *adj.* apasionado, enamorado, fanático.
apaixonar; *v.* apasionar, enamorar.
apalavrar; *v.* apalabrar.
apalermado; *adj.* tonto, estúpido, necio, atontado.
apalermar-se; *v.* atontarse, volverse estúpido.
apalpadela; *s.* palpamiento.
apalpar; *s.* tacto.
apalpar; *v.* palpar.
apanágio; *s.* propiedad característica, atributo.
apanhado; *adj.* apañado, cogido, recogido.
apanhar; *v.* apañar, atrapar, recoger, agarrar, apoderarse, capturar, ser apaleado.
apara; *s.* viruta.
aparador; *s.* aparador.
aparafusar; *v.* atornillar.
aparar; *v.* aparar, recortar, cortar, alisar, cepillar la madera.
aparato; *s.* aparato, ostentación.
aparatoso; *adj.* aparatoso.
aparecer; *v.* aparecer, asomar, brotar, despuntar, surgir.
aparecimento; *s.* aparecimiento, aparición.
aparelhador; *s.* aparejador, preparador.
aparelhagem; *s.* aparatos necesarios para una instalación.
aparelhar; *v.* aparejar, prevenir, componer, aderezar, equipar.
aparelho; *s.* aparejo, aparato, máquina, instrumento, teléfono.
aparência; *s.* apariencia, aspecto, figura, fisonomía.
aparentado; *adj.* que tiene parentesco.
aparentar; *v.* emparentar, aparentar, simular.
aparentar-se; *v.* contraer parentesco.
aparente; *adj.* aparente, falso, visible.
aparição; *s.* aparecimiento, aparición, visión.
apartado; *adj.* apartado, separado, distante.
apartamento; *s.* apartamento, departamento, piso.
apartar; *v.* apartar, desviar, retirar, sacar, separar.
aparte; *s.* aparte, interrupción.
aparvalhado; *adj.* atontado, atolondrado, necio.
aparvoado; *adj.* muy idiota.
apascentar; *v.* apacentar.
apatetado; *adj.* alelado, atontado, imbécil.
apatia; *s.* apatía, indiferencia, indolencia, dejadez, marasmo.

apático; *adj.* apático.
apátrida; *s.* apátrida.
apavorar; *v.* aterrar, aterrorizar, horrorizar.
apaziguar; *v.* apaciguar.
apear; *v.* apear, desmontar.
apedrejamento; *s.* apedreamiento.
apedrejar; *v.* apedrear.
apegado; *adj.* apegado, afecto, adicto.
apegar-se; *v.* apegarse.
apego; *s.* apego, cariño, interés.
apelação; *s.* apelación.
apelar; *v.* apelar, recurrir, buscar recursos, pedir socorro.
apelativo; *adj.* apelativo.
apelável; *adj.* apelable, que admite apelación.
apelidar; *v.* apellidar, llamar, apodar, poner apodos.
apelido; *s.* sobrenombre, nombre de familia, apodo.
apelo; *s.* apelación, llamamiento.
apenas; *adv.* apenas, solamente, sólo.
apêndice; *s.* apéndice.
apendicite; *s.* apendicitis.
aperceber; *v.* apercibir.
aperfeiçoar; *v.* perfeccionar, mejorar.
apergaminhado; *adj.* apergaminado, semejante al pergamino.
aperitivo; *s.* aperitivo, entremés, copetín.
aperrear; *v.* aperrear, molestar, importunar.
apertado; *adj.* apretado, estrecho, comprimido.
apertão; *s.* apretón.
apertar; *v.* apretar, astringir, comprimir, contraer, estrechar, estrujar, prensar.
aperto; *s.* aprieto, apuro, dificultad.
apesar de; *loc. adv.* a pesar de, a despecho de, con todo.
apetecer; *v.* apetecer, antojarse, desear intensamente.
apetecível; *adj.* apetecible, deseable, apetitoso.
apetência; *s.* apetencia.
apetite; *s.* apetencia, apetito, deseo, gana, voracidad.
apetitoso; *adj.* apetitoso.
apetrechar; *v.* pertrechar.
apiário; *s.* apiario.
ápice; *s.* ápice, auge.
apicultor; *s.* apicultor.
apicultura; *s.* apicultura.
apiedar-se; *v.* apiadarse, condolerse, compadecerse.
apimentado; *adj.* condimentado con pimienta, picante.
apimentar; *v.* sazonar con pimienta.
apinhar-se; *v.* apiñarse, agrupar estrechamente, apilar, unir.
apitar; *v.* pitar, tocar el pito, silbar.
apito; *s.* chifla, pito, silbato.
aplacar; *v.* aplacar, amansar, calmar, sosegar.
aplainamento; *s.* allanamiento.
aplainar; *v.* allanar, nivelar.
aplanar; *v.* aplanar, volver llano.
aplaudir; *v.* aplaudir, ovacionar, palmear.
aplauso; *s.* aplauso, elogio, aprobación.
aplicação; *s.* aplicación, empleo, destino, ejecución, uso, concentración en el estudio.
aplicado; *adj.* aplicado, asiduo, dedicado, estudioso.
aplicar; *v.* aplicar, poner en práctica, adaptar, sobreponer, emplear, dedicarse.
aplicável; *adj.* aplicable.
apocalipse; *s.* apocalipsis.
apocalítico; *adj.* apocalíptico.
apócope; *s.* apócope.
apócrifo; *adj.* apócrifo.
apodar; *v.* apodar, poner apodos, comparar, computar.
apoderado; *adj.* apoderado.
apoderar-se; *v.* apoderarse, adueñarse, usurpar, conquistar.
apodo; *s.* apodo, burla, mote.

apodrecer; *v.* pudrir, corromper, descomponer, deteriorar.
apodrecido; *adj.* podrido.
apodrecimento; *s.* pudrimiento, putrefacción.
apófise; *s.* apófisis.
apogeu; *s.* apogeo, auge.
apoiado; *adj.* aplauso, aprobación.
apoiar; *v.* apoyar, ayudar, amparar, patrocinar, favorecer, confirmar.
apoio; *s.* apoyo, base, soporte, sostén, auxilio.
apólice; *s.* póliza.
apolítico; *adj.* apolítico.
apologético; *adj.* apologético.
apologia; *s.* apología.
apologista; *adj.* apologista.
apólogo; *s.* apólogo, fábula.
apontador; *s.* sacapuntas.
apontamento; *s.* apuntamiento, apunte, minuta, nota.
apontar; *v.* apuntar, asomar, catalogar, citar, designar.
apoplético; *adj.* apoplético.
apoplexia; *s.* apoplejía.
apoquentar; *v.* incomodar, molestar, enfadar, importunar, aburrir.
aporrinhar; *v.* importunar, afligir.
após; *adv.* después.
após; *prep.* después de, atrás de.
aposentado; *adj.* jubilado.
aposentadoria; *s.* jubilación, retiro.
aposentar; *v.* jubilar.
aposentar-se; *v.* retirarse.
aposento; *s.* aposento, compartimiento, cuarto, habitación, residencia.
apósito; *s.* apósito.
apossar-se; *v.* apoderarse, adueñarse.
aposta; *s.* apuesta.
apostar; *v.* apostar.
apostasia; *s.* apostasía, abjuración.
apóstata; *s.* apóstata.
apostema; *s.* apostema, absceso.
apostila; *s.* apostilla.
apostilar; *v.* apostillar.
aposto; *adj.* añadido, anexado, acrecentado.
apostolado; *s.* apostolado.
apostólico; *adj.* apostólico.
apóstolo; *s.* apóstol.
apóstrofe; *s.* apóstrofe.
apóstrofo; *s.* apóstrofo.
apoteose; *s.* apoteosis.
apoteótico; *adj.* apoteósico.
apoucar; *v.* apocar.
aprazamento; *s.* aplazamiento.
aprazar; *v.* aplazar.
aprazível; *adj.* apacible, agradable, ameno, encantador, hermoso.
apreçar; *v.* apreciar, poner precio.
apreciação; *s.* apreciación, crítica.
apreciar; *v.* apreciar, valuar, considerar.
apreciável; *adj.* apreciable, considerable, admirable.
apreço; *s.* aprecio, estima.
apreender; *v.* aprehender, coger, prender, atrapar, temer.
apreensão; *s.* aprehensión, comprensión, recelo, sospecha.
apreensivo; *adj.* aprehensivo, receloso, preocupado, desconfiado, aprensivo.
apregoar; *v.* pregonar.
aprender; *v.* aprender, estudiar.
aprendiz; *s.* aprendiz.
aprendizado; *s.* aprendizaje.
aprendizagem; *s.* aprendizaje.
apresar; *v.* apresar, aprisionar, agarrar.
apresentação; *s.* presentación, porte, aspecto.
apresentador; *adj.* presentador.
apresentar; *v.* presentar, exhibir, personarse, comparecer.
apresentável; *adj.* presentable.
apressado; *adj.* apresurado, acelerado, urgente, diligente.
apressar; *v.* apremiar, apresurar, acelerar, estimular, incitar.
aprestar; *v.* aprestar, preparar, disponer, prevenir, aprontar.
aprimorar; *v.* perfeccionar, esmerar.
aprisco; *s.* aprisco, corral.

aprisionar; *v.* aprisionar, apresar, capturar, prender.
aprofundar; *v.* profundizar.
aprontar; *v.* preparar.
apropriação; *s.* apropiación.
apropriado; *adj.* adecuado, apropiado.
apropriar; *v.* apropiar.
aprovação; *s.* aprobación, consentimiento, confirmación.
aprovado; *adj.* aprobado.
aprovar; *v.* aprobar, aplaudir, consentir, alabar, autorizar.
aproveitado; *adj.* aprovechado.
aproveitador; *adj.* oportunista.
aproveitamento; *s.* aprovechamiento.
aproveitar; *v.* aprovechar, disfrutar, utilizar.
aproveitável; *adj.* aprovechable.
aprovisionamento; *s.* abastecimiento, aprovisionamiento.
aprovisionar; *v.* aprovisionar, abastecer, proveer, surtir.
aproximação; *s.* aproximación.
aproximado; *adj.* aproximado, cercano.
aproximar; *v.* acercar, allegar, aproximar, arrimar.
aproximativo; *adj.* aproximativo.
aprumado; *adj.* aplomado.
aprumar; *v.* aplomar.
aprumo; *s.* aplomo.
aptidão; *s.* aptitud, facultad, talento.
apto; *adj.* apto, capaz, competente, hábil, idóneo.
apunhalar; *v.* apuñalar.
apupar; *v.* silbar, escarnecer.
apupo; *s.* rechifla, burla, mofa.
apuração; *s.* apuración, selección.
apurado; *adj.* apurado, exacto, esmerado, elegante.
apurar; *v.* apurar, purificar, limpiar, acabar, agotar, averiguar, esmerarse.
apuro; *s.* apuro, aprieto, estrechez, aflicción, elegancia, esmero.
aquarela; *s.* acuarela.
aquarelista; *s.* acuarelista, pintor de acuarela.
aquário; *s.* acuario, pecera.
aquartelamento; *s.* acuartelamiento.
aquartelar; *v.* acuartelar, encuartelar.
aquático; *adj.* acuático.
aquecedor; *s.* calentador, estufa, radiador.
aquecer; *v.* calentar.
aquecimento; *s.* calentamiento.
aqueduto; *s.* acueducto, cañería.
aquele; *pron.* aquel.
aquém; *adv.* de la parte de acá.
aquentar; *v.* calentar.
aqui; *adv.* acá, aquí, en este lugar.
aquiescer; *v.* condescender, acceder.
aquietar; *v.* aquietar, sosegar, calmar, serenar.
aquilatar; *v.* quilatar.
aquilino; *adj.* aguileño.
aquilo; *pron.* aquello, aquella cosa.
aquinhoar; *v.* partir, repartir, distribuir.
aquisição; *s.* adquisición, compra, obtención.
aquisitivo; *adj.* adquisitivo.
aquoso; *adj.* acuoso.
ar; *s.* aire, soplo, viento, clima, temperatura.
ara; *s.* altar, ara.
árabe; *adj.* árabe.
arabesco; *s.* arabesco.
arábico; *adj.* arábico, arábigo.
araçá; *s.* arasá, árbol de América y su fruto.
arado; *s.* arado.
aragem; *s.* brisa.
arame; *s.* alambre.
arandela; *s.* arandela.
aranha; *s.* araña.
aranzel; *s.* discurso fastidioso.
araponga; *s.* araponga, pájaro americano.
arapuca; *s.* trampa para cazar pájaros.
arar; *v.* arar, labrar.
arara; *s.* arara, ara.
araruta; *s.* fécula alimenticia.

araticum; *s.* araticú, designación de varios árboles del Brasil.
araucária; *s.* araucaria, árbol de América del Sur.
arauto; *s.* heraldo.
arbitragem; *s.* arbitraje.
arbitrar; *v.* arbitrar, juzgar, sentenciar.
arbitrariedade; *s.* arbitrariedad.
arbitrário; *adj.* arbitrario, despótico.
arbítrio; *s.* arbitrio, albedrío.
árbitro; *s.* árbitro, juez.
arbóreo; *adj.* arbóreo.
arborescente; *adj.* arborescente.
arborícola; *adj.* arborícola.
arborização; *s.* plantación de árboles.
arborizar; *v.* plantar árboles.
arbusto; *s.* arbusto.
arca; *s.* arca, baúl, cofre, hucha.
arcabouço; *s.* andamio.
arcada; *s.* arcada, arcos.
arcadas; *s.* arcadas, movimientos violentos y penosos del estómago.
arcaico; *adj.* arcaico, obsoleto.
arcaísmo; *s.* arcaísmo.
arcaizar; *v.* arcaizar.
arcanjo; *s.* arcángel.
arcano; *s.* arcano, secreto, misterio, enigma.
arcar; *v.* arcar, arquear, ceñir, apretar, luchar.
arcebispado; *s.* arzobispado.
arcebispo; *s.* arzobispo.
arcediago; *s.* arcediano.
archote; *s.* antorcha, hacha.
arco; *s.* arco.
arco-íris; *s.* arco iris.
ar-condicionado; *s.* aire acondicionado.
ardência; *s.* ardor, fuego, sabor acre.
ardente; *adj.* abrasador, ardiente, fogoso, brillante, enérgico, vivo, picante, luminoso.
ardentia; *s.* ardentía, fosforescencia marítima.
arder; *v.* arder, quemarse, inflamarse, abrasar, escocer, llamear.
ardido; *adj.* ardido, picante.
ardil; *s.* ardid, artificio, artimaña, trampa, treta, truco.
ardiloso; *adj.* astucioso, astuto, bellaco, sagaz.
ardor; *s.* ardor, calor fuerte.
ardoroso; *adj.* ardoroso, ardiente.
ardósia; *s.* pizarra.
árduo; *adj.* arduo, difícil, costoso, áspero, trabajoso, laborioso, penoso.
área; *s.* ârea, medida de una superfície, patio.
areal; *s.* arenal.
arear; *v.* enarenar, limpiar con arena.
areento; *adj.* arenoso, lleno de arena.
areia; *s.* arena.
arejamento; *s.* aireación.
arejar; *v.* airear, ventilar.
arena; *s.* arena, anfiteatro.
arenga; *s.* arenga, enredo, embrollo.
arengar; *v.* arengar.
arenoso; *adj.* arenoso.
arenque; *s.* arenque.
ares; *s.* clima.
aresta; *s.* arista.
aresto; *s.* cosa juzgada, norma de jurisprudencia.
arfar; *v.* jadear.
argamassa; *s.* argamasa, lechada.
argelino; *adj.* argelino.
argentário; *s.* argentario, gran capitalista.
argênteo; *adj.* argénteo, de plata.
argentino; *adj.* argentino, argénteo.
argentino; *adj.* argentino, natural de la Argentina.
argila; *s.* arcilla, barro.
argiloso; *adj.* arcilloso.
argola; *s.* anilla, argolla.
argonauta; *s.* argonauta, navegante valeroso.
argúcia; *s.* argucia.

argueiro; *s.* arista.
arguição; *s.* acusación, examen.
arguir; *v.* argüir.
argumentação; *s.* argumentación.
argumentar; *v.* argumentar.
argumento; *s.* argumento, asunto, prueba, tema.
arguto; *adj.* agudo.
ária; *s.* aria.
ariano; *adj.* ario.
aridez; *s.* aridez, sequedad.
árido; *adj.* árido, estéril, seco.
arisco; *adj.* arisco, esquivo.
aristocracia; *s.* aristocracia, hidalguía.
aristocrata; *s.* aristócrata, hidalgo.
aristocrático; *adj.* aristocrático.
aristotélico; *adj.* aristotélico.
aritmética; *s.* aritmética.
aritmético; *adj.* aritmético.
arlequim; *s.* árlequín.
arma; *s.* arma.
armação; *s.* armazón, andamio.
armada; *s.* armada, escuadra, flota.
armadilha; *s.* trampa.
armador; *s.* armador, naviero.
armadura; *s.* armadura, armazón, maderamen.
armamento; *s.* armamento.
armar; *v.* armar.
armaria; *s.* armería.
armarinho; *s.* mercería.
armário; *s.* armario.
armazém; *s.* almacén, depósito, bodega.
armazenagem; *s.* almacenaje.
armazenar; *v.* almacenar, guardar, depositar.
armeiro; *s.* armero.
armênio; *adj.* armenio.
arminho; *s.* armiño.
armistício; *s.* armisticio, tregua.
arnica; *s.* árnica.
aro; *s.* aro, anillo.
aroeira; *s.* árbol de madera útil.
aroma; *s.* aroma, olor, perfume, fragancia.
aromático; *adj.* aromático, oloroso, perfumado.
aromatizar; *v.* aromatizar, perfumar.
arpão; *s.* arpón.
arpejar; *v.* arpegiar.
arpejo; *s.* arpegio.
arpéu; *s.* pequeño arpón.
arpoar; *v.* arponar, arponear.
arqueação; *s.* arqueo de un arco.
arqueamento; *s.* arqueamiento, arqueo.
arquear; *v.* arquear, curvar, doblarse.
arqueiro; *s.* arquero.
arquejante; *adj.* jadeante.
arquejar; *v.* jadear.
arquejo; *s.* jadeo.
arqueologia; *s.* arqueología.
arqueológico; *adj.* arqueológico.
arqueólogo; *s.* arqueólogo.
arquibancada; *s.* grada.
arquidiocese; *s.* archidiócesis.
arquipélago; *s.* archipiélago.
arquitetar; *v.* planear, trazar, idear, inventar.
arquiteto; *s.* arquitecto.
arquitetônico; *adj.* arquitectónico.
arquitetura; *s.* arquitectura.
arquitrave; *s.* arquitrabe.
arquivista; *s.* archivador, archivero.
arquivar; *v.* archivar.
arquivista; *s.* archivero, archivista.
arquivo; *s.* archivo.
arrabalde; *s.* arrabal, barrio, suburbio.
arraia; *s.* raya, pez, frontera.
arraial; *s.* campamento militar, feria, verbena.
arraigado; *adj.* arraigado, enraizado, inveterado.
arraigar; *v.* arraigar, enraizar.
arrais; *s.* arráez, patrón del barco.
arrancada; *s.* arranque, salida violenta, embestida.
arrancar; *v.* arrancar, sacar de raíz, extirpar, apartar violentamente.

arranca-rabo; *s.* pelea, embrollo.
arranchar; *v.* juntar en ranchos.
arranco; *s.* arranque, ímpetu, arrebato.
arranha-céu; *s.* rascacielos.
arranhadura; *s.* arañamiento, arañazo.
arranhão; *s.* arañazo, rasguño.
arranhar; *v.* arañar, rayar.
arranjado; *adj.* arreglado.
arranjar; *v.* arreglar, colocar, componer.
arranjo; *s.* arreglo, composición, disposición.
arranque; *s.* arranque.
arras; *s.* arras, dote.
arrasar; *v.* arrasar, allanar, nivelar, destruir, arruinar.
arrastão; *s.* empujón, red para pescar.
arrasta-pé; *s.* baile popular.
arrastar; *v.* arrastrar, tirar.
arrasto; *s.* arrastre.
arrazoado; *s.* exposición de razones.
arrazoar; *v.* razonar, alegar, discurrir, arguir.
arrear; *v.* arrear.
arrebanhar; *v.* rebañar.
arrebatado; *adj.* arrebatado, precipitado, impetuoso.
arrebatamento; *s.* arrebatamiento.
arrebatar; *v.* arrebatar, arrancar, encolerizarse.
arrebato; *s.* arrebato.
arrebentação; *s.* rompimiento de las olas.
arrebentar; *v.* reventar.
arrebique; *s.* arrebol, cosmético.
arrebitado; *adj.* arregazado, atrevido, impertinente, petulante.
arrebitar; *v.* arregazar, erguir la punta, alzar.
arrebol; *s.* arrebol.
arrecadação; *s.* recaudación, recolección.
arrecadar; *v.* recaudar, recolectar.
arredar; *v.* apartar, separar, retirarse.
arredio; *adj.* apartado, separado, retraído, esquivo.
arredondado; *adj.* redondeado.
arredondar; *v.* redondear.
arredores; *s.* alrededores, suburbios.
arrefecer; *v.* enfriar.
arregaçar; *v.* arremangar, remangar.
arregalar; *v.* abrir mucho los ojos por admiración o espanto.
arreganhar; *v.* mostrar los dientes.
arreganho; *s.* regaño, amenaza.
arreio; *s.* arreo, montura.
arrelia; *s.* disgusto, enfado, antipatía.
arreliar; *v.* enfadar, impacientar, fastidiar, enojar.
arrematar; *v.* concluir, rematar.
arrematar; *v.* hacer remate en la subasta de alguna cosa.
arremate; *s.* remate.
arremedar; *v.* remedar, imitar groseramente.
arremedo; *s.* remedo, imitación, mofa.
arremessão; *s.* impulso de arrojar o lanzar.
arremessar; *v.* abastecer, proveer.
arremessar; *v.* arrojar, botar, echar, lanzar, proyectar.
arremesso; *s.* arrojamiento, lanzamiento.
arremeter; *v.* arremeter, embestir, combatir.
arremetida; *s.* arremetida, embestida.
arrendador; *s.* arrendador.
arrendamento; *s.* arrendamiento.
arrendar; *v.* alquilar, arrendar.
arrendatário; *s.* arrendatario, inquilino.
arrenegar; *v.* renegar.
arrepelar-se; *v.* tirarse de los pelos.
arrepender-se; *v.* arrepentirse.
arrependido; *adj.* arrepentido, pesaroso.

arrependimento; *s.* arrepentimiento, contrición, pesar, remordimiento.
arrepiante; *adj.* escalofriante, pavoroso.
arrepiar; *v.* encrespar, erizar, horripilar, horrorizar, sentir escalofrios.
arrepio; *s.* escalofrío.
arrestar; *v.* arrestar.
arresto; *s.* arresto, embargo, aprehensión.
arrevesado; *adj.* enrevesado.
arriar; *v.* arriar, descolgar.
arriba; *adv.* arriba, encima, para encima.
arribação; *s.* arribada.
arribar; *v.* arribar.
arrieiro; *s.* arriero.
arrimar; *v.* arrimar.
arrimo; *s.* apoyo, arrimo, amparo.
arriscado; *adj.* arriesgado, difícil, temerario.
arriscar; *v.* arriesgar, atreverse, aventurar.
arritmia; *s.* arritmia.
arrítmico; *adj.* arrítmico.
arrivista; *adj.* arribista.
arroba; *s.* arroba.
arrochar; *v.* agarrotar, apretar mucho.
arrocho; *s.* garrote, situación muy difícil.
arrogância; *s.* arrogancia, jactancia, orgullo, soberbia.
arrogante; *adj.* arrogante, orgulloso, soberbio, ufano.
arrogar-se; *v.* arrogarse, apropiarse.
arroio; *s.* arroyo, regato.
arrojado; *adj.* arrojado, resuelto, osado.
arrojar; *v.* arrojar, impeler, hacer salir violentamente.
arrojo; *s.* arrojo, osadía, audacia.
arrolhador; *s.* aquél que encorcha o tampona.
arrolhar; *v.* encorchar, taponar.
arrombamento; *s.* rompimiento, rotura, abertura forzada.
arrombar; *v.* romper, derrumbar, destrozar.
arrostar; *v.* arrostrar, resistir, afrontar sin miedo.
arrotar; *v.* eructar.
arroto; *s.* eructo.
arroubamento; *s.* arrobamiento.
arroubo; *s.* arrobo.
arroxeado; *adj.* amoratado, morado, cárdeno.
arroxear; *v.* amoratar.
arroz; *s.* arroz.
arrozal; *s.* arrozal.
arroz-doce; *s.* arroz con leche.
arruaça; *s.* alboroto, motín, tumulto.
arruaceiro; *s.* amotinador, gamberro.
arruamento; *s.* disposición de calles.
arruar; *v.* dividir en calles, urbanizar.
arruda; *s.* ruda.
arrufar; *v.* irritar, enfadar, atufar.
arrufo; *s.* ira pasajera.
arruinado; *adj.* arruinado, destruido.
arruinar; *v.* arruinar, destruir, perder la salud o el dinero.
arrulhar; *v.* arrullar.
arrulho; *s.* arrullo.
arrumação; *s.* arreglo.
arrumadeira; *s.* camarera.
arrumador; *s.* arreglador.
arrumar; *v.* arreglar, organizar, casarse, emplearse, vestirse.
arsenal; *s.* arsenal, depósito.
arsênico; *s.* arsénico.
arte; *s.* arte.
artefato; *s.* artefacto.
arteiro; *adj.* astuto, mañoso, sagaz, bellaco.
artelho; *s.* tobillo.
artéria; *s.* arteria.
arterial; *adj.* arterial.
arteriosclerose; *s.* arteriosclerosis.
artesanal; *adj.* artesanal, manual.
artesanato; *s.* artesanía.

artesão; *s.* artesano, artífice.
artesiano; *adj.* artesiano, pozo.
ártico; *adj.* ártico.
articulação; *s.* articulación, coyuntura, junta.
articulado; *adj.* articulado.
articular; *v.* articular, pronunciar.
artífice; *s.* artista, artífice, obrero.
artificial; *adj.* artificial, falso, fingido.
artifício; *s.* artificio.
artigo; *s.* artículo.
artilharia; *s.* artillería.
artilheiro; *s.* artillero.
artimanha; *s.* artimaña, treta.
artista; *s.* actor, actriz, artista, artífice.
artístico; *adj.* artístico.
artrite; *s.* artritis.
artrose; *s.* artrosis.
arvoado; *adj.* aturdido, atolondrado.
arvorar; *v.* arbolar, enarbolar.
árvore; *s.* árbol.
arvoredo; *s.* arbolado, mata.
asa; *s.* ala, asa.
ascendência; *s.* ascendencia, linaje, progenie, predominio.
ascendente; *adj.* influyente.
ascendente; *s.* ascendiente.
ascender; *v.* ascender, subir.
ascensão; *s.* ascensión, ascenso.
ascensorista; *s.* ascensorista.
asco; *s.* asco, repugnancia.
asfaltado; *adj.* asfaltado.
asfaltar; *v.* asfaltar.
asfalto; *s.* asfalto.
asfixia; *s.* asfixia, sofoco.
asfixiar; *v.* asfixiar, sofocar.
asiático; *adj.* asiático.
asilado; *adj.* asilado.
asilar; *v.* asilar.
asilo; *s.* asilo, hospicio, orfanato.
asma; *s.* asma.
asmático; *adj.* asmático.
asneira; *s.* burrada, gansada, majadería.
asno; *s.* asno, burro, jumento.
aspa; *s.* comilla.
aspar; *v.* entrecomillar.
aspargo; *s.* espárrago.
aspear; *v.* entrecomillar.
aspecto; *s.* apariencia, aspecto.
aspereza; *s.* aspereza.
aspergir; *v.* asperjar.
áspero; *adj.* áspero.
aspersão; *s.* aspersión.
aspiração; *s.* aspiración, deseo.
aspirador; *adj.* aspirador.
aspirante; *s.* aspirante.
aspirar; *v.* aspirar, absorber, anhelar, desear.
aspirina; *s.* aspirina.
asqueroso; *adj.* asqueroso, inmundo, repelente.
assadeira; *s.* asador.
assado; *adj.* asado.
assado; *s.* plato de carne asada.
assador; *s.* asador.
assadura; *s.* inflamación en la piel.
assalariado; *adj.* asalariado, proletario.
assalariar; *v.* asalariar.
assaltante; *s.* asaltante, ladrón.
assaltar; *v.* asaltar, atracar, saltear.
assalto; *s.* asalto, ataque, embestida.
assanhar; *v.* ensañar, irritar, enfurecer.
assar; *v.* asar, tostar, hornear, quemar.
assassinar; *v.* asesinar, matar.
assassinato; *s.* asesinato, homicidio.
assassino; *s.* asesino, homicida.
assaz; *adv.* asaz, bastante, harto, muy.
asseado; *adj.* aseado, higiénico, limpio, pulcro.
assear; *v.* asear, lavar, limpiar.
assediar; *v.* asediar, sitiar.
assédio; *s.* asedio.
assegurado; *adj.* asegurado, seguro, cierto, garantizado.
assegurar; *v.* asegurar, certificar, aseverar, garantizar.
asseio; *s.* aseo, higiene, limpieza.

assembléia; *s.* asamblea, congregación, congreso.
assemelhar-se; *v.* asemejar, semejarse, parecerse.
assenso; *s.* asenso.
assentado; *adj.* sentado.
assentador; *s.* asentador.
assentamento; *s.* asentamiento.
assentar; *v.* asentar.
assente; *adj.* asentado, firme.
assentimento; *s.* asentimiento.
assentir; *v.* asentir, consentir.
assento; *s.* asiento, banco, silla, base, estabilidad.
assepsia; *s.* asepsia.
asséptico; *adj.* aséptico.
asserção; *s.* aserción, afirmación.
assessor; *s.* asesor, auxiliar, adjunto.
assessoramento; *s.* asesoramiento.
assessorar; *v.* asesorar.
assessoria; *s.* asesoría.
asseveração; *s.* aseveración.
asseverar; *v.* aseverar, certificar, asegurar.
assexuado; *adj.* asexuado.
assiduidade; *s.* asiduidad.
assíduo; *adj.* asiduo, constante, frecuente.
assim; *adv.* así, de esta o de esa manera.
assimetria; *s.* asimetría.
assimétrico; *adj.* asimétrico.
assimilação; *s.* asimilación.
assimilar; *v.* asimilar.
assimilável; *adj.* asimilable.
assinalar; *v.* demarcar, marcar, registrar, señalar.
assinante; *s.* subscriptor, firmante.
assinar; *v.* firmar, subscribir.
assinatura; *s.* firma, signatura, subscripción.
assistência; *s.* asistencia, amparo, auxilio.
assistencial; *adj.* asistencial.
assistente; *adj.* asistente, auxiliar, adjunto, ayudante.
assistir; *v.* asistir, hacer compañía, auxiliar, prestar socorro.
assoalhar; *v.* entarimar, solar.
assoalhar; *v.* exponer al sol, divulgar.
assoalho; *s.* entarimado, suelo.
assoar; *v.* sonar, limpiar la nariz.
assoberbar; *v.* tratar con soberbia.
assobiar; *v.* abuchear, chistar, silbar.
assobio; *s.* rechifla, silbo.
associação; *s.* asociación, club, corporación, gremio, sociedad.
associado; *adj.* asociado, socio.
associar; *v.* asociar, unir, juntarse.
assolar; *v.* asolar, arrasar, destruir.
assomar; *v.* asomar, subir a la cumbre, llegar, mostrarse.
assombração; *s.* fantasma, aparición de cosas sobrenaturales.
assombrar; *v.* asombrar, espantar, admirar, sombrear.
assombro; *s.* admiración, asombro, sorpresa.
assomo; *s.* asomo, indicio, sospecha.
assoprar; *v.* resoplar, soplar.
assopro; *s.* soplido.
assumir; *v.* asumir.
assuntar; *v.* prestar atención, considerar, meditar.
assunto; *s.* asunto, contenido, tema.
assustado; *adj.* asustado.
assustar; *v.* amedrentar, asustar, atemorizar.
asteca; *adj.* azteca.
astenia; *s.* astenia.
astênico; *adj.* asténico.
asterisco; *s.* asterisco.
asteróide; *s.* asteroide.
astigmatismo; *s.* astigmatismo.
astracã; *s.* astracán.
astral; *adj.* astral.
astro; *s.* astro.
astrofísica; *s.* astrofísica.
astrolábio; *s.* astrolabio.
astrologia; *s.* astrología.
astrólogo; *s.* astrólogo.

astronauta; *s.* astronauta.
astronave; *s.* astronave.
astronomia; *s.* astronomía.
astronômico; *adj.* astronómico, exorbitante.
astrônomo; *s.* astrónomo.
astúcia; *s.* astucia, sagacidad, maña.
astuto; *adj.* astuto, mañoso.
ata; *s.* acta.
atabalhoar; *v.* atrabancar, hacer algo aprisa y mal.
atacadista; *s.* almacenista, mayorista.
atacado; *adj.* atacado.
atacante; *adj.* atacante.
atacar; *v.* acometer, atacar, combatir.
atado; *adj.* atado.
atadura; *s.* atadura, ligadura, venda.
atafona; *s.* tahona.
atalaia; *s.* atalaya.
atalhar; *v.* atajar.
atalho; *s.* atajo, vereda, senda, sendero.
atapetar; *v.* alfombrar, tapizar.
ataque; *s.* ataque.
atar; *v.* anudar, atar, unir, ligar, embarazar.
atarantar; *v.* atarantar, aturdir, atolondrar.
ataraxar; *v.* atornillar.
atarefado; *adj.* atareado.
atarefar; *v.* atarear.
atarracado; *adj.* bajo, grueso, regordete.
atarraxar; *v.* atornillar.
atascadeiro; *s.* atascadero, atolladero.
atascar-se; *v.* atascarse.
ataúde; *s.* ataúd, féretro, tumba.
ataviar; *v.* ataviar, adornar.
atávico; *adj.* atávico.
atavismo; *s.* atavismo.
atazanar; *v.* atenazar.
até; *adv.* aun, también.
até; *prep.* hasta.
atear; *v.* atizar.
ateísmo; *s.* ateísmo.
ateliê; *s.* estudio de pintor o fotógrafo.
atemorizar; *v.* amedrentar, atemorizar, intimidar.
atenazar; *v.* atenazar.
atenção; *s.* atención, interés, observación.
atencioso; *adj.* amable, atento, cortés, cuidadoso.
atender; *v.* cuidar, atender, escuchar.
atentado; *adj.* atentado.
atentar; *v.* atentar.
atento; *adj.* aplicado, atento.
atenuação; *s.* atenuación.
atenuar; *v.* atenuar, paliar.
ater-se; *v.* atenerse.
aterrar; *v.* aterrar, aterrorizar.
aterrar; *v.* cubrir con tierra, terraplenar.
aterrissagem; *s.* aterrizaje.
aterrizar; *v.* aterrizar.
aterro; *s.* terraplén.
aterrorizar; *v.* aterrar, aterroriza
atestado; *s.* atestado, certificado.
atestar; *v.* atestar, certificar, testificar.
atestar; *v.* llenar, abarrotarse.
ateu; *adj.* ateo.
atiçador; *s.* atizador, hurgón, instigador.
atiçar; *v.* atizar, avivar, excitar.
atilado; *adj.* atildado.
atinar; *v.* atinar.
atingir; *v.* alcanzar, tocar.
atípico; *adj.* atípico.
atirar; *v.* tirar, botar, echar, lanzar
atitude; *s.* actitud, apostura.
ativar; *v.* activar.
atividade; *s.* actividad, dinamismo trabajo.
ativo; *adj.* activo, incansable, diligente, trabajador.
atlântico; *adj.* atlántico.
atlas; *s.* atlas.
atleta; *s.* atleta.
atlético; *adj.* atlético.

atmosfera; *s.* aire, ambiente, atmósfera, cielo.
atmosférico; *adj.* atmosférico.
ato; *s.* acción, acto, obra.
à-toa; *adj.* insignificante.
atolar; *v.* atascar, atollar.
atoleiro; *s.* atolladero, pantano, cenagal, charco, lodazal.
atômico; *adj.* atómico.
atonia; *s.* atonía.
atônito; *adj.* atónito.
ator; *s.* actor.
atordoamento; *s.* atontamiento.
atordoar; *v.* atolondrar, atontar, atronar, aturdir.
atormentar; *v.* atormentar, martirizar, torturar.
atração; *s.* atracción, gravitación.
atracar; *v.* atracar.
atraente; *adj.* atractivo, atrayente, interesante.
atraiçoar; *v.* traicionar, engañar.
atrair; *v.* atraer, interesar, seducir, traer.
atrapalhar; *v.* atarantar, confundir, embarazar, embarullar.
atrás; *adv.* atrás, después, detrás.
atrás; *prep.* tras.
atrasado; *adj.* atrasado, retardado.
atrasar; *v.* atrasar, retardar, retrasar, tardar.
atraso; *s.* atraso, demora, retardo, tardanza.
atrativo; *adj.* atractivo.
atrativo; *s.* atractivo, encanto, gracia.
atravancar; *v.* atrancar, estorbar.
através; *adv.* a través.
atravessado; *adj.* atravesado.
atravessador; *s.* estraperlista.
atravessar; *v.* atravesar, cruzar, terciar, pasar.
atrelar; *v.* enganchar.
atrever-se; *v.* atreverse, osar.
atrevido; *adj.* atrevido, audaz, insolente, osado.
atrevimento; *s.* atrevimiento, audacia, descaro, impertinencia.
atribuição; *s.* atribución.
atribuir; *v.* atribuir.
atribular; *v.* atribular.
atributo; *s.* atributo.
atril; *s.* atril.
atriz; *s.* actriz, vedette.
atrocidade; *s.* atrocidad, barbaridad.
atrofia; *s.* atrofia.
atrofiar; *v.* atrofiar.
atropelar; *v.* atropellar.
atropelo; *s.* atropello.
atroz; *adj.* atroz, inhumano.
atuação; *s.* actuación.
atual; *adj.* actual, moderno.
atualidade; *s.* actualidad, presente.
atualizar; *v.* actualizar, modernizar.
atualmente; *adv.* actualmente.
atuar; *v.* actuar, influir.
atulhar; *v.* llenar de escombros.
atum; *s.* atún.
aturar; *v.* aturar, tolerar.
aturdido; *adj.* aturdido, atónito.
aturdir; *v.* atolondrar, aturdir.
audácia; *s.* atrevimiento, audacia, insolencia, osadía, valor.
audacioso; *adj.* audaz, arrojado, atrevido.
audaz; *adj.* audaz, intrépido.
audição; *s.* audición.
audiência; *s.* audiencia.
auditor; *s.* auditor.
auditoria; *s.* auditoría.
auditório; *s.* audiencia.
audível; *adj.* audible, oíble.
auge; *s.* apogeo, auge, clímax, ápice.
augurar; *v.* augurar.
augúrio; *s.* augurio.
augusto; *adj.* augusto.
aula; *s.* clase, lección.
aumentar; *v.* acrecentar, ampliar, aumentar, crecer, elevar, extender.
aumentativo; *adj.* aumentativo.
aumento; *s.* ampliación, amplificación, aumento, crecimiento, extensión.
aura; *s.* aura.
áureo; *adj.* áureo, dorado, brillante.

auréola; *s.* aureola, corona, halo.
aurícula; *s.* aurícula.
auricular; *adj.* auricular.
aurora; *s.* alba, aurora, madrugada.
auscultação; *s.* auscultación.
auscultar; *v.* auscultar.
ausência; *s.* ausencia, falta.
ausentar-se; *v.* ausentarse.
ausente; *adj.* ausente.
auspício; *s.* auspicio.
austeridade; *s.* austeridad, integridad, sobriedad.
austero; *adj.* austero, áspero.
austral; *adj.* austral, meridional.
australiano; *adj.* australiano.
austríaco; *adj.* austríaco.
autarquia; *s.* autarquía.
autenticar; *v.* autenticar, legalizar.
autenticidade; *s.* autenticidad.
autêntico; *adj.* auténtico, legítimo.
auto; *s.* auto, automóvil.
autoadesivo; *adj.* autoadhesivo.
autobiografia; *s.* autobiografía.
autocracia; *s.* autocracia.
autocrata; *adj.* autócrata.
autocrítica; *s.* autocrítica.
autóctone; *adj.* autóctono, indígena.
autodefesa; *s.* autodefensa.
autodeterminação; *s.* autodeterminación.
autodidata; *adj.* autodidacta.
autoescola; *s.* autoescuela.
autógeno; *adj.* autógeno.
autógrafo; *s.* autógrafo.
automático; *adj.* automático.
automatizar; *v.* automatizar, mecanizar.
autômato; *s.* autómata.
automobilismo; *s.* automovilismo.
automobilista; *adj.* automovilista.
automóvel; *s.* auto, automóvil, carro.
autonomia; *s.* autonomía, independencia.
autônomo; *adj.* autónomo, independiente.
autópsia; *s.* autopsia, necropsia.
autor; *s.* autor, compositor, escritor.
auto-retrato; *s.* autorretrato.
autoria; *s.* autoría.
autoridade; *s.* autoridad, gobierno, disciplina.
autoritário; *adj.* autoritario.
autorização; *s.* autorización, licencia.
autorizar; *v.* aprobar, autenticar, autorizar, refrendar, validar.
auto-serviço; *s.* autoservicio.
auxiliar; *adj.* auxiliar, ayudante.
auxiliar; *v.* auxiliar, ayudar, coadyuvar, facilitar.
auxílio; *s.* asistencia, auxilio, ayuda.
avacalhar; *v.* desmoralizarse.
aval; *s.* aval, garantía.
avalancha; *s.* avalancha.
avalanche; *s.* alud, avalancha.
avaliar; *v.* evaluar, justipreciar, valuar.
avalista; *adj.* avalista.
avançado; *adj.* avanzado.
avançar; *v.* avanzar, embestir, evolucionar, progresar.
avanço; *s.* asalto, avance.
avantajar; *v.* aventajar, sobrepasar.
avarento; *adj.* avaricioso, avaro, tacaño.
avareza; *s.* avaricia, cicatería.
avaria; *s.* avería.
avariar; *v.* averiar, damnificar, dañar.
avassalar; *v.* avasallar.
ave; *s.* ave.
aveia; *s.* avena.
avelã; *s.* avellana.
avelórios; *s.* abalorio.
aveludado; *adj.* aterciopelado, velludo.
avença; *s.* avenencia.
avenida; *s.* alameda, avenida.
avental; *s.* delantal, guardapolvo.
aventar; *v.* aventar.
aventura; *s.* aventura.
aventurar; *v.* aventurar, arriesgar.
aventureiro; *adj.* aventurero.

averiguação; *s.* averiguación, indagación, investigación.
averiguar; *v.* averiguar, buscar, investigar.
avermelhar; *v.* enrojecer.
aversão; *s.* antipatía, aversión, ojeriza, repugnancia.
avesso; *adj.* avieso.
avesso; *s.* envés.
avestruz; *s.* avestruz.
aviação; *s.* aviación.
aviador; *s.* aviador.
aviamento; *s.* avío.
avião; *s.* aeroplano, avión.
aviar; *v.* aviar.
avícola; *s.* avícola.
avicultura; *s.* avicultura.
avidez; *s.* avaricia, avidez, codicia.
ávido; *adj.* ávido, codicioso, insaciable, voraz.
aviltar; *v.* degradar, envilecer, profanar, vilipendiar.
avinagrar; *v.* avinagrar.
avisado; *adj.* avisado.
avisar; *v.* avisar, citar, informar, notificar, participar.
aviso; *s.* anuncio, aviso, comunicación, comunicado.
avistar; *v.* avistar, distinguir, ver.
avivar; *v.* atizar, avivar, estimular, animar.
avizinhar; *v.* avecinar.
avô; *s.* abuelo.
avó; *s.* abuela.
avocar; *v.* avocar, llamar.
avolumar; *v.* hinchar.
avulso; *adj.* aislado, separado, a granel.
avultado; *adj.* voluminoso.
avultar; *v.* abultar.
axadrezado; *adj.* ajedrezado.
axial; *adj.* axial.
axila; *s.* axila, sobaco.
axioma; *s.* axioma.
azagaia; *s.* jabalina.
azaléia; *s.* azalea.
azar; *s.* azar, mala suerte.
azedar; *v.* agriar, avinagrar, fermentar.
azedeira; *s.* acedera.
azedo; *adj.* acre, ácido.
azeitado; *adj.* aceitoso.
azeite; *s.* aceite, óleo.
azeitera; *s.* aceitera.
azeitona; *s.* aceituna, oliva.
azeitonado; *adj.* aceitunado.
azêmola; *s.* acémila.
azeviche; *s.* azabache.
azevinho; *s.* acebo.
azia; *s.* dispepsia.
aziago; *adj.* aciago, funesto.
azinhavre; *s.* moho.
azinheira; *s.* encina.
azinheiro; *s.* encina.
azougue; *s.* azogue.
azul; *adj.* azul.
azulado; *adj.* azulado.
azulejo; *s.* azulejo.

B

b; *s.* segunda letra del abecedario portugués.
baba; *s.* baba, saliva.
babá; *s.* niñera.
babaçu; *s.* palmera con frutos.
babado; *s.* volante.
babador; *s.* babero.
babar; *v.* babear.
babel; *s.* babel, grande confusión, algazara.
babosa; *s.* áloe.
baboseira; *s.* disparate, tontería, majadería.
baboso; *adj.* baboso.
bacalhau; *s.* bacalao.
bacanal; *s.* bacanal, orgía.
bacharel; *s.* bachiller.
bacharelato; *s.* bachillerato.
bacia; *s.* bacía, palangana, pelvis.
bacilo; *s.* bacilo.
baço; *adj.* bazo, empañado, sin brillo.
baço; *s.* bazo.
bactéria; *s.* bacteria.
bactericida; *adj.* bactericida.
bacteriologia; *s.* bacteriología.
bacteriologista; *s.* bacteriólogo.
báculo; *s.* báculo,
badalar; *v.* badajear.
badalo; *s.* badajo.
baderna; *s.* riña, contienda, estorbo
bafafá; *s.* riña, desorden.
bafejar; *v.* soplar muy suavemente.
bafo; *s.* hálito, aliento, vaho.
baforada; *s.* bocanada, vaharada.
baga; *s.* baya.
bagaço; *s.* bagazo, orujo.
bagageiro; *s.* portaequipajes, baca.
bagagem; *s.* bagaje, equipaje.
bagatela; *s.* bagatela, baratija, menudencia, nadería.
bago; *s.* baya.
bagulho; *s.* persona muy fea, cosa sin valor.
bagunça; *s.* desorden, follón.
baía; *s.* bahía, golfo pequeño.
baião; *s.* canto y baile popular.
bailar; *v.* bailar, danzar.
bailarino; *adj.* bailarín, danzarín.
baile; *s.* baile.
bainha; *s.* dobladillo, vaina.
baioneta; *s.* bayoneta.
bairrismo; *s.* localismo.
bairro; *s.* barrio.
baita; *adj.* muy grande.
baiúca; *s.* bayuca, taberna, figón.
baixa; *s.* baja.
baixada; *s.* pendiente, cuesta, valle.
baixa-mar; *s.* bajamar.
baixar; *v.* abatir, bajar, decrecer.
baixela; *s.* vajillas y cubiertos para uso en la mesa.
baixeza; *s.* bajeza, bellaquería, picardía.
baixo; *adj.* bajo, pequeño, inferior, inclinado hacia abajo.
baixo-relevo; *s.* bajorrelieve.

baixo-ventre; *s.* bajo vientre.
bajulação; *s.* adulación, zalamería.
bajulador; *adj.* halagador, zalamero.
bajular; *v.* adular, lisonjear, engatusar.
bala; *s.* bala, proyectil, caramelo.
balada; *s.* balada.
balaio; *s.* cesto redondo.
balança; *s.* balanza, báscula.
balançar; *v.* balancear, columpiar, mecer, oscilar.
balancear; *v.* abalanzar.
balanço; *s.* balance, columpio, vaivén.
balangandã; *s.* ornamento de metal usado por las mujeres.
balão; *s.* balón, globo.
balaústre; *s.* balaustre.
balbuciar; *v.* balbucear.
balbúrdia; *s.* alboroto.
balcão; *s.* balcón, veranda, mostrador.
baldar; *v.* baldar.
balde; *s.* balde, cubo.
baldear; *v.* baldear, transbordar.
baldio; *adj.* baldío, yermo.
balé; *s.* ballet.
balear; *v.* balear.
baleeiro; *adj.* ballenero.
baleia; *s.* ballena.
balido; *s.* balido.
balir; *v.* balar.
balístico; *adj.* balístico.
baliza; *s.* baliza, boya, jalón, mojón, pilar, término.
balizar; *v.* balizar, limitar, jalonar.
balneário; *s.* balneario.
balofo; *adj.* fofo.
balsa; *s.* balsa.
bálsamo; *s.* bálsamo, ungüento.
baluarte; *s.* baluarte.
bambo; *adj.* flojo.
bambolear; *v.* bambolear.
bambu; *s.* bambú.
banal; *adj.* banal, trivial.
banalidade; *s.* banalidad, trivialidad, vulgaridad.
banana; *s.* banana.
bananada; *s.* dulce de banana.
bananeira; *s.* banano.
banca; *s.* tabanco.
bancário; *adj.* bancario.
banco; *s.* asiento, banca, banco, grada.
banda; *s.* banda, lado.
bandada; *s.* bandada.
bandeira; *s.* bandera, estandarte, pendón.
bandeirola; *s.* banderín, jalón.
bandeja; *s.* bandeja.
bandido; *s.* bandido, bandolero.
bando; *s.* banda, bando, facción, pandilla.
bandoleiro; *s.* bandolero, salteador.
bandolim; *s.* bandolín.
bangalô; *s.* bungalow.
banha; *s.* grasa, lardo, saín, unto.
banhar; *v.* bañar, lavar.
banheira; *s.* bañera, tina.
banheiro; *s.* baño.
banhista; *s.* bañista.
banho; *s.* baño.
banho-maria; *s.* baño maría.
banido; *adj.* exilado, proscrito.
banir; *v.* deportar, encartar, expulsar, proscribir.
banjo; *s.* banjo.
banqueiro; *s.* banquero.
banqueta; *s.* banqueta.
banquete; *s.* banquete, ágape.
banquinho; *s.* banqueta, banquillo.
baptidtério; *s.* baptisterio.
baqueta; *s.* baqueta.
bar; *s.* bar.
barafunda; *s.* barahúnda.
baralhar; *v.* barajar.
baralho; *s.* baraja.
barão; *s.* barón.
barata; *s.* cucaracha.
baratear; *v.* abaratar.
barato; *adj.* barato.
barba; *s.* barba.
barbante; *s.* bramante, cordel.
barbaridade; *s.* barbaridad.
barbárie; *s.* barbarie.
bárbaro; *adj.* bárbaro, vándalo.

barbeado; *s.* afeitado.
barbear; *v.* afeitar, rapar.
barbearia; *s.* barbería, peluquería.
barbear-se; *v.* rasurar.
barbeiragem; *s.* falta cometida por el barbero.
barbeiro; *s.* barbero, peluquero.
barbicha; *s.* barbilla, barba de poco pelo.
barbitúrico; *s.* barbitúrico.
barca; *s.* barca, lancha.
barcaça; *s.* barcaza.
barco; *s.* barco.
bário; *s.* bario.
barítono; *s.* barítono.
barômetro; *s.* barómetro.
barqueiro; *s.* barquero, naviero.
barquete; *s.* barquillo.
barra; *s.* barra, friso, jirón.
barraca; *s.* tienda de campaña.
barracão; *s.* barracón.
barraco; *s.* barraca.
barragem; *s.* presa, pantano.
barranco; *s.* barranco, precipicio.
barrar; *v.* embarrar, impedir.
barreira; *s.* barrera, trinchera.
barrento; *adj.* arcilloso.
barrete; *s.* birrete, bonete, gorra.
barrica; *s.* barrica, tonel.
barricada; *s.* barricada.
barriga; *s.* barriga, panza, tripa, vientre.
barril; *s.* barril, tonel.
barro; *s.* arcilla, barro, cieno, fango.
barroco; *adj.* barroco.
barrote; *s.* barrote.
barulhento; *adj.* ruidoso.
barulho; *s.* barullo, ruido, desorden, confusión.
basalto; *s.* basalto.
base; *s.* apoyo, base, dato, fundamento, peana, pie
basear; *v.* basar.
básico; *adj.* básico.
basílica; *s.* basílica.
basquete; *s.* baloncesto.
bastante; *adj.* bastante.
bastão; *s.* bastón, báculo, cetro, vara.
bastar; *v.* bastar.
bastardo; *s.* bastardo.
bastião; *s.* bastión, baluarte.
bastidor; *s.* bastidor.
basto; *adj.* basto, espeso, lleno.
bata; *s.* bata.
batalha; *s.* batalla, campaña, combate, pelea.
batalhar; *v.* batallar, combatir, lidiar.
batata; *s.* patata.
batatadoce; *s.* batata, boniato, camote.
batear; *v.* lavar en batea.
bate-boca; *s.* pelotera.
batedeira; *s.* batidera.
bate-estaca; *s.* maza.
batel; *s.* batel.
batente; *s.* batiente, aldaba, trabajo.
bate-papo; *s.* conversación amigable.
bater; *v.* apalear, aporrear, batir, chocar, contundir, golpear, pulsar, topar.
bateria; *s.* batería, pila.
batida; *s.* batida, golpe, bebida hecha con aguardiente, limón y azúcar.
batina; *s.* sotana.
batiscafo; *s.* batiscafo.
batismo; *s.* bautismo.
batizar; *v.* bautizar.
batom; *s.* barra de labios.
batráquio; *s.* batracio, sapo.
batucada; *s.* toque, instrumentos de percusión.
batuta; *s.* batuta.
baú; *s.* arca, baúl, cofre, hucha.
baunilha; *s.* vainilla.
bauxita; *s.* bauxita.
bazar; *s.* bazar.
bazófia; *s.* bazofia.
beatificar; *v.* beatificar.
beatitude; *s.* beatitud.
bêato; *s.* beato.

bêbado; *adj.* bebido, beodo, borracho, ebrio.
bebê; *s.* bebé, nene.
bebedeira; *s.* borrachera, embriaguez.
bebedouro; *s.* bebedero.
beber; *v.* beber.
beberagem; *s.* bebida, brebaje, poción.
beberrão; *adj.* borracho.
bebida; *s.* bebida.
beca; *s.* beca.
bechamel; *s.* besamel.
beco; *s.* callejón sin salida.
bedel; *s.* bedel.
beduíno; *s.* beduino.
bege; *adj.* beige.
begônia; *s.* begonia.
beiço; *s.* labio grueso.
beija-flor; *s.* colibrí, picaflor.
beijar; *v.* besar.
beijo; *s.* beso, ósculo.
beijocar; *v.* besuquear.
beijoqueiro; *adj.* besuqueador, besucón.
beira; *s.* orilla, vera.
beirada; *s.* vera.
beira-mar; *s.* orilla del mar, playa.
beirar; *v.* costear, ladear.
beisebol; *s.* béisbol.
beladona; *s.* belladona.
belas-artes; *s.* bellas artes.
beldade; *s.* beldad, belleza, mujer muy bella.
beleza; *s.* belleza, hermosura.
belga; *adj.* belga.
beliche; *s.* litera.
belicismo; *s.* belicismo.
bélico; *adj.* bélico, belicoso.
belicoso; *adj.* aguerrido, belicoso, combativo.
beligerância; *s.* beligerancia.
beliscão; *s.* pellizco.
beliscar; *v.* pellizcar.
belo; *adj.* bello, estético, hermoso, lindo.
beltrano; *s.* mengano.
bem; *adv.* bien, con salud.
bem; *s.* bien.
bem-amado; *adj.* querido.
bem-aventurado; *adj.* bienaventurado, dichoso.
bem-aventurança; *s.* bienaventuranza.
bem-bom; *s.* comodidad, confort.
bem-estar; *s.* bienestar, comodidad, confort.
bem-feito; *adj.* bien terminado.
bem-humorado; *adj.* de buen humor.
bem-intencionado; *adj.* bienintencionado.
bem-querer; *v.* bienquerer.
bem-vindo; *adj.* bienvenido.
bem-visto; *adj.* estimado.
bénção; *s.* bendición.
bendito; *adj.* bendito.
bendizer; *v.* bendecir.
beneficência; *s.* beneficencia, caridad, filantropía.
beneficiar; *v.* beneficiar, favorecer.
beneficiário; *adj.* beneficiario.
benefício; *s.* beneficio.
benéfico; *adj.* benéfico.
benemérito; *adj.* benemérito.
beneplácito; *s.* beneplácito, consentimiento.
benevolência; *s.* benevolencia, afecto, estima.
benevolente; *adj.* benevolente, afable.
benfeitor; *adj.* benefactor, bienhechor.
bengala; *s.* bastón, bengala, junco.
benignidade; *s.* benignidad, bondad.
benigno; *adj.* benigno, bondadoso.
benjoim; *s.* benjuí, bálsamo aromático de agradable perfume.
benquisto; *adj.* estimado, querido por todos.
bens; *s.* haber, hacienda, peculio.
bento; *adj.* bendecido, bendito.
benzer; *v.* bendecir, santiguar.
benzina; *s.* bencina.
berbequim; *s.* berbiquí.
berçário; *s.* marternidad.
berço; *s.* cuna.

berimbau; *s.* birimbao.
berinjela; *s.* berenjena.
bermuda; *s.* bermudas.
berne; *s.* larva de unos insectos.
berrar; *v.* gritar.
berro; *s.* berrido.
besouro; *s.* abejorro.
besta; *s.* animal, bestia.
besteira; *s.* gansada, burrada.
bestial; *adj.* bestial, brutal.
bestialidade; *s.* bestialidad.
besugo; *s.* besugo, pez.
besuntar; *v.* embadurnar, pringar, untar.
beterraba; *s.* remolacha.
betoneira; *s.* hormigonera.
bétula; *s.* abedul.
betumar; *v.* embetunar.
betume; *s.* betún, bitumen.
betuminoso; *adj.* bituminoso.
bexiga; *s.* ampolla, vejiga, viruela.
bezerro; *s.* becerro, novillo, ternero.
bíblia; *s.* biblia.
bíblico; *adj.* bíblico.
bibliografia; *s.* bibliografía.
biblioteca; *s.* biblioteca, librería.
bibliotecário; *s.* bibliotecario.
bicada; *s.* picotada.
bicama; *s.* litera.
bicar; *v.* picar, picotear.
bicarbonato; *s.* bicarbonato.
bicentenário; *s.* bicentenario.
bíceps; *s.* bíceps.
bicho; *s.* bicho, fiera, animal.
bicho-papão; *s.* bu.
bichoso; *adj.* amariconado.
bicicleta; *s.* bicicleta.
bico; *s.* pico, punta.
bicolor; *adj.* bicolor.
bicudo; *adj.* picudo.
bidê; *s.* bidé.
biela; *s.* biela.
bienal; *adj.* bienal.
biênio; *s.* bienio.
bifásico; *adj.* bifásico.
bife; *s.* bistec.
bifurcação; *s.* bifurcación.
bifurcar-se; *v.* bifurcarse.
bigamia; *s.* bigamia.
bígamo; *adj.* bígamo.
bigode; *s.* bigote.
bigorna; *s.* bigornia.
bijuteria; *s.* bisutería.
bilabial; *adj.* bilabial.
bilateral; *adj.* bilateral.
bile; *s.* bilis.
bilha; *s.* cántaro.
bilhão; *s.* mil millones.
bilhar; *s.* billar.
bilhete; *s.* billete, ticket.
bilheteiro; *s.* billetero.
bilheteria; *s.* casilla, taquilla.
biliar; *adj.* biliar.
bilíngue; *adj.* bilingüe.
bílis; *s.* bilis, hiel.
bimensal; *adj.* bimensual.
bimestral; *adj.* bimestre.
bimestre; *s.* bimestre.
bimotor; *adj.* bimotor.
binário; *adj.* binario.
bingo; *s.* bingo.
binóculo; *s.* binóculo, catalejo.
binômio; *s.* binomio.
biodegradável; *adj.* biodegradable.
biofísica; *s.* biofísica.
biografia; *s.* biografía.
biologia; *s.* biología.
biológico; *adj.* biológico.
biólogo; *s.* biólogo.
biombo; *s.* antipara, biombo, cancel, mampara.
biópsia; *s.* biopsia.
biosfera; *s.* biosfera.
bióxido; *s.* bióxido.
bipartição; *s.* bisección.
bípede; *adj.* bípede.
bipolar; *adj.* bipolar.
biquíni; *s.* biquini.
birra; *s.* capricho, rabieta, tirria.
bis; *adv.* dos veces, otra vez.
bisão; *s.* bisonte.
bisavó; *s.* bisabuela.
bisavô; *s.* bisabuelo.
bisbilhotar; *v.* curiosear, chismear.
bisbilhoteiro; *adj.* intrigante, cotillo.

bisbilhotice; *s.* intriga, cotilleo.
bisca; *s.* brisca.
biscate; *s.* trabajo sin gran importancia.
biscoito; *s.* bizcocho, galleta.
bismuto; *s.* bismuto.
bisnaga; *s.* tubo de plomo o de plástico.
bisneto; *s.* biznieto.
bispado; *s.* obispado.
bispo; *s.* obispo.
bissecção; *s.* bisección.
bissemanal; *adj.* bisemanal.
bissetriz; *s.* bisectriz.
bissexto; *adj.* bisiesto.
bissexual; *adj.* bisexual.
bisturi; *s.* bisturí.
bíter; *s.* bíter.
bitola; *s.* vitola.
bizantino; *adj.* bizantino.
bizarro; *adj.* bizarro, ostentoso, exquisito, singular.
blasfemar; *v.* blasfemar.
blasfêmia; *s.* blasfemia, insulto, ultraje.
blasfemo; *adj.* blasfemo.
blecaute; *s.* apagón.
blenorragia; *s.* blenorragia, gonorrea.
blindado; *adj.* blindado.
blindagem; *s.* blindaje.
blindar; *v.* blindar.
bloco; *s.* bloque.
bloquear; *v.* asediar, bloquear, sitiar.
bloqueio; *s.* bloqueo.
blusa; *s.* blusa.
blusão; *s.* blusón.
boa; *s.* boa.
boa-noite; *s.* buenas noches.
boas-festas; *s.* felicitación por la Navidad.
boas-vindas; *s.* bienvenida.
boa-tarde; *s.* buenas tardes.
boato; *s.* bulo, chisme, rumor.
bobagem; *s.* tontería.
bobalhão; *adj.* bobo, tonto.
bobeira; *s.* ñoñería, bobera, tontería.
bobice; *s.* bobada.
bobina; *s.* bobina, canilla.
bobinador; *s.* bobinadora.
bobinar; *v.* bobinar.
bobo; *adj.* bobo, chalado, tonto.
boboca; *adj.* tonto.
boca; *s.* boca, entrada, abertura.
bocadinho; *s.* bocadito, pizca.
bocado; *s.* bocado, comida muy ligera, pequeña cantidad.
bocal; *s.* bocal, boquilla, embocadura.
boçal; *adj.* bozal, necio, idiota.
bocejar; *v.* boquear, bostezar.
bocejo; *s.* bostezo.
boceta; *s.* vulva.
bochecha; *s.* mejilla, cachete, moflete.
bochechar; *v.* enjuagar.
bochecho; *s.* enjuague.
bócio; *s.* bocio, papo.
bocó; *adj.* tonto, bobo.
boda; *s.* boda.
bodas; *s.* nupcias.
bode; *s.* bode.
bodega; *s.* bodega, taberna.
bodoque; *s.* bodoque.
bodum; *s.* mal olor de una zona mal lavada.
boêmio; *s.* bohemio.
bofe; *s.* pulmón, mujer muy fea.
bofetada; *s.* bofetada, bofetón, sopapo.
bofetão; *s.* sopapo, sopetón.
boi; *s.* buey.
bóia; *s.* boya, flotador.
boiada; *s.* boyada, manada de bueyes.
boiadeiro; *s.* boyero.
boião; *s.* tarro.
boiar; *v.* boyar, flotar.
boicotar; *v.* boicotear.
boicote; *s.* boicot.
boina; *s.* boina.
bojo; *s.* barriga, panza, capacidad, vientre.
bojudo; *adj.* barrigudo, panzudo.
bola; *s.* bola, pelota.
bolacha; *s.* galleta.
bolada; *s.* gran suma de dinero.
bolchevique; *adj.* bolchevique.

bolero; *s.* bolero.
boletim; *s.* boletín.
bolha; *s.* ampolla, burbuja.
bolívar; *s.* bolívar.
boliviano; *adj.* boliviano.
bolo; *s.* bollo, pastel.
bolor; *s.* moho.
bolorento; *adj.* mohoso.
bolota; *s.* bellota.
bolsa; *s.* bolsa, saco pequeño.
bolsista; *adj.* becario.
bolso; *s.* bolsillo, bolso.
bom; *adj.* bueno.
bomba; *s.* bomba, proyectil.
bomba; *s.* máquina para elevar líquidos.
bomba; *s.* aparato para tomar mate.
bombachas; *s.* bombachos, pantalones.
bombardear; *v.* bombardear.
bombardeiro; *s.* bombardero.
bombástico; *adj.* bombástico.
bombear; *v.* bombear.
bombeiro; *s.* bombero.
bombo; *s.* bombo.
bombom; *s.* bombón.
bombordo; *s.* babor.
bonachão; *adj.* bonachón.
bonança; *s.* bonanza.
bondade; *s.* bondad, benevolencia.
bonde; *s.* tranvía.
bondoso; *adj.* benévolo, bondadoso.
boné; *s.* birrete, bonete.
boneca; *s.* muñeca.
boneco; *s.* muñeco, títere.
bonificação; *s.* bonificación.
bonificar; *v.* bonificar.
bonito; *adj.* bonito, hermoso, lindo.
bônus; *s.* bono.
bonzo; *s.* bonzo, sacerdote budista.
boquear; *v.* boquear.
boqueirão; *s.* boquerón, abertura en un río o canal.
boquete; *s.* boquete.
boquiaberto; *adj.* boquiabierto, pasmado.
boquinha; *s.* boquilla.
borboleta; *s.* mariposa.
borbotão; *s.* borbotón, chorro, arcada.
borbulha; *s.* burbuja.
borbulhar; *v.* borbollar, burbujear, hervir.
borda; *s.* borda, borde, margen, orilla, vera.
bordado; *s.* bordado, labor.
bordar; *v.* bordar, laborar, labrar.
bordear; *v.* bordear.
bordel; *s.* burdel, prostíbulo.
bordo; *s.* bordo.
boreal; *adj.* boreal, septentrional.
boricado; *adj.* boricado.
bórico; *adj.* bórico.
borla; *s.* borla.
borne; *s.* borne.
boro; *s.* boro.
borra; *s.* borra, hez, lía, poso, sarro.
borracha; *s.* caucho, goma.
borracharia; *s.* gomería.
borrachento; *adj.* gomoso.
borrão; *s.* borrón, mancha de tinta.
borrar; *v.* ensuciar, manchar, rayar.
borrasca; *s.* borrasca, tempestad.
borrego; *s.* borrego.
borrifar; *v.* rociar, aspergear.
bosque; *s.* bosque.
bosquejo; *s.* boceto, bosquejo.
bosta; *s.* bosta, boñiga, mierda.
bota; *s.* bota.
bota-fora; *s.* botadura.
botânica; *s.* botánica.
botão; *s.* botón.
botar; *v.* arrojar, tirar, lanzar.
bote; *s.* bote, barca, lancha.
botelha; *s.* botella, frasco.
botequim; *s.* bar.
botica; *s.* botica, farmacia.
boticário; *s.* boticario.
botija; *s.* botija.
botina; *s.* botín, bota.
boto; *s.* boto.
botulismo; *s.* botulismo.
bovino; *adj.* bovino, vacuno.
boxe; *s.* boxeo, pugilismo.

boxeador; *s.* boxeador, pugilista.
boxear; *v.* boxear.
braça; *s.* braza.
braçada; *s.* brazada.
braçadeira; *s.* abrazadera.
bracejar; *v.* bracear.
bracelete; *s.* ajorca, brazalete, manilla, pulsera.
braço; *s.* brazo.
bradar; *v.* clamar, exclamar, gritar, vociferar.
brado; *s.* clamor, grito.
braga; *s.* bragas.
bragueiro; *s.* braguero.
braguilha; *s.* bragueta.
bramador; *adj.* bramante.
brâmane; *s.* brahmán.
bramanismo; *s.* brahmanismo.
bramante; *adj.* bramante.
bramido; *s.* bramido.
branco; *adj.* blanco, níveo, albo, cándido.
brancura; *s.* blancura.
brandir; *v.* blandir.
brando; *adj.* blando, dulce, fofo, tierno.
brandura; *s.* blandura, suavidad.
branquear; *v.* blanquear, encalar, enjalbegar.
brânquia; *s.* branquia.
branquicéfalo; *adj.* branquicéfalo.
brasa; *s.* ascua, brasa.
brasão; *s.* blasón.
braseiro; *s.* brasero, estufa.
brasileiro; *adj.* brasileño.
bravata; *s.* bravata, fanfarronada.
bravio; *adj.* bravío, salvaje.
bravo; *adj.* bravo.
bravura; *s.* bravura.
brecar; *v.* frenar.
brecha; *s.* boquete, brecha.
brejo; *s.* matorral, terreno inculto, pantano.
brenha; *s.* breña, matorral.
bretão; *adj.* bretón.
breu; *s.* brea.
breve; *adj.* breve, corto, lacónico, sucinto.
breviário; *s.* breviario, cartilla.
brevidade; *s.* brevedad, concisión.
briga; *s.* pelea, lucha, pendencia, riña.
brigada; *s.* brigada.
brigadeiro; *s.* brigadier.
brigar; *v.* luchar, pelear.
brilhante; *adj.* brillante, espléndido, luciente, luminoso, lustroso, radiante.
brilhantina; *s.* brillantina.
brilhar; *v.* brillar, lucir, relucir.
brilho; *s.* brillo, esplendor, fulgor, lucimiento, lustre, resplandor.
brim; *s.* brin, tela fuerte de hilo o algodón.
brincadeira; *s.* juego, alegría, broma, jugueteo.
brincalhão; *adj.* juguetón, bromista, travieso.
brincar; *v.* brincar, juguetear, divertirse, bromear.
brinco; *s.* pendiente.
brindar; *v.* brindar, saludar.
brinde; *s.* brindis.
brinquedo; *s.* juguete, jugueteo.
brio; *s.* brío, pundonor, valor.
brioso; *adj.* brioso.
brisa; *s.* brisa, viento fresco y blando.
britadeira; *s.* trituradora, machacadora de piedras.
britânico; *adj.* británico.
britar; *v.* partir piedra, quebrar, machacar.
broa; *s.* borona, pan de maíz o de arroz.
broca; *s.* broca, taladrador, taladro.
brocado; *s.* brocado, tejido de seda.
brocha; *s.* tachuela.
broche; *s.* alfiler, broche.
bromo; *s.* bromo.
bronca; *s.* bronca.
bronco; *adj.* bronco, tosco, rudo.
broncopneumonia; *s.* bronconeumonía.

brônquio; *s.* bronquio.
bronquite; *s.* bronquitis.
bronze; *s.* bronce.
bronzeado; *adj.* bronceado.
bronzeador; *s.* bronceador.
bronzear; *v.* broncear.
brotar; *v.* brotar, germinar, manar, nacer, salir, surgir.
broto; *s.* brote, yema.
broxa; *s.* brocha, pincel grande.
bruços; *adv.* bruces, boca abajo.
bruma; *s.* bruma, niebla.
brunir; *v.* bruñir, pulir.
brusco; *adj.* brusco.
brutal; *adj.* bestial, brutal.
brutalidade; *s.* brutalidad, bestialidad.
bruto; *adj.* rudo, bruto, estúpido.
bruxa; *s.* bruja.
bruxaria; *s.* brujería, hechicería.
bruxo; *s.* brujo, hechicero.
bruxulear; *v.* oscilar débilmente.
bucal; *adj.* bucal.
bucha; *s.* estropajo.
bucho; *s.* buche, callos.
buço; *s.* bozo.
bucólico; *adj.* bucólico.
budismo; *s.* budismo.
búfalo; *s.* búfalo.
bufão; *s.* bufón.
bufar; *v.* bufar.
bufo; *s.* búho, resoplido.
buganvília; *s.* buganvilla.
bula; *s.* bula.
bulbo; *s.* bulbo.
bulevar; *s.* bulevar.
búlgaro; *adj.* búlgaro.
bulha; *s.* bulla, chacota, gresca.
bulício; *s.* bullicio, ruido.
buliçoso; *adj.* travieso.
bulir; *v.* bullir.
bumerangue; *s.* boomerang.
búnquer; *s.* búnker.
buquê; *s.* bouquet, ramillete.
buraco; *s.* agujero, bache, orificio.
burguês; *adj.* burgués.
burguesia; *s.* burguesía.
buril; *s.* buril.
burla; *s.* burla, estafa, farsa, trapaza.
burlar; *v.* burlar, estafar.
burlesco; *adj.* burlesco.
burocracia; *s.* burocracia.
burocrata; *s.* burócrata.
burocrático; *adj.* burocrático.
burrada; *s.* burrada.
burrico; *s.* borrico.
burro; *adj.* burro.
burro; *s.* asno, borrico, burro.
busca; *s.* busca, búsqueda.
busca-pé; *s.* buscapiés.
buscar; *v.* buscar, catar, procurar.
bússola; *s.* aguja, brújula.
busto; *s.* busto.
butano; *s.* butano.
buzina; *s.* bocina, claxon.
búzio; *s.* caracola.

C

c; *s.* tercera letra del abecedario portugués.
cá; *adv.* acá.
cã; *s.* cana, pelo blanco.
caatinga; *s.* vegetación típica de varias zonas de Brasil.
cabaça; *s.* calabaza.
cabal; *adj.* cabal, completo.
cabala; *s.* cábala, intriga, maquinación.
cabana; *s.* cabaña, choza.
cabaré; *s.* cabaret.
cabeça; *s.* cabeza.
cabeçada; *s.* cabezada.
cabeçalho; *s.* cabezal, título de periódico, principio de una carta.
cabecear; *v.* cabecear.
cabeceira; *s.* cabecera de cama, lomo de un libro, nacimiento de un río.
cabecilha; *s.* cabecilla, caudillo.
cabeçudo; *adj.* testarudo.
cabedal; *s.* caudal, bienes, dinero.
cabeleira; *s.* cabellera.
cabeleireira; *s.* peluquería.
cabeleireiro; *s.* peluquero.
cabelo; *s.* cabello, pelo.
cabeludo; *adj.* cabelludo, peludo, melenudo.
caber; *v.* caber, contener, convenir, entender.
cabide; *s.* percha.
cabido; *s.* cabildo.
cabimento; *s.* cabida, cabimiento, aceptación.
cabina; *s.* cabina, camarote.
cabisbaixo; *adj.* cabizbajo.
cabo; *s.* cable, cabo, mango, manija, ramal.
cabo; *s.* cabo, punta de tierra que se mete en el mar.
caboclo; *s.* mestizo de indio con blanco.
cabograma; *s.* cablegrama.
cabotagem; *s.* cabotaje.
cabotino; *s.* hombre presumido.
cabra; *s.* cabra.
cabresto; *s.* cabestro.
cabriola; *s.* cabriola, pirueta.
cabrito; *s.* cabrito, chivo.
caca; *s.* caca, heces.
caça; *s.* caza.
caçada; *s.* caza.
caçador; *s.* cazador.
caçar; *v.* cazar.
cacareco; *s.* cachivaches, trastos viejos.
cacarejar; *v.* cacarear.
caçarola; *s.* cacerola, cazo, cazuela, puchero.
cacau; *s.* cacao.
cacete; *s.* porra, taco.
cachaça; *s.* aguardiente, cachaza.
cachaceiro; *s.* borrachín.
cachalote; *s.* cachalote.
cacheado; *adj.* ensortijado, rizado.
cachear; *v.* ensortijar, rizar.
cachecol; *s.* bufanda.
cachimbo; *s.* cachimbo, pipa.

cacho; *s.* racimo.
cachoeira; *s.* cascada, salto.
cachorro; *s.* perro.
cachorro-quente; *s.* perrito caliente.
cacimba; *s.* pozo de agua.
cacique; *s.* cacique.
caco; *s.* fragmento de porcelana rota, cosa sin valor, persona vieja y enferma.
caçoada; *s.* chacota.
caçoar; *v.* bromear, embromar.
cacoete; *s.* tic nervioso.
cacofonia; *s.* cacofonía.
cacto; *s.* cacto.
caçula; *s.* hijo más joven, benjamín.
cada; *pron.* cada.
cadafalso; *s.* cadalso, patíbulo.
cadarço; *s.* hiladillo, cordón.
cadastro; *s.* catastro, censo, padrón.
cadáver; *s.* cadáver, cuerpo muerto.
cadavérico; *adj.* cadavérico.
cadeado; *s.* candado.
cadeia; *s.* cadena, prisión.
cadeira; *s.* silla, asiento, cadera, cátedra.
cadeiras; *s.* caderas, nalgas.
cadela; *s.* perra.
cadência; *s.* cadencia.
cadente; *adj.* cadente.
caderneta; *s.* cuaderno, cuadernillo.
caderno; *s.* cuaderno.
cadete; *s.* cadete.
cádmio; *s.* cadmio.
caducar; *v.* caducar, envejecer, chochear.
caduco; *adj.* caduco, viejo, chocho.
cafajeste; *s.* ordinario, bellaco.
café; *s.* café.
cafeeiro; *s.* planta del café.
cafeína; *s.* cafeína.
cafeteira; *s.* cafetera.
cafeteria; *s.* cafetería.
cafona; *adj.* persona de mal gusto y con pretensiones, hortera.
cafuzo; *s.* mestizo de negro con indio.
cágado; *s.* galápago, tortuga.
caiar; *v.* blanquear, encalar, enjalbegar.
caipira; *adj.* patán.
cair; *v.* caer.
cais; *s.* andén, muelle.
caixa; *s.* caja.
caixa-d'água; *s.* depósito de agua para abastecer una población.
caixão; *s.* cajón, ataúd, esquife, féretro.
caixeiro; *s.* cajero.
caixilho; *s.* bastidor, marco.
caixote; *s.* caja pequeña y tosca.
cajado; *s.* báculo, cayado.
caju; *s.* acajú, árbol americano, fruto.
cal; *s.* cal.
calabouço; *s.* calabozo, prisión, cárcel.
calada; *s.* callada, silencio absoluto.
calado; *s.* calado, parte sumergida del barco.
calafetar; *v.* calafatear.
calafrio; *s.* escalofrío.
calamidade; *s.* calamidad, gran desgracia.
calão; *s.* jerga.
calar; *v.* callar, enmudecer.
calça; *s.* pantalón.
calçada; *s.* calzada, acera, vereda.
calçado; *s.* bota, calzado, zapato.
calçamento; *s.* pavimento, empedrado de las calles.
calcanhar; *s.* talón, calcañar.
calcar; *v.* apisonar, hollar, pisotear.
calçar; *v.* empedrar, pavimentar.
calcário; *adj.* calcáreo, calizo.
calcificação; *s.* calcificación.
calcificar; *v.* calcificar.
calcinar; *v.* calcinar.
calcinha; *s.* bragas.
cálcio; *s.* calcio.
calço; *s.* calzo, cuña, calce, traba.
calculadora; *s.* calculadora, máquina para calcular.
calcular; *v.* calcular, computar, contar.

calculável; *adj.* calculable, computable.
cálculo; *s.* cálculo, cuenta, cómputo.
calda; *s.* almíbar.
caldear; *v.* caldear, poner el hierro candente.
caldeira; *s.* caldera, vajilla grande para calentar agua.
caldeirão; *s.* olla grande y alta, caldero.
caldo; *s.* caldo, sopa, potaje.
calefação; *s.* calefacción.
calejar; *v.* encallecer, encallecerse, hacerse insensible.
caleidoscópio; *s.* calidoscopio.
calendário; *s.* calendario.
calha; *s.* canalón.
calhamaço; *s.* libro grande y viejo.
calhar; *v.* venir a tiempo, ser oportuno, acontecer.
calhau; *s.* guijarro.
calhorda; *s.* persona despreciable.
calibrar; *v.* calibrar.
cálice; *s.* cáliz, copita para licores.
cálido; *adj.* cálido, caliente.
caligrafia; *s.* caligrafía.
calista; *s.* callista, pedicuro.
calma; *s.* calma, serenidad, sosiego, el período más caliente del día, bochorno.
calmante; *adj.* calmante, sedante.
calmaria; *s.* calma, cesación del viento.
calmo; *adj.* calmo, pacífico, sereno, sosegado, tranquilo.
calo; *s.* callo.
calombo; *s.* chichón, bulto.
calor; *s.* calor, ardor.
caloria; *s.* caloría.
calota; *s.* callosa.
caloteiro; *adj.* estafador, tramposo.
calouro; *adj.* aprendiz, novato.
calúnia; *s.* calumnia, difamación.
caluniar; *v.* calumniar, difamar.
calva; *s.* calva.
calvário; *s.* calvario.
calvície; *s.* calvicie.
calvinismo; *s.* calvinismo, protestantismo.
calvo; *adj.* calvo.
cama; *s.* cama, lecho.
camada; *s.* camada, estrato.
camafeu; *s.* camafeo.
camaleão; *s.* camaleón.
câmara; *s.* cámara.
camarada; *s.* camarada, amigo, compañero.
camaradagem; *s.* camaradería.
camarão; *s.* camarón, gamba.
camareiro; *s.* camarero.
camarilha; *s.* camarilla.
camarim; *s.* camarín, gabinete.
camarote; *s.* cabina, camarote.
cambada; *s.* camada.
cambaio; *adj.* zambo.
cambalacho; *s.* cambalache.
cambalear; *v.* tambalearse, titubear, vacilar.
cambaleio; *s.* tambaleo.
cambalhota; *s.* voltereta.
cambiante; *adj.* cambiante.
cambiar; *v.* cambiar, trocar, permutar.
câmbio; *s.* cambio, trueque.
cambista; *s.* banquero, cambista.
cambraia; *s.* cambray, tejido muy fino de lino o algodón.
camélia; *s.* camelia.
camelo; *s.* camello.
camelô; *s.* mercader de las calles.
caminhada; *s.* caminata.
caminhante; *adj.* caminante, transeúnte.
caminhão; *s.* camión.
caminhar; *v.* andar, caminar, marchar.
caminho; *s.* camino, recorrido, rumbo, senda, trayecto, vía.
caminhoneiro; *s.* camionero.
caminhonete; *s.* camioneta.
camisa; *s.* camisa.
camiseta; *s.* camiseta.
camisola; *s.* camisón.
camomila; *s.* camomila, manzanilla.
campainha; *s.* campanilla, timbre.
campanário; *s.* campanario.
campanha; *s.* campaña.

campeão; *s.* campeón.
campeonato; *s.* campeonato.
campestre; *adj.* bucólico, campestre.
campina; *s.* campiña.
campo; *s.* campo, terreno, área.
camponês; *s.* campesino, chacarero.
camuflagem; *s.* camuflaje.
camuflar; *v.* camuflar.
camundongo; *s.* ratón.
camurça; *s.* gamuza.
cana; *s.* caña, tallo.
cana-de-açúcar; *s.* caña, planta gramínea.
canal; *s.* canal, conducto, ramal.
canalar; *v.* acanalar.
canalete; *s.* hijuela.
canalha; *adj.* canalla, vil, miserable.
canalha; *s.* canalla.
canalização; *s.* canalización, fontanería.
canalizar; *v.* canalizar.
canapé; *s.* canapé.
canário; *s.* canario.
canastra; *s.* canasta.
canavial; *s.* cañaveral.
canção; *s.* canción.
cancela; *s.* barrera, cancela, verja.
cancelamento; *s.* cancelación.
cancelar; *v.* anular, cancelar.
câncer; *s.* cáncer.
cancerígeno; *adj.* cancerígeno.
canceroso; *adj.* canceroso.
cancha; *s.* cancha.
cancro; *s.* cancro, cáncer.
candeia; *s.* candela, candil.
candelabro; *s.* arandela, araña, candelabro.
candente; *adj.* abrasador, candente.
candidato; *s.* candidato.
candidatura; *s.* candidatura.
cândido; *adj.* cándido, ingenuo.
candil; *s.* candil.
candomblé; *s.* candombe, religión de los negros de Brasil.
candura; *s.* candor.
caneca; *s.* especie de vaso con asa.
canela; *s.* canela.
caneta; *s.* portaplumas.
cânfora; *s.* alcanfor, cánfora.
canga; *s.* yugo, canga.
cangalhas; *s.* angarillas.
canguru; *s.* canguro.
cânhamo; *s.* cáñamo.
canhão; *s.* cañón.
canhoto; *adj.* izquierdo, zurdo.
canibal; *s.* caníbal, antropófago.
canibalismo; *s.* antropofagia, canibalismo.
caniço; *s.* cañizo.
canil; *s.* perrera.
canino; *adj.* canino.
canivete; *s.* navaja pequeña de bolsillo.
canja; *s.* sopa de gallina con arroz.
canjica; *s.* maíz cocido con azúcar.
cano; *s.* caño, conducto, gárgola, tubo.
canoa; *s.* batel, canoa.
cânon; *s.* canon, regla.
canônico; *adj.* canónico.
canonizar; *v.* canonizar.
canoro; *adj.* canoro.
cansaço; *s.* cansancio, fatiga, languidez, rendimiento.
cansado; *adj.* cansado, exhausto, laso, lánguido.
cansar; *v.* aburrir, cansar, fatigar.
cansativo; *adj.* exhaustivo, fatigoso.
canseira; *s.* cansancio, quehacer.
cantante; *adj.* cantante.
cantão; *s.* cantón.
cantar; *v.* cantar, entonar.
cantaria; *s.* cantera.
cântaro; *s.* cántaro.
cantarolar; *v.* tararear.
cantata; *s.* cantata.
canteiro; *s.* cantero, pedrero.
canteiro; *s.* cantero, terreno cultivado con flores.
cântico; *s.* cántico, himno, salmo.
cantiga; *s.* canción, cantiga.
cantina; *s.* bar, cantina.
canto; *s.* canto, cántico, rincón, ángulo.

cantar; *v.* cantar.
cantor; *s.* cantor, vocalistá.
cantoria; *s.* canto.
canudinho; *s.* pajilla.
canudo; *s.* canuto, caño, tubo, paja.
cão; *s.* perro.
caoba; *s.* caoba.
caolho; *adj.* tuerto.
caos; *s.* caos, desorden.
caótico; *adj.* caótico.
capa; *s.* capa, funda, manto.
capacete; *s.* casco.
capacho; *s.* felpudo.
capacidade; *s.* capacidad, facultad, habilidad, suficiencia.
capacitação; *s.* capacitación.
capacitado; *adj.* capacitado.
capacitar; *v.* capacitar.
capado; *adj.* capado, castrado.
capão; *s.* capón.
capar; *v.* capar, castrar.
capataz; *s.* capataz, mayoral.
capaz; *adj.* capaz, hábil, idóneo, suficiente.
capcioso; *adj.* capcioso.
capela; *s.* capilla, ermita.
capelão; *s.* capellán.
capeta; *s.* diablo.
capilar; *adj.* capilar, fino como un cabello.
capim; *s.* capín, pasto, hierba.
capinzal; *s.* terreno donde crece el capín.
capital; *adj.* capital.
capital; *s.* capital, dinero.
capitalismo; *s.* capitalismo.
capitalista; *s.* capitalista.
capitalização; *s.* capitalización.
capitalizar; *v.* capitalizar.
capitanear; *v.* acaudillar.
capitania; *s.* capitanía.
capitão; *s.* capitán.
capitel; *s.* capitel.
capitulação; *s.* capitulación.
capitular; *v.* capitular.
capítulo; *s.* capítulo.
capivara; *s.* capivara, el mayor de los roedores.
capoeira; *s.* lucha de defensa y ataque, creada por los esclavos negros en Brasil.
capota; *s.* capota.
capotar; *v.* capotar.
capote; *s.* capote, abrigo, gabán.
caprichar; *v.* esmerar, obstinar.
capricho; *s.* antojo, capricho, fantasía, manía.
caprichoso; *adj.* caprichoso.
capricórnio; *s.* capricornio.
cápsula; *s.* cápsula.
captação; *s.* captación.
captar; *v.* captar.
captura; *s.* captura, apresamiento.
capturar; *v.* apresar, aprisionar, capturar.
capuchinho; *s.* capuchino.
capulho; *s.* capullo, botón de flores.
capuz; *s.* caperuza, capucha.
cáqui; *adj.* caqui, color del barro.
caqui; *s.* caqui, árbol frutal, fruto.
cara; *s.* cara, faz, figura, haz, rostro, semblante.
cará; *s.* nombre de algunas plantas de Brasil.
carabina; *s.* carabina.
caracol; *s.* caracol.
característico; *adj.* característico, sintomático, típico.
caracterizar; *v.* caracterizar.
cara-de-pau; *s.* caradura.
caramba; *interj.* caramba, caray.
carambola; *s.* carambola, fruto.
caramelizar; *v.* acaramelar.
caramelo; *s.* caramelo.
caramujo; *s.* caramujo, escaramujo.
caranguejo; *s.* cangrejo.
carapuça; *s.* antifaz, caperuza, capuz.
caráter; *s.* carácter, condición, genio, temperamento.
caravana; *s.* caravana.
caravela; *s.* carabela.
carboneto; *s.* carburo.
carbônico; *adj.* carbónico.

carbonífero; *adj.* carbonero, carbonífero.
carbonização; *s.* carbonización
carbonizar; *v.* carbonizar.
carbono; *s.* carbono.
carbúnculo; *s.* carbúnculo.
carburação; *s.* carburación.
carburador; *s.* carburador.
carburante; *s.* carburante.
carburar; *v.* carburar.
carcaça; *s.* caparazón.
cárcere; *s.* prisión, cautiverio, cárcel.
carcereiro; *s.* carcelero.
carcinoma; *s.* carcinoma, cáncer.
carcoma; *s.* carcoma.
carcomer; *v.* carcomer.
cardápio; *s.* carta, menú.
cardar; *v.* cardar.
cardeal; *adj.* cardinal, punto cardinal.
cardeal; *s.* cardenal.
cardíaco; *adj.* cardíaco.
cardinal; *adj.* cardinal, principal.
cardiologia; *s.* cardiología.
cardiologista; *s.* cardiólogo.
cardo; *s.* cardo.
cardume; *s.* cardumen, cardume.
careca; *s.* calva.
carecer; *v.* carecer, necesitar.
careiro; *adj.* carero, que vende caro.
carência; *s.* carencia, necesidad, privación.
carente; *adj.* carente.
carestia; *s.* carestía.
careta; *s.* careta, gesto, mohín.
carga; *s.* carga, cargamento, gravamen.
cargo; *s.* cargo, empleo, función, ministerio, oficio, puesto.
cargueiro; *s.* carguero.
cariar; *v.* cariar, cariarse.
caricato; *adj.* caricaturesco, ridículo, burlesco.
caricatura; *s.* caricatura.
caricaturista; *s.* caricaturista, dibujante de caricaturas.
carícia; *s.* caricia, halago, cariño.
caridade; *s.* caridad.
caridoso; *adj.* caridoso, caritativo.
carie; *s.* caries.
carimbar; *v.* timbrar, sellar.
carimbo; *s.* timbre, sello.
carinho; *s.* cariño, halago, mimo, caricia.
carinhoso; *adj.* cariñoso.
carioca; *s.* natural de Rio de Janeiro.
carisma; *s.* carisma.
carismático; *adj.* carismático.
cariz; *s.* cariz, semblante, aspecto.
carmelita; *s.* carmelita, de la Orden del Carmen.
carmesim; *adj.* carmesí.
carmim; *s.* carmín.
carnada; *s.* carnada.
carnal; *adj.* carnal, sensual.
carnaval; *s.* carnaval.
carnavalesco; *adj.* carnavalesco.
carnaz; *s.* carnaza.
carne; *s.* carne.
carneiro; *s.* carnero, osario, sepultura.
carniça; *s.* carroña.
carniceiro; *adj.* carnicero, carnívoro.
carnificina; *s.* carnicería, mortandad, masacre.
carnívoro; *adj.* carnívoro.
carnudo; *adj.* carnoso.
caro; *adj.* caro, costoso.
caroço; *s.* carozo, hueso de las frutas.
carona; *s.* autoestop.
caronista; *s.* autoestopista.
carótida; *s.* carótida.
carpa; *s.* carpa, pez de agua dulce.
carpete; *s.* moqueta.
carpideira; *s.* plañidera.
carpintaria; *s.* carpintería.
carpinteiro; *s.* carpintero.
carpir; *v.* carpir, plañir.
carpo; *s.* carpo.
carrancudo; *adj.* ceñudo.

carrapato; *s.* garrapata.
carrasco; *s.* verdugo.
carregado; *adj.* cargado, lleno, pesado.
carregador; *s.* cargador.
carregamento; *s.* carga, cargamento.
carregar; *v.* cargar.
carreira; *s.* carrera, pasos rápidos, curso de los astros, profesión.
carreta; *s.* carreta.
carretel; *s.* bobina, carretel.
carretilha; *s.* carretilla.
carril; *s.* carril.
carro; *s.* carro, coche.
carroça; *s.* carroza.
carroceria; *s.* carrocería.
carrossel; *s.* tiovivo.
carruagem; *s.* carruaje, diligencia.
carta; *s.* carta, epístola, misiva, pliego.
cartão; *s.* cartón.
cartão-postal; *s.* postal.
cartaz; *s.* cartel, rótulo.
cartaz; *s.* tener fama, popularidad.
carteira; *s.* billetera, monedero, cartera, pupitre.
carteiro; *s.* cartero, correo, estafeta.
cartel; *s.* cártel, trust.
cartilagem; *s.* cartílago.
cartilaginoso; *adj.* cartilaginoso.
cartilha; *s.* abecedario, cartilla.
cartografia; *s.* cartografía.
cartógrafo; *s.* cartógrafo.
cartolina; *s.* cartulina.
cartomancia; *s.* cartomancia.
cartório; *s.* notaría.
cartucho; *s.* cartucho.
cartuxo; *s.* cartujo.
caruncho; *s.* carcoma.
carvalho; *s.* encina, roble.
carvão; *s.* carbón, hulla.
carvoeiro; *s.* carbonero.
casa; *s.* aposento, casa, posada, solar.
casaca; *s.* casaca.
casaco; *s.* americana, mantón.
casado; *adj.* casado, esposado.
casal; *s.* pareja.
casamento; *s.* casamiento, boda, matrimonio, nupcias.
casar; *v.* casar, desposar.
casarão; *s.* caserón.
casario; *s.* caserío.
casca; *s.* corteza, cáscara.
cascalho; *s.* cascajo, cascote, grava, guijo, morrillo, rocalla.
cascão; *s.* cascarón, costra.
cascata; *s.* cascada, salto.
cascavel; *s.* cascabel, sonajero.
casco; *s.* casco, cráneo, uña.
casebre; *s.* casucha.
caseiro; *adj.* casero.
caseiro; *s.* capataz, casero, inquilino.
caserna; *s.* cuartel.
casinha; *s.* casilla, letrina.
casmurro; *adj.* cazurro.
caso; *s.* caso, acontecimiento, suceso, cuento.
casório; *s.* casorio, casamiento.
caspa; *s.* caspa.
cassa; *s.* gasa, muselina.
cassar; *v.* casar, anular.
cassação; *s.* casación, anulación.
cassino; *s.* casino.
casta; *s.* casta, raza.
castanha; *s.* castaña.
castanhal; *s.* castañar, castañal.
castanho; *adj.* castaño.
castanhola; *s.* castañuela.
castelhano; *adj.* castellano.
castelo; *s.* castillo.
castiçal; *s.* bujía, candelabro, candelero.
castiço; *adj.* castizo.
castidade; *s.* castidad, virginidad.
castigar; *v.* castigar, condenar, escarmentar, flagelar, infligir, mortificar, pegar, penalizar.
castigo; *s.* castigo, flagelo, pena, penitencia, venganza, zurra.
casto; *adj.* casto, puro, púdico.
castor; *s.* castor.
castração; *s.* castración.
castrar; *v.* capar, castrar.

casual; *adj.* accidental, casual, eventual, fortuito.
casualidade; *s.* acaso, azar, casualidad.
casulo; *s.* alvéolo, capullo.
cata; *s.* búsqueda.
cataclismo; *s.* cataclismo.
catacumba; *s.* catacumba.
catadura; *s.* catadura.
catalão; *adj.* catalán.
catalepsia; *s.* catalepsia.
catalisador; *adj.* catalizador.
catálise; *s.* catálisis.
catalogação; *s.* catalogación.
catalogar; *v.* catalogar, ordenar.
catálogo; *s.* catálogo, lista, nomenclatura, rol, índice.
cataplasma; *s.* cataplasma.
catapora; *s.* varicela.
catapulta; *s.* catapulta.
catar; *v.* catar, buscar, probar, examinar.
catarata; *s.* catarata, salto grande de agua.
catarata; *s.* catarata, opacidad del cristalino del ojo.
catarrento; *adj.* catarroso.
catarro; *s.* catarro, coriza.
catarse; *s.* catarsis.
catástrofe; *s.* catástrofe, hecatombe.
cata-vento; *s.* molinete, veleta, molino de viento.
catecismo; *s.* catecismo.
cátedra; *s.* cátedra.
catedral; *s.* catedral.
catedrático; *s.* catedrático.
categoria; *s.* categoría, clase, condición, escalón, posición, rango.
categórico; *adj.* categórico.
catequizar; *v.* catequizar.
caterva; *s.* caterva.
cateter; *s.* catéter, sonda.
cateterismo; *s.* cateterismo, sondeo.
cateto; *s.* cateto.
catinga; *s.* catinga, mal olor.
catingar; *v.* oler mal.
cativante; *adj.* cautivador, atrayente.
cativar; *v.* cautivar, encantar, seducir.
cativeiro; *s.* cautiverio.
cativo; *adj.* cautivo, prisionero de guerra, esclavo.
catolicismo; *s.* catolicismo.
católico; *adj.* católico.
catorze; *s.* catorce.
caução; *s.* aval, caución.
caucho; *s.* caucho, árbol de las artocarpáceas cuyo látex es inferior.
cauda; *s.* cola, rabo.
caudal; *s.* caudal, raudal.
caudaloso; *adj.* caudaloso, abundante.
caudilho; *s.* caudillo.
caule; *s.* tallo, tronco.
causa; *s.* causa, fundamento, motivo, porqué.
causal; *adj.* causal.
causalidade; *s.* causalidad.
causar; *v.* causar, motivar, ocasionar, originar.
cáustico; *adj.* cáustico.
cautela; *s.* cautela, precaución, prudencia, recato, resguardo.
cauteloso; *adj.* cauteloso, prudente, reservado.
cautério; *adj.* cauterio.
cauterização; *s.* cauterización.
cava; *s.* cava.
cavação; *s.* cavadura.
cavaco; *s.* astillas de madera.
cavala; *s.* pez caballa.
cavalar; *adj.* caballar.
cavalaria; *s.* caballería.
cavaleiro; *s.* jinete.
cavalete; *s.* caballete.
cavalgada; *s.* cabalgada.
cavalgadura; *s.* cabalgadura.
cavalgar; *v.* cabalgar.
cavalheiresco; *adj.* caballeresco.
cavalheirismo; *s.* caballerosidad.
cavalheiro; *adj.* caballero.
cavalo; *s.* caballo.
cavalo-marinho; *s.* caballo marino.

cavanhaque; *s.* perilla.
cavaquinho; *s.* pequeña guitarra.
cavar; *v.* ahuecar, cavar, excavar.
caveira; *s.* calavera.
caverna; *s.* caverna.
cavernoso; *adj.* cavernoso.
caviar; *s.* caviar.
cavidade; *s.* cavidad, agujero.
cavilação; *s.* cavilación, ardid, astucia.
cavilar; *v.* cavilar.
cavilha; *s.* clavija.
cavo; *adj.* hueco, hondo, profundo, cavernoso.
caxumba; *s.* bocio.
cear; *v.* cenar.
cebola; *s.* cebolla.
cebolinha; *s.* cebolleta.
ceder; *v.* ceder, conceder, desistir, transigir, transmitir.
cedilha; *s.* cedilla.
cedo; *adv.* temprano, de prisa, pronto.
cedro; *s.* cedro.
cédula; *s.* cédula, papeleta.
cefaléia; *s.* cefalea, jaqueca.
cegar; *v.* cegar.
cego; *adj.* ciego.
cegonha; *s.* cigüeña.
cegueira; *s.* ceguera.
ceia; *s.* cena.
ceifa; *s.* siega.
ceifar; *v.* segar.
cela; *s.* celda.
celebrar; *v.* celebrar.
célebre; *adj.* afamado, célebre, famoso, ilustre, insigne, renombrado, sonado.
celebridade; *s.* celebridad, renombre, reputación.
celebrizar; *v.* festejar, conmemorar.
celeiro; *s.* cilla, granero, hórreo.
célere; *adj.* célere, veloz, ligero.
celeste; *adj.* celeste.
celestial; *adj.* celestial.
celeuma; *s.* gritería, vocerío, alarma, algazara.
celibatário; *adj.* célibe, soltero.
celibato; *s.* celibato, soltería.
celofane; *s.* celofán.
celta; *adj.* celta.
célula; *s.* célula.
celular; *adj.* celular.
celulite; *s.* celulitis.
celulóide; *s.* celuloide.
celulose; *s.* celulosa.
cem; *adj.* cien.
cemitério; *s.* camposanto, cementerio, necrópolis.
cena; *s.* escena.
cenário; *s.* escenario, telón.
cenho; *s.* ceño.
cenografia; *s.* escenografía.
cenoura; *s.* zanahoria.
censo; *s.* censo, padrón.
censor; *s.* censor.
censura; *s.* censura.
censurar; *v.* censurar, reprobar, reprochar, tachar, zaherir.
censurável; *adj.* censurable.
centauro; *s.* centauro.
centeio; *s.* centeno.
centelha; *s.* centella.
centena; *s.* centena.
centenário; *adj.* centenario.
centenário; *s.* centenario, cien años.
centésimo; *adj.* céntimo.
centígrado; *adj.* centígrado.
centímetro; *s.* centímetro.
cêntimo; *s.* céntimo.
cento; *s.* ciento, cien, centena.
centola; *s.* centolla.
centopéia; *s.* ciempiés.
centrado; *adj.* centrado.
central; *adj.* central.
centralismo; *s.* centralismo.
centralização; *s.* centralización.
centralizar; *v.* centralizar, concentrar.
centrar; *v.* centralizar, centrar.
centrifugar; *v.* centrifugar.
centrífugo; *adj.* centrífugo.
centrípeto; *adj.* centrípeto.
centro; *s.* centro.
centuplicar; *v.* centuplicar.

cepa; *s.* cepa.
cepilho; *s.* cepillo de carpintero.
cepo; *s.* cepo.
cepticismo; *s.* escepticismo.
céptico; *adj.* escéptico.
cera; *s.* cera.
cerâmica; *s.* cerámica.
ceramista; *s.* alfarero.
cerca; *s.* cerca, vallado, tapia.
cercado; *adj.* rodeado, sitiado.
cercadura; *s.* cerca, orla, orilla.
cercania; *s.* cercanía, proximidad.
cercanias; *s.* inmediaciones, arrabal.
cercar; *v.* cercar, circundar, sitiar.
cercear; *v.* cercenar.
cerco; *s.* asedio, bloqueo, cerco.
cerda; *s.* cerda.
cereal; *s.* cereal.
cerealista; *s.* cerealista.
cerebelo; *s.* cerebelo.
cerebral; *adj.* cerebral.
cérebro; *s.* cerebro.
cereja; *s.* cereza, fruto.
cerejeira; *s.* cerezo, árbol.
cerimônia; *s.* ceremonia.
cerimonial; *s.* ceremonial.
cerimonioso; *adj.* ceremonioso.
cerne; *s.* cerno, meollo de un tronco de árbol.
ceroula; *s.* calzoncillos largos.
cerração; *s.* cerrazón, niebla.
cerrar; *v.* cerrar, tapar, vedar, juntar, ocultar.
cerro; *s.* cerro, otero.
certa; *s.* certeza, lo que es cierto.
certame; *s.* certamen.
certeiro; *adj.* certero, cierto.
certeza; *s.* certeza, convicción, evidencia, fe, seguridad.
certidão; *s.* certificación.
certificado; *s.* certificado.
certificar; *v.* afirmar, aseverar, atestar, cerciorar, certificar, confirmar.
certo; *adj.* cierto, indudable, infalible, preciso, seguro.
cerume; *s.* cerumen.
cerveja; *s.* cerveza.
cervejaria; *s.* cervecería.
cervical; *adj.* cervical.
cerviz; *s.* cerviz, nuca.
cervo; *s.* ciervo, venado.
cerzir; *v.* zurcir.
cesariana; *s.* cesárea.
cessação; *s.* cesación, cese.
cessante; *adj.* cesante.
cessão; *s.* cesión.
cessar; *v.* abolir, cesar, parar, quedar.
cesta; *s.* cesta, utensilio tejido de mimbre para transportar cosas.
cesto; *s.* cesto, cesta pequeña.
cetáceo; *adj.* cetáceo.
cetim; *s.* satén.
cetinoso; *adj.* suave como el satén.
cetro; *s.* cetro.
céu; *s.* cielo, firmamento.
ceva; *s.* ceba.
cevada; *s.* cebada.
cevar; *v.* cebar, engordar.
chá; *s.* té.
chacal; *s.* chacal.
chácara; *s.* chacra, quinta, rancho.
chacina; *s.* masacre, matanza.
chacinar; *v.* masacrar, matar, asesinar.
chacota; *s.* chacota, burla.
chafariz; *s.* chafariz, fuente.
chaga; *s.* herida, llaga, pústula, úlcera.
chagar; *v.* llagar.
chalé; *s.* chalet.
chaleira; *s.* tetera.
chama; *s.* llama, lumbre.
chamada; *s.* llamada, llamamiento.
chamado; *adj.* llamado.
chamador; *s.* llamador.
chamar; *v.* llamar, apelar, denominar, evocar, invocar.
chamariz; *s.* reclamo, chamariz.
chá-mate; *s.* mate.
chamativo; *adj.* llamativo, vistoso.
chamejante; *adj.* llameante.
chamejar; *v.* llamear, arder.
chaminé; *s.* chimenea.

champanhe; *s.* champán.
chamuscar; *v.* chamuscar.
chancela; *s.* sello, rúbrica.
chancelaria; *s.* cancillería.
chanceler; *s.* canciller.
chanfradura; *s.* bisel, chaflanada.
chanfrar; *v.* biselar, chaflanar.
chantagear; *v.* chantajear, extorsionar.
chantagem; *s.* chantaje.
chão; *s.* pavimento, solera, suelo, tierra.
chão; *adj.* llano, liso.
chapa; *s.* chapa, lámina, plancha.
chapada; *s.* altiplanicie.
chapadão; *s.* altiplanicie extensa.
chapado; *adj.* chapado.
chapar; *v.* chapar, chapear, marcar.
chapeado; *adj.* enchapado, laminado.
chapear; *v.* laminar.
chapelaria; *s.* sombrerería.
chapéu; *s.* sombrero.
chapinhar; *v.* chapotear, salpicar.
charada; *s.* charada, enigma.
charanga; *s.* charanga.
charco; *s.* charco, lodazal.
charlatão; *s.* charlatán, embaucador.
charneca; *s.* terreno inculto.
charrua; *s.* arado grande.
charutaria; *s.* cigarrería.
charuto; *s.* cigarro, puro.
chassi; *s.* chasis.
chata; *s.* chata, barcaza.
chateação; *s.* aburrimiento.
chatear; *v.* fastidiar, incordiar, molestar, enfadar, cansar.
chato; *adj.* chato, achatado, plano, aplastado.
chato; *s.* importuno, aburrido.
chato; *s.* ladilla.
chauvinismo; *s.* chauvinismo.
chave; *s.* llave.
chaveiro; *s.* llavero.
chávena; *s.* taza, jícara.
checar; *v.* chequear.
chefatura; *s.* jefatura.
chefe; *s.* comandante, jefe, líder.
chefia; *s.* comando.
chefiar; *v.* comandar, dirigir, gobernar.
chegada; *s.* advenimiento, llegada, regreso, venida.
chegado; *adj.* allegado, aproximado.
chegar; *v.* llegar, venir, alcanzar.
cheia; *s.* riada, avenida.
cheio; *adj.* lleno, abarrotado, carnoso, henchido, pleno.
cheirar; *v.* husmear, inhalar, oler.
cheiro; *s.* aroma, exhalación, olor.
cheiroso; *adj.* fragante, oloroso.
cheque; *s.* cheque.
chiado; *s.* chillido.
chiar; *v.* chillar, chirriar.
chicória; *s.* achicoria.
chicote; *s.* azote, látigo.
chicotear; *v.* azotar.
chifre; *s.* asta, cuerno, gajo.
chileno; *adj.* chileno.
chilique; *s.* desmayo, síncope.
chimarrão; *s.* té mate.
chimpanzé; *s.* chimpancé.
chinchila; *s.* chinchilla.
chinela o chinelo; *s.* chinela, chancla, zapatilla.
chinês; *adj.* chino.
chique; *adj.* chic, elegante.
chiqueiro; *s.* pocilga.
chispa; *s.* chispa.
chispar; *v.* chispear, chisporrotear.
chita; *s.* tela ordinaria de algodón estampado.
choça; *s.* choza, cabaña.
chocadeira; *s.* incubadora.
chocalho; *s.* cencerro, esquila.
chocante; *adj.* chocante.
chocar; *v.* chocar, colisionar, impactar.
chocho; *adj.* seco, huero, vacío, vano.
chocolate; *s.* chocolate.
chocolateira; *s.* chocolatera.
chofer; *s.* chófer.
chope; *s.* caña.
choque; *s.* choque, colisión, embate, encontronazo, golpe, impacto, shock.

choradeira; *s.* llantería, lloriqueo.
choramingar; *v.* lloriquear.
chorão; *adj.* llorón.
chorar; *v.* llorar, plañir, sollozar.
choro; *s.* llanto.
choroso; *adj.* lloroso.
choupana; *s.* cabaña.
choupo; *s.* chopo.
chouriço; *s.* chorizo, embuchado, embutido.
chover; *v.* llover.
chué; *adj.* ordinario.
chulé; *s.* mal olor de los pies.
chulear; *v.* sobrehilar.
chulo; *adj.* ordinario, grosero.
chumaço; *s.* almohadilla, compresa, tapón.
chumbada; *s.* plomada.
chumbar; *v.* emplomar.
chumbo; *s.* plomo.
chupão; *adj.* chupón.
chupar; *v.* chupar, absorber, mamar.
chupeta; *s.* chupeta, chupete.
churrascaria; *s.* restaurante especializado en churrasco.
churrasco; *s.* churrasco, carne asada a la brasa.
chusma; *s.* chusma.
chutar; *v.* chutar, patear.
chute; *s.* puntapié.
chuva; *s.* lluvia.
chuvada; *s.* aguacero, golpe fuerte de lluvia.
chuveiro; *s.* ducha.
chuviscar; *v.* lloviznar, orvallar.
chuvisco; *s.* llovizna, rocío, sirimiri.
chuvoso; *adj.* lluvioso, pluvioso.
cianureto; *s.* cianuro.
ciática; *s.* ciática.
cibernética; *s.* cibernética.
cicatriz; *s.* cicatriz, lacra.
cicatrizar; *v.* cicatrizar.
cicerone; *s.* cicerone.
cíclico; *adj.* cíclico.
ciclismo; *s.* ciclismo.
ciclista; *s.* ciclista.
ciclo; *s.* ciclo, período.
ciclone; *s.* ciclón, huracán.
cicuta; *s.* cicuta.
cidadania; *s.* ciudadanía.
cidadão; *s.* ciudádano.
cidade; *s.* ciudad.
cidra; *s.* sidra.
ciência; *s.* ciencia.
cientificar; *v.* certificar.
científico; *adj.* científico.
cientista; *s.* científico.
cifra; *s.* cifra, número.
cifrado; *adj.* cifrado.
cifrão; *s.* señal ($) de unidades monetarias.
cifrar; *v.* cifrar.
cigano; *s.* gitano.
cigarra; *s.* chicharra, cigarra.
cigarrilha; *s.* cigarrillo.
cigarro; *s.* cigarrillo, pitillo, tabaco.
cilada; *s.* celada, emboscada, trampa.
cilício; *s.* cilicio.
cilindrada; *s.* cilindrada.
cilíndrico; *adj.* cilíndrico.
cilindro; *s.* cilindro, rollo, rulo.
cílio; *s.* cilio, pestaña.
cima; *s.* cima, cumbre.
cimentar; *v.* cimentar.
cimento; *s.* cemento, cimiento.
cimo; *s.* cima.
cinco; *s.* cinco.
cine; *s.* cine.
cineasta; *s.* cineasta.
cineclube; *s.* cineclub.
cinema; *s.* cinema, cine.
cingir; *v.* abarcar, abrazar, atar, ceñir, precintar, recoger.
cínico; *adj.* cínico.
cinismo; *s.* cinismo, desvergüenza, descaro.
cinquenta; *s.* cincuenta.
cinquetenário; *s.* cincuentenario.
cinta; *s.* cinta, faja.
cintilante; *adj.* centelleante.
cintilar; *v.* centellar, brillar, destellar, resplandecer.
cinto; *s.* cinto, cinturón.

cintura; *s.* cintura.
cinturão; *s.* cinturón.
cinza; *s.* ceniza.
cinzeiro; *s.* cenicero.
cinzel; *s.* buril, cincel, cortafrío.
cinzento; *adj.* cenizo, grisáceo.
cio; *s.* celo.
cipreste; *s.* ciprés.
cipriota; *s.* chipriota.
ciranda; *s.* canción y danza popular infantil.
circense; *adj.* circense.
circo; *s.* circo.
circuito; *s.* circuito, contorno, ámbito.
circulação; *s.* circulación, tránsito.
circular; *adj.* circular.
circular; *v.* circular, girar, rodear.
círculo; *s.* círculo.
circunavegar; *v.* circunnavegar.
circuncidado; *adj.* circunciso.
circuncidar; *v.* circuncidar.
circuncisão; *s.* circuncisión.
circunferência; *s.* circunferencia.
circunflexo; *adj.* circunflejo.
circunlóquio; *s.* circunloquio.
circunscrever; *v.* circunscribir.
circunscrição; *s.* circunscripción.
circunspeção; *s.* circunspección.
circunspecto; *adj.* circunspecto.
circunstância; *s.* circunstancia.
circunstante; *adj.* circunstante.
círio; *s.* cirio.
cirro; *s.* cirro.
cirrose; *s.* cirrosis.
cirurgia; *s.* cirugía.
cirurgião; *s.* cirujano.
cirúrgico; *adj.* quirúrgico.
cisalha; *s.* cizalla.
cisão; *s.* cisión, incisión.
ciscar; *v.* ciscar.
cisco; *s.* cisco.
cisma; *s.* cisma.
cismar; *v.* cavilar, reflexionar, meditar, sospechar.
cisne; *s.* cisne.
cisterna; *s.* cisterna.
cistite; *s.* cistitis.
citação; *s.* cita, citación.
citar; *v.* aludir, citar, mencionar, convocar, llamar.
cítara; *s.* cítara.
citologia; *s.* citología.
citoplasma; *s.* citoplasma.
cítrico; *adj.* cítrico.
ciúme; *s.* celo, envidia.
ciumento; *adj.* celoso.
cívico; *adj.* cívico.
civil; *adj.* civil.
civilidade; *s.* civilidad, urbanidad.
civilização; *s.* civilización.
civilizar; *v.* civilizar.
cizânia; *s.* cizaña.
clã; *s.* clan, tribu.
clamar; *v.* clamar, gritar.
clamor; *s.* alarma, clamor.
clandestinidade; *s.* clandestinidad.
clandestino; *adj.* clandestino, furtivo.
clara; *s.* clara del huevo.
clarabóia; *s.* claraboya.
clarão; *s.* resplandor.
clarear; *v.* clarear.
clareira; *s.* claro de un bosque.
clareza; *s.* claridad.
claridade; *s.* claridad, luz, blancura, albura.
clarificar; *v.* clarificar, blanquear.
clarim; *s.* clarín.
clarinete; *s.* clarinete.
clarividência; *s.* clarividencia.
claro; *adj.* claro, evidente, explícito, límpido, nítido, obvio.
classe; *s.* clase, aula, categoría, especie, estado, género, rango.
classicismo; *s.* clasicismo.
clássico; *adj.* clásico.
classificador; *s.* clasificador, archivador.
classificar; *v.* clasificar, coordinar, encasillar, graduar.
claudicar; *v.* claudicar, renquear.
claustro; *s.* claustro.
claustrofobia; *s.* claustrofobia.
cláusula; *s.* cláusula.
clausura; *s.* clausura, encierro.

clava; *s.* clava, porra, cachiporra.
clave; *s.* clave.
clavícula; *s.* clavícula.
clemência; *s.* benignidad, clemencia, indulgencia.
clemente; *adj.* clemente, bondadoso.
cleptomania; *s.* cleptomanía.
clérigo; *s.* clérigo.
clero; *s.* clero.
clichê; *s.* cliché.
cliente; *s.* cliente.
clientela; *s.* clientela.
clima; *s.* clima.
climatério; *s.* climaterio.
climático; *adj.* climático.
climatizado; *adj.* climatizado.
climatizar; *v.* aclimatar.
climatologia; *s.* climatología.
clímax; *s.* clímax.
clínica; *s.* clínica.
clínico; *adj.* clínico.
clínico; *s.* terapeuta, médico.
clipe; *s.* clip.
clister; *s.* lavativa, enema.
clitóris; *s.* clítoris.
cloaca; *s.* alcantarilla, cloaca, retrete.
cloro; *s.* cloro.
clorofila; *s.* clorofila.
clorofórmio; *s.* cloroformo.
clube; *s.* club, círculo.
coabitar; *v.* cohabitar.
coação; *s.* coacción.
coadjuvar; *v.* coadyuvar.
coador; *s.* colador, filtro.
coagir; *v.* amenazar, coaccionar.
coagulação; *s.* coagulación.
coagulante; *adj.* coagulante.
coagular; *v.* coagular, cuajar.
coágulo; *s.* coágulo, cuajo.
coalhada; *s.* cuajada.
coalhado; *adj.* cuajado.
coalhar; *v.* coagular, cuajar.
coalho; *s.* cuajo.
coalizão; *s.* coalición.
coar; *v.* colar, filtrar.
coaxar; *v.* croar de las ranas.
cobaia; *s.* cobayo, conejillo de indias.
cobalto; *s.* cobalto.
coberta; *s.* cubierta, funda.
coberto; *adj.* cubierto.
cobertor; *s.* cubierta, manta.
cobertura; *s.* capa, cobertura, revestimiento.
cobiça; *s.* ambición, avidez, codicia.
cobiçar; *v.* ambicionar, codiciar, envidiar.
cobiçoso; *adj.* ambicioso, ávido.
cobra; *s.* cobra, culebra, serpiente, víbora.
cobrador; *s.* cobrador, recaudador.
cobrança; *s.* cobranza, recaudo.
cobrar; *v.* cobrar, recibir.
cobre; *s.* cobre.
cobrir; *v.* cubrir, forrar, recubrir, revestir, tapar, techar, tejar.
coca; *s.* coca.
coça; *s.* rascamiento, tunda, soba.
cocada; *s.* dulce de coco.
cocaína; *s.* cocaína.
coçar; *v.* rascar.
cocção; *s.* cocción.
cóccix; *s.* coxis, cóccix.
cócegas; *s.* cosquillas.
coceira; *s.* comezón, picazón, escocedura.
coche; *s.* coche, carruaje
cochichar; *v.* cuchichear, susurrar.
cochicho; *s.* cuchicheo, bisbiseo.
cochilar; *v.* dormitar.
coco; *s.* coco.
cocô; *s.* caca.
cócoras; *adv.* cuclillas.
cocuruto; *s.* coronilla, cima, cumbre.
codificar; *v.* codificar.
código; *s.* código.
codorniz; *s.* codorniz.
coeficiente; *s.* coeficiente.
coelhinho; *s.* conejillo.
coelho; *s.* conejo.
coentro; *s.* cilantro,
coercitivo; *adj.* coercitivo.
coerência; *s.* coherencia.
coerente; *adj.* coherente, consecuente.

coesão; *s.* cohesión.
coetâneo; *adj.* coetáneo.
coevo; *adj.* coetáneo, coevo.
coexistir; *v.* coexistir.
cofre; *s.* arca, baúl, cofre, hucha.
cogitação; *s.* cogitación.
cogitar; *v.* cogitar, imaginar, pensar, reflexionar.
cogminar; *v.* apellidar.
cognitivo; *adj.* cognitivo.
cognoscitivo; *adj.* cognoscitivo.
cogumelo; *s.* champiñón, hongo, seta.
coibir; *v.* cohibir.
coice; *s.* coz.
coifa; *s.* cofia.
coincidência; *s.* coincidencia.
coincidir; *v.* acertar, coincidir.
coiote; *s.* coyote.
coisa; *s.* cosa.
coitado; *adj.* cuitado, afligido.
coito; *s.* coito, cópula.
cola; *s.* cola, pegamento, engrudo.
colaboração; *s.* colaboración.
colaborador; *s.* colaborador.
colaborar; *v.* colaborar, cooperar.
colação; *s.* colación.
colapso; *s.* colapso.
colar; *s.* collar.
colar; *v.* colar, encolar, pegar.
colarinho; *s.* collarín.
colateral; *adj.* colateral.
colcha; *s.* colcha, cubierta, sobrecama.
colchão; *s.* colchón.
colchete; *s.* corchete.
coleção; *s.* colección, compilación, conjunto.
colecionador; *s.* coleccionista.
colecionar; *v.* coleccionar.
colega; *s.* camarada, colega, compañero.
colegial; *adj.* colegial.
colegial; *s.* alumno.
colégio; *s.* colegio.
coleira; *s.* collar para los animales.
cólera; *s.* cólera, enojo, furia, furor, ira, saña.
colérico; *adj.* airado, colérico.
colesterol; *s.* colesterol.
coleta; *s.* colecta.
coletânea; *s.* antología.
colete; *s.* chaleco.
coletividade; *s.* colectividad.
coletivo; *adj.* colectivo.
coletor; *adj.* colector.
colheita; *s.* cosecha, recolección.
colheitadeira; *s.* cosechadora.
colher; *s.* cuchara.
colher; *v.* agarrar, apañar, coger, cosechar, recolectar.
colherada; *s.* cucharada.
colherzinha; *s.* cucharilla.
colibri; *s.* colibrí, picaflor.
cólica; *s.* cólico.
colidir; *v.* colidir, colisionar.
coligação; *s.* coligación, alianza, confederación. .
coligar; *v.* coligar, asociar, unir.
colegir; *v.* colegir, juntar, reunir.
colina; *s.* colina, otero.
colírio; *s.* colirio.
colisão; *s.* colisión.
coliseu; *s.* coliseo.
colite; *s.* colitis.
colméia; *s.* colmena.
colo; *s.* cuello, regazo.
colocação; *s.* colocación, empleo.
colocar; *v.* colocar, depositar, meter, poner, situar.
colombiano; *adj.* colombiano.
cólon; *s.* colon, parte del intestino grueso.
colônia; *s.* colonia.
colonial; *adj.* colonial.
colonialismo; *s.* colonialismo.
colonização; *s.* colonización.
colonizador; *s.* colonizador.
colonizar; *v.* colonizar.
colono; *s.* colono, labrador, poblador.
coloquial; *adj.* coloquial.
colóquio; *s.* coloquio, diálogo.
coloração; *s.* color, coloración, tonalidad.
colorido; *adj.* colorido, multicolor, pintado.

colorir; *v.* colorear, matizar, pigmentar, pintar.
colossal; *adj.* colosal, descomunal.
colosso; *s.* coloso.
colostro; *s.* calostro.
coluna; *s.* columna, pilar.
com; *prep.* con.
coma; *s.* cabellera, crines, melena de león.
coma; *s.* copa de los árboles.
coma; *s.* coma, enfermedad.
coma; *s.* vírgula.
comadre; *s.* comadre, matrona, amiga.
comandante; *s.* comandante.
comandar; *v.* comandar.
comando; *s.* comando, mando.
comarca; *s.* comarca.
comatoso; *adj.* comatoso.
combate; *s.* batalla, combate, lucha, pelea, pugna.
combatente; *adj.* combatiente.
combater; *v.* batallar, combatir, guerrear, impugnar, luchar, militar.
combatível; *adj.* combatible.
combatividade; *s.* combatividad.
combativo; *adj.* combativo.
combinação; *s.* combinación, enagua.
combinação; *s.* enagua, prenda interior del vestuario femenino.
combinar; *v.* combinar, concertar, conciliar, concretar, estipular, igualar pactar.
combinável; *adj.* combinable.
comboio; *s.* vagón, convoy, tren.
combustão; *s.* combustión, ignición.
combustível; *adj.* combustible.
combustível; *s.* combustible.
começar; *v.* comenzar, empezar, germinar, iniciar, principiar.
começo; *s.* comienzo, inicio, origen, principio.
comédia; *s.* comedia.
comediante; *s.* comediante, actor de comedia.
comedido; *adj.* comedido, moderado.
comedimento; *s.* comedimiento, moderación.
comedir; *v.* comediar, moderar.
comemoração; *s.* conmemoración, fiesta.
comemorar; *v.* celebrar, conmemorar.
comenda; *s.* encomienda, insignia.
comendador; *s.* comendador.
comensal; *s.* comensal.
comentar; *v.* comentar, criticar, analizar.
comentário; *s.* comentario, análisis.
comer; *v.* comer, alimentarse.
comercial; *adj.* comercial, mercantil.
comercialização; *s.* comercialización.
comercializar; *v.* comercializar.
comerciante; *s.* comerciante, mercader, negociante, tendero, vendendor.
comerciar; *v.* comerciar, negociar.
comércio; *s.* comercio, tienda, mercado, tráfico.
comestíveis; *s.* víveres.
comestível; *adj.* comestible.
cometa; *s.* cometa.
cometer; *v.* cometer, perpetrar.
comichão; *s.* comezón, escocedura, hormigueo.
comício; *s.* comicio.
cômico; *adj.* cómico.
comida; *s.* alimento, comida.
comigo; *pron.* conmigo.
comilão; *adj.* comilón, glotón, tragón.
cominar; *v.* conminar, imponer pena.
cominho; *s.* comino.
comiseração; *s.* conmiseración, compasión, lástima.
comissão; *s.* comisión, cometido.
comissariado; *s.* comisaría.
comissário; *s.* comisario.
comissionar; *v.* comisionar.
comissura; *s.* comisura, sutura.
comitê; *s.* comité.
comitiva; *s.* comitiva, séquito.
comível; *adj.* comestible, comible.

como; *adv.* como, así como.
comoção; *s.* conmoción, desorden, perturbación.
cômoda; *s.* cómoda.
comodidade; *s.* comodidad, confort, bienestar.
cômodo; *adj.* confortable, cómodo.
comovente; *adj.* emocionante, emotivo.
comover; *v.* conmover, emocionar, impresionar, turbar.
compacto; *adj.* compacto, conciso, denso, sólido.
compadecer; *v.* compadecer.
compadre; *s.* compadre.
compaginar; *v.* compaginar.
compaixão; *s.* compasión, conmiseración, lástima, misericordia, pena.
companheiro; *s.* camarada, colega, compañero.
companheirismo; *s.* compañerismo.
companhia; *s.* acompañante, compañía, comitiva.
comparação; *s.* comparación.
comparar; *v.* comparar, confrontar, tantear.
comparável; *adj.* comparable.
comparecer; *v.* comparecer, presentarse.
comparecimento; *s.* comparecencia.
compartilhar; *v.* compartir, dividir, repartir.
compartimentar; *v.* dividir en compartimientos.
compartimento; *s.* compartimiento, habitación, cuarto.
compassar; *v.* compasar.
compassivo; *adj.* compasivo.
compasso; *s.* compás.
compatibilidade; *s.* compatibilidad.
compatível; *adj.* compatible.
compatriota; *s.* compatriota.
compendiar; *v.* compendiar.
compêndio; *s.* compendio, manual.
compenetração; *s.* compenetración.
compenetrar-se; *v.* compenetrarse.
compensação; *s.* compensación.
compensar; *v.* compensar, equilibrar, indemnizar, resarcir.
competência; *s.* atribución, competencia, jurisdicción.
competente; *adj.* competente, apto, suficiente.
competição; *s.* competición, torneo.
competidor; *adj.* competidor, antagonista, rival.
competir; *v.* competer, competir, emular, rivalizar.
compilação; *s.* compilación.
compilador; *s.* compilador.
compilar; *v.* compilar, reunir textos.
complacência; *s.* complacencia, benevolencia.
complacente; *adj.* complaciente, benévolo.
compleição; *s.* complexión.
complementar; *v.* complementar.
complementar; *adj.* complementario.
complemento; *s.* complemento, suplemento.
completar; *v.* completar, consumar.
completo; *adj.* completo, cumplido.
complexidade; *s.* complejidad.
complexo; *adj.* complejo.
complexo; *s.* complejo, conjunto de cosas.
complicação; *s.* complicación.
complicado; *adj.* complicado, intrincado.
complicar; *v.* complicar, dificultar, confundir.
componente; *adj.* componente.
compor; *v.* componer, constituir, crear, recomponer.
comporta; *s.* compuerta, esclusa, represa.
comportamento; *s.* comportamiento, procedimiento.
comportar; *v.* comportar.
composição; *s.* composición, constitución, estructura, formación.
compositor; *s.* compositor.

composto; *adj.* compuesto, ordenado, arreglado.
compostura; *s.* compostura.
compota; *s.* compota.
compra; *s.* adquisición, compra.
comprar; *v.* adquirir, comprar.
comprazer; *v.* complacer.
compreender; *v.* comprender, entender.
compreensão; *s.* comprensión.
compreensivo; *adj.* comprensivo.
compressa; *s.* compresa.
compressor; *s.* compresor.
comprido; *adj.* largo.
comprimento; *s.* largura, longitud.
comprimido; *adj.* comprimido.
comprimido; *s.* píldora.
comprimir; *v.* comprimir, estrujar, prensar.
comprometedor; *adj.* comprometedor.
comprometer; *v.* comprometer, implicar.
compromisso; *s.* compromiso.
comprovação; *s.* comprobación.
comprovante; *adj.* comprobante.
comprovar; *v.* comprobar, constatar, documentar, verificar.
compulsão; *s.* compulsión.
compulsar; *v.* compulsar, comparar documentos.
compulsória; *s.* compulsoria.
compunção; *s.* compunción, pesar, contrición.
compungir; *v.* compungir.
computador; *s.* computador, ordenador.
computar; *v.* computar, contar.
computável; *adj.* computable.
cômputo; *s.* cómputo, enumeración.
comum; *adj.* común, frecuente, trivial, vulgar.
comungar; *v.* comulgar.
comunhão; *s.* comunión.
comunicação; *s.* comunicación, transmisión.
comunicado; *s.* comunicado.
comunicar; *v.* comunicar, noticiar, participar.
comunicativo; *adj.* comunicativo, expansivo.
comunicável; *adj.* comunicable.
comunidade; *s.* comunidad, corporación.
comunismo; *s.* comunismo.
comunista; *adj.* comunista.
comunitário; *adj.* comunitario.
comutação; *s.* conmutación.
comutar; *v.* conmutar.
concatenar; *v.* concatenar, encadenar.
concavidade; *s.* concavidad.
côncavo; *adj.* cóncavo, hueco.
conceber; *v.* concebir, idear.
conceder; *v.* conceder, otorgar, dar, convenir.
conceito; *s.* concepto.
conceituado; *adj.* conceptuado.
conceituar; *v.* conceptuar.
concentração; *s.* concentración.
concentrado; *adj.* concentrado.
concentrar; *v.* concentrar.
concêntrico; *adj.* concéntrico.
concepção; *s.* concepción, idea, pensamiento.
concernente; *adj.* concerniente, pertinente.
concernir; *v.* concernir.
concertar; *v.* concertar, componer, concordar.
concertista; *s.* concertista, solista.
concerto; *s.* concierto, recital.
concessão; *s.* concesión.
concessionário; *adj.* concesionario.
concha; *s.* concha.
conchavo; *s.* conchabo, confabulación.
conciliábulo; *s.* conciliábulo.
conciliação; *s.* conciliación.
conciliar; *v.* acordar, conciliar, concordar.
concílio; *s.* concilio.
concisão; *s.* concisión.
conciso; *adj.* conciso, preciso, lacónico.
conclave; *s.* cónclave.
concluir; *v.* concluir, deducir, finalizar, inferir, terminar.

conclusão; *s.* conclusión, epílogo, fin, remate, terminación, término.
conclusivo; *adj.* conclusivo, definitivo, terminante.
concomitância; *s.* concomitancia, coincidencia.
concordância; *s.* concordancia, consonancia, armonía.
concordar; *v.* concordar, coincidir, ajustar.
concordata; *s.* concordata, concordato.
concórdia; *s.* concordia, paz.
concorrência; *s.* concurrencia, confluencia.
concorrente; *adj.* concurrente.
concorrer; *v.* concurrir, competir, afluir.
concorrido; *adj.* concurrido.
concretizar; *v.* concretar, efectuar, formalizar.
concreto; *adj.* concreto.
concreto; *s.* hormigón.
concubina; *s.* concubina.
concupiscência; *s.* concupiscencia.
concursar; *v.* concursar.
concurso; *s.* concurso.
conde; *s.* conde.
condecoração; *s.* condecoración.
condecorar; *v.* condecorar.
condenação; *s.* condenación.
condenado; *adj.* condenado.
condenar; *v.* condenar, detestar, reprobar.
condenável; *adj.* condenable, imperdonable, reprobable.
condensação; *s.* condensación.
condensador; *adj.* condensador.
condensar; *v.* condensar, espesar, resumir.
condescendência; *s.* condescendencia.
condescendente; *adj.* condescendiente.
condescender; *v.* condescender, consentir, transigir.
condessa; *s.* condesa.
condição; *s.* condición, modo, clase social.
condicional; *adj.* condicional.
condicionamento; *s.* condicionamiento.
condicionar; *v.* acondicionar, condicionar.
condigno; *adj.* condigno, merecido.
condimentar; *v.* adobar, aliñar, cocinar, condimentar.
condimento; *s.* aderezo, aliño, condimento.
condiscípulo; *s.* condiscípulo.
condizer; *v.* condecir, concordar, convenir.
condoer-se; *v.* condolerse.
condolência; *s.* condolencia, pésames.
condomínio; *s.* condominio.
condômino; *s.* condómino.
condor; *s.* cóndor.
condução; *s.* conducción.
conduta; *s.* conducta.
condutividade; *s.* conductividad.
conduto; *s.* conducto.
condutor; *adj.* conductor.
condutor; *s.* guía.
conduzir; *v.* conducir, dirigir, guiar, llevar, manejar.
cone; *s.* cono.
cônego; *s.* canónigo.
conexão; *s.* conexión, ligazón, nexo.
conexo; *adj.* conexo.
confabular; *v.* confabular, conversar.
confecção; *s.* confección.
confeccionar; *v.* confeccionar.
confederação; *s.* confederación, liga.
confederar; *v.* confederar.
confeitado; *adj.* confitado.
confeitar; *v.* confitar.
confeitaria; *s.* bollería, bombonería, confitería, repostería.
confeito; *s.* confite.
conferência; *s.* conferencia, alocución.
conferenciar; *v.* conferenciar, conversar.
conferir; *v.* administrar, atribuir, conferir, dar.

confessor; *s.* confesor.
confessar; *v.* confesar.
confete; *s.* confeti.
confiança; *s.* confianza, esperanza, fe, satisfacción, seguridad.
confiar; *v.* confiar.
confiável; *adj.* confiable, seguro.
confidência; *s.* confidencia, secreto.
confidencial; *adj.* confidencial.
confidente; *adj.* confidente.
configuração; *s.* conformación.
configurar; *v.* configurar.
confim; *s.* confín.
confinado; *adj.* confinado.
confinante; *adj.* confinante, limítrofe.
confinar; *v.* confinar, lindar.
confins; *s.* confín.
confirmação; *s.* confirmación, crisma.
confirmar; *v.* comprobar, confirmar, ratificar, crismar.
confiscar; *v.* confiscar, decomisar.
confisco; *s.* confiscación.
confissão; *s.* confesión, declaración.
conflagração; *s.* conflagración.
conflagrar; *v.* conflagrar, incendiar totalmente.
conflito; *adj.* conflicto.
confluência; *s.* confluencia.
confluir; *v.* confluir.
conformação; *s.* conformación.
conformar; *v.* conformar.
conforme; *adj.* conforme, acorde.
conforme; *prep.* conforme, según.
conformidade; *s.* conformidad.
conformismo; *s.* conformismo.
confortador; *adj.* confortador, reconfortante.
confortar; *v.* confortar, consolar, reanimar.
confortável; *adj.* confortable.
conforto; *s.* confortamiento.
conforto; *s.* confort, comodidad, bienestar.
confraria; *s.* cofradía.
confraternizar; *v.* confraternizar.
confrontação; *s.* confrontación.
confrontar; *v.* afrontar, confrontar, comparar.
confronto; *s.* confrontación, comparación.
confundir; *v.* confundir, embarullar, embrollar, equivocar, trocar.
confusão; *s.* confusión, barahúnda, desorden, embrollo, follón, lío, pelotera, revoltijo.
confuso; *adj.* confuso, impreciso, intrincado, perplejo, turbulento.
congelado; *adj.* helado.
congelador; *s.* congelador.
congelamento; *s.* congelación.
congelar; *v.* congelar, helar, solidificar.
congênere; *adj.* congénere.
congeniar; *v.* congeniar.
congênito; *adj.* congénito, innato.
congestão; *s.* congestión.
congestionar; *v.* congestionar.
conglomerado; *s.* conglomerado.
conglomerar; *v.* conglomerar.
congraçar; *v.* congraciar, reconciliar.
congratulação; *s.* congratulación, felicitación.
congratular; *v.* congratular.
congregação; *s.* congregación.
congregar; *v.* congregar, reunir.
congressista; *s.* congresista.
congresso; *s.* asamblea, congreso, convención, junta.
congruência; *s.* congruencia.
congruente; *adj.* congruente.
conhaque; *s.* coñac.
conhecedor; *adj.* conocedor, versado.
conhecer; *v.* conocer.
conhecido; *adj.* conocido, notorio.
conhecimento; *s.* conocimiento, experiencia, noción, saber.
conivência; *s.* complicidad, connivencia.
conivente; *adj.* connivente.
conjetura; *s.* conjetura.
conjeturar; *v.* conjeturar.

conjugação; *s.* conjugación.
conjugal; *adj.* conyugal.
conjugar; *v.* conjugar.
cônjuge; *s.* cónyuge, esposo, esposa.
conjunção; *s.* conjunción.
conjuntivite; *s.* conjuntivitis.
conjuntivo; *adj.* conjuntivo.
conjunto; *adj.* conjunto.
conjunto; *s.* colectividad, conjunto, grupo.
conjuntura; *s.* coyuntura.
conjuração; *s.* conjura, conspiración.
conjurado; *adj.* conspirador.
conjurar; *v.* conjurar, conspirar.
conotação; *s.* connotación.
conosco; *pron.* con nosotros.
conquista; *s.* conquista, obtención, toma.
conquistador; *adj.* conquistador.
conquistar; *v.* conquistar, dominar, conseguir noviazgo.
consagração; *s.* consagración, dedicación.
consagrador; *adj.* consagrador, apoteósico.
consagrar; *v.* consagrar, hacer sagrado, dedicar.
consaguíneo; *adj.* consanguíneo.
consciência; *s.* conciencia.
consciente; *adj.* consciente.
cônscio; *adj.* consciente.
consecução; *s.* consecución.
consecutivo; *adj.* consecutivo, sucesivo.
conseguinte; *adj.* consiguiente.
conseguir; *v.* conseguir, lograr, obtener.
conselheiro; *adj.* consejero.
conselho; *s.* consejo, advertencia, aviso.
consenso; *s.* consenso.
consentimento; *s.* anuencia, consentimiento.
consentir; *v.* asentir, consentir, permitir, tolerar.
consequência; *s.* consecuencia, secuela.
consequente; *adj.* consecuente.
consertar; *v.* concertar, remediar, reparar, sanear.
conserto; *s.* reparación, reparo, restauración.
conserva; *s.* conserva.
conservação; *s.* conservación, manutención.
conservador; *adj.* conservador, tradicional, reaccionario.
conservar; *v.* almacenar, conservar, cuidar, mantener.
conservatório; *s.* conservatorio.
consideração; *s.* aprecio, atención, consideración, crédito, estima, respeto.
considerado; *adj.* considerado, importante, respetado.
considerar; *v.* atender, considerar, respetar.
considerável; *adj.* considerable, importante, respetable.
consignação; *s.* asignación, consignación.
consignar; *v.* consignar.
consigo; *pron.* consigo.
consistência; *s.* consistencia, estabilidad.
consistente; *adj.* consistente, duro.
consistir; *v.* consistir, constar.
consoante; *s.* consonante.
consoar; *v.* consonar.
consola; *s.* consola.
consolação; *s.* consolación.
consolar; *v.* aliviar, consolar.
consolidado; *adj.* consolidado.
consolidar; *v.* consolidar, fortificar, afirmarse.
consolo; *s.* consuelo.
consolo; *s.* consola, mueble.
consonância; *s.* concordancia, consonancia, rima.
consonante; *adj.* consonante.
consórcio; *s.* consorcio.
consorte; *s.* consorte, cónyuge.
conspícuo; *adj.* conspicuo, ilustre, insigne.
conspiração; *s.* complot, conspiración.
conspirador; *adj.* conspirador.

conspirar; *v.* conspirar, confabular.
conspuciar; *v.* mancillar, ensuciar, manchar.
constância; *s.* constancia, empeño.
constante; *adj.* constante, firme, incesante, invariable.
constar; *v.* constar, consistir.
constatação; *s.* constatación.
constatar; *v.* constatar, comprobar, compulsar, verificar.
constelação; *s.* constelación.
consternação; *s.* consternación, desaliento, abatimiento.
consternar; *v.* consternar, desalentar, entristecer.
constipação; *s.* constipación, estreñimiento.
constipar; *v.* constipar.
constitucional; *adj.* constitucional.
constituição; *s.* constitución.
constituinte; *adj.* constituyente.
constituir; *v.* componer, constituir, organizar.
constranger; *v.* constreñir, forzar, oprimir.
constrangimento; *s.* constreñimiento, coacción.
construção; *s.* construcción, edificación, edificio.
construir; *v.* construir, edificar, fabricar, formar.
construtor; *adj.* constructor.
construtor; *s.* aparejador.
cônsul; *s.* cónsul.
consulado; *s.* consulado.
consulta; *s.* consulta.
consultar; *v.* consultar, examinar, pedir parecer a.
consultor; *s.* consultor.
consultório; *s.* consultorio, gabinete.
consumação; *s.* consumación.
consumar; *v.* consumar, acabar, completar.
consumidor; *adj.* consumidor, gastador.
consumir; *v.* consumir, devorar, disipar, extinguir, gastar.
consumo; *s.* consumo, dispendio, gasto.
conta; *s.* cuenta, cálculo, cómputo, cargo, incumbencia.
contabilidade; *s.* contabilidad.
contado; *adj.* contado, computado.
contador; *adj.* contable, contador.
contagem; *s.* cuenta.
contagiante; *adj.* contagiante, epidémico.
contagiar; *v.* contagiar, contaminar, inocular, propalar.
contágio; *s.* contagio, epidemia.
contagioso; *adj.* contagioso, epidémico, infeccioso.
conta-gotas; *s.* cuentagotas.
contaminação; *s.* contaminación, impureza, infección, polución.
contaminado; *adj.* contaminado, impuro.
contaminar; *v.* contaminar, infectar, infestar.
contar; *v.* computar, contar, enumerar, narrar, referir, relatar.
contato; *s.* contacto, toque.
contável; *adj.* contable.
contemplação; *s.* contemplación.
contemplar; *v.* admirar, contemplar.
contemplativo; *adj.* absorto, contemplativo.
contemporâneo; *adj.* contemporáneo.
contemporizar; *v.* contemporizar.
contenção; *s.* contención.
contenda; *s.* contienda, debate, disputa.
contender; *v.* contender, debatir, disputar.
contentamento; *s.* contentamiento, alegría, felicidad, placer, regocijo.
contentar; *v.* complacer, contentar, satisfacer.
contente; *adj.* alegre, contento, feliz, satisfecho.
conter; *v.* contener, debelar, incluir, refrenar, reprimir, tener.
conterrâneo; *s.* conterráneo.
contestação; *s.* contestación, objeción, réplica.

contestador; *adj.* contestador.
contestar; *v.* contestar, controvertir, debatir, objetar, refutar, responder.
conteúdo; *s.* contenido.
contexto; *s.* contexto.
contido; *adj.* contenido.
contigo; *pron.* contigo.
contíguo; *adj.* adyacente, contiguo, limítrofe, próximo.
continente; *s.* continente.
contingência; *s.* contingencia.
contingente; *adj.* contingente, eventual.
continuação; *s.* seguimiento, sucesión.
continuado; *adj.* continuado, prolongado, seguido.
continuar; *v.* continuar, permanecer, prorrogar, proseguir, reanudar.
continuidade; *s.* continuidad.
contínuo; *adj.* continuo, incesante, perenne, seguido.
contista; *s.* cuentista.
conto; *s.* cuento, novela, relato.
contorcer; *v.* contorcer, retorcerse.
contornar; *v.* contornar, perfilar, contornear.
contorno; *s.* circuito, contorno, perfil, periferia.
contra; *prep.* contra, enfrente, hacia.
contrabaixo; *s.* contrabajo.
contrabalançar; *v.* contrabalancear, compensar, equilibrar.
contrabandista; *s.* contrabandista.
contrabando; *s.* alijo, contrabando.
contração; *s.* contracción, retracción.
contraconceptivo; *adj.* anticonceptivo.
contradição; *s.* contradicción.
contraditório; *adj.* contradictorio.
contradizer; *v.* contradecir.
contra-espionagem; *s.* contraespionaje.
contrafazer; *v.* contrahacer.
contrafeito; *adj.* contrahecho.
contragosto; *s.* oposición hecha al gusto o a la voluntad.
contra-indicação; *s.* contraindicación.
contrair; *v.* astringir, contraer, encoger.
contramão; *s.* dirección contraria.
contramarcha; *s.* contramarcha.
contramestre; *s.* contramaestre.
contra-ofensiva; *s.* contraofensiva.
contra-ordem; *s.* contraorden.
contrapartida; *s.* contrapartida.
contrapeso; *s.* contrapeso.
contraponto; *s.* contrapunto.
contrapor; *v.* contraponer, oponer.
contraposição; *s.* contraposición.
contraproducente; *adj.* contraproducente.
contra-regra; *s.* traspunte.
contra-revolução; *s.* contrarrevolución.
contrariar; *v.* contrariar, resistir.
contrariedade; *s.* contrariedad.
contrário; *adj.* avieso, contrario, opuesto, desfavorable.
contra-senha; *s.* contraseña.
contra-senso; *s.* contrasentido.
contrastar; *v.* contrastar.
contraste; *s.* contraste.
contratar; *v.* contratar.
contratempo; *s.* contratiempo, percance.
contrátil; *adj.* contráctil.
contrato; *s.* acuerdo, contrata, contrato.
contratual; *adj.* contractual.
contraveneno; *s.* contraveneno.
contraventor; *s.* contraventor.
contravir; *v.* contravenir.
contribuição; *s.* contribución.
contribuinte; *adj.* contribuyente.
contribuir; *v.* aportar, contribuir, auxiliar, prestar.
contrição; *s.* arrepentimiento, contrición.
contrito; *adj.* contrito.
controlar; *v.* controlar, fiscalizar, verificar.
controle; *s.* control, examen, fiscalización.
controvérsia; *s.* controversia, debate.

controverter; *v.* controvertir, disputar, discutir.
contudo; *conj.* todavía, con todo, sin embargo.
contumácia; *s.* contumacia, tenacidad.
contumaz; *adj.* contumaz.
contundente; *adj.* contundente.
contundir; *v.* contundir, magullar, golpear.
conturbar; *v.* conturbar, perturbar.
contusão; *s.* contusión, equimosis, magulladura.
convalescer; *v.* convalecer.
convalidar; *v.* convalidar.
convenção; *s.* contrato, convención, pacto.
convencer; *v.* convencer, persuadir.
convencido; *adj.* convencido, persuadido.
convencimento; *s.* convencimiento.
convencional; *adj.* convencional.
conveniente; *adj.* conveniente, oportuno, útil.
convênio; *s.* acuerdo, convenio.
convento; *s.* convento, monasterio.
convergência; *s.* convergencia.
convergir; *v.* afluir, converger, convergir.
conversa; *s.* conversa, diálogo, plática.
conversação; *s.* conversación.
conversador; *adj.* conversador.
conversar; *v.* conversar, charlar, dialogar.
converso; *s.* converso, lego.
converter; *v.* convertir, mudar, transformar.
convés; *s.* combés.
convexo; *adj.* convexo.
convicção; *s.* certeza, convencimiento, convicción.
convicto; *adj.* convicto.
convidado; *adj.* convidado.
convidado; *s.* invitado.
convidar; *v.* convidar, invitar.
convincente; *adj.* convincente.
convir; *v.* convenir, estar acorde.
convite; *s.* convite, invitación.
convivência; *s.* contubernio, convivencia.
conviver; *v.* convivir, frecuentar.
convívio; *s.* convivencia.
convocação; *s.* convocación, anuncio, aplazamiento, llamamiento.
convocar; *v.* convocar, llamar, reclutar, reunir.
convulsão; *s.* convulsión.
convulso; *adj.* convulso.
cooperação; *s.* cooperación, colaboración, solidariedad.
cooperar; *v.* cooperar, colaborar, contribuir.
cooperativa; *s.* cooperativa.
coordenação; *s.* coordinación, ordenamiento.
coordenar; *v.* coordinar, disponer, organizar.
copa; *s.* despensa, aparador, copa del sombrero, copa del árbol, cuba, tina.
copado; *adj.* acopado, frondoso.
copeiro; *s.* despensero, repostero.
cópia; *s.* copia, imitación, plagio.
copiar; *v.* copiar, duplicar, imitar, plagiar, registrar, transcribir.
copioso; *adj.* abundante, copioso.
copla; *s.* copla.
copo; *s.* vaso.
coprodução; *s.* coproducción.
cópula; *s.* coito, cópula.
copular; *v.* copular.
coque; *s.* coque, hulla.
coqueiral; *s.* cocotal, cocotero.
coqueiro; *s.* cocotero.
coqueluche; *s.* coqueluche, tos ferina.
coquetel; *s.* cóctel.
cor; *s.* color.
coração; *s.* corazón.
corado; *adj.* colorado, colorido.
coradouro; *s.* tendedero.
coragem; *s.* coraje, valor, ánimo.
corajoso; *adj.* corajoso, valiente, valeroso.

coral; *s.* coral.
corante; *adj.* colorante.
corar; *v.* ruborizar, sonrojar, enrojecer.
corbelha; *s.* canastillo para frutos, flores o dulces.
corça; *s.* corzo.
corcova; *s.* corcova, giba, joroba.
corcunda; *s.* chepa, corcova, giba, joroba.
corda; *s.* cuerda.
cordão; *s.* cordón.
cordeiro; *s.* cordero.
cordel; *s.* bramante, cordel.
cor-de-rosa; *adj.* color rojo desmayado.
cordial; *adj.* afectuoso, cordial.
cordialidade; *adj.* cordialidad.
cordilheira; *s.* cordillera, serranía, sierra.
cordura; *s.* cordura.
coreano; *adj.* coreano.
coreografia; *s.* coreografía.
coreógrafo; *s.* coreógrafo.
coreto; *s.* templete.
corista; *s.* corista.
coriza; *s.* coriza.
corja; *s.* canalla, banda, pandilla, chusma.
cornada; *s.* cornada.
córnea; *s.* córnea.
corneta; *s.* corneta.
corno; *s.* cuerno.
coro; *s.* coro.
coroa; *s.* corona.
coroação; *s.* coronación.
coroar; *v.* coronar.
coroinha; *s.* monaguillo.
corola; *s.* corola.
coronário; *adj.* coronario.
coronel; *s.* coronel.
corpete; *s.* corsé.
corpinho; *s.* corpiño.
corpo; *s.* cuerpo.
corporação; *s.* corporación.
corporal; *adj.* corporal.
corporativo; *adj.* corporativo.
corpóreo; *adj.* corpóreo.
corpulência; *s.* corpulencia, volumen.
corpulento; *adj.* corpulento, gordo, voluminoso.
corpúsculo; *s.* corpúsculo.
correção; *s.* corrección, enmienda.
corredeira; *s.* rápido, corriente de río muy fuerte.
corrediço; *adj.* corredizo.
corredor; *s.* galería, pasadizo, pasillo.
córrego; *s.* arroyo, reguera, cañada.
correia; *s.* correa, rienda.
correio; *s.* correo.
correlação; *s.* correlación.
corrente; *adj.* actual, corriente, fácil, habitual, común.
corrente; *s.* curso de agua, cadena metálica, viento.
correnteza; *s.* corriente de agua.
correr; *v.* correr, caminar velozmente.
correria; *s.* correría, carrera, disparada.
correspondência; *s.* correspondencia, reciprocidad, relación.
corresponder; *v.* atañer, corresponder, equivaler.
corretivo; *adj.* correctivo.
correto; *adj.* correcto, exacto.
corretor; *s.* corrector, agente.
corrida; *s.* carrera, corrida.
corrigir; *v.* corregir, enmendar, refrenar, rehacer, remediar, remendar, reprender.
corrimão; *s.* baranda, barandilla.
corrimento; *s.* corrimiento, flujo, purgación.
corriqueiro; *adj.* corriente, vulgar.
corroborar; *v.* corroborar.
corroer; *v.* corroer, roer lentamente.
corromper; *v.* corromper, enviciar, pervertir, pudrir, adulterar.
corrompido; *adj.* corrupto, depravado, putrefacto.
corrosão; *s.* corrosión, erosión.
corrosivo; *adj.* corrosivo.

corrupção; *s.* corrupción.
corruptível; *adj.* corruptible, sobornable.
corrupto; *adj.* corrupto.
corruptor; *s.* corruptor.
corsário; *s.* corsario, pirata.
cortado; *adj.* cortado, tallado.
cortante; *adj.* cortante, incisivo.
corta-papel; *s.* cortapapeles.
cortar; *v.* aparar, cortar, dividir, podar, recortar, seccionar, tajar, tallar, truncar.
corte; *s.* cortadura, corte, filo, poda, sección.
corte; *s.* corte, donde reside un monarca y toda la comitiva.
cortejar; *v.* cortejar, galantear.
cortejo; *s.* acompañamiento, cortejo, séquito.
cortês; *adj.* cortés, afable, amable, atento.
cortesã; *s.* cortesana, prostituta.
cortesão; *adj.* cortesano, palaciego.
cortesia; *s.* cortesía, afecto, afabilidad.
cortiça; *s.* corteza.
cortiço; *s.* conventillo.
cortina; *s.* cortina.
cortinado; *s.* cortinado.
coruja; *s.* lechuza.
corveta; *s.* corbeta.
corvo; *s.* cuervo.
cós; *s.* pretina.
coseno; *s.* coseno.
coser; *v.* coser, zurcir.
cosmético; *s.* cosmético, afeite.
cósmico; *adj.* cósmico.
cosmo; *s.* universo.
cosmonauta; *s.* cosmonauta.
cosmonave; *s.* cosmonave.
cosmopolita; *s.* cosmopolita.
cosmos; *s.* cosmos.
costa; *s.* costa, orilla del mar.
costado; *s.* bordo, flanco, lado.
costariquenho; *adj.* costarriqueño.
costas; *s.* costado, dorso, espaldas, reverso, revés.
costear; *v.* bordear, costear.
costela; *s.* costilla.
costeletas; *s.* patillas.
costumar; *v.* acostumbrar, habituar.
costume; *s.* costumbre, moda, práctica, rito, usanza, uso.
costumeiro; *adj.* habitual, usual.
costura; *s.* costura, labor.
costurar; *v.* coser, laborar, zurcir.
costureira; *s.* costurera.
costureiro; *s.* modista.
cotação; *s.* cotización.
cotar; *v.* cotizar, valorar.
cotejar; *v.* cotejar, comparar.
cotidiano; *adj.* cotidiano.
cotizar; *v.* cotizar.
coto; *s.* muñón.
cotovelo; *s.* codo, recodo.
cotovia; *s.* alondra, cotovía.
couraça; *s.* coraza.
couraçado; *adj.* blindado.
couraçar; *v.* blindar.
couro; *s.* cuero, pellejo, piel.
couto; *s.* coto.
couve; *s.* berza, col.
couve-flor; *s.* coliflor.
cova; *s.* cueva, caverna, fosa, sepultura.
covarde; *adj.* cobarde, pusilánime.
covardia; *s.* cobardía.
coveiro; *s.* sepulturero.
covil; *s.* antro, cubil.
coxa; *s.* muslo, pierna.
coxear; *v.* cojear, renquear.
coxim; *s.* cojín.
coxo; *adj.* cojo.
cozer; *v.* cocer.
cozido; *adj.* cocido, hervido.
cozido; *s.* comida compuesta de carnes cocidas con legumbres.
cozimento; *s.* cocimiento, cocción.
cozinha; *s.* cocina.
cozinhar; *v.* cocer, cocinar, guisar.
cozinheiro; *s.* cocinero.
crânio; *s.* cráneo.
crápula; *s.* crápula.
crasso; *adj.* craso, grueso, gordo, espeso, suma ignorancia.
cratera; *s.* cráter.

cravar; *v.* clavar, enclavar, clavetear, espetar, hincar.
craveiro; *s.* planta del clavel.
cravelha; *s.* clavija.
cravo; *s.* clavo.
cravo; *s.* clavel.
cravo-da-índia; *s.* clavo.
creche; *s.* guardería infantil.
credencial; *adj.* credencial.
creditar; *v.* abonar, acreditar.
crédito; *s.* confianza, crédito.
credo; *s.* credo.
credor; *adj.* acreedor.
crédulo; *adj.* crédulo, ingenuo, sencillo, superticioso.
cremação; *s.* cremación.
cremalheira; *s.* cremallera.
cremar; *v.* cremar, quemar, incinerar.
crematório; *s.* crematorio.
creme; *s.* crema, nata.
creme; *s.* crema, cosmético, potingue.
creme; *adj.* del color crema.
cremoso; *adj.* cremoso.
crença; *s.* creencia, religión.
crendice; *s.* supertición.
crente; *adj.* creyente, religioso.
creolina; *s.* creolina, cresolina, sanatol.
crepe; *s.* crespón, gasa.
crepitar; *v.* chisporrotear, crepitar.
crespuscular; *adj.* crepuscular.
crepúsculo; *s.* crepúsculo, lubricán.
crer; *v.* confiar, creer.
crescente; *adj.* creciente.
crescer; *v.* aumentar, crecer, estirar, subir.
crescido; *adj.* crecido, desarrollado, importante, grande, maduro.
crescimento; *s.* crecimiento, desarrollo progresivo.
crespo; *adj.* crespo, ensortijado, ondulado, rizo.
crestar; *v.* achicharrar, chamuscar.
cretino; *adj.* cretino.
cretone; *s.* cretona.
cria; *s.* cría.
criação; *s.* creación, crianza, cría.
criada; *s.* asistenta, criada, sirvienta.
criadagem; *s.* servidumbre.
criado; *adj.* criado.
criado; *s.* camarero, lacayo, servidor.
criador; *s.* autor, creador.
criança; *s.* crío, chiquillo, nene, niño.
criançada; *s.* niñería, chiquillería.
criancice; *s.* niñería.
criancinha; *s.* nene, bebe.
criar; *v.* crear, criar, formar, inventar, plasmar.
criativo; *adj.* creativo, ingenioso.
criatura; *s.* criatura, ser, individuo.
crime; *s.* crimen, delito.
criminoso; *s.* criminoso, criminal, delincuente.
crina; *s.* crin.
crioulo; *adj.* criollo, negro.
cripta; *s.* cripta.
crisálida; *s.* crisálida.
crisântemo; *s.* crisantemo.
crise; *s.* crisis.
crisma; *s.* crisma.
crispar; *v.* crispar, rizar, fruncir.
crista; *s.* cresta.
cristal; *s.* cristal.
cristaleira; *s.* cristalera, especie de aparador.
cristalino; *adj.* cristalino, transparente, límpido, claro.
cristalizar; *v.* cristalizar.
cristão; *adj.* cristiano.
cristianismo; *s.* cristianismo.
cristianizar; *v.* cristianizar.
critério; *s.* criterio.
crítica; *s.* censura, comentario, crítica.
criticar; *v.* criticar, comentar, legislar.
crítico; *s.* crítico, criticador.
crivar; *v.* cribar, agujerear.
crível; *adj.* creíble.
crivo; *s.* cedazo, criba.
crochê; *s.* ganchillo.

crocodilo; *s.* cocodrilo, crocodilo.
cromado; *adj.* cromado.
cromático; *adj.* cromático.
cromo; *s.* cromo.
cromossoma; *s.* cromosoma.
crônica; *s.* crónica, narración.
crônico; *adj.* crónico, que dura mucho.
cronista; *s.* cronista.
cronologia; *s.* cronología.
cronometrar; *v.* cronometrar.
cronômetro; *s.* cronómetro.
croquete; *s.* croqueta.
croqui; *s.* croquis.
crosta; *s.* costra, pústula.
cru; *adj.* crudo.
crucial; *adj.* crucial.
crucificar; *v.* crucificar.
crucifixo; *s.* crucifijo.
cruel; *adj.* cruel, atroz, doloroso.
crueldade; *s.* crudeza, crueldad.
crueza; *s.* crudeza.
crustáceo; *s.* crustáceo.
cruz; *s.* cruz.
cruzada; *s.* cruzada.
cruzador; *s.* crucero, buque de guerra.
cruzamento; *s.* cruzamiento, cruce, encrucijada.
cruzar; *v.* atravesar, cruzar, entrecruzar, terciar.
cruzeiro; *s.* crucero.
cuba; *s.* cuba, tina.
cubano; *adj.* cubano.
cubículo; *s.* celda, cubículo, cuarto pequeño.
cubismo; *s.* cubismo.
cúbito; *s.* cúbito.
cubo; *s.* cubo, dado.
cuco; *s.* cuco.
cuecas; *s.* calzoncillos.
cueiro; *s.* pañal.
cuíca; *s.* zambomba.
cuidado; *s.* cuidado, desvelo, esmero, precaución.
cuidadoso; *adj.* cuidadoso, atento, vigilante.
cuidar; *v.* cuidar, tratar, vigilar.
cujo; *pron.* cuyo, del cual, de quien.
culatra; *s.* culata.
culinário; *adj.* culinario.
culminância; *s.* culminación, apogeo.
culminante; *adj.* culminante.
culminar; *v.* culminar.
culpa; *s.* culpa.
culpabilidade; *s.* culpabilidad.
culpado; *adj.* culpado, culpable.
culpar; *v.* acusar, culpar.
culpável; *adj.* culpable.
cultivador; *s.* cultivador, agricultor.
cultivar; *v.* cultivar, laborar, plantar.
cultivo; *s.* cultivo, cultura, plantación.
culto; *adj.* culto, inteligente.
culto; *s.* culto, rito, veneración.
cultuar; *v.* rendir culto, venerar.
cultura; *s.* civilización, cultura.
cultural; *adj.* cultural.
cume; *s.* cima, cumbre, pico, ápice.
cumeeira; *s.* cumbrera.
cúmplice; *s.* cómplice, connivente.
cumplicidade; *s.* complicidad, connivencia, implicación.
cumprimentar; *v.* cumplimentar, felicitar.
cumprimento; *s.* cumplimiento, saludo, salutación.
cumprir; *v.* cumplir, satisfacer, mantener.
cumular; *v.* colmar.
cúmulo; *s.* colmo, cúmulo, montón.
cunha; *s.* calzo, cuña.
cunhado; *s.* cuñado.
cunhar; *v.* acuñar.
cunho; *s.* cuño.
cúpido; *adj.* ávido, ambicioso, avaricioso, codicioso.
cupim; *s.* termita.
cupom; *s.* cupón.
cúpula; *s.* cúpula.
cura; *s.* abad, cura, párroco.
cura; *s.* cura, acción de curar.
curandeiro; *s.* curandero.
curar; *v.* curar, sanar.
curativo; *s.* curativo, curación, cataplasma, vendaje.

cúria; *s.* curia.
curiosidade; *s.* curiosidad.
curioso; *adj.* curioso.
curral; *s.* corral, majada, pocilga, redil.
cursar; *v.* cursar.
curso; *s.* curso.
curta-metragem; *s.* cortometraje.
curtir; *v.* curtir.
curto; *adj.* breve, corto.
curto-circuito; *s.* cortocircuito.
curtume; *s.* curtimiento.
curva; *s.* corva, curva, elipse, vuelta.
curvar; *v.* curvar, encorvar, inclinar.
curvatura; *s.* curvatura.
curvo; *adj.* curvo, redondo, sinuoso.
cuspe; *s.* saliva.
cúspide; *s.* cúspide.
cuspideira; *s.* escupidera.
cuspir; *v.* escupir, salivar.
custar; *v.* costar, valer.
custear; *v.* costear, sufragar.
custo; *s.* costa, coste, costo, importe.
custódia; *s.* custodia, guardia.
custodiar; *v.* custodiar.
custoso; *adj.* costoso, difícil.
cutâneo; *adj.* cutáneo.
cutelo; *s.* cuchilla.
cutícula; *s.* cutícula.
cútis; *s.* cutis, tez.
cutucar; *v.* tocar levemente con el codo,
czar; *s.* zar.

D

d; *s.* cuarta letra del abecedario portugués.
da; contración de la prep. de y el artículo o pron. a de la.
dádiva; *s.* dádiva, donativo, obsequio, regalo.
dadivoso; *adj.* dadivoso, generoso.
dado; *s.* dado, cubo.
dado; *adj.* gratuito, afable, permitido, propenso.
dália; *s.* dalia.
dálmata; *adj.* dálmata.
daltônico; *adj.* daltónico.
daltonismo; *s.* daltonismo.
dama; *s.* dama, señora, dama de honor.
damas; *s.* juego de damas.
damasco; *s.* albaricoque, damasco, tela de seda con dibujos.
damasqueiro; *s.* albaricoquero.
danaçao; *s.* damnación, hidrofobia, rabia.
danado; *adj.* damnado, hidrófobo, rabioso.
danar; *v.* damnar, volver rabioso.
dança; *s.* baile, danza.
dançador; *s.* danzador, danzante.
dançante; *adj.* danzante, bailable.
dançar; *v.* bailar, danzar.
dançarino; *adj.* bailarín, danzarín.
danificado; *adj.* damnificado.
danificar; *v.* damnificar, dañar, averiar, estropear.
daninho; *adj.* dañino, dañoso.
dano; *s.* daño, pérdida, perjuicio.
danoso; *adj.* dañoso, dañino, nocivo, perjudicial.
dantesco; *adj.* dantesco.
dar; *v.* dar, donar, entregar, ceder gratuitamente, otorgar, conceder, ofrecer regalar, destinar, realizar.
dardo; *s.* dardo, jabalina.
data; *s.* data, fecha.
datar; *v.* datar, fechar.
datilografar; *v.* mecanografiar.
datilografia; *s.* dactilografía, mecanografía.
datilógrafo; *s.* dactilógrafo, mecanógrafo.
deão; *s.* decano, deán.
debaixo; *adv.* debajo.
debalde; *adv.* balde.
debandada; *s.* desbandada.
debandar; *v.* desbandar, poner en fuga desordenadamente.
debate; *s.* debate, discusión, controversia.
debater; *v.* debatir, discutir, disputar, polemizar.
debelar; *v.* debelar, vencer, dominar.
débil; *adj.* débil, anémico, endeble, exangüe, flaco, flojo, flácido, lánguido.
debilidade; *s.* debilidad, fatiga, flaqueza, flojedad.
debilitar; *v.* debilitar, depauperar, enflaquecer, extenuar, postrar.

debitar; *v.* debitar, cargar en cuenta, adeudar.
débito; *s.* deuda, débito.
debochado; *adj.* libertino, corrupto, licencioso.
debochar; *v.* corromper, viciar, hacer libertino.
deboche; *s.* libertinaje, corrupción, depravación.
debruçar; *v.* echar de bruces, inclinar, asomar.
debulhar; *v.* desgranar.
debutante; *adj.* debutante.
debutar; *v.* debutar, estrenar.
debuxar; *v.* dibujar, esbozar, delinear.
década; *s.* década.
decadência; *s.* decadencia, declinación, degeneración.
decadente; *adj.* decadente.
decaído; *adj.* decaído.
decair; *v.* decaer, declinar.
decálogo; *s.* decálogo.
decanato; *s.* decanato.
decano; *s.* decano.
decantação; *s.* decantación.
decantar; *v.* decantar.
decapitar; *v.* decapitar, degollar, descabezar.
decassílabo; *s.* decasílabo.
decência; *s.* decencia, decoro, honestidad.
decênio; *s.* decenio.
decente; *adj.* decente.
decepar; *v.* truncar, amputar.
decepção; *s.* decepción, desilusión, desengaño.
decepcionar; *v.* decepcionar, desilusionar, desengañar.
decerto; *adv.* con certeza, ciertamente.
decibel; *s.* decibelio.
decidido; *adj.* decidido, resoluto, emprendedor, osado.
decidir; *v.* decidir, definir, deliberar, determinar, laudar, sentenciar.
decifrar; *v.* descifrar, leer, interpretar, comprender.
décima; *s.* décima.
decimal; *adj.* decimal.
décimo; *adj.* décimo.
decisão; *s.* decisión, sentencia, veredicto.
decisivo; *adj.* decisivo, terminante.
declamação; *s.* declamación.
declamar; *v.* declamar, recitar.
declaração; *s.* declaración, afirmación, atestado, confesión.
declarar; *v.* declarar, denunciar, enunciar, especificar, testificar.
declinação; *s.* declinación.
declinar; *v.* declinar, desviar, inclinar.
declínio; *s.* declinación, decadencia.
declive; *s.* declive , costanera, cuesta, inclinación, ladera, vertiente.
decodificar; *v.* descodificar.
decolar; *v.* despegar.
decomponente; *adj.* descomponente.
decompor; *v.* descomponer, desintegrar, analizar.
decomposição; *s.* descomposición.
decoração; *s.* decoración.
decorado; *adj.* decorado.
decorador; *s.* decorador.
decorar; *v.* adornar, decorar.
decorar; *v.* memorizar, saber de memoria.
decorativo; *adj.* decorativo.
decoro; *s.* decoro, pundonor, decencia, seriedad.
decoroso; *adj.* decoroso, decente.
decorrer; *v.* transcurrir.
decotado; *adj.* escotado.
decotar; *v.* escotar, podar.
decote; *s.* descote, escote, poda.
decrépito; *adj.* decrépito, caduco.
decrescer; *v.* decrecer.
decretar; *v.* decretar, ordenar, mandar, establecer.
decreto; *s.* decreto, edicto, auto, ley.
decurso; *s.* decurso, duración, sucesión del tiempo.
dedal; *s.* dedal.

dédalo; *s.* dédalo, laberinto.
dedicação; *s.* dedicación, afecto, amistad, devoción, entrega.
dedicado; *adj.* dedicado, ofrecido, sacrificado, devoto.
dedicar; *v.* dedicar, destinar, consagrarse, sacrificarse.
dedicatória; *s.* dedicatoria.
dedo; *s.* dedo.
dedução; *s.* conclusión, deducción, substracción.
deduzir; *v.* deducir, descontar, substraer, inferir, rebatir.
defasagem; *s.* desfase.
defasar; *v.* desfasar.
defecação; *s.* defecación, deyección.
defecar; *v.* defecar, deponer, evacuar.
defectivo; *adj.* defectivo.
defeito; *s.* defecto, falta, incorrección, tacha.
defeituoso; *adj.* defectuoso, imperfecto, defectivo.
defender; *v.* defender, guardar, librar, patrocinar, preservar, proteger, resguardar, resistir.
defensável; *adj.* defensable, defensible, defendible.
defensiva; *s.* defensiva.
defensor; *adj.* defensor, protector.
deferência; *s.* deferencia.
deferente; *adj.* deferente, cortés.
deferir; *v.* conceder, deferir.
defesa; *s.* defensa, alegación, amparo, justificación, resistencia.
defeso; *adj.* defeso, vedado, prohibido.
deficiência; *s.* deficiencia, insuficiencia.
deficiente; *adj.* deficiente, incompleto, insuficiente, falto, minusválido.
déficit; *s.* déficit.
deficitário; *adj.* corto, deficitario.
definhar; *v.* enflaquecer, debilitar, extenuar.
definição; *s.* definición.
definido; *adj.* definido.
definir; *v.* definir, determinar.
definitivo; *adj.* definitivo, decisivo, final.
deflação; *s.* deflación.
deflagrar; *v.* deflagrar.
deflorar; *v.* desflorar, desvirgar, estuprar.
defluxo; *s.* deflujo.
deformação; *s.* deformación, imperfección, malformación.
deformar; *v.* deformar, desfigurar, afear.
deformidade; *s.* deformidad.
defraudar; *v.* defraudar.
defrontar; *v.* confrontar.
defronte; *adv.* delante, enfrente.
defumado; *adj.* ahumado, sahumado.
defumador; *s.* ahumador, perfumador.
defumar; *v.* ahumar, sahumar, perfumar.
defunto; *adj.* difunto, muerto, fallecido, finado.
degelar; *v.* deshelar.
degelo; *s.* deshielo.
degeneração; *s.* degeneración.
degenerado; *adj.* degenerado.
degenerar; *v.* degenerar, perder las cualidades primitivas.
deglutição; *s.* deglución, deglutición, ingestión.
deglutir; *v.* deglutir, engullir.
degolação; *s.* degollación.
degolar; *v.* degollar.
degradante; *adj.* degradante.
degradar; *v.* degradar, rebajar, envilecer.
degradável; *adj.* degradable.
degrau; *s.* escalón, peldaño.
degredar; *v.* desterrar.
degustação; *s.* degustación.
degustar; *v.* degustar, gustar, saborear.
deidade; *s.* deidad, divinidad.
deitar; *v.* echar, extender horizontalmente.
deixar; *v.* dejar, abandonar, tolerar, desistir, desocupar, cesar.
dejeção; *s.* defecación, deyección.

dejetar; *v.* excretar, defecar.
delação; *s.* delación, denuncia.
delapidar; *v.* dilapidar, disipar.
delatar; *v.* delatar.
delator; *s.* delator, denunciador.
delegação; *s.* delegación.
delegacia; *s.* delegación, oficina del delegado.
delegado; *s.* delegado.
delegar; *v.* comisionar, delegar.
deleitar; *v.* deleitar, complacer.
deleite; *s.* deleite, delicia, placer, goce.
deletério; *adj.* deletéreo, mortífero, venenoso, dañoso.
delfim; *s.* delfín.
delgado; *s.* delgado, enjuto, fino, magro, menudo.
deliberação; *s.* deliberación, decisión, propósito.
deliberar; *v.* deliberar, decidir, juzgar, proponer, resolver.
delicadeza; *s.* delicadeza, amabilidad, finura, fragilidad, susceptibilidad.
delicado; *adj.* delicado, abocado, afable, amable, ameno,
delgado, *fino* suave, susceptible, sutil.
delícia; *s.* delicia, deleite, felicidad.
deliciar; *v.* deleitar, causar delicia.
delicioso; *adj.* delicioso, perfecto, muy ameno.
delimitar; *v.* delimitar, demarcar.
delineador; *s.* delineador, delineante.
delinear; *v.* delinear, esbozar, plantear, trazar.
delinquência; *s.* delincuencia.
delinquente; *adj.* delincuente.
delinquir; *v.* delinquir.
delirante; *adj.* alucinante.
delirar; *v.* delirar, desvariar, fantasear, alucinar.
delírio; *s.* delirio, alucinación, desvarío.
delito; *s.* delito, crimen, culpa.
delonga; *s.* tardanza, retardo.
delongar; *v.* prolongar, retardar, alargar.
delta; *s.* delta, estuario.
demagogia; *s.* demagogia.
demagógico; *adj.* demagógico.
demagogo; *adj.* demagogo.
demais; *adj.* restante.
demais; *adv.* además.
demanda; *s.* demanda, litigio, petición, pleito.
demandar; *v.* demandar, litigar, pleitear.
demarcar; *v.* demarcar, acotar, delimitar, limitar, lindar.
demasia; *s.* demasía, sobra, exceso.
demasiado; *adj.* demasiado, excesivo.
demência; *s.* demencia, locura, alienación.
demente; *adj.* demente, insano, loco.
demissão; *s.* dimisión, exoneración, renuncia.
demitir; *v.* dimitir, echar, exonerar.
demiurgo; *s.* demiurgo.
demo; *s.* demonio.
democracia; *s.* democracia.
democrata; *adj.* demócrata.
democrático; *adj.* democrático.
democratizar; *v.* democratizar.
demografia; *s.* demografía.
demolição; *s.* demolición, destrucción, hundimiento.
demolir; *v.* demoler, desmoronar, destruir.
demoníaco; *adj.* demoníaco, diabólico.
demônio; *s.* demonio, diablo.
demonstração; *s.* demostración, prueba, ejemplo, manifestación.
demonstrar; *v.* demostrar, indicar, probar, manifestar.
demostrativo; *adj.* demostrativo.
demora; *s.* atraso, demora, dilación, retraso, tardanza.
demorar; *v.* atrasar, demorar, dilatar, retrasar, tardar.

demover; *v.* disuadir, mover.
dendê; *s.* denden, especie de palmera de Brasil, fruto de esta planta.
denegação; *s.* denegación.
denegar; *v.* denegar, rehusar.
denegrir; *v.* denigrar, empañar, ennegrecer, manchar.
dengo; *s.* dengue.
dengoso; *adj.* dengoso, delicado, melindroso, relamido, remilgado.
denominação; *s.* denominación, designación, nombre, título.
denominar; *v.* denominar, poner nombre, llamar.
denotar; *v.* denotar.
densidade; *s.* densidad, espesor.
denso; *adj.* denso, espeso, basto, grueso, sólido.
dentada; *s.* dentellada, dentada, mordisco.
dentado; *adj.* dentellado, dentado.
dentadura; *s.* dentadura.
dental; *adj.* dental.
dentar; *v.* dentar.
dente; *s.* diente.
dentear; *v.* dentar, endentar.
dentição; *s.* dentición.
dentifrício; *s.* dentífrico.
dentina; *s.* dentina, marfil de los dientes.
dentista; *s.* dentista, odontólogo.
dentro; *adv.* adentro, dentro.
dentuça; *s.* dientes salientes, dentón, dentudo.
denúncia; *s.* denuncia, delación, revelación.
denunciante; *s.* denunciante, delator.
denunciar; *v.* denunciar, delatar, avisar, traicionarse.
deparar; *v.* deparar, encontrar.
departamento; *s.* departamento.
depauperar; *v.* depauperar, debilitar, empobrecer.
depenar; *v.* desplumar.
dependência; *s.* dependencia.
dependente; *adj.* dependiente.
depender; *v.* depender, subordinar.
dependurar; *v.* pender, colgar.
depilação; *s.* depilación.
depilar; *v.* depilar, rapar.
depilatório; *adj.* depilatorio.
deplorar; *v.* deplorar, llorar, lamentar.
deplorável; *adj.* deplorable, lamentable, lastimoso.
depoimento; *s.* declaración, testimonio.
depois; *adv.* después, enseguida.
depor; *v.* deponer, dejar, separar, destituir, destronar.
deportação; *s.* deportación.
deportar; *v.* deportar.
deposição; *s.* deposición.
depositar; *v.* depositar, guardar, confiar, poner.
depositário; *s.* depositario.
depósito; *s.* depósito, almacén, sedimento.
depravação; *s.* depravación.
depravado; *adj.* depravado, licencioso.
depravar; *v.* depravar, corromper, pervertir.
depreciar; *v.* depreciar, devaluar.
depredação; *s.* depredación, pillaje, robo, expoliación, saqueo.
depredar; *v.* depredar, expoliar, robar, expoliar, saquear.
depressa; *adv.* deprisa.
depressão; *s.* cavidad, depresión, hondonada, abatimiento físico o moral.
depressivo; *adj.* depresivo, deprimente.
deprimido; *adj.* deprimido, abatido.
deprimir; *v.* deprimir, abatir, debilitar.
depurar; *v.* depurar, purificar, limpiar.
depurativo; *adj.* depurativo.
deputado; *s.* diputado.
deriva; *s.* deriva.
derivar; *v.* derivar, separar, fluir, provenir.

dermatite; *s.* dermatitis.
dermatologia; *s.* dermatología.
dermatologista; *s.* dermatólogo.
derme; *s.* dermis, piel.
dérmico; *adj.* dérmico.
derradeiro; *adj.* postrero, último.
derramamento; *s.* derramamiento, derrame.
derramar; *v.* derramar, esparcir, transfundir, verter.
derrame; *s.* derrame, pérdida.
derrapar; *v.* derrapar, resbalar, patinar.
derredor; *s.* derredor.
derreter; *v.* derretir, licuefacer, fundir, disolver.
derrogar; *v.* derogar.
derrotado; *adj.* derrotado, vencido.
derrotar; *v.* derrotar, vencer.
derrotismo; *s.* derrotismo.
derrubada; *s.* derrumbe, tala.
derrubamento; *s.* derrumbamiento.
derrubar; *v.* abatir, derribar, derrumbar, desmoronar, tumbar.
derruir; *v.* derruir.
desabafar; *v.* airear, desahogar, desabrigar, expansionarse.
desabafo; *s.* desahogo.
desabar; *v.* desplomar, desmoronarse.
desabastercer; *v.* desabastecer.
desabilitar; *v.* inhabilitar.
desabitado; *adj.* deshabitado, desierto, vacío, yermo.
desabitar; *v.* deshabitar.
desabituar; *v.* deshabituar.
desabotoar; *v.* desabotonar.
desabrido; *adj.* desabrido.
desabrigar; *v.* desabrigar, desamparar.
desabrochar; *v.* desabotonar, desabrochar.
desacatar; *v.* desacatar, insubordinar.
desacato; *s.* desacato, insubordinación.
desacelerar; *v.* desacelerar.
desacerto; *s.* desacierto.
desacomodar; *v.* desacomodar.
desacompanhado; *adj.* desacompañado.
desacompanhar; *v.* desacompañar.
desaconselhar; *v.* desaconsejar.
desacorçoar; *v.* descorazonar.
desacordar; *v.* desacordar.
desacordo; *s.* desacuerdo.
desacostumar; *v.* desacostumbrar.
desacreditar; *v.* desacreditar, desprestigiar, infamar.
desafiar; *v.* desafiar, provocar, retar.
desafinar; *v.* desafinar, desentonar.
desafio; *s.* desafío, reto.
desafogar; *v.* desahogar.
desafogo; *s.* desahogo, alivio, descanso, efusión.
desaforado; *adj.* desaforado, atrevido.
desafortunado; *adj.* desafortunado.
desagradar; *v.* desagradar, disgustar, desgraciar.
desagradável; *adj.* desagradable, antipático, desapacible, feo.
desagradecido; *adj.* desagradecido, ingrato.
desagradecimento; *s.* desagradecimiento, ingratitud.
desagrado; *s.* desagrado, disgusto.
desagravar; *v.* desagraviar, vengar.
desagravo; *s.* desagravio, venganza.
desagregador; *adj.* disgregador.
desagregar; *v.* desagregar, disgregar, disociar.
desaguadouro; *s.* desaguadero, vertedero.
desaguamento; *s.* desagüe.
desaguar; *v.* desaguar, desembocar, verter.
desajeitado; *adj.* desastrado, torpe.
desajustar; *v.* desajustar.
desalentado; *adj.* desalentado, desanimado.
desalentar; *v.* desalentar, desanimar.
desalento; *s.* desaliento, abatimiento, desánimo.
desalinhar; *v.* desaliñar.
desalinho; *s.* desaliño, desorden.

desalmado; *adj.* desalmado.
desalojar; *v.* desalojar.
desamarrar; *v.* desamarrar, desatar, desligar.
desamor; *s.* desamor.
desamparado; *adj.* desamparado, abandonado.
desamparar; *v.* abandonar, desamparar, repudiar.
desandar; *v.* desandar, retroceder.
desanimado; *adj.* desanimado, alicaído.
desanimar; *v.* desanimar, desalentar.
desânimo; *s.* desánimo.
desanuviar; *v.* desanublar, despejar.
desapaixonado; *adj.* desapasionado.
desaparafusar; *v.* destornillar.
desaparecer; *v.* desaparecer, extinguir, salir, sumir.
desapegar; *v.* desapegar.
desapego; *s.* desapego, despego.
desaparecido; *adj.* desaparecido.
desapertar; *v.* desapretar.
desaperto; *s.* holgura.
desapiedado; *adj.* despiadado.
desapontado; *adj.* decepcionado.
desapontar; *v.* despuntar.
desaprender; *v.* desaprender.
desapropriar; *v.*expropiar.
desaprovar; *v.* desaprobar, reprochar.
desaproveitar; *v.* desaprovechar.
desaprumar; *v.* desaplomar, desplomar.
desarmador; *adj.* desarmador.
desarmar; *v.* desarmar.
desarmonia; *s.* desarmonía.
desarmonizar; *v.* desarmonizar.
desarraigar; *v.* desarraigar.
desarranjado; *adj.* desarreglado, desordenado, desconcertados, descuidado.
desarranjar; *v.* desarreglar, desordenar, desconcertar, perturbar.
desarranjo; *s.* desarreglo, desorden, contratiempo, diarrea.
desarrumar; *v.* desarreglar, desordenar.
desarticular; *v.* desarticular.
desarvorar; *v.* desarbolar, huir desordenadamente.
desasir; *v.* desasir.
desassear; *v.* desasear.
desassociar; *v.* desasociar.
desassossegado; *adj.* desasosegado, inquieto.
desassossegar; *v.* desasosegar, intranquilizar.
desassossego; *s.* desasosiego, inquietud, intranquilidad.
desastrado; *adj.* desastrado.
desastre; *s.* desastre.
desastroso; *adj.* desastroso.
desatar; *v.* desatar, desunir, soltar.
desatarraxar; *v.* destornillar.
desatascar; *v.* desatascar.
desatender; *v.* desatender.
desatenção; *s.* desatención.
desatinar; *v.* desatinar, disparatar.
desatino; *s.* desatino, disparate, esperpento.
desativar; *v.* desactivar.
desatolar; *v.* desatollar, desatascar.
desautorizar; *v.* desautorizar.
desavença; *s.* desavenencia, cisma, pendencia.
desavisado; *adj.* desavisado.
desbancar; *v.* desbancar.
desbaratar; *v.* desbaratar, desmantelar.
desbastar; *v.* desbastar, entresacar, lijar, podar.
desbloquear; *v.* desbloquear.
desbocado; *adj.* deslenguado.
desbotado; *adj.* descolorido, desvaído, desteñido.
desbotar; *v.* descolorar, desteñir.
desbravar; *v.* desbravar.
descabelar; *v.* descabellar.
descalabro; *s.* descalabro.
descalçar; *v.* descalzar.
descampado; *adj.* descampado.
descansar; *v.* descansar, holgar, posar, reposar, sosegar.

descanso; *s.* descanso, holganza, poso, quietud, regalo, reposo, tregua, vacación.
descarado; *adj.* descarado.
descaramento; *s.* descaro.
descarnado; *adj.* descarnado.
descarnar; *v.* descarnar.
descaroçar; *v.* desgranar, deshuesar.
descarregar; *v.* descargar.
descarrilar; *v.* desbarrar, descarriar, descarrilar.
descartar; *v.* descartar, despreciar.
descasar; *v.* descasar.
descascar; *v.* descascarar, pelar.
descendência; *s.* descendencia, estirpe, filiación, progenie, prole.
descendente; *adj.* descendiente.
descender; *v.* descender, suceder.
descenso; *s.* descenso, bajada.
descentralização; *s.* descentralización.
descentralizar; *v.* descentralizar.
descentrar; *v.* descentrar.
descer; *v.* bajar, descender.
descerrar; *v.* descerrar.
descida; *s.* declive, descenso, bajada.
desclassificar; *v.* descalificar.
descoberta; *s.* descubrimiento.
descoberto; *adj.* descubierto, expuesto.
descobrir; *v.* descubrir, destapar, detectar, revelar, sacar.
descolar; *v.* despegar.
descolorante; *adj.* decolorante.
descolorar; *v.* descolorar, desteñir.
descolorido; *adj.* descolorido.
descomedir-se; *v.* descomedirse.
descomedido; *adj.* descomedido.
descompassado; *adj.* descompasado.
descompensar; *v.* descompensar.
descompor; *v.* descomponer.
descomposto; *adj.* descompuesto.
descompostura; *s.* descompostura.
descomunal; *adj.* descomunal, enorme, exagerado.
desconcertar; *v.* desconcertar.
desconcerto; *s.* desconcierto.
desconectar; *v.* desconectar, desenchufar.
desconexo; *adj.* inconexo.
desconfiado; *adj.* desconfiado, incrédulo, receloso.
desconfiança; *s.* desconfianza, incredulidad, recelo, sospecha.
desconfiar; *v.* desconfiar, dudar, recelar, sospechar.
desconforme; *adj.* disconforme.
desconforto; *s.* falta de comodidad.
descongelar; *v.* derretir, descongelar.
descongestionar; *v.* descongestionar.
desconhecer; *v.* desconocer, ignorar.
desconhecido; *adj.* desconocido.
desconhecimento; *s.* desconocimiento, ignorancia.
desconjuntar; *v.* descoyuntar.
desconsertar; *v.* descomponer, desarreglar, desconcertar.
desconsideração; *s.* desconsideración.
desconsiderar; *v.* desconsiderar, desatender, desestimar.
desconsolar; *v.* desconsolar.
desconsolo; *s.* desconsuelo.
descontaminar; *v.* descontaminar.
descontar; *v.* descontar.
descontentamento; *adj.* descontentamiento.
descontentar; *v.* descontentar.
descontente; *adj.* descontento, triste.
descontínuo; *adj.* discontinuo.
desconto; *s.* descuento.
descontrair; *v.* relajar.
descontrolado; *adj.* sin control.
desconversar; *v.* dejar de conversar, cambiar de asunto
desconvocar; *v.* desconvocar.
descorado; *adj.* descolorido, pálido.
descorar; *v.* decolorar.
descortês; *adj.* descortés, desatento.
descortesia; *s.* descortesía, desatención.
descortiçar; *v.* descortezar, descorchar.
descortinar; *v.* descortinar.

descoser; *v.* descoser.
descosturar; *v.* descoser.
descrédito; *s.* descrédito.
descrença; *s.* descreencia, incredulidad.
descrente; *adj.* descreído, incrédulo, renegado.
descrever; *v.* describir.
descrição; *s.* descripción.
descritivo; *adj.* descriptivo.
descuidado; *adj.* descuidado, abandonado, indolente.
descuidar; *v.* descuidar.
descuido; *s.* descuido, negligencia.
desculpa; *s.* disculpa, excusa, justificación, pretexto.
desculpar; *v.* disculpar, dispensar, excusar, perdonar, subsanar.
desculpável; *adj.* disculpable, excusable.
desde; *prep.* desde, a partir de.
desdém; *s.* desdén, desprecio, menoscabo, menosprecio.
desdenhar; *v.* desdeñar.
desdenhoso; *adj.* desdeñoso.
desdentado; *adj.* desdentado.
desdita; *s.* desdicha, desventura.
desdizer; *v.* desdecir, desmentir, retractar.
desdobrar; *v.* desdoblar.
deseducar; *v.* perder la educación.
desejar; *v.* desear, ambicionar, anhelar, apetecer, aspirar, querer.
desejável; *adj.* deseable.
desejo; *s.* deseo, gana, voluntad, aspiración.
desejoso; *adj.* deseoso, anhelante, ansioso.
deselegante; *adj.* que no tiene elegancia.
desembalar; *v.* desembalar, desencajonar.
desembaraçado; *adj.* desembarazado.
desembaraçar; *v.* desembarazar.
desembaraço; *s.* desembarazo, desenvoltura.
desembarcar; *v.* desembarcar.
desembocar; *v.* desembocar.
desembolsar; *v.* desembolsar.
desembrulhar; *v.* desembalar, desembrollar, desempaquetar.
desembuchar; *v.* desembuchar, desahogar.
desempacotar; *v.* desempacar, desempaquetar.
desempatar; *v.* desempatar.
desempenar; *v.* enderezar.
desempenhar; *v.* desempeñar, ejecutar, cumplir.
desempenho; *s.* desempeño.
desemperrar; *v.* aflorar, desapretar.
desempoeirar; *v.* desempolvar, quitar el polvo.
desempossar; *v.* desposeer.
desempregado; *adj.* desempleado, parado.
desemprego; *s.* desempleo, paro.
desencabeçar; *v.* disuadir, desencaminar.
desencadear; *v.* deflagrar, desencadenar.
desencadernar; *v.* desencuadernar.
desencaixar; *v.* desencajar.
desencaixotar; *v.* desencajonar.
desencalacrar; *v.* desentrampar.
desencaminhar; *v.* desencaminar, descarriar, extraviar.
desencantar; *v.* desencantar, desilusionar.
desencanto; *s.* desencanto, desilusión, desengaño.
desencardir; *v.* blanquear.
desencasquetar; *v.* disuadir, desencaminar.
desencobrir; *v.* descubrir, desenmascarar.
desencontrado; *adj.* contrario, discordante.
desencontrar; *v.* desconvenir.
desencontro; *s.* discordancia, oposición.
desencorajar; *v.* desanimar, descorazonar.
desencravar; *v.* desclavar, desenclavar, despegar.
desenfadar; *v.* desenfadar.

desenfado; *s.* desenfado.
desenfaixar; *v.* desenfajar, desatar, soltar.
desenferrujar; *v.* desherrumbrar.
desenfiar; *v.* desenhebrar.
desenfreado; *adj.* desenfrenado.
desenfrear; *v.* desenfrenar.
desenganar; *v.* desengañar, desilusionar.
desenganchar; *v.* desenganchar.
desengano; *s.* desengaño, desilusión.
desengarrafar; *v.* desembotellar.
desengasgar; *v.* desahogar.
desengatar; *v.* desprender.
desengonçar; *v.* desengoznar, desquiciar, descoyuntar
desarticular.
desengordurar; *v.* desgrasar.
desengraxar; *v.* deslustrar.
desengrossar; *v.* desengrosar, adelgazar.
desenhar; *v.* dibujar, diseñar, trazar.
desenhista; *adj.* dibujante.
desenho; *s.* dibujo, diseño.
desenlaçar; *v.* desenlazar.
desenlace; *s.* desenlace.
desenraizar; *v.* desarraigar.
desenredar; *v.* desenredar.
desenrolar; *v.* abrir, desenrollar, desplegar, tender.
desenroscar; *v.* desenroscar.
desenrugar; *v.* desarrugar.
desensebar; *v.* desgrasar.
desentender-se; *v.* desentenderse.
desenterrar; *v.* desenterrar, exhumar.
desentoar; *v.* desentonar.
desentorpecer; *v.* desentorpecer, desentumecer.
desentortar; *v.* destorcer, enderezar.
desentranhar; *v.* desentrañar.
desentoxicar; *v.* desintoxicar.
desentulhar; *v.* descombrar.
desentupir; *v.* desatascar, desobstruir.
desenvolto; *adj.* desenvuelto.
desenvoltura; *s.* desenvoltura, desembarazo.
desenvolver; *v.* desenvolver.
desenvolver; *v.* desarrollar.
desenvolvimento; *s.* desenvolvimiento.
desenxabido; *adj.* insípido, insulso, desabrido.
desequilibrar; *v.* desequilibrar.
desequilíbrio; *s.* desequilibrio.
deserdar; *v.* desheredar.
desertar; *v.* desertar.
deserto; *adj.* desierto.
desertor; *s.* desertor, prófugo, tránsfuga.
desesperação; *s.* desesperación.
desesperançar; *v.* desesperanzar.
desesperar; *v.* desesperar.
desespero; *s.* desespero.
desfaçatez; *s.* desfachatez.
desfalcar; *v.* desfalcar.
desfalecer; *v.* desfallecer, desmayar.
desfalque; *s.* desfalco.
desfavorável; *adj.* adverso, desfavorable.
desfavorecer; *v.* desfavorecer.
desfazer; *v.* deshacer, destruir, fundir, partir.
desfecho; *s.* final, resultado.
desfeita; *s.* deshecha, afrenta, ofensa.
desfeito; *adj.* deshecho, desfigurado, disuelto.
desfiar; *v.* deshilachar, deshilar.
desfibrar; *v.* desfibrar, deshilar.
desfigurar; *v.* desfigurar.
desfiladeiro; *s.* desfiladero.
desfilar; *v.* desfilar.
desfile; *s.* desfile.
desfloramento; *s.* desfloramiento.
desflorar; *v.* desflorar.
desflorestamento; *s.* deforestación.
desflorestar; *v.* deforestar, desarbolar.
desfocar; *v.* desenfocar.
desfolhar; *v.* deshojar.
desforra; *s.* desquite, venganza.
desforrar; *v.* desquitar, vengar.
desfrutar; *v.* disfrutar, gozar, usar.
desgalhar; *v.* desgajar, desramar.
desgastado; *adj.* desgastado.

desgastar; *v.* desgastar, consumir, alisar, corroer.
desgostar; *v.* disgustar, amargar, apenar, desagradar, enojar.
desgosto; *s.* disgusto, amargura, contrariedad, desagrado, hastío, pena, pesar.
desgostoso; *adj.* disgustoso, amargado, triste.
desgovernar; *v.* desgobernar.
desgoverno; *s.* desgobierno, despilfarro, anarquía.
desgraça; *s.* desgracia, infelicidad, mal, malaventura, miseria.
desgraçado; *adj.* desgraciado, infeliz.
desgraçar; *v.* desgraciar.
desgrenhar; *v.* desgreñar, despeinar, descabellar.
desguarnecer; *v.* desguarnecer.
desidratar; *v.* deshidratar.
designar; *v.* designar, destinar.
desígnio; *s.* designio, propósito.
desigual; *adj.* desigual, diferente, dispar, irregular.
desigualar; *v.* desigualar.
desigualdade; *s.* desigualdad, disparidad.
desiludir; *v.* decepcionar, desencantar, desengañar, desilusionar
desilusão; *s.* decepción, desencanto, desengaño, desilusión.
desimpedir; *v.* desobstruir.
desinchar; *v.* deshinchar.
desinência; *s.* desinencia.
desinfetar; *v.* desinfectar.
desinflamar; *v.* desinflamar.
desinflar; *v.* desinflar.
desintegrar; *v.* desintegrar.
desinteressado; *adj.* desinteresado.
desinteressar-se; *v.* desentenderse, desinteresarse.
desinteresse; *s.* desinterés, indiferencia.
desintoxicar; *v.* desintoxicar.
desistir; *v.* desistir, renunciar.
desjejuar; *v.* desayunar.
desjejum; *s.* desayuno.
deslavado; *adj.* deslavado, descarado.
desleal; *adj.* desleal, infiel, pérfido, traidor.
deslealdade; *s.* deslealtad, falsedad, infidelidad, perfidia, traición.
desleixo; *s.* descuido, abandono, indolencia, dejadez.
desligar; *v.* desconectar, desenchufar, desligar.
deslindar; *v.* deslindar.
deslizar; *v.* deslizar, resbalar, transcurrir.
deslize; *s.* desliz.
deslocar; *v.* dislocar, desacomodar, desplazar, trasladar.
deslumbrante; *adj.* deslumbrante, despampanante.
deslumbrar; *v.* deslumbrar, encandilar, maravillar, obcecar, ofuscar.
desmaiado; *adj.* desmayado, pálido, desanimado.
desmaiar; *v.* desfallecer, desmayar, desvanecer.
desmaio; *s.* desmayo, síncope, vahído.
desmamar; *v.* destetar.
desmancha-prazeres; *s.* aguafiestas.
desmanchar; *v.* deshacer.
desmandar; *v.* desmandar.
desmando; *s.* desmán.
desmantelamento; *s.* desguace, desmantelamiento.
desmantelar; *v.* demoler, derribar, desarmar, desmantelar.
desmarcar; *v.* desmarcar.
desmatamento; *s.* deforestación.
desmatar; *v.* deforestar.
desmazelo; *s.* negligencia, descuido.
desmedido; *adj.* desmedido, excesivo.
desmembrar; *v.* desmembrar.
desmentido; *adj.* desmentido.
desmentir; *v.* desmentir, negar, contradecirse.
desmerecer; *v.* desmerecer.
desmesurado; *adj.* desmesurado, desmedido.

desmilitarizar; *v.* desmilitarizar.
desmontar; *v.* desmontar.
desmoralizar; *v.* desmoralizar.
desmoronar; *v.* desmoronar, derruir.
desnacionalizar; *v.* desnacionalizar.
desnatar; *v.* desnatar.
desnaturalizar; *v.* desnaturalizar.
desnecessário; *adj.* desnecesario, inútil, superfluo.
desnível; *s.* desnivel.
desnivelar; *v.* desnivelar, desajustar.
desnortear; *v.* desnortarse, desorientar.
desnuclearizar; *v.* desnuclearizar.
desnudar; *v.* desnudar.
desnudo; *adj.* desnudo.
desnutrição; *s.* desnutrición.
desnutrir; *v.* desnutrir.
desobedecer; *v.* desobedecer, desacatar.
desobediência; *s.* desobediencia, indisciplina.
desobediente; *adj.* desobediente, rebelde.
desobrigado; *adj.* sin obligaciones, exento.
desobrigar; *v.* desobligar, liberar.
desobstruir; *v.* desobstruir, desatascar, desocupar.
desocupação; *s.* desocupación.
desocupado; *adj.* desocupado, vacío, holgado, parado, vago.
desocupar; *v.* desocupar, vaciar, despejar.
desodorante; *adj.* desodorante.
desodorizar; *v.* desodorizar, quitar el olor.
desolação; *s.* desolación, consternación.
desolar; *v.* desolar, desconsolar, consternar, devastar.
desonestidade; *adj.* deshonestidad.
desonesto; *adj.* deshonesto.
desonra; *s.* deshonra, infamia, vituperio.
desonrar; *v.* deshonrar, infamar, vilipendiar.
desopilar; *v.* desopilar.
desoprimir; *v.* desoprimir.
desordeiro; *adj.* pendenciero, turbulento.
desordem; *s.* desorden, disturbio, perturbación, alteración.
desordenado; *adj.* desordenado.
desordenar; *v.* desordenar, desarreglar, descomponer, desorganizar.
desorganização; *s.* desorganización, confusión.
desorganizar; *v.* desorganizar, desordenar, turbar.
desorientar; *v.* desorientar, despistar, trastornar.
desossar; *v.* deshuesar.
desovar; *v.* aovar, desovar.
despachado; *adj.* despachado, expedito, diligente.
despachar; *v.* despachar, expedir.
despacho; *s.* despacho, expediente, auto, sentencia, remesa.
despedaçador; *adj.* despedazador.
despedaçar; *v.* despedazar, destrozar, romper, trincar.
despedida; *s.* despedida.
despedir; *v.* despedir, rechazar, partir, retirar, marcharse.
despegar; *v.* despegar.
despeitado; *adj.* despechado.
despeitar; *v.* despechar.
despeito; *s.* despecho, rencor, resentimiento, disgusto, pesar.
despejar; *v.* despejar, evacuar, vaciar, desocupar, desalojar.
despejo; *s.* despejo, deyecciones, basura, vertedero.
despenar; *v.* despenar, desplumar.
despencar; *v.* quitar el fruto de un racimo, caer desamparadamente.
despender; *v.* despender, disipar.
despenhadeiro; *s.* abismo, despeñadero, precipicio.
despenhar; *v.* despeñar, arrojar, arruinar.
despensa; *s.* despensa.

despentear; *v.* descabellar, desgreñar, despeinar.
desperdiçar; *v.* desperdiciar, derrochar, desaprovechar, dilapidar, perder prodigar.
desperdício; *s.* desperdicio, derroche.
despersonalizar; *v.* despersonalizar.
despertador; *s.* despertador.
despertar; *v.* despertar, activar, avivar, interrumpir el sueño.
desperto; *adj.* despierto.
despesa; *s.* dispendio, gasto.
despetalar; *v.* quitar los pétalos.
despido; *adj.* desnudo.
despir; *v.* desnudar, desvestir.
despistar; *v.* despistar.
desplante; *s.* desplante.
desplumar; *v.* desplumar.
despojado; *adj.* despojado.
despojar; *v.* despojar, defraudar, desnudar, desproveer, quitar.
despojo; *s.* despojo.
despojos; *s.* restos.
despontar; *v.* despuntar, surgir, nacer.
desposar; *v.* desposar, casar.
déspota; *s.* déspota, tirano, dictador.
despótico; *adj.* despótico, autoritario, arbitrario.
despotismo; *s.* despotismo, autoritarismo, tiranía.
despovoado; *adj.* despoblado, descampado, deshabitado.
despovoar; *v.* deshabitar, despoblar.
despregar; *v.* desclavar, desplegar.
desprender; *v.* desprender, desasir, descolgar, desenganchar, soltar.
desprendido; *adj.* desprendido.
desprendimento; *s.* desprendimiento.
despreocupação; *s.* despreocupación.
despreocupar-se; *v.* despreocuparse.
despreparo; *s.* desorganización, desarreglo, desconcierto.
desprestigiar; *v.* desprestigiar.
desprevenido; *s.* desprevenido, descuidado, incauto.
desprezar; *v.* despreciar, desairar, desdeñar, desechar, desestimar, menospreciar.
desprezível; *adj.* despreciable, abyecto, menospreciable.
desprezo; *s.* desprecio, menoscabo, menosprecio.
desproporção; *s.* desproporción.
desproporcionado; *adj.* desproporcionado.
despropositado; *adj.* despropositado.
despropósito; *s.* despropósito.
desproveito; *s.* desperdicio.
desprover; *v.* desabastecer, desproveer.
despudor; *s.* falta de pudor.
desqualificar; *v.* descalificar, inhabilitar.
desquitar; *v.* divorciar, descasar, separar.
desregrado; *adj.* desarreglado, desordenado.
desregrar; *v.* desreglar, desarreglar.
desrespeitador; *adj.* desacatador, irrespetuoso, irreverente.
desrespeitar; *v.* desacatar, desobedecer, transgredir.
dessangrar; *v.* desangrar.
dessecar; *v.* desecar.
destacamento; *s.* destacamento.
destacar; *v.* destacar, sobresalir.
destampado; *adj.* destapado.
destampar; *v.* destapar.
destapar; *v.* destapar, descubrir.
destaque; *s.* realce, relieve.
destemido; *adj.* intrépido, valiente.
destemor; *s.* intrepidez, valor, audacia.
destemperar; *v.* destemplar.
destempero; *s.* destemplanza.
desterrado; *adj.* confinado, exilado.
desterrar; *v.* desterrar, confinar, expatriar.
desterro; *s.* destierro, exilio, ostracismo.
destilador; *s.* destilador, alambique.
destilar; *v.* destilar, gotear, exudar.

destilaria; *s.* destilería.
destinação; *s.* destinación.
destinar; *v.* destinar, dar, emplear.
destingir; *v.* desteñir.
destino; *s.* destino, fortuna, hado, sino, suerte.
destituição; *s.* deposición.
destituir; *v.* deponer, destituir.
destoar; *v.* disonar, desentonar, desafinar.
destorcer; *v.* destorcer.
destra; *s.* derecha.
destrambelhado; *adj.* disparatado, desorientado, descomedido.
destrancar; *v.* desatrancar.
destratar; *v.* tratar mal, insultar.
destravar; *v.* desfrenar, destrabar.
destreza; *s.* destreza, práctica, maña, pericia, soltura, tino.
destro; *adj.* diestro, ágil.
destroçar; *v.* destrozar, arruinar, aniquilar.
destroço; *s.* destrozo, desolación.
destronar; *v.* destronar.
destruição; *s.* destrucción, exterminio, ruina.
destruir; *v.* destruir, aniquilar, arruinar, asolar, demoler.
destrutivo; *adj.* destructivo.
desumanidade; *s.* deshumanidad.
desumanizar; *v.* deshumanizar.
desumano; *adj.* deshumano, atroz, impío.
desunião; *s.* desunión, separación.
desunir; *v.* desunir, separar, apartar.
desusado; *adj.* desusado.
desvairado; *adj.* desvairado, desorientado, exaltado.
desvairar; *v.* desvariar, alucinar, enloquecer, delirar.
desvalido; *adj.* desvalido, desamparado, desgraciado.
desvalorizar; *v.* desvalorizar, devaluar, depreciar.
desvanecer; *v.* desvanecer, esfumar, evaporar, atenuar.
desvantagem; *s.* desventaja, inferioridad, perjuicio.
desvão; *s.* buhardilla, desván.
desvario; *s.* desvarío, locura, desatino.
desvelar; *v.* desvelar, descubrir.
desvelo; *s.* desvelo, cuidado, atención, cariño.
desvencilhar; *v.* desvencijar.
desvendar; *v.* desvendar.
desventura; *s.* desventura, adversidad, desgracia.
desventurado; *adj.* desventurado, desafortunado, desdichado, desgraciado.
desvergonhado; *adj.* desvergonzado, atrevido, descarado.
desviado; *adj.* desviado, ladeado, retirado.
desviar; *v.* desviar, alejar, evitar, ladear, salir.
desvincular; *v.* desvincular.
desvio; *s.* desvío, desviación, vuelta, robo.
desvirar; *v.* desvirar, destorcer.
desvirginar; *v.* desvirgar, desflorar.
desvirtuar; *v.* desvirtuar.
detalhar; *v.* detallar, pormenorizar.
detalhe; *s.* detalle, minucia, pormenor.
detectar; *v.* detectar, revelar.
detective; *s.* detective.
detenção; *s.* detención, apresamiento, arresto.
deter; *v.* detener, apresar, arrestar, atajar, estancar, interrumpir, parar.
detergente; *s.* detergente.
deterioração; *s.* deterioro, estrago.
deteriorar; *v.* deteriorar, estropear, dañar, pudrir.
determinação; *s.* determinación.
determinado; *adj.* determinado, concreto, marcado, preciso.
determinar; *v.* determinar, concretar, decidir, definir, precisar.
detestar; *v.* detestar, odiar, renegar.

detestável; *adj.* detestable, abominable, antipático, execrable.
detetive; *s.* detective.
detido; *adj.* detenido, encarcelado.
detonação; *s.* detonación, estampido, explosión.
detonar; *v.* detonar.
detração; *s.* detracción, murmuración.
detrair; *v.* detraer, infamar, denigrar.
detrás; *adv.* atrás, detrás.
detrator; *v.* detractor.
detrimento; *s.* detrimento, daño.
detrito; *s.* detrito.
deturpar; *v.* deturpar, desfigurar, afear, manchar, infamar.
deus; *s.* dios.
deusa; *s.* diosa.
devagar; *adv.* despacio.
devagarinho; *adv.* muy despacito.
devaneador; *adj.* soñador.
devanear; *v.* devanear, delirar, fantasear, soñar.
devaneio; *s.* delirio, devaneo.
devassar; *v.* invadir lo que está defendido.
devassidão; *s.* libertinaje.
devasso; *adj.* libertino.
devastar; *v.* devastar, talar, arrasar.
devedor; *s.* deudor.
dever; *s.* deber, obligación, oficio.
dever; *v.* adeudar, deber.
devesa; *s.* dehesa.
devido; *s.* debido.
devoção; *s.* devoción, consagración, dedicación.
devolução; *s.* devolución, restitución, retorno, vuelta.
devolver; *v.* devolver, restituir.
devorar; *v.* devorar, disipar, engullir, tragar.
devotar; *v.* dedicar, consagrar.
devoto; *adj.* devoto, dedicado, piadoso, religioso.
dez; *adj.* diez.
dezembro; *s.* diciembre.
dezena; *s.* decena.
dia; *s.* día.
diabete; *s.* diabetes.
diabo; *s.* demonio, diablo.
diabólico; *adj.* diabólico.
diácono; *s.* diácono.
diadema; *s.* diadema.
diáfano; *adj.* diáfano, límpido, translúcido, transparente.
diafragma; *s.* diafragma.
diagnosticar; *v.* diagnosticar.
diagrama; *s.* diagrama.
dialético; *adj.* dialéctico.
dialeto; *s.* dialecto, habla.
dialogar; *v.* dialogar.
diálogo; *s.* diálogo.
diamante; *s.* diamante.
diâmetro; *s.* diámetro.
diante; *adv.* delante, enfrente.
dianteira; *s.* delantera.
dianteiro; *adj.* delantero.
diapositivo; *s.* diapositiva.
diária; *s.* diaria, ración diaria, gastos de cada día.
diário; *adj.* diario, cotidiano, periódico que se publica todos los días.
diarréia; *s.* diarrea, disentería.
diáspora; *s.* diáspora.
diástole; *s.* diástole.
dicção; *s.* dicción.
dicionário; *s.* diccionario, léxico.
didática; *s.* didáctica.
diérese; *s.* diéresis.
diesel; *s.* diesel.
dieta; *s.* dieta.
dietético; *adj.* dietético.
difamação; *s.* difamación, maledicencia, calumnia.
difamar; *v.* difamar, desacreditar, calumniar.
diferença; *s.* diferencia, desigualdad, diversidad.
diferençar; *v.* diferenciar, variar, distinguir.
diferencial; *adj.* diferencial.
diferenciar; *v.* diferenciar, hacer distinción.
diferente; *adj.* diferente, distinto, diverso, extraño, exótico, vario.

diferir; *v.* diferir, divergir, discordar.
difícil; *adj.* difícil, arduo, complicado, laborioso, penoso.
dificuldade; *s.* dificultad, complicación, obstáculo, estorbo.
dificultar; *v.* dificultar, complicar, estorbar.
difteria; *s.* difteria.
difundir; *v.* difundir, generalizar, propagar, radiar.
difusão; *s.* difusión, divulgación.
difuso; *adj.* difuso, difundido.
digerir; *v.* digerir.
digestão; *s.* digestión.
digestivo; *adj.* digestivo.
digital; *adj.* digital.
dígito; *s.* dígito.
dignar-se; *v.* dignarse, condescender.
dignidade; *s.* dignidad, honor, honra, presidencia, realeza.
dignificar; *v.* dignificar, ennoblecer.
digno; *adj.* digno, apreciable, capaz, respetable.
digressão; *s.* digresión.
dilaceração; *s.* dilaceración.
dilacerar; *v.* dilacerar, desgarrar.
dilapidar; *v.* dilapidar.
dilatação; *s.* dilatación, ampliación, ensanche.
dilatado; *adj.* dilatado, aumentado, amplio.
dilatar; *v.* dilatar, alargar, ampliar, distender, ensanchar, expandir, extender.
dilema; *s.* dilema.
diletante; *s.* diletante.
diligência; *s.* diligencia, agilidad, prontitud.
diligente; *adj.* diligente, activo, hacendoso, listo, presto, puntual.
diluir; *v.* diluir, desleír, disolver.
dilúvio; *s.* diluvio.
dimensão; *s.* dimensión.
diminuição; *s.* disminución, aminoración, deducción, reducción.
diminuir; *v.* disminuir, achicar, aminorar, decrecer, empequeñecer, encoger, menguar.
diminutivo; *adj.* diminutivo.
diminuto; *adj.* diminuto.
dinamarquês; *adj.* dinamarqués.
dinâmica; *s.* dinámica.
dinamismo; *s.* dinamismo, energía, actividad.
dinamitar; *v.* dinamitar.
dinamite; *s.* dinamita, nitroglicerina.
dínamo; *s.* dínamo.
dinastia; *s.* dinastía.
dinheiro; *s.* capital, dinero, efectivo.
dinossauro; *s.* dinosaurio.
diocese; *s.* diócesis.
diploma; *s.* diploma.
diplomacia; *s.* diplomacia.
dique; *s.* dique.
direção; *s.* dirección, administración, camino, curso, rumbo.
direita; *s.* derecha.
direito; *adj.* derecho, diestro, recto.
direito; *s.* derecho, atribución, justicia, privilegio.
direto; *adj.* directo, seguido.
diretor; *adj.* director.
diretor; *s.* director, administrador.
diretriz; *s.* directriz.
dirigir; *v.* dirigir, comandar, conducir, educar, encaminar, enderezar, gobernar, llevar, manejar, orientar, regir.
dirigível; *adj.* dirigible.
discar; *v.* marcar un número en el teléfono.
discente; *adj.* discente.
discernimento; *s.* discernimiento.
disciplina; *s.* disciplina.
discípulo; *s.* alumno, discípulo.
disco; *s.* disco.
discordância; *s.* discordancia.
discordar; *v.* discordar, desavenir, diferenciar, disentir, divergir.

discórdia; *s.* discordia, desacuerdo, divergencia, querella.
discorrer; *v.* discurrir, disertar, opinar, razonar.
discoteca; *s.* discoteca.
discrepância; *s.* discrepancia.
discrepar; *v.* discrepar, divergir, disentir, disonar.
discreto; *adj.* discreto, comedido, recatado, sensato.
discrição; *s.* discreción.
discriminar; *v.* discriminar.
discursar; *v.* discursar, conferenciar, hablar.
discurso; *s.* discurso, alocución, conferencia, declamación, habla.
discussão; *s.* debate, discusión, polémica.
discutir; *v.* discutir, argumentar, debatir, enzarzar, polemizar.
disenteria; *s.* disentería.
disfarçado; *adj.* disfrazado, encubierto.
disfarçar; *v.* camuflar, disfrazar, enmascarar, encubrir.
disfarce; *s.* camuflaje, disfraz, máscara.
disforme; *adj.* disforme, amorfo, informe, monstruoso.
disjuntor; *s.* disyuntor.
dislate; *s.* dislate, disparate. desatino.
dislexia; *s.* dislexia.
díspar; *adj.* dispar, desigual, desparejo.
disparada; *s.* disparada.
disparar; *v.* disparar.
disparatado; *adj.* disparatado, desatinado, absurdo.
disparatar; *v.* disparatar, desvariar.
disparate; *s.* disparate, despropósito, dislate, locura.
disparidade; *s.* disparidad.
disparo; *s.* disparo, tiro.
dispêndio; *s.* dispendio, gasto.
dispendioso; *adj.* dispendioso, costoso, oneroso.
dispensa; *s.* dispensa, licencia, exoneración.
dispensar; *v.* dispensar, otorgar, dar, exonerar.
dispensário; *s.* dispensario.
dispepsia; *s.* dispepsia.
dispersão; *s.* dispersión.
dispersar; *v.* dispersar.
dispersivo; *adj.* dispersivo.
displicente; *adj.* displicente.
disponibilidade; *s.* disponibilidad.
dispor; *v.* disponer, acomodar, combinar, ordenar, organizar, poner, preparar proporcionar.
disposição; *s.* disposición, humor, ordenación, organización.
disposto; *adj.* dispuesto.
disputa; *s.* disputa, competencia, contienda, pleito, riña.
disputar; *v.* contender, disputar, altercar.
dissabor; *s.* desabor, sinsabor.
dissecar; *v.* disecar.
disseminar; *v.* diseminar.
dissensão; *s.* disensión.
dissentir; *v.* disentir.
dissertação; *s.* disertación, discurso, ensayo.
dissertar; *v.* disertar.
dissidência; *s.* disidencia.
dissílabo; *adj.* bisílabo.
dissimulação; *s.* disimulo, simulación.
dissimulado; *adj.* disimulado, falso, mojigato, socarrón.
dissimular; *v.* disimular, encubrir, paliar, tragar.
dissipação; *s.* disipación, despilfarro.
dissipador; *adj.* disipador, perdulario, pródigo.
dissipar; *v.* disipar, derrochar, evaporar, malbaratar, perder, prodigar.
dissociar; *v.* disociar.
dissolução; *s.* disolución, solución.
dissoluto; *adj.* disoluto, licencioso, vicioso.
dissolver; *v.* diluir, disolver, derretir.
dissonância; *s.* disonancia.

dissuadir; *v.* desaconsejar, disuadir.
distância; *s.* distancia, lejanía.
distanciar; *v.* alejar, distanciar, retirar, retraer.
distante; *adj.* distante, apartado, ausente, lejano, remoto, retirado.
distante; *adv.* lejos.
distender; *v.* distender.
distinção; *s.* distinción, nobleza, elegancia.
distinguir; *v.* distinguir, denominar, diferenciar, particularizar, discriminar.
distinto; *adj.* distinto, diferente, aristocrático, bello, elegante.
distorção; *s.* distorsión.
distorcer; *v.* distorsionar.
distração; *s.* distracción, desenfado, diversión, solaz.
distraído; *adj.* distraído, absorto.
distrair; *v.* distraer, desenfadar, embobar, engañar, relajar.
distribuição; *s.* distribución, reparto.
distribuir; *v.* distribuir, escalonar, impartir, repartir.
distrito; *s.* cantón, círculo, distrito.
distúrbio; *s.* disturbio, perturbación.
ditado; *s.* adagio, dictado.
ditador; *s.* dictador.
ditadura; *s.* dictadura.
ditame; *s.* díctame, sentencia.
ditar; *v.* dictar.
dito; *s.* dicho.
ditongo; *s.* diptongo.
ditoso; *adj.* afortunado, dichoso.
diurético; *adj.* diurético.
diurno; *adj.* diurno.
divã; *s.* diván, sofá.
divagar; *v.* divagar.
divergência; *s.* discordancia, divergencia, pendencia.
divergir; *v.* discrepar, divergir.
diversão; *s.* broma, diversión, espectáculo, holganza, juerga, pasatiempo.
diversidade; *s.* diferencia, diversidad.
diversificar; *v.* diversificar.
diverso; *adj.* diferente, diverso, vario.
divertido; *adj.* divertido, alegre, festivo.
divertimento; *s.* divertimiento, entretenimiento, pasatiempo.
divertir; *v.* divertir, alegrar, distraer, entretener, recrear.
dívida; *s.* deuda, débito.
dividir; *v.* dividir, compartir, cuartear, distribuir, fraccionar, parcelar.
divindade; *s.* divinidad.
divinizar; *v.* divinizar, endiosar.
divino; *adj.* divino.
divisa; *s.* divisa, enseña, lema, linde.
divisão; *s.* división, reparto, sección.
divisar; *v.* columbrar, divisar, vislumbra.
divisor; *s.* divisor.
divisório; *adj.* divisorio, aledaño.
divorciar; *v.* divorciar.
divulgação; *s.* divulgación, difusión, pregón, promoción, publicidad.
divulgar; *v.* alardear, divulgar, editar, expandir, generalizar, propagar.
dizer; *v.* decir, contar, proferir.
dó; *s.* compasión, conmiseración, duelo, luto, pena.
doação; *s.* donación, donativo.
doar; *v.* donar, otorgar.
dobra; *s.* arruga, doblez, pliegue.
dobradiça; *s.* bisagra, gozne, pernio.
dobradinha; *s.* callo.
dobrado; *adj.* doblado.
dobrar; *v.* doblar, doblegar, duplicar, quebrar, redoblar, torcer.
dobre; *adj.* doble.
dobro; *adj.* duplo.

doca; *s.* dique, dársena.
doce; *adj.* acaramelado, dulce.
doce; *s.* dulce, magdalena, merengue.
docente; *s.* docente.
dócil; *adj.* dócil, fácil, manso.
documentação; *s.* documentación.
documental; *adj.* documental.
documentar; *v.* documentar, razonar.
documentário; *s.* documental.
documento; *s.* dato, documento, póliza.
documentos; *s.* pliego.
doçura; *s.* dulzura, benignidad, blandura, ternura.
doença; *s.* enfermedad, achaque, dolencia, mal, morbo.
doente; *adj.* enfermo, inválido, malo, paciente.
doentio; *adj.* enclenque, insalubre, malsano, mórbido.
doer; *v.* doler.
dogma; *s.* dogma.
dogmático; *adj.* dogmático, ortodoxo.
doido; *adj.* loco, tonto.
dois; *s.* dos.
dólar; *s.* dólar.
dolo; *s.* dolo.
doloroso; *adj.* doloroso.
doloso; *adj.* doloso.
dom; *s.* don.
domador; *s.* domador.
domar; *v.* domar.
domesticar; *v.* amansar, domar, domesticar.
doméstico; *adj.* doméstico.
domiciliar; *v.* domiciliar.
domicílio; *s.* domicilio, residencia.
dominador; *adj.* dominador, autoritario, tirano.
dominar; *v.* dominar, avasallar, conquistar, subyugar, vencer.
domingo; *s.* domingo.
domingueiro; *adj.* dominguero.
dominicano; *adj.* dominicano.
domínio; *s.* autoridad, dominio, poderío, potestad.
dominó; *s.* dominó.
dona; *s.* doña.
dona-de-casa; *s.* ama.
donairoso; *adj.* saleroso.
donativo; *s.* donativo, dádiva.
doninha; *s.* comadreja.
dono; *adj.* señor.
dono; *s.* dueño, propietario.
donzela; *s.* doncella.
dor; *s.* dolor, pesar, sufrimiento.
dorminhoco; *adj.* dormilón.
dormir; *v.* dormir.
dormitar; *v.* dormitar.
dorso; *s.* dorso, lomo.
dosagem; *s.* dosis.
dosar; *v.* dosificar.
dose; *s.* dosis.
dossiê; *s.* dosier.
dotação; *s.* dotación.
dotar; *v.* dotar.
dote; *s.* dote.
dourado; *adj.* dorado, áureo.
dourar; *v.* dorar, gratinar.
douto; *s.* docto.
doutor; *s.* doctor.
doutrina; *s.* doctrina, enseñanza, ley.
doutrinar; *v.* adoctrinar, imponer, instruir.
draga; *s.* draga.
dragão; *s.* dragón.
dragar; *v.* dragar.
drágea; *s.* gragea, píldora.
drama; *s.* drama, tragedia.
dramalhão; *s.* dramón, melodrama.
dramático; *adj.* dramático.
dramaturgia; *s.* dramaturgia.
drástico; *adj.* drástico.
drenagem; *s.* drenaje.
droga; *s.* droga, heroína.
drogado; *adj.* drogadicto.
drogaria; *s.* droguería, farmacia.
dromedário; *s.* dromedario.
dualidade; *s.* dualidad.
dúbio; *adj.* incierto, indeciso.
dublagem; *s.* doblaje.
dublar; *v.* doblar.
dúctil; *adj.* dúctil.
ducha; *s.* ducha.

duelo; *s.* certamen, duelo.
duende; *s.* duende.
duna; *s.* duna.
duo; *s.* dúo.
duodeno; *s.* duodeno.
duplicado; *adj.* doblado.
duplicar; *v.* doblar, duplicar, geminar, reduplicar.
duplo; *adj.* doble, duplo.
duque; *s.* duque.
durabilidade; *s.* durabilidad.
duração; *s.* duración, decurso, permanencia, vigencia.
duradouro; *adj.* duradero, consistente, permanente.
durante; *adv.* durante, mientras.
durar; *v.* continuar, durar, vivir.
dureza; *s.* dureza.
duro; *adj.* duro, férreo, áspero.
dúvida; *s.* duda, incertidumbre, sospecha.
duvidar; *v.* dudar, fluctuar, sospechar, temer, vacilar.
duvidoso; *adj.* ambiguo, dudoso, incierto, indeciso, perplejo.
dúzia; *s.* docena.

E

e; *s.* quinta letra del abecedario portugués.
ebanista; *s.* ebanista.
ébano; *s.* ébano.
ébrio; *adj.* ebrio, borracho.
ebulição; *s.* ebullición, efervescencia.
eclesiástico; *adj.* eclesiástico.
eclipsar; *v.* eclipsar.
eclipse; *s.* eclipse.
eclosão; *s.* eclosión, explosión.
eclusa; *s.* compuerta, esclusa.
eco; *s.* eco.
ecoar; *v.* resonar, sonar, hacer eco.
ecografia; *s.* ecografía.
ecologia; *s.* ecología.
ecológico; *adj.* ecológico.
economia; *s.* economía, ahorro.
economizar; *v.* economizar, ahorrar.
ecossistema; *s.* ecosistema.
ecumênico; *adj.* ecuménico.
eczema; *s.* eczema.
edema; *s.* edema.
éden; *s.* edén.
edição; *s.* edición, publicación.
edificação; *s.* construcción, edificación.
edificante; *adj.* edificante.
edificar; *v.* edificar, fundar.
edifício; *s.* casa, edificio.
edital; *s.* edicto.
editar; *v.* editar, imprimir, publicar.
édito; *s.* edicto, ley, decreto, orden.
editor; *s.* editor.
editora; *s.* editora, editorial.
editorial; *adj.* editorial.
edredom; *s.* edredón.
educação; *s.* educación, cortesía, crianza, instrucción.
educado; *adj.* educado, atento, cortés, criado.
educador; *s.* educador, maestro, pedagogo, profesor.
educar; *v.* adoctrinar, educar, enseñar, formar, ilustrar.
efeito; *s.* efecto, impresión, resulta.
efemeridade; *s.* brevedad.
efeméride; *s.* efemérides.
efêmero; *adj.* efímero, transitorio.
efeminado; *adj.* efeminado, afeminado.
efervescência; *s.* ebullición, efervescencia.
efetivamente; *adv.* efectivamente.
efetivar; *v.* realizar.
efetivo; *adj.* efectivo, práctico, útil, actual.
efetuar; *v.* efectuar, realizar.
eficácia; *s.* eficacia, eficiencia.
eficaz; *adj.* eficaz, eficiente, potente, vivaz.
eficiência; *s.* eficiencia, eficacia.
efígie; *s.* efigie, figura.
eflúvio; *s.* efluvio.
efusão; *s.* efusión.
egípcio; *adj.* egipcio.
egocêntrico; *adj.* egocéntrico.
egoísmo; *s.* egoísmo.
egoísta; *s.* egoísta.

égua; *s.* yegua.
eixo; *s.* eje.
ejaculação; *s.* eyaculación, emisión.
ejacular; *v.* eyacular.
ejeção; *s.* eyección, evacuación.
ela; *pron.* ella.
elaborar; *v.* concebir, elaborar.
elasticidade; *s.* elasticidad.
elástico; *adj.* elástico, flexible.
ele; *pron.* él.
eléctron; *s.* electrón.
elefante; *s.* elefante.
elefantíase; *s.* elefantíasis.
elegância; *s.* donaire, elegancia, gallardía, garbo.
elègante; *adj.* elegante, esbelto, fino, garboso, guapo, saleroso.
eleger; *v.* elegir, optar, votar, seleccionar.
elegia; *s.* elegía.
eleição; *s.* elección, selección.
eleito; *adj.* elegido.
eleitor; *adj.* elector.
eleitoral; *adj.* electoral.
elementar; *adj.* elemental.
elemento; *s.* elemento, ingrediente.
elenco; *s.* elenco.
eletricidade; *s.* electricidad.
eletrificar; *v.* electrificar.
eletrizar; *v.* electrizar.
eletrocardiograma; *s.* electrocardiograma.
eletrochoque; *s.* electrochoque.
eletrocutar; *v.* electrocutar.
eletrodo; *s.* electrodo.
eletrodoméstico; *adj.* electrodoméstico.
eletrógeno; *adj.* electrógeno.
eletrólise; *s.* electrólisis.
eletrostática; *s.* electrostática.
elevação; *s.* elevación, altitud, altura, ascensión.
elevado; *adj.* elevado, alto, eminente, sublime.
elevador; *s.* elevador, ascensor.
elevar; *v.* alzar, elevar, engrandecer, exaltar, subir, trepar.
eliminação; *s.* eliminación, excreción, exterminio, supresión.
eliminar; *v.* eliminar, excluir, exterminar, matar, suprimir.
elipse; *s.* elipse.
elite; *s.* elite.
elixir; *s.* elixir.
elmo; *s.* yelmo.
elo; *s.* argolla, eslabón, nexo, argolla.
elocução; *s.* elocución.
elogiar; *v.* elogiar, alabar.
elogio; *s.* elogio, alabanza, apología, loa.
eloquência; *s.* elocuencia.
eloquente; *adj.* elocuente, convincente, oratorio.
elucidar; *v.* dilucidar, esclarecer.
em; *prep.* en.
ema; *s.* ñandú, avestruz.
emagrecer; *v.* adelgazar.
emalhetar; *v.* ensamblar, machihembrar.
emanação; *s.* emanación, efluvio, emisión.
emanar; *v.* emanar, exhalar.
emancipação; *s.* emancipación, independencia.
emancipado; *adj.* emancipado, independiente, libre.
emancipar; *v.* emancipar, liberar.
emaranhar; *v.* enmarañar, embrollar, enredar.
emascular; *v.* emascular, castrar.
embaçado; *adj.* bazo.
embaçar; *v.* empañar.
embainhar; *v.* envainar.
embaixada; *s.* embajada.
embaixador; *s.* embajador.
embaixo; *adv.* abajo, debajo.
embalagem; *s.* embalaje.
embalar; *v.* embalar, acondicionar, acunar.
embalde; *adv.* de balde, en vano, inútilmente.
embalo; *s.* balanceo, cuneo, arrullo.
embalsamar; *v.* embalsamar, momificar.
embaraçar; *v.* embarazar, desconcertar, estorbar.

embaraço; *s.* embarazo, dificultad, estorbo, obstáculo.
embaraçoso; *adj.* embarazoso.
embaralhar; *v.* barajar, embarullar, confundir.
embarcação; *s.* barco, embarcación.
embarcadouro; *s.* embarcadero.
embarcar; *v.* embarcar.
embargado; *adj.* embargado, estancado.
embargar; *v.* embargar.
embarque; *s.* embarque.
embarrancar; *v.* embarrancar.
embasar; *v.* basar.
embasamento; *s.* basamento.
embate; *s.* agresión, choque, embate, empujón, encontronazo.
embater; *v.* chocar.
embaucar; *v.* embaucar.
embebedar; *v.* emborrachar, embriagar.
embeber; *v.* embeber, empapar, ensopar, impregnar, remojar.
embelezar; *v.* adornar, ataviar, embelesar, embellecer, hermosear.
embetumar; *v.* embetunar.
embevecer; *v.* embebecer, cautivar, embobar.
embirrar; *v.* obstinar, terquear.
emblema; *s.* emblema, insignia.
embocadura; *s.* bocacalle, embocadura.
embocar; *v.* abocar, embocar.
embolia; *s.* embolia.
embolorar; *v.* enmohecer.
embolsar; *v.* embolsar.
embonecar; *v.* emperejilar, adornar con esmero.
embora; *adv.* aunque.
embornal; *s.* cebadera, morral.
emboscada; *s.* ardid, emboscada.
emboscar; *v.* emboscar.
embotamento; *s.* embotamiento.
embotar; *v.* embotar.
embreagem; *s.* embrague.
embrear; *v.* embragar, embrear.
embriagado; *adj.* embriagado, bebido, borracho, ebrio.
embriagador; *adj.* embriagador.
embriagar; *v.* emborrachar, embriagar.
embriaguez; *s.* borrachera, embriaguez.
embrião; *s.* embrión, feto, germen.
embrionário; *adj.* embrionario.
embromar; *v.* embromar.
embrulhada; *s.* embrollo, lío, monserga, revoltijo.
embrulhar; *v.* embalar, embrollar, empapelar, envolver.
embrulho; *s.* fardo, lío, paquete.
embrutecer; *v.* embrutecer.
embruxar; *v.* embrujar.
embuçar; *v.* embozar.
embuchado; *s.* embuchado.
embuço; *s.* embozo, tapujo.
embuste; *s.* chapucería, embuste, infundio.
embutido; *adj.* embutido.
embutir; *v.* embutir, ensamblar.
emenda; *s.* correción, enmienda.
emendar; *v.* corregir, enmendar, remediar, remendar.
emergir; *v.* aflorar, emerger, surgir.
emigrar; *v.* emigrar, expatriar.
eminência; *s.* eminencia.
eminente; *adj.* eminente, excelso, eximio, insigne, prócer, sublime.
emissão; *s.* emisión.
emissário; *s.* emisario.
emissor; *adj.* emisor.
emissora; *s.* emisora.
emitir; *v.* emitir.
emoção; *s.* emoción, emotividad.
emocional; *adj.* emocional.
emocionante; *adj.* emocionante, emotivo.
emocionar; *v.* emocionar.
emoldurar; *v.* encuadrar, enmarcar.
emotividade; *s.* afectividad, emotividad.
emotivo; *adj.* emotivo.
empacar; *v.* empaquetar, empacar, encajonar, detener.
empachar; *v.* empachar.
empacho; *s.* empacho.
empacotador; *s.* empaquetador.

empacotamento; *s.* empaquetadura, embalaje, empaque.
empacotar; *v.* embalar, empaquetar.
empada; *s.* empanada, pastel.
empalhar; *v.* empajar.
empalidecer; *v.* palidecer.
empanada; *s.* empanada grande.
empanar; *v.* empañar.
empapar; *v.* embeber, empapar, encharcar, impregnar, remojar.
empapelar; *v.* empapelar.
emparedar; *v.* emparedar.
emparelhar; *v.* aparear, emparejar.
empastar; *v.* empastar.
empatar; *v.* empatar.
empate; *s.* empate.
empecilho; *s.* impedimento, obstáculo.
empedernido; *adj.* empedernido.
empedrado; *adj.* empedrado.
empedrar; *v.* empedrar, adoquinar.
empenar; *v.* alabear, torcer, deformar, combar.
empenhar; *v.* empeñar.
empenho; *s.* empeño, ahínco, asiduidad, constancia.
emperrar; *v.* causar dificultad en el movimiento.
empertigar-se; *v.* empertigarse.
empestamento; *s.* fetidez.
empestar; *v.* apestar, infestar.
empilhamento; *s.* apilamiento, amontonamiento.
empilhar; *v.* empilar, apilar, amontonar.
empinar; *v.* empinar.
empírico; *adj.* empírico.
empirismo; *s.* empirismo.
emplastar; *v.* emplastar.
emplastro; *s.* emplasto, parche.
emplumar; *v.* emplumar.
empobrecer; *v.* arruinar, empobrecer.
empoeirado; *adj.* polvoriento.
empolado; *adj.* ampuloso.
empolhar; *v.* empollar.
emporcalhar; *v.* ensuciar.
empório; *s.* emporio.
emprazar; *v.* emplazar.
empreendedor; *adj.* arrojado, emprendedor.
empreender; *v.* ejecutar, emprender, iniciar.
empregado; *s.* empleado.
empregar; *v.* emplear, usar, utilizar.
emprego; *s.* cargo, colocación, empleo, lugar, ocupación, puesto.
empreitada; *s.* destajo.
empresa; *s.* empresa, industria.
empresarial; *adj.* empresarial.
emprestado; *adj.* prestado.
emprestar; *v.* prestar.
empréstimo; *s.* empréstito, prestación, préstamo.
empunhar; *v.* empuñar.
empurrão; *s.* empujón, encontronazo.
empurrar; *v.* empujar, impeler, impulsar.
emudecer; *v.* callar, enmudecer.
emular; *v.* emular.
emulsão; *s.* emulsión.
enaltecer; *v.* enaltecer, encumbrar, glorificar.
enamorado; *adj.* apasionado, enamorado.
enamorar; *v.* enamorar, apasionar.
encabeçar; *v.* encabezar.
encabulado; *adj.* avergonzado.
encabular; *v.* avergonzar.
encadear; *v.* encadenar, concatenar, eslabonar.
encadernação; *s.* encuadernación.
encadernar; *v.* encuadernar.
encaixado; *adj.* encajado.
encaixamento; *s.* encajadura, encaje.
encaixar; *v.* encajar, ensamblar, embutir.
encaixe; *s.* encaje, juntura.
encaixotar; *v.* encajonar.
encalço; *s.* pista, rastro.
encalhar; *v.* encallar, abarrancarse, atollar.
encaminhar; *v.* encaminar, conducir, guiar.
encanador; *s.* cañero, fontanero.
encanamento; *s.* cañería, fontanería.
encandescer; *v.* encandecer.

encanecer; *v.* encanecer.
encanecido; *adj.* encanecido, blanco, albo, envejecido.
encantado; *adj.* encantado, seducido, mágico.
encantador; *adj.* adorable, atractivo, encantador.
encantamento; *s.* encantamiento, encanto, hechizo, magia.
encantar; *v.* encantar, aojar, cautivar, embelesar, enamorar, fascinar, hechizar.
encanto; *s.* encanto, deleite, delicia, sedución, gracia.
encapotar-se; *v.* encapotarse.
encaracolado; *adj.* ensortijado.
encaracolar; *v.* enroscar, ensortijar.
encarapitar; *v.* encaramar.
encarar; *v.* encarar, afrontar, analizar, arrostrar.
encarcerar; *v.* encarcelar.
encarecer; *v.* encarecer.
encargo; *s.* encargo, cometido, encomienda, gravamen, mandato, misión.
encarnado; *adj.* encarnado, colorado, rojo.
encarnar; *v.* encarnar.
encarniçar; *v.* encarnizar.
encarquilhado; *adj.* arrugado.
encarquilhar; *v.* arrugar, formar pliegues.
encarregado; *adj.* encargado, delegado.
encarregar; *v.* encargar, apoderar, comisionar, incumbir.
encarrilhar; *v.* encarrilar, encaminar, dirigir.
encasquetar; *v.* encasquetar.
encastelar; *v.* encastillar.
encatarrar-se; *v.* acatarrarse, constiparse.
encavalar; *v.* sobreponer.
encefálico; *adj.* encefálico.
encefalite; *s.* encefalitis.
encéfalo; *s.* encéfalo.
enceradeira; *s.* enceradora.
encerado; *adj.* encerado.
encerar; *v.* encerar.
encerramento; *s.* encerramiento.
encerrar; *v.* cerrar, contener, encerrar, recluir, esconder.
encerro; *s.* encierro, encerramiento.
encestar; *v.* encestar.
encharcar; *v.* encharcar, embeber, empapar, ensopar.
enchente; *s.* llenura, hartura, inundación, avenida, riada.
encher; *v.* llenar, anegar, henchir, hinchar, recalcar, saciar.
enchimento; *s.* relleno.
enchova; *s.* anchoa.
encíclica; *s.* encíclica.
enciclopédia; *s.* enciclopedia.
enciumar; *v.* encelar, llenarse de celos.
enclausurar; *v.* enclaustrar.
encoberto; *adj.* encubierto, oculto, disimulado.
encobrimento; *s.* encubrimiento.
encobrir; *v.* encubrir, cubrir, disfrazar, disimular, enmascarar, esconder.
encolerizado; *adj.* encolerizado.
encolerizar; *v.* encolerizar, enrabiar, irritar.
encolher; *v.* encoger, contraer, empequeñecer, menguar, disminuir, reducir.
encolhimento; *s.* encogimiento.
encomenda; *s.* encomienda, encargo.
encomendar; *v.* encomendar, encargar.
encomiar; *v.* encomiar, alabar, elogiar.
encômio; *s.* encomio, alabanza.
encompridar; *v.* alargar.
encontrão; *s.* encontronazo, empujón.
encontrar; *v.* encontrar, hallar, descubrir, avistar.
encontro; *s.* encuentro, cita, choque.
encorajar; *v.* encorajar, animar, alentar, estimular, envalentonar.
encorpado; *adj.* corpulento, grueso.

encorpar; *v.* engordar, engrosar, tomar cuerpo.
encosta; *s.* cuesta, ladera, pendiente, vertiente.
encostar; *v.* arrimar, acostar, apoyar, reclinar.
encosto; *s.* espaldar, arrimo, respaldo, apoyo.
encravar; *v.* empotrar, enclavar, engastar, incrustar.
encrenca; *s.* lío, intriga, enredo.
encrespar; *v.* encrespar, erizar, ondular.
encruar; *v.* encallar, encrudecer, endurecer.
encruzilhada; *s.* cruce, encrucijada.
encurralar; *v.* acorralar, arrinconar, refugiarse.
encurtar; *v.* acortar, abreviar, achicar, limitar.
encurvar; *v.* arquear, encorvar.
endemia; *s.* endemia.
endêmico; *adj.* endémico.
endemoninado; *adj.* endemoniado, poseído, endiablado.
endereçar; *v.* encaminar, enderezar.
endereço; *s.* dirección.
endeusar; *v.* endiosar.
endiabrado; *adj.* endiablado, endemoniado, travieso, malo.
endinheirado; *adj.* adinerado.
endireitar; *v.* enderezar, erguir.
endividar; *v.* adeudar, empeñar.
endocárdio; *s.* endocardio.
endócrino; *adj.* endocrino.
endocrinologista; *s.* endocrinólogo.
endoidar; *v.* enloquecer, volver loco.
endoidecer; *v.* enloquecer.
endossar; *v.* endosar.
endurecer; *v.* endurecer, solidificar.
endurecimento; *s.* endurecimiento, solidificación.
enegrecer; *v.* ennegrecer.
energético; *adj.* energético.
energia; *s.* energía, fuerza, vehemencia, vigor.
enérgico; *adj.* enérgico, fuerte, intenso, vigoroso.
energúmeno; *s.* energúmeno, endemoniado, desorientado.
enervar; *v.* enervar.
enevoado; *adj.* nublado, anubarrado.
enevoar; *v.* aneblar, anublar, cubrir de niebla.
enfadar; *v.* enfadar, molestar.
enfado; *s.* enfado, enojo, tedio, aburrimiento.
enfadonho; *adj.* aburrido, enfadoso, enojoso, molesto, incómodo.
enfaixar; *v.* fajar, vendar.
enfarar; *v.* hastiarse, asquear, repugnar.
enfarte; *s.* infarto.
ênfase; *s.* énfasis.
enfastiar; *v.* hastiar.
enfático; *adj.* enfático, ampuloso.
enfatizar; *v.* enfatizar.
enfeitado; *adj.* adornado.
enfeitar; *v.* adornar, aliñar, ataviar, embellecer, engalanar, guarnecer.
enfeite; *s.* aderezo, adorno, afeite, atavío, ornamento.
enfeitiçado; *adj.* hechizado, encantado, embrujado.
enfeitiçar; *v.* embrujar, hechizar, encantar, cautivar.
enfermagem; *s.* oficio de enfermero.
enfermar; *v.* enfermar.
enfermaria; *s.* enfermería.
enfermeiro; *s.* enfermero.
enfermiço; *adj.* enfermizo, enclenque.
enfermidade; *s.* enfermedad.
enfermo; *adj.* enfermo.
enferrujar; *v.* herrumbrar, oxidar.
esfestado; *adj.* doblado por el medio de la anchura de la tela.
enfezado; *adj.* raquítico, enclenque, encogido, sin desarrollo.
enfiada; *s.* hilera, fila, sarta.
enfiar; *v.* enfilar.
enfileirar; *v.* alinear, enfilar.
enfim; *adv.* finalmente, por último.
enfocar; *v.* enfocar.
enforcado; *adj.* ahorcado.

enforcar; *v.* ahorcar.
enfraquecer; *v.* enflaquecer, atenuar, atrofiar, debilitar, extenuar, postrar.
enfraquecimento; *s.* enflaquecimiento, anemia, atrofia, postración.
enfrascar; *v.* enfrascar.
enfrentar; *v.* enfrentar, afrontar, confrontar, encarar.
enfronhar; *v.* enfundar.
enfumaçar; *v.* ahumar, llenar de humo.
enfurecer; *v.* enfurecer, embravecer, encolerizar, enrabiar.
engabelar; *v.* engatusar, embaucar.
engaiolar; *v.* enjaular.
engalanar; *v.* engalanar, adornar.
enganador; *adj.* engañador.
enganar; *v.* engañar, aparentar, burlar, confundir, embaucar, embromar, ilusionar mentir, traicionar.
enganchar; *v.* enganchar.
engano; *s.* engaño, burla, embuste, error, falacia, falsedad, fraude, ilusión mentira.
enganoso; *adj.* engañoso, aparente, ilusorio.
engarrafado; *adj.* embotellado.
engarrafar; *v.* embotellar, enfrascar, envasar.
engasgar; *v.* atragantar.
engastar; *v.* engarzar, engastar.
engatar; *v.* enganchar.
engate; *s.* enganche, gancho.
engatinhar; *v.* gatear.
engendrar; *v.* engendrar, generar, idear, producir.
engenhar; *v.* ingeniar.
engenharia; *s.* ingeniería.
engenheiro; *s.* ingeniero.
engenho; *s.* ingenio.
engenhoso; *adj.* artista, ingenioso.
englobar; *v.* englobar.
engodo; *s.* cebo, artificio.
engolir; *v.* engullir, absober, deglutir, tragar.
engomar; *v.* almidonar, engomar.
engorda; *s.* engorde.
engordar; *v.* engordar, engrosar.
engordurado; *adj.* grasiento, mugriento, untuoso.
engordurar; *v.* engrasar, pringar, untar, ensebar.
engraçado; *adj.* gracioso, bonito, jocoso, jovial, saleroso.
engrandecer; *v.* agrandar, engrandecer, exaltar, magnificar.
engrandecimento; *s.* engrandecimiento, magnificencia.
engravatar-se; *v.* ponerse corbata.
engravidar; *v.* embarazar, preñar, quedar encinta.
engraxar; *v.* engrasar, limpiar, lustrar el calzado.
engraxate; *s.* limpiabotas.
engrenagem; *s.* engarce, engranaje.
engrenar; *v.* embragar, engranar.
engrossar; *v.* abultar, engrosar, espesar.
enguia; *s.* anguila.
enigma; *s.* enigma, acertijo, adivinanza, charada, misterio.
enjaular; *v.* enjaular.
enjeitar; *v.* repudiar.
enjoar; *v.* nausear, marear.
enjoativo; *adj.* nauseabundo, aborrecido, dulzón, empalagoso.
enjôo; *s.* mareo, náusea.
enlaçar; *v.* enlazar.
enlace; *s.* casamiento, enlace.
enlambuzar; *v.* embadurnar.
enlamear; *v.* enfangar, enlodazar, embarrar.
enlanguescer; *v.* languidecer.
enlatar; *v.* enlatar.
enlouquecer; *v.* enajenar, enloquecer.
enlutar; *v.* enlutar.
enobrecer; *v.* dignificar, ennoblecer.
enojar; *v.* enojar.
enologia; *s.* enología.
enorme; *adj.* enorme, colosal, descomunal, gigante.
enormidade; *s.* enormidad.
enquadrar; *v.* encasillar, encuadrar.
enquanto; *adv.* mientras.

enquete; *s.* encuesta.
enrabichar; *v.* peinar en coleta, enamorarse.
enraivecer; *v.* rabiar, enrabiar.
enraizar; *v.* arraigar, enraizar.
enrarecer; *v.* enrarecer.
enrascada; *s.* emboscada, aprieto, apuro.
enredar; *v.* enmarañar, enredar, enzarzar.
enredo; *s.* embrollo, enredo, revoltijo, novela, urdidura.
enregelar-se; *v.* aterirse.
enriquecer; *v.* enriquecer.
enrolador; *adj.* arrollador.
enrolar; *v.* arrollar, enrollar, enroscar, envolver.
enroscar; *v.* enroscar, retorcer, torcer.
enrubescer; *v.* enrojecer, sonrojar.
enrugado; *adj.* arrugado.
enrugar; *v.* arrugar, crispar, fruncir.
ensaboar; *v.* enjabonar, jabonar.
ensaiar; *v.* ensayar, entrenar, tantear.
ensaio; *s.* ensayo, esbozo, experimento, prueba.
ensanguentar; *v.* ensangrentar.
ensartar; *v.* ensartar.
enseada; *s.* ensenada, cala.
ensebado; *adj.* mugriento, pringoso.
ensebar; *v.* ensebar.
ensejo; *s.* oportunidad.
ensimesmar-se; *v.* ensimismarse.
ensinar; *v.* enseñar, amaestrar, educar, instruir.
ensino; *s.* educación, enseñanza, instrucción.
ensolarado; *adj.* con mucho sol.
ensopar; *v.* ensopar, embeber.
ensurdecer; *v.* ensordecer.
entabular; *v.* entablar.
entalhador; *s.* entallador, ebanista, tallista.
entalhar; *v.* ensamblar, entallar, machihembrar, tallar.
entalhe; *s.* muesca, ranura, talla.
então; *adv.* allí, entonces.
entardecer; *v.* atardecer, tardecer.
ente; *s.* ente, ser.
enteado; *s.* hijastro.
entediar; *v.* aburrir.
entender; *v.* comprender, conocer, entender, hallar, opinar.
entendido; *adj.* entendido, versado.
entendimento; *s.* entendimiento.
enterite; *s.* enteritis.
enternecer; *v.* enternecer.
enterramento; *s.* enterramiento, inhumación.
enterrar; *v.* enterrar, inhumar, sepultar, soterrar.
enterro; *s.* entierro, inhumación.
entesourar; *v.* atesorar.
entibiar; *v.* entibiar.
entidade; *s.* entidad, ente, ser.
entoar; *v.* entonar.
entojar; *v.* repugnar, asquear.
entonação; *s.* acento, entonación, tono.
entornar; *v.* derramar, entornar, volcar.
entorpecer; *v.* entorpecer, adormecer, entumecer, narcotizar.
entorpecimento; *s.* entorpecimiento.
entortar; *v.* torcer, curvar.
entrada; *s.* entrada, acceso, admisión, apertura, ingreso.
entrançado; *adj.* trenzado.
entrançar; *v.* entrenzar, entrelazar.
entranha; *s.* entraña, víscera.
entranhado; *adj.* inveterado.
entranhar-se; *v.* entrañarse.
entranhável; *adj.* entrañable, íntimo, profundo.
entrar; *v.* entrar, desembocar, ingresar, penetrar.
entravar; *v.* trabar, impedir, obstruir, embarazar.
entre; *prep.* entre.
entreabrir; *v.* entreabrir.
entreato; *s.* entreacto, intermedio.
entrecortado; *adj.* entrecortado.
entrecortar; *v.* entrecortar.
entrecruzar-se; *v.* entrecruzarse.
entrega; *s.* entrega.
entregar; *v.* entregar, dar, depositar, facilitar, rendirse.

entrelaçamento; *s.* entrelazamiento.
entrelaçar; *v.* enredar, entrelazar.
entrelinha; *s.* entrelínea.
entremear; *v.* entremediar, intercalar, interpolar.
entremeio; *s.* intermedio, entredós.
entreouvir; *v.* entreoír.
entrepano; *s.* entrepaño.
entreposto; *s.* almacén.
entretanto; *adv.* entremedias, entretanto, mientras.
entretenimento; *s.* entretenimiento, pasatiempo, recreo.
entreter; *v.* entretener, distraer, divertir.
entrevado; *adj.* minusválido, tullido.
entrever; *v.* entrever, divisar, vislumbra.
entrevista; *s.* entrevista, cita, conferencia,.
entristecer; *v.* entristecer, acongojar, angustiar, apesadumbrar, consternar.
entroncar; *v.* entroncar.
entronizar; *v.* entronizar.
entrosar; *v.* engranar.
entrouxar; *v.* empaquetar, liar, envolver ropas.
entubagem; *s.* intubación.
entulhar; *v.* escombrar, acumular, abarrotar.
entulho; *s.* cascote, escombro.
entumescer; *v.* entumecer.
entupir; *v.* atascar, entupir.
enturvar; *v.* enturbiar.
entusiasmar; *v.* entusiasmar, animar.
entusiasmo; *s.* entusiasmo, admiración, animación.
entusiasta; *adj.* entusiasta.
enumeração; *s.* enumeración.
enumerar; *v.* enumerar.
enunciação; *s.* enunciación.
enunciado; *adj.* enunciado.
enunciar; *v.* enunciar, decir, definir, exponer.
envaidecer; *v.* envanecer, engreírse.
envasar; *v.* envasar.
envasilhar; *v.* envasijar, embotellar.
envelhecer; *v.* envejecer, avejentar.
envelope; *s.* sobre.
envenenador; *adj.* envenenador.
envenenamento; *s.* envenenamiento.
envenenar; *v.* envenenar, emponzoñar, intoxicar.
enveredar; *v.* encaminar, enveredar.
envergadura; *s.* envergadura, capacidad.
envergar; *v.* envergar, encorvar, curvar.
envergonhado; *adj.* avergonzado.
envergonhar; *v.* avergonzar.
envernizar; *v.* barnizar.
enviado; *s.* enviado, mensajero.
enviar; *v.* enviar, expedir, remitir.
envidraçar; *v.* acristalar.
envilecer; *v.* envilecer.
envio; *s.* envío, remesa.
enviuvar; *v.* enviudar.
envoltório; *s.* envase, envoltorio.
envolver; *v.* envolver, arrollar, implicar, involucrar.
enxada; *s.* azada.
enxadrista; *s.* ajedrecista.
enxaguar; *v.* enjuagar, aclarar.
enxame; *s.* enjambre, jabardillo.
enxaqueca; *s.* jaqueca.
enxergar; *v.* entrever, divisar.
enxertar; *v.* injertar.
enxerto; *s.* injerto.
enxofre; *s.* azufre.
enxotar; *v.* espantar, ahuyentar, expulsar.
enxoval; *s.* ajuar.
enxugar; *v.* enjugar, secar.
enxurrada; *s.* venida, avenida de aguas de lluvia.
enxuto; *adj.* enjuto, magro, seco.
enzima; *s.* enzima.
epicentro; *s.* epicentro.
epidemia; *s.* epidemia.
epidêmico; *adj.* epidémico.
epiderme; *s.* epidermis.
epifania; *s.* epifanía.
epígrafe; *s.* epígrafe, leyenda, título.

epilepsia; *s.* epilepsia.
epílogo; *s.* epílogo.
episcopal; *adj.* episcopal.
episódico; *adj.* episódico.
episódio; *s.* episodio, evento.
epístola; *s.* epístola.
epitáfio; *s.* epitafio.
epitélio; *s.* epitelio.
época; *s.* época, era, temporada, tiempo, período.
epopéia; *s.* epopeya.
equação; *s.* ecuación.
equador; *s.* ecuador.
equânime; *adj.* ecuánime.
equatorial; *adj.* ecuatorial.
equatoriano; *adj.* ecuatoriano.
equestre; *adj.* ecuestre.
equidade; *s.* equidad, justicia.
equidistante; *adj.* equidistante.
equilátero; *adj.* equilátero.
equilibrado; *adj.* equilibrado.
equilibrar; *v.* compensar, equilibrar.
equilíbrio; *s.* equilibrio.
equimose; *s.* cardenal, equimosis.
eqüino; *adj.* equino, hípico.
equino; *s.* equino.
equinócio; *s.* equinoccio.
equipagem; *s.* equipaje.
equipar; *v.* equipar, armar, guarnecer.
equiparar; *v.* equiparar.
equiparável; *adj.* equiparable.
equipe; *s.* conjunto, equipo.
equitação; *s.* equitación.
equitativo; *adj.* equitativo.
equivalência; *s.* equivalencia, igualdad.
equivalente; *adj.* equivalente, igual, correspondiente.
equivaler; *v.* equivaler, corresponder.
equivocado; *adj.* equívoco, erróneo.
equivocar; *v.* equivocar, confundir, errar.
equívoco; *adj.* equívoco, ambiguo, sospechoso.
equívoco; *s.* equívoco, engaño.
era; *s.* era, época, período, fecha.
erário; *s.* erario.
ereção; *s.* erección.
eremita; *s.* eremita.
ereto; *adj.* erecto.
erguer; *v.* erguir, erigir, izar, levantar.
eriçar; *v.* erizar.
erigir; *v.* erigir, levantar, erguir, fundar.
erisipela; *s.* erisipela.
ermida; *s.* ermita, iglesia pequeña, capilla.
ermitão; *s.* ermitaño, eremita.
ermo; *adj.* yermo.
erosão; *s.* erosión, desgaste, corrosión.
erótico; *adj.* erótico, sensual, lascivo.
erradicação; *s.* erradicación.
erradicar; *v.* erradicar, desarraigar.
errado; *adj.* equivocado.
errante; *adj.* errante, vagabundo, ambulante, andariego.
errar; *v.* errar, confundir, equivocar, vaguear.
errata; *s.* errata.
erro; *s.* error, yerro, defecto, desacierto.
errôneo; *adj.* erróneo.
erudição; *s.* erudición.
erudito; *adj.* erudito, letrado, leído, sabio.
erupção; *s.* erupción.
erva; *s.* hierba, yerba.
erva-cidreira; *s.* melisa.
erva-doce; *s.* hinojo.
erva-mate; *s.* yerba mate.
ervilha; *s.* guisante.
esbaforido; *adj.* jadeante.
esbagaçar; *v.* despedazar.
esbanjador; *adj.* gastador, derrochador.
esbanjamento; *s.* derroche, desperdicio, despilfarro.
esbanjar; *v.* derrochar, desperdiciar, despilfarrar.
esbarrão; *s.* tropezón.
esbarrar; *v.* chocar, tropezar.
esbelto; *adj.* esbelto, elegante, guapo.

esboçar; *v.* delinear, esbozar.
esboço; *s.* esbozo, boceto, bosquejo, croquis.
esbofetear; *v.* abofetear.
esborrachar; *v.* aplastar.
esbranquiçado; *adj.* blanquecino, blancuzco, pálido, descolorido.
esbravejar; *v.* embravecerse, vociferar.
esbugalhado; *adj.* desencajado.
esburacar; *v.* agujerear, perforar.
escabeche; *s.* escabeche.
escabroso; *adj.* escabroso.
escachar; *v.* hender, partir, dividir.
escada; *s.* escalera.
escadaria; *s.* escalinata.
escafandro; *s.* escafandro.
escaiola; *s.* escayola.
escala; *s.* escala.
escalada; *s.* escalada.
escalão; *s.* escalón.
escalar; *v.* escalar.
escaldar; *v.* escaldar, recalentar.
escalonar; *v.* escalonar.
escama; *s.* escama.
escamar; *v.* escamar.
escamotear; *v.* escamotear.
escancarar; *v.* abrir completamente.
escandalizar; *v.* escandalizar.
escândalo; *s.* escándalo, desacato, desvergüenza.
escangalhar; *v.* destruir, destrozar, estropear, descoyuntarse.
escanhoar; *v.* afeitar, rasurar.
escapada; *s.* escapada.
escapadela; *s.* escapatoria.
escapamento; *s.* escapamiento, escape.
escapar; *v.* escapar, escabullirse, evadir, huir, zafar.
escapatória; *s.* escapatoria.
escape; *s.* escape, fuga.
escapulir; *v.* escabullirse.
escarafunchar; *v.* escarabajear.
escaramuça; *s.* escaramuza, combate, pelea.
escaravelho; *s.* escarabajo.
escarcéu; *s.* escarceo, alarido.
escarlate; *s.* escarlata, rojo muy vivo.
escarlatina; *s.* escarlatina,
escarmentar; *v.* escarmentar.
escarnar; *v.* descarnar.
escarnecer; *v.* escarnecer, mofar, motejar.
escárnio; *s.* escarnio, mofa.
escarola; *s.* escarola.
escarpa; *s.* escarpa.
escarpado; *adj.* abrupto, escarpado, acantilado.
escarradeira; *s.* escupidera.
escarranchar; *v.* espatarrarse, despatarrarse.
escarrar; *v.* escupir, expectorar.
escarro; *s.* gargajo, flema.
escassear; *v.* escasear, enrarecer.
escassez; *s.* escasez, insuficiencia, mengua, penuria.
escasso; *adj.* escaso, contado, corto, exiguo, poco.
escavação; *s.* excavación, foso, hoyo, zapa.
escavar; *v.* excavar, ahuecar, cavar.
esclarecer; *v.* esclarecer, aclarar, dilucidar, explicar, iluminar, ilustrar, indicar, informar.
esclarecido; *adj.* esclarecido, claro, preclaro, explicado.
esclarecimento; *s.* esclarecimiento, aclaración, explicación, información.
esclerose; *s.* esclerosis.
escoadouro; *s.* escurridero, sumidero.
escoar; *v.* escurrir, colar.
escocês; *adj.* escocés.
escola; *s.* escuela, liceo.
escolar; *adj.* escolar, estudiante.
escolha; *s.* alternativa, elección, opción, selección, voluntad.
escolher; *v.* escoger, elegir, optar, seleccionar.
escolhido; *adj.* escogido, elegido, selecto.
escolho; *s.* escollo, arrecife.
escolta; *s.* escolta.
escoltar; *v.* acompañar, escoltar.

escombros; *s.* escombros, destrozos.
esconder; *v.* esconder, agachar, agazapar, disimular, ocultar, recatar, refugiar.
esconderijo; *s.* escondrijo, refugio.
escondido; *adj.* escondido, latente, oculto, secreto.
esconjuro; *s.* esconjuro, exorcismo.
escora; *s.* escora, apoyo, amparo.
escorar; *v.* escorar, apuntalar, apoyar.
escorbuto; *s.* escorbuto.
escória; *s.* escoria.
escorpião; *s.* alacrán, escorpión.
escorredor; *s.* escurridor.
escorregadio; *adj.* resbaladizo.
escorregador; *s.* tobogán.
escorregão; *s.* resbalón, desliz.
escorregar; *v.* deslizar, resbalar.
escorrer; *v.* escurrir.
escotilha; *s.* escotilla.
escova; *s.* cepillo.
escovado; *adj.* cepillado, limpio.
escovão; *s.* escobón.
escovar; *v.* cepillar.
escravidão; *s.* esclavitud.
escravizar; *v.* esclavizar, tiranizar.
escravo; *adj.* esclavo.
escravo; *s.* siervo.
escrever; *v.* escribir.
escritor; *s.* autor, escritor.
escritório; *s.* escritorio, gabinete, oficina, despacho.
escritura; *s.* escritura, registro.
escriturário; *s.* escribano, notario.
escrivaninha; *s.* bufete, escritorio.
escrivão; *s.* escribano.
escroto; *s.* escroto, testículo.
escrúpulo; *s.* escrúpulo.
escrupuloso; *adj.* escrupuloso.
escrutínio; *s.* escrutinio.
escudar; *v.* escudar.
escudo; *s.* escudo.
esculpir; *v.* entallar, esculpir.
escultor; *s.* escultor, tallista.
escultura; *s.* escultura, talla.
escuma; *s.* espuma.
escumadeira; *s.* espumadera.
escuna; *s.* escuna, goleta.
escurecer; *v.* ensombrecer, obscurecer.
escuridão; *s.* obscuridad, tiniebla, ignorancia.
escuro; *adj.* obscuro, oscuro, lóbrego, tenebroso, misterioso.
escusa; *s.* excusa, exculpación, disculpa.
escusar; *v.* exculpar, excusar.
escutar; *v.* escuchar, oír.
esdrúxulo; *adj.* esdrújulo.
esfacelar; *v.* despedazar, deshacer.
esfalfar; *v.* debilitar, cansar, fatigarse.
esfaquear; *v.* acuchillar, apuñalar.
esfarelar; *v.* migar.
esfarrapado; *adj.* andrajoso, desharrapado, harapiento, roto.
esfarrapar; *v.* desgarrar.
esfera; *s.* esfera, globo, ámbito, bola.
esférico; *adj.* esférico, redondo.
esfinge; *s.* esfinge.
esfínter; *s.* esfínter.
esfolar; *v.* desollar, despellejar.
esfomeado; *adj.* famélico, hambriento.
esforçar; *v.* esforzar.
esforço; *s.* esfuerzo.
esfrega; *s.* fregadura, fregado, reprimenda, paliza, tunda.
esfregão; *s.* estropajo, fregona.
esfregar; *v.* fregar, frotar, rascar, refregar.
esfriar; *v.* enfriar, resfriar.
esfumar; *v.* esfumar.
esfuziante; *adj.* muy alegre.
esganado; *adj.* estrangulado, hambriento.
esganar; *v.* estrangular, sofocar.
esganiçar; *v.* soltar voces agudas, chillar, chirriar.
esgar; *s.* gesto, mueca, mohín.
esgaravatar; *v.* escarbar.
esgarçado; *adj.* raído.
esgotado; *adj.* agotado, exhausto.
esgotamento; *s.* agotamiento, extenuación.

esgotar; *v.* agotar, consumir, extenuar, secar, apurar.
esgoto; *s.* alcantarilla, sumidero, cloaca.
esgravatar; *v.* escarbar, remover la tierra.
esgrima; *s.* esgrima.
esgrimir; *v.* esgrimir.
esguelha; *s.* soslayo, reojo.
esguelhado; *adj.* torcido, sesgado, soslayado.
esguichar; *v.* surtir, chorrear.
esguicho; *s.* chorro, surtido, surtidor, jeringazo.
esguio; *adj.* larguirucho, alto y delgado.
eslavo; *adj.* eslavo.
esmaecer; *v.* debilitar, desvanecer, perder el color.
esmagar; *v.* aplastar, apabullar, despachurrar, estrujar, machucar, triturar, oprimir, esclavizar.
esmaltar; *v.* esmaltar.
esmalte; *s.* esmalte.
esmerado; *adj.* apurado, prolijo, pulcro, refinado.
esmeralda; *s.* esmeralda.
esmerar; *v.* esmerar.
esmeril; *s.* esmeril.
esmerilar; *v.* esmerilar, pulir con esmeril.
esmero; *s.* esmero, primor, perfección.
esmigalhar; *v.* desmenuzar.
esmiuçar; *v.* desmenuzar, detallar, triturar.
esmola; *s.* limosna, auxilio, donativo.
esmolar; *v.* limosnear, pedir, pordiosear.
esmoler; *adj.* caritativo, limosnero.
esmorecer; *v.* esmorecer, desalentar.
esmurrar; *v.* apuñar, apuñear.
esnobar; *v.* ser esnob.
esnobe; *adj.* encopetado, esnob, snob.
esôfago; *s.* esófago.
esotérico; *adj.* esotérico, exotérico.
espaçar; *v.* espaciar, dilatar, tardar.
espacejar; *v.* espaciar.
espaço; *s.* capacidad, espacio, sitio, área.
espaçoso; *adj.* amplio, ancho, espacioso.
espada; *s.* espada.
espádua; *s.* espalda, omoplato.
espaguete; *s.* espagueti.
espairecer; *v.* distraer, divertir, entretener, esparcirse.
espaldar; *s.* espaldar, respaldo.
espalhafato; *s.* barullo, confusión.
espalhar; *v.* desparramar, diseminar, dispersar, expandir, propagar.
espanador; *s.* plumero.
espanar; *v.* desempolvar con el plumero.
espancar; *v.* apalear, aporrear, golpear.
espanhol; *adj.* español.
espantado; *adj.* espantado, pasmado, atónito, estupefacto.
espantalho; *s.* espantajo, espantapájaros, esperpento.
espantar; *v.* espantar, ahuyentar, sombrar, atemorizar, aterrar, atontar, aturdir, pasmar, sorprender.
espanto; *s.* espanto, admiración, pasmo, asombro, sorpresa, susto, terror.
espantoso; *adj.* espantoso.
esparadrapo; *s.* esparadrapo.
esparramar; *v.* desparramar, desperdigar.
espartilho; *s.* corpiño, corsé.
esparto; *s.* esparto.
esparzir; *v.* esparcir.
espasmo; *s.* espasmo.
espatifar; *v.* despedazar, hacer añicos.
espátula; *s.* espátula.
especial; *adj.* especial.
especialidade; *s.* especialidad.
especialista; *s.* especialista.
especiaria; *s.* especia.
espécie; *s.* especie.
especificar; *v.* especificar, determinar.

específico; *adj.* específico, determinado.
espectador; *adj.* espectador.
espectro; *s.* espectro, fantasma.
especulação; *s.* especulación, operación, agio.
especular; *s.* especular, observar, examinar.
espedaçar; *v.* espedazar, despedazar.
espelhar; *v.* limpiar, pulir, reflejar como un espejo.
espeleólogo; *s.* espeleólogo.
espelho; *s.* espejo.
espera; *s.* espera.
esperança; *s.* esperanza.
esperar; *v.* aguardar, esperar.
esperma; *s.* esperma, semen.
espermatozóide; *s.* espermatozoide, zoospermo.
espernear; *v.* patalear, pernear.
esperteza; *s.* vivacidad, listeza, sagacidad, destreza.
esperto; *adj.* despierto, astuto, avispado, ladino, listo.
espessar; *v.* espesar.
espesso; *adj.* espeso, denso, compacto, pastoso, viscoso.
espessura; *s.* espesura, densidad, espesor, grosor.
espetacular; *adj.* espectacular, grandioso.
espetáculo; *s.* espectáculo, show.
espetar; *v.* espetar.
espeto; *s.* espetón, asador.
espevitado; *adj.* despabilado, vivo.
espevitar; *v.* despabilar, espabilar.
espezinhar; *v.* pisotear.
espião; *s.* espía.
espiar; *v.* acechar, espiar.
espichar; *v.* extender, estirar.
espiga; *s.* espiga.
espigão; *s.* espigón.
espigueiro; *s.* hórreo.
espinafre; *s.* espinaca.
espingarda; *s.* carabina, fusil, rifle.
espinha; *s.* espina.
espinhaço; *s.* espinazo, espina dorsal, cordillera.
espinho; *s.* espina, púa.
espinhoso; *adj.* espinoso, peliagudo.
espionagem; *s.* espionaje.
espiral; *s.* espiral.
espiriteira; *s.* infiernillo.
espiritismo; *s.* espiritismo.
espírito; *s.* alma, espíritu, ánimo.
espirituoso; *adj.* espiritoso.
espirrar; *v.* estornudar.
espirro; *s.* estornudo.
esplanada; *s.* explanada.
esplêndido; *adj.* espléndido, hermoso, magnífico, sublime.
esplendor; *s.* esplendor, resplandor, brillo, fulgor, gloria, viveza.
esplendoroso; *adj.* esplendoroso, espléndido.
espoliar; *v.* despojar, expoliar.
espólio; *s.* expolio, despojo.
esponja; *s.* esponja.
esponjoso; *adj.* esponjoso.
esponsais; *s.* desposorio, esponsales.
espontâneo; *adj.* espontáneo, instintivo.
espora; *s.* espuela.
esporádico; *adj.* esporádico.
esporear; *v.* espolear.
esporte; *s.* deporte.
esportista; *adj.* deportista.
esportivo; *adj.* deportivo.
esposa; *s.* esposa, mujer.
esposo; *s.* esposo, marido.
espraiar; *v.* explayar.
espreguiçar-se; *v.* desperezarse.
espreitar; *v.* acechar, observar, espiar.
espremer; *v.* estrujar, exprimir, moler.
espuma; *s.* espuma.
espumadeira; *s.* espumadera.
espumoso; *adj.* espumoso.
espúreo; *adj.* espúreo.
esquadra; *s.* escuadra.
esquadrão; *s.* escuadrón.
esquadrinhar; *v.* escudriñar, rebuscar.
esquadro; *s.* cartabón, escuadra.

esquálido; *adj.* escuálido.
esquartejar; *v.* cuartear.
esquecer; *v.* olvidar, omitir.
esquecimento; *s.* olvido.
esqueleto; *s.* armazón, esqueleto.
esquema; *s.* diagrama, esquema.
esquentar; *v.* calentar, acalorar.
esquerda; *s.* izquierda.
esquerdo; *adj.* izquierdo, siniestro, zurdo.
esqui; *s.* esquí.
esquiador; *s.* esquiador.
esquife; *s.* ataúd, esquife.
esquilo; *s.* ardilla, esquirol.
esquimó; *adj.* esquimal.
esquina; *s.* esquina, ángulo.
esquisito; *adj.* exquisito, excéntrico, extraño, raro.
esquivar; *v.* esquivar, eximirse.
esquivo; *adj.* arisco, esquivo.
esse; *pron.* ese, este.
essência; *s.* esencia, elemento, ser, sustancia.
essencial; *adj.* esencial, básico, fundamental, necesario.
estabanado; *adj.* atolondrado.
estabelecer; *v.* establecer, constituir, implantar, instituir, situarse.
estabelecimento; *s.* establecimiento, tienda comercial, industria.
estabilidade; *s.* estabilidad.
estabilizar; *v.* consolidar, estabilizar.
estábulo; *s.* establo, pesebre.
estaca; *s.* estaca, pilote.
estacada; *s.* estacada, palenque, valla.
estação; *s.* estación.
estacar; *v.* empalizar.
estacionamento; *s.* aparcamiento, garaje.
estacionar; *v.* aparcar, estacionar, quedar.
estádio; *s.* estadio.
estadista; *s.* estadista.
estado; *s.* estado, suerte.
estadual; *adj.* estatal.
estafeta; *s.* estafeta.
estagiário; *s.* aprendiz.
estagnação; *s.* estagnación, marasmo, inercia.
estalagem; *s.* albergue, fonda, hostal, hostería, mesón, parador, posada, venta.
estalar; *v.* estallar, restallar.
estaleiro; *s.* astillero.
estalido; *s.* estallido.
estalo; *s.* chasquido, crujido, traqueteo.
estampa; *s.* estampa, lámina, viñeta.
estampado; *adj.* estampado.
estampar; *v.* estampar, imprimir.
estampido; *s.* estampido.
estampilha; *s.* sello.
estancar; *v.* estancar.
estância; *s.* estancia.
estanco; *adj.* estanco.
estandarte; *s.* estandarte, pendón.
estanho; *s.* estaño.
estante; *s.* estante, repisa.
estar; *v.* estar, quedar, ser.
estardalhaço; *s.* grande ruido, rumor.
estarrecer; *v.* aterrar, atemorizar, amedrentar.
estatal; *adj.* estatal.
estático; *adj.* estático.
estatístico; *adj.* estadístico.
estátua; *s.* estatua, monumento.
estatura; *s.* altitud, estatura, talla, talle.
estatuto; *s.* estatuto, ordenanza.
estável; *adj.* estable, asentado, consistente, firme, permanente.
este; *pron.* ese, este.
este; *s.* este, naciente, oriente.
esteira; *s.* estera.
esteiro; *s.* ría.
estelar; *adj.* estelar.
estender; *v.* extender, alargar, aumentar, dilatar, encamar, estirar, prolongar, tender, tirar.
estenografia; *s.* estenografía.
estepe; *s.* estepa.
esterco; *s.* boñiga, estiércol, majada.

estereofônico; *adj.* estereofónico.
estereoscópio; *s.* estereoscopio.
estéril; *adj.* estéril, improductivo, árido.
esterilidade; *s.* esterilidad, aridez.
esterilizado; *adj.* esterilizado, aséptico.
esterilização; *s.* asepsia.
esterilizar; *v.* esterilizar.
esterno; *s.* esternón.
esterqueira; *s.* estercolero.
estertor; *s.* estertor.
esteta; *s.* esteta.
estético; *adj.* estético.
estiagem; *s.* estiaje, tiempo seco.
estiar; *v.* dejar de llover.
esticado; *adj.* estirado, tenso.
esticar; *v.* estirar, extender, tesar, tirar.
estigma; *s.* estigma, signo.
estilete; *s.* estilete.
estilhaçar; *v.* astillar.
estilhaço; *s.* astilla, astillazo, lasca.
estilingue; *s.* honda.
estilizar; *v.* estilizar.
estilo; *s.* estilo.
estima; *s.* estima, apreciación, aprecio, consideración, valor.
estimado; *adj.* estimado, preciado, bienquisto, valioso.
estimar; *v.* estimar, bienquerer, considerar, valorar, preciar.
estimável; *adj.* estimable, adorable, considerable.
estimativa; *s.* estimativa, evaluación.
estimativo; *adj.* estimativo.
estimular; *s.* estimular, excitar, incitar, aguzar.
estímulo; *s.* estímulo, apetito, impulso, incentivo.
estio; *s.* estiaje, estío.
estiolar; *v.* debilitar, enflaquecer, marchitarse, desfallecer.
estipêndio; *s.* estipendio, sueldo, salario.
estipular; *v.* estipular, ajustar, contratar.
estirão; *s.* estirón, camino largo.
estirado; *adj.* estirado, tenso.
estirar; *v.* estirar, extender, alargar, ensanchar, dilatar.
estirpe; *s.* alcurnia, estirpe, genealogía, linaje, raza.
estivador; *s.* estibador.
estival; *adj.* estival.
estofado; *adj.* estofado.
estofar; *v.* estofar, henchir.
estofo; *s.* estofa, estofo.
estojo; *s.* estuche, funda, vaina.
estola; *s.* estola.
estômago; *s.* estómago.
estontear; *v.* entontecer, atontar, deslumbrar, atolondrar.
estopa; *s.* estopa.
estoque; *s.* mercancías almacenadas.
estorvar; *v.* estorbar, obstaculizar, impedir.
estorvo; *s.* estorbo, obstáculo, impedimento.
estourar; *v.* detonar, estallar, reventar.
estouro; *s.* estallido, reventón.
estouvado; *adj.* atolondrado, imprudente, alocado.
estrábico; *adj.* estrábico.
estrada; *s.* autopista, autovía, calle, camino, carretera, vía.
estrada-de-ferro; *s.* ferrocarril, riel.
estrado; *s.* estrado, tablado.
estrafalário; *adj.* estrafalario.
estragado; *adj.* estragado, estropeado, podrido.
estragar; *v.* estragar, ajar, averiar, dañar, desgraciar, estropear.
estrago; *s.* deterioro, estrago.
estralar; *v.* estallar, restallar.
estrangeiro; *adj.* extranjero.
estrangular; *v.* ahorcar, asfixiar, estrangular.
estranhar; *v.* extrañar, desconocer, censurar.
estranheza; *s.* extrañeza, admiración, sorpresa, rareza.
estranho; *adj.* extraño, extranjero, esquivo, ajeno, raro, singular.

estratagema; *s.* estratagema, ardid, emboscada, fingimiento.
estratégia; *s.* estrategia.
estrato; *s.* estrato.
estratosfera; *s.* estratosfera.
estrear; *v.* estrenar, inaugurar, comenzar, debutar, iniciar.
estrebaria; *s.* caballeriza, cuadra.
estréia; *s.* estreno, comienzo, inauguración.
estreitar; *v.* apretar, astringir, estrechar, limitar, recoger.
estreito; *adj.* estrecho, apretado, angosto.
estrela; *s.* estrella.
estrelado; *adj.* estrellado, huevo frito.
estrela-do-mar; *s.* estrellamar.
estrelar; *v.* estrellar, llenar de estrellas, freír huevos.
estremecer; *v.* estremecer, retemblar, temblar, trepidar.
estremecimento; *s.* estremecimiento, temblor.
estremecido; *adj.* estremecido, asustado, amedrentado.
estrépito; *s.* estrépito, estruendo, fragor.
estria; *s.* estría.
estribar; *v.* estribar.
estribo; *s.* estribo.
estridente; *adj.* estridente.
estripar; *v.* destripar.
estrofe; *s.* copla, estrofa.
estrondo; *s.* estruendo, estrépito, fragor.
estropiar; *v.* estropear, lastimar, desfigurar, mancar.
estrume; *s.* estiércol.
estrutura; *s.* estructura.
estrutural; *adj.* estructural.
estuário; *s.* estuario.
estucar; *v.* estucar, enlucir.
estudante; *adj.* estudiante, alumno.
estudar; *v.* estudiar, aprender, cursar, observar.
estúdio; *s.* estudio.
estudioso; *adj.* estudioso, aplicado.
estudo; *s.* estudio, análisis, trabajo.
estufa; *s.* estufa.
estufado; *s.* estofado.
estufar; *v.* estufar, calentar, guisar.
estupefato; *adj.* estupefacto, asombrado, pasmado.
estupendo; *adj.* estupendo.
estupidez; *adj.* estupidez, brutalidad.
estupidez; *s.* estupidez, idiotez.
estúpido; *adj.* estúpido, bronco, inepto.
estupor; *s.* estupor.
estuprar; *v.* abusar, estuprar, violar.
estupro; *s.* estrupo, violación.
estuque; *s.* escayola, estuco.
esturricar; *v.* esturar, tostar mucho, secar demasiado.
esvaecer; *v.* desvanecer.
esvair; *v.* evaporar, disipar, desvanecer.
esvaziar; *v.* vaciar, descargar, despejar, evacuar.
esvoaçar; *v.* aletear, revolotear.
etapa; *s.* etapa, fase.
éter; *s.* éter.
etéreo; *adj.* etéreo.
eternidade; *s.* eternidad.
eternizar; *v.* eternizar, perpetuar.
eterno; *adj.* eterno, inmortal, perpetuo.
ético; *adj.* ético.
etimologia; *s.* etimología.
etíope; *adj.* etíope.
etiqueta; *s.* ceremonia, etiqueta, rótulo.
etiquetar; *v.* rotular.
etnia; *s.* etnia.
eu; *pron.* yo.
eucalipto; *s.* eucalipto.
eucaristia; *s.* eucaristía.
eufemismo; *s.* eufemismo.
eufonia; *s.* eufonía.
euforia; *s.* euforia.
eunuco; *s.* eunuco.
europeu; *adj.* europeo.
eutanásia; *s.* eutanasia.
evacuação; *s.* deposición, evacuación.

evacuar; *v.* defecar, deponer, evacuar, excretar.
evadir; *v.* evadir.
evangelho; *s.* evangelio.
evangelista; *s.* evangelista.
evangelizador; *s.* evangelizador, misionero.
evaporação; *s.* evaporación, vaporización.
evaporar; *v.* evaporar.
evasão; *s.* evasión.
evasiva; *s.* evasiva, pretexto, disculpa.
evasivo; *adj.* evasivo, esquivo.
evento; *s.* evento, suceso.
eventual; *adj.* eventual, accidental, casual, ocasional.
eventualidade; *s.* eventualidad, posibilidad.
evidência; *s.* evidencia.
evidenciar; *v.* evidenciar.
evidente; *adj.* claro, evidente, explícito, indudable, inequívoco, obvio, patente.
evitar; *v.* evitar, esquivar, excusar, prevenir, rehuir.
evocar; *v.* evocar, invocar, sugerir.
evolução; *s.* evolución.
evoluir; *v.* evolucionar.
exacerbar; *v.* exacerbar.
exagerado; *adj.* exagerado.
exagerar; *v.* exagerar, desorbitar, encarecer, engrandecer, extralimitarse.
exagero; *s.* exageración.
exalação; *s.* exhalación, tufo, vaho.
exalar; *v.* exhalar.
exaltação; *s.* exaltación, excitación, frenesí.
exaltado; *adj.* exaltado.
exaltar; *v.* exaltar, elevar, enaltecer, glorificar, divinizar.
exame; *s.* examen, análisis, ensayo, inspección, prueba, registro, revista, supervisión.
examinar; *v.* examinar, analizar, auscultar, chequear, conferir, observar, sondear.
exangue; *adj.* exangüe, desangrado.
exânime; *adj.* exánime, desfallecido.
exasperar; *v.* enconar, exasperar.
exatidão; *s.* exactitud, veracidad.
exato; *adj.* exacto, preciso, puntual, recto, verdadero.
exaurir; *v.* agotar, vaciar completamente.
exaustão; *s.* agotamiento.
exaustivo; *adj.* exhaustivo.
exausto; *adj.* exhausto, agotado.
exceção; *s.* excepción.
excedente; *adj.* excedente, exceso, sobra.
exceder; *v.* exceder, sobrar, sobrepasar, superar, ultrapasar.
excelência; *s.* excelencia, eminencia, primacía, relevancia.
excelente; *adj.* excelente, delicioso, exquisito, óptimo.
excelso; *adj.* excelso, sublime.
excêntrico; *adj.* excéntrico.
excepcional; *adj.* excepcional.
excessivo; *adj.* exagerado, excesivo, exorbitante, extremo.
excesso; *s.* excedencia, exceso, profusión, sobra.
exceto; *adv.* excepto, menos.
excetuado; *adj.* exceptuado.
excetuar; *v.* exceptuar.
excipiente; *s.* excipiente.
excitação; *s.* estímulo, excitación, inquietud.
excitar; *v.* excitar, activar, estimular, animar.
excitável; *adj.* excitable.
exclamação; *s.* exclamación, interjección.
exclamar; *v.* exclamar.
excluir; *v.* excluir, desechar, eliminar, preterir.
exclusão; *s.* exclusión.
exclusivamente; *adv.* exclusivamente, exclusive.
exclusive; *adv.* exclusive.
exclusividade; *s.* exclusividad.
exclusivo; *adj.* exclusivo, propio, personal, privativo.
excomungar; *v.* excomulgar.

excomunhão; *s.* excomunión.
excreção; *s.* evacuación, excreción.
excremento; *s.* excremento, heces.
excrescência; *s.* excrecencia.
excretar; *v.* evacuar, excretar.
excursão; *s.* excursión, gira.
execrável; *adj.* execrable, abominable.
execução; *s.* ejecución.
executar; *v.* ejecutar, ajusticiar, cumplir, realizar.
exemplar; *adj.* ejemplar, modelo, copia.
exemplar; *s.* muestra, tipo.
exemplo; *s.* ejemplo, modelo, paradigma.
exéquias; *s.* exequias.
exequível; *adj.* asequible.
exercer; *v.* ejercer, ejercitar, practicar, profesar.
exercício; *s.* ejercicio, adiestramiento, función, trabajo, uso.
exercitar; *v.* ejercitar, adiestrar, desempeñar, ensayar, practicar.
exército; *s.* ejército.
exibição; *s.* exhibición, ostentación, representación.
exibir; *v.* exhibir, exponer, mostrar, ostentar, representar.
exigência; *s.* exigencia.
exigente; *adj.* exigente.
exigir; *v.* exigir, obligar, reclamar.
exíguo; *adj.* exiguo.
exilado; *adj.* exilado, proscrito.
exilar; *v.* exilar, deportar, desterrar, expatriar.
exílio; *s.* exilio, deportación, destierro.
exímio; *adj.* eximio.
eximir; *v.* eximir, libertar.
existência; *s.* existencia, presencia, subsistencia.
existir; *v.* existir, haber, ser, vivir.
êxito; *s.* éxito, triunfo.
êxodo; *s.* éxodo, salida.
exoneração; *s.* exoneración.
exonerar; *v.* dimitir, exonerar.
exorbitante; *adj.* exorbitante.
exorbitar; *v.* exorbitar, desorbitar, exagerar.
exorcismo; *s.* exorcismo.
exortação; *s.* exhortación.
exortar; *v.* exhortar.
exótico; *adj.* exótico.
expandir; *v.* divulgar, expandir.
expansão; *s.* expansión.
expansivo; *adj.* expansivo.
expatriar; *v.* expatriar.
expectativa; *s.* esperanza, expectativa.
expectorar; *v.* expectorar.
expedição; *s.* expedición.
expedidor; *s.* expedidor, remitente.
expediente; *s.* expediente, iniciativa, recurso, trámite.
expedir; *v.* despachar, enviar, expedir, remitir, transmitir.
expedito; *adj.* expedito, listo.
expelir; *v.* expeler, excretar, exhalar, expulsar.
expensas; *s.* expensas.
experiência; *s.* experiencia, práctica.
experiente; *adj.* experimentado.
experimentar; *v.* experimentar, ensayar, hallar, probar.
experimento; *s.* experimento.
experto; *s.* experto, perito.
expiação; *s.* expiación, penitencia.
expiar; *v.* expiar, purgar.
expiração; *s.* expiración.
expirar; *v.* espirar, expirar.
explicação; *s.* explicación.
explicar; *v.* explicar, aclarar, describir, especificar.
explícito; *adj.* explícito.
explodir; *v.* detonar, estallar, reventar.
exploração; *s.* exploración, averiguación.
explorar; *v.* explorar, averiguar, sondear.
explosão; *s.* explosión, eclosión, erupción.
explosivo; *adj.* explosivo.
expor; *v.* exponer, arriesgar, exhibir, exteriorizar, mostrar, proponer, razonar, representar.
exportação; *s.* exportación.

exportar; *v.* exportar.
exposição; *s.* exposición, enumeración, lección, representación.
expositor; *s.* expositor.
exposto; *adj.* expuesto.
expressão; *s.* expresión, gesto, tono.
expressar; *v.* expresar, exprimir.
expressivo; *adj.* expresivo, significativo.
expresso; *adj.* expreso, antedicho, explícito, manifiesto.
exprimir; *v.* expresar, exprimir.
expropriar; *v.* expropiar, confiscar, despojar, desposeer, expoliar, incautarse.
expulsar; *v.* expulsar, expeler, rechazar, repeler.
expulso; *adj.* expulso, expelido, exilado, proscrito.
expurgar; *v.* expurgar, mondar.
expurgo; *s.* expurgo, expurgación, limpieza.
êxtase; *s.* éxtasis, contemplación de cosas sobrenaturales, pasmo.
extasiado; *adj.* extasiado, absorto.
extasiar; *v.* extasiar, encantar, arrobar.
extático; *adj.* extático, arrobado, absorto, pasmado.
extensão; *s.* extensión, amplitud, anchura, longitud.
extenso; *adj.* extenso, amplio, ancho, grande, largo, vasto.
extenuador; *adj.* extenuador.
extenuar; *v.* agotar, extenuar, debilitar.
exterior; *adj.* exterior.
exteriorizar; *v.* exteriorizar.
exterminar; *v.* exterminar, aniquilar.
extermínio; *s.* exterminio, extinción.
externar; *v.* externar.
externo; *adj.* exterior, externo.
extinção; *s.* extinción, aniquilamiento.
extinguir; *v.* extinguir, apagar el fuego, abolir, anular, extirpar, morir.
extinto; *adj.* extinto, apagado, terminado, muerto.
extintor; *s.* extintor de incendio.
extirpação; *s.* extirpación, ablación, amputación.
extirpar; *v.* ampútar, arrancar, extirpar.
extorquir; *v.* extorsionar, arrancar.
extorsão; *s.* extorsión, robo, usurpación.
extração; *s.* extracción.
extradição; *s.* extradición.
extraditar; *v.* repatriar.
extrair; *v.* extraer.
extraordinário; *adj.* extraordinario, anormal, estupendo, excepcional, extravagante, inaudito, tremendo.
extraterrestre; *adj.* extraterrestre.
extrato; *s.* extracto.
extravagância; *s.* extravagancia.
extravagante; *adj.* extravagante, estrafalario, excéntrico, irregular.
extravasar; *v.* extravasarse, derramar.
extraviado; *adj.* extraviado.
extraviar; *v.* descaminar, extraviar.
extremar; *v.* extremar.
extrema-unção; *s.* extremaunción,
extremidade; *s.* extremidad, límite, fin, borne, cabo, canto, punta.
extremo; *adj.* extremo.
extremo; *s.* extremidad.
extrovertido; *adj.* extrovertido.
exuberância; *s.* exuberancia, vigor, intensidad, superabundancia.
exuberante; *adj.* exuberante, muy abundante, deslumbrante.
exultar; *v.* exultar, alborozarse, regocijarse.
exumação; *s.* exhumación.
exumar; *v.* exhumar.
ex-voto; *s.* exvoto.

F

f; *s.* sexta letra del abecedario portugués.
fá; *s.* fa.
fábrica; *s.* fábrica.
fabricação; *s.* fabricación.
fabricar; *v.* confeccionar, fabricar, forjar.
fabril; *adj.* fabril.
fábula; *s.* fábula, alegoría, cuento, ficción, leyenda.
fabular; *v.* fabular.
fabuloso; *adj.* fabuloso, extraordinario, admirable, muy grande.
faca; *s.* cuchillo, jaca.
facada; *s.* cuchillada.
façanha; *s.* hazaña, proeza.
fação; *s.* machete.
facção; *s.* facción.
face; *s.* anverso, faceta, faz, haz, rostro, semblante.
faceiro; *adj.* vistoso, garrido, elegante, alegre.
faceta; *s.* faceta.
fachada; *s.* fachada, delantera, portada.
facho; *s.* antorcha, tea.
facial; *adj.* facial.
fácil; *adj.* fácil, asequible, practicable.
facilidade; *s.* posibilidad.
facilitar; *v.* facilitar, facultar, proporcionar.
facínora; *s.* facineroso.
fac-símile; *s.* facsímil, facsímile.
factível; *adj.* factible, asequible.
faculdade; *s.* facultad.
facultar; *v.* facultar, permitir, conceder.
facultativo; *adj.* facultativo, optativo.
fada; *s.* fada, hada.
fadiga; *s.* fatiga, cansancio.
fado; *s.* fado, canción popular portuguesa.
fagueiro; *adj.* cariñoso, acariciador, apacible, ameno, agradable.
fagulha; *s.* chispa, centella.
faia; *s.* haya.
faina; *s.* faena.
faisão; *s.* faisán.
faísca; *s.* centella, chispa, rayo.
faiscar; *v.* chispear, destellar.
faixa; *s.* banda, cinta, faja, friso, lista, venda.
fala; *s.* habla, voz.
falácia; *s.* falacia.
falador; *adj.* hablador, locuaz, parlanchín.
falange; *s.* artejo, falange.
falar; *v.* hablar, conversar, decir, parlamentar.
falatório; *s.* charla, habladuría.
falcão; *s.* halcón.
falecer; *v.* fallecer, fenecer, morir.
falecimento; *s.* fallecimiento, defunción, muerte, óbito.
falência; *s.* falencia, insolvencia.

falha; *s.* fallo, imperfección.
falhar; *v.* fallar, faltar, fracasar, malograr, abortar.
falho; *adj.* fallo, falible.
fálico; *adj.* fálico.
falido; *adj.* fallido, insolvente, quebrado.
falo; *s.* falo, pene.
falsear; *v.* falsear, fingir, traicionar.
falsidade; *s.* falsedad, perfidia, mentira, fraude.
falsificar; *v.* falsificar, adulterar, falsear.
falso; *adj.* falso, ilusorio, fingido, pérfido, mentiroso, desleal, traidor.
falta; *s.* falta, ausencia, culpa, deficiencia.
faltar; *v.* faltar, no hacer, no comparecer, cometer faltas.
fama; *s.* fama, celebridad, gloria, reputación.
famélico; *adj.* famélico.
família; *s.* familia, prole, ascendencia, clan.
familiar; *adj.* familiar, casero, habitual.
familiar; *s.* familiar, persona de la familia, íntimo.
familiaridade; *s.* familiaridad.
familiarizar; *v.* familiarizar.
faminto; *adj.* famélico, hambriento.
famoso; *adj.* famoso, afamado, célebre, renombrado.
fanático; *adj.* fanático.
fanatizar; *v.* fanatizar.
fanfarrão; *adj.* fanfarrón, valentón, bravucón.
fanfarronear; *v.* fanfarronear.
fanfarronice; *s.* fanfarronería.
fanhoso; *adj.* gangoso.
faniquito; *s.* berrinche, rabieta, desmayo.
fantasia; *s.* fantasía, disfraz, ensueño, ilusión, imaginación, quimera.
fantasiar; *v.* fantasear, disfrazar, idealizar, imaginar, soñar.
fantasma; *s.* fantasma, espanto, espectro, visión.
fantástico; *adj.* fantástico, absurdo, extraordinario, increíble.
fantoche; *s.* fantoche, marioneta, títere.
faqueiro; *s.* estuche de cubiertos.
faquir; *s.* faquir.
faraó; *s.* faraón.
farda; *s.* uniforme militar.
fardo; *s.* fardo, bulto, paca.
farejar; *v.* husmear, olfatear.
farelo; *s.* salvado.
farináceo; *adj.* harinero.
faringe; *s.* faringe.
farinha; *s.* harina.
farinheiro; *adj.* harinero.
farinhento; *adj.* harinoso.
fariseu; *adj.* fariseo.
farmacêutico; *s.* farmacéutico, boticario.
farmácia; *s.* botica, farmacia.
faro; *s.* olfato.
farofa; *s.* harina de mandioca tostada con manteca.
farol; *s.* faro, farol, linterna.
farpa; *s.* púa.
farra; *s.* farra, juerga.
farrapo; *s.* harapo, andrajo, jirón, trapo.
farsa; *s.* comedia, engaño, farsa.
farsante; *adj.* farsante, trapacero.
fartar; *v.* hartar, llenar, empachar, saturar.
farto; *adj.* harto, abundante, ahíto, copioso, opulento, fastidioso.
fartura; *s.* abundancia, exuberancia, saciedad.
fascículo; *s.* fascículo.
fascinação; *s.* fascinación, aojo.
fascinar; *v.* fascinar, alucinar, aojar.
fase; *s.* fase.
fastidiar; *v.* fastidiar.
fastidioso; *adj.* fastidioso, empalagoso, latoso.
fastio; *s.* aburrimiento, fastidio, hastío, inapetencia, tedio.

fastuoso; *adj.* fastuoso.
fatal; *adj.* fatal, funesto, mortal.
fatalidade; *s.* fatalidad, desastre, destino.
fatia; *s.* loncha, lonja, tajada.
fatídico; *adj.* fatídico, infeliz, siniestro, trágico.
fatigar; *v.* fatigar agotar, cansar.
fato; *s.* evento, hecho, suceso.
fator; *s.* factor.
fátuo; *adj.* fatuo.
fatura; *s.* factura.
faturar; *v.* facturar.
fauna; *s.* fauna.
fausto; *s.* fausto, opulencia, pompa.
faustuoso; *adj.* fastuoso, pomposo, aparatoso.
fava; *s.* haba.
favela; *s.* chabola.
favo; *s.* panal de miel.
favor; *s.* favor, apoyo, ayuda, gracia, merced, sufragio.
favorável; *adj.* favorable, propicio.
favorecer; *v.* favorecer, agraciar, beneficiar, facilitar, patrocinar.
favorecido; *adj.* favorecido, protegido.
favoritismo; *s.* favoritismo, nepotismo.
faxina; *s.* limpieza.
fazenda; *s.* estancia, hacienda.
fazendeiro; *s.* hacendado, estanciero.
fazer; *v.* hacer.
fé; *s.* creencia, fe.
fealdade; *s.* fealdad.
febre; *s.* fiebre.
fecal; *adj.* fecal.
fechado; *adj.* cerrado, hermético, introvertido.
fechadura; *s.* cerradura.
fechar; *v.* cerrar, encerrar, lacrar, obturar, taponar.
fecho; *s.* cierre, pestillo.
fecho ecler; *s.* cremallera.
fécula; *s.* almidón, fécula.
fecundação; *s.* fecundación, fertilización, inseminación.
fecundar; *v.* fecundar, fertilizar, inseminar, preñar.
fecundo; *adj.* fecundo, fértil.
feder; *v.* heder.
federação; *s.* federación.
fedor; *s.* fetidez, hedor, peste, tufo.
fedorento; *adj.* hediondo, maloliente.
feição; *s.* facción, talle.
feições; *s.* rasgo.
feijão; *s.* alubia, frijol, habichuela, judía.
feijoada; *s.* plato de frijoles.
feio; *adj.* feo.
feira; *s.* feria.
feitiçaria; *s.* brujería, hechicería.
feiticeira; *s.* hechicera.
feiticeiro; *s.* brujo, hechicero, mago.
feitiço; *s.* hechizo, brujería, maleficio, aojo.
feitio; *s.* forma, hechura, talle.
feito; *s.* hecho, acción, acto.
feitor; *s.* capataz, factor.
feitoria; *s.* factoría.
feiúra; *s.* fealdad.
feixe; *s.* fajo, haz, manojo, mazo.
fel; *s.* hiel.
felicidade; *s.* felicidad, bienaventuranza, dicha, prosperidad, ventura.
felicitação; *s.* felicitación, enhorabuena, parabién.
felicitar; *v.* congratular, felicitar.
felino; *s.* felino.
feliz; *adj.* feliz, afortunado, dichoso, rico, satisfecho, venturoso.
felizardo; *adj.* muy dichoso.
felpa; *s.* felpa, lanilla.
felpudo; *adj.* felpudo.
feltro; *s.* fieltro.
fêmea; *s.* hembra.
feminino; *adj.* femenino.
fêmur; *s.* fémur.
fenda; *s.* abertura, brecha, cisura, fisura, grieta, hendidura, incisión.
fender; *v.* hendir, desportillar, estallar, quebrantar, rajar.
fenecer; *v.* fenecer.

feno; *s.* heno.
fenômeno; *s.* fenómeno.
fera; *s.* animal, fiera.
féretro; *s.* ataúd, féretro.
féria; *s.* feria.
feriado; *adj.* día de fiesta.
férias; *s.* vacación.
ferida; *s.* herida, magulladura, pinchazo.
ferido; *adj.* herido, plagado.
ferimento; *s.* magullamiento.
ferino; *adj.* truculento.
ferir; *v.* herir, lastimar, percutir, picar, vulnerar.
fermentar; *v.* fermentar, leudar.
fermento; *s.* levadura.
ferocidade; *s.* atrocidad, ferocidad.
feroz; *adj.* fiero.
ferradura; *s.* herradura.
ferramenta; *s.* herramienta.
ferrão; *s.* espigón, rejo.
ferrar; *v.* herrar.
ferraria; *s.* herrería.
ferreiro; *s.* herrero.
férreo; *adj.* férreo.
ferro; *s.* hierro.
ferrolho; *s.* cerrojo.
ferro-velho; *s.* chatarra.
ferrovia; *s.* ferrocarril.
ferrugem; *s.* herrumbre, moho.
fértil; *adj.* fértil, fecundo.
fertilizante; *adj.* fertilizante.
fertilizar; *v.* fecundar, fecundizar, fertilizar.
fervente; *adj.* hirviente.
ferver; *v.* borbotar, bullir, hervir.
fervido; *adj.* hervido.
fervilhar; *v.* hervir.
fervor; *adj.* fervor.
fervor; *s.* hervor.
fervura; *adj.* fervor.
fervura; *s.* hervor.
festa; *s.* fiesta, festividad, gala, recepción.
festejar; *v.* festejar, celebrar, conmemorar, regocijar.
festejo; *s.* festejo.
festim; *s.* festín, fiesta, ágape.
festival; *s.* festival.
festividade; *s.* festividad.
festivo; *adj.* festivo.
fetiche; *s.* fetiche.
fetidez; *s.* fetidez, hedor.
fétido; *adj.* fétido, apestoso, maloliente.
feto; *s.* feto.
feudalismo; *s.* feudalismo.
fevereiro; *s.* febrero.
fezes; *s.* borra, escoria, excremento, hez, lía, mierda
fiado; *adj.* fiado.
fiador; *s.* fiador, garante.
fiambre; *s.* fiambre.
fiança; *s.* fianza, garantía.
fiapo; *s.* brizna, hilacha.
fiar; *v.* fiar, hilar.
fibra; *s.* fibra, filamento, hebra, hilo.
fibroma; *s.* fibroma.
fibroso; *adj.* fibroso.
ficar; *v.* quedar, estar, permanecer, detenerse.
ficção; *s.* ficción.
ficha; *s.* ficha.
fichário; *s.* fichero.
fictício; *adj.* ficticio, imaginario, ilusorio.
fidalgo; *s.* hidalgo, aristócrata.
fidalguia; *s.* hidalguía.
fidedigno; *adj.* fidedigno.
fidelidade; *s.* fidelidad, lealtad.
fiel; *adj.* fiel, leal.
figa; *s.* higa.
fígado; *s.* hígado.
figo; *s.* higo.
figueira; *s.* higuera.
figura; *s.* figura, forma, imagen, postura.
figurar; *v.* figurar.
figurado; *adj.* figurado, supuesto.
figurante; *s.* figurante.
figurar; *v.* figurar.
figurino; *s.* figurín.
fila; *s.* cola, fila, hila, hilera.
filamento; *s.* fibra, filamento, hebra, hilo.

filandês; *adj.* finlandés.
filantropia; *s.* filantropía.
filantropo; *s.* filántropo.
filão; *s.* filón.
filatelia; *s.* filatelia.
fileira; *s.* fila, hila, hilera, retahíla, sarta.
filé; *s.* filete, lonja de carne.
filete; *s.* friso.
filho; *s.* hijo.
filhó; *s.* buñuelo.
filhote; *s.* cría, hijo pequeño.
filiação; *s.* filiación.
filial; *s.* agencia, sucursal.
filial; *adj.* filial, relativo a hijo.
filigrana; *s.* filigrana.
filmar; *v.* filmar.
filme; *s.* film.
filmoteca; *s.* filmoteca.
filologia; *s.* filología.
filosofia; *s.* filosofía.
filtragem; *s.* filtración, colada.
filtrar; *v.* filtrar, colar, destilar.
filtro; *s.* filtro, coladero, colador.
fim; *s.* fin, final, cabo, conclusión, consumación, límite, remate, término.
fimose; *s.* fimosis.
finado; *adj.* finado.
final; *adj.* terminal, último.
final; *s.* epílogo, final.
finalidade; *s.* finalidad.
finalizar; *v.* finalizar, rematar, ultimar.
finanças; *s.* finanzas.
financeiro; *adj.* financiero.
financiar; *v.* financiar.
finca-pé; *s.* hincapié.
fincar; *v.* hincar.
findar; *v.* finalizar, concluir, acabar, terminar.
fingido; *adj.* fingido, afectado, artificial, falso.
fingimento; *s.* fingimiento, afectación, hipocresía, simulación.
fingir; *v.* fingir, simular, afectar, aparentar.
finito; *adj.* finito, transitorio.
fino; *adj.* fino, suave, sutil, delgado, inteligente, excelente, astuto, vivo.
fio; *s.* filo, hebra, hilo, filamento.
firma; *s.* firma.
firmamento; *s.* cielo, firmamento.
firmar; *v.* clavar, firmar, radicar, signar.
firme; *adj.* firme, constante, estable, fijo, inflexible, inmutable, invariable, seguro, sostenido, sólido, tieso.
firmeza; *s.* firmeza, carácter, confianza, constancia, fidelidad, resistencia, solidez, tesón.
fiscal; *adj.* fiscal, inspector.
fiscalizar; *v.* controlar, fiscalizar.
física; *s.* física.
físico; *adj.* físico, corporal.
fisiologia; *s.* fisiología.
fisionomia; *s.* expresión, fisonomía, gesto, rostro.
fisioterapeuta; *s.* fisioterapeuta.
fissura; *s.* cisura, fisura.
fístula; *s.* fístula.
fita; *s.* banda, cinta.
fivela; *s.* hebilla.
fixar; *v.* fijar, clavar, precisar.
fixidez; *s.* fijeza.
fixo; *adj.* fijo, inalterable, inmóvil, preciso.
flã; *s.* flan.
flácido; *adj.* flácido, flaco, lánguido, blando, flojo.
flagelar; *v.* flagelar.
flagelo; *s.* flagelo.
flagrante; *adj.* flagrante.
flama; *s.* flama, llama.
flamejante; *adj.* flamante, llameante.
flamejar; *v.* flamear.
flâmula; *s.* flámula.
flanar; *v.* pasear ociosamente.
flanco; *s.* flanco, lado, costado.
flanela; *s.* franela.
flatulência; *s.* flatulencia.
flauta; *s.* flauta.
flebite; *s.* flebitis.
flecha; *s.* flecha, saeta.
fleuma; *s.* flema, pachorra.

flexibilidade; *s.* elasticidad, flexibilidad.
flexível; *adj.* flexible, moldeable, tierno.
floco; *s.* copo de nieve, copo de algodón.
flor; *s.* flor.
flora; *s.* flora.
floração; *s.* floración.
flor-de-lis; *s.* lis.
florear; *v.* florear.
floreira; *s.* florero, maceta de flores.
florescar; *v.* florecer, desabrochar.
floresta; *s.* floresta, selva.
florestal; *adj.* forestal.
florido; *adj.* florido.
florir; *v.* florecer, cubrirse de flores.
florista; *s.* florista.
fluente; *adj.* fluente, fluyente.
fluidez; *s.* fluidez.
fluido; *adj.* fluido, fluyente.
fluido; *s.* fluido, líquido.
fluir; *v.* fluir.
flutuante; *adj.* flotante, flotador, boyante.
flutuar; *v.* boyar, flotar, fluctuar, nadar.
fluvial; *adj.* fluvial.
fluxo; *s.* flujo.
fobia; *s.* fobia.
foca; *s.* foca.
focalizar; *v.* enfocar.
focinho; *s.* hocico.
foco; *s.* foco.
fofo; *adj.* fofo.
fofoca; *s.* intriga, chisme, comidilla.
fofocar; *v.* chismear, cotillear, intrigar.
fofoqueiro; *s.* alcahuete.
fogaça; *s.* hogaza.
fogão; *s.* estufa, fogón.
fogãozinho; *s.* hornillo.
fogareiro; *s.* brasero, hornillo.
fogaréu; *s.* lumbrera.
fogo; *s.* fuego.
fogoso; *adj.* fogoso, vivo, acalorado, ardoroso, arrebatado.
fogueira; *s.* fogata, hoguera, pira.
foguete; *s.* cohete.
fogueteiro; *s.* artificiero.
foguetes; *s.* traca.
foice; *s.* guadaña, hoz.
folclore; *s.* folklore.
fole; *s.* fuelle.
fôlego; *s.* aliento, hálito.
folga; *s.* holganza, holgura, vacación.
folgado; *adj.* holgado.
folgar; *v.* holgar.
folgazão; *adj.* holgazán, haragán.
folha; *s.* hoja.
folha-de-flandres; *s.* hojalata, lata.
folhado; *s.* hojaldre.
folhagem; *s.* follaje, ramaje.
folhear; *v.* hojear.
folheto; *s.* folleto, opúsculo.
folhinha; *s.* calendario, almanaque.
folia; *s.* folía, juerga, holgorio, farra.
folião; *s.* el que baila folías, fiestero.
fólio; *s.* folio.
fome; *s.* hambre.
fomentar; *v.* fomentar.
fonador; *adj.* fonador.
fone; *s.* en Brasil teléfono.
fonema; *s.* fonema, voz.
fonética; *s.* fonética.
foniatria; *s.* foniatría.
fonógrafo; *s.* gramófono.
fontanela; *s.* mollera.
fonte; *s.* fuente, filón, mina.
fora; *adv.* afuera, fuera.
foragido; *s.* forajido.
forasteiro; *adj.* forastero.
forca; *s.* horca.
força; *s.* fuerza, potencia, pujanza, pulso, vigor, virtud.
forçado; *adj.* forzado.
forçar; *v.* forzar, obligar, romper, violentar.
forcejar; *v.* forcejar.
fórceps; *s.* fórceps.
forçoso; *adj.* forzoso, inexcusable.
forense; *adj.* judicial.
forja; *s.* forja.
forjador; *s.* herrero.

forjar; *v.* forjar.
forma; *s.* forma, manera, figura.
fôrma; *s.* horma, modelo, molde.
formação; *s.* formación.
formal; *adj.* formal, evidente, determinante.
formalidade; *s.* formalidad, ceremonia, etiqueta, seriedad.
formalizar; *v.* formalizar, tramitar.
formar; *v.* componer, formar, hacer.
formato; *s.* formato.
formidável; *adj.* formidable, tremendo.
formiga; *s.* hormiga.
formigamento; *s.* hormigueo.
formigar; *v.* hormiguear, pulular.
formigueiro; *s.* hormiguero.
formol; *s.* formol.
formoso; *adj.* hermoso, bello, bonito, lindo.
formosura; *s.* hermosura, beldad, belleza.
fórmula; *s.* fórmula, estilo, receta.
formular; *v.* formular, recetar.
formulário; *s.* formulario, recetario.
fornada; *s.* hornada.
fornalha; *s.* horno, fogón, hornillo.
fornecer; *v.* abastecer, aprovisionar, avituallar, facilitar, proporcionar, surtir.
fornecimento; *s.* suministro, provisión.
forneiro; *s.* hornero.
fornido; *adj.* fornido, robusto.
forno; *s.* horno.
foro; *s.* foro.
forquilha; *s.* horquilla, percha, tenedor.
forragem; *s.* forraje.
forrar; *v.* empapelar, forrar.
forro; *s.* forro, relleno.
forro; *adj.* economizado, ahorrado, afianzado.
fortalecer; *v.* fortalecer, consolidar, corroborar, fortificar, reforzar, robustecer, tonificar, vigorizar.
fortaleza; *s.* fortaleza, alcázar, castillo.
forte; *adj.* fuerte, duro, enérgico, forzudo, hercúleo, potente, recio, robusto, rígido, sólido, vigoroso.
forte; *s.* fuerte, castillo, fortaleza, obra de fortificación.
fortificação; *s.* fortificación, bastión.
fortificante; *adj.* fortificante, tónico.
fortificar; *v.* fortificar, reforzar.
fortuito; *adj.* casual, fortuito.
fortuna; *s.* fortuna, dicha, grandeza, prosperidad, ventura.
fórum; *s.* foro.
fosco; *adj.* hosco, mate, opaco, deslucido, empañado.
fosfato; *s.* fosfato.
fósforo; *s.* cerilla, fósforo.
fossa; *s.* cloaca, fosa, hoyo.
fóssil; *adj.* fósil.
fosso; *s.* cava, foso, valla.
foto; *s.* foto, fotografía.
fotografar; *v.* fotografiar, retratar.
fotografia; *s.* fotografía, retrato.
foz; *s.* hoz, embocadura.
fração; *s.* fracción.
fracassar; *v.* fracasar, derrumbar, arruinar, fallar, malograr.
fracasso; *s.* fracaso.
fracionar; *v.* fraccionar, seccionar.
fraco; *adj.* flaco, débil, anémico, blando, endeble, escuálido, fláccido, lánguido.
frade; *s.* fraile, monje.
frágil; *adj.* frágil, endeble, quebradizo.
fragilidade; *s.* delicadeza, flaqueza, fragilidad.
fragmentação; *s.* segmentación.
fragmentar; *v.* fragmentar, astillar, fraccionar, segmentar.
fragmento; *s.* fragmento, astilla, astillazo, partícula, retazo, trozo.
fragor; *s.* fragor, ruido.
fragrância; *s.* fragancia, aroma, perfume.
fragrante; *adj.* fragante, aromático, oloroso.

fralda; *s.* falda, pañal.
framboesa; *s.* frambuesa.
francês; *adj.* francés.
francesismo; *s.* galicismo.
franciscano; *s.* franciscano.
franco; *adj.* franco, abierto, liberal, sincero.
franga; *s.* polla, gallina nueva.
frangalho; *s.* harapo, trapo.
frango; *s.* pollo.
franja; *s.* franja, fleco, flequillo del cabello.
franquear; *v.* franquear, eximir, librar.
franqueza; *s.* franqueza, sinceridad, lealtad.
franquia; *s.* franquía, franquicia, franqueo, exención.
franzido; *adj.* crespo.
franzino; *adj.* delgado, flaco, delicado de formas.
franzir; *v.* fruncir, arrugar, crispar, plisar.
fraque; *s.* frac, chaqué, esmoquin.
fraquejar; *v.* flaquear, flojear.
fraqueza; *s.* flaqueza, flojedad, abatimiento, anemia, cobardía, debilidad.
frasco; *s.* frasco, vidrio.
frase; *s.* frase.
frasear; *v.* frasear, exponer.
frasqueira; *s.* frasquera, caja para guardar frascos.
fraternal; *adj.* fraternal.
fraternidade; *s.* fraternidad, hermandad, armonía.
fraternizar; *v.* fraternizar.
fraterno; *adj.* fraterno, fraternal.
fratricida; *adj.* fratricida.
fratura; *s.* fractura, quiebra, rotura, ruptura.
fraturar; *v.* fracturar, romper.
fraude; *s.* fraude, contrabando, dolo, engaño, estafa.
fraudulento; *adj.* fraudulento, doloso.
freguês; *s.* cliente.
freguesia; *s.* clientela.
frei; *s.* fray, monje.
freio; *s.* freno.
freira; *s.* monja.
fremente; *adj.* trémulo.
fremir; *v.* bramar, vibrar, temblar, estremecer, agitar.
frêmito; *s.* frémito, bramido, rugido, estremecimiento, susurro, rumor.
frenesi; *s.* frenesí.
frenético; *adj.* frenético, exaltado.
frente; *s.* frente, anverso, haz.
frequência; *s.* frecuencia, repetición.
frequentar; *v.* frecuentar, cursar, visitar.
frequente; *adj.* frecuente, asiduo, endémico, habitual.
fresca; *s.* fresco, viento suave y fresco.
fresco; *adj.* fresco, reciente, tierno, sano, bien aireado.
frescor; *s.* frescor, frescura, verdor.
frescura; *s.* frescura, frescor, lozanía, limpieza.
fresta; *s.* tronera, rendija, grieta.
fretar; *v.* fletar, alquilar.
frete; *s.* flete.
friagem; *s.* frialdad.
fricção; *s.* fricción, roce, masaje, loción.
friccionar; *v.* friccionar, fregar, frotar, dar friegas.
frieira; *s.* sabañón.
frieza; *s.* frialdad, indiferencia.
frigideira; *s.* cazo, sartén.
frigidez; *s.* frigidez, frialdad.
frígido; *adj.* frígido, frío, helado.
frigir; *v.* freír, fritar, sofreír.
frigorífico; *s.* congelador, frigorífico, nevera, refrigerador.
frio; *adj.* frío, sin calor, inerte.
frio; *s.* frío, ausencia de calor.
friorento; *adj.* friolento.
frios; *s.* fiambre.
frisa; *s.* palco.
frisado; *adj.* ondulado, rizo.
frisar; *v.* ensortijar, frisar, ondular, rizar.

friso; *s.* friso, rodapié.
fritada; *s.* fritada, frito.
fritar; *v.* freír, fritar.
frito; *adj.* frito.
fritura; *s.* fritura.
frívolo; *adj.* frívolo, vano, fútil, liviano.
frondosidade; *s.* frondosidad.
frondoso; *adj.* frondoso.
fronha; *s.* funda de almohada.
frontal; *adj.* frontal.
fronte; *s.* fronte, cabeza, rostro.
fronteira; *s.* frontera, limitación, confín, linde, raya.
frontispício; *s.* frontispicio, portada.
frota; *s.* flota.
frouxidão; *s.* flojedad, flojera, debilidad.
frouxo; *adj.* flojo, blando, débil.
frugal; *adj.* frugal, parco, sobrio.
fruição; *s.* fruición, usufructo.
fruir; *v.* fruir, disfrutar, gozar, poseer, deleitarse.
frustração; *s.* frustración, fracaso.
frustrar; *v.* frustrar, inutilizar, defraudar, malograrse.
fruta; *s.* fruta.
fruteira; *s.* frutera.
frutífero; *adj.* fructífero.
frutificar; *v.* fructificar.
fruto; *s.* fruto, fruta.
fubá; *s.* harina de maíz o de arroz.
fuçar; *v.* hozar.
fuga; *s.* fuga, evasión, huida, retirada.
fugir; *v.* escapar, esquivar, evadir, fugarse, huir.
fugitivo; *adj.* fugitivo, desertor, veloz, breve, fugaz.
fujão; *adj.* huidizo.
fulano; *s.* fulano.
fulgor; *s.* fulgor, brillo, centello, lucero.
fulguração; *s.* fulguración, centelleo, fulgor, brillo.
fulgurante; *adj.* fulgurante, brillante.
fulgurar; *v.* fulgurar, relampaguear, fulgir, resplandecer.
fuligem; *s.* hollín.
fulminar; *v.* fulminar.
fumaça; *s.* fumarada, humazo, humareda.
fumaceira; *s.* humareda.
fumar; *v.* fumar.
fumegante; *adj.* humeante.
fumegar; *v.* ahumar, humear.
fumo; *s.* humo.
função; *s.* función.
funcho; *s.* hinojo.
funcional; *adj.* funcional.
funcionar; *v.* funcionar.
funcionário; *s.* empleado, funcionario.
funda; *s.* honda.
fundação; *s.* fundación, principio, origen, cimientos de un edificio, instituto, organización.
fundamental; *adj.* esencial, fundamental.
fundamentar; *v.* fundamentar, apoyar, documentar.
fundamento; *s.* fundamento, base, cimiento, argumento, razón, motivo.
fundão; *s.* hondonada.
fundar; *v.* fundar, construir, edificar, erigir, iniciar, instituir.
fundear; *v.* fondear, anclar.
fundição; *s.* fundición, fusión.
fundir; *v.* fundir.
fundo; *adj.* hondo, profundo.
fundo; *s.* fondo.
fúnebre; *adj.* fúnebre, macabro.
funeral; *s.* funeral.
funesto; *adj.* funesto, lúgubre, nefasto, triste.
fungo; *s.* hongo.
funil; *s.* embudo.
funilaria; *s.* hojalatería.
funileiro; *s.* hojalatero.
furacão; *s.* huracán, tifón.
furadeira; *s.* taladrador.
furado; *adj.* picado.
furador; *s.* taladrador, berbiquí.

furar; *v.* agujerear, perforar, picar, pinchar, taladrar.
furgão; *s.* camioneta, furgón.
fúria; *s.* furia, furor, ira.
furioso; *adj.* furioso, rabioso.
furna; *s.* furnia, caverna, cueva, subterráneo.
furo; *s.* agujero, pinchazo, punto.
furor; *s.* furor.
furta-cor; *adj.* tornasol.
furtar; *v.* hurtar, quitar, robar.
furtivo; *adj.* furtivo, subrepticio.
furto; *s.* hurto, robo, latrocinio.
furúnculo; *s.* furúnculo.
fusão; *s.* fusión, alianza, reunión.
fuselagem; *s.* fuselaje.
fusível; *s.* fusible, cortacircuitos.
fuso; *s.* huso.
fustigar; *v.* azotar, fustigar, hostigar.
futebol; *s.* balompié, fútbol.
fútil; *adj.* fútil, frívolo.
futilidade; *s.* futilidad, vanidad.
futuro; *s.* futuro, porvenir.
fuxicar; *v.* hilvanar, arrugar, mover.
fuxico; *s.* intriga, chisme, cuento, patraña.
fuzil; *s.* fusil, relámpago.
fuzilar; *v.* fusilar, ametrallar, balear.
fuzileiro; *s.* fusilero.
fuzuê; *s.* fiesta, ruido, confusión.

G

g; *s.* séptima letra del abecedario portugués.
gabão; *s.* gabán, capote con mangas.
gabar; *v.* alabar, elogiar, jactarse, vanagloriarse.
gabardina; *s.* gabardina.
gabinete; *s.* gabinete, despacho.
gado; *s.* ganadería, ganado.
gafanhoto; *s.* langosta, saltamontes.
gafieira; *s.* baile popular de Brasil.
gago; *adj.* tartamudo.
gaguejar; *v.* balbucear, tartamudear.
gaiato; *s.* muchacho travieso, persona alegre, juguetona.
gaio; *adj.* gayo, jovial, alegre, vistoso.
gaiola; *s.* jaula, prisión.
gaita; *s.* gaita.
gaiteiro; *s.* gaitero.
gaivota; *s.* gaviota.
gala; *s.* gala.
galã; *s.* galán.
galante; *adj.* galante.
galantear; *v.* galantear.
galanteio; *s.* galanteo.
galão; *s.* galón.
galardão; *s.* galardón.
galardoar; *v.* galardonar, premiar.
galáxia; *s.* galaxia.
galego; *adj.* gallego.
galeria; *s.* galería, barandilla.
galgar; *v.* trepar.
galgo; *s.* galgo.
galhardia; *s.* gallardía.
galho; *s.* esqueje, gajo, rama.
galicismo; *s.* galicismo.
galinha; *s.* gallina.
galinheiro; *s.* gallinero, pollero.
galo; *s.* gallo.
galocha; *s.* galocha, chanclo.
galopar; *v.* galopar.
galope; *s.* galope.
galpão; *s.* nave industrial, galpón.
galvanizar; *v.* galvanizar.
gamela; *s.* cuenco, escudilla grande.
gameta; *s.* gameto.
gamo; *s.* gamo, venado.
gana; *s.* gana, apetito, hambre.
ganância; *s.* ganancia, ambición, avidez.
ganancioso; *adj.* ganancioso, ávido.
gancho; *s.* gancho, grapa.
ganga; *s.* ganga.
gânglio; *s.* ganglio.
gangorra; *s.* columpio.
gangrena; *s.* gangrena.
ganha-pão; *s.* ganapán.
ganhar; *v.* ganar, lucrar, sacar, triunfar, vencer.
ganho; *s.* ganancia, logro, lucro.
ganir; *v.* gañir, latir.
ganso; *s.* ganso, oca, ánsar.
garagem; *s.* garaje.
garantia; *s.* garantía, aval, fianza, solvencia.
garantir; *v.* garantir, garantizar, afianzar, aseverar.

garapa; *s.* guarapo.
garbo; *s.* garbo, gallardía, gentileza, brío.
garboso; *adj.* garboso.
garça; *s.* garza.
garçom; *s.* camarero.
garfo; *s.* tenedor.
gargalhada; *s.* carcajada.
gargalo; *s.* cuello.
garganta; *s.* garganta.
gargantilha; *s.* gargantilla.
gargarejo; *s.* gárgaras.
gárgula; *s.* gárgola.
gari; *s.* barrendero.
garimpeiro; *s.* el que busca metales y piedras preciosas.
garoa; *s.* sirimiri.
garoto; *s.* chaval, chico.
garra; *s.* garra.
garrafa; *s.* botella, vidrio.
garrafão; *s.* garrafa.
garrido; *adj.* garrido, gayo, galante.
garrote; *s.* garrote.
garupa; *s.* grupa.
gás; *s.* gas.
gases; *s.* gases intestinales.
gasóleo; *s.* gasóleo, gasoil.
gasolina; *s.* gasolina, nafta.
gasômetro; *s.* gasómetro.
gasoso; *adj.* gaseoso.
gaspacho; *s.* gazpacho.
gastador; *adj.* perdulario.
gastar; *v.* gastar, acabar, expender, usar, disipar, consumirse.
gasto; *adj.* raído, usado.
gasto; *s.* consumo, gasto.
gástrico; *s.* gástrico.
gastrite; *s.* gastritis.
gastronomia; *s.* gastronomía.
gata; *s.* gata.
gatilho; *s.* gatillo.
gato; *s.* gato.
gatuno; *s.* ladrón.
gaúcho; *s.* gaucho.
gaulês; *adj.* galo.
gaveta; *s.* cajón, gaveta.
gaveteiro; *s.* cajonera.
gavião; *s.* gavilán.
gaze; *s.* gasa.
gazela; *s.* gacela.
gazeta; *s.* gaceta.
gazua; *s.* ganzúa.
geada; *s.* helada, escarcha, aguanieve, nevisca.
gêiser; *s.* géiser.
gel; *s.* gel.
geladeira; *s.* heladera, nevera.
gelado; *adj.* glacial, gélido, helado, toda bebida helada, sorbete.
gelar; *v.* congelar, helar.
gelatina; *s.* gelatina.
geléia; *s.* jalea.
geleira; *s.* glaciar, nevera.
gélido; *adj.* frío, gélido.
gelo; *s.* hielo.
gelosia; *s.* celosía, reja.
gema; *s.* gema, yema.
gêmeo; *adj.* gemelo, mellizo.
gemer; *v.* gemir, lloriquear, plañir.
gemido; *s.* gemido, lamento, llanto, quejido.
genciana; *s.* genciana, planta medicinal.
gendarme; *s.* gendarme.
gene; *s.* gen, gene.
genealogia; *s.* genealogía.
genebra; *s.* ginebra.
general; *s.* general.
generalidade; *s.* generalidad.
generalizar; *v.* generalizar, universalizar.
genérico; *adj.* genérico, común, vago, indeterminado.
gênero; *s.* género, sexo.
gêneros; *s.* comestibles.
generosidade; *s.* generosidad.
generoso; *adj.* generoso, dadivoso.
gênese; *s.* génesis.
genético; *adj.* genético.
gengibre; *s.* jengibre.
gengiva; *s.* encía.
genial; *adj.* genial.
genialidade; *s.* genialidad.
gênio; *s.* genio, talento.
genital; *adj.* genital.
genocídio; *s.* genocidio, holocausto.

genro; *s.* yerno.
gentalha; *s.* gentuza.
gente; *s.* gente.
gentil; *adj.* gentil, amistoso, galante.
gentileza; *s.* gentileza, apostura, donaire, gallardía.
genuíno; *adj.* genuino, puro, natural, auténtico.
geografia; *s.* geografía.
geologia; *s.* geología.
geometria; *s.* geometría.
geração; *s.* generación, concepción, prole.
gerador; *s.* generador.
geral; *adj.* común, general, total, unánime.
gerânio; *s.* geranio.
gerar; *v.* generar, concebir, crear, engendrar, fecundar, procrear.
gerência; *s.* gerencia, administración, gestión.
gerente; *adj.* encargado.
gerente; *s.* administrador, gerente.
gergelim; *s.* sésamo.
geriatra; *s.* geriatra.
geringonça; *s.* chapucería.
germânico; *adj.* alemán, germánico.
germe; *s.* germen, simiente.
germinar; *v.* germinar, vegetar.
gerúndio; *s.* gerundio.
gesso; *s.* yeso.
gestação; *s.* gestación, gravidez, embarazo.
gestão; *s.* gestión.
gestante; *s.* gestante.
gestão; *s.* gestión.
gesticular; *v.* gesticula, manotear.
gesto; *s.* gesto, ademán, expresión.
giba; *s.* giba.
gibão; *s.* jubón.
gibi; *s.* cómic.
gigante; *adj.* gigante, descomunal.
gigante; *s.* gigante.
gigantesco; *adj.* gigantesco.
gigolô; *s.* gigoló.
ginásio; *s.* gimnasio, liceo.
ginástica; *s.* gimnasia.
ginecologia; *s.* ginecología.
ginecologista; *s.* ginecólogo, tocólogo.
ginete; *s.* jinete.
ginja; *s.* guinda.
girafa; *s.* jirafa.
girar; *v.* girar, rodar, volver.
girassol; *s.* girasol, tornasol.
gíria; *s.* jerga.
giro; *s.* circulación, giro, rotación, vuelta.
giz; *s.* gis, tiza.
glacial; *adj.* glacial.
glaciar; *s.* glaciar.
glande; *s.* capullo, glande.
glândula; *s.* glándula.
glandular; *adj.* glandular.
glicerina; *s.* glicerina.
glicose; *s.* glucosa.
global; *adj.* global.
globo; *s.* globo.
glóbulo; *s.* glóbulo.
glória; *s.* gloria.
glorificação; *s.* glorificación. aclamación, loor, magnificencia.
glorificar; *v.* glorificar, magnificar.
glosa; *s.* glosa.
glossário; *s.* glosario, léxico, vocabulario.
glutão; *adj.* glotón, goloso, zampón.
glúten; *s.* gluten.
glúteo; *adj.* glúteo.
gnomo; *s.* gnomo.
goela; *s.* garganta.
goiaba; *s.* guayaba.
goiabada; *s.* dulce de guayaba.
goiabeira; *s.* guayabo.
gol; *s.* gol.
gola; *s.* cuello, collar.
gole; *s.* bocanada, sorbo, trago.
goleada; *s.* goleada.
goleiro; *s.* guardameta.
golfada; *s.* vómito, chorro, borbotón
golfe; *s.* golf.
golfinho; *s.* delfín.
golfo; *s.* golfo.

golpe; *s.* golpe, embate, porrazo, crisis, desgracìa.
golpear; *v.* golpear, herir, pegar.
goma; *s.* goma, almidón.
gomo; *s.* brote, gema, retoño, gajo.
gôndola; *s.* góndola.
gonorréia; *s.* blenorragia, gonorrea.
gonzo; *s.* bisagra, gozne, pernio.
gorar; *v.* malograr, engorar, enhuerar, abortar.
gordinho; *adj.* regordete.
gordo; *adj.* gordo, graso, untoso.
gorducho; *adj.* rechoncho, regordete, gordiflón.
gordura; *s.* gordura, grasa, lardo, manteca, saín, sebo
gordurento; *adj.* graso, pringoso.
gorila; *s.* gorila.
gorjear; *v.* gorjear, trinar.
gorjeio; *s.* gorjeo, trino.
gorjeta; *s.* propina.
gorra; *s.* gorra.
gorro; *s.* gorro.
gosma; *s.* pepita, gargajo.
gostar; *v.* gustar, encontrar buen sabor, tener amistad, simpatizar.
gosto; *s.* gusto, agrado, sabor, talante.
gostoso; *adj.* sabroso, que da gusto, gustoso, agradable.
gota; *s.* gota.
goteira; *s.* gotera.
gotejar; *v.* gotear.
gótico; *adj.* gótico.
gotícula; *s.* gotita, gota pequeña.
governador; *s.* gobernador.
governanta; *s.* ama, aya, gobernanta.
governar; *v.* gobernar, dirigir, imperar, manejar, regir.
governo; *s.* gobierno, estado, orden, norma.
gozação; *s.* escarnio, ironía, burla, mofa.
gozado; *adj.* disfrutado, divertido, raro, exquisito.
gozador; *adj.* burlón, irónico.
gozar; *v.* gozar, poseer, tener, usar, divertirse.
gozo; *s.* goce, gozo, placer, posesión.
grã; *adj.* gran.
graça; *s.* gracia, donaire, garbo, lindeza, gracejo, hilaridad, merced.
gracejar; *v.* gracejar, bromear, decir chistes.
gracejo; *s.* chiste, gracejo.
gracioso; *adj.* gracioso.
gradação; *s.* gradación.
grade; *s.* red, reja, verja.
gradeamento; *s.* enrejado.
gradear; *v.* enrejar.
gradil; *s.* verja.
gradual; *adj.* gradual.
graduar; *v.* graduar.
grafia; *s.* grafía, ortografía.
gráfico; *s.* gráfico.
grã-fino; *s.* persona rica, elegante, refinado, fino.
grafita; *s.* grafito.
grafologia; *s.* grafología.
gral; *s.* almirez, mortero.
grama; *s.* gramo, yerba.
gramado; *s.* césped.
gramática; *s.* gramática.
gramofone; *s.* gramófono, fonógrafo.
grampeador; *s.* grapadora.
grampear; *v.* grapar.
grampo; *s.* clip, grapa.
granada; *s.* granada.
grande; *adj.* grande, extenso, largo, crecido, poderoso, intenso, bueno, magnífico.
grandeza; *s.* grandeza.
grandiloquência; *s.* altilocuencia.
grandiosidade; *s.* grandiosidad.
grandioso; *adj.* grandioso.
granel; *s.* granel.
granito; *s.* granito.
granizo; *s.* granizo.
granja; *s.* granja, alquería, cortijo, chacra, rancho.
granjear; *v.* granjear, conseguir simpatía, conquistar, atraer.
granjeiro; *s.* granjero.

granular; *v.* granular, granear.
grão; *adj.* gran.
grão; *s.* grana, grano, semilla.
grão-de-bico; *s.* garbanzo.
grasnar; *v.* graznar, gañir.
grasnido; *s.* graznido.
grassar; *v.* extenderse, propagarse, epidemia.
gratidão; *s.* gratitud, agradecimiento.
gratificação; *s.* gratificación, propina, sobresueldo.
gratificar; *v.* gratificar, remunerar, retribuir.
gratinar; *v.* gratinar.
grátis; *adv.* gratis.
grato; *adj.* grato, agradable.
gratuito; *adj.* gratuito.
grau; *s.* grado.
graúdo; *adj.* grande, crecido, importante, influyente.
gravação; *s.* grabación.
gravado; *adj.* inscrito.
gravado; *s.* grabado.
gravador; *s.* grabador, magnetofón.
gravar; *v.* grabar, entallar, imprimir, inscribir, filmar.
gravata; *s.* corbata.
grave; *adj.* grave, serio, severo, doloroso, intenso.
graveto; *s.* ramojo, ramulla, chavasca.
gravidade; *s.* gravedad, seriedad, severidad.
gravidez; *s.* gestación, gravidez, preñez.
gravitação; *s.* gravitación.
gravitar; *v.* gravitar.
gravura; *s.* grabado.
graxa; *s.* engrase, betún.
gregário; *adj.* gregario.
grego; *adj.* griego.
grei; *s.* grey.
grelha; *s.* barbacoa, rejilla.
grelo; *s.* grelo, brote, nuevo tallo.
grêmio; *s.* gremio, club, círculo.
grená; *s.* granate.
grenha; *s.* greña.
greta; *s.* grieta, fisura, raja, hendidura.
gretar; *v.* agrietar, resquebrajar, abrir rajas.
greve; *s.* huelga.
grevista; *s.* huelguista.
grifo; *s.* bastardilla, grifo.
grilhão; *s.* brete, cadena metálica.
grilo; *s.* grillo.
grinalda; *s.* guirlanda, cenefa, festón.
gringo; *s.* gringo, extranjero.
gripar-se; *v.* resfriarse.
gripe; *s.* gripe, resfriado.
grisalho; *adj.* entrecano.
gritar; *v.* exclamar, gritar, vocear.
gritaria; *s.* griterío, jarana.
grito; *s.* grito, berrido.
groselha; *s.* grosella.
grosseiro; *adj.* grosero, basto, ordinario, descortés, insolente, inculto.
grosseria; *s.* grosería, descortesía, incorrección, indelicadeza.
grosso; *adj.* espeso, grueso, voluminoso.
grossura; *s.* espesor, grosor.
grotesco; *adj.* grotesco.
grua; *s.* grúa.
grudar; *v.* encolar, pegar.
grude; *s.* cola, engrudo.
grunhido; *s.* gruñido.
grunhir; *v.* gruñir.
grupo; *s.* clase, grupo, pandilla, peña.
gruta; *s.* gruta, caverna, cripta, cueva.
guanaco; *s.* guanaco.
guano; *s.* guano.
guapo; *adj.* guapo.
guaraná; *s.* guaraná.
guarani; *adj.* guaraní.
guarda; *s.* guarda, guardia.
guarda-chuva; *s.* paraguas.
guarda-costas; *s.* guardaespaldas.
guardanapo; *s.* servilleta.
guarda-pó; *s.* guardapolvo.
guardar; *v.* guardar, conservar, cuidar, custodiar, retener, tener.
guarda-roupa; *s.* guardarropa, ropero.

guarda-sol; *s.* parasol, sombrilla.
guardião; *s.* guardián.
guarida; *s.* guarida.
guarita; *s.* garita.
guarnecer; *v.* guarnecer.
guarnição; *s.* guarnición.
guatemalteco; *adj.* guatemalteco.
gueixa; *s.* geisha.
guelra; *s.* agalla.
guerra; *s.* guerra.
guerrear; *v.* batallar, conflagrar, guerrear.
guerreiro; *adj.* guerrero, belicoso.
guerrilha; *s.* guerrilla.
guia; *s.* guía, conductor, líder, mentor.
guiar; *v.* guiar, aconsejar, dirigir, orientar, regir.
guichê; *s.* ventanilla.
guilhotina; *s.* guillotina.
guinchar; *v.* chillar, chirriar.
guincho; *s.* aullido, chillido.
guindaste; *s.* cabria, grúa.
guirlanda; *s.* guirnalda.
guisado; *s.* cazuela, estofado, guisado, guiso.
guisar; *v.* guisar.
guizo; *s.* cascabel.
gula; *s.* glotonería, gula, voracidad.
gulodice; *s.* ambucia, golosina.
guloseima; *s.* golosina.
guloso; *adj.* goloso, voraz.
gume; *s.* filo.
guri; *s.* niño.
guru; *s.* gurú.
gustação; *s.* gustación.
gutural; *adj.* gutural.

H

h; *s.* octava letra del abecedario portugués.
hábil; *adj.* hábil, apto, astuto, diestro, dispuesto.
habilidade; *s.* habilidad, aptitud, destreza, pericia.
habilitado; *adj.* habilitado, aprobado, capacitado.
habilitar; *v.* habilitar.
habitação; *s.* habitación, morada.
habitante; *adj.* habitante.
habitar; *v.* habitar, morar, ocupar, residir, vivir.
habitável; *adj.* habitable.
hábito; *s.* costumbre, hábito, rutina, uso.
habituado; *adj.* habituado, acostumbrado.
habitual; *adj.* corriente, habitual, común, ordinario, usual.
habituar; *v.* habituar, acostumbrar, familiarizar.
hagiografia; *s.* hagiografía.
haitiano; *adj.* haitiano.
hálito; *s.* hálito, aliento.
hall; *s.* hall.
halo; *s.* aura, halo.
handebol; *s.* balonmano.
hangar; *s.* hangar.
harém; *s.* harén, harem, serrallo.
harmonia; *s.* armonía, harmonía, comunión, concordia, fraternidad.
harmônica; *s.* acordeón, armónica, harmónica.
harmônico; *adj.* armónico.
harmonioso; *adj.* harmonioso, armonioso.
harmonizar; *v.* harmonizar, armonizar, conciliar, congeniar, entonar, equilibrar.
harpa; *s.* arpa.
harpia; *s.* harpía, arpía.
haste; *s.* asta, mástil, tallo.
hastear; *v.* izar, enarbolar.
haurir; *v.* agotar.
havaiano; *adj.* hawaiano.
havana; *adj.* habano.
haver; *v.* haber.
haveres; *s.* bienes, riqueza, fortuna.
hebdomadário; *adj.* hebdomadario, semanal.
hebraico; *adj.* hebraico, hebreo.
hebreu; *adj.* hebreo.
hecatombe; *s.* hecatombe.
hectare; *s.* hectárea.
hediondo; *adj.* hediondo.
hedonismo; *s.* hedonismo.
hegemonia; *s.* hegemonía.
hélice; *s.* hélice.
helicóptero; *s.* helicóptero.
heliporto; *s.* helipuerto.
hematita; *s.* hematites.
hematoma; *s.* hematoma.
hematose; *s.* hematosis.
hemeroteca; *s.* hemeroteca.
hemiplegia; *s.* hemiplejía.
hemisfério; *s.* hemisferio.

hemofilia; *s.* hemofilia.
hemoglobina; *s.* hemoglobina.
hemoptise; *s.* hemoptisis.
hemorragia; *s.* hemorragia.
hemorróidas; *s.* hemorroides, almorrana.
hepático; *adj.* hepático.
hepatite; *s.* hepatitis.
hera; *s.* hiedra, yedra.
heráldico; *adj.* heráldico.
herança; *s.* herencia.
herbário; *adj.* herbario.
herbicida; *s.* herbicida.
herbívoro; *s.* herbívoro.
hercúleo; *adj.* hercúleo.
herdade; *s.* heredad, hacienda.
herdado; *adj.* heredado.
herdar; *v.* heredar.
herdeiro; *adj.* heredero.
herdeiro; *s.* sucesor.
hereditário; *adj.* hereditario.
herege; *s.* hereje.
heresia; *s.* herejía.
herético; *adj.* herético, hereje.
hermafrodita; *adj.* andrógino.
hermafrodita; *s.* hermafrodita.
hermético; *adj.* hermético, impenetrable.
hérnia; *s.* hernia.
herói; *s.* campeón, héroe.
heróico; *adj.* heroico.
heroína; *s.* heroína.
heroísmo; *s.* heroísmo.
herpes; *s.* herpes.
hesitação; *s.* hesitación, incertidumbre, vacilación.
hesitar; *v.* hesitar, fluctuar, vacilar.
heterodoxia; *s.* heterodoxia.
heterogêneo; *adj.* heterogéneo.
heterossexual; *adj.* heterosexual.
hexagonal; *adj.* hexagonal.
hiato; *s.* hiato.
hibernação; *s.* hibernación.
hibernar; *v.* hibernar.
híbrido; *adj.* híbrido.
hidratação; *s.* hidratación.
hidratar; *v.* hidratar.
hidráulico; *adj.* hidráulico.
hidroavião; *s.* hidroavión.
hidrofobia; *s.* hidrofobia, rabia.
hidrófobo; *adj.* rabioso.
hidrogênio; *s.* hidrógeno.
hidrografia; *s.* hidrografía.
hidromel; *s.* hidromiel.
hidrosfera; *s.* hidrosfera.
hidroterapia; *s.* hidroterapia.
hiena; *s.* hiena.
hierarquia; *s.* jerarquía.
hierárquico; *adj.* jerárquico.
hieróglifo; *s.* jeroglífico.
higiene; *s.* higiene, sanidad.
higiênico; *adj.* higiénico.
higienista; *s.* higienista.
higrometria; *s.* higrometría.
hilariante; *adj.* hilarante.
hilaridade; *s.* hilaridad.
hímen; *s.* himen, virgo.
hindu; *adj.* hindú.
hino; *s.* himno, canto, cántico.
hipérbole; *s.* hipérbole.
hipersensível; *adj.* hipersensible.
hipertensão; *s.* hipertensión.
hipertrofia; *s.* hipertrofia.
hípico; *adj.* hípico.
hipnose; *s.* hipnosis.
hipnotizar; *v.* hipnotizar.
hipocondria; *s.* hipocondría.
hipocrisia; *s.* hipocresía.
hipócrita; *adj.* hipócrita.
hipodérmico; *adj.* hipodérmico.
hipódromo; *s.* hipódromo.
hipopótamo; *s.* hipopótamo.
hipoteca; *s.* hipoteca.
hipotecar; *v.* hipotecar.
hipótese; *s.* hipótesis, suposición.
hipotético; *adj.* hipotético.
hirto; *adj.* rígido, yerto.
hispânico; *adj.* hispánico.
hispano; *adj.* hispano.
hispano-americano; *adj.* hispanoamericano.
histeria; *s.* histeria, histerismo.
histérico; *adj.* histérico.
histerismo; *s.* histerismo.
história; *s.* historia.
historiador; *s.* historiador.

historiar; *v.* historiar.
histórico; *adj.* histórico.
hoje; *adv.* hoy.
holandês; *adj.* holandés.
holocausto; *s.* holocausto.
holofote; *s.* proyector de luz, foco eléctrico.
homem; *s.* hombre, varón.
homenageado; *adj.* homenajeado.
homenagear; *v.* homenajear.
homenagem; *s.* homenaje.
homeopatia; *s.* homeopatía.
homeopático; *adj.* homeopático.
homicida; *adj.* homicida.
homicídio; *s.* homicidio.
homogêneo; *adj.* homogéneo.
homologar; *v.* homologar, confirmar.
homólogo; *adj.* homólogo.
homônimo; *adj.* homónimo.
homônimo; *s.* tocayo.
homossexual; *adj.* homosexual.
homúnculo; *s.* homúnculo.
hondurenho; *adj.* hondureño.
honestidade; *s.* honestidad, honra, pudor, recato.
honesto; *adj.* honesto, decente, digno, honrado.
honorário; *adj.* honorario.
honorários; *s.* sueldo.
honorífico; *adj.* honorífico.
honra; *s.* honor, honra.
honradez; *s.* honradez.
honrado; *adj.* honorable, honrado.
honrar; *v.* honrar, dignificar, distinguir, glorificar.
hora; *s.* hora.
horário; *s.* horario.
horizontal; *adj.* horizontal.
horizonte; *s.* horizonte.
hormonal; *adj.* hormonal.
hormônio; *s.* hormona.
horóscopo; *s.* horóscopo.
horrendo; *adj.* horrendo, horrible.
horripilante; *adj.* espeluznante.
horripilar; *v.* horripilar, horrorizar.
horrível; *adj.* horrible, infernal, terrible.
horror; *s.* horror, terror.
horrorizar; *v.* horrorizar.
horroroso; *adj.* horroroso.
horta; *s.* huerta.
hortaliça; *s.* hortaliza, verdura.
hortelã; *s.* hierbabuena, menta.
hortelão; *s.* hortelano.
hortelã-pimenta; *s.* menta piperita.
hortênsia; *s.* hortensia.
horticultor; *s.* horticultor.
horticultura; *s.* horticultura.
horto; *s.* huerto, pomar.
hospedagem; *s.* hospedaje.
hospedar; *v.* hospedar, albergar, alojar, aposentar, recibir.
hospedaria; *s.* hospedería, albergue, parador, mesón.
hóspede; *s.* huésped, pensionista.
hospício; *s.* hospicio, asilo.
hospital; *s.* hospital, sanatorio.
hospitalar; *adj.* hospitalario.
hospitaleiro; *adj.* acogedor, hospitalario.
hospitalidade; *s.* hospitalidad.
hospitalizar; *v.* hospitalizar.
hoste; *s.* hueste.
hóstia; *s.* hostia.
hostil; *adj.* hostil.
hostilidade; *adj.* hostilidad.
hostilizar; *v.* hostilizar.
hotel; *s.* hotel.
hotelaria; *s.* hostelería.
hoteleiro; *adj.* hotelero.
hulha; *s.* hulla.
humanidade; *adj.* humanidad.
humanidades; *adj.* humanidades, estudio de la cultura clásica.
humanismo; *s.* humanismo.
humanitário; *adj.* humanitario.
humano; *adj.* humano.
humedecer; *v.* humedecer.
humidade; *s.* humedad.
húmido; *adj.* húmedo.
humildade; *s.* humildad, modestia.
humilde; *adj.* humilde, modesto.

humilhação; *s.* humillación.
humilhante; *adj.* humillante, degradante.
humilhar; *v.* degradar, humillar.
humor; *s.* humor.
humorismo; *s.* humorismo.
humorista; *s.* humorista.
humorístico; *adj.* humorístico.
húmus; *s.* humus.
húngaro; *adj.* húngaro.

I

i; *s.* novena letra del abecedario portugués.
ianque; *adj.* yanqui, norteamericano.
iatai; *s.* yatay, especie de cocotero.
iate; *s.* yate.
ibérico; *adj.* ibero, ibérico.
ibero; *adj.* ibero.
ibero-americano; *adj.* iberoamericano.
içar; *v.* izar, levantar, alzar.
icebergue; *s.* iceberg.
ícone; *s.* icono.
iconoclasta; *adj.* iconoclasta.
iconografia; *s.* iconografía.
icterícia; *s.* ictericia.
ida; *s.* ida, jornada.
idade; *s.* edad, época de la vida, época histórica, tiempo, duración, vejez.
ideal; *adj.* ideal, relativo a la idea, imaginario.
ideal; *s.* ideal, aspiración, perfección, sublimidad.
idealismo; *s.* idealismo.
idealizar; *v.* idealizar, idear.
idéia; *s.* idea, imaginación, opinión, recuerdo, conocimiento, proyecto.
idem; *pron.* ídem.
idêntico; *adj.* idéntico, igual.
identidade; *s.* identidad.
identificação; *s.* identificación, reconocimiento.
identificar; *v.* identificar, reconocer.
ideologia; *s.* ideología.
idílio; *s.* idilio.
idioma; *s.* idioma, habla, lengua, lenguaje.
idiomático; *adj.* idiomático.
idiossincrasia; *s.* idiosincrasia.
idiota; *adj.* idiota, imbécil, cretino, tonto.
idiotice; *s.* idiotez, imbecilidad, tontería.
idólatra; *adj.* idólatra.
idolatrar; *v.* idolatrar, adorar, amar con exceso.
ídolo; *s.* ídolo.
idôneo; *adj.* idóneo, adecuado, apto.
idoso; *adj.* mayor, viejo.
iglu; *s.* iglú.
ígneo; *adj.* ígneo.
ignição; *s.* ignición.
ignóbil; *adj.* innoble.
ignomínia; *s.* ignominia, oprobio.
ignorado; *adj.* ignorado, obscuro, no conocido.
ignorância; *s.* ignorancia.
ignorante; *adj.* ignorante, analfabeto, inculto.
ignorar; *v.* ignorar.
ignoto; *adj.* ignoto, desconocido, obscuro.
igreja; *s.* iglesia, templo cristiano.
igual; *adj.* igual, idéntico, constante.
igualar; *v.* igualar, nivelar, aplanar, alisar.
igualdade; *s.* igualdad.
igualitário; *adj.* igualitario.

iguaria; *s.* iguaria, manjar delicado, apetitoso.
ilegal; *adj.* ilegal, ilícito.
ilegalidade; *s.* ilegalidad.
ilegítimo; *adj.* ilegítimo.
ilegível; *adj.* ilegible.
ileso; *adj.* ileso, indemne, intacto, salvo.
iletrado; *adj.* analfabeto, iletrado.
ilha; *s.* isla.
ilhar; *v.* aislar.
ilhéu; *adj.* isleño.
ilhós; *s.* ojete.
ilícito; *adj.* ilegal, ilícito.
ilimitado; *adj.* ilimitado, infinito, indefinido.
ilógico; *adj.* ilógico, absurdo.
iludir; *v.* iludir, timar, engañar, estafar.
iluminação; *s.* iluminación, alumbrado.
iluminado; *adj.* iluminado, alumbrado, visionario.
iluminar; *v.* iluminar, alumbrar, clarificar, esclarecer, inspirar, ilustrar.
ilusão; *s.* ilusión, ensueño, engaño.
ilusionista; *adj.* ilusionista.
iluso; *adj.* iluso.
ilusório; *adj.* ilusorio.
ilustração; *s.* ilustración, sabiduría, grabado.
ilustrar; *v.* ilustrar, instruir, adornar con dibujos.
ilustre; *adj.* ilustre, célebre, noble, insigne.
ímã; *s.* imán.
imaculado; *adj.* inmaculado, puro, inocente.
imagem; *s.* imagen.
imaginação; *s.* imaginación, fantasía, inventiva.
imaginar; *v.* idear, imaginar, suponer.
imaginário; *adj.* imaginario, irreal, ficticio.
imanar; *v.* imanar.
imanente; *adj.* inmanente.
imaterial; *adj.* incorpóreo, inmaterial.
imaturo; *adj.* inmaturo.
imbecil; *adj.* imbécil, idiota, tonto.
imbecilidade; *s.* imbecilidad.
imberbe; *adj.* imberbe.
imbricar; *v.* imbricar.
imbuir; *v.* imbuir, embeber, persuadir.
imediação; *s.* inmediación.
imediações; *s.* inmediaciones, proximidades.
imediato; *adj.* inmediato, consecutivo, próximo, cercano.
imemorável; *adj.* inmemorable, inmemorial, antiquísimo.
imensidade; *s.* inmensidad.
imensidão; *s.* inmensidad.
imenso; *adj.* inmenso.
imergir; *v.* inmergir, sumergir, zambullir.
imersão; *s.* inmersión.
imerso; *adj.* inmerso.
imigração; *s.* inmigración.
imigrar; *v.* inmigrar.
iminente; *adj.* inminente.
imiscuir-se; *v.* inmiscuirse.
imitação; *s.* imitación, copia, plagio.
imitar; *v.* imitar, parodiar, copiar, plagiar, remedar.
imobiliária; *s.* inmobiliaria.
imobilidade; *s.* inmovilidad, inmoble.
imobilismo; *s.* inmovilismo.
imobilizado; *s.* inmovilizado.
imobilizar; *v.* inmovilizar.
imodéstia; *s.* inmodestia.
imodesto; *adj.* inmodesto.
imolar; *v.* inmolar.
imoral; *adj.* inmoral.
imortal; *adj.* inmortal.
imortalizar; *v.* inmortalizar, eternizar, perpetuar.
imóvel; *adj.* estático, inmóvil.
imóvel; *s.* inmueble, predio.
impaciência; *s.* impaciencia.
impacientar; *v.* impacientar.

impaciente; *adj.* impaciente.
impacto; *s.* impacto.
impagável; *adj.* impagable.
impalpável; *adj.* impalpable, incorpóreo.
impaludismo; *s.* paludismo.
ímpar; *adj.* impar.
imparcial; *adj.* imparcial, ecuánime, justo, neutral.
imparcialidade; *s.* imparcialidad, neutralidad.
impassível; *adj.* impasible, imperturbable, apático, insensible.
impecável; *adj.* impecable, irreprochable.
impedido; *adj.* impedido.
impedimento; *s.* impedimento, obstáculo, tope.
impedir; *v.* impedir, detener, embarazar, embargar, interrumpir.
impelir; *v.* impeler, arrastrar, empujar, impulsar, propulsar.
impenetrável; *adj.* impenetrable, insondable.
impensado; *adj.* impensado.
imperador; *s.* emperador.
imperar; *v.* imperar.
imperativo; *adj.* imperativo.
imperceptível; *adj.* imperceptible.
imperdoável; *adj.* imperdonable.
imperecedouro; *adj.* imperecedero.
imperfeição; *s.* defecto, desperfecto, imperfección.
imperfeito; *adj.* defectivo, defectuoso, imperfecto, incorrecto.
imperial; *adj.* imperial.
imperialismo; *s.* imperialismo.
imperialista; *adj.* imperialista.
imperícia; *s.* impericia.
império; *s.* imperio, poderío, predominio.
imperioso; *adj.* imperioso.
impermear; *v.* impermeabilizar.
impermeabilizar; *v.* impermiabilizar.
impermeável; *adj.* impermeable.
impertinência; *s.* impertinencia.
impertinente; *adj.* impertinente, quisquilloso.
imperturbável; *adj.* imperturbable.
impessoal; *adj.* impersonal.
ímpeto; *s.* impulso, ímpetu.
impetuosidade; *s.* impetuosidad.
impetuoso; *adj.* impetuoso, arrebatado, fogoso.
impio; *adj.* impío, sin piedad, cruel.
impio; *adj.* impío, sin fe, ateo.
implacável; *adj.* implacable, inexorable.
implantação; *s.* implantación.
implantar; *v.* implantar.
implicação; *s.* implicación.
implicância; *s.* implicancia.
implicar; *v.* implicar.
implícito; *adj.* implícito, tácito, virtual.
implorar; *v.* implorar, rogar, suplicar.
imponente; *adj.* imponente, arrogante.
impontual; *adj.* que no es puntual.
impopular; *adj.* impopular.
impor; *v.* imponer.
importação; *s.* importación.
importância; *s.* importancia, gran valor, precio, interés, autoridad, prestigio.
importante; *adj.* importante, relevante.
importar; *v.* importar, originar, producir, convenir, hacer caso.
importe; *s.* importe.
importunar; *v.* importunar, incomodar, molestar, estorbar, aburrir.
importuno; *adj.* importuno, impropio, incómodo, molesto, enfadoso.
imposição; *s.* imposición.
impossibilidade; *s.* imposibilidad.
impossibilitar; *v.* imposibilitar, impedir.
impossível; *adj.* imposible, inaccesible, insoportable.
imposto; *s.* impuesto, tributo, carga, contribución.
impostor; *adj.* impostor, embustero, trapacero, mentiroso.

impostura; *s.* impostura, hipocresía.
impotência; *s.* impotencia, incapacidad, imposibilidad.
impotente; *adj.* estéril, impotente.
impraticável; *adj.* impracticable, imposible, intratable.
imprecação; *s.* imprecación.
imprecar; *v.* imprecar, pedir, suplicar, maldecir.
imprecisão; *s.* imprecisión.
impreciso; *adj.* impreciso, ambiguo, borroso.
impregnação; *s.* impregnación, absorción, fecundación.
impregnar; *v.* impregnar, saturar, embeber, empapar, llenar, fecundar, rebosar.
imprensa; *s.* imprenta.
imprescindível; *adj.* imprescindible.
impressão; *s.* edición, impresión, sensación.
impressionante; *adj.* impresionante, emocionante.
impressionar; *v.* impresionar emocionar, impactar.
impresso; *adj.* estampado, impreso.
impresso; *s.* impreso, folleto.
impressor; *s.* impresor.
impressora; *s.* impresora.
imprestável; *adj.* imprestable, inservible, inútil, sin valor.
imprevidência; *s.* imprevisión, descuido.
imprevisão; *s.* imprevisión, imprudencia.
imprevisto; *adj.* imprevisto, accidental, impensado, inesperado.
imprimir; *v.* imprimir, grabar, estampar.
ímprobo; *adj.* ímprobo, malo, malvado.
improcedente; *adj.* improcedente, infundado.
improdutivo; *adj.* improductivo.
impropério; *s.* improperio, insulto, injuria.
impróprio; *adj.* impropio, inadecuado, inoportuno, inconveniente.
improvável; *adj.* improbable.
improvisação; *s.* improvisación.
improvisar; *v.* improvisar, inventar.
imprudência; *s.* imprudencia, indiscreción, descuido, negligencia.
imprudente; *adj.* imprudente, indiscreto, temerario.
impudico; *adj.* impúdico.
impudor; *s.* impudor, cinismo, descaro.
impugnação; *s.* impugnación.
impugnar; *v.* impugnar, oponer.
impulsionar; *v.* impulsar.
impulso; *s.* impulso, instigación, estímulo, ímpetu.
impune; *adj.* impune.
impunidade; *s.* impunidad.
impureza; *s.* impureza, mácula, sordidez.
impuro; *adj.* impuro.
imputar; *v.* imputar.
imundície; *s.* inmundicia, porquería, suciedad, basura.
imundo; *adj.* inmundo, sucio, asqueroso, obsceno.
imune; *adj.* inmune, exento, libre.
imunidade; *s.* inmunidad, exención, protección.
imunizar; *v.* inmunizar.
imutável; *adj.* inmutable.
inabalável; *adj.* inmoble, inexorable, inalterable, fijo, constante.
inábil; *adj.* inhábil, torpe.
inabilitar; *v.* inhabilitar, incapacitar, inutilizar.
inabitável; *adj.* inhabitable.
inacabado; *adj.* inacabado, incompleto.
inação; *s.* inacción, inercia.
inaceitável; *adj.* inaceptable.
inacessível; *adj.* inaccesible, inexpugnable.
inacreditável; *adj.* increíble, inverosímil.
inadequado; *adj.* inadecuado, improcedente, impropio.
inadiável; *adj.* improrrogable.

inadmissível; *adj.* inadmisible.
inalar; *v.* aspirar, inhalar.
inalienável; *adj.* inalienable, intransferible.
inalterável; *adj.* inalterable, inmutable.
inamovível; *adj.* inamovible.
inanição; *s.* inanición.
inanimado; *adj.* inanimado.
inapetência; *s.* desgana, inapetencia.
inapreciável; *adj.* inapreciable.
inapto; *adj.* inepto, incapaz, inhábil.
inarticulado; *adj.* inarticulado.
inatacável; *adj.* invulnerable.
inatingível; *adj.* inalcanzable.
inativo; *adj.* inactivo, inerte, desocupado, jubilado.
inato; *adj.* congénito, innato.
inaudito; *adj.* inaudito.
inauguração; *s.* inauguración.
inaugural; *adj.* inaugural, inicial.
inaugurar; *v.* inaugurar, abrir, estrenar, fundar, iniciar.
inca; *adj.* inca.
incalculável; *adj.* incalculable, ilimitado, incontable, inestimable.
incandescente; *adj.* incandescente.
incansável; *adj.* incansable, infatigable.
incapacidade; *s.* incapacidad, incompetencia, insuficiencia, inutilidad.
incapacitar; *v.* incapacitar.
incapaz; *adj.* incapaz, inepto, inhábil, insuficiente.
incauto; *adj.* incauto.
incendiar; *v.* incendiar, abrasar, encender, inflamar.
incêndio; *s.* incendio.
incensar; *v.* incensar.
incensário; *s.* incensario.
incenso; *s.* incienso.
incensório; *s.* incensario.
incentivar; *v.* estimular, incitar.
incentivo; *s.* incentivo, estímulo.
incerteza; *s.* incertidumbre, duda.
incerto; *adj.* incierto, ambiguo, dudoso, improbable, inconstante.
incessante; *adj.* incesante, continuo.
incesto; *s.* incesto.
inchação; *s.* hinchazón, tumor.
inchado; *adj.* hinchado, tumefacto, grueso, lleno.
inchar; *v.* henchir, hinchar, inflar, entumecer.
incidente; *adj.* incidente, accidente.
incidir; *v.* incidir, incurrir.
incineração; *s.* cremación, incineración.
incinerar; *v.* incinerar.
incisão; *s.* incisión, cortadura, hendidura.
incisivo; *adj.* incisivo, mordaz.
inciso; *s.* inciso, cortado.
incitar; *v.* incitar, estimular, inducir, instigar, provocar.
inclemência; *s.* inclemencia, dureza, crueldad.
inclinação; *s.* declinación, inclinación, querencia, tendencia, vocación.
inclinado; *adj.* inclinado, ladeado, oblicuo.
inclinar; *v.* inclinar, doblar, entornar, ladear, reclinar, recostar.
incluir; *v.* incluir, comprender, contener, encerrar, implicar, insertar.
inclusão; *s.* inclusión, inserción.
inclusive; *adv.* inclusive, incluso, aun, sin excepción.
incluso; *adj.* incluido, alcanzado, comprendido.
incoerência; *s.* incoherencia.
incoerente; *adj.* incoherente, discrepante.
incógnito; *adj.* anónimo, incógnito.
incolor; *adj.* incoloro.
incólume; *adj.* ileso, incólume, indemne.
incomodar; *v.* incomodar, chinchar, enfadar, enojar, fatigar, importunar, indisponer molestar.
incomodidade; *s.* incomodidad, inconveniencia, malestar.

incômodo; *adj.* incómodo, molesto, nocivo.
incômodo; *s.* incomodidad, molestia, enfermedad ligera, menstruación.
incomparável; *adj.* incomparable.
incompatível; *adj.* incompatible.
incompetência; *s.* incompetencia, inhabilidad.
incompleto; *adj.* incompleto, no acabado.
incompreendido; *adj.* no comprendido.
incompreensível; *adj.* incomprensible, ininteligible, inconcebible.
incomunicável; *adj.* incomunicable.
inconcebível; *adj.* inconcebible.
inconciliável; *adj.* inconciliable, incompatible.
incondicional; *adj.* incondicional, absoluto.
inconfessável; *adj.* inconfesable.
inconfidência; *s.* inconfidencia, indiscreción.
inconformado; *adj.* no conformado, disconforme, recalcitrante.
inconfundível; *adj.* inconfundible, único, distinguido.
incongruente; *adj.* incongruente.
inconsciência; *s.* inconsciencia.
inconsciente; *adj.* inconsciente.
inconsequente; *adj.* inconsecuente.
inconsistência; *s.* inconsistencia.
inconsistente; *adj.* inconsistente.
inconsolável; *adj.* inconsolable.
inconstância; *s.* inconsistencia, liviandad, infidelidad, inestabilidad.
inconstante; *adj.* inconstante, inestable, versátil, voluble.
inconstitucional; *adj.* inconstitucional.
incontável; *adj.* incontable, innumerable.
incontestável; *adj.* incontestable, indiscutible, indudable.
incontinência; *s.* incontinencia.
inconveniência; *s.* inconveniencia, indelicadeza, informalidad.
inconveniente; *adj.* inconveniente, informal, inoportuno.
incorporação; *s.* incorporación, agrupamiento, anexión.
incorporar; *v.* incorporar, incluir, hacer parte, agregarse, anexionar.
incorpóreo; *adj.* incorpóreo, inmaterial.
incorreção; *s.* incorrección.
incorrer; *v.* incurrir, incidir.
incorreto; *adj.* incorrecto, errado, defectuoso.
incorrigível; *adj.* incorregible.
incorruto; *adj.* incorrupto, inalterable.
incredulidade; *s.* incredulidad.
incrédulo; *adj.* incrédulo, descreído, impío, ateo.
incrementar; *v.* incrementar.
increpar; *v.* increpar, acusar, reprender, censurar.
incriminação; *s.* incriminación, acusación.
incriminar; *v.* incriminar, acusar, culpar.
incrível; *adj.* increíble, absurdo, inconcebible, insólito.
incruento; *adj.* incruento.
incrustação; *s.* incrustación.
incrustar; *v.* incrustar.
incubadora; *s.* incubadora.
incubar; *v.* incubar, empollar, planear, idear, premeditar.
inculcar; *v.* inculcar.
inculpar; *v.* inculpar, culpar, acusar, incriminar.
inculto; *adj.* inculto, ignorante, árido, agreste.
incumbência; *s.* incumbencia, cometido, comisión, competencia, deber.
incumbir; *v.* incumbir, delegar, encomendar.
incurável; *adj.* incurable.
incursão; *s.* incursión, invasión.
incutir; *v.* inculcar, influir, infundir, imbuir, persuadir.
indagação; *s.* indagación, pesquisa.

indagar; *v.* indagar, inquirir, pesquisar, preguntar.
indecência; *s.* indecencia, obscenidad.
indecente; *adj.* indecente, indecoroso, inmoral, obsceno.
indecifrável; *adj.* indescifrable.
indecisão; *s.* indecisión, perplejidad, vacilación.
indeciso; *adj.* indeciso, indeterminado, perplejo, dudoso, vago.
indecoroso; *adj.* indecente, indecoroso.
indefenso; *adj.* indefenso.
indefeso; *adj.* indefenso.
indefinido; *adj.* indefinido, indistinto, vago.
indelével; *adj.* imborrable, indeleble.
indelicadeza; *s.* indelicadeza, grosería, descortesía.
indelicado; *adj.* indelicado, desatento, inconveniente.
indene; *adj.* indemne.
indemnizar; *v.* indemnizar, compensar, resarcir.
independência; *s.* autonomía, independencia.
independente; *adj.* independiente, libre, autónomo.
indescritível; *adj.* indescriptible.
indesejável; *adj.* indeseable, inconveniente.
indestrutível; *adj.* indestructible, eterno, indeleble.
indeterminado; *adj.* indeterminado, impreciso, indefinido, vago.
indevido; *adj.* indebido.
indexação; *s.* catalogación.
indiano; *adj.* indiano.
indicador; *adj.* indicador, indicativo.
indicar; *v.* indicar, apuntar, denotar, mencionar, prefijar, recetar, señalar.
indicativo; *adj.* indicativo, indicación, señal.
índice; *s.* índice.
indício; *s.* indicio, indicación, señal, vestigio.
indiferença; *s.* indiferencia, apatía, desdén, desinterés.
indiferente; *adj.* indiferente, apático, desinteresado, insensible.
indígena; *adj.* indígena, autóctono.
indigência; *s.* indigencia, inopia, pobreza, carencia, miseria.
indigente; *adj.* indigente, pobre.
indigestão; *s.* indigestión, saciedad.
indigesto; *adj.* indigesto.
indignação; *s.* indignación, ira, enojo, desprecio.
indignar; *v.* indignar, encolerizar, enfadar, enojar.
indignidade; *s.* indignidad, ofensa, bajeza, vileza.
indigno; *adj.* indigno, vil, ruin, malo, despreciable.
índio; *adj.* indio.
indireto; *adj.* indirecto, alusivo.
indisciplina; *s.* indisciplina, desobediencia, insubordinación.
indisciplinado; *adj.* indisciplinado, rebelde, sublevado.
indiscreto; *adj.* indiscreto, curioso, liviano.
indiscrição; *s.* indiscreción.
indiscutível; *adj.* indiscutible, incontestable, innegable.
indispensável; *adj.* indispensable, imprescindible.
indispor; *v.* indisponer, indisponer, alterar ligeramente la salud.
indisposição; *s.* indisposición, quebranto ligero de salud, desavenencia.
indisposto; *adj.* indispuesto, algo enfermo, desavenido.
indistinto; *adj.* indistinto, vago, confuso.
individual; *adj.* individual, particular, singular.
individualista; *s.* individualista, ególatra.
individualizar; *v.* individualizar, personalizar.

indivíduo; *s.* individuo, criatura, hombre, persona.
indivisível; *adj.* indivisible, inseparable.
indizível; *adj.* indecible, inexplicable
indócil; *adj.* indócil, indomable, rebelde.
índole; *s.* índole, temperamento.
indolência; *s.* indolencia, apatía, pereza, negligencia, abulia.
indolente; *adj.* indolente, apático, ocioso, negligente, perezoso.
indolor; *adj.* indoloro.
indomável; *adj.* indomable, invencible.
indômito; *adj.* indómito, indomable.
indubitável; *adj.* indubitable, indudable.
indulgência; *s.* indulgencia, clemencia, tolerancia.
indultar; *v.* indultar, absolver, perdonar.
indulto; *s.* indulto, perdón, privilegio, dispensa.
indumentária; *s.* indumentaria, traje, vestuario.
indústria; *s.* industria.
industrial; *adj.* industrial.
industrioso; *adj.* industrioso, laborioso, habilidoso.
induzir; *v.* inducir, instigar.
inebriante; *adj.* embriagador.
inebriar; *v.* embriagar, entusiasmar, extasiar.
inédito; *adj.* inédito, no publicado.
inefável; *adj.* inefable, encantador.
ineficaz; *adj.* ineficaz, inútil.
ineficiente; *adj.* ineficaz.
inegável; *adj.* innegable.
inepto; *adj.* inepto, incapaz, necio, estúpido.
inequívoco; *adj.* inequívoco, claro.
inércia; *s.* inercia, flojedad, pereza.
inerente; *adj.* inherente, innato.
inerte; *adj.* inerte.
inescusável; *adj.* inexcusable.
inesgotável; *adj.* inagotable, copioso.
inesperado; *adj.* imprevisto, inesperado.
inesquecível; *adj.* inolvidable, memorable.
inestimável; *adj.* inestimable.
inevitável; *adj.* inevitable, fatal.
inexatidão; *s.* inexactitud.
inexato; *adj.* inexacto.
inexequível; *adj.* inasequible.
inexistência; *s.* inexistencia.
inexistente; *adj.* inexistente.
inexorável; *adj.* inexorable, implacable, inflexible.
inexperiência; *s.* inexperiencia, ingenuidad.
inexperiente; *adj.* inexperto, ingenuo, inocente.
inexplicável; *adj.* inexplicable.
inexpressivo; *adj.* inexpresivo.
inexprimível; *adj.* inexpresable, indecible, inefable.
inexpugnável; *adj.* inexpugnable, invencible.
infalível; *adj.* inevitable, infalible.
infamar; *v.* infamar.
infame; *adj.* infame, vil.
infâmia; *s.* infamia.
infância; *s.* infancia, niñez.
infante; *adj.* infante.
infantil; *adj.* infantil, pueril.
infarto; *s.* infarto.
infatigável; *adj.* infatigable.
infausto; *adj.* infausto, aciago, funesto.
infecção; *s.* infección, contaminación.
infeccionar; *v.* infeccionar, contaminar.
infeccioso; *adj.* infeccioso.
infectar; *v.* infectar, contagiar.
infecto; *adj.* infecto, pestilente.
infelicidade; *s.* infelicidad, adversidad, desgracia, desventura, infortunio.
infeliz; *adj.* infeliz, adverso, desafortunado, desdichado, desgraciado, miserable, triste.
inferior; *adj.* inferior, bajo, malo.

inferiorizar; *v.* rebajar.
inferir; *v.* inferir.
infernal; *adj.* infernal, endemoniado, diabólico.
inferno; *s.* infierno.
infestar; *v.* infestar, contaminar, asolar, destrozar.
infidelidade; *s.* infidelidad, alevosía.
infiel; *adj.* infiel, desleal.
infiltrar; *v.* infiltrar.
infiltração; *s.* infiltración.
ínfimo; *adj.* ínfimo.
infindável; *adj.* interminable.
infinidade; *adj.* infinidad.
infinito; *adj.* infinito, ilimitado, inagotable, inmenso, innumerable.
inflação; *s.* inflación.
inflamação; *s.* inflamación.
inflamar; *v.* inflamar, incendiar, abrasar.
inflamável; *adj.* inflamable.
inflar; *v.* hinchar, inflar.
inflexível; *adj.* inflexible, inexorable.
infligir; *v.* infligir.
influência; *s.* influencia, ascendencia, autoridad.
influente; *adj.* autoritario, influyente.
influir; *v.* influir, sugestionar.
influxo; *s.* influjo.
informação; *s.* información, comunicación, noticia, pesquisas, referencia.
informal; *adj.* informal.
informalidade; *s.* informalidad.
informar; *v.* informar, comunicar, enterar, notificar.
informativo; *adj.* informativo.
informe; *s.* informe, información, aviso, noticia.
informe; *adj.* informe, que no tiene forma.
infortúnio; *s.* infortunio, desdicha, fracaso, infelicidad.
infração; *s.* infracción, transgresión.
infra-estrutura; *s.* infraestructura.
infrator; *s.* infractor.
infringir; *v.* infringir, transgredir.
infundado; *adj.* infundado.
infundir; *v.* infundir, imbuir, radicar.
infusão; *s.* infusión.
infuso; *adj.* infuso.
ingenuidade; *s.* ingenuidad, inocencia.
ingênuo; *adj.* ingenuo, crédulo, inocente.
ingerência; *s.* injerencia, intromisión.
ingerir; *v.* ingerir, injerir, deglutir, beber, tragar.
ingestão; *s.* ingestión, deglución.
inglês; *adj.* inglés.
ingovernável; *adj.* ingobernable.
ingratidão; *s.* ingratitud.
ingrato; *adj.* ingrato, desagradecido.
ingrediente; *s.* ingrediente.
íngreme; *adj.* escarpado.
ingressar; *v.* ingresar, entrar, afiliar.
ingresso; *s.* ingreso, acceso, admisión, entrada.
inhame; *s.* ñame.
inibição; *adj.* inhibición.
inibir; *v.* inhibir.
iniciação; *s.* admisión, iniciación, preludio.
inicial; *adj.* inicial.
iniciar; *v.* iniciar, comenzar, empezar, principiar.
iniciativa; *s.* iniciativa, expediente, actividad.
início; *s.* inicio, comienzo.
iniludível; *adj.* ineludible.
inimaginável; *adj.* inimaginable.
inimigo; *adj.* enemigo, adversario, hostil.
inimizade; *s.* animosidad, enemistad.
inimizar; *v.* enemistar, indisponer.
ininteligível; *adj.* ininteligible.
ininterrupto; *adj.* ininterrumpido, incesante.
iniquidade; *s.* iniquidad, injusticia.
iníquo; *adj.* inicuo.
injeção; *s.* inyección.
injetar; *v.* inyectar.
injúria; *s.* injuria, afrenta, enojo, insulto, ofensa, ultraje.

injuriar; *v.* afrentar, injuriar, ofender, vituperar.
injurioso; *adj.* injurioso, ultrajante.
injustiça; *s.* injusticia.
injusto; *adj.* injusto, ilegítimo, inicuo.
inocência; *s.* inocencia.
inocentar; *v.* considerar inocente, disculpar.
inocente; *adj.* inocente, incauto, ingenuo, pueril, párvulo.
inocular; *v.* inocular.
inócuo; *adj.* inocuo, innocuo, inofensivo.
inodoro; *adj.* inodoro.
inofensivo; *adj.* inofensivo, anodino, inocuo.
inolvidável; *adj.* inolvidable.
inoperante; *adj.* inoperante.
inopinado; *adj.* inopinado.
inoportuno; *adj.* inoportuno, impropio, inconveniente, indebido, intempestivo.
inorgânico; *adj.* inorgánico.
inóspito; *adj.* inhospitalario.
inovação; *s.* innovación.
inovador; *adj.* innovador.
inovar; *v.* innovar.
inoxidável; *adj.* inoxidable.
inqualificável; *adj.* incalificable.
inquebrantável; *adj.* inquebrantable.
inquérito; *s.* inquisición, indagación, averiguación, interrogatorio.
inquietação; *s.* inquietud, alteración, impaciencia, intranquilidad.
inquietar; *v.* inquietar, acongojar, afligir, asustar, desasosegar, intranquilizar, preocupar.
inquieto; *adj.* inquieto, asustado, intranquilo, revuelto, travieso.
inquietude; *s.* inquietud, intranquilidad.
inquilino; *adj.* inquilino.
inquirir; *v.* inquirir, examinar, interrogar, pesquisar, preguntar.
inquisição; *s.* inquisición.
inquisidor; *s.* inquisidor.
insaciável; *adj.* insaciable.
insalivação; *s.* insalivación.
insalivar; *v.* insalivar.
insalubre; *adj.* insalubre, malsano.
insano; *adj.* insano, demente, furioso, loco, costoso, difícil.
insatisfação; *s.* insatisfacción.
insatisfeito; *adj.* insatisfecho, descontento.
inscrever; *v.* inscribir, catalogar, matricular.
inscrição; *s.* inscripción, epígrafe, letrero.
inscrito; *adj.* inscrito, registrado, matriculado.
inseguro; *adj.* inseguro, precario.
inseminação; *s.* inseminación.
inseminar; *v.* inseminar.
insensatez; *s.* insensatez, locura.
insensato; *adj.* insensato.
insensibilidade; *adj.* insensibilidad.
insensibilizar; *v.* insensibilizar.
insensível; *adj.* insensible, apático, empedernido.
inseparável; *adj.* inseparable.
inserção; *s.* inserción.
inserir; *v.* insertar, implantar, incluir, incrustar.
inservível; *adj.* inservible.
inseticida; *s.* insecticida.
inseto; *s.* insecto.
insídia; *s.* insidia, emboscada, traición, alevosía.
insigne; *adj.* insigne, célebre, famoso, extraordinario.
insígnia; *s.* insignia, emblema.
insignificância; *s.* insignificancia.
insignificante; *adj.* insignificante.
insinuação; *s.* insinuación.
insinuar; *v.* insinuar, sugerir.
insipidez; *s.* insipidez, desabrimiento.
insípido; *adj.* insípido, insulso, soso, insulso, monótono.
insistência; *s.* insistencia, persistencia, hincapié.
insistente; *adj.* insistente, persistente.
insistir; *v.* insistir, instar, persistir, obstinarse.

insociável; *adj.* insociable.
insofrível; *adj.* insufrible, intolerable.
insolação; *s.* insolación.
insolência; *s.* insolencia, descaro, atrevimiento.
insolente; *adj.* insolente, arrogante, descarado, petulante, atrevido.
insólito; *adj.* insólito.
insolúvel; *adj.* insoluble.
insolvência; *s.* insolvencia.
insolvente; *adj.* insolvente.
insondável; *adj.* insondable, inexplicable.
insônia; *s.* insomnio.
insosso; *adj.* insulso, soso.
inspeção; *s.* inspección.
inspecionar; *v.* inspeccionar, revistar, examinar.
inspetor; *adj.* inspector.
inspiração; *s.* inspiración.
inspirar; *v.* inspirar, sugerir, originar.
instalação; *s.* instalación.
instalar; *v.* instalar.
instância; *s.* instancia, solicitud.
instantâneo; *adj.* instantáneo, inmediato, momentáneo.
instante; *s.* instante, momento, urgente.
instar; *v.* instar, insistir, solicitar.
instauração; *s.* instauración.
instaurar; *v.* instaurar, inaugurar, fundar, establecer.
instável; *adj.* inestable, inseguro.
instigação; *s.* instigación.
instigar; *v.* instigar, incitar, inducir, tentar.
instilar; *v.* instilar, insinuar.
instintivo; *adj.* instintivo.
instinto; *s.* instinto.
institucional; *adj.* institucional, reglamentario.
instituição; *s.* institución.
instituir; *v.* instituir, reglamentar.
instituto; *s.* instituto.
instrução; *s.* educación, instrucción.
instruído; *adj.* instruido, ilustrado, culto.
instruir; *v.* instruir, educar, enseñar, informar, documentar.
instrumental; *adj.* instrumental, que sirve de instrumento.
instrumental; *s.* instrumental, conjunto de instrumentos de una orquesta.
instrumentar; *v.* instrumentar.
instrumento; *s.* instrumento.
instrutivo; *adj.* instructivo, educativo, edificante.
instrutor; *s.* instructor.
insubordinação; *s.* insubordinación.
insubordinado; *adj.* insubordinado,
insubordinar; *v.* insubordinar.
insubstituível; *adj.* insustituible.
insuficiência; *s.* insuficiencia.
insuficiente; *adj.* insuficiente, incapaz, incompetente.
insuflar; *v.* insuflar.
insulina; *s.* insulina.
insulso; *adj.* insulso.
insultar; *v.* insultar, afrentar, injuriar.
insulto; *s.* insulto, afrenta, ofensa, injuria, ultraje.
insuperável; *adj.* insuperable.
insuportável; *adj.* insoportable, imposible, inaguantable.
insurgente; *adj.* insurgente.
insurgir; *v.* insurgir, sublevar, revolucionar.
insurreição; *s.* insurrección, rebelión.
insurreto; *adj.* insurrecto.
insustentável; *adj.* insustentable.
intacto; *adj.* intacto.
intangível; *adj.* intangible.
íntegra; *s.* íntegra, íntegro, totalmente.
integração; *s.* integración.
integral; *adj.* integral, entero, completo.
integrar; *v.* integrar, completar.
integridade; *s.* integridad, austeridad, honradez.

íntegro; *adj.* íntegro.
inteirar; *v.* enterar.
inteiro; *adj.* entero, completo, intacto, integral, pleno.
intelecto; *s.* intelecto.
intelectual; *adj.* intelectual.
inteligência; *s.* inteligencia.
inteligente; *adj.* inteligente.
inteligível; *adj.* inteligible, claro.
intempérie; *s.* intemperie.
intempestivo; *adj.* intempestivo.
intenção; *s.* intención, propósito, proyecto, voluntad.
intencionado; *adj.* intencionado.
intendente; *s.* intendente.
intensidade; *s.* intensidad.
intensificar; *v.* intensificar.
intensivo; *adj.* intensivo.
intenso; *adj.* intenso, intensivo, ardoroso.
intentar; *v.* intentar.
interação; *s.* interacción.
intercalar; *v.* intercalar, interpolar, involucrar.
intercâmbio; *s.* intercambio, permuta.
interceder; *v.* interceder.
interceptar; *v.* interceptar, atajar, interrumpir.
interdição; *s.* interdicción, prohibición.
interditado; *adj.* interdicto, vedado.
interditar; *v.* vedar.
interdito; *adj.* interdicto.
interessado; *adj.* interesado.
interessante; *adj.* interesante, simpático, curioso.
interessar; *v.* interesar, importar, agradar.
interesse; *s.* interés, ganancia, ventaja, importancia, simpatía.
interferência; *s.* interferencia.
interferir; *v.* interferir.
interino; *adj.* interino, provisional, temporero.
interior; *adj.* interior.
interjeição; *s.* interjección.
interlocutor; *s.* interlocutor.
interlúdio; *s.* interludio.
intermediar; *v.* interceder, intermediar, mediar.
intermediário; *adj.* intermediario.
intermédio; *adj.* intermedio.
intermédio; *s.* intermedio, medianero.
interminável; *adj.* interminable.
intermitência; *s.* intervalo.
internacional; *adj.* internacional.
internado; *adj.* internado.
internar; *v.* internar.
internato; *s.* pensionado.
interno; *adj.* interior, interno, íntimo.
interno; *s.* interno.
interpelar; *v.* interpelar.
interplanetário; *adj.* interplanetario.
interpolar; *v.* interpolar.
interpor; *v.* intercalar, interponer.
interpretação; *s.* interpretación, desempeño, traducción, versión.
interpretar; *v.* interpretar, descifrar, entender, explicar.
intérprete; *s.* intérprete, traductor.
interrogação; *s.* interrogación, pregunta.
interrogar; *v.* interrogar, preguntar, examinar, interpelar.
interrogatório; *s.* interrogatorio.
interromper; *v.* interrumpir.
interrupção; *s.* interrupción.
interruptor; *s.* interruptor, conmutador, disyuntor.
intersecção; *s.* intersección.
intertropical; *adj.* intertropical.
interurbano; *adj.* interurbano.
intervalo; *s.* intervalo, discontinuidad.
intervenção; *s.* intervención, injerencia, operación.
interventor; *adj.* interventor.
intervir; *v.* intervenir, interceder, interferir, intermediar, interponer.
intestino; *s.* intestino, tripa.
intimação; *s.* intimación.
intimar; *v.* intimar, notificar.

intimidade; *s.* intimidad.
intimidado; *adj.* asustado.
intimidar; *v.* intimidar, amenazar, amilanar, asustar.
íntimo; *adj.* íntimo, interior, interno, particular.
intocável; *adj.* intocable.
intolerância; *s.* intolerancia.
intolerante; *adj.* intolerante, intransigente.
intolerável; *adj.* intolerable, inaguantable, insoportable.
intoxicação; *s.* intoxicación.
intoxicar; *v.* intoxicar.
intraduzível; *adj.* intraducible.
intranquilidade; *s.* intranquilidad.
intranquilizar; *v.* intranquilizar.
intranquilo; *adj.* intranquilo.
intransferível; *adj.* intransferible.
intransigente; *adj.* intransigente.
intransitável; *adj.* intransitable.
intransitivo; *adj.* intransitivo.
intratável; *adj.* intratable.
intrepidez; *s.* intrepidez.
intrépido; *adj.* intrépido.
intriga; *s.* chisme, complot, intriga.
intrigante; *adj.* intrigante.
intrigar; *v.* intrigar, tramar.
intrincado; *adj.* intrincado, revuelto.
intrínseco; *adj.* intrínseco.
introdução; *s.* introducción, entrada, iniciación, inserción, preludio.
introduzir; *v.* introducir, entrar, meterse.
intrometer; *v.* entrometer, entremeter, inmiscuirse.
intrometido; *adj.* entrometido, intruso, metido.
intromissão; *s.* intromisión, introducción.
introspectivo; *adj.* introspectivo, introvertido.
introversão; *s.* introversión.
introvertido; *adj.* introspectivo, introvertido.
intrusão; *s.* intrusión.
intruso; *adj.* intruso.
intuição; *s.* intuición.
intuir; *v.* intuir.
inumação; *s.* inhumación.
inumar; *v.* inhumar.
inumerável; *adj.* incontable, innumerable.
inundação; *s.* aluvión, avenida, inundación, riada.
inundar; *v.* anegar, inundar.
inusitado; *adj.* inusitado.
inútil; *adj.* inútil, baldío, estéril, ineficaz, inservible, vano.
inutilidade; *s.* inutilidad, ineficacia, insignificancia.
inutilizar; *v.* inutilizar, invalidar.
invadir; *v.* invadir, acometer, entrar, irrumpir, penetrar.
invalidar; *v.* invalidar, anular, inutilizar.
inválido; *adj.* inválido, lisiado, minusválido.
invariável; *adj.* inalterable, invariable.
invasão; *s.* invasión.
invasor; *s.* invasor.
invectiva; *s.* invectiva.
inveja; *s.* envidia.
invejar; *v.* envidiar.
invenção; *s.* invención, creación, ficción, invento.
invencível; *adj.* invencible, insuperable, invicto.
inventar; *v.* inventar, concebir, fantasear, hallar, idear, fabricar.
inventário; *s.* catálogo, inventario.
inventiva; *s.* inventiva.
inventivo; *adj.* inventivo, creador, inventor, ingenioso.
invento; *s.* invento, descubrimiento.
inventor; *s.* creador, inventor.
invernada; *s.* invernada.
invernar; *v.* invernar.
inverno; *s.* invierno.
inverossímil; *adj.* inverosímil.

inversão; *s.* inversión.
inverso; *adj.* inverso.
invertebrado; *adj.* invertebrado.
inverter; *v.* invertir.
invés; *s.* envés.
investida; *s.* embestida, asalto, ataque.
investigação; *s.* investigación, averiguación, exploración, indagación.
investigar; *v.* investigar, averiguar, examinar, explorar, inquirir, procurar.
investir; *v.* investir, arremeter, avanzar.
inveterado; *adj.* inveterado.
invicto; *adj.* invicto.
inviolável; *adj.* inviolable.
invisível; *adj.* invisible.
invocar; *v.* apelar, invocar, llamar.
invólucro; *s.* envoltorio, envase, funda.
invulnerável; *adj.* invulnerable.
iodado; *adj.* yodado.
iodo; *s.* yodo.
ioga; *s.* yoga.
iogurte; *s.* yogur.
ir; *v.* andar, ir.
ira; *s.* ira, cólera, furia, furor, indignación, saña.
iracundo; *adj.* iracundo, colérico.
irar; *v.* airar, irritar, indignar.
íris; *s.* iris.
irisar; *v.* irisar.
irlandês; *adj.* irlandés.
irmã; *s.* hermana.
irmanar; *v.* hermanar.
irmandade; *s.* fraternidad, hermandad.
irmão; *s.* hermano.
ironia; *adj.* ironía.
irônico; *adj.* irónico, mordaz, sarcástico.
irracional; *adj.* irracional.
irradiação; *s.* radiación.
irradiar; *v.* irradiar, radiar.
irreal; *adj.* irreal, abstracto, imaginario.
irreconciliável; *adj.* irreconciliable.
irrecusável; *adj.* irrecusable.
irredutível; *adj.* irreductible.
irreduzível; *adj.* irreductible.
irreflexivo; *adj.* irreflexivo.
irrefutável; *adj.* irrefutable, incontestable, irrebatible.
irregular; *adj.* irregular.
irremediável; *adj.* irremediable, irreparable.
irreparável; *adj.* irreparable.
irrepreensível; *adj.* irreprensible.
irresistível; *adj.* irresistible.
irresolução; *s.* irresolución.
irresoluto; *adj.* irresoluto, indeciso, indeterminado.
irresolúvel; *adj.* insoluble, sin solución.
irrespeituoso; *adj.* irrespetuoso, irreverente.
irrespirável; *adj.* irrespirable, mortífero, venenoso.
irresponsável; *adj.* irresponsable.
irreverência; *s.* irreverencia.
irrevocável; *adj.* irrevocable, definitivo.
irrevogável; *adj.* irrevocable, definitivo.
irrigação; *s.* irrigación.
irrisório; *adj.* irrisorio.
irritação; *s.* irritación, alteración.
irritado; *adj.* airado, impaciente, rabioso.
irritar; *v.* irritar, agraviar, airar, encolerizar, enfadar.
irromper; *v.* irrumpir, surgir, nacer, brotar.
irrupção; *s.* irrupción, invasión.
isca; *s.* cebo, yesca.
isenção; *s.* exención, imparcialidad.
isentar; *v.* exentar, exceptuar, eximir.
isento; *adj.* exento, inmune.
islâmico; *adj.* islámico.
islamismo; *s.* islamismo.
islandês; *adj.* islandés.
isolacionismo; *s.* aislacionismo.
isolado; *adj.* aislado, retirado, solo.
isolador; *adj.* aislador.

isolante; *s.* aislante.
isolar; *v.* aislar, separar, recluir.
isqueiro; *s.* mechero, encendedor.
israelita; *adj.* hebreo, israelí.
isso; *pron.* eso.
istmo; *s.* istmo.
isto; *pron.* esto.
italiano; *adj.* italiano.
itálico; *s.* itálico, bastardilla, letra cursiva.
itinerário; *s.* itinerario, recorrido, ruta.

J

j; *s.* décima letra del abecedario portugués.
já; *adv.* ya.
jabuticaba; *s.* designación del fruto del arbol llamado jabuticabeira.
jaca; *s.* fruto de un árbol llamado jaqueira.
jacarandá; *s.* jacarandá, árbol de preciosa madera.
jacaré; *s.* yacaré, jacaré, caimán.
jacinto; *s.* jacinto.
jacobino; *adj.* jacobino.
jactância; *s.* jactancia, ostentación, vanidad.
jactancioso; *adj.* jactancioso.
jactar-se; *v.* jactarse, vanagloriarse.
jacto; *s.* tiro, lanzamiento, salida impetuosa, golpe.
jaculatória; *s.* jaculatoria.
jade; *s.* jade.
jaez; *s.* jaez.
jaguar; *s.* jaguar, yaguar.
jaleco; *s.* chaleco, jaleco.
jamaicano; *adj.* jamaicano.
jamais; *adv.* jamás, nunca.
jamba; *s.* jamba.
jambeiro; *s.* yambo.
janeiro; *s.* enero.
janela; *s.* ventana.
jangada; *s.* armadía, balsa, barca.
jantar; *s.* cena, yantar, ágape.
jantar; *v.* cenar, comer.
japonês; *adj.* japonés.
jaqueta; *s.* americana, chaqueta.
jaquetão; *s.* americana, chaquetón.
jarda; *s.* yarda.
jardim; *s.* jardín.
jardim-de-infância; *s.* parvulario.
jardinagem; *s.* jardinería.
jardineiro; *s.* jardinero.
jargão; *s.* argot, jerga.
jarra; *s.* botija, jarra.
jarro; *s.* bocal, jarro.
jasmim; *s.* jazmín.
jaspe; *s.* jaspe.
jaula; *s.* jaula.
javali; *s.* jabalí.
javanês; *adj.* javanés.
jazer; *v.* yacer.
jazida; *s.* yacija.
jazigo; *s.* yacija, panteón, sepulcro, sepultura, yacimiento.
jeito; *s.* manera, modo, habilidad, aptitud, costumbre.
jeitoso; *adj.* hábil, diestro, bien parecido, armonioso, bien hecho.
jejuar; *v.* ayunar.
jejum; *s.* ayuno.
jesuíta; *adj.* jesuita.
jibóia; *s.* boa.
joalheiro; *s.* joyero.
joalheria; *s.* joyería.
joanete; *s.* juanete.
joaninha; *s.* mariquita.
jocoso; *adj.* burlesco, jocoso.
joelho; *s.* rodilla.
jogada; *s.* jugada.
jogador; *adj.* jugador.

jogar; *v.* jugar.
jogo; *s.* juego.
jogral; *s.* trovador.
jóia; *s.* alhaja, joya.
joio; *s.* joyo, cizaña.
jornada; *s.* jornada.
jornal; *s.* salario, jornal, periódico, diario.
jornaleiro; *s.* jornalero, individuo que trabaja a jornal, vendedor de periódicos.
jornalismo; *s.* periodismo.
jornalista; *s.* periodista, reportero.
jorrar; *v.* chorrear.
jorro; *s.* chorro.
jovem; *adj.* joven, mancebo, mozo.
jovial; *adj.* jovial, juguetón, risueño.
jovialidade; *s.* jovialidad.
juba; *s.* guedeja, melena.
jubilar; *v.* llenar de júbilo, alegrar.
jubileu; *s.* jubileo.
júbilo; *s.* júbilo, regocijo, contentamiento.
jubiloso; *adj.* jubiloso.
judaico; *adj.* judaico, hebraico.
judaísmo; *s.* judaísmo.
judeu; *adj.* hebreo, israelí, judío.
judiaria; *s.* judería.
judicatura; *s.* judicatura.
judicial; *adj.* judicial.
judiciário; *adj.* judiciario, judicial, forense.
judô; *s.* yudo.
jugo; *s.* yugo.
jugular; *adj.* yugular.
juiz; *s.* juez, magistrado, árbitro.
juízo; *s.* juicio, juzgado, opinión, parecer, cordura, sensatez, tino.
julgado; *adj.* juzgado.
julgamento; *s.* juicio, sentencia, examen.
julgar; *v.* juzgar, apreciar, arbitrar, criticar, enjuiciar, inferir, laudar.
julho; *s.* julio.
jumento; *s.* borrico, burro, jumento.
junção; *s.* juntura.
juncar; *v.* cubrir de juncos.
junco; *s.* caña, junco.
junho; *s.* junio.
junta; *s.* junta, reunión, asamblea, articulación de un hueso, yunta de bestias.
juntar; *v.* juntar, reunir, acumular.
junto; *adj.* junto, próximo, unido.
junto; *adv.* al lado, juntamente.
juntura; *s.* juntura.
jura; *s.* jura, juramento.
jurado; *s.* jurado.
juramentar; *v.* juramentar.
juramento; *s.* jura, juramento.
jurar; *v.* jurar.
júri; *s.* jurado, tribunal.
jurídico; *adj.* jurídico.
jurisdição; *s.* jurisdicción.
jurisprudência; *s.* jurisprudencia.
jurista; *s.* jurista, legista.
juro; *s.* beneficio, interés, lucro, ganancia.
jururu; *s.* triste, melancólico, nostálgico, meditabundo.
justapor; *v.* yuxtaponer.
justaposição; *s.* yuxtaposición.
justiça; *s.* justicia.
justiçado; *adj.* ajusticiado.
justiçar; *v.* ajusticiar.
justiceiro; *s.* justiciero.
justificação; *s.* justificación.
justificar; *v.* justificar, probar, sincerar.
justo; *adj.* justo, lícito, razonable.
juta; *s.* yute.
juvenil; *adj.* juvenil.
juventude; *s.* juventud, mocedad.

K

k; *s.* fue la undécima letra del abecedario portugués, hoy proscrita de todas las palabras portuguesas.

kantismo; *s.* kantismo.

kirie; *s.* kirie.

km; *s.* kilómetro.

L

l; *s.* undécima letra del abecedario portugués.
lá; *adv.* allá.
lã; *s.* lana.
labareda; *s.* llama, llamarada.
lábaro; *s.* lábaro.
lábia; *s.* labia, maña, astucia.
labial; *adj.* labial.
lábio; *s.* labio.
labirinto; *s.* laberinto.
labor; *s.* labor.
laboratório; *s.* laboratorio, oficina.
laborioso; *adj.* laborioso, trabajador.
labrego; *s.* labriego, rústico, palurdo, campesino, grosero.
labuta; *s.* tráfago, faenas, faena penosa.
laca; *s.* laca, barniz.
laçada; *s.* lazada, nudo corredizo.
lacaio; *s.* lacayo.
laçar; *v.* lazar.
laçarote; *s.* lazo grande y vistoso.
lacerar; *v.* lacerar, rasgar.
laço; *s.* lazo, nudo, presilla.
lacônico; *adj.* lacónico, breve, resumido.
lacrar; *v.* lacrar.
lacrau; *s.* alacrán.
lacre; *s.* lacre.
lacrimal; *adj.* lacrimal.
lacrimejar; *v.* lacrimar, lagrimear.
lacrimogêneo; *adj.* lacrimógeno.
lacrimoso; *adj.* lacrimoso, lagrimoso.
lactação; *s.* lactación, lactancia.
lactante; *adj.* lactante.
lactar; *v.* lactar, amamantar.
lácteo; *adj.* lácteo, lechero, lechoso.
lactose; *s.* lactose.
lacuna; *s.* laguna, hueco, vacío, omisión.
lacustre; *adj.* lacustre.
ladainha; *s.* letanía.
ladeira; *s.* ladera, bajada, costanera, cuesta, escarpa, pendiente, rampa, subida, vertiente.
ladino; *adj.* ladino, astuto, taimado, sagaz.
lado; *s.* lado.
ladrão; *s.* ladrón, bandido, bandolero.
ladrar; *v.* ladrar.
ladrilhar; *v.* embaldosar, enladrillar, solar.
ladrilho; *s.* azulejo, baldosa.
lagar; *s.* lagar.
lagarta; *s.* lagarta, oruga.
lagartixa; *s.* lagartija.
lagarto; *s.* lagarto.
lago; *s.* lago.
lagoa; *s.* laguna, lago pequeño, charco.
lagosta; *s.* langosta.
lagostim; *s.* langostino.
lágrima; *s.* lágrima.
laguna; *s.* laguna, atolón.
laico; *adj.* laico, lego.
laje; *s.* losa, laja, piedra plana.
lajear; *v.* enlosar, solar.

lama; *s.* lama, barro, cieno, fango, lodo.
lama; *s.* llama, sacerdote budista.
lama; *s.* llama, alpaca.
lamaçal; *s.* barrizal, cenagal, lodazal.
lamacento; *adj.* cenagoso.
lamaísmo; *s.* lamaísmo.
lambada; *s.* bofetada, porrazo, paliza, tunda, soba, trancazo.
lambança; *s.* cosa que se puede comer o lamer, golosina, chuchería.
lamber; *v.* lamer, relamer.
lambiscar; *v.* pellizcar, comer a migajas.
lambugem; *s.* escamocho, glotonería, pequeño lucro para atraer propina, gratificación.
lambuzar; *v.* emporcar, ensuciar, pringar.
lameiro; *s.* cenagal.
lamentar; *v.* lamentar, deplorar, gemir, llorar.
lamentável; *adj.* lamentable, deplorable, doloroso, lastimoso.
lamento; *s.* lamento, lástima, queja.
lamentoso; *adj.* lamentoso, triste, lamentable, deplorable.
lâmina; *s.* lámina, chapa, hoja, placa, plancha, tabla.
laminado; *adj.* laminado.
laminar; *v.* laminar.
lâmpada; *s.* lámpara.
lampadário; *s.* candelabro grande.
lamparina; *s.* lamparilla.
lampejar; *v.* centellar, relampaguear.
lampejo; *s.* centelleo, relámpago.
lampião; *s.* lampión, linterna.
lampinho; *adj.* lampiño.
lamúria; *s.* queja, lamentación, plañido, lloriqueo.
lamuriante; *adj.* lamentoso, quejumbroso.
lança; *s.* lanza, asta, pica.
lança-chamas; *s.* lanzallamas.
lançamento; *s.* lanzamiento.
lançar; *v.* lanzar, arrojar, botar, despedir, echar, emitir, proyectar.
lance; *s.* lance.
lancear; *v.* lancear, dar lanzad.
lanceiro; *s.* lancero.
lanceta; *s.* lanceta.
lancha; *s.* lancha.
lanchar; *v.* merendar.
lanche; *s.* merienda.
lanchonete; *s.* donde se sirve comidas ligeras en la barra.
landa; *s.* landa.
languidez; *s.* languidez.
lânguido; *adj.* lánguido, mustio.
lanifício; *s.* lanificio.
lanolina; *s.* lanolina.
lanoso; *adj.* lanudo, lanoso.
lantejoula; *s.* lentejuela.
lanterna; *s.* farol, linterna.
lanudo; *adj.* lanudo.
lapa; *s.* piedra, gruta, cueva.
lapela; *s.* solapa.
lapidar; *v.* apedrear, lapidar.
lapidário; *adj.* lapidario.
lápide; *s.* lápida.
lápis; *s.* lápiz.
lapiseira; *s.* lapicero.
lápis-lazúli; *s.* lapislázuli.
lapso; *s.* lapso.
laquê; *s.* laca.
laquear; *v.* laquear, cubrir con laca.
laqueado; *adj.* laqueado.
lar; *s.* lar, hogar.
laranja; *s.* naranja.
laranjada; *s.* naranjada.
laranjeira; *s.* naranjo.
lardo; *s.* lardo, tiras de tocino.
lareira; *s.* chimenea, hogar, lar.
larga; *s.* larga, largueza, libertad, holgura.
largar; *v.* largar, desasir, dejar, aflojar, partir, zarpar.
largo; *adj.* ancho, lato.
largo; *s.* plazoleta.
largueza; *adj.* holgado.
largueza; *s.* largueza.
largura; *s.* anchura, holgura, largueza, latitud.
laringe; *s.* laringe.
laringite; *s.* laringitis.

larva; *s.* larva.
lasanha; *s.* pasta para sopa.
lasca; *s.* astilla, lasca, raja.
lascar; *v.* desportillar, rajar, astillarse.
lascívia; *s.* lascivia, lujuria.
lascivo; *adj.* lascivo, libidinoso.
laser; *s.* láser.
lasso; *adj.* laso, cansado, exhausto, flojo, gastado.
lástima; *s.* lástima.
lastimar; *v.* lastimar, deplorar, lamentar, tener pena.
lastimável; *adj.* lastimoso, deplorable, lamentable.
lastro; *s.* lastre.
lata; *s.* lata, envase, hojalata.
latão; *s.* latón.
látego; *s.* látigo, zurriago.
latejar; *v.* latir, palpitar, pulsar.
latente; *adj.* latente.
lateral; *adj.* lateral.
látex; *s.* látex.
latido; *s.* ladrido.
latifundiário; *s.* terrateniente.
latifúndio; *s.* latifundio.
latim; *s.* latín.
latinidade; *s.* latinidad.
latinizar; *v.* latinizar.
latino; *adj.* latino.
latir; *v.* ladrar.
latitude; *s.* latitud.
lato; *adj.* lato, dilatado, amplio, extenso.
latrina; *s.* casilla, letrina, retrete.
latrocínio; *s.* latrocinio.
lauda; *s.* página de un libro.
láudano; *s.* láudano.
laudatório; *adj.* laudatorio.
laudo; *s.* laudo.
laureado; *adj.* laureado, galardonado.
laurear; *v.* laurear.
lava; *s.* lava.
lavabo; *s.* lavabo.
lavadeira; *s.* lavandera, mujer que lava, lavadora, máquina para lavar.
lavagem; *s.* lavadura, lavamiento, lavado, lavaje, clister, enema.
lava-louça; *s.* lavavajillas.
lavanda; *s.* espliego.
lavanderia; *s.* lavandería.
lavar; *v.* lavar.
lavatório; *s.* lavabo, lavamanos, lavatorio.
lavável; *adj.* lavable.
lavoura; *s.* labranza, labor, labrado.
lavra; *s.* arada, labor, cultivo, laboreo de minas.
lavrador; *s.* agricultor, labrador.
lavrar; *v.* arar, labrar, cincelar, bordar, cultivar.
laxante; *adj.* laxante.
lazarento; *adj.* lazarino, leproso.
lazareto; *s.* lazareto.
lazer; *s.* ocio.
leal; *adj.* fiel, leal.
lealdade; *s.* fidelidad, lealtad.
leão; *s.* león.
lebre; *s.* liebre.
lecionar; *v.* aleccionar.
legação; *s.* legación.
legado; *s.* legado, herencia, dádiva.
legal; *adj.* legal, lícito, válido.
legalidade; *s.* legalidad.
legalizar; *v.* legalizar, autenticar, validar.
legar; *v.* legar, transmitir por testamento.
legenda; *s.* leyenda.
legendário; *adj.* legendario.
legião; *s.* legión.
legionário; *adj.* legionario.
legislação; *s.* legislación.
legislador; *adj.* legislador.
legislar; *v.* legislar.
legislatura; *s.* legislatura.
legista; *s.* legista.
legítima; *s.* legítima.
legitimar; *v.* legitimar, validar, formalizar, legalizar.
legitimidade; *s.* legitimidad, autenticidad, validación, validez.
legítimo; *adj.* legítimo, auténtico, válido.
legível; *adj.* legible, leíble.
légua; *s.* legua.

legume; *s.* legumbre.
leguminoso; *adj.* leguminoso.
lei; *s.* ley.
leigo; *adj.* lego, laico, profano.
leilão; *s.* subasta, almoneda.
leiloar; *v.* subastar.
leitão; *s.* lechón.
leite; *s.* leche.
leiteiro; *s.* lechero.
leiteria; *s.* lechería.
leito; *s.* cama, lecho.
leitor; *adj.* lector.
leitoso; *adj.* lechoso, lácteo.
leitura; *s.* lectura.
lema; *s.* lema, divisa.
lembrança; *s.* recuerdo, memoria, reminiscencia.
lembranças; *s.* recuerdos, saludos, cumplidos.
lembrar; *v.* acordar, conmemorar, celebrar, venir a la memoria.
lembrete; *s.* membrete.
leme; *s.* timón.
lenço; *s.* pañuelo, pañoleta.
lençol; *s.* sábana.
lenda; *s.* leyenda.
lêndea; *s.* liendre.
lenha; *s.* leña.
lenhador; *s.* leñador.
lenho; *s.* leño, madero.
lenhoso; *adj.* leñoso.
lenitivo; *adj.* lenitivo.
lenocínio; *s.* lenocinio.
lente; *s.* lente.
lentidão; *s.* lentitud, tardanza.
lentilha; *s.* lenteja.
lento; *adj.* lento, lerdo, moroso, paulatino, remolón.
leonino; *adj.* leonino.
leopardo; *s.* leopardo.
lépido; *adj.* risueño, alegre, ágil.
lepra; *s.* lepra.
leprosário; *s.* leprosería.
leproso; *adj.* leproso.
leque; *s.* abanico.
ler; *v.* leer.
lerdo; *adj.* lento, lerdo.
lesão; *s.* lesión, traumatismo.
lesar; *v.* lesionar, lisiar, ofender.
lesbianismo; *s.* lesbianismo.
lésbica; *adj.* lesbiana.
lesma; *s.* lesma, babosa, persona indolente.
leste; *s.* este, levante, naciente, oriente.
letal; *adj.* letal.
letania; *s.* letanía.
letargia; *s.* letargo, sopor, apatía.
letárgico; *adj.* letárgico.
letificar; *v.* letificar, alegrar, regocijar.
letivo; *adj.* lectivo.
letra; *s.* letra.
letrado; *adj.* letrado.
letreiro; *s.* letrero, rótulo, título.
léu; *s.* vagabundeo, ocio.
leucemia; *s.* leucemia.
leucócito; *s.* leucocito.
leva; *s.* leva.
levadiço; *adj.* levadizo.
levado; *adj.* travieso.
levantamento; *s.* levantamiento.
levantar; *v.* levantar, alzar, erguir, izar, subir, suscitar.
levante; *s.* levante, naciente, este, leste, oriente.
levantino; *adj.* levantino, levantisco.
levar; *v.* llevar, conducir, pasar, portear, regir, transportar.
leve; *adj.* leve, liviano, suave.
levedar; *v.* leudar.
lêvedo; *s.* leudo, fermento.
levedura; *s.* levadura.
leveza; *s.* ligereza, liviandad.
leviandade; *s.* liviandad, fútilidad, veleidad.
leviano; *adj.* liviano, fútil, insensato.
levitação; *s.* levitación.
levitar; *v.* levantar.
léxico; *s.* léxico, vocabulario.
lexicografia; *s.* lexicografía.
lexicologia; *s.* lexicología.
lhama; *s.* llama.
lhano; *adj.* llano, sincero, franco.
lhe; *pron.* le, a él, a ella.

libanês; *adj.* libanés.
libar; *v.* libar, beber.
libelo; *s.* libelo.
libélula; *s.* libélula.
liberação; *s.* liberación.
liberal; *adj.* liberal.
liberalidade; *s.* liberalidad.
liberalismo; *s.* liberalismo.
liberalizar; *v.* liberalizar.
liberar; *v.* liberar, volver libre, saldar una deuda.
liberdade; *s.* libertad.
libertação; *s.* liberación.
libertar; *v.* libertar, emancipar, franquear, liberar, soltar.
libertinagem; *s.* libertinaje.
libertino; *adj.* libertino, licencioso.
libidinoso; *adj.* libidinoso, lascivo, lujurioso.
libido; *s.* libido.
líbio; *adj.* libio.
libra; *s.* libra.
libré; *s.* librea.
liça; *s.* liza.
lição; *s.* lección.
licença; *s.* licencia, autorización, pase, permiso, venia.
licenciado; *adj.* licenciado.
licenciar; *v.* licenciar.
licenciatura; *s.* licenciatura.
licenciosidade; *s.* libertinaje.
licencioso; *adj.* licencioso, libertino.
liceu; *s.* liceo.
licitação; *s.* licitación.
licitar; *v.* licitar.
lícito; *adj.* lícito.
licor; *s.* licor.
licoreira; *s.* licorera.
lida; *s.* lid.
lidar; *v.* lidiar, trajinar.
lide; *s.* lid, lidia, trabajo, lucha, litigio.
líder; *s.* guía, líder.
liderança; *s.* liderato, liderazgo.
liderar; *v.* liderar, guiar, encabezar.
liga; *s.* liga, alianza, coalición, mezcla, fusión.
ligação; *s.* ligación, unión, mezcla, juntura, relación, amistad.
ligadura; *s.* ligadura.
ligamento; *s.* ligadura, ligamento.
ligar; *v.* ligar, unir, juntar, atar, vincular, reunir atención.
ligeireza; *s.* ligereza.
ligeiro; *adj.* ligero, liviano, rápido, suelto, veloz, ágil.
lilás; *s.* lila.
lima; *s.* lima, escofina.
lima; *s.* lima, fruto del limero.
limão; *s.* limón, fruto del limonero.
limar; *v.* limar, desgastar con lima, desbastar.
limbo; *s.* limbo.
limiar; *s.* liminar, umbral, entrada.
limitação; *s.* limitación, restricción.
limitado; *adj.* limitado, escaso, poco.
limitar; *v.* limitar, balizar, coartar, colindar, jalonar, racionar, restringir.
limite; *s.* límite, confín, linde, frontera, fin, término.
limítrofe; *adj.* limítrofe, lindero, aledaño.
limo; *s.* limo, musgo.
limoeiro; *adj.* limonero.
limonada; *s.* limonada.
limpador; *adj.* limpiador.
limpar; *v.* limpiar, asear, lavar, depurar, fregar, mondar, purgar, sanear.
limpeza; *s.* limpieza, aseo, higiene.
limpidez; *s.* limpidez, nitidez.
límpido; *adj.* límpido, nítido, limpio.
limpo; *adj.* limpio, límpido, aseado, higiénico, puro, claro, sereno.
lince; *s.* lince.
linchamento; *s.* linchamiento.
linchar; *v.* linchar.
lindeza; *s.* lindeza, hermosura, belleza.
lindo; *adj.* lindo, bello, bonito.
lineamento; *s.* lineamiento.
linear; *adj.* linear.

linfa; *s.* linfa.
linfático; *adj.* linfático.
lingote; *s.* lingote.
língua; *s.* lengua, habla, idioma, lenguaje.
linguado; *s.* lenguado.
linguagem; *s.* lenguaje, lengua.
lingueta; *s.* lengüeta.
linguiça; *s.* longaniza.
linguística; *s.* lingüística.
linha; *s.* línea, hilo.
linhaça; *s.* linaza.
linhagem; *s.* linaje, alcurnia, ascendencia, descendencia, estirpe.
linho; *s.* lino.
linimento; *s.* linimento.
linóleo; *s.* linóleo.
linotipista; *s.* linotipista.
linotipo; *s.* linotipia.
lipotimia; *s.* lipotimia.
liquefazer; *v.* fundir, derretir, licuar, licuefacer.
liquefeito; *adj.* licuefacto, liquefacto.
líquen; *s.* liquen.
liquidação; *s.* liquidación, saldo.
liquidar; *v.* liquidar, extinguir, saldar.
liquidez; *s.* liquidez.
liquidificador; *s.* licuadora.
liquidificar; *v.* licuar.
líquido; *s.* agua, líquido.
líquido; *adj.* líquido, que corre.
lira; *s.* lira, instrumento musical.
lírico; *adj.* lírico.
lírio; *s.* lirio, lis, azucena.
lirismo; *s.* lirismo.
liso; *adj.* liso, plano, raso, suave.
lisonja; *s.* lisonja, adulación, halago.
lisonjeador; *adj.* lisonjeador, lisonjero, pelotillero, adulón.
lisonjear; *v.* adular, lisonjear.
lista; *s.* lista, relación, rol.
listado; *adj.* listado.
listel; *s.* listón.
listra; *s.* lista, raya, faja estrecha.
listrado; *adj.* listado.
lisura; *s.* lisura, sinceridad, llaneza.
liteira; *s.* litera, andas.
literal; *adj.* literal.
literário; *adj.* literario.
literato; *s.* literato, autor, escritor.
literatura; *s.* literatura.
litigante; *adj.* litigante.
litigar; *v.* litigar.
litígio; *s.* litigio, contención, disputa, pleito.
litografar; *v.* litografiar.
litografia; *s.* litografía.
litoral; *adj.* litoral, orilla, costa del mar.
litoral; *s.* litoral, costa de un mar, zona marítima.
litorâneo; *adj.* litoral.
litosfera; *s.* litosfera.
litro; *s.* litro.
liturgia; *s.* liturgia.
lividez; *s.* lividez.
lívido; *adj.* lívido.
livramento; *s.* libramiento.
livrança; *s.* libranza.
livrar; *v.* librar, libertar, salvar, largar, desembarazar, emancipar.
livraria; *s.* librería.
livre; *adj.* libre, disoluto, absuelto, independiente, suelto.
livreiro; *s.* librero.
livro; *s.* libro.
lixa; *s.* lija.
lixar; *v.* lijar.
lixeiro; *s.* basurero.
lixívia; *s.* lejía.
lixo; *s.* basura, inmundicia.
loa; *s.* loa, elogio, apología.
lobisomem; *s.* hombre lobo, lobisón.
lobo; *s.* lobo.
lôbrego; *adj.* lóbrego.
lobrigar; *v.* entrever, ver a lo lejos, percibir.
lóbulo; *s.* lóbulo.
loca; *s.* escondrijo del pez, cueva submarina.
locação; *s.* locación.
locador; *s.* locador, arrendador.
local; *adj.* local, relativo al lugar.

local; *s.* local, sitio cerrado, puesto.
localidade; *s.* localidad, lugar, población.
localização; *s.* localización, situación.
localizar; *v.* localizar.
loção; *s.* loción, ablución.
locatário; *s.* locatario, inquilino, arrendatario.
locomoção; *s.* locomoción.
locomotiva; *s.* locomotriz, locomotora.
locomotor; *adj.* locomotor.
locomotriz; *s.* locomotriz.
locomover-se; *v.* moverse, trasladarse.
locução; *s.* locución.
locutor; *s.* locutor.
lodaçal; *s.* lodazal, atolladero, barrizal, charco.
lodo; *s.* lodo, barro, cieno, fango, lama, limo.
logaritmo; *s.* logaritmo.
lógica; *s.* lógica.
lógico; *adj.* lógico.
logo; *adv.* luego.
logotipo; *s.* logotipo.
logradouro; *s.* lugar común a todos, plaza, calle, jardín.
lograr; *v.* lograr, disfrutar, gozar, embaucar, estafar.
logreiro; *s.* logrero, agiotista, usurero.
logro; *s.* logro, engaño, estafa.
loja; *s.* bazar, tienda, venta.
lojista; *s.* tendero, comerciante.
lombada; *s.* loma.
lombar; *s.* lumbar.
lombo; *s.* lomo, solomillo.
lombriga; *s.* gusano, lombriz.
lona; *s.* lona.
longe; *adv.* lejos.
longevidade; *s.* longevidad.
longínquo; *adj.* lejano.
longitude; *s.* longitud.
longitudinal; *adj.* longitudinal.
longo; *adj.* largo.
lonjura; *s.* lejanía.
lontra; *s.* nutria.
loquacidade; *s.* locuacidad, verbosidad.
loquaz; *adj.* locuaz.
lorde; *s.* lord.
lotação; *s.* cabida, cálculo, presupuesto.
lote; *s.* lote.
lotear; *v.* lotear, dividir en lote, parcelar.
loteria; *s.* lotería.
loto; *s.* loto, planta que abunda en las orillas del Nilo.
loto; *s.* lotería, rifa, sorteo.
louça; *s.* loza, vajilla.
louco; *adj.* loco, demente, insano, maníaco.
loucura; *s.* locura, demencia, desatino, paranoia.
loureiro; *s.* laurel.
louro; *s.* loro, periquito.
louro; *s.* laurel.
louro; *adj.* rubio.
louros; *s.* laureles, honras, honor, gloria.
lousa; *s.* losa.
louvação; *s.* alabanza.
louvar; *v.* alabar, aplaudir, bendecir, celebrar, elogiar, encumbrar.
louvável; *adj.* loable, laudable, meritorio.
louvor; *s.* alabanza, aplauso, elogio.
lua; *s.* luna.
luar; *adj.* resplandor de la luna llena.
lúbrico; *adj.* lúbrico.
lubrificante; *adj.* lubricante.
lubrificar; *v.* engrasar, lubricar.
lucidez; *s.* lucidez.
lúcido; *adj.* lúcido.
lúcifer; *s.* lucifer.
lucrar; *v.* lucrar.
lucrativo; *adj.* lucrativo.
lucro; *s.* lucro, ganancia, interés, producto.
lucubração; *s.* lucubración.
lucubrar; *v.* lucubrar.
ludibriar; *v.* engañar.

ludíbrio; *s.* ludibrio.
lufada; *s.* ráfaga, soplo, ventolera.
lugar; *s.* lugar, poblado, puesto, región, sitio, situación.
lugarejo; *s.* aldehuela.
lugar-tenente; *s.* lugarteniente.
lúgubre; *adj.* lúgubre, sombrío.
lula; *s.* chipirón.
lumbago; *s.* lumbago.
lume; *s.* fuego, lumbre.
lumieira; *s.* lumbrera.
luminária; *s.* luminaria, lámpara.
luminosidade; *s.* luminosidad.
luminoso; *adj.* claro, luminoso, radiante.
lunar; *s.* lunar.
lunático; *adj.* lunático.
luneta; *s.* luneta, anteojo.
lupa; *s.* lupa.
lupanar; *s.* lupanar, burdel, prostíbulo.
lúpulo; *s.* lúpulo.
lusco-fusco; *s.* hora crepuscular, el anochecer, lubrican.
lusitano; *adj.* lusitano, luso, portugués.
luso; *adj.* luso.
lustrador; *s.* pulidor.
lustrar; *v.* lustrar, abrillantar, barnizar, bruñir, pulir.
lustre; *s.* brillo, lustre, lustro, araña, candelabro.
lustro; *s.* lustro, cinco años, lustre, brillo.
lustroso; *adj.* lustroso.
luta; *s.* lucha, pelea, pugna, combate, contienda, disputa
lutar; *v.* luchar, pelear, pugnar, combatir, disputar, guerrear, lidiar.
luteranismo; *s.* luteranismo, protestantismo.
luterano; *adj.* luterano, protestante.
luto; *s.* luto.
lutuoso; *adj.* luctuoso.
luva; *s.* guante.
luxação; *s.* luxación.
luxo; *s.* lujo, ostentación, suntuosidad.
luxuoso; *adj.* lujoso, suntuoso.
luxúria; *s.* lujuria.
luxuriante; *adj.* lujuriante, lujurioso, lozano, exuberante.
luxurioso; *adj.* lujurioso, impúdico, exuberante, lozano.
luz; *s.* luz.
luzeiro; *s.* lucero.
luzente; *adj.* luciente, luminoso.
luzido; *adj.* lúcido, brillante, nítido, pulido, lustroso.
luzimento; *s.* lucimiento.
luzir; *v.* lucir.

M

m; *s.* décima segunda letra del abecedario portugués.
má; *adj.* mala.
maca; *s.* camilla, hamaca.
maça; *s.* clava, majadero, maza.
maçã; *s.* manzana.
macabro; *adj.* macabro, fúnebre, triste.
macacada; *s.* monada, monería.
macacão; *s.* mono, ropa de trabajo.
macaco; *s.* macaco, mono, simio.
macadame; *s.* adoquín, macadán.
maçador; *adj.* importuno, machacón.
maçaneta; *s.* picaporte.
maçante; *adj.* latoso, patoso, machacador, sobón.
maçapão; *s.* mazapán.
macaquice; *s.* monada, monería.
maçar; *v.* machacar, moler, aburrir, fastidiar, molestar, cansar.
maçarico; *s.* soplete.
maçaroca; *s.* mazorca.
macarrão; *s.* macarrón.
macarronada; *s.* comida hecha con macarrón.
macarrônico; *adj.* macarrónico.
macela; *s.* manzanilla.
macerar; *v.* macerar.
maceta; *s.* maceta, maza de pedrero.
machadinha; *s.* cuchilla.
machado; *s.* hacha.
machete; *s.* machete, cuchillo.
machismo; *s.* machismo.
machista; *adj.* machista.
macho; *adj.* macho.
machucado; *s.* magulladura, magullamiento.
machucar; *v.* machacar, machucar, magullar, herir.
maciço; *adj.* macizo.
macieira; *s.* manzano.
maciez; *s.* blandura, suavidad al tacto.
macilento; *adj.* macilento.
macio; *adj.* suave al tacto, blando, fofo, liso.
maço; *s.* mazo, martillo grande de madera, manojo de cosas atadas.
maçom; *adj.* masón.
maçonaria; *s.* masonería.
maconha; *s.* marihuana.
maçônico; *adj.* masónico.
macrobiótico; *adj.* macrobiótico.
macrocosmo; *s.* macrocosmo.
mácula; *s.* mancha, mácula.
macular; *v.* macular, manchar, infamar, profanar.
madalena; *s.* magdalena.
madeira; *s.* madera, palo.
madeirame; *s.* maderaje.
madeiramento; *s.* maderaje.
madeirar; *v.* enmaderar.
madeireira; *s.* maderería.
madeireiro; *s.* maderero.
madeiro; *s.* madero.
madeixa; *s.* madeja.
madrasta; *s.* madrastra.

madre; *s.* madre, monja.
madrepérola; *s.* madreperla, nácar.
madressilva; *s.* madreselva.
madrigal; *s.* madrigal.
madrigueira; *s.* madriguera.
madrinha; *s.* madrina.
madrugada; *s.* madrugada, alba, alborada, aurora.
madrugador; *adj.* madrugador.
madrugar; *v.* madrugar.
madurar; *v.* madurar.
madureza; *s.* madurez, sazón.
maduro; *adj.* maduro.
mãe; *s.* madre.
maestro; *s.* maestro, director de orquesta.
máfia; *s.* mafia.
mafioso; *adj.* mafioso.
maga; *s.* fada.
magazine; *s.* magazine, revista.
magia; *s.* magia, brujería, hechicería, fascinación, encanto.
mágica; *s.* mágica.
mágico; *adj.* mágico, fascinante, encantador.
mágico; *s.* mágico, brujo.
magistério; *s.* magisterio.
magistrado; *s.* magistrado, abogado, auditor, juez.
magistral; *adj.* magistral, perfecto, ejemplar.
magistratura; *s.* magistratura.
magnânimo; *adj.* magnánimo, generoso, clemente.
magnata; *s.* magnate.
magnésia; *s.* magnesia.
magnésio; *s.* magnesio.
magnético; *adj.* magnético.
magnetismo; *s.* magnetismo.
magnetizar; *v.* magnetizar, encantar, atraer.
magnificar; *v.* magnificar.
magnificência; *s.* magnificencia, opulencia.
magnífico; *adj.* magnífico, esplendido, rico, sorprendente, suntuoso.
magnitude; *s.* magnitud.
magno; *adj.* magno.
magnólia; *s.* magnolia.
mago; *s.* mago, brujo, hechicero.
mágoa; *s.* pena, disgusto, congoja, dolor, pesar.
magoado; *adj.* sentido, pesaroso.
magoar; *v.* aquejar, disgustar, magullar.
magreza; *s.* delgadez.
magro; *adj.* magro, delgado, enjuto, escuálido.
maio; *s.* mayo.
maiô; *s.* malla de bañarse, bañador.
maionese; *s.* mayonesa.
maior; *adj.* mayor, más grande.
maioral; *s.* mayoral.
maioria; *s.* mayoría.
maioridade; *s.* mayoridad, mayoría.
mais; *adv.* más.
maisena; *s.* maicena, fécula de maíz.
maiúscula; *s.* mayúscula, letra mayúscula.
maiúsculo; *adj.* mayúsculo.
majestade; *s.* majestad.
majestoso; *adj.* majestuoso, augusto, imponente, solemne.
mal; *s.* mal, negación del bien, enfermedad.
mal; *adv.* escasamente, errado, poco, irregular.
mala; *s.* maleta, valija.
malabarismo; *s.* malabarismo.
mal-acostumado; *adj.* malacostumbrado.
mal-agradecido; *adj.* malagradecido.
malagueta; *s.* malagueta, pimienta muy picante.
malandragem; *s.* bellacos, holgazanes, hampa.
malandro; *s.* malandrín, granuja, pícaro, bellaco, ladrón.
malária; *s.* malaria, paludismo.
mal-assombrado; *adj.* sombrío, hechizado, donde hay fantasmas.
mal-aventurado; *adj.* malaventurado.
malbaratar; *v.* malbaratar, malgastar.

malcheiroso; *adj.* maloliente, hedentino, fétido.
malcriado; *adj.* malcriado.
maldade; *s.* maldad, malicia.
maldição; *s.* maldición.
maldito; *adj.* maldito.
maldizente; *adj.* malhablado.
maldizer; *v.* maldecir.
maldoso; *adj.* malicioso.
maleabilidade; *s.* maleabilidad, elasticidad, flexibilidad.
maleável; *adj.* maleable, flexible, moldeable.
maledicência; *s.* maledicencia, murmuración.
mal-educado; *adj.* maleducado.
malefício; *s.* maleficio.
maléfico; *adj.* maléfico.
mal-entendido; *s.* malentendido.
mal-estar; *s.* malestar.
maleta; *s.* bulto, maletín, valija.
malevolência; *s.* malevolencia.
maleza; *s.* maleza.
malfalante; *adj.* malhablado.
malfazejo; *adj.* maléfico.
malfeito; *adj.* mal hecho.
malfeitor; *adj.* malhechor.
malferir; *v.* malherir.
malgastar; *v.* malgastar.
malha; *s.* malla, nudillo, red, suéter.
malhada; *s.* majadura, mallada.
malhadeiro; *adj.* majadero.
malhar; *v.* majar.
malho; *s.* mallo, martillo.
mal-humorado; *adj.* malhumorado.
malícia; *s.* malicia.
malicioso; *adj.* malicioso, astucioso, suspicaz.
maligno; *adj.* maligno.
mal-intencionado; *adj.* malintencionado.
maloca; *s.* habitación de indígenas, aldea indígena.
malograr; *v.* fracasar, malograr.
malogro; *s.* malogro.
malquistar; *v.* malquistar.
malquisto; *adj.* malquisto.
malsão; *adj.* malsano.
malsoante; *adj.* malsonante.
malte; *s.* malta.
maltrapilho; *adj.* harapiento.
maltratar; *v.* maltratar.
maluco; *adj.* loco, disparatado, imprudente, insensato, extravagante.
malva; *s.* malva.
malvado; *adj.* malvado, desalmado, inicuo.
malversar; *v.* malversar.
mama; *s.* mama, teta.
mamadeira; *s.* biberón, mamadera.
mamãe; *s.* mamá.
mamão; *s.* mamón, que mama mucho.
mamão; *s.* papaya.
mamar; *v.* mamar.
mamarracho; *s.* mamarracho.
mameluco; *s.* mameluco.
mamífero; *s.* mamífero.
mamilo; *s.* pezón.
mamoeiro; *s.* papayo, árbol de la papaya.
mamute; *s.* mamut.
maná; *s.* maná.
manada; *s.* hato, manada.
manancial; *s.* manantial.
mancar; *v.* cojear, mancar.
mancebo; *adj.* mancebo, joven.
mancebo; *s.* mancebo, joven de pocos años.
mancha; *s.* mancha, mancilla, pinta, tacha.
manchar; *v.* manchar, ensuciar, salpicar.
manco; *adj.* manco, cojo.
mancomunar-se; *v.* mancomunarse.
mandado; *s.* mandado.
mandamento; *s.* mandamiento.
mandar; *v.* mandar, ordenar, dictar, enviar.
mandarim; *s.* mandarín.
mandatário; *s.* mandatario.
mandato; *s.* mandato, precepto.
mandíbula; *s.* mandíbula, maxilar, quijada.

mandioca; *s.* mandioca, yuca.
mando; *s.* autoridad, mando.
mandril; *s.* mandril.
manducar; *v.* manducar.
maneira; *s.* manera, método, estilo.
manejar; *v.* manejar, dirigir, practicar.
manejável; *adj.* manejable.
manejo; *s.* manejo.
manequim; *s.* maniquí, modelo.
maneta; *adj.* manco.
manga; *s.* manga.
manga; *s.* mango.
manganês; *s.* manganeso.
mangonear; *v.* mangonear.
mangue; *s.* manglar.
mangueira; *s.* mango, árbol del mango.
mangueira; *s.* manguera.
manha; *s.* labia, maña, rabieta.
manhã; *s.* mañana.
manhoso; *adj.* mañoso.
mania; *s.* manía, hábito, costumbre.
maníaco; *adj.* maníaco.
maniatar; *v.* maniatar.
manicômio; *s.* manicomio.
manicura; *s.* manicura.
manifestação; *s.* manifestación, anunciación, declaración.
manifestar; *v.* manifestar, declarar, demostrar, expresar, exprimir, exteriorizar, externar.
manifesto; *adj.* manifiesto, patente, notorio, claro.
manifesto; *s.* manifiesto, cosa manifestada.
manipulação; *s.* manipulación.
manipular; *v.* manipular.
manípulo; *s.* manípulo.
maniqueísmo; *s.* maniqueísmo.
manivela; *s.* manivela, manubrio.
manjar; *s.* manjar, vianda, yantar.
manjedoura; *s.* pesebre.
manjericão; *s.* albahaca.
manjerona; *s.* mejorana.
manobra; *s.* maniobra.
manobrar; *v.* maniobrar.
manômetro; *s.* manómetro.
mansão; *s.* mansión.
mansidão; *s.* mansedumbre.
manso; *adj.* manso, benigno, tranquilo, suave.
manta; *s.* manta.
manteiga; *s.* mantequilla.
mantel; *s.* mantel.
manter; *v.* mantener, sustentar.
mantilha; *s.* mantilla.
mantimentos; *s.* comida, sustento, viveres.
manto; *s.* manto.
mantô; *s.* mantón.
manual; *adj.* artesanal, manual.
manual; *s.* manual.
manufatura; *s.* manufactura.
manufaturar; *v.* manufacturar, fabricar.
manuscrito; *s.* manuscrito.
manusear; *v.* manosear.
manuseio; *s.* manoseo.
manutenção; *s.* mantenimiento, manutención, sustento.
mão; *s.* mano.
mão-aberta; *s.* gastador, manirroto.
mão-de-obra; *s.* mano de obra.
mão-cheia; *s.* mano llena, puñado.
maometano; *adj.* mahometano.
mapa; *s.* mapa.
maquete; *s.* maqueta.
maquiador; *s.* maquillador.
maquiagem; *s.* maquillaje.
maquiar; *v.* maquillar.
maquiavélico; *adj.* maquiavélico.
máquina; *s.* máquina.
maquinação; *s.* maquinación.
maquinar; *v.* ingeniar, maquinar.
maquinaria; *s.* maquinaria.
maquinista; *s.* maquinista.
mar; *s.* mar.
maracujá; *s.* maracuyá, pasionaria, granadilla.
marajá; *s.* rajá.
marasmo; *s.* marasmo, apatía.
maratona; *s.* maratón.
maravilha; *s.* maravilla, prodigio.
maravilhar; *v.* asombrar, maravillar, sorprender.

maravilhoso; *adj.* divino, maravilloso, sorprendente.
marca; *s.* marca, carácter, cuño, estigma, etiqueta, impresión, logotipo, señal, término.
marcação; *s.* marca.
marcado; *adj.* marcado.
marcador; *s.* marcador.
marcar; *v.* marcar, pautar, señalar.
marceneiro; *s.* ebanista.
marcha; *s.* marcha.
marchar; *v.* marchar.
marchetaria; *s.* marquetería, taracea, ebanistería.
marcial; *adj.* marcial.
marciano; *adj.* marciano.
marco; *s.* marco, baliza, linde.
março; *s.* marzo.
maré; *s.* marea, montante.
marear; *v.* marear.
marechal; *s.* mariscal.
marejada; *s.* marejada.
maremoto; *s.* maremoto.
marfim; *s.* marfil.
margarida; *s.* margarita.
margarina; *s.* margarina.
margear; *v.* marginar, margenar, festonear.
margem; *s.* margen, borde, costa, orla.
marginal; *adj.* marginal.
marginalizado; *adj.* marginado.
maricas; *adj.* marica, amariconado.
marido; *s.* marido.
marimbondo; *s.* avispa.
marinha; *s.* marina.
marinheiro; *s.* marinero.
marinho; *adj.* marino.
marionete; *s.* marioneta.
mariposa; *s.* mariposa.
marisco; *s.* marisco.
marisma; *s.* marisma.
marital; *s.* marital.
marítimo; *adj.* marino, marítimo.
marmelada; *s.* membrillo, mermelada.
marmelo; *s.* membrillo.
marmita; *s.* marmita.
mármore; *s.* mármol.
marmota; *s.* marmota.
maroma; *s.* maroma.
maroto; *adj.* malicioso, pícaro.
marquês; *s.* marqués.
marquise; *s.* marquesina.
marrano; *s.* marrano.
marreta; *s.* mazo.
marrom; *adj.* marrón.
marta; *s.* marta.
martelar; *v.* amartillar, martillar.
martelo; *s.* maceta, mallo, martillo.
mártir; *s.* mártir.
martírio; *s.* martirio.
martirizar; *v.* martirizar.
martirológio; *s.* martirologio.
marujo; *s.* marinero.
marxismo; *s.* marxismo.
marzipã; *s.* mazapán.
mas; *conj.* pero, todavía.
mascar; *v.* mascar, masticar.
máscara; *s.* antifaz, careta, máscara.
mascarado; *adj.* enmascarado.
mascarar; *v.* enmascarar.
mascate; *s.* vendedor ambulante de tejidos, en Brasil.
mascavo; *adj.* mascabado, azúcar no blanco.
mascote; *s.* mascota.
mascoto; *s.* mazo, martillo grande.
masculinidade; *s.* masculinidad.
masculino; *adj.* masculino, macho, viril.
másculo; *adj.* másculo, masculino, varonil.
masmorra; *s.* mazmorra.
masoquismo; *s.* masoquismo.
massa; *s.* masa, pasta, multitud, mandioca rallada.
massacrar; *v.* masacrar.
massacre; *s.* masacre.
massagem; *s.* masaje.
massagista; *s.* masajista.
massificação; *s.* masificación.
massificar; *v.* masificar.
mastigação; *s.* masticación.
mastigar; *v.* masticar, mascar.

mastim; *s.* mastín.
mastodonte; *s.* mastodonte.
mastro; *s.* mástil.
mastruço; *s.* mastuerzo.
masturbação; *s.* masturbación.
masturbar-se; *v.* masturbarse.
mata; *s.* mata, bosque, floresta.
mata-borrão; *s.* papel secante.
matadouro; *s.* matadero.
matagal; *s.* breña, matorral.
matança; *s.* matanza, hecatombe, masacre.
matar; *v.* matar, asesinar.
mate; *adj.* mate, sin brillo, fosco.
mate; *s.* mate, yerba mate.
mateiro; *s.* guardabosques, leñador, explotador de bosques.
matemática; *s.* matemáticas.
matemático; *adj.* matemático.
matéria; *s.* materia, elemento, substancia, tema, lectura.
material; *adj.* material, opuesto a lo espiritual.
material; *s.* material, utensilios.
materialismo; *s.* materialismo.
materializar; *v.* materializar.
maternal; *adj.* maternal, materno.
maternidade; *s.* maternidad.
materno; *adj.* maternal, materno.
matilha; *s.* jauría.
matinal; *adj.* matinal, matutino.
matinas; *s.* maitines.
matiz; *s.* matiz.
matizar; *v.* matizar, adornar, esmaltar, graduar.
mato; *s.* mato, matorral, monte, breña, zarzal.
matraca; *s.* matraca, carraca.
matrás; *s.* matraz.
matreiro; *adj.* matrero, mañoso, astuto.
matriarca; *s.* matriarca.
matriarcado; *s.* matriarcado.
matrícula; *s.* matrícula.
matricular; *v.* matricular.
matrimônio; *s.* casamiento, matrimonio.
matriz; *s.* matriz, útero.
matrona; *s.* matrona.
maturação; *s.* maduración, sazón.
maturidade; *s.* madurez.
matutar; *v.* cavilar.
matutino; *adj.* matinal, matutino.
matuto; *adj.* rústico, tosco, patán, aldeano.
mau; *adj.* malo, imperfecto, dañoso, nocivo.
mau; *s.* el mal, individuo mal intencionado.
mau-olhado; *s.* mal de ojo.
mausoléu; *s.* mausoleo.
má-vontade; *s.* malas ganas, ojeriza.
maxilar; *s.* maxilar, mentón.
máxima; *s.* máxima, aforismo, axioma.
máximo; *adj.* máximo.
meada; *s.* madeja.
meandro; *s.* meandro.
meão; *adj.* mediano.
mear; *v.* dividir al medio, partir por la mitad.
mecânica; *s.* mecánica.
mecânico; *adj.* automático, mecánico.
mecânico; *s.* mecánico.
mecanismo; *s.* mecanismo, maquinaria.
mecanizar; *v.* mecanizar, motorizar.
mecanografia; *s.* mecanografía.
mecenas; *s.* mecenas.
mecha; *s.* mecha, mechón.
medalha; *s.* medalla.
medalhão; *s.* medallón.
média; *s.* media, promedio.
mediação; *s.* mediación.
mediador; *adj.* mediador, medianero, intermediario.
medianeiro; *adj.* medianero.
mediania; *s.* medianía, término medio, moderación.
mediano; *adj.* mediano, intermedio.
mediante; *adj.* mediante, que media.
mediante; *prep.* por medio de.
mediar; *v.* mediar, interponer.

medicação; *s.* medicación.
medicamento; *s.* medicamento, remedio.
medição; *s.* medición.
medicar; *v.* medicar, recetar.
medicina; *s.* medicina.
medicinal; *adj.* medicinal.
médico; *s.* doctor, médico.
medida; *s.* medida, medición, dimensión, módulo.
medidor; *adj.* medidor.
medieval; *adj.* medieval.
médio; *adj.* central, medio.
medíocre; *adj.* mediocre, mediano, vulgar.
mediocridade; *s.* mediocridad.
medir; *v.* medir, evaluar, nivelar, calcular.
meditabundo; *adj.* meditabundo.
meditação; *s.* meditación, concentración, lucubración.
meditar; *v.* meditar, pensar.
meditativo; *adj.* meditativo, meditabundo, pensativo.
mediterrâneo; *adj.* mediterráneo.
médium; *s.* médium.
medo; *s.* miedo, pavor, temor.
medonho; *adj.* horrendo, horrible, horroroso, infernal.
medrar; *v.* medrar, crecer.
medroso; *adj.* medroso, miedoso, receloso, tímido.
medula; *s.* medula, tuétano.
medular; *adj.* medular.
medusa; *s.* medusa.
megafono; *s.* altavoz.
megálito; *s.* megalito.
megalomania; *s.* megalomanía.
megera; *s.* mujer cruel.
meia; *s.* media, calcetín.
meia-luz; *s.* penumbra.
meia-noite; *s.* medianoche.
meigo; *adj.* afable, afectuoso, amoroso, delicado.
meiguice; *s.* dulzura, ternura, amabilidad, cariño.
meio; *s.* medio, ambiente, mitad, promedio, vía, centro.
meio-dia; *s.* mediodía.
meio-fio; *s.* bordillo, mamparo.
mel; *s.* miel.
melaço; *s.* melaza.
melado; *s.* melado.
melancia; *s.* sandía.
melancolia; *s.* melancolía, tristeza, abatimiento.
melancólico; *adj.* melancólico, nostálgico, triste, abatido.
melão; *s.* melón.
melar; *v.* melar.
melena; *s.* melena.
melhor; *adj.* mejor, máximo.
melhora; *s.* mejora, mejoría.
melhoramento; *s.* mejoramiento, mejora, mejoría.
melhorar; *v.* mejorar, perfeccionar, reformar, regenerar, renovar, sanar.
melhoria; *s.* mejora, mejoría.
melificar; *v.* dulcificar, endulzar con miel.
melífluo; *adj.* melifluo.
melindrar; *v.* molestar, hacer melindroso.
melindre; *s.* melindre, remilgo.
melindroso; *adj.* melindroso, mimoso.
melissa; *s.* melisa.
melodia; *s.* melodía.
melódico; *adj.* melódico.
melodioso; *adj.* armónico, melodioso, suave.
melodrama; *s.* melodrama.
meloso; *adj.* meloso, blando, suave, dulce.
melro; *s.* mirlo.
membrana; *s.* membrana.
membranoso; *adj.* membranoso.
membro; *s.* miembro.
memorando; *s.* memorándum.
memorar; *v.* memora, recordar, mentar.
memorável; *adj.* memorable.
memória; *s.* memoria, recuerdo, reminiscencia.
memorial; *s.* memorial.

memorização; *s.* memorización.
memorizar; *v.* memorizar, recordar.
menção; *s.* alusión, mención.
mencionar; *v.* mencionar, aludir, relatar, nombrar.
mendicância; *s.* mendicidad.
mendicante; *adj.* mendicante.
mendigar; *v.* limosnear, mendigar, pordiosear.
mendigo; *adj.* mendicante, pordiosero, indigente.
mendigo; *s.* mendigo.
menear; *v.* menear.
meneio; *s.* meneo.
menestrel; *s.* trovador.
menina; *s.* niña.
meninge; *s.* meninge.
meningite; *s.* meningitis.
meninice; *s.* niñez.
menino; *s.* niño.
menir; *s.* menhir.
menisco; *s.* menisco.
menopausa; *s.* menopausia.
menor; *adj.* menor, más pequeño.
menoridade; *s.* minoridad.
menos; *adv.* excepto, menos.
menoscabar; *v.* menoscabar.
menoscabo; *s.* menoscabo.
menosprezar; *v.* menospreciar.
menosprezo; *s.* menosprecio, desprecio.
mensageiro; *s.* mensajero, emisario, enviado, recadero.
mensagem; *s.* mensaje, misiva, recado, comunicación política.
mensal; *adj.* mensual.
mensalidade; *s.* mensualidad, mes.
menstruação; *s.* menstruación, mes, regla.
menstruar; *v.* menstruar.
mênstruo; *s.* menstruo, menstruación.
mensurável; *adj.* mensurable.
mental; *adj.* mental.
mentalidade; *s.* mentalidad.
mente; *s.* mente, inteligencia, intelecto.
mentecapto; *adj.* memo, mentecato.
mentir; *v.* mentir, disfrazar, engañar, fingir.
mentira; *s.* mentira, engaño, falsedad, embuste, vanidad.
mentiroso; *adj.* mentiroso.
mentol; *s.* mentol.
mentor; *s.* mentor.
menu; *s.* menú.
mequetrefe; *s.* mequetrefe.
mercado; *s.* comercio, mercado.
mercador; *s.* mercader.
mercadoria; *s.* mercadería, mercancía.
mercancia; *s.* mercancía.
mercantil; *adj.* mercantil, comercial, marchante.
mercê; *s.* merced, premio, indulto, recompensa.
mercearia; *s.* ultramarinos, tienda de comestibles.
mercenário; *adj.* mercenario.
mercúrio; *s.* azogue, mercurio.
merda; *s.* mierda.
merecedor; *adj.* merecedor, acreedor, digno.
merecer; *v.* merecer.
merecido; *adj.* merecido.
merecimento; *s.* merecimiento, mérito.
merenda; *s.* merienda.
merendar; *v.* merendar.
merengue; *s.* merengue.
meretriz; *s.* meretriz.
mergulhador; *s.* buzo.
mergulhar; *v.* bucear, chapuzar, zabullir.
mergulho; *s.* inmersión, zambullida.
meridiano; *adj.* meridiano.
meridional; *adj.* austral, meridional.
merino; *adj.* merino.
mérito; *s.* merecimiento, mérito.
meritório; *adj.* meritorio.
merluza; *s.* merluza.
mero; *adj.* mero.
mês; *s.* mes.
mesa; *s.* mesa.
mesada; *s.* mesada, mensualidad.
mescla; *s.* mezcla, mixtura.
mesclar; *v.* mezclar, mixturar.
meseta; *s.* meseta.

mesmo; *adj.* mismo.
mesmo; *prep.* mismo.
mesmo; *s.* lo mismo.
mesmo; *adv.* lo mismo, igualmente, asimismo, semejante.
mesnada; *s.* mesnada.
mesquinhez; *s.* mezquindad.
mesquinho; *adj.* mezquino, agarrado, avaricioso, tacaño, cicatero, ruin, sórdido.
mesquita; *s.* mezquita.
messes; *s.* mies.
messiânico; *adj.* mesiánico.
mestiçagem; *s.* mestizaje.
mestiço; *adj.* criollo, mestizo.
mestrado; *s.* maestrazgo.
mestre; *s.* maestro, pedagogo, preceptor, profesor.
mestria; *s.* maestría.
mesura; *s.* mesura, reverencia.
meta; *s.* baliza, meta.
metabolismo; *s.* metabolismo.
metade; *s.* mitad, medio, centro.
metafísica; *s.* metafísica.
metáfora; *s.* metáfora.
metafórico; *adj.* metafórico, alegórico, figurado.
metal; *s.* metal.
metálico; *adj.* metálico.
metalurgia; *s.* metalurgia.
metalúrgico; *adj.* metalúrgico.
metamorfose; *s.* metamorfosis.
metano; *s.* metano.
metaplasmo; *s.* metaplasmo.
meteorito; *s.* meteorito.
meteoro; *s.* meteoro.
meteorologia; *s.* meteorología.
meteorológico; *adj.* meteorológico.
meter; *v.* meter, introducir, poner dentro, aplicar, incluir.
meticuloso; *adj.* meticuloso, minucioso, cuidadoso, quisquilloso.
metido; *adj.* metido.
metódico; *adj.* metódico, ordenado, sistemático.
método; *s.* método, modo, sistema, vía.
metodologia; *s.* metodología.
metragem; *s.* metraje.
metralha; *s.* metralla.
metralhadora; *s.* ametralladora, metralleta.
metralhar; *v.* ametrallar.
métrica; *s.* métrico.
métrico; *adj.* métrico.
metro; *s.* metro.
metrô; *s.* metro, metropolitano.
metrópole; *s.* metrópoli, capital.
metropolitano; *adj.* metropolitano.
meu; *pron.* mío, el mío.
mexer; *v.* mecer, mover, bullir, dislocar, revolver, agitar.
mexerico; *s.* chisme, fábula, intriga.
mexeriqueiro; *s.* chismoso, soplón, alcahuete.
mexicano; *adj.* mejicano.
mexilhão; *s.* mejillón.
miado; *s.* maullido.
miar; *v.* maullar, mayar.
miasma; *s.* miasma.
micção; *s.* micción.
mico; *s.* mico, tití.
microbiano; *adj.* microbiano.
micróbio; *s.* microbio.
microbiologia; *s.* microbiología.
microfilme; *s.* microfilme.
microfone; *s.* micrófono.
microrganismo; *s.* microorganismo.
microscópico; *adj.* microscópico.
microscópio; *s.* microscopio.
mictório; *s.* letrina, urinario.
migalha; *s.* miga, migaja, triza.
migração; *s.* migración.
migratório; *adj.* migratorio.
mijada; *s.* meada.
mijado; *adj.* meado.
mijar; *v.* mear.
mil; *adj.* mil.
milagre; *s.* milagro, prodigio.
milenário; *adj.* milenario.
milênio; *s.* milenio.
milésimo; *adj.* milésimo.
milha; *s.* milla.
milhão; *s.* millón.
milhar; *s.* millar.
milho; *s.* maíz.

milícia; *s.* milicia.
miliciano; *adj.* miliciano.
miligrama; *s.* miligramo.
milímetro; *s.* milímetro.
milionário; *adj.* millonario.
militante; *adj.* militante.
militar; *adj.* militar.
militar; *s.* soldado.
militar; *v.* militar.
mim; *pron.* me, mí.
mimado; *adj.* mimado, consentido, malacostumbrado.
mimar; *v.* mimar, acariciar, halagar.
mimetismo; *s.* mimetismo.
mímica; *s.* mímica.
mimo; *s.* mimo, halago.
mimoso; *adj.* mimoso.
mina; *s.* mina.
minar; *v.* minar, excavar, abatir.
minarete; *s.* alminar, minarete.
mineiro; *adj.* minero.
mineração; *s.* mineraje, minería.
mineral; *s.* mineral.
mineralogia; *s.* mineralogía.
minestra; *s.* menestra.
mingau; *s.* gacha, papilla.
míngua; *s.* mengua.
minguado; *adj.* menguado.
minguante; *adj.* menguante.
minguar; *v.* menguar, apocar, disminuir, empequeñecer, enflaquecer, mermar.
minhoca; *s.* lombriz de tierra.
miniatura; *s.* miniatura.
minifúndio; *s.* minifundio.
minimizar; *v.* minimizar.
mínimo; *adj.* mínimo, menor.
mínio; *s.* minio.
minissaia; *s.* minifalda.
ministerial; *adj.* ministerial.
ministério; *s.* ministerio, gabinete.
ministrar; *v.* ministrar, suministrar, administrar.
ministro; *s.* ministro.
minoração; *s.* aminoración.
minorar; *v.* minorar, atenuar, suavizar, aliviar.
minoria; *s.* minoría.
minoritário; *adj.* minoritario.
minúcia; *s.* minucia, detalle, pormenor.
minucioso; *adj.* minucioso, meticuloso.
minudência; *s.* menudencia..
minúsculo; *adj.* minúsculo.
minuta; *s.* minuta, borrador.
minuta; *s.* menú.
minuto; *s.* minuto.
miocárdio; *s.* miocardio.
miolo; *s.* meollo, medula, cerebro, seso.
míope; *adj.* miope.
miopia; *s.* miopía.
mira; *s.* mira, puntería.
mirada; *s.* mirada.
miragem; *s.* miraje, espejismo.
mirante; *s.* mirador.
mirão; *adj.* mirón.
mirar; *v.* mirar, visar.
miríada; *s.* miríada.
mirra; *s.* mirra.
mirrar; *v.* desecar, consumir, extenuar.
misantropia; *s.* misantropía.
misantropo; *adj.* misántropo.
miscelânea; *s.* miscelánea.
miserável; *adj.* miserable, mísero, pobre, escaso, tacaño.
miséria; *s.* miseria, indigencia, pobreza.
misericórdia; *s.* misericordia, compasión, piedad.
mísero; *adj.* mísero, miserable.
missa; *s.* misa.
missal; *adj.* misal.
missão; *s.* misión, encargo, gestión.
míssil; *s.* mìsil.
missionário; *s.* misionero, apóstol.
missiva; *s.* misiva, carta.
mister; *s.* menester.
mistério; *s.* misterio.
misterioso; *adj.* misterioso.
misticismo; *s.* misticismo.
místico; *adj.* místico.
mistificação; *s.* mistificación.

mistificar; *v.* mistificar.
misto; *adj.* mixto.
mistura; *s.* mixtura, liga, mezcla, miscelánea.
misturar; *v.* mixturar, mezclar.
mítico; *adj.* mítico.
mitigar; *v.* mitigar, suavizar, ablandar.
mito; *s.* mito.
mitologia; *s.* mitología.
mitológico; *adj.* mitológico.
mitra; *s.* mitra, tiara.
miuçalha; *s.* fragmento pequeño, menudencias, pequeñeces.
miudeza; *s.* menudencia, pequeñez.
miúdo; *adj.* menudo, minúsculo.
miúdos; *s.* menudos, despojos, vísceras.
mixórdia; *s.* mixtura, mezcla, desorden, confusión, mescolanza.
mó; *s.* muela, piedra de molino.
mobília; *s.* mobiliario, mueble.
mobiliar; *v.* amueblar.
mobiliário; *s.* mobiliario.
mobilizar; *v.* movilizar.
moça; *s.* moza, muchacha.
moção; *s.* moción.
mocassim; *s.* mocasín.
mochila; *s.* mochila.
mochileiro; *s.* mochilero.
mocho; *adj.* mocho.
mocho; *s.* búho.
mocidade; *s.* mocedad, juventud.
moço; *adj.* mozo, joven.
moço; *s.* mozo, muchacho.
moda; *s.* moda, uso, costumbre, gusto.
modalidade; *s.* modalidad.
modelado; *s.* modelado.
modelar; *v.* amoldar, modelar, plasmar.
modelo; *s.* modelo, molde, muestra, ejemplo, maqueta, prototipo.
moderação; *s.* moderación, parsimonia, prudencia, sobriedad, templanza.
moderado; *adj.* moderado, contenido, frugal, parsimonioso, prudente, razonable.
moderar; *v.* moderar, ablandar, aliviar, comediar, mitigar, templar.
modernismo; *s.* modernismo.
modernista; *adj.* modernista.
modernizar; *v.* actualizar, modernizar.
moderno; *adj.* moderno, nuevo.
modéstia; *s.* modestia, comedimiento, decencia, sobriedad, pudor, recato.
modesto; *adj.* modesto, comedido, sencillo, recatado.
módico; *adj.* módico.
modificação; *s.* modificación, transformación, variación.
modificar; *v.* modificar, reformar, retocar, transformar, variar.
modismo; *s.* modismo.
modista; *s.* modista, modisto.
modo; *s.* modo, método, medio, estilo, manera, género.
modorra; *s.* modorra, prostración, somnolencia, sopor.
modos; *s.* buenas maneras.
modular; *v.* modular.
módulo; *s.* módulo.
moeda; *s.* moneda.
moedeiro; *s.* monedero.
moela; *s.* molleja.
moenda; *s.* molienda.
moer; *v.* moler, machacar, triturar.
mofa; *s.* mofa.
mofar; *v.* enmohecer.
mofar; *v.* mofar, burlar
mofento; *adj.* mohoso.
mofino; *adj.* mohíno, triste, melancólico.
mofo; *s.* moho.
moinho; *s.* molino, molienda.
moita; *s.* maleza, matorral.
mola; *s.* muelle, resorte.
moldado; *s.* modelado.
moldar; *v.* amoldar, modelar, moldear, adaptar.
molde; *s.* molde, forma, matriz.
moldura; *s.* moldura, marco.
mole; *adj.* mole, muelle, blando, indolente.

mole; *s.* mole, masa, bulto.
molécula; *s.* molécula.
molecular; *adj.* molecular.
moleira; *s.* mollera, fontanela.
moleiro; *adj.* molinero.
molenga; *adj.* blando, indolente, perezoso.
molestar; *v.* molestar, aburrir, estorbar, ofender.
moléstia; *s.* molestia, incómodo, malestar.
moleza; *s.* molicie, flacidez, pereza.
molhado; *adj.* mojado, humedecido.
molhar; *v.* mojar, embeber, humedecer, bañar, regar, remojar.
molho; *s.* haz, manojo, brazada.
molho; *s.* salsa, mojo.
molinete; *s.* molinete.
molusco; *s.* molusco.
momentâneo; *adj.* momentáneo.
momento; *s.* momento, instante, rato.
monacal; *adj.* monacal.
monacato; *s.* monacato.
monarca; *s.* emperador, monarca, rey.
monarquia; *s.* monarquía.
monárquico; *adj.* monárquico.
monástico; *adj.* monacal.
monção; *s.* monzón.
monda; *s.* monda.
mondar; *v.* mondar.
mondongo; *s.* mondongo.
monetário; *adj.* monetario.
monge; *s.* monje.
monho; *s.* moño.
monitor; *s.* monitor.
mono; *s.* macaco, mono.
monobloco; *s.* monobloque.
monocórdio; *s.* monocorde.
monocromo; *adj.* monocromo.
monóculo; *s.* monóculo.
monocultura; *s.* monocultivo.
monogamia; *s.* monogamia.
monógamo; *adj.* monógamo.
monografia; *s.* monografía.
monográfico; *adj.* monográfico.
monograma; *s.* monograma.
monolítico; *adj.* monolítico.
monólogo; *s.* monólogo, soliloquio.
monomania; *s.* monomanía.
monómio; *s.* monomio.
monopétalo; *s.* monopétalo.
monopólio; *s.* monopolio.
monopolizar; *v.* monopolizar, acaparar.
monossílabo; *adj.* monosílabo.
monoteísmo; *s.* monoteísmo.
monotonia; *s.* monotonía.
monótono; *adj.* monótono.
monstro; *s.* monstruo.
monstruosidade; *s.* monstruosidad.
monstruoso; *adj.* monstruoso.
montada; *s.* montura.
montador; *adj.* montador, ajustador.
montagem; *s.* montaje.
montanha; *s.* montaña.
montanhês; *adj.* montañés.
montanhismo; *s.* montañismo.
montanhoso; *adj.* montañoso.
montante; *adj.* monta, que se eleva.
montão; *s.* montón, acumulación desordenada de cosas.
montar; *v.* montar, cabalgar.
montaraz; *adj.* montaraz.
montaria; *s.* montería.
monte; *s.* monte, morro.
monteira; *s.* montera.
montês; *adj.* montés.
montículo; *s.* montículo, otero.
monturo; *s.* muladar, estercolero, basurero.
monumental; *adj.* monumental.
monumento; *s.* monumento, obelisco.
morada; *s.* morada, casa, habitación, vivienda.
moradia; *s.* morada, aposento, residencia.
moral; *adj.* moral, ético.
moral; *s.* moralidad.
moralidade; *s.* moralidad.
moralista; *s.* moralista.
moralizar; *v.* moralizar.

morango; *s.* fresa.
morar; *v.* morar, habitar, residir, vivir.
moratória; *s.* moratoria.
morbidez; *s.* morbidez.
mórbido; *adj.* mórbido.
morcego; *s.* murciélago.
morcela; *s.* morcilla.
mordaça; *s.* mordaza.
mordacidade; *s.* mordacidad.
mordaz; *adj.* mordaz.
morder; *v.* morder, picar.
mordida; *s.* mordedura.
mordiscar; *v.* mordisquear.
mordomo; *s.* mayordomo.
moreno; *adj.* moreno.
morfina; *s.* morfina.
morfologia; *s.* morfología.
moribundo; *adj.* moribundo, agonizante.
moringa; *s.* botijo, porrón.
morno; *adj.* templado, tibio.
moroso; *adj.* moroso, lento.
morrer; *v.* morir, expirar, extinguir, fallecer, fenecer, perecer.
morro; *s.* morro, monte, otero.
morsa; *s.* morsa.
mortadela; *s.* mortadela.
mortal; *adj.* mortal.
mortalha; *s.* mortaja.
mortalidade; *s.* mortalidad.
mortandade; *s.* mortandad.
morte; *s.* muerte.
morteiro; *s.* mortero.
mortiço; *adj.* mortecino.
mortífero; *adj.* mortífero, mortal.
mortificar; *v.* mortificar, atormentar.
morto; *adj.* muerto, difunto, finado, cadáver.
mortuário; *adj.* mortuorio, fúnebre.
mosaico; *s.* mosaico.
mosca; *s.* mosca.
moscatel; *adj.* moscatel.
moscovita; *adj.* moscovita.
mosquiteiro; *s.* mosquitera.
mosquito; *s.* mosquito.
mostarda; *s.* mostaza.
mosteiro; *s.* monasterio, abadía, convento.
mosto; *s.* mosto.
mostrador; *adj.* mostrador, indicador.
mostrador; *s.* mostrador del reloj, escaparate.
mostrar; *v.* mostrar, descubrir, evidenciar, indicar, exhibir, aparentar.
mostruário; *s.* muestrario.
mote; *s.* mote.
motel; *s.* motel.
motim; *s.* motín, revuelta.
motivar; *v.* motivar, ocasionar, originar.
motivo; *s.* motivo, asunto, razón, propósito.
motocicleta; *s.* motocicleta.
motor; *adj.* motor.
motorista; *s.* motorista, conductor, chófer.
motorizar; *v.* motorizar.
motriz; *adj.* motriz.
mouro; *adj.* arábico, moro.
movediço; *adj.* movedizo, móvil.
móvel; *adj.* movible, móvil.
móvel; *s.* mueble.
mover; *v.* mover, agitar, estimular.
movimentar; *v.* mover.
movimento; *s.* movimiento.
movível; *adj.* movible.
muamba; *s.* alijo.
muco; *s.* moco.
mucosidade; *s.* mucosidad.
mucoso; *adj.* mucoso.
muçulmano; *adj.* musulmán.
muda; *s.* muda, substitución, mudanza.
mudança; *s.* mudanza.
mudar; *v.* mudar, alterar, cambiar, convertir, desplazar, transferir, variar.
mudez; *s.* mudez.
mudo; *adj.* mudo, callado, silencioso.
mugido; *s.* berrido, mugido.
mugir; *v.* mugir.

muito; *adj.* mucho.
muito; *adv.* muy.
muladar; *s.* muladar.
mulato; *adj.* mulato.
muleta; *s.* muleta.
mulher; *s.* mujer.
mulherengo; *adj.* mujeriego.
mulo; *s.* mulo.
multa; *s.* multa.
multar; *v.* multar.
multicolor; *adj.* multicolor.
multidão; *s.* multitud, muchedumbre.
multiforme; *adj.* multiforme.
multinacional; *adj.* multinacional.
multiplicação; *s.* multiplicación, proliferación.
multiplicador; *s.* multiplicador.
multiplicar; *v.* multiplicar, proliferar, propagar, reproducir.
multiplicidade; *s.* multiplicidad, pluralidad.
múltiplo; *adj.* múltiple, múltiplo, plural.
múmia; *s.* momia.
mumificar; *v.* embalsamar, momificar.
mundano; *adj.* mundano, profano.
mundial; *adj.* mundial.
mundo; *s.* mundo, orbe, tierra, universo.
mungir; *v.* ordeñar.
munheca; *s.* muñeca, pulso.
munição; *s.* munición.
municipal; *adj.* municipal.
municipalidade; *s.* municipalidad.
município; *s.* municipalidad, municipio.
munir; *v.* munir, abastecer, defender.
mural; *s.* mural.
muralha; *s.* muralla.
murar; *v.* murar, amurallar.
murchar; *v.* marchitar, secar.
murcho; *adj.* marchito, mustio, seco.
murmuração; *s.* murmuración.
murmurar; *v.* murmurar, susurrar.
murmúrio; *s.* murmurio, susurro.
muro; *s.* muro, pared, tapia.
murro; *s.* cachete, puñetazo.
musa; *s.* musa.
muscular; *adj.* muscular.
musculatura; *s.* musculatura.
músculo; *s.* músculo.
musculoso; *adj.* musculoso.
museu; *s.* museo.
musgo; *s.* musgo.
música; *s.* música.
musical; *adj.* musical.
musselina; *s.* muselina.
mussitar; *v.* musitar.
mutação; *s.* mutilación.
mutável; *adj.* mutable.
mutilação; *s.* multilación.
mutilado; *adj.* mutilado, lisiado.
mutilar; *v.* mutilar, amputar, lisiar.
mutismo; *s.* mudez, mutismo.
mutualidade; *s.* mutualidad.
mútuo; *adj.* mutuo, recíproco.
muxiba; *s.* piltrafa.

N

n; *s.* décima tercera letra del abecedario portugués.
nabo; *s.* nabo.
nação; *s.* nación, patria, pueblo, etnia.
nácar; *s.* nácar.
nacarado; *adj.* nacarado.
nacional; *adj.* nacional.
nacionalidade; *s.* nacionalidad.
nacionalismo; *s.* nacionalismo.
nacionalista; *adj.* nacionalista.
nacionalizar; *v.* nacionalizar, naturalizar.
nada; *pron.* nada.
nada; *s.* nada, el no ser.
nada; *pron.* nada, cosa ninguna.
nada; *adv.* nada, no.
nadadeira; *s.* aleta.
nadador; *s.* nadador.
nadar; *v.* nadar.
nádega; *s.* nalga, trasero.
nafta; *s.* nafta.
naftalina; *s.* naftalina.
náilon; *s.* nailon.
naipe; *s.* naipe.
namoradeira; *adj.* amiga de enamorarse, enamoradiza.
namorado; *s.* novio, galanteador.
namorar; *v.* enamorar, cautivar, desear mucho.
namoro; *s.* enamoramiento, galanteo.
nana; *s.* nana, canto con que se arrulla a los niños.
nanar; *v.* dormir, hablándose de niños.
nanico; *adj.* nanismo, enano.
nanquim; *s.* tinta china.
não; *adv.* no, negativa.
não; *s.* no, negativa, recusa.
napa; *s.* napa.
napalm; *s.* napalm.
narcisismo; *s.* narcisismo.
narciso; *s.* narciso, hombre enamorado de sí mismo, planta de flores amarillas y muy olorosas.
narcose; *s.* narcosis.
narcótico; *adj.* narcótico.
narcotizar; *v.* narcotizar.
nardo; *s.* nardo.
narina; *s.* nariz, cada una de las ventanas de la nariz, ventana.
nariz; *s.* nariz.
narração; *s.* narración, relato, crónica, cuento, historia.
narrador; *adj.* narrador.
narrar; *v.* narrar, relatar, contar, referir.
narrativa; *s.* narrativa, narración, cuento, historia.
narrativo; *adj.* narrativo.
nasal; *adj.* nasal.
nasalação; *s.* nasalización.
nasalar; *v.* nasalizar.
nasalização; *s.* nasalización.
nascedouro; *s.* nacedero, lugar donde se nació.
nascente; *adj.* naciente.

nascente; *s.* naciente, fuente.
nascer; *v.* nacer, brotar, principiar, surgir, salir.
nascimento; *s.* nacimiento, natividad, origen.
nascituro; *adj.* concebido, generado.
nata; *s.* nata, crema.
natação; *s.* natación.
natal; *adj.* natal.
natal; *s.* navidad.
natalício; *adj.* natalicio, navidad.
natalidade; *s.* natalidad.
nativista; *adj.* xenófobo.
nativo; *adj.* nativo, natural, nacido, innato, vernáculo.
nato; *adj.* nato, nacido, nativo, natural, innato.
natural; *adj.* natural, propio, espontáneo, oriundo, verdadero.
natural; *s.* natural, nativo.
naturalidade; *s.* naturalidad, espontaneidad.
naturalismo; *s.* naturalismo.
naturalizar; *v.* naturalizar.
natureza; *s.* naturaleza.
nau; *s.* nao, nave.
naufragar; *v.* naufragar.
naufrágio; *s.* naufragio.
náufrago; *adj.* náufrago.
náusea; *s.* náusea, arcada, asco, mareo.
nauseabundo; *adj.* nauseabundo.
nausear; *v.* nausear, marearse.
nauseoso; *adj.* nauseabundo.
náutica; *s.* náutica, navegación.
náutico; *adj.* náutico.
naval; *adj.* naval, naviero.
navalha; *s.* navaja.
navalhada; *s.* navajada.
nave; *s.* nao, nave.
navegação; *s.* navegación.
navegador; *adj.* navegador.
navegante; *adj.* navegante.
navegar; *v.* navegar.
navegável; *adj.* navegable.
navio; *s.* navío, barco, nao, nave.
nazismo; *s.* nazismo.
nazista; *adj.* nazi.
neblina; *s.* neblina, niebla espesa y baja.
nebulosa; *s.* nebulosa.
nebuloso; *adj.* nebuloso, sombrío, obscuro.
necedade; *s.* necedad, estupidez, disparate, sandez.
necessário; *adj.* necesario, indispensable, preciso, urgente, vital.
necessidade; *s.* necesidad, carencia, pobreza, miseria, aprieto.
necessitado; *adj.* necesitado, carente, indigente, pobre.
necessitar; *v.* necesitar, carecer, precisar.
necrofagia; *s.* necrofagia.
necrófago; *adj.* necrófago.
necrofilia; *s.* necrofilia.
necrologia; *s.* necrología.
necrópole; *s.* necrópolis.
necrópsia; *s.* necropsia, autopsia.
necrosar; *v.* gangrenar.
necrose; *s.* necrosis.
necrotério; *s.* morgue.
néctar; *s.* néctar.
nefando; *adj.* nefando.
nefasto; *adj.* nefasto.
nefrite; *s.* nefritis.
nefrítico; *adj.* nefrítico.
negação; *s.* negación.
negado; *adj.* negado, incapaz, recusado.
negar; *v.* negar, rechazar, recusar, repudiar.
negativa; *s.* negativa, negación.
negativo; *adj.* negativo, nulo.
negligência; *s.* negligencia, abandono, dejadez, descuido, indiferencia.
negligente; *adj.* negligente, descuidado, omiso, indolente.
negociante; *s.* negociante, comerciante, mercader.
negociar; *v.* negociar, agenciar, comerciar, contratar, gestionar, pactar, traficar.

negociata; *s.* negocio sospechoso.
negociável; *adj.* negociable.
negócio; *s.* negocio, comercio, tráfico, transacción comercial.
negrada; *s.* negrada.
negraria; *s.* negrería, negrada.
negridão; *s.* negrura, obscuridad, tiniebla.
negrito; *s.* negrito, negrilla.
negro; *s.* negro, hombre de raza negra.
negro; *adj.* negro, obscuro, deslucido, sombrío, tétrico, funesto.
negrume; *s.* obscuridad, tinieblas, tristeza, negrura, negror.
negrura; *s.* negrura.
nem; *conj.* tampoco, ni.
nem; *adv.* no.
nenê; *s.* nene, bebé, criatura.
nenhum; *pron.* ninguno, ningún.
nenúfar; *s.* nenúfar.
neoclassicismo; *s.* neoclasicismo.
neófito; *adj.* neófito, novicio.
neolatino; *adj.* neolatino.
neolítico; *adj.* neolítico.
neologismo; *s.* neologismo.
neologista; *adj.* neologista.
néon; *s.* neón.
nepotismo; *s.* nepotismo, favoritismo.
nervo; *s.* nervio.
nervosismo; *s.* nerviosismo.
nervoso; *adj.* nervioso, impaciente, irritable.
nervura; *s.* nervura.
néscio; *adj.* necio, ignorante, inepto.
nêspera; *s.* níspola, fruto del níspero.
neto; *s.* nieto.
neurastenia; *s.* neurastenia.
neurastênico; *adj.* neurasténico.
neurologia; *s.* neurología.
neurologista; *s.* neurólogo.
neurônio; *s.* neurona.
neurose; *s.* neurosis.
neurótico; *adj.* neurótico.
neutral; *adj.* neutral.
neutralidade; *s.* neutralidad, imparcialidad.
neutralizar; *v.* neutralizar, anular.
neutro; *adj.* neutral, neutro.
nêutron; *s.* neutrón.
nevada; *s.* nevada.
nevado; *adj.* nevado.
nevar; *v.* nevar.
nevasca; *s.* nevasca, nevada, ventisca.
neve; *s.* nieve.
neviscar; *v.* neviscar.
névoa; *s.* niebla.
nevoeiro; *s.* niebla densa, neblina.
nevoento; *s.* nublado, cubierto de niebla, brumoso, nebuloso.
nevralgia; *s.* neuralgia.
nevrálgico; *adj.* neurálgico.
nexo; *s.* nexo, conexión.
nicaraguense; *adj.* nicaragüense.
nicho; *s.* nicho.
nicotina; *s.* nicotina.
niilismo; *s.* nihilismo.
nimbo; *s.* nimbo.
ninar; *v.* arrullar, dormir a los niños.
ninfa; *s.* ninfa.
ninfomania; *s.* ninfomanía.
ninguém; *pron.* nadie.
ninhada; *s.* nidada, camada, cría, pollada.
ninharia; *s.* niñería, bagatela, baratija, insignificancia, menudencia.
ninho; *s.* nido.
nipônico; *adj.* nipón, japonés.
níquel; *s.* níquel.
niquelado; *adj.* niquelado.
nirvana; *s.* nirvana.
nitidez; *s.* nitidez.
nítido; *adj.* nítido, límpido, pulido, lustroso, terso.
nitrato; *s.* nitrato.
nítrico; *adj.* nítrico.
nitro; *s.* nitro.
nitrogenado; *adj.* nitrogenado.
nitrogenio; *s.* nitrógeno.
nitroglicerina; *s.* nitroglicerina.

nível; *s.* nivel.
nivelamento; *s.* nivelación.
nivelar; *v.* nivelar, aplanar, igualar.
níveo; *adj.* níveo, albo, blanco.
nó; *s.* nudo.
nobiliário; *adj.* nobiliario.
nobre; *adj.* noble, aristocrático, caballeresco, caballero, elegante, generoso.
nobre; *s.* noble, aristócrata, hidalgo.
nobreza; *s.* nobleza, aristocracia, elegancia, esplendor, hidalguía, majestad, porte.
noção; *s.* noción.
nocividade; *s.* nocividad.
nocivo; *adj.* nocivo, dañoso, malo, pernicioso.
noctâmbulo; *adj.* noctámbulo, noctívago.
nódoa; *s.* maca, mancha, mácula, tacha.
nodoso; *adj.* nudoso.
nódulo; *s.* nódulo.
nogueira; *s.* nogal.
noite; *s.* noche.
noivado; *s.* noviazgo.
noivar; *v.* noviar.
noivo; *s.* novio, prometido.
nojento; *adj.* asqueroso, repugnante, nauseabundo, repulsivo, sórdido.
nojo; *s.* náusea, asco, enojo, repugnancia.
nômade; *adj.* nómada, ambulante, errante.
nome; *s.* nombre.
nomeação; *s.* nombramiento.
nomeada; *s.* fama, reputación, nombre, celebridad.
nomear; *v.* nombrar, apellidar, asignar, denominar, elegir, llamar.
nomenclatura; *s.* nomenclatura.
nômina; *s.* nómina.
nominal; *adj.* nominal.
nonagenário; *adj.* nonagenario.
nonagésimo; *s.* nonagésimo.
nono; *adj.* nono, noveno.
nora; *s.* nuera.
nordeste; *s.* nordeste.
nórdico; *adj.* nórdico.
norma; *s.* norma, doctrina, ley, modelo, orden, regla.
normal; *adj.* normal.
normalidade; *s.* normalidad, naturalidad.
normalizar; *v.* normalizar.
normativo; *adj.* normativo.
noroeste; *s.* noroeste.
norte; *s.* norte.
norte-americano; *adj.* norteamericano, americano.
nortear; *v.* nortear.
nos; *pron.* nos, nosotros.
nós; *pron.* nosotros.
nosso; *pron.* nuestro.
nostalgia; *s.* nostalgia, añoranza, melancolía.
nostálgico; *adj.* nostálgico.
nota; *s.* apunte, nota.
notabilidade; *s.* notabilidad.
notação; *s.* notación.
notar; *v.* anotar, tomar nota, notar, extrañar, acusar, reparar, advertir.
notário; *s.* notario, escribano.
notável; *adj.* notable, afamado, famoso, ilustre, insigne.
notícia; *s.* noticia, información, anunciación, mensaje, novedad, nueva.
noticiar; *v.* noticiar, anunciar, decir, informar.
noticiário; *s.* noticiario.
notificação; *s.* notificación, citación, intimación.
notificar; *v.* notificar, avisar, intimar, participar.
notoriedad; *s.* notoriedad.
notório; *adj.* notorio, proverbial, público.
noturno; *adj.* nocturno.
nova; *s.* nueva, noticia, novedad.
novato; *adj.* novato, novel, principiante.
nove; *adj.* nueve.
novecentos; *adj.* novecientos.

novel; *adj.* novel.
novela; *s.* novela, cuento, enredo.
novelesco; *adj.* novelesco.
novelista; *s.* novelista, autor de novelas.
novelo; *s.* ovillo.
novembro; *s.* noviembre.
novena; *s.* novena.
noventa; *adj.* noventa.
noviciado; *s.* noviciado.
novidade; *s.* novedad, nueva.
novilho; *s.* novillo.
novo; *adj.* nuevo, joven, reciente, novicio.
novos; *s.* los jóvenes, la juventud.
noz; *s.* nuez.
noz-moscada; *s.* nuez moscada.
nu; *adj.* desnudo, pelado.
nuança; *s.* graduación de colores.
nubente; *s.* núbil.
nublado; *adj.* nublado, anubarrado, triste.
nublar; *v.* nublar.
nuca; *s.* nuca.
nuclear; *adj.* nuclear.
núcleo; *s.* núcleo.
nudez; *s.* desnudez.
nudismo; *s.* nudismo.
nudista; *adj.* nudista.
nulidade; *s.* nulidad.
nulo; *adj.* nulo, inválido, frívolo, vano, inepto.
numeração; *s.* numeración.
numerador; *adj.* numerador.
numeral; *adj.* numeral.
numerar; *v.* numerar.
numérico; *adj.* numérico.
número; *s.* número, unidad, cifra, cantidad, abundancia.
numeroso; *adj.* numeroso, abundante, copioso.
numismática; *s.* numismática.
nunca; *adv.* jamás, nunca.
nunciatura; *s.* nunciatura.
núncio; *s.* nuncio.
núpcias; *s.* nupcias.
nutrição; *s.* alimentación, nutrición.
nutrido; *s.* nutrido.
nutrir; *v.* nutrir, alimentar, sustentar, engordar.
nutritivo; *adj.* nutritivo, alimenticio, substancioso.
nutriz; *s.* nutriz, nodriza, ama de leche.
nuvem; *s.* nube.

O

o; *s.* décima cuarta letra del abecedario portugués.
oásis; *s.* oasis.
obcecar; *v.* obcecar.
obedecer; *v.* obedecer, cumplir, ceder, doblegarse.
obediência; *s.* obediencia, disciplina, sumisión.
obediente; *adj.* obediente, sumiso, disciplinado.
obelisco; *s.* obelisco.
obesidade; *s.* obesidad, gordura.
obeso; *adj.* obeso, gordo.
óbice; *s.* óbice, obstáculo, impedimento, estorbo.
óbito; *s.* óbito, fallecimiento.
obituário; *adj.* obituario.
objeção; *s.* objeción, contradicción, obstáculo, duda, dificultad.
objetar; *v.* objetar, oponer, refutar.
objetiva; *s.* objetivo, aparato óptico.
objetivar; *v.* objetivar.
objetividade; *s.* objetividad.
objetivo; *adj.* objetivo.
objeto; *s.* objeto, cosa, prenda, utensilio.
oblação; *s.* oblación, oblata.
oblíqua; *s.* oblicua.
obliquidade; *s.* oblicuidad, través, astucia.
oblíquo; *adj.* oblicuo, inclinado.
obliteração; *s.* obliteración.
obliterar; *v.* oblitera, borrar, eliminar, olvidar.
oboé; *s.* oboe.
obra; *s.* obra, trabajo, construcción, producción, empresa.
obra-prima; *s.* obra prima, obra maestra.
obrar; *v.* obrar, fabricar, edificar, ejecutar, hacer, trabajar, producir.
obreia; *s.* oblea.
obreira; *s.* obrera, operaria, jornalera, trabajadora.
obreiro; *s.* obrero, operario, jornalero, trabajador.
obrigação; *s.* obligación, compromiso, deber, encargo, imposición, incumbencia.
obrigado; *adj.* agradecido, grato, agradecimiento, gracias.
obrigar; *v.* obligar, coaccionar, forzar, imponer, precisar.
obrigatoriedade; *s.* obligatoriedad.
obrigatório; *adj.* obligatorio, forzoso, impuesto.
obscenidade; *s.* obscenidad, pornografía.
obsceno; *adj.* obsceno, pornográfico.
obscurantismo; *s.* obscurantismo.
obscurecer; *v.* obscurecer.
obscuridade; *s.* obscuridad, sombra.
obsequiar; *v.* obsequiar, agasajar, regalar, galantear.
obséquio; *s.* obsequio, regalo, dádiva, agasajo.

obsequioso; *adj.* obsequioso.
observação; *s.* observación, reflexión, consideración, advertencia.
observador; *adj.* observador, espectador, crítico, curioso.
observar; *v.* observar, acechar, atender, atisbar, examinar.
observatório; *s.* observatorio.
obsessão; *s.* obsesión, obcecación, idea pertinaz.
obsessivo; *adj.* obsesivo.
obsoleto; *adj.* obsoleto, anticuado, antiguo.
obstáculo; *s.* obstáculo, impedimento, oposición, óbice.
obstante; *adj.* obstante.
obstar; *v.* obstar, estorbar, impedir, oponerse.
obstetra; *s.* tocólogo.
obstetrícia; *s.* obstetricia, tocología.
obstinação; *s.* obstinación, porfía, terquedad.
obstinado; *adj.* obstinado, inflexible, pertinaz, terco, tozudo.
obstinar; *v.* obstinar, persistir, empeñarse, empecinarse.
obstrução; *s.* obstrucción.
obstruir; *v.* obstruir, impedir, obturar, ocluir.
obtenção; *s.* obtención, adquisición, consecución.
obter; *v.* obtener, adquirir, conseguir, granjear, lograr.
obturação; *s.* obturación, taponamiento, atasco.
obturar; *v.* obturar, entupir, tapar.
obtuso; *adj.* obtuso, romo, sin punta, torpe, poco inteligente.
obviar; *v.* obviar, remediar, atajar.
óbvio; *adj.* obvio, elemental, inequívoco, patente, claro.
oca; *s.* oca, en Brasil cabaña del indio.
ocarina; *s.* ocarina.
ocasião; *s.* ocasión, instante, momento, tiempo, oportunidad.
ocasional; *adj.* ocasional, esporádico, eventual.
ocasionar; *v.* ocasionar, aportar, motivar, provocar, originar.
ocaso; *s.* ocaso, crepúsculo, lubricán, puesta.
oceânico; *adj.* oceánico.
oceano; *s.* océano, mar.
oceanografia; *s.* oceanografía.
oceanográfico; *adj.* oceanográfico.
ocidental; *adj.* occidental.
ocidente; *s.* occidente, poniente.
ócio; *s.* ocio, descanso, reposo, pereza, vagancia.
ociosidade; *s.* ociosidad, desocupación.
ocioso; *adj.* ocioso, desocupado, inútil, sin provecho.
oclusão; *s.* oclusión, obliteración.
ocluso; *adj.* ocluso, tapado, cerrado.
oco; *adj.* hueco, vacío.
ocorrência; *s.* ocurrencia, acontecimiento, incidente.
ocorrer; *v.* ocurrir, acaecer, acontecer, haber, sobrevenir, suceder.
ocre; *s.* ocre.
octogenário; *adj.* octogenario.
ocular; *adj.* ocular.
oculista; *s.* oculista.
óculos; *s.* gafas, lente.
ocultar; *v.* ocultar, esconder, guardar, tapar.
ocultismo; *s.* ocultismo.
oculto; *adj.* oculto, escondido, encubierto, ignorado, misterioso, sobrenatural.
ocupação; *s.* ocupación, quehacer, profesión, trabajo.
ocupado; *adj.* ocupado, atareado, entretenido, empleado.
ocupante; *adj.* ocupante.
ocupar; *v.* ocupar, emplear, entrar, invadir, tomar.
ode; *s.* oda.
odiar; *v.* odiar, detestar.
odiento; *adj.* rencoroso, vengativo, odioso.
ódio; *s.* odio, antipatía, aversión, rabia, rencor, enemistad.

odioso; *adj.* odioso, detestable, antipático.
odisséia; *s.* odisea.
odontologia; *s.* odontología.
odontologista; *s.* odontólogo.
odontólogo; *s.* odontólogo.
odor; *s.* olor, aroma, perfume, fragancia.
odre; *s.* odre.
odorífero; *adj.* odorífero, odorante.
oeste; *s.* oeste, occidente, ocaso.
ofegante; *adj.* jadeante.
ofegar; *v.* jadear.
ofender; *v.* ofender, afrentar, injuriar, insultar, pecar, agraviar, lastimar.
ofensa; *s.* ofensa, afrenta, agravio, enojo, entuerto, injuria.
ofensiva; *s.* ofensiva.
ofensivo; *adj.* ofensivo, despreciativo, ultrajante.
ofensor; *adj.* ofensor, agresor.
oferecer; *v.* ofrecer, ofertar, ofrendar, brindar, convidar, dedicar.
oferecimento; *s.* ofrecimiento.
oferenda; *s.* oferta, ofrenda.
oferta; *s.* oferta, ofrenda, donativo.
ofertar; *v.* ofrecer, ofertar, ofrendar.
oficial; *adj.* oficial.
oficialidade; *s.* oficialidad.
oficializar; *v.* oficializar.
oficiar; *v.* oficiar, celebrar oficios religiosos.
oficina; *s.* oficina, taller, factoría.
ofício; *s.* oficio, empleo, profesión, deber.
oficioso; *adj.* oficioso, servicial, obsequioso, desinteresado, sin carácter oficial.
ofídio; *s.* ofidio.
oftalmologia; *s.* oftalmología.
oftalmológico; *adj.* oftalmológico.
oftalmologista; *s.* oftalmólogo, oculista.
ofuscamente; *adj.* ofuscante.
ofuscar; *v.* ofuscar, deslumbrar, obscurecer.
ogiva; *s.* ojiva.
ogival; *adj.* ojival.
oito; *adj.* ocho.
ojeriza; *s.* ojeriza.
olá; *interj.* hola.
olaria; *s.* alfarería.
oleado; *s.* ahulado, encerado.
oleaginoso; *adj.* oleaginoso.
oleiro; *s.* alfarero.
óleo; *s.* óleo.
oleoduto; *s.* oleoducto.
oleoso; *adj.* aceitoso, oleaginoso, untuoso.
olfativo; *adj.* olfativo.
olfato; *s.* olfato.
olhada; *s.* ojeada, miramiento.
olhar; *v.* mirar, ver, observar, contemplar, examinar.
olheira; *s.* ojera.
olho; *s.* ojo, vista.
olho-d'água; *s.* fuente, nacente de agua.
olho-de-boi; *s.* claraboya.
oligarquia; *s.* oligarquía.
oligofrenia; *s.* oligofrenia.
olimpíada; *s.* olimpiada.
olímpico; *adj.* olímpico.
olival; *s.* olivar.
oliveira; *s.* olivera, olivo.
olmeiro; *s.* olmo.
olmo; *s.* olmo.
olor; *s.* olor.
oloroso; *adj.* oloroso.
olvidar; *v.* olvidar.
olvido; *s.* olvido.
ombreira; *s.* hombrera, umbral, batiente.
ombro; *s.* hombro.
omelete; *s.* tortilla.
omissão; *s.* omisión.
omisso; *adj.* omiso, descuidado, negligente, reticente.
omitir; *v.* omitir, olvidar, dejar, escapar, preterir.
omoplata; *s.* omóplato.
onça; *s.* onza, felino, medida.
oncologia; *s.* oncología.
oncologista; *s.* oncólogo.

onda; *s.* ola, onda.
onde; *adv.* donde.
ondeado; *adj.* ondeado, ondulado.
ondear; *v.* ondear, ondular, rizar.
ondulação; *s.* ondulación.
ondulado; *adj.* ondulado, ondeado, rizado.
ondular; *v.* ondear, ondular.
onduloso; *adj.* ondoso, ondulado.
oneroso; *adj.* oneroso, gravoso, vejatorio, infamante.
ônibus; *s.* autobús, autocar.
onipotência; *s.* omnipotencia.
onipotente; *adj.* omnipotente.
onipresença; *s.* omnipresencia.
onírico; *adj.* onírico.
onisciência; *s.* omnisciencia.
onisciente; *adj.* omnisciente.
onívoro; *adj.* omnívoro.
onomástico; *adj.* onomástico.
onomatopéia; *s.* onomatopeya.
ontem; *adv.* ayer.
ontologia; *s.* ontología.
ônus; *s.* peso, carga, encargo, gravamen, tributo.
onze; *adj.* once.
opacidade; *s.* opacidad.
opaco; *adj.* opaco, sombrío, obscuro, denso.
opção; *s.* opción, alternativa.
ópera; *s.* ópera.
operação; *s.* operación.
operador; *adj.* operador.
operar; *v.* operar.
operário; *s.* operario, obrero.
operatório; *adj.* operatorio.
opereta; *s.* opereta.
operoso; *adj.* operoso, costoso, trabajoso.
opinar; *v.* opinar, juzgar, entender.
opinião; *s.* opinión, concepto, parecer.
ópio; *s.* opio.
oponente; *adj.* oponente.
opor; *v.* oponer, contraponer, contrastar, objetar.
oportunidade; *s.* oportunidad, ocasión.
oportunismo; *s.* oportunismo.
oportunista; *adj.* oportunista.
oportuno; *adj.* oportuno, conveniente, favorable.
oposição; *s.* oposición, antagonismo, antítesis, aversión, contraste, disensión.
opositor; *s.* opositor, oponente.
oposto; *adj.* opuesto, adverso, antagónico, contrario.
opressão; *s.* opresión, tiranía.
opressivo; *adj.* opresivo.
opressor; *adj.* opresor, tirano, déspota.
oprimido; *adj.* oprimido.
oprimir; *v.* oprimir, violentar, cargar, sobrecargar, abrumar, gravar, supeditar, tiranizar.
opróbrio; *s.* oprobio, vilipendio, afrenta, deshonra, vejación.
optar; *v.* optar.
optativo; *adj.* optativo.
óptica; *s.* óptica.
opugnar; *v.* opugnar.
opulência; *s.* opulencia, abundancia, riqueza.
opulento; *adj.* opulento, abundante, rico, valioso.
opúsculo; *s.* opúsculo.
oração; *s.* oración, rezo.
orações; *s.* preces.
oráculo; *s.* oráculo.
orador; *s.* orador.
oral; *adj.* oral, verbal.
orangotango; *s.* orangután.
orar; *v.* orar, rezar.
oratório; *adj.* oratorio.
orbe; *s.* orbe.
órbita; *s.* trayectoria, órbita.
orçamento; *s.* presupuesto.
orçar; *v.* presuponer, presupuestar.
ordeiro; *adj.* amigo del orden.
ordem; *s.* orden, disposición metódica.
ordenação; *s.* ordenación.
ordenado; *adj.* ordenado.
ordenado; *s.* salario, sueldo.
ordenança; *s.* ordenanza.

ordenar; *v.* ordenar, organizar, poner en orden.
ordenhar; *v.* ordeñar.
ordinal; *adj.* ordinal.
ordinário; *adj.* ordinario, inferior, normal, usual.
orégano; *s.* orégano.
orelha; *s.* oreja.
orfanato; *s.* orfanato, orfelinato.
orfandade; *s.* orfandad.
órfão; *adj.* huérfano, privado, desamparado.
órfão; *s.* huérfano.
orfeão; *s.* orfeón.
orgânico; *adj.* orgánico.
organismo; *s.* organismo.
organização; *s.* organización.
organizado; *adj.* organizado, ordenado.
organizar; *v.* organizar, constituir, programar, estructurar.
organograma; *s.* organigrama.
órgão; *s.* órgano.
orgasmo; *s.* orgasmo.
orgia; *s.* bacanal, orgía.
orgulhar; *v.* enorgullecer.
orgulho; *s.* orgullo, alarde, altanería, soberbia, vanidad.
orgulhoso; *adj.* orgulloso, altanero, altivo, soberbio.
orientação; *s.* orientación, dirección.
oriental; *adj.* oriental.
orientar; *v.* orientar, conducir, guiar, instruir.
oriente; *s.* oriente, este, levante, naciente.
orifício; *s.* orificio, abertura, agujero.
origem; *s.* origen, comienzo, principio, procedencia, causa.
original; *adj.* original, primitivo, singular, insólito.
original; *s.* original, modelo, prototipo, tipo.
originalidade; *s.* originalidad, singularidad.
originar; *v.* originar, causar, motivar, producir, criar, proceder.
originário; *adj.* originario, original, oriundo, primigenio.
oriundo; *adj.* originario, oriundo.
orla; *s.* orla, borde, orilla, ribete.
orlar; *v.* orlar, doblar, bordar.
ornamental; *adj.* ornamental.
ornamentar; *v.* ornamentar, adornar, embellecer, engalanar.
ornamento; *s.* ornamento, adorno, atavío, gala.
ornar; *v.* ornar, adornar, ataviar, guarnecer.
ornato; *s.* ornato, adorno, atavío, pompa, aparato.
ornejo; *s.* rebuzno.
orografia; *s.* orografía.
orquestra; *s.* orquesta.
orquestração; *s.* orquestación.
ortodoxia; *s.* ortodoxia.
ortodoxo; *adj.* ortodoxo.
ortografia; *s.* ortografía.
ortopedia; *s.* ortopedia.
ortopédico; *adj.* ortopédico.
orvalhar; *v.* orvallar.
orvalho; *s.* orvallo, rocío.
oscilação; *s.* oscilación, tambaleo, vaivén, vibración.
oscilar; *v.* oscilar, tambalearse, titubear, vacilar, vibrar.
ósculo; *s.* ósculo.
osmose; *s.* ósmosis.
ossário; *s.* carnero, osario.
ósseo; *adj.* óseo.
ossificar; *v.* osificar.
osso; *s.* hueso.
ossudo; *adj.* huesudo.
ostensivo; *adj.* ostensible, ostensivo.
ostentação; *s.* ostentación, pompa.
ostentar; *v.* ostentar.
ostra; *s.* ostra.
ostracismo; *s.* ostracismo.
ótico; *adj.* ocular.
otimismo; *s.* optimismo.
ótimo; *adj.* óptimo.
otomano; *adj.* otomano.
otorrino; *s.* otorrinolaringólogo.
ourela; *s.* orilla, orla.

ouriço; *s.* erizo.
ourivesaria; *s.* orfebrería.
ouro; *s.* oro.
ousadia; *s.* osadía, arrojo, atrevimiento, audacia, temeridad.
ousado; *adj.* osado, atrevido, corajoso, denodado, heroico, temerario.
ousar; *v.* osar, atreverse.
outeiro; *s.* colina, otero.
outonal; *adj.* otoñal.
outono; *s.* otoño.
outorgar; *v.* dar, otorgar.
outro; *pron.* otro.
outrora; *adv.* antaño.
outrossim; *adv.* otrosí.
outubro; *s.* octubre.
ouvido; *s.* oído.
ouvinte; *adj.* oyente.
ouvinte; *s.* auditor.
ouvir; *v.* escuchar, oír.
ovação; *s.* ovación.
ovacionar; *v.* ovacionar.
oval; *adj.* ovalado, oval.
oval; *s.* óvalo, curva.
ovalado; *adj.* aovado.
ovário; *s.* ovario.
ovelha; *s.* oveja.
ovino; *adj.* ovino.
ovíparo; *adj.* ovíparo.
ovo; *s.* huevo.
ovulação; *s.* ovulación.
ovular; *v.* ovular.
óvulo; *s.* óvulo.
oxalá; *interj.* ojalá.
oxidar; *v.* oxidar.
oxidável; *adj.* oxidable.
oxigenação; *s.* oxigenación.
oxigenado; *adj.* oxigenado.
oxigenar; *v.* oxigenar.
oxigênio; *s.* oxígeno.
ozônio; *s.* ozono.

P

p; *s.* décima quinta letra del abecedario portugués.
pá; *s.* pala.
paca; *s.* paca.
pacato; *adj.* pacato, manso.
pachorra; *s.* pachorra.
paciência; *s.* paciencia, espera, mansedumbre, tolerancia.
paciente; *adj.* paciente.
paciente; *s.* paciente, enfermo.
pacificar; *v.* pacificar, allanar, apaciguar, aplacar, serenar, sosegar.
pacífico; *adj.* pacífico, sosegado, tranquilo, quieto, amigo de la paz.
pacifismo; *s.* pacifismo.
pacote; *s.* paquete, bulto, fardo, lío.
pacto; *s.* pacto, ajuste, combinación, confederación, trato.
pactuar; *v.* pactar.
padaria; *s.* panadería, panificadora, tahona.
padecer; *v.* padecer, purgar, sufrir.
padecimento; *s.* padecimiento, sufrimiento.
padeiro; *s.* panadero.
padiola; *s.* andas, parihuela.
padrão; *s.* padrón.
padrasto; *s.* padrastro.
padre; *s.* padre, cura, sacerdote.
padrinho; *s.* padrino, paraninfo.
padroeiro; *s.* patrón, protector, patrono.
padronização; *s.* uniformidad.
padronizar; *v.* uniformar.
paga; *s.* paga.
pagadoria; *s.* pagaduría.
pagamento; *s.* paga, pago, estipendio, salario, sueldo, remuneración.
paganismo; *s.* paganismo.
pagão; *adj.* pagano.
pagador; *adj.* pagador.
pagar; *v.* pagar, remunerar, amortizar, indemnizar, liquidar, saldar.
pagável; *adj.* pagable.
página; *s.* página.
paginação; *s.* paginación.
paginar; *v.* paginar.
pago; *adj.* pago, pagado.
pagode; *s.* pagoda.
pai; *s.* padre, papá, progenitor.
painel; *s.* panel, cuadro.
paio; *s.* salchichón.
paiol; *s.* pañol, polvorín.
pairar; *v.* pairar.
país; *s.* país, patria, tierra.
paisagem; *s.* paisaje.
paisagista; *s.* paisajista.
paisano; *adj.* paisano.
paixão; *s.* pasión, amor ardiente.
pajem; *s.* paje.
palacete; *s.* palacete.
palaciano; *adj.* palaciego, palaciano.
palaciano; *s.* palaciego, cortesano.
palácio; *s.* palacio.

paladar; *s.* paladar, gusto, sabor.
paladino; *s.* paladín.
palafita; *s.* palafito.
palanque; *s.* templete.
palato; *s.* paladar.
palavra; *s.* palabra, verbo, vocablo, voz.
palavrão; *s.* palabrota, taco.
palavreado; *s.* palabrería, arenga.
palco; *s.* escenario, tablado.
paleografia; *s.* paleografía.
paleolítico; *adj.* paleolítico.
paleontologia; *s.* paleontología.
palerma; *adj.* estúpido, imbécil, idiota, necio.
palestino; *adj.* palestino.
palestra; *s.* coloquio, conferencia, conversación.
paleta; *s.* paleta.
paletó; *s.* paletó, saco, abrigo.
palha; *s.* paja.
palhaço; *s.* payaso.
palheiro; *s.* henil, pajar.
palheta; *s.* púa, paleta.
palhoça; *s.* choza.
paliar; *v.* paliar, encubrir, disimular.
paliativo; *adj.* paliativo.
paliçada; *s.* palizada, palenque.
palidez; *s.* palidez, lividez.
pálido; *adj.* pálido, desmayado, descolorido, exangüe, macilento.
palitar; *v.* escarbar, mondar los dientes.
paliteiro; *s.* palillero.
palito; *s.* palillo.
palma; *s.* palma.
palmada; *s.* manotazo, palmada.
palmatória; *s.* palmatoria.
palmeira; *s.* palmera.
palmilha; *s.* plantilla.
palmito; *s.* palmito.
palmo; *s.* palmo.
palpar; *v.* palpar, tocar.
palpável; *adj.* palpable.
pálpebra; *s.* párpado.
palpitação; *s.* palpitación, pulsación.
palpitar; *v.* palpitar, pulsar.
palpite; *s.* pálpito, palpitación, premonición.
paludismo; *s.* paludismo.
palustre; *adj.* palustre.
pampa; *s.* pampa.
panaceia; *s.* panacea.
panal; *s.* paño grande.
panamenho; *adj.* panameño.
pan-americano; *adj.* panamericano.
pança; *s.* panza, vientre.
pancada; *s.* golpe.
pancadaria; *s.* paliza.
pâncreas; *s.* páncreas.
panda; *s.* panda.
pândega; *s.* parranda, juerga.
pandeiro; *s.* pandero.
pandemônio; *s.* pandemónium, tumulto, desorden, confusión.
panegírico; *s.* panegírico.
panela; *s.* olla, puchero, cacerola.
panfleto; *s.* panfleto, pasquín, volante.
pânico; *s.* pánico, pavor.
panificação; *s.* panificación.
panificadora; *s.* panificadora.
pano; *s.* paño, tela.
panorama; *s.* panorama, vista.
panorâmico; *adj.* panorámico.
pantanal; *s.* pantanal, pantano grande, atolladero, lodazal.
pântano; *s.* pantano, atolladero, lodazal.
pantanoso; *adj.* pantanoso.
panteão; *s.* panteón.
panteísmo; *s.* panteísmo.
pantera; *s.* pantera.
pantomima; *s.* mímica, pantomima.
panturrilha; *s.* pantorrilla.
pão; *s.* pan.
pãozinho; *s.* panecillo.
papa; *s.* papa, papilla.
papa; *s.* papa, pontífice.
papada; *s.* papada, papo.
papado; *s.* pontificado.
papagaio; *s.* loro, papagayo, cometa.
papai; *s.* papá.
papal; *adj.* papal, vaticano.
papão; *s.* papón, bu, coco, fantasma.

papável; *adj.* papable, cardenal que tiene probabilidad de ser elegido papa.
papeira; *s.* bocio, papera.
papel; *s.* papel.
papelada; *s.* papelada.
papelão; *s.* cartón, papelón.
papelaria; *s.* papelería.
papeleira; *s.* papelera.
papeleta; *s.* papeleta.
papila; *s.* papila.
papiro; *s.* papiro.
papo; *s.* papo.
papoula; *s.* amapola.
par; *adj.* par, igual, semejante.
par; *s.* par, pareja.
para; *prep.* hacia, para.
parabéns; *s.* parabién, enhorabuena, pláceme.
parábola; *s.* parábola.
pára-brisa; *s.* parabrisas.
pára-choque; *s.* parachoques.
parada; *s.* parada, paradero, estación.
paradeiro; *s.* paradero.
paradigma; *s.* paradigma, modelo, ejemplo.
paradisíaco; *adj.* paradisiaco.
paradoxal; *adj.* paradójico.
paradoxo; *s.* paradoja.
parafina; *s.* parafina.
paráfrase; *s.* paráfrasis.
parafrasear; *v.* parafrasear.
parafusar; *v.* atornillar.
parafuso; *s.* tornillo.
paragem; *s.* paraje.
parágrafo; *s.* párrafo.
paraguaio; *adj.* paraguayo.
paraíso; *s.* paraíso, edén.
pára-lama; *s.* guardabarros.
paralelepípedo; *s.* adoquín, macadán.
paralelo; *adj.* paralelo.
paralelo; *s.* comparación.
paralisação; *s.* paralización.
paralisar; *v.* paralizar, entorpecer, tullir.
paralisia; *s.* parálisis.
paralítico; *adj.* paralítico, tullido.
paramento; *s.* paramento, adorno, atavío.
parâmetro; *s.* parámetro.
paramilitar; *adj.* paramilitar.
páramo; *s.* páramo.
paraninfo; *s.* paraninfo.
paranóia; *s.* paranoia.
parapeito; *s.* antepecho, parapeto, pretil.
parapsicologia; *s.* parasicología.
pára-quedas; *s.* paracaídas.
páraquedismo; *s.* paracaidismo.
páraquedista; *s.* paracaidista.
parar; *v.* parar, quedar, permanecer, residir, descansar, cesar.
pára-raios; *s.* pararrayos.
parasita; *adj.* parásito.
parasitar; *v.* llevar la vida de parásito.
parasitário; *adj.* parasitario.
parceiro; *adj.* parejo, igual, semejante.
parceiro; *s.* compañero, partícipe, socio.
parcela; *s.* parcela.
parcelar; *v.* parcelar, dividir.
parcial; *adj.* parcial.
parcialidade; *s.* parcialidad.
parcimônia; *s.* parsimonia.
parcimonioso; *adj.* parsimonioso.
parco; *adj.* parco, moderado, sobrio.
pardal; *s.* gorrión.
pardieiro; *s.* casa muy vieja, en ruinas.
pardo; *adj.* pardo, rucio.
parecer; *s.* parecer, opinión, laudo, sentencia, voto.
parecer; *v.* parecer, asemejar, semejar.
parecido; *adj.* parecido, semejante.
parede; *s.* pared, muro.
parelha; *s.* yunta.
parelho; *adj.* parejo.
parente; *adj.* pariente, allegado.
parente; *s.* pariente.
parentesco; *s.* parentesco, afinidad.
parêntese; *s.* paréntesis.

paridade; *s.* paridad.
parir; *v.* parir.
parlamentar; *v.* parlamentar.
parlamentário; *s.* parlamentario.
parlamento; *s.* parlamento.
parmesão; *adj.* parmesano, queso.
pároco; *s.* párroco, abad, cura.
paródia; *s.* parodia.
parodiar; *v.* parodiar.
paróquia; *s.* parroquia.
paroquiano; *s.* parroquiano.
paroxismo; *s.* paroxismo.
parque; *s.* parque.
parquete; *s.* parqué.
parreira; *s.* parra.
parricídio; *s.* parricidio.
parte; *s.* parte, fracción, fragmento, pedazo, porción, segmento.
parteira; *s.* partera, comadre, comadrona, matrona.
parteiro; *s.* partero, tocólogo.
partição; *s.* partición.
participante; *adj.* participante.
participar; *v.* participar, compartir, comunicar, integrar.
participio; *s.* participio.
partícula; *s.* partícula.
particular; *adj.* particular, individual, peculiar.
particularidade; *s.* particularidad, especialidad, peculiaridad.
particularizar; *v.* particularizar, individualizar, puntualizar.
partida; *s.* partida, ida.
partidário; *adj.* adepto, partidario.
partido; *s.* partido, bando, facción.
partilha; *s.* partición, reparto.
partilhar; *v.* compartir.
partir; *v.* partir, dividir, quebrar, separar, repartir, comenzar.
partitura; *s.* partitura.
parto; *s.* alumbramiento, parto.
parturiente; *s.* parturienta.
parvo; *adj.* parvo, idiota, memo, tonto.
parvoíce; *s.* parvulez, necedad, sandez.
páscoa; *s.* pascua.
pasmaceira; *s.* embobamiento, pasmo.
pasmado; *adj.* pasmado, embobado, boquiabierto.
pasmar; *v.* pasmar.
pasmo; *s.* pasmo, admiración, asombro.
pasquim; *s.* pasquín.
passa; *s.* pasa.
passada; *s.* pasada, paso.
passadiço; *s.* pasadizo.
passado; *adj.* pasado.
passageiro; *adj.* pasajero, efímero, temporal, transitorio.
passageiro; *s.* pasajero, transeúnte.
passagem; *s.* pasaje, pasaje.
passaporte; *s.* pasaporte.
passar; *v.* pasar, atravesar, transponer, transcurrir, transferir, transitar.
passarada; *s.* pajarería.
passarela; *s.* pasarela.
pássaro; *s.* ave, pájaro.
passatempo; *s.* pasatiempo, diversión.
passe; *s.* pase, permiso, licencia.
passear; *v.* pasear.
passeio; *s.* paseo, caminada, excursión, gira, acera.
passional; *adj.* pasional.
passividade; *s.* pasividad.
passivo; *adj.* pasivo.
passo; *s.* paso, marcha.
pasta; *s.* pasta.
pastagem; *s.* pastaje, pasto, prado.
pastar; *v.* pastar, apacentar.
pastel; *s.* empanada, pastel, tarta, torta.
pastelão; *s.* torta.
pastelaria; *s.* pastelería.
pasteurização; *s.* pasteurización.
pastilha; *s.* pastilla, tableta.
pasto; *s.* forraje, hierba, pasto.
pastor; *s.* pastor.
pastorear; *v.* apacentar, pastorear.
pastosidade; *s.* pastosidad.
pastoso; *adj.* pastoso.
pata; *s.* pata, pie, pierna.

patada; *s.* patada.
patamar; *s.* descanso, rellano.
patê; *s.* paté.
patear; *v.* patalear, patear.
patente; *adj.* obvio, palmario, patente.
patentear; *v.* patentar.
paternal; *adj.* paternal.
paternalismo; *s.* paternalismo.
paternidade; *s.* paternidad.
paterno; *adj.* paterno.
patético; *adj.* patético.
patíbulo; *s.* patíbulo.
patife; *adj.* pillo, pícaro, tunante.
patim; *s.* patín.
pátina; *s.* pátina.
patinação; *s.* patinaje.
patinar; *v.* patinar.
pátio; *s.* patio.
pato; *s.* pato.
patogênico; *adj.* patógeno.
patologia; *s.* patología.
patranha; *s.* infundio, patraña.
patrão; *s.* patrón, amo, señor, dueño.
pátria; *s.* patria.
patriarca; *s.* patriarca.
patriarcado; *s.* patriarcado.
patriarcal; *adj.* patriarcal.
patrício; *adj.* patricio.
patrimônio; *s.* patrimonio.
pátrio; *adj.* patrio.
patriota; *s.* patriota.
patriotismo; *s.* patriotismo.
patrocinador; *adj.* patrocinador.
patrocinar; *v.* patrocinar.
patrocínio; *s.* patrocinio, amparo, auxilio.
patronal; *adj.* patronal.
patrono; patrono patrón, defensor, abogado.
patrulha; *s.* patrulla.
patrulhar; *v.* patrullar.
pau; *s.* palo.
pau-brasil; *s.* palo brasil, madera de color encendido.
paulada; *s.* paliza, garrotazo.
paulatino; *adj.* paulatino, lento.
pausa; *s.* pausa.
pausar; *v.* pausar, descansar.
pauta; *s.* pauta.
pautar; *v.* pautar, reglar.
pavão; *s.* pavón, pavo real.
pavilhão; *s.* pabellón.
pavimentar; *v.* pavimentar, asfaltar, embaldosar, empedrar, enladrillar.
pavimento; *s.* pavimento, piso.
pavio; *s.* pabilo, cerilla, mecha.
pavonear; *v.* pavonear.
pavor; *s.* pavor, espanto, pánico, terror.
pavoroso; *adj.* pavoroso, horroroso, espantoso.
paz; *s.* paz, concordia, sosiego, tranquilidad.
pé; *s.* pie.
peanha; *s.* peana.
peão; *s.* peón.
peça; *s.* pieza.
pecado; *s.* pecado.
pecaminoso; *adj.* pecaminoso.
pecar; *v.* pecar.
pechinchar; *v.* escatimar, regatear.
peçonha; *s.* ponzoña.
peçonhento; *adj.* emponzoñador, ponzoñoso.
pecuária; *s.* pecuaria.
pecuário; *adj.* pecuario.
peculiar; *adj.* peculiar, particular, propio.
peculiaridade; *s.* peculiaridad.
pecúlio; *s.* peculio, patrimonio.
pedaço; *s.* pedazo, parte, trozo.
pedágio; *s.* peaje.
pedagogia; *s.* pedagogía.
pedagogo; *s.* pedagogo, profesor.
pedal; *s.* pedal.
pedalar; *v.* pedalear.
pedante; *adj.* pedante.
pederasta; *s.* pederasta.
pederastia; *s.* pederastia.
pedestal; *s.* pedestal, base.
pedestre; *adj.* pedestre.
pedestre; *s.* peatón.
pé-de-vento; *s.* ráfaga, torbellino, huracán.

pediatra; *s.* pediatra.
pediatria; *s.* pediatría.
pedicuro; *s.* callista.
pedido; *s.* pedido, petición, postulación, súplica.
pedinchão; *adj.* pedigüeño.
pedinte; *adj.* mendicante, pobre.
pedinte; *s.* mendigo.
pedir; *v.* pedir, demandar, encargar, postular, rogar, solicitar, suplicar.
pedra; *s.* piedra, adoquín, guijarro, pizarra, losa, callao.
pedrada; *s.* pedrada.
pedra-pomes; *s.* piedra pómez.
pedraria; *s.* pedrería, piedras preciosas.
pedra-sabão; *s.* piedra de talco.
pedra-ume; *s.* piedra alumbre.
pedregoso; *adj.* pedregoso.
pedregulho; *s.* pedrejón, roca, callao.
pedreira; *s.* cantera, pedrera.
pedreiro; *s.* albañil, pedrero.
pedrisco; *s.* pedrisco, lluvia de granizo.
pegada; *s.* huella, rastro, vestigio.
pegajoso; *adj.* pegajoso, untuoso, viscoso.
pegar; *v.* pegar, adherir, encolar, juntar, unir, agarrar, sujetar.
peia; *s.* peal, traba.
peido; *s.* pedo.
peito; *s.* pecho, mamas, tórax.
peitoral; *adj.* pectoral.
peitoril; *s.* parapeto, antepecho.
peixada; *s.* manjar con pescado cocido.
peixaria; *s.* pescadería.
peixe; *s.* pez.
peixeiro; *s.* pescadero.
pejorativo; *adj.* peyorativo.
pelado; *adj.* morondo, pelado, pelón.
pelado; *adj.* desnudo.
pelagem; *s.* pelaje.
pelanca; *s.* piltrafa, colgajo.
pelar; *v.* despellejar, pelar.
pele; *s.* piel, pellejo.
peleja; *s.* lid, lucha, pelea, pugna, refriega.
pelejar; *v.* lidiar, luchar, pelear, pugnar.
peleteria; *s.* peletería.
pelica; *s.* cabritilla.
peliça; *s.* pelliza.
pelicano; *s.* pelícano.
película; *s.* película, piel muy fina, filme.
pêlo; *s.* pelo, cabello, vello.
pelota; *s.* pelota.
pelotão; *s.* pelotón.
pelourinho; *s.* picota.
peludo; *adj.* peludo, velludo.
pélvis; *s.* pelvis.
pena; *s.* pena, pluma.
pena; *s.* pena, sanción, punición, lástima, dolor, tristeza.
penacho; *s.* penacho, plumero.
penal; *adj.* penal, punitivo.
penalidade; *s.* penalidad, sanción, castigo.
penalizar; *v.* penalizar.
penca; *s.* racimo.
pendão; *s.* pendón, bandera, estandarte.
pendência; *s.* pendencia, querella, cuestión, riña.
pendente; *adj.* pendiente, inminente.
pender; *v.* pender, inclinar, tender, colgar.
pendular; *adj.* pendular.
pêndulo; *s.* péndulo.
pendurar; *v.* colgar, pender, suspender.
penduricalho; *s.* colgajo, pendiente, pinjante.
penedo; *s.* peña, peñasco, callao.
peneira; *s.* cedazo, criba.
peneirar; *v.* cerner, cribar.
penetração; *s.* penetración, incursión, infiltración.
penetrante; *adj.* penetrante.
penetrar; *v.* penetrar, ahondar, entrañar, entrar, introducirse, compenetrarse.
penha; *s.* peña.
penhasco; *s.* peña, peñasco.
penhor; *s.* arras, fianza, garantía, prenda.

penhora; *s.* hipoteca.
penhorar; *v.* hipotecar, embargar, empeñar, secuestrar.
penhorista; *s.* prestamista.
penicilina; *s.* penicilina, antibiótico.
penico; *s.* bacín, orinal.
península; *s.* península.
peninsular; *adj.* peninsular.
pênis; *s.* pene, falo.
penitência; *s.* penitencia.
penitenciária; *s.* penitenciaría, penal, presidio.
penitenciário; *s.* penitenciario.
penitente; *adj.* penitente.
penoso; *adj.* penoso, arduo, laborioso, doloroso, fatigante.
pensador; *s.* pensador.
pensamento; *s.* pensamiento, idea, raciocinio, concepto.
pensão; *s.* pensión, albergue, casa de huéspedes.
pensar; *v.* pensar, raciocinar, reflexionar, conceptuar.
pensativo; *adj.* pensativo, meditabundo, preocupado.
pensionato; *s.* pensionado.
pensionista; *s.* pensionista.
penso; *s.* pienso, curativo.
pentágono; *s.* pentágono.
pentagrama; *s.* pentagrama.
pente; *s.* peine.
penteadeira; *s.* tocador.
penteado; *s.* peinado, tocado.
pentear; *v.* peinar.
pentecostes; *s.* pentecostés.
penugem; *s.* plumón, lanilla, vello, pelusa.
penúltimo; *adj.* penúltimo.
penumbra; *s.* penumbra.
penúria; *s.* penuria, escasez, pobreza.
pepino; *s.* pepino.
pequenez; *s.* pequeñez.
pequenino; *adj.* pequeñito.
pequeno; *adj.* pequeño.
pêra; *s.* pera.
perambular; *v.* deambular, vaguear.
perante; *prep.* ante, delante de, en vista de.
percalço; *s.* percance.
perceber; *v.* percibir, oír, ver, entender, conocer.
percentagem; *s.* porcentaje.
percepção; *s.* percepción, comprensión, intuición.
perceptível; *adj.* perceptible.
percevejo; *s.* chinche, tachuela.
percorrer; *v.* recorrer.
percurso; *s.* recorrido, trayecto.
percussão; *s.* percusión.
percutir; *v.* percutir.
perda; *s.* pérdida, perdición, perjuicio, ruina.
perdão; *s.* perdón, remisión de pena.
perder; *v.* perder.
perdição; *s.* perdición.
perdido; *adj.* perdido, extraviado, olvidado, sin esperanza, disperso.
perdigão; *s.* perdigón.
perdiz; *s.* perdiz.
perdoar; *v.* perdonar, absolver, amnistiar, disculpar, indultar.
perdoável; *adj.* perdonable.
perdulário; *adj.* perdulario, disipador.
perdurar; *v.* perdurar.
perdurável; *adj.* perdurable, duradero.
perecer; *v.* perecer, sucumbir, acabar.
perecível; *adj.* perecedero.
peregrinação; *s.* peregrinación, romería.
peregrinar; *v.* peregrinar.
peregrino; *adj.* peregrino, extranjero, raro, extraño.
perene; *adj.* perenne.
perfeição; *s.* perfección, exactitud, limpieza, primor.
perfeito; *adj.* perfecto, acabado, completo, exacto, ideal, impecable, intachable, íntegro.
perfídia; *s.* perfidia, traición.
pérfido; *adj.* pérfido.
perfil; *s.* perfil, silueta.
perfilar; *v.* perfilar.

perfilhação; *s.* adopción.
perfilhar; *v.* adoptar, ahijar.
perfumado; *adj.* perfumado, aromático, fragante, oloroso.
perfumar; *v.* perfumar, aromatizar.
perfumaria; *s.* perfumería.
perfume; *s.* perfume, aroma, fragancia, loción.
perfumista; *s.* perfumista.
perfuração; *s.* perforación.
perfurador; *adj.* perforador.
perfuradora; *s.* perforadora, taladrador.
perfurar; *v.* perforar, agujerear, pinchar, taladrar.
pergaminho; *s.* pergamino.
pergunta; *s.* pregunta, cuestión, interrogación.
perguntar; *v.* preguntar, indagar, interrogar.
pericárdio; *s.* pericardio.
perícia; *s.* pericia, conocimiento, habilidad.
periferia; *s.* periferia.
periférico; *adj.* periférico.
perífrase; *s.* circunloquio.
perigo; *s.* peligro, riesgo.
perigoso; *adj.* peligroso, arriesgado, grave.
perímetro; *s.* perímetro.
periódico; *adj.* periódico.
periódico; *s.* periódico, diario, gaceta.
periodismo; *s.* periodismo.
periodista; *s.* periodista.
período; *s.* período, edad, estación, etapa, temporada, época.
peripécia; *s.* peripecia.
periquito; *s.* periquito, cotorra.
periscópio; *s.* periscopio.
perito; *adj.* perito, sabio, hábil, práctico.
perito; *s.* perito.
perjurar; *v.* perjurar.
perjúrio; *s.* perjurio.
perjuro; *adj.* perjuro.
permanecer; *v.* permanecer, quedar.
permanência; *s.* permanencia.
permanente; *adj.* permanente, crónico, continuo.
permeável; *adj.* permeable, poroso.
permissão; *s.* permiso, aprobación, autorización, licencia, pase.
permissível; *adj.* permisible, tolerable.
permissivo; *adj.* permisivo.
permitir; *v.* permitir, admitir, autorizar, comportar, conceder, consentir, facultar.
permuta; *s.* permuta, substitución, trueque.
permutar; *v.* permutar, conmutar, substituir, trocar.
perna; *s.* pierna.
pernada; *s.* pernada.
pernalto; *adj.* zancudo.
perneta; *adj.* cojo.
pernicioso; *adj.* pernicioso, dañoso, nocivo.
pernil; *s.* pernil.
pernoitar; *v.* pernoctar, trasnochar, dormir.
pernóstico; *adj.* presumido, pedante.
pérola; *s.* perla.
perônio; *s.* peroné.
peroração; *s.* perorata.
perpendicular; *adj.* perpendicular.
perpetrar; *v.* perpetrar.
perpetuar; *v.* perpetuar, eternizar.
perpétuo; *adj.* perpetuo.
perplexidade; *s.* perplejidad.
perplexo; *adj.* perplejo.
perseguição; *s.* persecución.
perseguir; *v.* perseguir, seguir, acosar.
perseverança; *s.* perseverancia, insistencia.
perseverante; *adj.* perseverante, insistente.
perseverar; *v.* perseverar, persistir, obstinarse.
persiana; *s.* persiana.
persignar-se; *v.* persignarse, santiguarse.
persistência; *s.* persistencia, perseverancia, tenacidad.

persistente; *adj.* persistente, perseverante, pertinaz.
persistir; *v.* persistir, perseverar.
personagem; *s.* personaje.
personalidade; *s.* personalidad.
personalizar; *v.* personalizar, personificar.
personificar; *v.* personificar, personalizar.
perspectiva; *s.* perspectiva.
perspicácia; *s.* perspicácia, agudeza, argucia, sagacidad.
perspicaz; *adj.* perspicaz, sagaz, vivaz.
persuadir; *v.* persuadir, convencer, imbuir, inducir.
persuasivo; *adj.* persuasivo.
pertencer; *v.* pertenecer.
pertinácia; *s.* pertinacia, tenacidad, terquedad.
pertinaz; *adj.* pertinaz, obstinado, terco.
pertinente; *adj.* pertinente, concerniente.
perto; *adv.* cerca, cercano.
perturbação; *s.* pertubación.
perturbado; *adj.* perturbado, aturdido.
perturbador; *adj.* perturbador, aflictivo.
perturbar; *v.* pertubar, aturdir, conmover, conturbar, desconcertar, desorganizar, inquietar, trastornar, turbar.
peru; *s.* pavo.
peruano; *adj.* peruano.
peruca; *s.* peluca, bisoñé, cabellera postiza.
perversão; *s.* perversión, depravación.
perverso; *adj.* perverso, inicuo, malo, malvado.
perverter; *v.* pervertir.
pesadelo; *s.* pesadilla.
pesado; *adj.* pesado, que pesa mucho, infeliz, mala suerte.
pêsames; *s.* pésame, condolencia.
pesar; *s.* pesar, dolor, luto, pésame.
pesar; *v.* gravar, pesar.
pesaroso; *adj.* pesaroso.
pesca; *s.* pesca.
pescada; *s.* merluza.
pescado; *s.* pescado.
pescador; *s.* pescador.
pescar; *v.* pescar.
pescaria; *s.* pesca, pesquería.
pescoço; *s.* cuello.
peso; *s.* peso.
pespontar; *v.* pespuntar, pespuntear.
pesqueiro; *adj.* pesquero.
pesquisa; *s.* pesquisa, investigación, información.
pesquisador; *adj.* investigador.
pesquisador; *s.* investigador, analista, encuestador.
pesquisar; *v.* investigar, buscar, investigar, indagar.
pêssego; *s.* durazno, melocotón.
pessimismo; *s.* pesimismo, derrotismo.
pessimista; *adj.* pesimista.
péssimo; *adj.* pésimo.
pessoa; *s.* persona, individuo.
pessoal; *adj.* personal.
pestana; *s.* pestaña.
pestanejar; *v.* parpadear, pestañear.
peste; *s.* peste.
pesticida; *s.* pesticida.
pestilência; *s.* pestilencia.
pestilento; *adj.* pestilente, apestoso.
pétala; *s.* pétalo.
petardo; *s.* petardo.
petição; *s.* petición, demanda, pedido, recurso, solicitud.
petisco; *s.* bocado delicioso, manjar exquisito, golosina.
petrechar; *v.* pertrechar.
petrechos; *s.* pertrechos.
petrificar; *v.* petrificar.
petroleiro; *s.* petrolero.
petróleo; *s.* petróleo.
petulância; *s.* petulancia.
petulante; *adj.* petulante, procaz.
pia; *s.* pila.
piada; *s.* chiste.
pianista; *s.* pianista.
piano; *s.* piano.

pião; *s.* peón.
piar; *v.* piar.
picada; *s.* picadura, picotada, pinchazo.
picadeiro; *s.* picadero.
picadinho; *s.* picadillo.
picado; *adj.* picado.
picado; *s.* picadillo.
picador; *s.* picador.
picadura; *s.* picadura.
picante; *adj.* acre, picante.
pica-pau; *s.* picamaderos, pájaro carpintero.
picar; *v.* picar, picotear, pinchar.
picardia; *s.* picardía.
picareta; *s.* pico, piqueta, zapapico.
pícaro; *adj.* pícaro.
piçarra; *s.* pizarra.
piche; *s.* pez, brea.
picles; *s.* fruto o legumbre en vinagre, escabeche.
pico; *s.* cúspide, pico.
picolé; *s.* polo, helado.
pictórico; *adj.* pictórico.
piedade; *s.* piedad, compasión.
piedoso; *adj.* piadoso.
piegas; *adj.* persona ridículamente sentimental.
pigarrear; *v.* carraspear.
pigarro; *s.* carraspera.
pigmentação; *s.* pigmentación.
pigmentar; *v.* pigmentar.
pigmeu; *adj.* pigmeo.
pijama; *s.* pijama.
pilão; *s.* majadero.
pilar; *s.* columna, pilar.
pilar; *v.* machacar.
pilha; *s.* pila.
pilhagem; *s.* pillaje, saqueo.
pilhar; *v.* pillar, saquear.
pilotagem; *s.* pilotaje.
pilotar; *v.* pilotar.
piloti; *s.* pilote.
piloto; *s.* aviador, piloto.
pílula; *s.* píldora.
pimenta; *s.* pimienta.
pimentão; *s.* ají, pimiento.
pimpolho; *s.* brote, pimpollo.
pinacoteca; *s.* pinacoteca.
pinça; *s.* pinza, tenacillas.
pinçar; *v.* pinzar.
pincel; *s.* pincel.
pincelar; *v.* pincelar.
pinga; *s.* aguardiente.
pingar; *v.* pingar, gotear, chorrear, lloviznar.
pingente; *s.* pendiente.
pingo; *s.* gota, lágrima.
pinguim; *s.* pingüino.
pinha; *s.* piña, fruto de las coníferas.
pinhal; *s.* pinar.
pinhão; *s.* piñón.
pinheiral; *s.* pinar.
pinheiro; *s.* pino.
pinote; *s.* cabriola.
pinta; *s.* peca, pinta.
pintar; *v.* pintar, maquillarse.
pintassilgo; *s.* jilguero.
pinto; *s.* pollo.
pintor; *s.* pintor.
pintura; *s.* pintura, retrato, maquillaje.
pio; *adj.* pío, devoto, religioso.
piolho; *s.* piojo.
pioneiro; *adj.* pionero.
pior; *adj.* peor.
piorar; *v.* empeorar.
pipa; *s.* pipa, tonel, cometa.
pipeta; *s.* pipeta.
pipoca; *s.* palomitas.
piquenique; *s.* jira, merienda.
piquete; *s.* piquete.
pira; *s.* pira.
pirâmide; *s.* pirámide.
piranha; *s.* piraña.
pirata; *s.* corsario, pirata.
pirataria; *s.* piratería.
piratear; *v.* piratear.
pires; *s.* platillo.
pirilampo; *s.* luciérnaga.
piromaníaco; *adj.* pirómano.
pirômano; *adj.* pirómano.
pirraça; *s.* tirria.
pirueta; *s.* pirueta, cabriola.
pirulito; *s.* pirulí.
pisada; *s.* pisada, huella, pisotón.

pisar; *v.* pisar, calcar con los pies, machucar, magullar.
piscadela; *s.* guiño.
piscar; *v.* parpadear, pestañear.
piscina; *s.* piscina.
piso; *s.* empedrado, piso, pavimento.
pista; *s.* carril, pista, rastro.
pistola; *s.* pistola, revólver.
pistom; *s.* pistón.
piteira; *s.* pita.
pitoresco; *adj.* pintoresco.
pitorra; *s.* peonza.
pivô; *s.* pivote.
pizza; *s.* pizza.
placa; *s.* placa matrícula.
placenta; *s.* placenta.
placidez; *s.* placidez, tranquilidad, beatitud.
plácido; *adj.* plácido, tranquilo.
plagiar; *v.* plagiar, imitar.
plágio; *s.* plagio, copia, imitación.
plaina; *s.* plana, cepillo.
planador; *s.* planeador.
planalto; *s.* altiplanicie, meseta.
planejamento; *s.* planificación.
planejar; *v.* planear, planificar, proyectar.
planeta; *s.* planeta.
planetário; *s.* planetario.
planície; *s.* planicie, llanada, llanura, planada.
planificação; *s.* planificación.
planificar; *v.* planificar.
planisfério; *s.* planisferio.
plano; *adj.* plano, liso, llano.
plano; *s.* plano, plan, programa, proyecto.
planta; *s.* planta, vegetal, plano, proyecto, traza, parte inferior del pie.
plantação; *s.* plantación.
plantão; *s.* plantón.
plantar; *v.* plantar.
plaqueta; *s.* plaqueta.
plasma; *s.* plasma.
plasmar; *v.* plasmar.
plasticidade; *s.* plasticidad.
plástico; *adj.* plástico, dúctil, blando.
plástico; *s.* plástico.
plataforma; *s.* plataforma.
plátano; *s.* plátano, género de árboles frondosos.
platéia; *s.* platea, butaca de patio.
platina; *s.* platino.
platônico; *adj.* platónico.
plebe; *s.* plebe, vulgo chusma, gentuza.
plebeu; *adj.* plebeyo, villano.
plebiscito; *s.* plebiscito.
pleitear; *v.* pleitear, litigar.
pleito; *s.* pleito, litigio.
plenário; *adj.* plenario.
plenilúnio; *s.* plenilunio.
plenitude; *s.* plenitud.
pleno; *adj.* pleno, lleno, entero, completo, perfecto.
pleonasmo; *s.* pleonasmo.
pletórico; *adj.* pletórico.
pleura; *s.* pleura.
plissado; *s.* plisado.
pluma; *s.* pluma.
plumagem; *s.* plumaje.
plúmbeo; *adj.* plúmbeo.
plural; *adj.* plural.
pluralidade; *s.* pluralidad.
pluvial; *adj.* pluvial.
pluviômetro; *s.* pluviómetro.
pluvioso; *adj.* pluvioso.
pneu; *adj.* neumático.
pneumático; *adj.* neumático.
pneumonia; *s.* neumonía, pulmonía.
pó; *s.* polvo, arena, ceniza, talco.
pobre; *adj.* pobre.
pobreza; *s.* pobreza, indigencia, inopia, mengua, miseria.
poça; *s.* poza, charco.
poção; *s.* poción, brebaje.
pocilga; *s.* pocilga, porqueriza, establo, habitación inmunda.
poço; *s.* cisterna, pozo.
poda; *s.* poda.
podar; *v.* podar, mondar, cortar las ramas.
poder; *v.* poder.
poderio; *s.* poderío, gran poder.

poderoso; *adj.* poderoso, prepotente, pudiente, valioso.
podre; *adj.* podrido, putrefacto, deteriorado.
podridão; *s.* podredumbre.
poeira; *s.* polvo.
poeirada; *s.* polvareda.
poeirento; *adj.* polvoriento
poema; *s.* poema.
poente; *s.* poniente.
poesia; *s.* poesía.
poeta; *s.* poeta.
poético; *adj.* poético.
pois; *conj.* pues.
polaco; *adj.* polonés.
polar; *adj.* polar.
polarizar; *v.* polarizar.
polegada; *s.* pulgada.
polegar; *s.* pulgar.
polem; *s.* polen.
polêmica; *s.* polémica, discusión.
polêmico; *adj.* polémico, discutible.
polemizar; *v.* polemizar, discutir.
polia; *s.* polea.
policial; *adj.* policial.
policial; *s.* gendarme, policía.
policiar; *v.* vigilar.
policlínica; *s.* policlínica.
policromo; *adj.* policromo.
polidez; *s.* pulidez, cortesía, educación.
polido; *adj.* pulido, lamido, cortés.
polidor; *s.* pulidor.
poliéster; *s.* poliéster.
polifonia; *s.* polifonía.
poligamia; *s.* poligamia.
polígamo; *adj.* polígamo.
poliglota; *s.* políglota.
polígono; *s.* polígono.
polígrafo; *s.* polígrafo.
polimento; *s.* barniz, pulimento.
polimorfismo; *s.* polimorfismo.
polinização; *s.* polinización.
polinizar; *v.* polinizar.
polinômio; *s.* polinomio.
polir; *v.* pulir, alisar, bruñir, cepillar, lustrar.
polissílabo; *adj.* polisílabo.
politécnico; *adj.* politécnico.
politeísmo; *s.* politeísmo.
política; *s.* política.
político; *adj.* político.
polivalente; *adj.* polivalente.
pólo; *s.* polo.
polpa; *s.* pulpa.
poltrona; *s.* butaca, sillón.
polução; *s.* polución.
poluição; *s.* contaminación.
poluir; *v.* contaminar, ensuciar, manchar.
polvilhar; *v.* polvorear, empolvar, enharinar, polvorizar.
polvo; *s.* pulpo.
pólvora; *s.* pólvora.
polvorinho; *s.* polvorera.
pomada; *s.* pomada.
pomar; *s.* pomar, vergel.
pomba; *s.* paloma.
pombal; *s.* palomar.
pomo; *s.* pomo, fruta de pulpa carnosa.
pompa; *s.* pompa, aparato suntuoso, lujo exagerado.
pomposo; *adj.* pomposo, suntuoso.
pómulo; *s.* pómulo.
ponche; *s.* ponche.
poncho; *s.* poncho.
ponderação; *s.* ponderación, sensatez, reflexión.
ponderar; *v.* ponderar, pensar, reflexionar.
ponderável; *adj.* ponderable.
ponta; *s.* punta, extremidad.
pontada; *s.* punzada.
pontapé; *s.* puntapié.
pontaria; *s.* puntería.
ponte; *s.* puente.
pontear; *v.* puntear, zurcir.
ponteira; *s.* puntera.
ponteiro; *s.* aguja, puntero.
pontiagudo; *adj.* puntiagudo.
pontificado; *s.* pontificado.
pontífice; *s.* pontífice, Papa.
pontifício; *adj.* pontificio.
ponto; *s.* punto, puntada, término, fin, sitio determinado.

pontuação; *s.* puntuación.
pontual; *adj.* puntual, exacto, preciso, brioso.
pontualidade; *s.* puntualidad, exactitud.
pontuar; *v.* puntear, puntuar, atildar, tildar.
popa; *s.* popa.
população; *s.* población.
populacho; *s.* populacho.
popular; *adj.* popular.
popularidade; *s.* popularidad, estimación general.
popularizar; *v.* popularizar, propagar, divulgar.
populoso; *adj.* populoso, muy poblado.
por; *prep.* por, por causa de.
pôr; *v.* poner.
porão; *s.* sótano, bodega de un buque.
porção; *s.* porción, parte, pedazo, quiñón.
porcaria; *s.* porquería, inmundicia, suciedad, termino obsceno.
porcelana; *s.* porcelana.
porcentagem; *s.* porcentaje.
porco; *adj.* puerco, inmundo, guarro, obsceno.
porco; *s.* cerdo, puerco, suido.
porém; *conj.* sin embargo, por tanto, por eso, no obstante.
porfia; *s.* porfía, disputa, insistencia.
porfiar; *v.* porfiar, altercar, discutir, obstinar.
pormenor; *s.* pormenor, detalle, particularidad.
pormenorizar; *v.* pormenorizar, detallar.
pornografia; *s.* pornografía, obscenidad.
pornográfico; *adj.* pornográfico, obsceno.
poro; *s.* poro.
poroso; *adj.* poroso.
porquanto; *conj.* por.
porque; *conj.* porque.
porquê; *s.* por qué.
porquinho-da-índia; *s.* cobayo, conejillo.
porrete; *s.* porra.
porta; *s.* puerta.
porta-aviões; *s.* portaaviones.
porta-bandeira; *s.* abanderado, portaestandarte.
portada; *s.* portada, puerta grande y adornada, portada de un libro.
portador; *adj.* portador.
porta-estandarte; *s.* portaestandarte.
porta-jóias; *s.* joyero, alhajera.
portal; *s.* portal, zaguán.
porta-malas; *s.* maletero, portaequipaje.
porta-moedas; *s.* portamonedas.
portanto; *conj.* por tanto, luego, por lo que.
portão; *s.* portón.
portar; *v.* portar, comportarse.
porta-retratos; *s.* portarretratos.
portaria; *s.* portería.
porta-seios; *s.* sostén.
portátil; *adj.* portátil.
porta-voz; *s.* portavoz, vocero.
porte; *s.* porte, transporte, franqueo, talla, comportamiento.
porteiro; *s.* portero.
portento; *s.* portento.
portentoso; *adj.* portentoso.
pórtico; *s.* pórtico, portal.
porto; *s.* puerto.
porto-riquenho; *adj.* portorriqueño.
portuário; *adj.* portuario.
português; *adj.* portugués.
porvir; *s.* porvenir, futuro.
posar; *v.* posar.
pose; *s.* pose.
pós-escrito; *s.* posdata.
posição; *s.* posición, postura, situación.
positivar; *v.* realizar, afirmar, precisar.
positivismo; *s.* positivismo.
positivo; *adj.* positivo.
posologia; *s.* posología.

pós-operatório; *adj.* postoperatorio.
pospor; *v.* posponer, retrasar, aplazar.
posposto; *adj.* pospuesto, postergado, aplazado, omitido.
possante; *adj.* poderoso, fuerte, valiente, majestuoso.
posse; *s.* posesión.
possessão; *s.* posesión.
possessivo; *adj.* posesivo.
possesso; *adj.* poseso, endemoniado.
possibilidade; *s.* posibilidad, probabilidad.
possibilitar; *v.* posibilitar.
possível; *adj.* posible, probable, verosímil, viable.
possuidor; *s.* poseedor.
possuir; *v.* poseer, disfrutar, encerrar, contener, lograr, gozar.
postal; *s.* postal.
postar; *v.* apostar, poner las cartas en el correo.
posta-restante; *s.* lista de correos.
poste; *s.* poste, madero, pilar.
postergar; *v.* postergar.
posteridade; *s.* posteridad.
posterior; *adj.* posterior, ulterior, siguiente.
postiço; *adj.* postizo.
posto; *s.* puesto.
postular; *v.* postular, pedir, solicitar, suplicar.
póstumo; *adj.* póstumo.
postura; *s.* postura, actitud.
potássio; *s.* potasio.
potável; *adj.* potable.
pote; *s.* pote.
potência; *s.* potencia.
potenciação; *s.* potenciación.
potencial; *adj.* potencial.
potencialidade; *s.* potencialidad.
potentado; *s.* potentado.
potente; *adj.* potente, poderoso, enérgico.
potestade; *s.* poderío, potestad.
potranca; *s.* potranca.
potro; *s.* potro.
pouca-vergonha; *s.* desvergüenza, inmoralidad, descaro.
pouco; *adj.* poco, pequeño, limitado.
pouco; *adv.* poco, insuficiente.
poupado; *adj.* económico, parco.
poupança; *s.* ahorro, economía.
poupar; *v.* ahorrar, economizar.
pousada; *s.* posada, albergue, hostería, mesón.
pousar; *v.* posar.
povo; *s.* gente, pueblo, vulgo, nación.
povoação; *s.* población, poblado, colonia, localidad, villa.
povoado; *s.* pueblo, poblado, lugar, población pequeña.
povoador; *adj.* poblador.
povoar; *v.* poblar.
praça; *s.* plaza.
prado; *s.* prado.
praga; *s.* plaga.
pragmática; *s.* pragmática.
praguejador; *adj.* detractor.
praguejar; *v.* maldecir.
praia; *s.* playa.
prancheta; *s.* plancheta, tablero.
pranto; *s.* llanto.
prata; *s.* plata.
prataria; *s.* conjunto de objetos de plata.
prateado; *adj.* plateado, argénteo.
pratear; *v.* platear.
prateleira; *s.* estante, anaquel, entrepaño, mostrador.
prática; *s.* práctica, experiencia, uso.
praticante; *adj.* practicante.
praticar; *v.* practicar, ejercer, realizar, conversar, platicar.
praticável; *adj.* practicable.
prático; *adj.* práctico.
prato; *s.* plato.
praxe; *s.* práctica, costumbre.
prazenteiro; *adj.* lisonja, halago, adulación.
prazer; *s.* placer, agrado, goce, alegría, satisfacción.

prazer; *v.* placer.
prazo; *s.* plazo.
preamar; *s.* flujo, influjo.
preâmbulo; *s.* preámbulo, preliminar, prólogo.
prebenda; *s.* prebenda.
precário; *adj.* precario, frágil, incierto.
precatar; *v.* precaver, precautelar, prevenir.
precaução; *s.* precaución, cautela, resguardo.
precaver; *v.* percatarse, precaver.
precavido; *adj.* precavido, prevenido.
prece; *s.* oración, rezo, plegaria, súplica.
precedência; *s.* precedencia, anterioridad.
precedente; *adj.* precedente, anterior.
preceder; *v.* preceder, anteceder.
preceito; *s.* precepto, mandamiento, orden, regla, método.
preceptor; *s.* preceptor.
precioso; *adj.* precioso, primoroso.
precipício; *s.* precipicio, abismo.
precipitado; *adj.* precipitado, arrebatado, impetuoso.
precipitar; *v.* precipitar, apresurar, despeñar.
precisão; *s.* precisión, necesidad, exactitud.
precisar; *v.* precisar, necesitar, determinar.
preciso; *adj.* preciso, necesario, exacto, determinado.
preclaro; *adj.* preclaro, esclarecido, ilustre.
preço; *s.* precio, coste, importe, tasa, valor, valía.
precoce; *adj.* precoz, prematuro, adelantado.
precocidade; *s.* precocidad.
preconceber; *v.* preconcebir.
preconceito; *s.* precognición.
preconizar; *v.* preconizar.
precursor; *adj.* precursor, predecesor.
predecessor; *adj.* predecesor.
predestinar; *v.* predestinar.
predeterminar; *v.* predeterminar.
predicado; *s.* predicado.
predição; *s.* predicción, vaticinio, pronóstico.
predicar; *v.* predicar.
predileção; *s.* predilección.
predileto; *adj.* predilecto.
prédio; *s.* edificio, predio.
predispor; *v.* predisponer.
predisposição; *s.* predisposición.
predisposto; *adj.* predispuesto.
predizer; *v.* predecir, presagiar, vaticinar.
predominação; *s.* predominación.
predominância; *s.* predominancia.
predominante; *adj.* predominante.
predominar; *v.* predominar, preponderar, prevalecer.
predomínio; *s.* predominio, preponderancia.
preeminente; *adj.* preeminente.
preencher; *v.* henchir, cumplir, rellenar.
pré-escolar; *adj.* preescolar.
preexistir; *v.* preexistir.
prefaciar; *v.* escribir en prefacio.
prefácio; *s.* prefacio, preámbulo, prólogo.
prefeito; *s.* prefecto, alcalde, gobernador.
prefeitura; *s.* prefectura, alcaldía.
preferência; *s.* preferencia, predilección.
preferencial; *adj.* preferencial.
preferente; *adj.* preferente.
preferir; *v.* preferir, anteponer, escoger.
prefixar; *v.* prefijar.
prefixo; *adj.* prefijo.
prega; *s.* pliegue, dobladillo.
pregador; *s.* orador, predicador.
pregão; *s.* pregón.
pregar; *v.* predicar, sermonear, aconsejar, preconizar.
pregar; *v.* clavar, fijar.
prego; *s.* clavo.

pregoar; *v.* pregonar.
pregoeiro; *adj.* pregonero.
preguear; *v.* plegar, plisar, fruncir.
preguiça; *s.* pereza, indolencia, lentitud, flojedad.
preguiçoso; *adj.* perezoso, negligente, indolente, lento, tardo.
pré-história; *s.* prehistoria.
prejudicar; *v.* perjudicar, damnificar, inutilizar.
prejudicial; *adj.* perjudicial, dañino, nocivo.
prejuízo; *s.* prejuicio, pérdida.
prelado; *s.* prelado.
preleção; *s.* exposición de un asunto.
preliminar; *adj.* preliminar.
preludiar; *v.* preludiar.
prelúdio; *s.* preludio.
prematuro; *adj.* prematuro, temprano.
premeditação; *s.* premeditación.
premeditar; *v.* premeditar.
premente; *adj.* premiativo.
premiar; *v.* premiar, galardonar, laurear, recompensar, remunerar.
prêmio; *s.* premio, recompensa.
premissa; *s.* premisa.
premonição; *s.* premonición.
pré-natal; *adj.* prenatal.
prenda; *s.* prenda, dádiva, regalo.
prendado; *adj.* dotado de talento.
prender; *v.* prender, unir, atar, asegurar, agarrar, cautivar.
prenhada; *adj.* preñada, embarazada, encinta.
prenhe; *adj.* preñada.
prenhez; *s.* preñez.
prensa; *s.* prensa.
prensar; *v.* prensar.
prenunciar; *v.* prenunciar.
preocupação; *s.* preocupación.
preocupar; *v.* preocupar.
preparação; *s.* preparación.
preparado; *adj.* preparado.
preparar; *v.* preparar, disponer con antecedencia.
preparativos; *s.* preparativos, preparos.
preparatório; *adj.* preparatorio.
preparo; *s.* preparación.
preponderância; *s.* preponderancia.
preponderante; *adj.* preponderante.
preponderar; *v.* preponderar, predominar, prevalecer.
preposição; *s.* preposición.
prepotência; *s.* prepotencia, abuso del poder.
prepotente; *adj.* prepotente.
prepúcio; *s.* prepucio.
prerrogativa; *s.* prerrogativa.
presa; *s.* presa, pillaje, botín, diente canino.
presbítero; *s.* presbítero, sacerdote, padre.
prescindir; *v.* prescindir.
prescrever; *v.* prescribir, recetar.
prescrição; *s.* prescripción.
prescrito; *adj.* prescripto, prescrito.
presença; *s.* presencia.
presenciar; *v.* presenciar.
presente; *adj.* actual, presente.
presente; *s.* presente, dádiva, regalo.
presentear; *v.* regalar, obsequiar.
presépio; *s.* belén, pesebre.
preservar; *v.* preservar.
preservativo; *s.* preservativo.
presidência; *s.* presidencia.
presidente; *s.* presidente.
presidiário; *s.* presidiario, penitenciario.
presídio; *s.* penitenciaría, presidio.
presidir; *v.* presidir.
presilha; *s.* presilla.
preso; *adj.* preso, arrestado, detenido, recluso.
pressa; *s.* prisa, premura.
pressagiar; *v.* presagiar.
presságio; *s.* presagio, agüero, augurio.
pressão; *s.* presión.
pressentimento; *s.* presentimiento, intuición, premonición.
pressentir; *v.* presentir, intuir, presagiar.

pressupor; *v.* presuponer, prever.
pressuposto; *s.* presupuesto.
pressuroso; *adj.* presuroso.
prestação; *s.* prestación, plazos.
prestamista; *s.* prestamista.
prestar; *v.* prestar, conceder, dispensar.
prestativo; *adj.* servicial, solícito.
prestes; *adj.* presto.
presteza; *s.* presteza, prisa, prontitud.
prestigiar; *v.* prestigiar.
prestígio; *s.* prestigio.
préstimo; *s.* calidad de lo que presta.
prestimoso; *adj.* servidero, útil, servicial.
presumido; *adj.* presumido, presuntuoso.
presumir; *v.* presumir, suponer.
presumível; *adj.* presumible.
presunção; *s.* presunción, arrogancia, vanidad.
presunçoso; *adj.* presuntuoso.
presunto; *s.* jamón, lacón.
pretendente; *adj.* pretendiente, candidato.
pretender; *v.* pretender, aspirar, solicitar.
pretensão; *s.* pretensión.
pretensioso; *adj.* pretencioso, presumido.
pretenso; *s.* pretenso.
preterir; *v.* preterir.
pretérito; *adj.* pretérito.
pretexto; *s.* pretexto, excusa, subterfugio.
preto; *adj.* negro.
pretor; *s.* pretor.
prevalecer; *v.* prevalecer, predominar.
prevaricar; *v.* prevaricar.
prevenção; *s.* prevención, preocupación, providencia, reserva.
prevenir; *v.* prevenir, anticipar, avisar, precaver, preparar.
preventivo; *adj.* preventivo, profiláctico.
prever; *v.* prever, calcular, presuponer, suponer, pronosticar.
previdente; *adj.* precavido, preventivo, previsor.
prévio; *adj.* previo.
previsão; *s.* previsión, pronóstico.
prezado; *adj.* estimado, muy querido, preciado.
prezar; *v.* preciar, apreciar, estimar.
prima; *s.* prima.
primar; *v.* primar, ser el primero.
primário; *adj.* primario.
primata; *s.* primate.
primavera; *s.* primavera.
primaveril; *adj.* primaveral.
primazia; *s.* primacía, prioridad, excelencia.
primeiro; *adj.* primario, primero, primordial.
primitivo; *adj.* primitivo.
primo; *s.* primo.
primogênito; *adj.* primogénito.
primor; *s.* primor.
primordial; *adj.* primordial.
primoroso; *adj.* primoroso, excelente, delicado, perfecto.
princesa; *s.* princesa.
principado; *s.* principado.
principal; *adj.* principal.
príncipe; *s.* príncipe.
principiante; *adj.* principiante, aprendiz.
principiar; *v.* principiar, comenzar, empezar, iniciar.
princípio; *s.* principio.
prior; *s.* prior.
prioridade; *s.* prioridad, privilegio.
prioritário; *adj.* prioritario.
prisão; *s.* prisión, apresamiento, cautiverio, cárcel, penal, penitenciaría, presidio.
prisioneiro; *adj.* prisionero, recluso.
prisma; *s.* prisma.
privação; *s.* privación, abstención, abstinencia.
privada; *s.* letrina, retrete.
privado; *adj.* privado, personal.
privar; *v.* privar, despojar, abstenerse, cohibir.
privativo; *adj.* privativo, exclusivo.
privilegiar; *v.* privilegiar.

privilégio; *s.* privilegio, regalía.
proa; *s.* proa.
probabilidade; *s.* probabilidad.
problema; *s.* problema.
procaz; *adj.* procaz.
procedência; *s.* procedencia.
procedente; *adj.* procedente, oriundo.
proceder; *v.* proceder, provenir, tramitar, venir.
procedimento; *s.* procedimiento, conducta, práctica.
prócer; *s.* prócer.
processar; *v.* procesar.
processo; *s.* proceso.
processual; *adj.* procesal.
procissão; *s.* procesión.
proclamar; *v.* pregonar, proclamar.
procriar; *v.* procrear, producir.
procuração; *s.* procuración.
procurador; *s.* procurador, apoderado.
procurar; *v.* procurar, buscar, demandar, solicitar.
prodigalizar; *v.* prodigar.
prodigar; *v.* prodigar.
prodígio; *s.* prodigio, portento.
prodigioso; *adj.* prodigioso, extraordinario.
pródigo; *adj.* pródigo.
produção; *s.* producción, trabajo.
produtivo; *adj.* productivo, rentable.
produto; *s.* producto.
produtor; *s.* productor.
produzir; *v.* producir, criar, engendrar, fabricar, hacer.
proeminência; *s.* prominencia.
proeminente; *adj.* prominente.
proeza; *s.* proeza, aventura, hazaña.
profanar; *v.* profanar, violar.
profano; *adj.* profano.
profecia; *s.* profecía, vaticinio.
proferir; *v.* proferir, pronunciar.
professar; *v.* profesar.
professor; *s.* profesor, maestro, pedagogo.
professorado; *s.* profesorado.
profeta; *s.* profeta, adivino.
profético; *adj.* profético.
profetizar; *v.* profetizar, adivinar, vaticinar.
profilático; *adj.* profiláctico.
profilaxia; *s.* profilaxis.
profissão; *s.* profesión.
profissional; *adj.* profesional.
prófugo; *s.* prófugo, fugitivo.
profundidade; *s.* profundidad.
profundo; *adj.* profundo, hondo, penetrante.
profusão; *s.* profusión.
progênie; *s.* progenie, prole.
progenitor; *s.* progenitor.
prognosticar; *v.* pronosticar, predecir.
prognóstico; *s.* pronóstico.
programa; *s.* programa.
programação; *s.* programación.
programador; *s.* programador.
programar; *v.* programar.
progredir; *v.* progresar, avanzar, prosperar.
progresso; *s.* progreso, avance, desarrollo.
proibição; *s.* prohibición, interdicción, veto.
proibir; *v.* prohibir, vedar.
proibitivo; *adj.* prohibitivo.
projetar; *v.* proyectar.
projétil; *s.* proyectil.
projetista; *s.* proyectista.
projeto; *s.* proyecto, plan, programa, propósito, traza.
projetor; *s.* proyector.
prole; *s.* prole, descendencia, hijos, generación.
proletariado; *s.* proletariado.
proletário; *adj.* proletario.
proliferação; *s.* proliferación.
proliferar; *v.* proliferar.
prolixo; *adj.* prolijo.
prólogo; *s.* prefacio, prólogo.
prolongar; *v.* prolongar, alargar, continuar.
promessa; *s.* promesa, voto.
prometer; *v.* prometer, afirmar, asegurar.

prometido; *adj.* prometido.
prometido; *s.* prometido, novio.
promiscuidade; *s.* promiscuidad.
promíscuo; *adj.* promiscuo, mezclado, confuso.
promissor; *adj.* prometedor, promisorio.
promoção; *s.* promoción.
promotor; *s.* promotor.
promontório; *s.* promontorio.
promover; *v.* promover, fomentar, suscitar.
promulgar; *v.* promulgar.
pronome; *s.* pronombre.
pronominal; *adj.* pronominal.
prontidão; *s.* prontitud, presteza, rapidez, brevedad.
prontificar-se; *v.* ofrecerse, prestarse, disponerse.
pronto; *adj.* pronto, acabado, terminado, listo, presto.
pronto-socorro; *s.* hospital para casos de urgencia.
pronúncia; *s.* pronunciación.
pronunciamento; *s.* pronunciamiento.
pronunciar; *v.* pronunciar, proferir, articular.
propagação; *s.* propagación, invasión.
propaganda; *s.* propaganda.
propagar; *v.* propagar, contagiar, difundir, generalizar, transmitir.
propalar; *v.* propalar, alardear, divulgar.
proparoxítono; *adj.* proparoxítono, esdrújulo.
propensão; *s.* propensión, tendencia, inclinación.
propenso; *adj.* propenso, tendencioso, proclive, favorable.
propiciar; *v.* propiciar.
propício; *adj.* propicio.
propina; *s.* propina.
propinar; *v.* propinar.
própole; *s.* propóleos.
proponente; *adj.* proponente.
propor; *v.* proponer.
proporção; *s.* proporción, simetría.
proporcional; *adj.* proporcional.
proporcionar; *v.* proporcionar, ofrecer, suministrar, facilitar, proveer.
proposição; *s.* proposición.
propósito; *s.* propósito, intención.
proposta; *s.* propuesta, oferta.
proposto; *adj.* propuesto.
propriedade; *s.* propiedad, virtud, dominio, inmueble.
proprietário; *s.* propietario, amo, dueño.
próprio; *adj.* propio, privativo, oportuno, adecuado.
propugnar; *v.* propugnar.
propulsão; *s.* propulsión.
propulsar; *v.* propulsar.
prorrogação; *s.* prórroga.
prorrogar; *v.* prorrogar, aplazar.
prorrogável; *adj.* prorrogable.
prorromper; *v.* prorrumpir.
prosa; *s.* prosa.
prosaico; *adj.* prosaico.
proscrever; *v.* proscribir.
proscrito; *adj.* proscrito.
proselitismo; *s.* proselitismo.
prosélito; *s.* prosélito.
prosódia; *s.* prosodia.
prospecto; *s.* programa, prospecto.
prosperar; *v.* prosperar, progresar, adelantar, mejorar.
prosperidade; *s.* prosperidad.
próspero; *adj.* próspero.
prosseguimento; *s.* seguimiento.
prosseguir; *v.* proseguir, continuar, insistir.
próstata; *s.* próstata.
prosternar; *v.* prosternar, postrar.
prostíbulo; *v.* prostíbulo, burdel.
prostituição; *s.* prostitución.
prostituir; *v.* prostituir.
prostituta; *s.* prostituta, meretriz, ramera.
prostração; *s.* postración.
prostrar; *v.* postrar, abatir, derrumbar, humillarse.
protagonista; *s.* protagonista.
proteção; *s.* protección, amparo, auxilio, ayuda.

protecionismo; *s.* proteccionismo.
proteger; *v.* proteger, amparar, defender, auxiliar, abrigar.
protegido; *adj.* refugiado.
proteína; *s.* proteína.
protelar; *v.* prorrogar, demorar, retardar.
prótese; *s.* prótesis.
protestante; *adj.* protestante.
protestantismo; *s.* protestantismo.
protestar; *v.* protestar.
protesto; *s.* protesta, reclamación.
protetor; *adj.* protector, defensor.
protetorado; *s.* protectorado.
protocolar; *adj.* protocolario.
protocolo; *s.* protocolo.
protoplasma; *s.* protoplasma.
protótipo; *s.* prototipo.
protuberância; *s.* protuberancia.
prova; *s.* prueba, test, comprobación, documento, testimonio.
provação; *s.* prueba, desdicha, tormento, pena.
provar; *v.* probar, argüir, demostrar, evidenciar, justificar.
provável; *adj.* probable, verosímil.
provedor; *s.* proveedor.
proveito; *s.* provecho, beneficio, goce, interés, lucro.
proveitoso; *adj.* provechoso, útil.
proveniência; *s.* proveniencia, procedencia, origen.
proveniente; *adj.* proveniente, originario, procedente.
prover; *v.* proveer, abastecer, aprovisionar, equipar, habilitar, mantener surtir.
proverbial; *adj.* proverbial.
provérbio; *s.* proverbio, máxima, refrán, adagio.
proveta; *s.* probeta.
providência; *s.* providencia.
providencial; *adj.* providencial.
província; *s.* provincia.
provincial; *adj.* provincial.
provinciano; *adj.* provinciano.
provir; *v.* provenir, proceder, derivar.
provisão; *s.* provisión, suministro.
provisor; *s.* provisor.
provisório; *adj.* provisional, transitorio, interino.
provocação; *s.* provocación, desafío, reto, tentación.
provocador; *s.* provocador.
provocar; *v.* provocar, desafiar, incitar, inducir.
proximidade; *s.* proximidad, aproximación, inmediación.
próximo; *adj.* próximo, inmediato, cercano, vecino.
próximo; *s.* prójimo, todos los hombres.
prudência; *s.* prudencia, templanza, moderación, parsimonias, formalidad.
prudente; *adj.* prudente, comedido, juicioso, cuerdo, cauto, precavido.
prumo; *s.* nivel, plomo, plomada.
pseudônimo; *s.* pseudónimo, seudónimo.
psicanálise; *s.* psicoanálisis, sicoanálisis.
psicologia; *s.* psicología, sicología.
psicológico; *adj.* psicológico, sicológico.
psicólogo; *adj.* psicólogo, sicólogo.
psicopata; *s.* psicópata, sicópata.
psicose; *s.* psicosis, sicosis.
psicoterapia; *s.* psicoterapia, sicoterapia.
psique; *s.* psique, sique.
psíquico; *adj.* psíquico, síquico.
pua; *s.* púa, puya.
puberdade; *s.* pubertad.
púbere; *adj.* púber.
púbis; *s.* pubis.
publicação; *s.* publicación.
publicar; *v.* publicar, anunciar, editar, imprimir.
publicidade; *s.* publicidad.
público; *adj.* público.
pudico; *adj.* púdico.
pudim; *s.* pudín, budín.
pudor; *s.* pudor, recato, vergüenza, pundonor.

puerícia; *s.* infancia.
pueril; *adj.* pueril, infantil.
puerilidade; *s.* puerilidad, niñería, frivolidad, infantilidad.
pugilismo; *s.* boxeo, pugilismo.
pugilista; *s.* boxeador, pugilista.
pugna; *s.* pugna.
pugnar; *v.* pugnar.
puído; *adj.* raído.
puir, *v.* pulir.
pujança; *s.* pujanza.
pujante; *adj.* pujante, robusto, poderoso, vigoroso.
pujar; *v.* pujar.
pular; *v.* saltar.
pulcro; *adj.* pulcro.
pulga; *s.* pulga.
pulha; *s.* pulla.
pulmão; *s.* pulmón.
pulo; *s.* salto.
pulôver; *s.* jersey.
púlpito; *s.* púlpito.
pulsação; *s.* pulsación, palpitación, latido.
pulsar; *v.* pulsar, palpitar, latir.
pulseira; *s.* pulsera.
pulso; *s.* pulso, muñeca.
pulverizar; *v.* pulverizar.
pum; *s.* pedo.
puma; *s.* puma.
punção; *s.* punción.
punçar; *v.* punzar.
pundonor; *s.* pundonor, punto de honor.
pungente; *adj.* punzante.
pungir; *v.* pungir, punzar, herir.
punhado; *s.* puñado.
punhal; *s.* daga, puñal.
punhalada; *s.* puñalada.
punho; *s.* puño.
punição; *s.* punición, castigo, pena.
punir; *v.* punir, castigar, escarmentar.
pupila; *s.* pupila.
pupilo; *s.* pupilo.
purê; *s.* puré.
pureza; *s.* pureza, castidad, inocencia, virginidad.
purga; *s.* purga.
purgação; *s.* purgación.
purgante; *adj.* laxante, purgante.
purgante; *s.* purga.
purgar; *v.* purgar, limpiar, purificar.
purgativo; *adj.* purgativo, purga, purgante.
purgatório; *adj.* purgatorio.
purificante; *adj.* purificante.
purificar; *v.* purificar, depurar, expurgar, purgar, sanear.
purismo; *s.* purismo.
puritanismo; *s.* puritanismo.
puritano; *adj.* puritano.
puro; *adj.* puro, limpio, claro, sereno, sin nubes, casto.
púrpura; *s.* púrpura.
purpurina; *s.* purpurina.
purulência; *s.* purulencia.
purulento; *adj.* purulento, virulento.
pus; *s.* pus.
pusilânime; *adj.* pusilánime.
pústula; *s.* pústula, úlcera.
pustulento; *adj.* pustuloso.
putrefação; *s.* putrefacción.
putrefato; *adj.* putrefacto.
putrefazer; *v.* hacer entrar en putrefacción.
putrescência; *s.* putrescencia, putridez.
pútrido; *adj.* pútrido, podrido, putrefacto.
puxa; *interj.* caramba, caray.
puxador; *s.* tirador.
puxão; *s.* tirón.
puxar; *v.* tirar.

Q

q; *s.* décimosexta letra del abecedario portugués.
quadra; *s.* cuadra.
quadrado; *adj.* cuadrado.
quadrangular; *adj.* cuadrangular.
quadrante; *s.* cuadrante.
quadrícula; *s.* cuadrícula.
quadriculado; *adj.* cuadriculado.
quadricular; *v.* cuadricular, cuadrar.
quadril; *s.* cuadril, anca, cadera.
quadrilátero; *adj.* cuadrilátero.
quadrilha; *s.* cuadrilla.
quadrimestre; *s.* cuadrimestre, cuatrimestre.
quadrimotor; *s.* cuatrimotor.
quadro; *s.* cuadro.
quadro-negro; *s.* pizarra.
quadrúmano; *adj.* cuadrúmano.
quadrúpede; *adj.* cuadrúpedo.
quadruplicar; *v.* cuadruplicar.
qual; *pron.* cual, que, quien.
qualidade; *s.* cualidad.
qualificação; *s.* calificación.
qualificado; *adj.* calificado.
qualificar; *v.* calificar.
qualificativo; *adj.* calificativo.
qualitativo; *adj.* cualitativo.
qualquer; *pron.* cualquier, cualquiera.
quando; *adv.* cuando.
quantia; *s.* cuantía.
quantidade; *s.* cantidad.
quantitativo; *adj.* cuantitativo.
quanto; *adv.* cuánto.
quão; *adv.* cuan, cuanto, como.
quarentena; *s.* cuarentena.
quaresma; *s.* cuaresma.
quarta; *s.* cuarta.
quarta-feira; *s.* miércoles.
quarteirão; *s.* cuadra, manzana.
quartel; *s.* cuartel.
quarteto; *s.* cuarteto.
quarto; *adj.* cuarto.
quarto; *s.* cuarto, aposento.
quartzo; *s.* cuarzo.
quase; *adv.* casi, cuasi, cerca de.
quaternário; *adj.* cuaternario.
quatriênio; *s.* cuatrienio.
que; *pron.* que.
quebra; *s.* quiebra.
quebra-cabeça; *s.* rompecabezas.
quebrada; *s.* quebrada, cuesta, pendiente.
quebradiço; *adj.* quebradizo.
quebrado; *adj.* quebrado, roto, pobre, sin dinero.
quebra-luz; *s.* pantalla.
quebra-mar; *s.* rompeolas.
quebra-nozes; *s.* cascanueces.
quebrantar; *v.* quebrantar, romper, infringir, vencer, debilitar.
quebranto; *s.* quebrantamiento, decaimiento, mal de ojo.
quebrar; *v.* quebrar, romper, partir, fragmentar.
queda; *s.* caída, tumbo, declive, decadencia.
quedar; *v.* quedar, estar quieto.

quedo; *adj.* quedo.
queijadinha; *s.* quesadilla.
queijaria; *s.* quesería.
queijeira; *s.* quesera.
queijo; *s.* queso.
queima; *s.* quema.
queimada; *s.* quemada.
queimado; *adj.* quemado, tostado.
queimadura; *s.* quemadura.
queimar; *v.* quemar, abrasar, arder, escocer, torrar, tostar.
queima-roupa; *s.* quemarropa, muy de cerca.
queixa; *s.* queja, lamento.
queixada; *s.* mandíbula, quijada.
queixar-se; *v.* quejarse, lamentarse.
queixo; *s.* barbilla, mentón.
queixoso; *adj.* quejoso.
queixume; *s.* quejumbre, quejido.
quem; *pron.* quien.
quente; *adj.* caliente.
quentura; *s.* calor, calentura, fiebre.
quepe; *s.* quepis.
querela; *s.* querella.
querência; *s.* querencia.
querer; *v.* querer, amar, desear, pretender.
querido; *adj.* querido.
quermesse; *s.* quermés.
querosene; *s.* queroseno.
querubim; *s.* querubín.
questão; *s.* cuestión, litigio, problema.
questionar; *v.* cuestionar.
questionário; *s.* cuestionario.
quiabo; *s.* planta brasileña, que tiene frutos comestibles.
quiçá; *adv.* quizás.
quietar; *v.* quietar, aquietar, tranquilizar.
quieto; *adj.* quedo, quieto, sereno, sosegado.
quietude; *s.* quietud, descanso, reposo, sosiego.
quilate; *s.* quilate.
quilha; *s.* quilla.
quilo; *s.* kilo.
quilograma; *s.* kilogramo.
quilombo; *s.* quilombo.
quilometragem; *s.* kilometraje.
quilométrico; *adj.* kilométrico.
quilómetro; *s.* kilómetro.
quimera; *s.* quimera.
quimérico; *adj.* quimérico.
química; *s.* química.
químico; *adj.* químico.
quimono; *s.* quimono.
quina; *s.* quina, corteza del quino.
quina; *s.* canto, ángulo, esquina.
quindim; *s.* requiebro, donaire, dulce hecho de yema de huevo coco y azúcar.
quinhão; *s.* quiñón.
quinina; *s.* quina.
quinquenal; *adj.* quinquenal.
quinquilharia; *s.* bisutería, quincalla.
quinta; *s.* quinta, casa de campo, finca, hacienda.
quinta-essência; *s.* quintaesencia.
quinta-feira; *s.* jueves.
quintal; *s.* quintal, quinta pequeña.
quinteto; *s.* quinteto.
quintuplicar; *v.* quintuplicar.
quinzena; *s.* quincena.
quiosque; *s.* quiosco.
quiproquó; *s.* equívoco, engaño, confusión.
quiromancia; *s.* quiromancia.
quisto; *s.* quiste.
quitação; *s.* finiquito, recibo.
quitanda; *s.* tienda donde se vende verduras y frutas.
quitanda; *s.* pastelería casera, bandeja de los vendedores ambulantes.
quitar; *v.* quitar, liquidar, finiquitar.
quitute; *s.* manjar delicado, exquisito.
quixotada; *s.* quijotada, dicho quijotesco.
quizila; *s.* antipatía, tirria.
quociente; *s.* cuociente, cociente.
quota; *s.* cuota, cupo.
quotidiano; *adj.* cotidiano.
quotizar; *v.* cotizar.

R

r; *s.* decimoséptima letra del abecedario portugués.
rã; *s.* rana.
rabada; *s.* rabada.
rabanada; *s.* coletazo, rebanada.
rabanete; *s.* rábano.
rábano; *s.* rábano.
rabino; *s.* rabino.
rabiscar; *v.* borronear, borrar, emborronar, garabatear.
rabo; *s.* cola, rabo.
rabo-de-cavalo; *s.* coleta.
rabugento; *adj.* quisquilloso, regañón.
raça; *s.* raza.
ração; *s.* ración.
racha; *s.* raja.
rachadura; *s.* hendidura, rendija.
rachar; *v.* rajar, resquebrajar, hendir, quebrantar.
racial; *adj.* racial.
raciocinar; *v.* raciocinar, razonar.
raciocínio; *s.* raciocinio.
racional; *adj.* lógico, racional.
racionalidade; *s.* racionalidad.
racionalismo; *s.* racionalismo.
racionalização; *s.* racionalización.
racionalizar; *v.* racionalizar.
racionamento; *s.* racionamiento.
racionar; *v.* racionar.
racismo; *s.* racismo.
racista; *s.* racista.
radar; *s.* radar.
radiação; *s.* radiación.
radiador; *s.* radiador.
radial; *adj.* radial.
radiante; *adj.* radiante.
radiatividade; *s.* radiactividad.
radiativo; *adj.* radiactivo.
radical; *adj.* radical.
radicalização; *s.* radicalización.
radicalizar; *v.* radicalizar.
radicar; *v.* radicar.
rádio; *s.* radio, transistor.
radiodifusão; *s.* radiodifusión.
radiofonia; *s.* radiofonía.
radiografia; *s.* radiografía.
radiologia; *s.* radiología.
radiologista; *s.* radiólogo.
radioscopia; *s.* radioscopia.
radioso; *adj.* radioso.
radioterapia; *s.* radioterapia.
raia; *s.* raya, surco.
raiar; *v.* rayar.
rainha; *s.* reina.
raio; *s.* centella, rayo.
raiva; *s.* rabia, indignación, ira, hidrofobia.
raivoso; *adj.* rabioso.
raiz; *s.* raíz.
rajá; *s.* rajá.
rajada; *s.* racha, ráfaga.
rajado; *adj.* rayado.
ralador; *s.* rallador.
ralar; *v.* rallar.
ralé; *s.* ralea, plebe, gentuza.
ralhar; *v.* regañar, reprender, sermonear.

ralo; *adj.* ralo, poco espeso.
ralo; *s.* rallo, rallador, colador, criba, rejilla.
rama; *s.* rama, ramada.
ramada; *s.* enramada.
ramagem; *s.* ramaje, follaje.
ramal; *s.* ramal, ramificación.
ramalhete; *s.* bouquet, ramillete, ramo.
rameira; *s.* prostituta, ramera.
ramificação; *s.* ramificación.
ramificar; *v.* ramificar.
ramo; *s.* gajo, rama.
rampa; *s.* rampa.
rancheiro; *s.* ranchero.
rancho; *s.* rancho.
rancor; *s.* rencor.
rancoroso; *adj.* rencoroso.
rançoso; *adj.* rancio.
ranger; *v.* crujir, restallar.
rangido; *s.* crujido.
ranhento; *adj.* mocoso.
ranhura; *s.* ranura.
rapace; *adj.* rapaz.
rapar; *v.* raer, rapar.
rapaz; *s.* chaval, muchacho.
rapé; *s.* rapé.
rapidez; *s.* rapidez, agilidad, celeridad, ligereza, presteza, prisa.
rápido; *adj.* rápido, veloz, ligero, listo, pronto, ágil.
rapina; *s.* rapiña.
rapinagem; *s.* tendencia para rapiñar.
rapinar; *v.* rapiñar.
raposo; *s.* raposo, zorro.
raptar; *v.* raptar, secuestrar.
rapto; *s.* rapto.
raptor; *s.* raptor, secuestrador.
raquete; *s.* pala, raqueta.
raquítico; *s.* raquítico.
raquitismo; *s.* raquitismo.
rarear; *v.* enrarecer.
raro; *adj.* raro, contado, escaso, extravagante, sorprendente, singular.
rasante; *adj.* rasante.
rasar; *v.* enrasar, rasar.
rascunhar; *v.* rasguñar, esbozar, bosquejar.
rascunho; *s.* borrador, minuta, esbozo, bosquejo.
rasgado; *adj.* rasgado, roto.
rasgar; *v.* rasgar, desgarrar, cortar.
rasgo; *s.* rasgo.
raso; *adj.* llano, raso, plano.
raspadeira; *s.* raedera, raspador.
raspado; *adj.* raído.
raspador; *s.* raedera.
raspar; *v.* raer, rasar, arañar.
rasteira; *s.* zancadilla.
rasteiro; *adj.* rastrero.
rastejar; *v.* rastrear.
rastreamento; *s.* rastreo.
rastrear; *v.* rastrear.
rastro; *s.* rastro.
rasurar; *v.* borrar, tachar, raspar.
ratazana; *s.* rata.
raticida; *s.* raticida.
ratificação; *s.* ratificación.
ratificar; *v.* ratificar.
rato; *s.* rato, ratón.
ratoeira; *s.* ratonera.
razão; *s.* razón, raciocinio, argumento.
razoar; *v.* razonar.
razoável; *adj.* razonable.
reabastecer; *v.* repostar.
reabertura; *s.* reapertura.
reabilitação; *s.* rehabilitación, regeneración, reintegro.
reabilitar; *v.* rehabilitar.
reação; *s.* reacción.
reacionário; *adj.* reaccionario.
readaptação; *s.* readaptación.
readaptar; *v.* readaptar, reeducar.
reagir; *v.* reaccionar, reactivar.
reajustar; *v.* reajustar.
reajuste; *s.* reajuste.
real; *adj.* real, actual, regio, serio, verdadero.
realçar; *v.* realzar, acentuar.
realce; *s.* realce, relieve.
realeza; *s.* realeza.
realidade; *s.* realidad, verdad.
realismo; *s.* realismo.

realista; *adj.* realista.
realização; *s.* realización, ejecución, producción.
realizador; *s.* realizador.
realizar; *v.* realizar, actualizar, efectuar, ejecutar, hacer.
realizável; *adj.* realizable.
reanimar; *v.* reanimar, reconfortar, vivificar.
reaparecer; *v.* reaparecer, resurgir.
reaparição; *s.* reaparición, resurgimiento.
reaproveitamento; *s.* reciclaje.
reaquecer; *v.* recalentar.
reassumir; *v.* reasumir.
reativar; *v.* reactivar.
reativo; *adj.* reactivo.
reator; *s.* reactor.
reaver; *v.* recuperar, recobrar, reanudar.
reavivar; *v.* reavivar, reanimar.
rebaixar; *v.* rebajar.
rebanho; *s.* rebaño.
rebate; *s.* rebate, rebato.
rebater; *v.* rebatir, controvertir, rebotar, refutar.
rebelar; *v.* rebelar, insubordinar.
rebelde; *adj.* rebelde, contumaz, incorregible, indócil.
rebeldia; *s.* rebeldía, insubordinación.
rebelião; *s.* rebelión, insurrección, sedición.
rebentar; *v.* reventar.
rebento; *s.* yema, botón.
rebobinar; *v.* rebobinar.
rebocador; *adj.* remolcador.
rebocar; *v.* remolcar.
reboco; *s.* revoque.
reboque; *s.* remolque.
rebuçar; *v.* rebozar.
rebuço; *s.* embozo, tapujo, disfraz.
rebuliço; *s.* rebullicio, agitación, desorden.
rebuscar; *v.* rebuscar.
recado; *s.* recado, mandado, mensaje.
recaída; *s.* recaída.
recair; *v.* recaer.
recalcar; *v.* recalcar.
recalcitrante; *adj.* recalcitrante.
recalcitrar; *v.* recalcitrar, replicar, rebelarse.
recâmbio; *s.* recambio.
recanto; *s.* lugar retirado.
recapacitar; *v.* recapacitar.
recapitulação; *s.* recapitulación, repetición.
recapitular; *v.* recapitular.
recarga; *s.* recarga.
recatado; *adj.* recatado.
recatar; *v.* recatar.
recato; *s.* recato, honestidad, honor, pudor.
recear; *v.* recelar, desconfiar, temer.
receber; *v.* recibir, aceptar, admitir, cobrar, heredar.
recebimento; *s.* recibimiento, recaudo, recibo.
receio; *s.* recelo, aprensión, miedo, temor.
receita; *s.* receta, fórmula.
receitar; *v.* recetar.
receituário; *s.* recetario.
recém; *adv.* recién.
recém-chegado; *adj.* recién llegado.
recém-nascido; *s.* recién nacido.
recenseamento; *s.* censo, padrón, empadronamiento.
recensear; *v.* censar.
recente; *adj.* reciente.
recente; *adv.* recién.
recentemente; *adv.* recientemente.
receoso; *adj.* receloso, aprensivo, desconfiado, miedoso.
recepção; *s.* recepción.
recepcionista; *s.* recepcionista.
receptáculo; *s.* receptáculo, recipiente.
receptividade; *s.* receptividad.
receptivo; *adj.* receptivo, acogedor.
receptor; *adj.* receptor.
recessão; *s.* recesión.
rechaçar; *v.* rechazar, rebatir, repudiar.
rechaço; *s.* rechazo.

recheado; *adj.* relleno.
rechear; *v.* rellenar.
recheio; *adj.* relleno.
rechonchudo; *adj.* rechoncho.
recibo; *s.* recibo, vale.
reciclagem; *s.* reciclaje.
reciclar; *v.* reciclar.
reciclável; *adj.* recuperable, reciclable.
recife; *s.* arrecife.
recinto; *s.* recinto.
recipiente; *s.* recipiente.
reciprocidade; *s.* reciprocidad.
recíproco; *adj.* recíproco.
recital; *s.* recital.
recitar; *v.* declamar, recitar.
reclamação; *s.* reclamación.
reclamar; *v.* reclamar, exigir.
reclamo; *s.* reclamo, reclamación, llamada.
reclinar; *v.* reclinar, recostar.
recluir; *v.* recluir, recoger.
recluso; *adj.* recluso.
recobrar; *v.* recobrar, restaurar.
recobrimento; *s.* recubrimiento.
recobrir; *v.* recubrir.
recolher; *v.* recoger, abrigar, alojar, coger, rebañar, recopilar.
recolhimento; *s.* recogimiento, introversión, retiro.
recomendar; *v.* recomendar, aconsejar, encargar.
recomendável; *adj.* recomendable, aconsejable.
recompensa; *s.* recompensa, pago, premio, retribución.
recompensar; *v.* recompensar, gratificar, remunerar, retribuir.
recompor; *v.* recomponer.
recôncavo; *s.* gruta, concavidad, cueva.
reconcentrar; *v.* reconcentrar.
reconciliar; *v.* reconciliar.
recôndito; *adj.* recóndito.
reconduzir; *v.* reconducir.
reconfortante; *adj.* reconfortante.
reconfortar; *v.* reconfortar.
reconhecer; *v.* reconocer.
reconhecer; *v.* reconocer.
reconhecido; *adj.* reconocido.
reconhecimento; *s.* reconocimiento.
reconquista; *s.* reconquista.
reconquistar; *v.* reconquistar.
reconsiderar; *v.* reconsiderar.
reconstituição; *s.* reconstitución.
reconstituir; *v.* reconstituir.
reconstrução; *s.* reconstrucción.
reconstruir; *v.* reconstruir.
recontar; *v.* recontar.
reconto; *s.* recuento.
reconvir; *v.* reconvenir.
recopilação; *s.* recolección.
recopilar; *v.* recopilar.
recordação; *s.* recuerdo.
recordar; *v.* recordar.
recordista; *adj.* plusmarquista.
recorrer; *v.* recorrer, recurrir.
recortar; *v.* recortar.
recortável; *adj.* recortable.
recorte; *s.* recorte.
recostar; *v.* recostar.
recreação; *s.* recreo, deporte, distracción.
recrear; *v.* recrear, divertir.
recreativo; *adj.* recreativo.
recreio; *s.* recreo, diversión.
recriar; *v.* recrear.
recriminar; *v.* recriminar, culpar, incriminar, reconvenir.
recrudescer; *v.* recrudecer.
recrudescimento; *s.* recrudecimiento.
recruta; *s.* recluta.
recrutar; *v.* reclutar.
recrutamento; *s.* reclutamiento, alistamiento, leva.
récua; *s.* recua.
recuar; *v.* retroceder.
recuperar; *v.* recuperar, recobrar, rehabilitar, restaurar.
recuperável; *adj.* recuperable, rescatable.
recurso; *s.* recurso.
recusa; *s.* recusación.
recusar; *v.* recusar, rechazar, rehusar, repeler.
redação; *s.* redacción.

redator; *s.* escritor, redactor.
rede; *s.* red, hamaca.
rédea; *s.* arreo, rienda.
redemoinho; *s.* remolino, torbellino, torva.
redenção; *s.* redención.
redigir; *v.* escribir, redactar.
redil; *s.* redil.
redimir; *v.* redimir.
redizer; *v.* redecir.
redobrar; *v.* redoblar.
redoma; *s.* redoma.
redondeza; *s.* redondez.
redondo; *adj.* redondo.
redor; *adv.* rededor.
redor; *s.* contorno.
redução; *s.* reducción, aminoración, restricción.
redundância; *s.* redundancia.
redundar; *v.* redundar.
reduplicar; *v.* reduplicar, redoblar.
reduto; *s.* reducto.
redutor; *s.* reductor.
reduzido; *adj.* reducido, sumario.
reduzir; *v.* reducir.
reedição; *s.* nueva edición.
reeditar; *v.* reeditar.
reeducar; *v.* reeducar.
reeleger; *v.* reelegir.
reeleição; *s.* reelección.
reembolsar; *v.* reembolsar.
reembolso; *s.* reembolso.
reencarnar; *v.* reencarnar.
reencher; *v.* rellenar.
reencontrar; *v.* reencontrar.
reentrância; *s.* concavidad.
reentrar; *v.* entrar nuevamente.
reerguer; *v.* volver a erguir.
refazer; *v.* rehacer.
refeição; *s.* almuerzo, comida.
refeito; *adj.* rehecho.
refeitório; *s.* refectorio.
refém; *s.* rehén.
referência; *s.* referencia.
referendar; *v.* refrendar.
referente; *adj.* referente.
referir; *v.* referir, citar, narrar, relatar.
refinado; *adj.* refinado.
refinar; *v.* refinar.
refinaria; *s.* refinería.
refletido; *adj.* reflexivo, sensato, pausado, ponderado.
refletir; *v.* reflejar, reflexionar, meditar, pensar, ponderar.
refletor; *s.* reflector.
reflexão; *s.* reflexión, ponderación.
reflexivo; *adj.* reflexivo.
reflexo; *adj.* reflejo, reflejado.
reflexo; *s.* reflejo, rayo luminoso.
reflorestar; *v.* repoblar.
refluir; *v.* refluir.
refluxo; *s.* reflujo.
refogado; *s.* rehogado, guisado.
refogar; *v.* guisar, rehogar.
reforçado; *adj.* reforzado.
reforçar; *v.* reforzar, esforzar, rebatir, remendar.
reforço; *s.* refuerzo.
reforma; *s.* reforma.
reformar; *v.* reformar, renovar, transformar.
reformatório; *s.* reformatorio.
reformista; *s.* reformista.
refratário; *adj.* refractario.
refrear; *v.* refrenar, reprimir, frenar.
refrega; *s.* refriega.
refrescante; *adj.* refrescante.
refrescar; *v.* refrescar, refrigerar.
refresco; *s.* refresco.
refrigerado; *adj.* climatizado.
refrigerador; *s.* refrigerador.
refrigerante; *s.* refrigerante, gaseosa, refresco, soda.
refrigerar; *v.* refrescar, refrigerar.
refugar; *v.* rehusar, desechar.
refugiado; *adj.* refugiado.
refugiar-se; *v.* refugiarse.
refúgio; *s.* refugio.
refugir; *v.* rehuir.
refulgir; *v.* refulgir.
refundir; *v.* refundir.
refutar; *v.* refutar, contestar, rebatir.
rega; *s.* riego.
regaço; *s.* regazo.

regador; *s.* regador, regadera.
regalar; *v.* regalar, mimar.
regalia; *s.* regalía, prerrogativa, privilegio.
regar; *v.* regar.
regatear; *v.* escatimar, regatear.
regato; *s.* regato, arroyo, riachuelo.
regência; *s.* regencia.
regeneração; *s.* regeneración.
regenerar; *v.* regenerar.
reger; *v.* regir, dirigir, gobernar.
região; *s.* región, comarca, tierra, país.
regime; *s.* régimen, guía, disciplina, procedimiento, dieta de alimentación.
regimento; *s.* regimiento, estatuto, norma.
régio; *adj.* regio.
regional; *adj.* regional.
registrado; *adj.* registrado, inscrito.
registrar; *v.* registrar, inscribir, matricular, patentar, reconocer.
registro; *s.* registro, inscripción.
rego; *s.* acequia, reguero, canal, surco.
regozijar; *v.* regocijar.
regozijo; *s.* regocijo.
regra; *s.* regla, arreglo, compás, fórmula, gobierno, modelo, norma, orden, pauta.
regrado; *adj.* reglado, pautado, rayado, prudente, sensato.
regrar; *v.* reglar, medir, componer, ajustar.
regras; *s.* menstruación.
regredir; *v.* retroceder.
regressão; *s.* regresión, retroceso.
regressar; *v.* regresar, tornar, venir.
regressivo; *adj.* regresivo, retroactivo.
regresso; *s.* regreso, retorno, venida, vuelta.
régua; *s.* regla.
regulador; *adj.* regulador.
regulagem; *s.* reglaje.
regulamentação; *s.* reglamentación.
regulamentar; *adj.* reglamentario.
regulamentar; *v.* reglamentar, regularizar.
regulamento; *s.* reglamento, regulación.
regular; *adj.* regular, simétrico.
regular; *v.* regular, arreglar, condicionar, medir, moderar, reglar.
regularidade; *s.* regularidad.
regularizar; *v.* regularizar, normalizar.
regurgitar; *v.* regurgitar.
rei; *s.* rey, monarca, soberano.
reimprimir; *v.* reimprimir.
reinado; *s.* reinado.
reinar; *v.* reinar.
reincidência; *s.* reincidencia.
reincidir; *v.* reincidir.
reiniciar; *v.* reanudar.
reino; *s.* reino.
reintegração; *s.* reintegro.
reintegrar; *v.* reintegrar, restituir.
reiteração; *s.* reiteración.
reiterar; *v.* reiterar.
reiteração; *s.* reiteración.
reiterativo; *adj.* reiterativo.
reitor; *s.* rector.
reitoria; *s.* rectoría.
reivindicar; *v.* reivindicar, pretender, reclamar, intentar.
rejeição; *s.* rechazo, excusa.
rejeitar; *v.* rechazar, recusar, rehusar, repeler.
rejuvenescer; *v.* rejuvenecer, remozar.
relação; *s.* relación.
relacionamento; *s.* relación.
relacionar; *v.* relacionar.
relâmpago; *s.* ralámpago.
relampejar; *v.* relampaguear.
relançar; *v.* relanzar.
relatar; *v.* relatar, mencionar, narrar.
relatividade; *s.* relatividad.
relativo; *adj.* relativo.
relato; *s.* relato, descripción.
relatório; *s.* relación, informe, descripción.
relaxação; *s.* relajación.

relaxado; *adj.* relajado, flojo, blando, negligente.
relaxamento; *s.* relajamiento.
relaxante; *adj.* relajante.
relaxar; *v.* relajar, aflojar, ablandar, suavizar.
relegar; *v.* relegar.
relembrar; *v.* recordar, rememorar.
relento; *s.* relente, rocío.
relevância; *s.* relevancia.
relevante; *adj.* relevante.
relevar; *v.* relevar.
relevo; *s.* relieve.
relicário; *s.* relicario.
religião; *s.* religión.
religioso; *s.* religioso, fraile, monje.
religioso; *adj.* religioso, pío, devoto.
relinchar; *v.* relinchar.
relincho; *s.* rebuzno.
relíquia; *s.* reliquia.
relógio; *s.* reloj.
relojoaria; *s.* relojería.
relojoeiro; *s.* relojero.
reluzente; *adj.* reluciente, brillante, flamante, luciente, lustroso.
reluzir; *v.* relucir, brillar, flamear, lucir, relumbrar.
relva; *s.* césped, prado.
remador; *s.* remador, remero.
remanescente; *adj.* remanente.
remanescer; *v.* remanecer.
remanso; *s.* remanso, quietud.
remar; *v.* remar.
remarcar; *v.* remarcar.
rematado; *adj.* rematado.
rematar; *v.* rematar, terminar.
remate; *s.* remate, acabamiento, término.
remediar; *v.* remediar.
remédio; *s.* remedio, medicamento.
remela; *s.* legaña.
rememorar; *v.* rememorar.
remendar; *v.* remendar.
remendo; *s.* remiendo.
remessa; *s.* envío, remesa.
remetente; *s.* remitente.
remeter; *v.* remitir, enviar, mandar.
remexer; *v.* hurgar, revolver, menear, mezclar.
reminiscência; *s.* reminiscencia.
remir; *v.* redimir.
remissão; *s.* remisión, venia, perdón.
remissivo; *adj.* remisivo.
remitir; *v.* remitir, perdonar.
remo; *s.* remo.
remoção; *s.* remoción.
remoçar; *v.* remozar, rejuvenecer.
remodelar; *v.* reformar, renovar.
remoer; *v.* remoler.
remoinho; *s.* remolino.
remolho; *s.* remojo.
remontar; *v.* remontar.
remordimento; *s.* remordimiento.
remorso; *s.* remordimiento.
remoto; *adj.* remoto, distante.
remover; *v.* remover.
removível; *adj.* amovible.
remuneração; *s.* remuneración, sueldo.
remunerar; *v.* remunerar, compensar, pagar, premiar, retribuir.
rena; *s.* reno.
renal; *adj.* renal.
renascentista; *adj.* renacentista.
renascer; *v.* renacer.
renascimento; *s.* renacimiento.
renda; *s.* renta, pensión, rédito.
render; *v.* rendir, vencer, sujetar, durar.
rendição; *s.* rendición.
rendido; *adj.* rendido, vencido, sumiso.
rendimento; *s.* rendimiento, pensión, producto, renta, rédito.
rendoso; *adj.* rentable.
renegado; *adj.* renegado.
renegar; *v.* renegar.
renhido; *adj.* reñido.
renhir; *v.* pelear, reñir.
renome; *s.* renombre, gloria, nombradía, reputación.
renovação; *s.* renovación, innovación.
renovador; *adj.* renovador, innovador.

renovar; *v.* renovar, innovar.
renovável; *adj.* renovable.
rentabilidade; *s.* rentabilidad.
rentável; *adj.* rentable.
renúncia; *s.* renuncia, abnegación, dimisión.
renunciar; *v.* renunciar, abdicar, abjurar, resignar.
reorganizar; *v.* reorganizar.
reparação; *s.* reparación.
reparar; *v.* reparar, advertir, notar, observar, recomponer, reformar, rehacer, sanear.
reparo; *s.* reparo.
repartição; *s.* repartición, reparto, oficina.
repartir; *v.* repartir, echar, fraccionar, impartir, partir.
repassar; *v.* repasar.
repasse; *s.* repaso.
repatriação; *s.* repatriación.
repatriar; *v.* repatriar.
repelente; *adj.* repelente, asqueroso, repulsivo.
repelir; *v.* repeler, detestar, odiar, rechazar.
repentino; *adj.* repentino, imprevisto.
repercussão; *s.* repercusión, resonancia.
repercutir; *v.* repercutir, resonar.
repertório; *s.* repertorio.
repetição; *s.* repetición, frecuencia, redundancia.
repetido; *adj.* repetido, frecuente.
repetir; *v.* repetir.
repicar; *v.* repicar.
repique; *s.* repique.
repisar; *v.* repisar, apisonar.
repleto; *adj.* repleto, lleno, abarrotado.
réplica; *s.* réplica, respuesta, reproducción.
replicar; *v.* replicar.
repolho; *s.* repollo.
repor; *v.* reponer, rehacer, repostar, restablecer, substituir.
reportagem; *s.* reportaje.
reportar; *v.* reportar.
repórter; *s.* reportero.
reposição; *s.* reposición, repuesto.
repousar; *v.* reposar, descansar, dormir, posar.
repouso; *s.* reposo, descanso, holganza, quietud.
repovoação; *s.* repoblación.
repovoar; *v.* repoblar.
repreender; *v.* reprender, amonestar, recriminar, regañar, sermonear.
repreensão; *s.* reprensión, amonestación.
repreensível; *adj.* reprensible.
represa; *s.* embalse, represa.
represália; *s.* represalia, venganza.
representação; *s.* representación.
representar; *v.* representar.
representativo; *adj.* representativo.
repressão; *s.* represión.
repressivo; *adj.* represivo.
repressor; *adj.* represor, represivo.
reprimir; *v.* reprimir, cohibir, domeñar, refrenar.
reprodução; *s.* reproducción, copia, transcripción.
reproduzir; *v.* reproducir, transcribir, copiar, multiplicar.
reprovação; *s.* reprobación, condenación.
reprovar; *v.* reprobar, condenar, reprochar.
reprovável; *adj.* reprobable.
réptil; *s.* reptil.
república; *s.* república.
republicano; *adj.* republicano.
repudiar; *v.* repudiar.
repúdio; *s.* repudio.
repugnância; *s.* repugnancia, asco, fastidio.
repugnante; *adj.* repugnante, asqueroso, repelente.
repugnar; *v.* repugnar.
repulsa; *s.* repulsa, antipatía, aversión, repugnancia.
repulsão; *s.* repulsión.
repulsivo; *adj.* repulsivo, repelente.
reputação; *s.* reputación, fama, renombre.

requebro; *s.* requiebro.
requeijão; *s.* requesón.
requentar; *v.* recalentar.
requerer; *v.* requerir, solicitar.
requerimento; *s.* requerimiento, demanda, petición, solicitud.
requintado; *adj.* requintado, refinado.
requisitar; *v.* requisar.
requisito; *s.* requisito.
rês; *s.* res.
rescaldo; *s.* rescoldo.
rescindir; *v.* rescindir.
rescisão; *s.* rescisión.
resenha; *s.* reseña.
reserva; *s.* reserva.
reservado; *adj.* reservado, guardado, oculto, íntimo.
reservar; *v.* reservar.
reservatório; *s.* depósito.
reservista; *s.* reservista.
resfolegar; *v.* resollar, respirar.
resfriado; *adj.* resfriado.
resfriado; *s.* resfriado, constipado.
resfriar; *v.* resfriar, enfriar, acatarrarse.
resgatar; *v.* rescatar, amortizar, quitar, redimir.
resgatável; *adj.* rescatable.
resgate; *s.* rescate.
resguardar; *v.* resguardar, guardar, abrigar, proteger.
resguardo; *s.* resguardo, cuidado, dieta, prudencia.
residência; *s.* residencia, domicilio, habitación, vivienda.
residir; *v.* residir, habitar, morar, vivir.
residual; *adj.* residual.
resíduo; *s.* residuo, detrito, resto.
resignação; *s.* resignación, conformidad.
resignado; *adj.* resignado, conformado, paciente.
resignar; *v.* resignar, conformar.
resina; *s.* resina.
resistência; *s.* resistencia, fuerza, defensa.
resistente; *adj.* resistente, fuerte, duro.
resistir; *v.* resistir, aguantar, defenderse, durar.
resmungar; *v.* refunfuñar, mascullar, rezongar.
resolução; *s.* resolución, decisión.
resoluto; *adj.* resuelto, decidido.
resolver; *v.* resolver, decidir, solucionar.
resolvido; *adj.* resuelto, solucionado.
respaldar; *v.* respaldar.
respaldo; *s.* respaldo.
respeitar; *v.* respetar, reverenciar, considerar.
respeitável; *adj.* respetable, venerable, importante.
respeito; *s.* respeto, respecto, acatamiento, sumisión, consideración.
respeitoso; *adj.* respetuoso, obediente, sumiso, cortés.
respingar; *v.* respingar, salpicar.
respingo; *s.* respingo.
respiração; *s.* respiración.
respirar; *v.* respirar.
respiratório; *adj.* respiratorio.
resplandecente; *adj.* resplandeciente, flamante, lúcido, reluciente.
resplandecer; *v.* resplandecer, refulgir, relucir, relumbrar.
resplendor; *s.* resplandor.
responder; *v.* responder, contestar.
responsabilidade; *s.* responsabilidad, obligación.
responsável; *adj.* responsable.
resposta; *s.* respuesta.
resquício; *s.* resquicio.
ressaca; *s.* resaca.
ressaibo; *s.* resabio.
ressaltar; *v.* resaltar, sobresalir.
ressalva; *s.* reserva, cláusula, resguardo, excepción.
ressalvar; *v.* salvar, acautelarse, prevenirse.
ressarcir; *v.* resarcir, indemnizar, compensar.
ressecar; *v.* resecar, secar.

ressentido; *adj.* resentido, ofendido, enojado.
ressentir; *v.* resentir.
ressonância; *s.* resonancia.
ressonar; *v.* resonar.
ressumar; *v.* rezumar.
ressurgimento; *s.* resurgimiento, resurrección.
ressurgir; *v.* resurgir.
ressurreição; *s.* resurrección.
ressuscitar; *v.* resucitar, resurgir.
ressurreição; *s.* resurrección.
restabelecer; *v.* restablecer, restaurar, renovar, convalecer.
restabelecimento; *s.* restablecimiento, restauración.
restante; *adj.* restante.
restar; *v.* restar, sobrar, sobrevivir.
restauração; *s.* restauración, reconstrucción, reparo
restaurante; *s.* restaurante.
restaurar; *v.* restaurar, reconstruir, recuperar.
réstia; *s.* ristra.
restinga; *s.* restinga, albufera, marisma.
restituição; *s.* restitución, entrega, devolución, reposición.
restituir; *v.* restituir, devolver, entregar, reponer, retornar.
resto; *s.* resto, restante.
restos; *s.* sobras, ruinas, restos mortales.
restolho; *s.* rastrojo.
restrição; *s.* restricción.
restringir; *v.* restringir, coartar, contraer, reducir.
restritivo; *adj.* restrictivo.
restrito; *adj.* restricto, limitado.
resultado; *s.* resultado, consecuencia, efecto.
resultar; *v.* resultar.
resumido; *adj.* reducido, conciso, sintético, sucinto.
resumir; *v.* resumir, abreviar, sintetizar.
resumo; *s.* resumen, compendio, esbozo, extracto, sinopsis, síntesis.
resvaladiço; *adj.* resbaladizo.
resvalar; *v.* resbalar, deslizar.
reta; *s.* línea.
retábulo; *s.* retablo.
retaguarda; *s.* retaguardia.
retalhar; *v.* retazar, retajar, cortar, dividir, retallar.
retalho; *s.* retal, retazo.
retângulo; *s.* rectángulo.
retardado; *adj.* retrasado, retardado.
retardar; *v.* retardar, aplazar, atrasar, demorar, tardar.
retardatário; *adj.* atrasado, retrasado.
retém; *s.* retén.
retenção; *s.* retención.
reter; *v.* retener, detener, embargar.
reticência; *s.* reticencia.
reticente; *adj.* reticente.
retidão; *s.* rectitud, equidad, integridad, virtud.
retificação; *s.* rectificación, corrección.
retificar; *v.* rectificar, corregir.
retina; *s.* retina.
retirada; *s.* retirada, evacuación, retiro.
retirado; *adj.* retirado, recogido, solitario.
retirar; *v.* retirar, ausentar, rehuir.
retiro; *s.* retiro.
reto; *adj.* recto, derecho, directo.
retocar; *v.* retocar.
retomar; *v.* reanudar.
retoque; *s.* retoque.
retorcer; *v.* retorcer.
retorcimento; *s.* retorcimiento.
retórica; *s.* retórica.
retornar; *v.* retornar, volver, reaparecer, regresar.
retorno; *s.* retorno.
retorta; *s.* retorta.
retração; *s.* retracción.
retraído; *adj.* retraído.
retraimento; *s.* retraimiento, contracción.
retrair; *v.* retraer, encoger, reducir.

retransmitir; *v.* retransmitir.
retratar; *v.* retractar, retratar.
retrato; *s.* retrato.
retribuição; *s.* retribución, gratificación, recompensa.
retribuir; *v.* retribuir, corresponder, gratificar, pagar, recompensar.
retroativo; *adj.* retroactivo.
retroagir; *v.* producir efecto retroactivo.
retroceder; *v.* retroceder, regresar.
retrocesso; *s.* retroceso.
retrógrado; *adj.* retrógrado.
retrospectivo; *adj.* retrospectivo.
retrovisor; *s.* retrovisor.
retumbar; *v.* retumbar, atronar, resonar.
réu; *s.* reo.
reumático; *adj.* reumático.
reumatismo; *s.* reumatismo.
reumatologista; *s.* reumatólogo.
reunião; *s.* reunión.
reunir; *v.* reunir, acumular, aglomerar, aglutinar, agrupar, almacenar, compilar, conglomerar, incorporar, junta.
revalidação; *s.* reválida, convalidación, confirmación.
revalidar; *v.* convalidar, revalidar.
revalorizar; *v.* revalorizar.
revanche; *s.* revancha.
revelação; *s.* revelación.
revelador; *adj.* revelador.
revelar; *v.* revelar.
revenda; *s.* reventa.
revender; *v.* revender.
rever; *v.* rever, revisar.
reverberação; *s.* reverberación.
reverberar; *v.* reverberar.
reverdecer; *v.* reverdecer.
reverência; *s.* reverencia.
reverenciar; *v.* reverenciar, venerar.
reverendo; *adj.* reverendo.
reversão; *s.* reversión.
reversível; *adj.* reversible.
reverso; *s.* reverso, revés.
revés; *s.* revés.
revestimento; *s.* revestimiento.
revestir; *v.* revestir.
revezar; *v.* revezar, alternar.
revidar; *v.* reenvidar, replicar.
revigorante; *adj.* energético.
revigorar; *v.* robustecer, tonificar.
revirar; *v.* revirar, cambiar, torcer.
reviravolta; *s.* pirueta, transformación.
revisão; *s.* revisión.
revisar; *v.* revisar.
revisor; *adj.* revisor.
revista; *s.* examen, revista.
revista; *s.* revista, periódico, magazine.
revistar; *v.* revistar, examinar.
reviver; *v.* revivir, renacer, resucitar.
revoada; *s.* revuelo.
revogação; *s.* revocación, anulación.
revogar; *v.* revocar, abolir, abrogar.
revolta; *s.* revuelta.
revoltado; *adj.* sublevado, revoltoso.
revoltar; *v.* revolucionar, amotinar, sublevar, indignar.
revoltear; *v.* revolotear.
revolto; *adj.* revuelto.
revoltoso; *adj.* revoltoso, revuelto.
revolução; *s.* revolución, revuelta.
revolucionar; *v.* revolucionar.
revolucionário; *adj.* revolucionario.
revolutear; *v.* revolotear.
revolver; *v.* revolver, agitar, desordenar, cavar.
revólver; *s.* pistola, revólver.
revolvido; *adj.* revuelto.
reza; *s.* rezo.
rezar; *v.* rezar, orar.
rezingar; *v.* rezongar.
riacho; *s.* arroyo, riachuelo.
ribanceira; *s.* ribazo, despeñadero.
ribeira; *s.* ribera.
ribeirinho; *adj.* ribereño.
ribeiro; *s.* riacho, regato, arroyo.
rícino; *s.* ricino.
rico; *adj.* rico, acaudalado, adinerado, pudiente.
ricochetear; *v.* rebotar.
ridicularizar; *v.* ridiculizar, satirizar.

ridículo; *adj.* ridículo, risible, mezquino, escaso, corto.
rifa; *s.* rifa, sorteo.
rifar; *v.* rifar, sortear.
rifle; *s.* rifle.
rigidez; *s.* rigidez.
rígido; *adj.* rígido, tieso, duro, erecto, inflexible.
rigor; *s.* rigor, severidad, aspereza.
rigoroso; *adj.* riguroso, severo, áspero.
rijeza; *s.* dureza, rigidez.
rijo; *adj.* duro, recio, rígido.
rim; *s.* riñón.
rima; *s.* rima.
rimar; *v.* rimar.
rímel; *s.* rímel.
rincão; *s.* rincón.
rinchar; *v.* relinchar.
rinoceronte; *s.* rinoceronte.
rio; *s.* río.
ripa; *s.* ripia, listón de madera.
riqueza; *s.* riqueza.
rir; *v.* reír.
risada; *s.* risada, carcajada.
risca; *s.* lista.
riscado; *adj.* listado, rayado, tachado.
riscar; *v.* rayar, arañar, pautar, surcar, tachar.
risco; *s.* raya, trazo, surco, línea.
risco; *s.* exponerse a los peligros.
risível; *adj.* risible.
riso; *s.* risa, sonrisa.
risonho; *adj.* risueño.
rítmico; *adj.* rítmico.
ritmo; *s.* ritmo, cadencia, compás.
rito; *s.* rito.
ritual; *s.* ritual, liturgia, ceremonia.
rival; *adj.* rival, émulo, competidor.
rivalidade; *s.* rivalidad, competición.
rivalizar; *v.* rivalizar, competir, emular.
rixa; *s.* riña, cuestión, pendencia, reyerta, altercado.
robalo; *s.* lubina, róbalo.
robô; *s.* androide, autómata.
robustecer; *v.* robustecer, fortalecer, vigorizar.
robusto; *adj.* robusto, vigoroso, poderoso.
roca; *s.* roca.
roca; *s.* rueca.
roçadura; *s.* rozadura, rozamiento, roce.
roçamento; *s.* rozamiento.
roçar; *v.* rasar, refregar, rozar.
rocha; *s.* peña, roca.
rochedo; *s.* peñasco, roca.
rociar; *v.* rociar.
rocio; *s.* rocío.
roda; *s.* rueda.
rodagem; *s.* rodaje, ruedo.
rodapé; *s.* rodapié.
rodar; *v.* rodar.
rodear; *v.* rodear, cercar, ceñir.
rodeio; *s.* rodeo.
rodela; *s.* rodela, rodaja.
rodízio; *s.* rotación.
rodovia; *s.* autopista.
roedor; *adj.* roedor.
roer; *v.* roer.
rogar; *v.* rogar, suplicar, implorar.
rogativa; *s.* rogativa.
rogo; *s.* ruego, plegaria, suplica, oración.
rol; *s.* rol.
rolar; *v.* rodar, girar.
roldana; *s.* polea, roldana.
roleta; *s.* ruleta.
rolha; *s.* corcho, tapón.
roliço; *adj.* rollizo.
rolo; *s.* rodillo, rollo, rulo.
romã; *s.* granada.
romance; *s.* romance.
romancista; *s.* romancista, novelista.
românico; *adj.* románico.
romano; *adj.* romano.
romântico; *adj.* romántico.
romaria; *s.* peregrinación, romería.
rombo; *adj.* rombo.
romeiro; *s.* romero, peregrino.
romper; *v.* romper.
rompimento; *s.* rompimiento, rotura.
roncar; *v.* roncar.
ronco; *adj.* ronco.

ronco; *s.* ronquido.
ronda; *s.* ronda.
rondar; *v.* patrullar, rondar.
ronha; *s.* roña.
ronhoso; *adj.* roñoso.
rosa; *s.* rosa.
rosado; *adj.* rosado.
rosário; *s.* rosario.
rosbife; *s.* rosbif.
rosca; *s.* rosca.
roseira; *s.* rosal.
rosmaninho; *s.* romero.
rosnar; *v.* gruñir.
rossio; *s.* plaza pública espaciosa.
rosto; *s.* rostro, cara, frente, semblante.
rota; *s.* ruta, camino, vía.
rotação; *s.* giro, rotación.
rotativo; *adj.* rotativo.
rotatório; *adj.* rotatorio.
roteiro; *s.* itinerario, ruta, guía.
rotina; *s.* rutina.
rotineiro; *adj.* rutinario, habitual, ordinario.
roto; *adj.* roto.
rótula; *s.* rótula.
rotulador; *adj.* rotulador.
rotular; *v.* rotular.
rótulo; *s.* rótulo, etiqueta, letrero.
roubar; *v.* robar, estafar, hurtar, pillar.
roubo; *s.* robo.
roupa; *s.* ropa, indumentaria, prenda, vestimenta.
roupagem; *s.* ropaje.
roupão; *s.* bata, albornoz.
roupeiro; *s.* ropero.
rouquidão; *s.* ronquera.
rouxinol; *s.* ruiseñor.
roxo; *s.* violáceo, violeta, morado.
rua; *s.* calle, vía.
rubi; *s.* rubí.
rubor; *s.* rubor.
ruborizado; *adj.* ruborizado, encendido.
ruborizar; *v.* ruborizar, sonrojar.
rubrica; *s.* rúbrica.
rubricar; *v.* rubricar.
rubro; *adj.* rojo, encarnado.
ruço; *adj.* rucio, descolorido.
rude; *adj.* rudo, bronco, inculto, intratable, rústico, torpe.
rudeza; *s.* rudeza, aspereza, grosería, estupidez.
rudimental; *adj.* rudimentario.
rudimento; *s.* rudimento.
ruela; *s.* calleja, callejuela.
rufião; *s.* rufián.
ruga; *s.* arruga, pliegue, surco.
ruge; *s.* colorete.
rugido; *s.* bramido.
rugir; *v.* rugir.
ruído; *s.* ruido, son, sonido.
ruidoso; *adj.* ruidoso.
ruim; *adj.* ruin, vil.
ruína; *s.* ruina.
ruindade; *s.* maldad, ruindad.
ruinoso; *adj.* ruinoso.
ruivo; *adj.* pelirrojo.
rum; *s.* ron.
ruminante; *adj.* rumiante.
ruminar; *v.* rumiar.
rumo; *s.* rumbo, ruta, dirección, orientación.
rumor; *s.* rumor.
rupestre; *adj.* rupestre.
ruptura; *s.* ruptura, fractura, rompimiento.
rural; *adj.* rural, rústico.
rústico; *adj.* rústico, agreste, rural, tosco.
rutilante; *adj.* rutilante, resplandeciente, brillante, fulgurante.
rutilar; *v.* rutilar, brillar, resplandecer, fulgurar.
rútilo; *adj.* rútilo, rutilante.

S

s; *s.* decimoctava letra del abecedario portugués.
sábado; *s.* sábado.
sabão; *s.* jabón.
sabático; *adj.* sabático.
sabatina; *s.* sabatina.
sabedor; *adj.* sabedor.
sabedoria; *s.* sabiduría.
saber; *v.* saber, conocer.
sabichão; *s.* sabelotodo, sabihondo.
sabido; *adj.* sabido, sabedor, erudito.
sábio; *adj.* sabio, erudito, doctor.
sabonete; *s.* jaboncillo, jaboneta, jabón de tocador.
saboneteira; *s.* jabonera.
sabor; *s.* sabor, gusto.
saborear; *v.* saborear, degustar, gustar, paladear.
saboroso; *adj.* sabroso, apetitoso, gustoso.
sabotagem; *s.* sabotaje.
sabotar; *v.* sabotear.
sabre; *s.* machete, sable.
sabugueiro; *s.* sabuco, saúco, sabugo.
sabujo; *adj.* sabueso.
sacada; *s.* balcón, salidizo, voladizo.
sacar; *v.* sacar, arrancar, extraer.
sacarina; *s.* sacarina.
saca-rolhas; *s.* sacacorchos.
sacarose; *s.* sacarosa.
sacerdócio; *s.* sacerdocio.
sacerdote; *s.* sacerdote, clérigo, cura, párroco.
saciado; *adj.* saciado, harto.
saciar; *v.* saciar, satisfacer, saturar.
saciável; *adj.* saciable.
saciedade; *s.* saciedad.
saco; *s.* bolsa, saco.
sacola; *s.* alforja, macuto.
sacralizar; *v.* sacralizar.
sacramental; *adj.* sacramental.
sacramentar; *v.* sacramentar.
sacramento; *s.* sacramento.
sacrário; *s.* sagrario.
sacrificar; *v.* sacrificar, inmolar, martirizar.
sacrifício; *s.* sacrificio, inmolación, martirio.
sacrilégio; *s.* sacrilegio.
sacrílego; *adj.* sacrílego.
sacristão; *s.* sacristán.
sacristia; *s.* sacristía.
sacro; *adj.* sacro, sagrado.
sacrossanto; *adj.* sacrosanto.
sacudir; *v.* sacudir, agitar, estremecer.
sádico; *adj.* sádico.
sadio; *adj.* sano, saludable.
sadismo; *s.* sadismo.
safado; *adj.* zafado, desvergonzado, cínico.
safar; *v.* quitar para fuera, extraer, sacar.
safári; *s.* safari.
safira; *s.* zafiro.
safo; *adj.* zafo.

safra; *s.* cosecha.
saga; *s.* saga.
sagacidade; *s.* sagacidad.
sagaz; *adj.* listo, sagaz.
sagrado; *adj.* sagrado, santo, inmaculado, sacro.
sagrar; *v.* consagrar, bendecir.
sagu; *s.* sagú.
saguão; *s.* zaguán, vestíbulo, hall.
saia; *s.* falda.
saída; *s.* salida.
saído; *adj.* salido, saliente.
sair; *v.* salir, partir.
sal; *s.* sal.
sala; *s.* sala.
salada; *s.* ensalada.
saladeira; *s.* ensaladera.
salamaleque; *s.* zalamería.
salamandra; *s.* salamandra.
salame; *s.* salame.
salão; *s.* salón.
salário; *s.* salario, paga, sueldo, estipendio.
saldar; *v.* saldar.
saldo; *s.* saldo.
saleiro; *s.* salero.
salgadinhos; *s.* iguarias saladas.
salgado; *adj.* salado.
salgar; *v.* salar.
salgueiro; *s.* sauce.
saliência; *s.* saliente.
salientar; *v.* volver saliente, sobresalir, resalar.
saliente; *adj.* saliente, que sale, que sobresale.
salina; *s.* salina.
salinidade; *s.* salinidad.
salino; *adj.* salino.
salitre; *s.* salitre.
salitroso; *adj.* salitroso.
saliva; *s.* saliva.
salivação; *s.* salivación.
salivar; *v.* salivar.
salmão; *s.* salmón.
salmo; *s.* salmo.
salmoura; *s.* salmuera.
salobre; *adj.* salobre.
salpicadura; *s.* salpicadura.
salpicão; *s.* salpicón.
salpicar; *v.* salpicar.
salsa; *s.* perejil.
salsaparrilha; *s.* zarzaparrilla.
salsicha; *s.* salchicha.
salsichão; *s.* salchichón.
salsicharia; *s.* salchichería.
saltador; *adj.* saltador.
saltar; *v.* saltar.
salteador; *s.* salteador, bandido, ladrón.
saltimbanco; *s.* saltimbanqui.
salto; *s.* salto, bote, cascada.
salubre; *adj.* salubre.
salubridade; *s.* salubridad.
salutar; *adj.* saludable, salubre.
salvação; *s.* salvación.
salvaguarda; *s.* salvaguardia, salvedad.
salvaguardar; *v.* salvaguardar.
salvamento; *s.* salvación, salvamento.
salvar; *v.* salvar.
salva-vidas; *s.* salvavidas.
salve; *interj.* salve.
salvo; *adj.* salvado, salvo.
salvo-conduto; *s.* salvoconducto.
samambaia; *s.* helecho.
samaritano; *adj.* caritativo.
samba; *s.* baile popular brasileño.
samburá; *s.* nasa.
samurai; *s.* samurai.
sanar; *v.* curar, sanar.
sanatório; *s.* sanatorio.
sanção; *s.* sanción.
sancionar; *v.* sancionar.
sandália; *s.* sandalia.
sândalo; *s.* sándalo.
sandice; *s.* sandez.
sanduíche; *s.* bocadillo, sandwich.
saneamento; *s.* saneamiento.
sanear; *v.* sanear.
sanefa; *s.* cenefa.
sangrar; *v.* sangrar.
sangrento; *adj.* sangriento, ensangrentado, cruel.
sangria; *s.* sangría.
sangria; *s.* bebida de agua, limón, azúcar y vino tinto.

sangue; *s.* sangre.
sanguessuga; *s.* sanguijuela.
sanguinário; *adj.* sanguinario.
sanguíneo; *adj.* sanguíneo.
sanguinolento; *adj.* sanguinolento.
sanha; *s.* saña, ira, furor.
sanidade; *s.* sanidad.
sanitário; *s.* sanitario.
santidade; *s.* santidad.
santificação; *s.* santificación.
santificar; *v.* santificar.
santo; *adj.* santo.
santuário; *s.* santuario.
são; *adj.* sano.
sapa; *s.* zapa.
sapataria; *s.* zapatería.
sapateado; *s.* zapateado.
sapatear; *v.* zapatear.
sapateiro; *s.* zapatero.
sapatilha; *s.* zapatilla.
sapato; *s.* calzado, zapato.
sapiência; *s.* sapiencia, sabiduría.
sapiente; *adj.* sapiente, sabio, erudito.
sapo; *s.* sapo.
saponáceo; *adj.* saponáceo, jabonoso.
saque; *s.* saqueo, saque.
saquear; *v.* saquear, depredar, pillar, robar.
saracotear; *v.* requebrar, mover el cuerpo con gracia.
sarampo; *s.* sarampión.
sarar; *v.* sanar, curar, recobrar la salud.
sarau; *s.* sarao, velada.
sarça; *s.* zarza.
sarcasmo; *s.* sarcasmo, escarnio, burla.
sarcástico; *adj.* sarcástico, irónico, mordaz.
sarcófago; *s.* sarcófago.
sarda; *s.* peca.
sardinha; *s.* sardina.
sardônico; *adj.* sardónico, sarcástico.
sargaço; *s.* sargazo, algas.
sargento; *s.* sargento.
sarjar; *v.* sajar, sajadura.
sarjeta; *s.* cuneta.
sarmento; *s.* sarmiento.
sarna; *s.* sarna.
sarnento; *adj.* sarnoso.
sarpar; *v.* zarpar.
sarrafo; *s.* vigueta, viga pequeña, listón, viruta.
sarro; *s.* sarro, sedimento.
satã; *s.* satán.
satanás; *s.* satanás.
satânico; *adj.* satánico, diabólico, infernal.
satanismo; *s.* satanismo.
satélite; *s.* satélite.
sátira; *s.* sátira.
satírico; *adj.* satírico.
satirizar; *v.* satirizar, ironizar.
satisfação; *s.* satisfacción, contentamiento, alegría, pago.
satisfatório; *adj.* satisfactorio.
satisfazer; *v.* satisfacer, cumplir, pagar, solventar, cancelar, alegrar.
satisfeito; *adj.* satisfecho, saciado, contento, realizado, ejecutado.
saturação; *s.* saturación.
saturar; *v.* saturar.
saudação; *s.* saludo, salutación, felicitación, cumplimientos.
saudade; *s.* nostalgia, añoranza.
saudar; *v.* saludar, felicitar.
saudável; *adj.* saludable, sano.
saúde; *s.* salud.
saudoso; *adj.* nostálgico.
sauna; *s.* sauna.
savana; *s.* sabana.
saxão; *adj.* sajón.
saxofone; *s.* saxofón.
saxônio; *adj.* sajón.
se; *pron.* se, sí, a sí.
se; *conj.* si.
sé; *s.* sede, catedral, Santa Sede.
sebáceo; *adj.* sebáceo, ensebado, seboso, untoso, grasiento.
sebento; *adj.* seboso, sebáceo, untado de sebo, sucio.
sebo; *s.* sebo, carnaza.
seca; *s.* seca, estiaje, sequía.
secador; *s.* secador.

secante; *adj.* secante.
seção; *s.* sección, parte, corte.
secar; *v.* secar, enjugar, marchitar, mustiar.
seccionar; *v.* seccionar.
seco; *adj.* seco, enjuto, marchito, árido, áspero, rudo.
secreção; *s.* secreción.
secretar; *v.* secretar.
secretaria; *s.* secretaría, oficina.
secretária; *s.* secretaria.
secretariar; *v.* ejercer de secretario.
secretário; *s.* secretario.
secreto; *adj.* secreto, oculto, escondido.
secretor; *adj.* secretor.
sectário; *s.* sectario.
secular; *adj.* secular.
secularizar; *v.* secularizar.
século; *s.* siglo.
secundar; *v.* secundar.
secundário; *adj.* secundario.
secura; *s.* sequedad.
seda; *s.* seda.
sedar; *v.* sedar.
sedativo; *adj.* sedante.
sede; *s.* sed, sede.
sedentário; *adj.* sedentario.
sedento; *adj.* sediento.
sedição; *s.* sedición, levantamiento, revuelta.
sedimentar; *v.* sedimentar.
sedimento; *s.* sedimento.
sedoso; *adj.* sedoso, satinado.
sedução; *s.* seducción.
sedutor; *adj.* seductor.
seduzir; *v.* seducir, tentar, cautivar, atraer, sobornar.
sega; *s.* siega.
segar; *v.* segar.
segmentação; *s.* segmentación.
segmentar; *v.* segmentar.
segmento; *s.* segmento.
segredo; *s.* secreto.
segregação; *s.* segregación.
segregar; *v.* secretar, segregar.
seguimento; *s.* seguimiento, acompañamiento, continuación.
seguinte; *adj.* siguiente, inmediato.
seguir; *v.* seguir, acompañar, ir, continuar.
segunda; *s.* segunda.
segunda-feira; *s.* lunes.
segundo; *adj.* secundario, segundo.
segundo; *prep.* según.
segundo; *s.* segundo.
segurador; *adj.* asegurador.
segurança; *s.* seguridad, certeza, firmeza, confianza.
segurar; *v.* asegurar, afianzar, agarrar.
seguro; *adj.* seguro, cierto, indudable, constante, confiado.
seio; *s.* seno, pecho, regazo.
seita; *s.* secta.
seiva; *s.* savia.
seixo; *s.* callao, china, guija, guijarro.
sela; *s.* silla.
selar; *v.* sellar, timbrar.
seleção; *s.* selección.
selecionado; *adj.* selecto.
selecionar; *v.* seleccionar.
seletivo; *adj.* selectivo.
seleto; *adj.* selecto.
seletor; *s.* selector.
selo; *s.* sello, timbre, estampilla.
selva; *s.* selva, bosque.
selvagem; *adj.* salvaje, selvático.
selvageria; *s.* salvajismo.
selvático; *adj.* selvático.
sem; *prep.* sin.
semáforo; *s.* semáforo.
semana; *s.* semana.
semanal; *adj.* semanal.
semanal; *s.* semanario.
semanário; *s.* semanario.
semântica; *s.* semántica.
semblante; *s.* semblante.
sêmea; *s.* salvado.
semeado; *adj.* sembrado.
semeadura; *s.* siembra.
semear; *v.* sembrar, granear, plantar.
semelhança; *s.* semblanza.
semelhante; *adj.* semejante, parecido, prójimo, similar.

semelhar; *v.* semejar, parecer.
sêmen; *s.* semen, esperma.
semente; *s.* semilla, simiente, grano.
sementeira; *s.* sementera.
semestral; *adj.* semestral.
semestre; *s.* semestre.
semi-analfabeto; *adj.* casi analfabeto.
semicircular; *adj.* semicircular.
semicírculo; *s.* semicírculo.
seminário; *s.* seminario.
seminarista; *s.* seminarista.
semiologia; *s.* semiología.
semita; *adj.* judío, semita.
sem-número; *s.* sinnúmero.
sêmola; *s.* sémola.
sempre; *adv.* siempre.
sempre-viva; *s.* siempreviva.
sem-vergonha; *adj.* sinvergüenza.
sem-vergonhice; *s.* desvergüenza.
senado; *s.* senado.
senador; *s.* senador.
senda; *s.* senda, sendero, vereda, camino.
senha; *s.* seña.
senhor; *s.* señor, amo, dueño.
senhor; *pron.* usted.
senhora; *pron.* usted.
senhora; *s.* dama, doña, mujer.
senhoria; *s.* señoría.
senhorial; *adj.* señorial.
senhorio; *s.* señorío.
senhorita; *s.* señorita, mujer soltera.
senil; *adj.* senil, decrépito.
senilidade; *s.* senilidad, vejez.
sensabor; *adj.* sinsabor, desabrido, insípido.
sensaboria; *s.* sinsabor.
sensação; *s.* sensación.
sensacional; *adj.* sensacional.
sensacionalismo; *s.* sensacionalismo.
sensatez; *s.* juicio, sensatez.
sensato; *adj.* sensato.
sensibilidade; *s.* sensibilidad, susceptibilidad.
sensibilizar; *v.* sensibilizar.
sensitivo; *adj.* sensitivo.
sensível; *adj.* sensible, sensitivo, susceptible.
sensorial; *adj.* sensorial, sensorio.
sensório; *adj.* sensorio.
sensual; *adj.* sensual, erótico.
sensualidade; *s.* sensualidad, lujuria.
sentado; *adj.* sentado.
sentar; *v.* sentar.
sentença; *s.* sentencia, veredicto.
sentenciar; *v.* sentenciar, juzgar.
sentencioso; *adj.* sentencioso.
sentido; *adj.* sentido, triste, pesaroso, lastimado, ofendido.
sentido; *s.* sentido.
sentimental; *adj.* sentimental.
sentimentalismo; *s.* sentimentalismo.
sentimento; *s.* sentimiento.
sentinela; *s.* centinela, vigilante.
sentir; *v.* sentir.
separação; *s.* separación.
separado; *adj.* separado, retirado, distante.
separar; *v.* separar.
separatismo; *s.* separatismo.
separável; *adj.* separable.
septicemia; *s.* septicemia.
sepulcral; *adj.* sepulcral, fúnebre, sombrío.
sepulcro; *s.* sepulcro, sepultura, tumba, túmulo.
sepultar; *v.* sepultar, enterrar, inhumar.
sepultura; *s.* sepultura.
sequaz; *adj.* secuaz.
sequela; *s.* secuela.
sequência; *s.* secuencia.
sequestrador; *s.* secuestrador.
sequestrar; *v.* secuestrar.
sequestro; *s.* secuestro.
sequioso; *adj.* sediento.
séquito; *s.* comitiva, séquito.
ser; *v.* ser.
serafim; *s.* serafín.
serão; *s.* velada, vigilia, sarao.
sereia; *s.* sirena.
serenar; *v.* serenar, tranquilizar.
serenata; *s.* serenata.
serenidade; *s.* serenidad, sosiego, tranquilidad.

sereno; *adj.* sereno, tranquilo.
série; *s.* serial, serie.
seriedade; *s.* seriedad, severidad, formalidad.
serigrafia; *s.* serigrafía.
seringa; *s.* jeringa.
seringueira; *s.* gomero.
sério; *adj.* serio, circunspecto, grave, severo.
sermão; *s.* sermón.
serpente; *s.* serpiente, cobra.
serpentear; *v.* serpentear.
serpentina; *s.* serpentina.
serra; *s.* serranía, sierra.
serração; *s.* aserradura.
serragem; *s.* serrín.
serralheiro; *s.* cerrajero.
serralho; *s.* serrallo.
serrania; *s.* serranía.
serrano; *adj.* serrano.
serrar; *v.* serrar.
serrote; *s.* serrucho, sierra.
servente; *adj.* sirviente, criado, servicial.
servente; *s.* servidor, sirvienta.
serventia; *s.* utilidad.
serviçal; *adj.* servicial.
serviço; *s.* servicio.
servidão; *s.* esclavitud, servidumbre.
servidor; *adj.* sirviente.
servidor; *s.* servidor.
servil; *adj.* servil.
servilismo; *s.* servilismo.
servir; *v.* servir.
servo; *s.* siervo.
sessão; *s.* sesión.
sesta; *s.* siesta.
seta; *s.* flecha, saeta.
setembro; *s.* septiembre.
setentrional; *adj.* septentrional.
setor; *s.* sector.
setuagenário; *s.* septuagenario.
seu; *pron.* suyo.
severidade; *s.* severidad.
severo; *adj.* severo, grave, serio, riguroso, rígido, sobrio, correcto.
sevícias; *s.* sevicias, malos tratos, crueldad.
sexo; *s.* sexo.
sexologia; *s.* sexología.
sexólogo; *s.* sexólogo.
sexta-feira; *s.* viernes.
sextante; *s.* sextante.
sexteto; *s.* sexteto.
sexual; *adj.* sexual.
sexualidade; *s.* sexualidad.
short; *s.* short.
show; *s.* show.
siamês; *adj.* siamés.
sibarita; *adj.* sibarita.
siberiano; *adj.* siberiano.
sibila; *s.* sibila, bruja.
sibilante; *adj.* sibilante.
sicário; *s.* sicario, asesino, facineroso.
sideral; *adj.* sideral, estelar.
siderurgia; *s.* siderurgia.
siderúrgico; *adj.* siderúrgico.
sidra; *s.* sidra.
sifão; *s.* sifón.
sífilis; *s.* sífilis.
sifilítico; *adj.* sifilítico.
sigilo; *s.* sigilo, secreto.
sigiloso; *adj.* sigiloso.
sigla; *s.* sigla.
signatário; *s.* signatario.
significação; *s.* significación.
significado; *adj.* significado.
significar; *v.* significar.
significativo; *adj.* significativo.
signo; *s.* signo.
sílaba; *s.* sílaba.
silabar; *v.* silabear.
silábico; *adj.* silábico.
silêncio; *s.* silencio.
silencioso; *adj.* silencioso.
silhueta; *s.* silueta.
sílica; *s.* sílice.
silicone; *s.* silicona.
silicose; *s.* silicosis.
silo; *s.* silo.
silogismo; *s.* silogismo.
silva; *s.* zarza, breña, zarzal.
silvar; *v.* silbar, pitar.
silvestre; *adj.* silvestre, selvático, agreste, bravío.
silvícola; *adj.* silvícola.

silvicultor; *s.* silvicultor.
silvicultura; *s.* silvicultura.
silvo; *s.* silbido, pitido.
sim; *adv.* sí.
simbiose; *s.* simbiosis.
simbólico; *adj.* simbólico, alegórico, emblemático.
simbolismo; *s.* simbolismo.
simbolista; *adj.* simbolista.
simbolizar; *v.* simbolizar.
símbolo; *s.* símbolo.
simbologia; *s.* simbología.
simetria; *s.* simetría.
simétrico; *adj.* simétrico.
similar; *adj.* similar, homogéneo, semejante.
símile; *s.* símil.
similitude; *s.* similitud.
símio; *s.* macaco, simio.
simonia; *s.* simonía.
simpatia; *s.* simpatía.
simpático; *adj.* simpático.
simpatizante; *adj.* simpatizante.
simpatizar; *v.* simpatizar.
simples; *adj.* simple, sencillo, fácil, natural, puro, único, vulgar.
simplicidade; *s.* simplicidad, sencillez, facilidad, naturalidad.
simplificar; *v.* simplificar.
simplista; *adj.* simplista.
simplório; *adj.* simplón.
simpósio; *s.* simposio.
simulação; *s.* simulación, fingimiento.
simulacro; *s.* simulacro.
simular; *v.* simular, fingir, imitar, disfrazar.
simultaneidade; *s.* simultaneidad, semejanza, casualidad.
simultâneo; *adj.* simultáneo, sincrónico.
sina; *s.* sino, suerte, destino.
sinagoga; *s.* sinagoga.
sinal; *s.* seña, estigma, huella, impresión, indicio, insignia, lacra, mancha, marca, vestigio.
sinalização; *s.* señalamiento.
sinalizar; *v.* señalar.
sinceridade; *s.* sinceridad, franqueza.
sincero; *adj.* sincero, veraz, natural, honesto.
sincopar; *v.* sincopar.
síncope; *s.* síncope.
sincretismo; *s.* sincretismo.
sincronia; *s.* sincronía.
sincrônico; *adj.* sincrónico.
sincronizar; *v.* sincronízar.
sindical; *adj.* sindical.
sindicalismo; *s.* sindicalismo.
sindicalista; *s.* sindicalista.
sindicalizar; *v.* sindicar.
sindicância; *s.* investigación, averiguación.
sindicato; *s.* sindicato.
síndico; *s.* síndico.
síndrome; *s.* síndrome.
sineta; *s.* campanilla, esquila.
sinfonia; *s.* sinfonía.
sinfônico; *adj.* sinfónico.
singelo; *adj.* sencillo, simple.
singular; *adj.* singular, extravagante, particular.
singularidade; *s.* singularidad.
singularizar; *v.* singularizar.
sinistra; *s.* siniestra, la mano izquierda.
sinistro; *adj.* siniestro, izquierdo, malo, desastre, daño.
sino; *s.* campana.
sínodo; *s.* sínodo.
sinônimo; *adj.* sinónimo.
sinopse; *s.* sinopsis.
sintático; *adj.* sintáctico.
sintaxe; *s.* sintaxis.
síntese; *s.* síntesis, compendio, concisión, sumario.
sintético; *adj.* sintético.
sintetizar; *v.* sintetizar.
sintoma; *s.* síntoma.
sintomático; *adj.* sintomático.
sintonia; *s.* sintonía.
sintonizar; *v.* sintonizar.
sinuosidade; *s.* sinuosidad.
sinuoso; *adj.* sinuoso, tortuoso.
sinusite; *s.* sinusitis.
sionismo; *s.* sionismo.
sísmico; *adj.* sísmico.

sismo; *s.* seísmo, terremoto.
sismógrafo; *s.* sismógrafo.
sistema; *s.* sistema.
sistemático; *adj.* sistemático.
sístole; *s.* sístole.
sisudo; *adj.* sesudo, serio.
sitiar; *v.* sitiar, bloquear, cercar, asediar.
sítio; *s.* sitio, cerco, asedio, efecto de sitiar.
sítio; *s.* sitio, lugar, paraje, granja.
situação; *s.* situación, colocación, posición, estado, localización.
situar; *v.* situar, colocar, poner, localizar.
slide; *s.* diapositiva.
slogan; *s.* slogan.
só; *adj.* solo, sin compañía, sin amparo, alejado.
só; *adv.* sólo, solamente.
só; *s.* individuo que vive solo.
soalhado; *s.* entarimado.
soalho; *s.* piso, suelo, pavimento de madera, entarimado.
soante; *adj.* sonante.
soar; *v.* sonar.
sob; *prep.* bajo, debajo.
sobejo; *s.* restos, sobras.
soberana; *s.* soberana.
soberania; *s.* soberanía.
soberano; *adj.* soberano.
soberba; *s.* soberbia, orgullo.
soberbia; *s.* soberbia, vanidad.
soberbo; *adj.* soberbio.
sobra; *s.* sobra, exceso, demasía, hartura.
sobrado; *s.* sobrado, casa de dos plantas.
sobrancelha; *s.* ceja.
sobrar; *v.* sobrar.
sobre; *prep.* sobre, encima de.
sobreaviso; *s.* prevención, precaución.
sobrecarga; *s.* sobrecarga, sobrecargo.
sobrecarregado; *adj.* recargado.
sobrecarregar; *v.* sobrecargar.
sobrecasaca; *s.* levita.
sobre-humano; *adj.* sobrehumano.
sobreloja; *s.* entresuelo.
sobremaneira; *adv.* sobremanera.
sobremesa; *s.* postre.
sobrenatural; *adj.* sobrenatural.
sobrenome; *s.* apellido.
sobrepaga; *s.* sobrepaga.
sobrepor; *v.* sobreponer, superponer.
sobreposição; *s.* superposición.
sobrepujar; *v.* sobrepujar.
sobressair; *v.* sobresalir.
sobressalente; *adj.* sobresaliente.
sobressaltar; *v.* sobrecoger, sobresaltar, sorprender.
sobressalto; *s.* sobresalto, susto, vuelco.
sobretudo; *s.* sobretodo, gabardina, gabán, paletó.
sobrevir; *v.* sobrevenir.
sobrevivência; *s.* supervivencia.
sobrevivente; *s.* superviviente.
sobreviver; *v.* sobrevivir.
sobrevoar; *v.* sobrevolar.
sobriedade; *s.* sobriedad, comedimiento, parquedad.
sobrinho; *s.* sobrino.
sóbrio; *adj.* sobrio.
socavar; *v.* socavar.
social; *adj.* social.
socialismo; *s.* socialismo.
socialista; *adj.* socialista.
socializar; *v.* socializar.
sociável; *adj.* sociable.
sociedade; *s.* sociedad.
sócio; *s.* socio.
sociologia; *s.* sociología.
sociólogo; *s.* sociólogo.
soco; *s.* cachete, puñetazo.
soçobrar; *v.* naufragar.
soçobro; *s.* naufragio, inquietud, desasosiego.
socorrer; *v.* socorrer.
socorro; *s.* socorro.
soda; *s.* soda, sosa.
sódio; *s.* sodio.
sodomia; *s.* sodomía.
soer; *v.* soler.
soez; *adj.* soez, vil.
sofá; *s.* diván, sofá.

sofisma; *s.* sofisma.
sofisticação; *s.* sofisticación.
sofisticar; *v.* sofisticar.
sofredor; *adj.* sufrido.
sôfrego; *adj.* voraz, ávido, ansioso, impaciente.
sofreguidão; *s.* voracidad.
sofrer; *v.* sufrir.
sofrido; *adj.* sufrido.
sofrimento; *s.* padecimiento, sufrimiento.
sofrível; *adj.* sufrible.
sogro; *s.* suegro.
soja; *s.* soja, soya.
sol; *s.* sol.
solapar; *v.* socavar.
solar; *s.* solar, casa, casa solariega.
solar; *adj.* solar, relativo al Sol.
solar; *v.* pavimentar.
solário; *s.* solario.
solavanco; *s.* vaivén violento.
solda; *s.* suelda.
soldado; *s.* soldado.
soldador; *s.* soldador.
soldar; *v.* emplomar, soldar.
soldo; *s.* sueldo, estipendio, soldada.
soleira; *s.* solera, umbral.
solene; *adj.* solemne, grave, pomposo.
solenidade; *s.* solemnidad, festividad, función.
soletrar; *v.* deletrear.
solfejo; *s.* solfa.
solicitação; *s.* solicitación, postulación.
solicitar; *v.* solicitar, pedir, pretender.
solícito; *adj.* solícito, cuidadoso, hacendoso, desvelado, atento.
solicitude; *s.* solicitud.
solidão; *s.* soledad.
solidariedade; *s.* solidariedad.
solidário; *adj.* solidario.
solidarizar; *v.* solidarizar.
solidez; *s.* solidez, dureza, espesura, fuerza.
solidificação; *s.* solidificación.
solidificar; *v.* solidificar.
sólido; *adj.* sólido.
solilóquio; *s.* soliloquio.
solista; *adj.* solista.
solista; *s.* concertista.
solitária; *s.* tenia.
solitário; *adj.* solitario.
solo; *s.* piso, suelo, terreno, tierra.
solstício; *s.* solsticio.
soltar; *v.* soltar, desamarrar, desatar, desenganchar, largar.
solteirão; *adj.* solterón.
solteiro; *adj.* soltero, célibe.
solto; *adj.* suelto.
soltura; *s.* soltura.
solução; *s.* solución.
soluçar; *v.* sollozar.
solucionar; *v.* resolver, solucionar.
soluço; *s.* sollozo, hipo.
solúvel; *adj.* soluble.
solvência; *s.* solvencia.
solvente; *adj.* disolvente, solvente.
solver; *v.* resolver, solventar.
som; *s.* son, sonido, tono.
soma; *s.* suma, totalidad.
somar; *v.* sumar, totalizar.
somático; *adj.* somático.
somatologia; *s.* somatología.
sombra; *s.* sombra, espectro, penumbra.
sombreado; *adj.* sombreado.
sombrear; *v.* ensombrecer, sombrear.
sombrinha; *s.* parasol, sombrilla.
sombrio; *adj.* sombrío, lóbrego, opaco, umbrío.
sonambulismo; *s.* sonambulismo.
sonâmbulo; *adj.* sonámbulo.
sonata; *s.* sonata.
sonda; *s.* sonda.
sondagem; *s.* sondeo.
sondar; *v.* sondear.
soneca; *s.* siesta corta.
sonegar; *v.* ocultar, encubrir.
soneira; *s.* soñolencia.
soneto; *s.* soneto.
sonhador; *adj.* soñador, visionario.
sonhar; *v.* soñar.
sonho; *s.* sueño, devaneo, ensueño.
sonífero; *s.* somnífero.

sono; *s.* sueño, adormecimiento, deseo de dormir.
sonolência; *s.* somnolencia, soñolencia.
sonolento; *adj.* somnoliento, soñoliento.
sonoridade; *s.* sonoridad.
sonorizar; *v.* sonorizar.
sonoro; *adj.* sonoro.
sonso; *adj.* disimulado.
sopa; *s.* potaje, sopa.
sopapo; *s.* bofetada, sopapo, sopetón.
sopeira; *s.* sopera.
sopeiro; *adj.* sopero.
sopesar; *v.* sopesar.
soporífero; *adj.* soporífero.
soprano; *s.* soprano.
soprar; *v.* resoplar, soplar.
sopro; *s.* soplo.
sor; *s.* sor.
sordidez; *s.* sordidez.
sórdido; *adj.* sórdido.
soro; *s.* suero.
soror; *s.* sor.
sorrir; *v.* sonreír.
sorriso; *s.* sonrisa.
sorte; *s.* suerte, dicha, ventura.
sortear; *v.* sortear.
sorteio; *s.* sorteo.
sortido; *adj.* surtido.
sortilégio; *s.* hechicería, sortilegio.
sortir; *v.* surtir.
sorver; *v.* sorber.
sorvete; *s.* helado, sorbete.
sorveteria; *s.* heladería.
sorvo; *s.* sorbo, trago.
soslaio; *s.* soslayo.
sossegado; *adj.* sosegado, tranquilo.
sossegar; *v.* sosegar, descansar, reposar, serenar, tranquilizar.
sossego; *s.* sosiego, descanso, quietud, reposo, serenidad, tranquilidad.
sótão; *s.* ático, buhardilla.
sotaque; *s.* acento, pronunciación.
soterrar; *v.* soterrar.
soturno; *adj.* soturno, sombrío, lúgubre, taciturno, triste.
sova; *s.* paliza, tunda, zurra.
sovaco; *s.* sobaco, axila.
sovar; *v.* sobar, amasar, zurrar.
sovina; *adj.* avaro, tacaño, agarrado, mezquino.
sozinho; *adj.* solo.
status; *s.* status.
stress; *s.* stress.
suar; *v.* sudar, transpirar.
suave; *adj.* suave, blando, delicado, manso, dócil, cariñoso.
suavidade; *s.* suavidad.
suavizar; *v.* suavizar.
subalterno; *adj.* subalterno.
subconsciente; *adj.* subconsciente.
subcutâneo; *adj.* subcutáneo.
subdesenvolvimento; *s.* subdesarrollo.
subdividir; *v.* subdividir.
subentender; *v.* sobrentender, subentender.
subentendido; *adj.* subentendido, sobrentendido.
subestimar; *v.* subestimar.
subida; *s.* subida.
subir; *v.* subir.
súbito; *adj.* súbito, impensado, improviso, instantáneo, repentino.
subjacente; *adj.* subyacente.
subjetivismo; *s.* subjetivismo.
subjetivo; *adj.* subjetivo.
subjugado; *adj.* subyugado, sumiso.
subjugar; *v.* subyugar, conquistar, dominar, sojuzgar.
subjuntivo; *adj.* subjuntivo.
sublevação; *s.* sublevación, pronunciamiento, rebelión.
sublevar; *v.* sublevar, rebelarse, soliviantar.
sublime; *adj.* sublime.
sublinhar; *v.* rayar, recalcar, subrayar.
submarino; *adj.* submarino.
submergir; *v.* sumergir, hundir.
submersão; *s.* sumersión, hundimiento.
submersível; *adj.* sumergible.
submeter; *v.* someter.
submetimento; *s.* sometimiento.
subministrar; *v.* suministrar.
submissão; *s.* sumisión.

submisso; *adj.* sumiso.
subordinação; *s.* subordinación, dependencia, rendimiento.
subordinado; *adj.* subordinado, dependiente, subalterno, sumiso.
subordinar; *v.* someter, subordinar.
subornar; *v.* corromper, sobornar.
subornável; *adj.* sobornable, venal.
suborno; *s.* soborno.
sub-rogar; *v.* subrogar.
subscrever; *v.* subscribir.
subscrição; *s.* subscripción.
subsequente; *adj.* subsiguiente.
subserviência; *s.* servilismo.
subsidiar; *v.* subvencionar.
subsidiário; *adj.* subsidiario.
subsídio; *s.* subsidio, subvención.
subsistência; *s.* subsistencia.
subsistir; *v.* subsistir.
subsolo; *s.* subsuelo.
substância; *s.* substancia, sustancia, materia.
substancial; *adj.* substancial, sustancial.
substancioso; *adj.* substancioso, sustancioso.
substantivo; *s.* substantivo.
substituição; *s.* substitución, suplencia, sustitución.
substituir; *v.* substituir, suceder, suplir, sustituir.
substituto; *s.* substituto, suplente, sustituto.
substrato; *s.* substrato.
subterfúgio; *s.* subterfugio.
subterrâneo; *adj.* subterráneo.
subtração; *s.* substracción.
subtrair; *v.* substraer, sustraer.
suburbano; *adj.* suburbano.
subúrbio; *s.* suburbio.
subvenção; *s.* subvención.
subvencionar; *v.* subvencionar.
subversão; *s.* subversión.
subverter; *v.* subvertir, trastocar.
sucata; *s.* chatarra.
sucateiro; *s.* chatarrero.
sucção; *s.* succión.
sucedâneo; *adj.* sucedáneo.
suceder; *v.* suceder.
sucedido; *adj.* sucedido, suceso.
sucessão; *s.* sucesión.
sucessivo; *adj.* seguido, sucesivo.
sucesso; *s.* suceso, éxito, triunfo.
sucessor; *adj.* sucesor, descendiente, heredero.
sucinto; *adj.* sucinto.
suco; *s.* jugo, zumo.
suculento; *adj.* jugoso, suculento, sustancioso.
sucumbir; *v.* sucumbir.
sucursal; *s.* sucursal.
sudário; *s.* sudario.
sudeste; *s.* sudeste, sureste.
súdito; *adj.* súbdito.
sudoeste; *s.* sudoeste, suroeste.
suéter; *s.* suéter.
suficiência; *s.* suficiencia.
suficiente; *adj.* suficiente, bastante.
sufixo; *adj.* sufijo.
sufocar; *v.* sofocar.
sufoco; *s.* sofoco.
sufragar; *v.* sufragar.
sufrágio; *s.* sufragio, votación, voto.
sugar; *v.* chupar, absorber, succionar.
sugerir; *v.* sugerir.
sugestão; *s.* sugestión, sugerencia, insinuación.
sugestionar; *v.* sugestionar.
sugestivo; *adj.* sugestivo.
suíças; *s.* patilla.
suicida; *s.* suicida.
suicidar-se; *v.* suicidarse.
suicídio; *s.* suicidio.
suíno; *s.* suído, cerdo.
suíte; *s.* suite.
sujar; *v.* ensuciar, desasear, embadurnar, enfangar, manchar.
sujeição; *s.* sujeción, sumisión.
sujeira; *s.* suciedad, basura, inmundicia, mugre.
sujeitar; *v.* sujetar, dominar, prender, rendir.
sujeito; *adj.* sujeto.
sujo; *adj.* sucio, impuro, inmundo, mugriento, sórdido.

sul; *s.* sur.
sul-americano; *adj.* sudamericano.
sulcar; *v.* surcar.
sulfato; *s.* sulfato.
sulfúrico; *adj.* sulfúrico.
sulino; *adj.* sureño.
sultão; *s.* sultán.
sumário; *s.* sumario, compendio.
sumiço; *s.* desaparecimiento.
sumidade; *s.* sumidad.
sumido; *adj.* sumido.
sumidouro; *s.* sumidero.
sumir; *v.* desaparecer, sumir.
sumo; *adj.* sumo.
sumo; *s.* jugo, zumo.
suntuosidade; *s.* grandiosidad, suntuosidad.
suntuoso; *adj.* suntuoso.
suor; *s.* sudor, transpiración.
superabundância; *s.* sobreabundancia.
superação; *s.* superación.
superalimentar; *v.* sobrealimentar.
superar; *v.* superar, sobrepasar, sobrepujar, vencer.
superável; *adj.* superable.
supercílio; *s.* ceja.
superdotado; *adj.* superdotado.
superestimar; *v.* sobreestimar.
superestrutura; *s.* superestructura.
superexcitar; *v.* sobreexcitar.
superficial; *adj.* superficial, somero, baladí, frívolo.
superfície; *s.* superficie.
supérfluo; *adj.* superfluo.
super-homem; *s.* superhombre.
superintendência; *s.* superintendencia.
superintender; *v.* presidir.
superior; *adj.* superior, máximo, prominente.
superiora; *s.* superiora.
superioridade; *s.* superioridad.
superlativo; *adj.* superlativo.
supermercado; *s.* hipermercado, supermercado.
superpopulação; *s.* superpoblación.
superposição; *s.* superposición.
superprodução; *s.* superproducción.
supersônico; *adj.* supersónico.
superstição; *s.* superstición.
supersticioso; *adj.* supersticioso.
supervalorizar; *v.* supervalorar.
supervisão; *s.* supervisión.
supervisionar; *v.* supervisar.
suplantar; *v.* suplantar.
suplemento; *s.* suplemento.
suplência; *s.* suplencia.
suplente; *s.* substituto, suplente.
súplica; *s.* súplica, petición, plegaria, ruego.
suplicar; *v.* suplicar, implorar, rogar.
suplício; *s.* suplicio, tormento.
supor; *v.* suponer.
suportar; *v.* soportar, sobrellevar.
suportável; *adj.* soportable, tolerable.
suporte; *s.* repisa, soporte.
suposição; *s.* suposición.
supositório; *s.* supositorio.
suposto; *adj.* supuesto.
supremacia; *s.* hegemonía, supremacía.
supremo; *adj.* supremo, soberano, sumo.
supressão; *s.* supresión.
suprimento; *s.* provisión.
suprimir; *v.* eliminar, suprimir.
suprir; *v.* suplir.
supuração; *s.* supuración.
supurar; *v.* supurar.
surdez; *s.* sordera.
surdina; *s.* sordina.
surdo; *adj.* sordo.
surdo-mudo; *adj.* sordomudo.
surfe; *s.* surf.
surgir; *v.* surgir.
surpreendente; *adj.* sorprendente.
surpreender; *v.* sobrecoger, sorprender.
surpresa; *s.* sorpresa.
surra; *s.* paliza, tunda, zurra.
surrar; *v.* zurrar.
surrupiar; *v.* hurtar, robar, timar.
surtir; *v.* surtir, originar, brotar.
surto; *adj.* surto.
suscetibilidade; *s.* susceptibilidad.
suscetível; *adj.* susceptible.
suscitar; *v.* plantear, suscitar.

suspeita; *s.* sospecha.
suspeitar; *v.* sospechar, desconfiar, dudar.
suspeito; *adj.* sospechoso.
suspeitoso; *adj.* sospechoso.
suspender; *v.* suspender, cesar, colgar, inhibir, prorrogar.
suspensão; *s.* cese, interrupción, suspensión.
suspenso; *adj.* suspenso, colgado, pendiente.
suspensório; *s.* tirante.
suspicácia; *s.* suspicacia.
suspirar; *v.* suspirar.
suspiro; *s.* suspiro.
sussurrar; *v.* murmurar, susurrar.
sussurro; *s.* susurro.
sustentação; *s.* sustentación, soporte.
sustentáculo; *s.* sustentáculo.
sustentado; *adj.* sostenido.
sustentar; *v.* sustentar, soportar, sostener.
sustento; *s.* sustento.
suster; *v.* sostener, suspender.
susto; *s.* susto, miedo, pavor, sobresalto, recelo.
sutiã; *s.* sujetador, sostén.
sutil; *adj.* sutil, tenue, delicado.
sutileza; *s.* sutileza.
sutura; *s.* sutura.
suturar; *v.* suturar.

T

t; *s.* decimonona letra del abecedario portugués.
taba; *s.* pequeña población indígena.
tabacaria; *s.* estanco, tabaquería, cigarrería.
tabaco; *s.* tabaco.
tabagismo; *s.* tabaquismo.
tabaqueira; *s.* tabaquera.
tabaqueiro; *adj.* tabaquero.
tabefe; *s.* bofetón, sopapo.
tabela; *s.* tabla, cuadro, índice, lista, catálogo,
tabelar; *v.* establecer un precio fijo.
tabelião; *s.* escribano, notario.
taberna; *s.* taberna, fonda, bodega, tasca.
tabernáculo; *s.* tabernáculo.
tabique; *s.* pared, tabique.
tablado; *s.* tablado, estrado de madera.
tabu; *s.* tabú.
tábua; *s.* tabla.
tabuada; *s.* tabla, letanía.
tabuado; *s.* tablado, tablaje, porción de tablas.
tabular; *v.* tabular.
tabuleiro; *s.* tablero.
tabuleta; *s.* tablilla.
taça; *s.* copa.
tacanho; *adj.* tacaño.
tacha; *s.* tachuela, tacha.
tacha; *s.* tacha, mancha, imperfección moral.
tachar; *v.* tachar, censurar, culpar.
tacho; *s.* tacho, vasija, cazo, cazuela.
tácito; *adj.* tácito, silencioso, callado.
taciturno; *s.* taciturno, melancólico.
taco; *s.* parqué, taco.
tafetá; *s.* tafetán.
tagarela; *adj.* gárrulo, hablador, parlanchín.
tagarelar; *v.* charlar, parlar, chismear.
tagarelice; *s.* charladuría, parloteo.
taifa; *s.* taifa.
taimado; *adj.* taimado.
taipa; *s.* tapia.
tal; *pron.* éste, ése, aquél, esto, aquello.
tal; *adv.* tal cual, así mismo, exactamente.
talante; *s.* talante.
talão; *s.* talón, calcañar.
talar; *v.* talar, destruir, asolar.
talco; *s.* talco.
talento; *s.* talento, genio, habilidad, ingenio, vocación.
talentoso; *adj.* talentoso, inteligente.
talha; *s.* corte, acción de cortar, entalladura.
talhada; *s.* tajada, lonja.
talhadeira; *s.* cortadera.
talhado; *adj.* tallado, cortado.
talhar; *v.* tajar, tallar, cortar, lapidar.
talharim; *s.* tallarín.
talhe; *s.* talle.
talheres; *s.* cubiertos.
talho; *s.* tajo, cortadura.
talismã; *s.* talismán, amuleto.

talo; *s.* tallo.
talonário; *s.* talonario.
talvez; *adv.* tal vez, quizás.
tamanco; *s.* zueco, chanclo.
tamanho; *adj.* tamaño.
tamanho; *s.* dimensión.
tâmara; *s.* dátil.
tamareira; *s.* datilera.
também; *adv.* también.
tambor; *s.* tambor.
tamborete; *s.* taburete.
tamborilar; *v.* tamborilear.
tampa; *s.* tapa.
tampão; *s.* tampón.
tampouco; *adv.* tampoco.
tanga; *s.* tanga, taparrabo.
tangente; *adj.* tangente.
tanger; *v.* tañer, tocar.
tangerina; *s.* mandarina.
tangível; *adj.* tangible.
tango; *s.* tango.
tanino; *s.* tanino.
tanque; *s.* estanque, tanque, cisterna.
tanque; *s.* tanque, carro de asalto.
tantã; *adj.* necio, tonto, desequilibrado.
tanto; *adj.* tanto, en tal cantidad, tamaño.
tanto; *adv.* por tan largo espacio de tiempo.
tanto; *s.* porción, cantidad, cuantía, vez, volumen.
tão; *adv.* tan, tanto, en tal grado.
tapar; *v.* tapar, taponar.
tapeação; *s.* engaño, disimulo.
tapear; *v.* disfrazar, engañar, disimular.
tapeçaria; *s.* tapicería, tapiz.
tapeceiro; *s.* tapicero.
tapera; *s.* hacienda abandonada sin cultivo, casa arruinada.
tapetar; *v.* tapizar, entapizar, enmoquetar.
tapete; *s.* tapiz, alfombra, moqueta.
tapioca; *s.* tapioca, fécula de la mandioca.
tapume; *s.* barrera, tapia.
taquara; *s.* tacuara, bambú.
taquicardia; *s.* taquicardia.
taquigrafia; *s.* taquigrafía.
taquígrafo; *s.* taquígrafo.
tara; *s.* tara.
tarado; *adj.* tarado.
taramela; *s.* tarabilla.
tarantela; *s.* tarantela.
tarântula; *s.* tarántula.
tardança; *s.* tardanza.
tardar; *v.* tardar.
tarde; *adv.* tarde, tardíamente.
tarde; *s.* tarde.
tardinha; *s.* tardecica, tardecita, cerca del anochecer.
tardio; *adj.* tardío.
tardo; *adj.* tardo, lento, perezoso, tardío.
tarefa; *s.* tarea.
tarifa; *s.* tarifa.
tarifar; *v.* tarifar.
tarimba; *s.* tarima.
tarrafa; *s.* cercote, red para pescar.
tarraxa; *s.* tornillo.
tartamudear; *v.* tartamudear, gaguear.
tártaro; *s.* tártaro, sarro.
tartaruga; *s.* tortuga.
tarugo; *s.* tarugo.
tasca; *s.* tasca, bodegón.
tataraneto; *s.* tataranieto.
tataravô; *s.* tatarabuelo.
tatear; *v.* manosear, palpar, tentar.
tática; *s.* táctica.
tático; *adj.* táctico.
tato; *s.* tacto, tiento, tino.
tatuagem; *s.* tatuaje.
tatuar; *v.* tatuar.
tautologia; *s.* tautología.
taverna; *s.* taberna.
taverneiro; *s.* tabernero.
taxa; *s.* tasa, impuesto.
taxar; *v.* tasar, cotizar, tarifar.
taxativo; *adj.* taxativo.
táxi; *s.* taxi.
taxidermia; *s.* taxidermia.
taxímetro; *s.* taxímetro.
taxista; *s.* taxista.
tear; *s.* telar.

teatral; *adj.* teatral.
teatro; *s.* teatro.
tecelagem; *s.* hilandería.
tecelão; *s.* tejedor.
tecer; *v.* tejer, hilar, tramar, tricotar.
tecido; *s.* tejido, tela, lienzo, paño, trama.
tecla; *s.* tecla.
técnica; *s.* técnica.
técnico; *adj.* técnico.
tecnocracia; *s.* tecnocracia.
tecnologia; *s.* tecnología.
tecnológico; *adj.* tecnológico.
tédio; *s.* tedio, aburrimiento, fastidio, hastío.
tedioso; *adj.* tedioso, aburrido.
teia; *s.* tela, tejido muy fino, telaraña.
teima; *s.* manía, porfía, terquedad, obstinación.
teimar; *v.* empecinarse, encasquetar, obstinarse, porfiar.
teimosia; *s.* obcecación, terquedad.
teimoso; *adj.* reacio, terco, testarudo, tozudo.
tela; *s.* tela, paño, tejido.
telecomunicação; *s.* telecomunicación.
teleférico; *s.* teleférico.
telefonar; *v.* telefonear.
telefone; *s.* teléfono.
telefonia; *s.* telefonía.
telefonista; *s.* telefonista.
telegrafar; *v.* telegrafiar.
telegrafia; *s.* telegrafía.
telegráfico; *adj.* telegráfico.
telégrafo; *s.* telégrafo.
telegrama; *s.* telegrama.
telejornal; *s.* telediario.
telepatia; *s.* telepatía.
telescópio; *s.* telescopio.
telespectador; *s.* telespectador.
teletipo; *s.* teletipo.
televisão; *s.* televisión.
televisionar; *v.* televisar.
televisor; *s.* televisor.
telex; *s.* telex.
telha; *s.* teja.
telhado; *s.* cubierta, tejado.
telhar; *v.* tejar.
tema; *s.* tema.
temático; *adj.* temático.
temer; *v.* recelar, temer.
temerário; *adj.* temerario.
temeridade; *s.* temeridad.
temeroso; *adj.* temeroso.
temido; *adj.* temido, temeroso, timorato.
temível; *adj.* temible.
temor; *s.* temor, miedo.
têmpera; *s.* temple.
temperado; *adj.* temperado, adobado, guisado, condimentado, templado, afinado.
temperamental; *adj.* temperamental.
temperamento; *s.* temperamento, temple, índole.
temperança; *s.* templanza.
temperar; *v.* temperar, atemperar, adobar, guisar, condimentar, sazonar, suavizar, templar.
temperatura; *s.* temperatura, clima.
tempero; *s.* condimento, aderezo, sazonamiento.
tempestade; *s.* borrasca, tempestad, tormenta.
tempestuoso; *adj.* tempestuoso, violento.
templário; *s.* templario.
templo; *s.* santuario, templo.
tempo; *s.* tiempo.
temporada; *s.* temporada.
temporal; *adj.* temporal, pasajero.
temporal; *s.* tempestad, vendaval.
temporão; *adj.* prematuro, tempranero, temprano.
temporário; *adj.* temporario, temporal, transitorio, pasajero.
tenacidade; *s.* tenacidad.
tenaz; *adj.* tenaz.
tenaz; *s.* tenaza.
tenazes; *s.* tenacillas.
tenda; *s.* tienda.
tendão; *s.* tendón.
tendência; *s.* tendencia.
tendencioso; *adj.* tendencioso.
tender; *v.* tender.
tenebroso; *adj.* tenebroso, lóbrego.

tenente; *s.* teniente.
tênia; *s.* tenia, gusano intestinal.
tênis; *s.* tenis.
tenista; *s.* tenista.
tenor; *s.* tenor.
tenro; *adj.* tierno, blando, delicado, nuevo.
tensão; *s.* tensión.
tenso; *adj.* tenso.
tentação; *s.* tentación.
tentáculo; *s.* tentáculo.
tentador; *adj.* tentador, seductor.
tentar; *v.* tentar.
tentativa; *s.* tentativa.
tentear; *v.* tantear.
tento; *s.* tiento, prudencia, timo, cordura.
tênue; *adj.* tenue, delgado, sutil, frágil, muy pequeño.
teologia; *s.* teología.
teólogo; *s.* teólogo.
teorema; *s.* teorema.
teoria; *s.* teoría.
teórico; *adj.* teórico.
teorizar; *v.* teorizar.
tépido; *adj.* templado, tibio.
tequila; *s.* tequila.
ter; *v.* tener, haber, poseer.
terapeuta; *s.* terapeuta.
terapêutica; *s.* terapéutica.
terapia; *s.* terapia.
terça-feira; *s.* martes.
terceto; *s.* terceto.
terço; *adj.* tercio.
terçol; *s.* orzuelo.
terebintina; *s.* trementina.
tergiversação; *s.* tergiversación.
tergiversar; *v.* tergiversar.
termas; *s.* termas.
térmico; *adj.* térmico.
terminação; *s.* terminación, extremidad, fin.
terminal; *adj.* terminal.
terminar; *v.* terminar, concluir, acabar, consumar, finalizar, rematar, ultimar.
término; *s.* término, fin, límite.
terminologia; *s.* terminología.
termo; *s.* término, límite, meta, raya.
termodinâmica; *s.* termodinámica.
termômetro; *s.* termómetro.
termonuclear; *adj.* termonuclear.
termostato; *s.* termostato.
terno; *adj.* tierno.
terno; *s.* traje.
ternura; *s.* ternura, cariño, mimo.
terra; *s.* tierra.
terraço; *s.* terraza.
terracota; *s.* terracota.
terraplanagem; *s.* terraplén.
terráqueo; *adj.* terráqueo.
terremoto; *s.* terremoto, seísmo.
terreno; *adj.* terreno.
terreno; *s.* suelo, terreno.
térreo; *adj.* térreo, terroso, a ras del suelo.
terrestre; *adj.* terrestre.
terrina; *s.* barreño.
território; *s.* región, territorio.
terrível; *adj.* terrible, pavoroso, tremendo.
terror; *s.* terror, horror, pavor, susto.
terrorismo; *s.* terrorismo.
terrorista; *adj.* terrorista.
terroso; *adj.* terroso.
terso; *adj.* terso, limpio.
tertúlia; *s.* tertulia.
tesar; *v.* tesar.
tese; *s.* tesis.
teso; *adj.* tieso, erecto, rígido, yerto.
tesoura; *s.* tijera.
tesouraria; *s.* tesorería.
tesoureiro; *s.* tesorero, pagador.
tesouro; *s.* tesoro.
testa; *s.* frente, testa.
testa-de-ferro; *s.* testaferro.
testamento; *s.* testamento.
testar; *v.* testar.
teste; *s.* test.
testemunha; *s.* testigo.
testemunhar; *v.* testificar, testimoniar.
testemunho; *s.* testimonio, prueba, testigo.

testículo; *s.* testículo.
testificar; *v.* testificar, declarar, testimoniar, atestiguar.
teta; *s.* mama, teta.
tetânico; *adj.* tetánico.
tétano; *s.* tétano.
teto; *s.* techo.
tétrico; *adj.* tétrico.
teu; *pron.* tú, tuyo.
têxtil; *adj.* textil.
texto; *s.* texto.
textual; *adj.* textual, literal.
textura; *s.* textura.
tez; *s.* tez.
ti; *pron.* ti.
tia; *s.* tía.
tiara; *s.* diadema, tiara.
tíbia; *s.* tibia.
tíbio; *adj.* tibio.
tição; *s.* tizón.
tifo; *s.* tifus.
tigela; *s.* tazón, cuenco.
tigre; *s.* tigre.
tijolo; *s.* ladrillo.
til; *s.* tilde.
tília; *s.* tila.
timão; *s.* timón.
timbrar; *v.* timbrar.
timbre; *s.* timbre, acento, voz, son, marca.
time; *s.* equipo.
timidez; *s.* timidez, encogimiento, vergüenza.
tímido; *adj.* tímido, vergonzoso, retraído.
tímpano; *s.* tímpano.
tina; *s.* tina, cuba, palangana.
tingido; *adj.* teñido.
tingir; *v.* teñir.
tino; *s.* tino, juicio, acierto, prudencia.
tinta; *s.* tinta.
tinteiro; *s.* tintero.
tintura; *s.* tintura.
tinturaria; *s.* tintorería.
tintureiro; *s.* tintorero.
tio; *s.* tío.
típico; *adj.* típico.
tipo; *s.* tipo.
tipografia; *s.* imprenta, tipografía.
tipógrafo; *s.* impresor, tipógrafo.
tira; *s.* tira, venda, hijuela, lista.
tirada; *s.* tirada.
tiragem; *s.* tirada.
tirania; *s.* tiranía, despotismo, opresión.
tiranizar; *v.* tiranizar.
tirano; *s.* tirano, déspota.
tirar; *v.* quitar, sacar.
tiritar; *v.* tiritar.
tiro; *s.* tiro, disparo.
tirotear; *v.* tirotear.
tiroteio; *s.* tiroteo.
tísica; *s.* tisis, tuberculosis.
tísico; *adj.* tísico, tuberculoso.
titã; *s.* titán.
títere; *s.* fantoche, títere.
titubear; *v.* titubear, vacilar, dudar.
titular; *adj.* títular.
título; *s.* título.
toada; *s.* tonada.
toalha; *s.* toalla.
toalheiro; *s.* toallero.
tobogã; *s.* tobogán.
toca-discos; *s.* tocadiscos.
tocar; *v.* tocar.
tocha; *s.* antorcha, hacha.
toco; *s.* tocón, cepa.
todavia; *adv.* todavía, aún, sin embargo, empero.
todo; *adj.* todo.
todo-poderoso; *adj.* todopoderoso.
toga; *s.* toga.
toicinho; *s.* tocino.
tolda; *s.* toldo.
toldar; *v.* entoldar, encubrir, anublar, obscurecer.
toldo; *s.* toldo.
tolerância; *s.* tolerancia, indulgencia.
tolerante; *adj.* tolerante, paciente, permisivo.
tolerar; *v.* tolerar, consentir, soportar.
tolerável; *adj.* tolerable, llevadero.
tolher; *v.* tullir.
tolhido; *adj.* tullido.

tolice; *s.* tontería, necedad, disparate, pavada.
tolo; *adj.* tolondrón, aturdido, desatinado, ridículo, vanidoso.
tom; *s.* ton, tono, entonación.
tomada; *s.* toma, enchufe.
tomar; *v.* tomar, agarrar, conquistar, robar, ocupar, beber.
tomate; *s.* tomate.
tombar; *v.* tumbar, derribar, volcar.
tombo; *s.* tumbo, vuelco, caída.
tômbola; *s.* tómbola.
tomilho; *s.* tomillo.
tomo; *s.* tomo, volumen.
tonalidade; *s.* tonalidad.
tonel; *s.* tonel, barrica, cuba, pipa.
tonelada; *s.* tonelada.
tonicidade; *s.* tonicidad.
tônico; *adj.* tónico.
tonificar; *v.* tonificar, fortalecer.
tonsura; *s.* tonsura.
tonteira; *s.* tontería, vértigo, mareo.
tonto; *adj.* tonto, bobo, chalado, imbécil.
tontura; *s.* vértigo, mareo, vahído.
topada; *s.* tropezón, topada, choque.
topar; *v.* topar, chocar.
topázio; *s.* topacio.
tope; *s.* tope.
topete; *s.* copete, moño, tupé.
tópico; *adj.* tópico.
topo; *s.* tope, cumbre, cima.
topografia; *s.* topografía.
topógrafo; *s.* topógrafo.
toque; *s.* tacto, toque, contacto, sonido.
tórax; *s.* tórax.
torção; *s.* torsión.
torcer; *v.* torcer, doblegar, enroscar, quebrar.
torcicolo; *s.* tortícolis.
torcida; *s.* hinchada.
torcido; *adj.* torcido, ladeado.
tormenta; *s.* tormenta, temporal.
tormento; *s.* tormento, pena, suplicio.
tormentoso; *adj.* tormentoso.
tornado; *s.* tornado.
tornar; *v.* tornar, retornar, regresar.
tornear; *v.* tornear.
torneio; *s.* torneo.
torneira; *s.* grifo.
torneiro; *s.* tornero.
torno; *s.* torno.
tornozelo; *s.* tobillo.
torpe; *adj.* torpe, deshonesto, indecoroso, infame, repugnante.
torpedear; *v.* torpedear.
torpedo; *s.* torpedo.
torpor; *s.* sopor.
torquês; *s.* tenaza.
torrada; *s.* tostada.
torrão; *s.* terrón.
torrar; *v.* torrar, tostar.
torre; *s.* torre.
torreão; *s.* torreón.
torrefação; *s.* torrefacción.
torrencial; *adj.* torrencial, abundante, impetuoso, caudaloso.
torrente; *s.* torrente, caudal, raudal, avenida.
torresmo; *s.* torrezno.
tórrido; *adj.* tórrido.
torso; *s.* torso.
torta; *s.* pastel, tarta, torta.
torteira; *s.* tartera.
torto; *adj.* zambo.
torto; *s.* entuerto.
tortuosidade; *s.* tortuosidad, sinuosidad.
tortuoso; *adj.* tortuoso, sinuoso.
tortura; *s.* tortura.
torturar; *v.* torturar, atormentar, crucificar, martirizar.
torvar; *v.* turbar, irritar, perturbar.
torvelinho; *s.* torbellino.
torvo; *adj.* torvo.
tosão; *s.* toisón.
tosar; *v.* tonsurar, trasquilar, esquilar.
tosco; *adj.* tosco, rudo, torpe.
tosquiar; *v.* esquilar, trasquilar.
tosse; *s.* tos.
tossir; *v.* toser.
tostar; *v.* torrar, tostar.
total; *adj.* total, completo, global, integral.

total; *s.* total, monta, montante.
totalidade; *s.* totalidad.
totalitário; *adj.* totalitario.
totalitarismo; *s.* totalitarismo.
totalizar; *v.* totalizar.
touca; *s.* cofia, toca.
toucador; *s.* tocador, mueble para peinarse.
touceira; *s.* pie de planta con raíces, tocón.
toucinho; *s.* lardo, tocino.
toupeira; *s.* topo.
tourada; *s.* corrida de toros.
tourear; *v.* torear.
toureio; *s.* toreo.
toureiro; *s.* toreador, torero, matador.
touro; *s.* toro.
tóxico; *adj.* tóxico.
toxicologia; *s.* toxicología.
toxicômano; *s.* toxicómano.
toxina; *s.* toxina.
trabalhador; *adj.* trabajador.
trabalhador; *s.* trabajador, obrero, operario.
trabalhar; *v.* trabajar.
trabalheira; *s.* exceso de trabajo.
trabalhista; *adj.* laborista.
trabalho; *s.* trabajo.
trabalhoso; *adj.* trabajoso, costoso, difícil, laborioso, penoso.
traça; *s.* polilla.
traçado; *s.* trazado, traza.
tração; *s.* tracción.
traçar; *v.* trazar, plantear, proyectar.
traço; *s.* trazo.
tracoma; *s.* tracoma.
tradição; *s.* tradición.
tradicional; *adj.* tradicional.
tradução; *s.* traducción, versión.
tradutor; *s.* traductor, intérprete.
traduzir; *v.* traducir, representar, interpretar.
trafegar; *v.* trafagar, traficar, trajinar, negociar.
tráfego; *s.* tráfago, trabajo, tráfico, transporte, trajín.
traficante; *adj.* traficante.
traficar; *v.* traficar, comerciar, negociar.
tráfico; *s.* tráfico.
tragar; *v.* tragar.
tragédia; *s.* tragedia.
trágico; *adj.* trágico, funesto.
tragicomédia; *s.* tragicomedia.
trago; *s.* trago, sorbo.
traição; *s.* traición, infidelidad, perfidia.
traiçoeiro; *adj.* traicionero.
traidor; *adj.* traidor, pérfido, peligroso.
trair; *v.* traicionar.
trajar; *v.* trajear, vestir.
traje; *s.* traje, vestuario.
trajeto; *s.* trayecto.
trajetória; *s.* trayectoria, vía, órbita.
trama; *s.* trama, urdidura, tejido, confabulación, conspiración.
tramar; *v.* tramar, tejer, conspirar, maquinar.
tramitar; *v.* tramitar.
trâmite; *s.* trámite.
tramóia; *s.* tramoya.
trampa; *s.* trampa, engaño, excremento, heces.
trampolim; *s.* trampolín.
tranca; *s.* barrote.
trança; *s.* trenza.
trancar; *v.* trancar.
trançar; *v.* trenzar.
trancelim; *s.* trencilla, cadena de oro.
tranquilidade; *s.* tranquilidad, quietud, serenidad, sosiego.
tranquilizante; *adj.* tranquilizante.
tranquilizar; *v.* tranquilizar, sosegar, serenar.
tranquilo; *adj.* tranquilo, pacífico, plácido, sereno, sosegado.
transação; *s.* transacción.
transatlântico; *adj.* transatlántico.
transbordar; *v.* transbordar, derramar, desbordar, extravasarse, rebasar.
transbordo; *s.* transbordo.
transcendência; *s.* transcendencia.
transcendente; *adj.* transcendente.
transcendental; *adj.* trascendental.

transcender; *v.* transcender, trascender.
transcorrer; *v.* transcurrir.
transcrever; *v.* transcribir.
transcrição; *s.* transcripción.
transcurso; *s.* transcurso.
transe; *s.* trance, agonía, crisis.
transeunte; *adj.* transeúnte.
transexual; *adj.* transexual.
transferência; *s.* transferencia.
transferir; *v.* transferir, transmitir, diferir, mudar.
transfigurar; *v.* transfigurar.
transformação; *s.* transformación.
transformador; *s.* transformador.
transformar; *v.* transformar, convertir, transfigurar, variar.
trânsfuga; *s.* tránsfuga.
transfusão; *s.* transfusión.
transgredir; *v.* transgredir, contravenir, infringir.
transgressão; *s.* infracción, transgresión.
transição; *s.* transición.
transido; *adj.* transido.
transigência; *s.* transigencia.
transigente; *adj.* transigente, condescendiente.
transigir; *v.* transigir, conciliar, contemporizar.
transístor; *s.* transistor.
transitar; *v.* transitar.
transitável; *adj.* transitable.
trânsito; *s.* tránsito.
transitório; *adj.* transitorio, pasajero, temporal.
transladar; *v.* trasladar.
translúcido; *adj.* translúcido.
transluzir; *v.* traslucir.
transmigração; *s.* transmigración.
transmigrar; *v.* transmigrar.
transmissão; *s.* transmisión.
transmitir; *v.* transmitir.
transmissível; *adj.* transmisible.
transmissivo; *adj.* que transmite.
transmissor; *adj.* transmisor.
transmitir; *v.* transmitir, transferir, trasladar.
transmudar; *v.* transmudar, transmutar.
transmutar; *v.* transmutar.
transmutável; *adj.* transmutable.
transoceânico; *adj.* transoceánico.
transparecer; *v.* transparentarse.
transparência; *s.* transparencia.
transparente; *adj.* transparente.
transpassar; *v.* traspasar.
transpiração; *s.* transpiración, sudor.
transpirar; *v.* transpirar, sudar.
transplantar; *v.* trasplantar.
transplante; *s.* trasplante.
transpor; *v.* transponer, trasponer.
transportador; *adj.* transportador.
transportar; *v.* conducir, llevar, portear, trajinar, transferir, transportar.
transportável; *adj.* transportable.
transporte; *s.* transporte.
transposição; *s.* transposición.
transtornar; *v.* trastornar, pertubar, desorganizar, alterar.
transtorno; *s.* trastorno, alteración, confusión.
transvasar; *v.* transvasar, trasegar.
transversal; *adj.* transversal, travieso.
trapaça; *s.* trapaza.
trapacear; *v.* trapacear.
trapaceiro; *adj.* trapacero.
trapalhada; *s.* alboroto, enredo, lío, embrollo.
trapeiro; *s.* trapero.
trapézio; *s.* trapecio.
trapo; *s.* trapo, guiñapo, harapo.
traqueia; *s.* tráquea.
traquejo; *s.* gran práctica.
traquinagem; *s.* picardía, travesura.
traquinar; *v.* hacer travesuras, jugar, saltar, retozar.
traquinas; *adj.* travieso.
traseiro; *adj.* trasero.
traseiro; *s.* trasero, nalga.
trasfegar; *v.* trasegar, afanarse.
trasladar; *v.* trasladar.
traspasse; *s.* traspaso.

traste; *s.* trasto.
tratado; *s.* tratado.
tratamento; *s.* terapia, tratamiento, trato.
tratante; *adj.* tratante, bellaco, pícaro.
tratar; *v.* tratar.
tratável; *adj.* tratable.
trator; *s.* tractor.
trauma; *adj.* trauma.
traumatismo; *s.* traumatismo.
trava; *s.* traba.
travamento; *s.* trabazón.
travar; *v.* trabar.
trave; *s.* madero, viga.
través; *s.* través.
travessa; *s.* barrote, travesaña, travesía.
travessão; *s.* astil.
travesseiro; *s.* almohada.
travessia; *s.* travesía.
travesso; *adj.* travieso.
travessura; *s.* travesura, diablura, malicia infantil.
travesti; *s.* travestí.
travo; *s.* amargor.
trazer; *v.* traer.
trecho; *s.* trecho.
trégua; *s.* tregua.
treinador; *s.* entrenador.
treinamento; *s.* entrenamiento.
treinar; *v.* entrenar, ejercitar, amaestrar, adiestrar.
trejeito; *s.* mueca.
trem; *s.* tren.
tremebundo; *adj.* tremebundo.
tremedal; *s.* tremedal.
tremedeira; *v.* tremielga.
tremendo; *adj.* tremendo, formidable, horroroso, grande, enorme.
tremer; *v.* tremer, estremecer, ondular, vacilar.
tremoço; *s.* altramuz.
tremor; *s.* tremor, temblor.
tremular; *v.* tremolar.
trêmulo; *adj.* trépido, tembloroso.
trenó; *s.* trineo.
trepadeira; *s.* enredadera, hiedra.
trepanação; *s.* trepanación.
trepanar; *v.* trepanar.
trepar; *v.* trepar.
trepidação; *s.* trepidación, oscilación, temblor.
trepidar; *v.* trepidar, temblar, estremecerse.
tresnoitar; *v.* trasnochar.
trespassar; *v.* traspasar.
treta; *s.* truco.
treva; *s.* tiniebla.
trevo; *s.* trébol.
triagem; *s.* elección, selección.
triângulo; *s.* triángulo.
tribo; *s.* clan, tribu.
tribulação; *s.* tribulación.
tribuna; *s.* tribuna.
tribunal; *s.* tribunal, jurado, juzgado.
tributar; *v.* tributar.
tributo; *s.* tributo, contribución, impuesto.
tricô; *s.* punto.
tricotar; *v.* tricotar.
triênio; *s.* trienio.
trigal; *s.* trigal.
trigêmeo; *adj.* trillizo.
trigo; *s.* trigo.
trigonometria; *s.* trigonometría.
trigueiro; *adj.* trigueño.
trilhado; *adj.* trillado.
trilhar; *v.* trillar.
trilho; *s.* carril, raíl, riel.
trinado; *s.* gorgorito, gorjeo.
trinar; *v.* trinar.
trincar; *v.* trincar.
trinchar; *v.* trinchar.
trincheira; *s.* trinchera, barricada.
trinco; *s.* pestillo, picaporte.
trindade; *s.* trinidad.
trino; *s.* trino.
trio; *s.* trío.
tripa; *s.* tripa.
tripé; *s.* trípode.
tríplice; *adj.* triple.
tríplo; *adj.* triple.
tripulação; *s.* tripulación.

tripulante; *s.* tripulante.
tripular; *v.* tripular.
triste; *adj.* triste.
tristeza; *s.* tristeza, melancolía, nostalgia.
tristonho; *s.* tristón, melancólico, taciturno.
triturar; *v.* moler, triturar.
triunfal; *adj.* triunfal.
triunfar; *v.* triunfar.
triunfo; *s.* triunfo, victoria.
trivial; *adj.* trivial, banal, común, vulgar.
troar; *v.* tronar.
troca; *s.* trueque, canje, intercambio, permuta, substitución.
troça; *s.* escarnio, mofa, burla.
trocadilho; *adj.* juego de palabras.
trocar; *v.* trocar, cambiar, canjear, conmutar, permutar, substituir.
troçar; *v.* escarnecer, burlar, mofar, ridiculizar.
troco; *s.* cambio, vuelta.
troféu; *s.* trofeo, copa.
troglodita; *adj.* troglodita.
trolebus; *s.* trolebús.
tromba; *s.* trompa, tromba.
trombada; *s.* trompazo, encontronazo.
trombeta; *s.* trompeta.
trombone; *s.* trombón.
trombose; *s.* trombosis.
trompa; *s.* trompa, trompeta.
tronco; *s.* tronco, cuerpo, madero.
trono; *s.* trono.
tropa; *s.* tropa.
tropeção; *s.* tropezón.
tropeçar; *v.* tropezar.
trôpego; *adj.* torpe.
tropel; *s.* tropel.
tropical; *adj.* tropical.
trópico; *s.* trópico.
trotar; *v.* trotar.
trote; *s.* novatada, trote.
trouxa; *s.* fardo.
trova; *s.* trova.
trovador; *s.* poeta, trovador.
trovão; *s.* trueno.
trovejar; *v.* tronar.
trovoada; *s.* tronada.
trucagem; *s.* trucaje.
trucidar; *v.* trucidar, despedazar, matar, degollar, mutilar.
truculência; *s.* truculencia, ferocidad, crueldad.
truculento; *adj.* truculento, tremendo, cruel, atroz.
trufa; *s.* trufa.
truncado; *adj.* truncado, mutilado.
truncar; *v.* truncar, mutilar.
trunfo; *s.* triunfo.
truque; *s.* truque, truco.
truste; *s.* trust.
truta; *s.* trucha.
tu; *pron.* tú.
tubarão; *s.* tiburón.
tubérculo; *s.* tubérculo.
tuberculose; *s.* tuberculosis.
tuberculoso; *adj.* tuberculoso.
tubo; *s.* tubo, canuto, sonda, conducto.
tubulação; *s.* tubería.
tucano; *s.* tucán.
tudo; *adv.* todo.
tufão; *s.* huracán, tifón.
tufo; *s.* porción de plantas o flores.
tugir; *v.* susurrar.
tugúrio; *s.* tugurio.
tule; *s.* tul.
tulha; *s.* granero, silo.
tulipa; *s.* tulipán.
tumba; *s.* tumba, mausoleo, sepulcro.
tumefação; *s.* tumefacción.
tumefato; *adj.* tumefacto.
túmido; *adj.* túmido, tumefacto, turgente.
tumor; *s.* tumor, hematoma, quiste.
tumoroso; *adj.* tumoroso.
túmulo; *s.* túmulo, mausoleo, sepulcro.
tumulto; *s.* tumulto, disturbio, escándalo, motín, agitación.
tumultuar; *v.* tumultuar.
tumultuoso; *adj.* tumultuoso.
tunda; *s.* tunda, zurra.
túnel; *s.* túnel.

túnica; *s.* túnica.
turba; *s.* turba, multitud.
turbação; *s.* turbación.
turbador; *adj.* turbador.
turbante; *s.* turbante.
turbar; *v.* turbar.
turbina; *s.* turbina.
turbulência; *s.* turbulencia.
turbulento; *adj.* turbulento.
turco; *adj.* otomano, turco.
túrgido; *adj.* túrgido.
turíbulo; *s.* turíbulo, incensario.
turismo; *s.* turismo.
turista; *s.* turista.
turístico; *adj.* turístico.
turma; *s.* turba, pandilla.
turmalina; *s.* turmalina.
turno; *s.* turno, vez.
turquesa; *s.* turquesa.
turvação; *s.* turbación, confusión, desorden.
turvar; *v.* turbar.
turvo; *adj.* opaco, turbio.
tutano; *s.* tuétano.
tutela; *s.* guarda, tutela, tutoría.
tutelar; *v.* tutelar.
tutor; *s.* tutor.
tutoria; *s.* tutoría.

U

u; *s.* vigésima letra del abecedario portugués.
úbere; *s.* ubre, teta.
ubiquidade; *s.* ubicuidad.
ubíquo; *adj.* ubicuo.
ufanar; *v.* ufanar, jactarse.
ufania; *s.* ufanía, jactancia, arrogancia, vanidad.
ufano; *adj.* ufano, jactancioso, engreído, vanidoso, contento.
uísque; *s.* güisqui.
uivar; *v.* aullar.
uivo; *s.* aullido.
úlcera; *s.* úlcera, fístula, herida, llaga.
ulceração; *s.* ulceración.
ulcerar; *v.* ulcerar.
ulterior; *adj.* ulterior.
ultimar; *v.* ultimar.
ultimátum; *s.* ultimátum.
último; *adj.* último.
ultrajante; *adj.* ultrajante.
ultrajar; *v.* ultrajar, injuriar, insultar.
ultraje; *s.* ultraje, injuria, insulto.
ultramar; *s.* ultramar.
ultramarino; *adj.* ultramarino.
ultrapassar; *v.* ultrapasar, exceder, sobrar, sobrepasar, transponer.
umbigo; *s.* ombligo.
umbilical; *adj.* umbilical.
umbral; *s.* umbral.
umbroso; *adj.* umbroso, obscuro.
umbuzeiro; *s.* ombú.
umedecer; *v.* humedecer.
úmero; *s.* húmero.
umidade; *s.* humedad.
úmido; *adj.* húmedo.
unânime; *adj.* unánime.
unanimidade; *s.* unanimidad.
unção; *s.* unción.
ungir; *v.* ungir.
unguento; *s.* ungüento, emplasto, linimento.
unha; *s.* uña.
unhada; *s.* uñada.
unhar; *v.* arañar, rasguñar.
união; *s.* unión, casamiento, enlace, matrimonio, vínculo.
unicelular; *adj.* unicelular.
unicidade; *s.* unicidad.
único; *adj.* único, impar, incomparable, singular.
unicórnio; *s.* unicornio.
unidade; *s.* unidad.
unificar; *v.* unificar, unir.
uniforme; *adj.* uniforme.
uniformidade; *s.* uniformidad.
uniformizar; *v.* uniformar.
unilateral; *adj.* unilateral.
unir; *v.* unir, vincular.
unissexual; *adj.* unisexual.
uníssono; *adj.* unísono.
unitário; *adj.* unitario.
universal; *adj.* universal.
universalizar; *v.* universalizar.
universidade; *s.* universidad.
universitário; *adj.* universitario.
universo; *s.* cosmos, orbe, universo.

unívoco; *adj.* unívoco.
untar; *v.* ungir, untar.
unto; *s.* unto, manteca de puerco.
untuoso; *adj.* untuoso, pegajoso.
urânio; *s.* uranio.
urbanidade; *s.* urbanidad.
urbanismo; *s.* urbanismo.
urbanístico; *adj.* urbanístico.
urbanização; *s.* urbanización.
urbanizar; *v.* urbanizar.
urbano; *adj.* urbano.
urbe; *s.* urbe, ciudad.
urdidura; *s.* urdidura.
urdimento; *s.* urdimbre.
urdir; *v.* tramar, urdir.
uréia; *s.* urea.
uremia; *s.* uremia.
ureter; *s.* uréter.
uretra; *s.* uretra.
urgência; *s.* urgencia.
urgente; *adj.* urgente.
urgir; *v.* urgir.
úrico; *adj.* úrico.
urina; *s.* orina.
urinar; *v.* orinar.
urinário; *adj.* urinario.
urinol; *s.* orinal, urinario.
urna; *s.* urna.
urologia; *s.* urología.
urologista; *s.* urólogo.
urrar; *v.* rugir.
urso; *s.* oso.
urticária; *s.* urticaria.
urtiga; *s.* ortiga.
urubu; *s.* urubú.
uruguaio; *adj.* uruguayo.
urze; *s.* brezo.
usança; *s.* usanza, uso, costumbre, hábito.
usar; *v.* usar, utilizar.
usina; *s.* usina, fábrica, factoría.
uso; *s.* uso, práctica habitual, costumbre, hábito, usanza.
usual; *adj.* usual, ordinario, acostumbrado.
usuário; *adj.* usuario.
usufruir; *v.* usufructuar.
usufruto; *s.* usufructo.
usura; *s.* usura.
usurário; *s.* usurero.
usurpar; *v.* usurpar.
utensílio; *s.* utensilio.
uterino; *adj.* uterino.
útero; *s.* matriz, útero.
útil; *adj.* útil.
utilidade; *s.* utilidad.
utilização; *s.* utilización.
utilizar; *v.* utilizar.
utilizável; *adj.* utilizable.
utopia; *s.* utopía.
utópico; *adj.* utópico.
utopista; *adj.* utopista.
uva; *s.* uva.

V

v; *s.* vigésima primera letra del abecedario portugués.
vaca; *s.* vaca.
vacância; *s.* vacancia.
vacaria; *s.* vaquería.
vacilação; *s.* vacilación.
vacilante; *adj.* vacilante, trémulo, inestable, indeciso.
vacilar; *v.* vacilar, oscilar, tambalearse.
vacina; *s.* vacuna.
vacinar; *v.* vacunar.
vacuidade; *s.* vacuidad.
vacum; *adj.* vacuno.
vácuo; *adj.* vacuo.
vadear; *v.* vadear.
vadiação; *s.* acción y efecto de vadear.
vadiagem; *s.* vagancia, tuna.
vadiar; *v.* vaguear, vagar, vagabundear.
vadio; *adj.* vago, desocupado.
vaga; *s.* ola, oleada, onda.
vagabundagem; *s.* vagabundeo, tuna.
vagabundear; *v.* vagabundear.
vagabundo; *adj.* vagabundo.
vagalhão; *s.* oleada.
vaga-lume; *s.* luciérnaga.
vagão; *s.* vagón.
vagar; *s.* vagar, lentitud, ocio, pausa.
vagar; *v.* vacar, vagar, vaguear.
vagaroso; *adj.* lento, pausado, moroso, parado, tardo.
vagem; *s.* vaina.
vagina; *s.* vagina.
vago; *adj.* vago, indeciso, indeterminado, impreciso.
vaguear; *v.* vagar, vaguear.
vaia; *s.* abucheo.
vaiar; *v.* abuchear.
vaidade; *s.* vanidad.
vaidoso; *adj.* vanidoso.
vaivém; *s.* vaivén.
vala; *s.* foso, valla.
valar; *v.* vallar.
vale; *s.* vale, documento, valle, llanura.
valentão; *adj.* valentón.
valente; *adj.* valeroso, valiente.
valentia; *s.* valentía, valor.
valer; *v.* valer.
valeriana; *s.* valeriana.
valeta; *s.* cuneta, zanja.
valia; *s.* valor, valía.
validação; *s.* validación.
validade; *s.* validez.
validar; *v.* legalizar, validar.
válido; *adj.* válido.
valioso; *adj.* valioso.
valise; *s.* maletín, valija.
valor; *s.* valentía, valor, valía, virtud.
valorização; *s.* valoración.
valorizar; *v.* evaluar, valorizar.
valoroso; *adj.* valeroso.
valsa; *s.* vals.
válvula; *s.* válvula.
vampiro; *s.* vampiro.
vandalismo; *s.* vandalismo.

vândalo; *adj.* vándalo.
vanglória; *s.* vanagloria, ostentación.
vangloriar; *v.* vanagloriar, jactarse, ufanarse.
vanguarda; *s.* vanguardia.
vantagem; *s.* ventaja.
vantajoso; *adj.* ventajoso, lucrativo, útil.
vão; *adj.* vano, hueco, vacío.
vão; *s.* vano, espacio vacío, intervalo.
vapor; *s.* vaho, vapor.
vapor; *s.* buque.
vaporizar; *v.* vaporizar.
vaporoso; *adj.* vaporoso.
vaqueiro; *s.* vaquero.
vara; *s.* vara.
varal; *s.* colgador, tendedero.
varanda; *s.* balcón, baranda, barandilla, terraza.
varão; *s.* hombre, varón.
varejão; *s.* economato.
varejo; *s.* venta al por menor.
vareta; *s.* varilla.
variação; *s.* variación.
variado; *adj.* variado, vario, múltiple, surtido.
variante; *s.* variante.
variar; *v.* variar, mudar, cambiar, alternar.
variável; *adj.* variable.
variedade; *s.* variedad.
varicela; *s.* varicela, viruela benigna.
variedade; *s.* variedad.
vário; *adj.* vario.
varíola; *s.* viruela.
varonil; *adj.* varonil, viril.
varredor; *s.* barrendero.
varrer; *v.* barrer, escobar.
varrido; *adj.* barrido, limpio.
várzea; *s.* vega.
vaselina; *s.* vaselina.
vasilha; *s.* vajilla, vasija.
vasilhame; *s.* envase.
vaso; *s.* frasco, urna, ánfora, pote.
vassalagem; *s.* vasallaje.
vassalo; *adj.* súbdito, vasallo.
vassoura; *s.* escoba.
vastidão; *s.* vastedad.
vasto; *adj.* vasto, muy extendido.
vatapá; *s.* iguaria hecha con pescado, aceite y pimienta.
vaticano; *adj.* vaticano.
vaticinar; *v.* vaticinar, presagiar.
vaticínio; *s.* vaticinio, presagio.
vau; *s.* vado.
vazamento; *s.* vaciamiento.
vazar; *v.* vaciar, filtrar, verter, derramar.
vazio; *adj.* vacío.
vazio; *s.* hueco.
veado; *s.* ciervo, corzo, gamo.
vedação; *s.* vedamiento, veda.
vedado; *adj.* vedado.
vedar; *v.* vedar, cerrar, estancar, prohibir.
vedete; *s.* vedette.
veemência; *s.* vehemencia.
veemente; *adj.* vehemente, ardiente, fervoroso, fuerte.
vegetação; *s.* vegetación.
vegetal; *adj.* vegetal.
vegetal; *s.* planta, vegetal.
vegetar; *v.* vegetar.
vegetariano; *adj.* vegetariano.
vegetativo; *adj.* vegetativo.
veia; *s.* vena.
veicular; *v.* transportar en vehículo, transmitir, propagar.
veículo; *s.* vehículo.
veio; *s.* filón.
vela; *s.* vela.
velada; *s.* velada, vigilia.
velado; *adj.* velado, cubierto con velo.
velame; *s.* velamen, velaje.
velar; *v.* velar.
veleidade; *s.* veleidad.
veleiro; *s.* velero.
velhacaria; *s.* bellaquería, picardía, sorna.
velhaco; *adj.* bellaco, bribón, pillo, taimado.
velharia; *s.* vejestorio, arcaísmo.
velhice; *s.* vejez.

velho; *adj.* viejo, de mucha edad, muy usado, anticuado.
velho; *s.* viejo, anciano.
velocidade; *s.* velocidad.
velocímetro; *s.* velocímetro.
velocípede; *s.* velocípedo.
velódromo; *s.* velódromo.
velório; *s.* velatorio.
veloz; *adj.* veloz, rápido, ligero, acelerado, pronto.
veludo; *s.* velludo, terciopelo.
veludoso; *adj.* felpudo, aterciopelado, felposo, suave.
venal; *adj.* venal.
vencedor; *adj.* vencedor.
vencer; *v.* vencer, ganar, superar, triunfar.
vencido; *adj.* vencido.
venda; *s.* venda para cubrir los ojos.
venda; *s.* venta, tienda donde se vende.
vendar; *v.* vendar.
vendaval; *s.* vendaval.
vendedor; *adj.* vendedor.
vender; *v.* vender.
veneno; *s.* veneno.
venenoso; *adj.* venenoso.
veneração; *s.* veneración.
venerar; *v.* idolatrar, venerar.
venerável; *adj.* venerable.
venéreo; *adj.* venéreo.
venezuelano; *adj.* venezolano.
vênia; *s.* venia.
venial; *adj.* venial.
venoso; *adj.* venoso.
ventania; *s.* ventarrón, viento continuo.
ventar; *v.* ventar.
ventilação; *s.* ventilación.
ventilador; *s.* ventilador.
ventilar; *v.* ventilar.
vento; *s.* viento.
ventosa; *s.* ventosa.
ventre; *s.* vientre.
ventrículo; *s.* ventrículo.
ventríloquo; *adj.* ventrílocuo.
ventura; *s.* ventura.
venturoso; *adj.* venturoso, afortunado.
ver; *v.* ver, sentido de la vista.
veracidade; *s.* veracidad, verdad.
veranear; *v.* veranear.
veraneio; *s.* veraneo.
verão; *s.* verano, estío.
veraz; *adj.* veraz, verdadero, verídico.
verbal; *adj.* verbal, oral.
verbena; *s.* verbena, planta herbácea.
verbete; *s.* apunte, nota, ficha.
verbo; *s.* verbo.
verborréia; *s.* verborrea, locuacidad.
verdade; *s.* verdad.
verdadeiro; *adj.* verdadero, cierto, legítimo, real, sincero, veraz, verídico.
verde; *adj.* verde.
verdejar; *v.* verdear, verdecer.
verdor; *s.* verdor.
verdugo; *s.* verdugo.
verdura; *s.* hortaliza, verdura.
verdureiro; *s.* verdulero.
vereador; *s.* concejal.
vereda; *s.* vereda, senda, camino estrecho, rumbo, dirección.
veredicto; *s.* veredicto.
verga; *s.* verga.
vergar; *v.* cimbrar, doblar en arco, doblegar.
vergel; *s.* vergel, jardín.
vergonha; *s.* vergüenza.
vergonhoso; *adj.* vergonzoso, deshonesto, impúdico, indecente, indecoroso.
verídico; *adj.* verídico, veraz, verdadero.
verificação; *s.* verificación, supervisión.
verificar; *v.* verificar, comprobar, examinar, supervisar.
verme; *s.* verme, gusano, tenia.
vermelhão; *s.* bermellón.
vermelho; *adj.* rojo, bermejo.
vermicida; *adj.* vermicida.

vermífugo; *adj.* vermífugo, vermicida.
verminose; *s.* helmintiasis.
vermute; *s.* vermut.
vernáculo; *adj.* vernáculo.
verniz; *s.* barniz, charol.
verossímil; *adj.* verosímil.
verruga; *s.* verruga.
verruma; *s.* barrena, taladrador, taladro.
verrumar; *v.* barrenar.
versado; *adj.* versado.
versão; *s.* versión.
versar; *v.* versar.
versátil; *adj.* versátil.
versatilidade; *adj.* versatilidad.
versículo; *s.* versículo.
versificação; *s.* versificación.
versificar; *v.* versificar.
verso; *s.* verso.
vértebra; *s.* vértebra.
vertebrado; *adj.* vertebrado.
vertente; *s.* vertiente.
verter; *v.* verter, derramar, vaciar, difundir, traducir.
vertical; *adj.* vertical.
vértice; *s.* vértice.
vertigem; *s.* vahído, vértigo.
vertiginoso; *adj.* vertiginoso.
vesgo; *adj.* bizco, estrábico, tuerto.
vesícula; *s.* vesícula.
vespa; *s.* avispa.
véspera; *s.* víspera.
vespertino; *adj.* vespertino.
veste; *s.* veste, vestido, traje.
vestiário; *s.* ropero.
vestíbulo; *s.* hall, vestíbulo, zaguán.
vestido; *s.* vestido.
vestígio; *s.* vestigio, huella, indicio.
vestimenta; *s.* vestimenta, vestuario, hábito, ropa, ropaje.
vestir; *v.* vestir.
vestuário; *s.* vestuario, indumentaria, traje.
vetar; *v.* vetar, prohibir.
veterano; *adj.* veterano.
veterinário; *adj.* veterinario.
veto; *s.* veto, prohibición.
vetusto; *adj.* vetusto, muy viejo, antiguo.
véu; *s.* velo.
vexação; *s.* vejación.
vexar; *v.* vejar.
vexatório; *adj.* vejatorio.
vez; *s.* vez.
via; *s.* vía, trayectoria, camino, conducto, derrotero, trámite.
viaduto; *s.* viaducto.
viagem; *s.* viaje.
viajante; *adj.* viajante.
viajar; *v.* viajar.
viandante; *s.* viandante.
viário; *adj.* calzada de la vía férrea.
viático; *s.* viático.
viatura; *s.* cualquier vehículo.
viável; *adj.* viable.
víbora; *s.* víbora.
vibração; *s.* vibración.
vibrar; *v.* vibrar, mover, agitar, conmover, echar, despedir, temblar, sonar.
vibratório; *adj.* vibratorio.
vice-rei; *s.* virrey.
vice-versa; *adv.* viceversa.
viciar; *v.* viciar.
vicinal; *adj.* vecinal.
vício; *s.* vicio.
vicioso; *adj.* vicioso.
vicissitude; *s.* vicisitud.
viço; *s.* lozanía.
viçoso; *adj.* lozano.
vicunha; *s.* vicuña.
vida; *s.* vida.
videira; *s.* parra, vid.
vidente; *adj.* vidente.
vidraça; *s.* vidriera.
vidraçaria; *s.* vidriería.
vidraceiro; *s.* vidriero.
vidrado; *adj.* vidriado.
vidraria; *s.* vidriería, fábrica de vidrios, conjunto de frascos.
vidrilho; *s.* canutillo, abalorios, lentejuelas.
vidro; *s.* vidrio.
viela; *s.* callejuela.
viés; *s.* biés.

viga; *s.* madero, viga.
vigamento; *s.* estructura, armazón, maderamen.
vigário; *s.* vicario.
vigência; *s.* vigencia.
vigente; *adj.* vigente.
vigia; *s.* vigía.
vigiar; *v.* vigilar, fiscalizar, guardar, patrullar, rondar.
vigilância; *s.* vigilancia.
vigilante; *s.* vigilante.
vigilar; *v.* vigilar.
vigília; *s.* vigilia.
vigor; *s.* vigor, energía, exuberancia, fuerza, poderío, potencia, pujanza.
vigorar; *v.* vigorar.
vigoroso; *adj.* vigoroso, potente, robusto.
vil; *adj.* vil, infame, innoble, soez.
vila; *s.* poblado, villa, ciudad pequeña.
vilania; *s.* villanía.
vilão; *adj.* villano.
vilarejo; *s.* aldea, pueblo.
vileza; *s.* vileza, villanía, bajeza.
vilipendiar; *v.* vilipendiar.
vilipêndio; *s.* vilipendio.
vime; *s.* mimbre.
vimeiro; *s.* mimbrera.
vinagre; *s.* vinagre.
vincar; *v.* plegar, doblar, arrugar.
vinco; *s.* doblez, pliegue.
vincular; *v.* vincular, ligar, atar, anudar.
vínculo; *s.* vínculo.
vinda; *s.* venida, llegada.
vindima; *s.* vendimia.
vindouro; *adj.* venidero.
vingador; *s.* vengador.
vingança; *s.* venganza.
vingar; *v.* vengar.
vingativo; *adj.* vengativo.
vinha; *s.* viña.
vinhedo; *s.* viñedo.
vinheta; *s.* viñeta.
vinho; *s.* vino.
vinícola; *adj.* vinícola.
vinicultura; *s.* vinicultura.
viola; *s.* viola.
violação; *s.* violación.
violáceo; *adj.* violáceo.
violão; *s.* guitarra, violón.
violar; *v.* violar, violentar, forzar, transgredir.
violência; *adj.* brutalidad.
violência; *s.* violencia.
violentar; *v.* violar, violentar, estuprar, forzar.
violento; *adj.* violento, arrebatado, irascible, colérico, drástico.
violeta; *s.* violeta.
violino; *s.* violín.
viperino; *adj.* viperino.
vir; *v.* venir.
virar; *v.* virar, volver, invertir.
virgem; *s.* virgen.
virginal; *adj.* virginal.
virgindade; *s.* virginidad.
vírgula; *s.* coma.
viril; *adj.* viril, varonil, masculino, fuerte, vigoroso.
virilha; *s.* ingle.
virilidade; *s.* virilidad.
virtual; *adj.* virtual.
virtude; *s.* virtud.
virtuoso; *adj.* virtuoso.
virulento; *adj.* virulento.
vírus; *s.* virus.
visado; *s.* visto.
visão; *s.* visión.
visar; *v.* visar.
víscera; *s.* víscera.
visceral; *adj.* visceral.
visconde; *s.* vizconde.
viscoso; *adj.* viscoso, pegajoso.
viseira; *s.* visera.
visionário; *adj.* visionario.
visita; *s.* visita.
visitar; *v.* visitar.
visível; *adj.* visible.
vislumbrar; *v.* vislumbrar.
vislumbre; *s.* vislumbre.
viso; *s.* viso.
vista; *s.* vista, aparato visual, ambos ojos, panorama, paisaje.
visto; *adj.* visto, conocido, notorio, sabido.

visto; *s.* visado, visto, visto bueno.
vistoria; *s.* inspección.
vistoriar; *v.* reconocer, inspeccionar.
vistoso; *adj.* vistoso.
visual; *adj.* visual.
vital; *adj.* vital.
vitalício; *adj.* vitalicio.
vitalidade; *s.* vitalidad.
vitamina; *s.* vitamina.
vitaminado; *adj.* vitaminado.
vitelo; *s.* ternero.
vítima; *s.* víctima.
vitimar; *v.* sacrificar, inmolar, matar.
vitória; *s.* victoria.
vitorioso; *adj.* victorioso, vencedor, triunfante.
vitral; *s.* vitral, vidriera de colores.
vítreo; *adj.* vítreo.
vitrificar; *v.* vitrificar.
vitrina; *s.* vitrina, escaparate.
vitupério; *s.* vituperio, ultraje, injuria, insulto.
viuvez; *s.* viudez.
viúvo; *adj.* viudo.
viva; *s.* viva.
vivacidade; *s.* vivacidad.
vivaz; *adj.* vivaz.
viveiro; *s.* vivero.
vivenda; *s.* vivienda.
viver; *v.* vivir, tener vida, existir, residir, habitar, morar.
víveres; *s.* víveres.
viveza; *s.* viveza, vivacidad.
vívido; *adj.* vivido, vivaz.
vivificar; *v.* vivificar.
vivo; *adj.* vivo.
vizinhança; *s.* vecindad, proximidad, cercanías.
vizinho; *adj.* vecino, cercano, contiguo, lindero, próximo.
vizinho; *s.* vecino, que vive cerca.
voador; *adj.* volador.
voar; *v.* volar.
vocabulário; *s.* vocabulario.
vocábulo; *s.* vocablo, voz.
vocação; *s.* tendencia, vocación.
vocal; *adj.* vocal, oral, verbal.
vocálico; *adj.* vocálico, letras vocales.
vocalista; *s.* vocalista.
você; *pron.* tú, forma de tratamiento.
vociferar; *v.* vociferar.
vodca; *s.* vodka.
voejar; *v.* revolotear.
voga; *s.* boga, moda.
vogal; *s.* vocal, letra.
vogal; *s.* vocal, persona que tiene voto en una asamblea.
vogal; *adj.* vocal, cuerdas vocales.
vogar; *v.* bogar.
volátil; *adj.* volátil.
volatizar; *v.* volatilizar.
vôlei; *s.* balonvolea.
volta; *s.* vuelta.
voltagem; *s.* voltaje.
voltar; *v.* volver.
voltear; *v.* voltear.
voltímetro; *s.* voltímetro.
volume; *s.* volumen.
volumoso; *adj.* voluminoso.
voluntário; *adj.* espontáneo, voluntario.
volúpia; *s.* voluptuosidad.
voluptuosidade; *s.* voluptuosidad.
voluptuoso; *adj.* voluptuoso.
volúvel; *adj.* voluble, inconstante, inestable, versátil.
volver; *v.* volver.
vomitar; *v.* vomitar.
vômito; *s.* vómito.
vontade; *s.* voluntad, deseo, gana, querencia, intención, tesón.
vôo; *s.* vuelo.
voracidade; *s.* glotonería, voracidad.
voragem; *s.* vorágine.
voraz; *adj.* voraz.
vos; *pron.* vos.
vós; *pron.* vos, os, vosotros.
vosso; *pron.* vuestro.
votação; *s.* elección, votación.
votar; *v.* votar.
voto; *s.* voto, parecer, sufragio.
vovó; *s.* abuela.
vovô; *s.* abuelo.
voz; *s.* voz.

vozear; *v.* vocear.
vulcânico; *adj.* volcánico.
vulcanizar; *v.* vulcanizar.
vulcão; *s.* volcán.
vulgar; *adj.* vulgar, común, ordinario, trivial, frecuente.
vulgaridade; *s.* vulgaridad.
vulgarizar; *s.* vulgarizar.
vulgo; *s.* vulgo.
vulnerar; *v.* vulnerar.
vulnerável; *adj.* vulnerable.
vulpino; *adj.* vulpino.
vulto; *s.* bulto.
vultoso; *adj.* voluminoso,
vultuoso; *adj.* vultuoso.
vulturino; *adj.* relativo al buitre.
vulturno; *s.* vulturno, bochorno.
vulva; *s.* vulva.
vurmo; *s.* pus o sangre purulenta de las heridas.

X

x; *s.* vigésima segunda letra del abecedario portugués.
xácara; *s.* jácara.
xadrez; *s.* ajedrez.
xale; *s.* chal.
xampu; *s.* champú.
xará; *s.* tocayo, homónimo.
xarope; *s.* jarabe.
xenofobia; *s.* xenofobia.
xenófobo; *adj.* xenófobo.
xeque; *s.* jaque, jeque.
xereta; *s.* curioso, intrigante.
xeretar; *v.* fisgonear, intrigar, chismear.
xerez; *s.* jerez.
xerga; *s.* jerga.
xerife; *s.* sheriff.
xerocopiar; *v.* fotografiar.
xerografia; *s.* xerografía.
xícara; *s.* jícara, taza.
xilofone; *s.* xilófono.
xilografia; *s.* xilografía.
xilogravura; *s.* xilografía.
xiloma; *s.* cerne.
xingar; *v.* insultar.
xisto; *s.* pizarra.
xodó; *s.* noviazgo, amor, pasión.

Z

z; *s.* vigésima tercera y última letra del abecedario portugués.
zabumba; *s.* zambomba, bombo.
zanga; *s.* cólera, ira, enfado.
zangado; *adj.* enfadado.
zangão; *s.* zángano.
zangar; *v.* enfadar.
zarabatana; *s.* cerbatana.
zarcão; *s.* bermellón.
zarolho; *adj.* tuerto, bizco.
zarpar; *v.* zarpar.
zarzuela; *s.* zarzuela.
zebra; *s.* cebra.
zebrar; *v.* listar, rayar.
zebu; *s.* cebú.
zelador; *s.* celador, conserje.
zelar; *v.* celar, vigilar.
zelo; *s.* celo, desvelo, devoción, escrúpulo, esmero.
zeloso; *adj.* celoso, cuidadoso.
zénite; *s.* cenit, auge, apogeo, fausto.
zepelim; *s.* zepelín, globo dirigible.
zero; *s.* cero.
ziguezague; *s.* zigzag.
zimbro; *s.* enebro.
zinco; *s.* cinc, zinc.
zíngaro; *adj.* cíngaro, gitano.
zíper; *s.* cremallera.
zoada; *s.* zurrido.
zodíaco; *s.* zodíaco.
zoeira; *s.* viento fuerte.
zombador; *adj.* zumbón, zumbador, mofador, burlón.
zombar; *v.* zumbar, burlar, embromar, mofar.
zombaria; *s.* zumba, burla, chacota, ironía.
zombeteiro; *adj.* zumbón.
zona; *s.* zona.
zoologia; *s.* zoología.
zoológico; *adj.* zoológico.
zumbido; *s.* zumbido.
zumbir; *v.* zumbar.
zunido; *s.* zumbo, zumbido, silbido.
zunir; *v.* silbar, zumbar.
zunzum; *s.* rumor, intriga, cuento, lío.
zurrapa; *s.* zurrapa, vino de mala calidad.
zurrar; *v.* rebuznar, roznar.
zurro; *s.* rebuzno.
zurzir; *v.* zurriagar, azotar, zurrar, apalear, afligir, critica áspera.

ESPAÑOL-PORTUGUÉS

A

a; primeira letra do alfabeto *prep.* indica direção, tempo modo.
ábaco; *s.* ábaco, tabuleiro.
abad; *s.* abade, cura, pároco.
abadesa; *s.* abadessa, prelada.
abadía; *s.* abadia, mosteiro.
abajo; *adv.* embaixo, abaixo.
abalanzar; *v.* abalançar, balancear.
abalorio; *s.* avelórios, contas de vidro.
abanderado; *s.* porta-bandeira.
abandonado; *adj.* abandonado, descuidado.
abandonar; *v.* abandonar, desamparar, renunciar.
abandono; *s.* abandono, negligência.
abanicar; *v.* abanicar, abanar com leque.
abanico; *s.* abanico, leque.
abaratar; *v.* abaratar, baratear, baixar o preço.
abarca; *s.* abarca, tamanco, calçado rústico.
abarcar; *v.* abarcar, abranger, alcançar, cingir.
abarrancarse; *v.* embarrancar, encalhar.
abarrotado; *adj.* abarrotado, cheio.
abarrotar; *v.* abarrotar, encher completamente.
abastecedor; *adj.* abastecedor, que abastece.
abastecer; *v.* abastecer, fornecer, prover.
abastecimiento; *s.* abastecimento, aprovisionamento.
abasto; *s.* abasto, provisão de comestíveis.
abate; *s.* eclesiástico de ordens menores, minorista.
abatimiento; *s.* abatimento, prostração, fraqueza, desalento.
abatir; *v.* abater, derrubar, baixar, descer.
abdicar; *v.* abdicar, renunciar.
abdomen; *s.* abdômen.
abdominal; *adj.* abdominal.
abecedario; *s.* alfabeto, cartilha, lista por ordem alfabética.
abedul; *s.* bétula, álamo branco.
abeja; *s.* abelha, trabalhador esperto.
abejorro; *s.* besouro.
aberración; *s.* aberração, desvio.
abertura; *s.* abertura, fenda, orifício, greta.
abeto; *s.* abeto.
abiertamente; *adv.* abertamente, francamente.
abierto; *adj.* aberto, franco, sincero, dilatado.
abigarrado; *adj.* matizado, em diversas cores.
abismar; *v.* abismar, guardar, ocultar.
abismo; *s.* abismo, precipício, despenhadeiro.
abjurar; *v.* abjurar, renunciar.

ablación; *s.* ablação, extirpação.
ablandar; *v.* abrandar, amolecer, suavizar, moderar.
ablución; *s.* ablução, lavagem.
abnegación; *s.* abnegação, renúncia.
abnegado; *adj.* abnegado.
abocado; *adj.* abocado, delicado, agradável.
abocar; *v.* abocar, apanhar com a boca, embocar, aproximar.
abochornar; *v.* abafar com calor.
abofetear; *v.* esbofetear, esmurrar, dar bofetadas.
abogacía; *s.* advogacia.
abogado; *s.* advogado, magistrado.
abogar; *v.* advogar, defender.
abolengo; *s.* avoengo, relativo aos avós, linhagem.
abolición; *s.* abolição, anulação, extinção.
abolir; *v.* abolir, revogar, suprimir, anular, cessar.
abolladura; *s.* amolgadura.
abollar; *v.* amolgar, amassar.
abominable; *adj.* abominável, detestável.
abominación; *s.* abominação.
abominar; *v.* abominar, condenar, maldizer.
abonar; *v.* abonar, afiançar, garantir, creditar.
abono; *s.* abono, subscrição, assinatura.
abordaje; *s.* abordagem, abalroamento.
abordar; *v.* abordar, aproximar, atracar.
aborigen; *adj.* aborígene, nativo.
aborrecer; *v.* aborrecer, detestar, odiar, desagradar.
aborrecimiento; *s.* aborrecimento, tédio, antipatia.
abortar; *v.* abortar, falhar, fracassar.
aborto; *s.* aborto, frustração.
abotonar; *v.* abotoar.
abovedar; *v.* abobadar, dar forma de abóbada.
abrasador; *adj.* abrasador, ardente, candente.
abrasar; *v.* abrasar, queimar, incendiar, arder.
abrasivo; *s.* abrasivo.
abrazadera; *s.* abraçadeira, argola, colchete.
abrazar; *v.* abraçar, cingir, cercar.
abrazo; *s.* abraço.
abrelatas; *s.* abridor de latas.
abrevadero; *s.* bebedouro ou bebedoiro.
abrevar; *v.* abrevar, regar.
abreviar; *v.* abreviar, encurtar, resumir, apressar.
abreviatura; *s.* abreviatura.
abrigar; *v.* abrigar, resguardar, proteger, amparar, recolher, defender.
abrigo; *s.* abrigo, agasalho, sobretudo, amparo, asilo, acolhida.
abril; *s.* abril.
abrillantar; *v.* abrilhantar, dar brilho, lustrar.
abrir; *v.* abrir, destampar, desdobrar, desenrolar, separar, inaugurar.
abrochar; *v.* abrochar.
abrogar; *v.* abrogar, revogar, abolir, anular.
abrojo; *s.* abrôlho.
abrumar; *v.* abrumar, afligir, oprimir, esmagar, aborrecer.
abrupto; *adj.* abrupto, escarpado, íngreme, inacessível.
absceso; *s.* abscesso.
ábside; *s.* ábside.
absolución; *s.* absolvição.
absolutamente; *adv.* absolutamente.
absolutismo; *s.* absolutismo.
absoluto; *adj.* absoluto, independente, incondicional, autoritário.
absolver; *v.* absolver, perdoar, indultar, anistiar.
absorber; *v.* absorver, aspirar, sorver, tragar, engolir.
absorción; *s.* absorção, impregnação.
absorto; *adj.* absorto, distraído, contemplativo, extasiado.

abstención; *s.* abstenção, abstinência, privação.
abstemio; *adl.* abstêmio.
abstenerse; *v.* abster-se, privar-se.
abstinencia; *s.* abstinência, privação.
abstracto; *adj.* abstrato, alheio, irreal.
abstraer; *v.* abstrair, separar, prescindir.
absuelto; *adj.* absolto.
absurdo; *adj.* absurdo, disparatado, fantástico, incrível.
abuchear; *v.* assobiar, apitar, silvar.
abucheo; *s.* troça.
abuelo; *s.* avô, ancião, velho.
abulia; *s.* abulia, falta de vontade.
abúlico; *adj.* abúlico, apático.
abultar; *v.* avultar, aumentar, engrossar.
abundancia; *s.* abundância, fartura, abastança, opulência.
abundante; *adj.* abundante, farto, copioso, opulento.
aburrido; *adj.* aborrecido, enfadonho, chato, tedioso.
aburrimiento; *s.* aborrecimento, tédio, chateação, fastio.
aburrir; *v.* aborrecer, cansar, molestar.
abusar; *v.* abusar, estuprar, violentar sexualmente, faltar à confiança.
abuso; *s.* abuso, violência, desordem, excesso.
abusón; *adj.* abusador.
abyecto; *adj.* abjeto, vil, desprezível, indigno.
acá; *adv.* aqui, cá.
acabado; *adj.* acabado, concluído, terminado, arruinado, perfeito.
acabar; *v.* acabar, concluir, terminar, destruir, gastar.
acacia; *s.* acácia.
academia; *s.* academia.
académico; *s.* acadêmico, referente ao ensino universitário.
acaecer; *v.* acontecer, suceder, ocorrer.
acallar; *v.* aplacar, sossegar, fazer calar.
acalorado; *adj.* acalorado, ardente, vivo, fogoso.
acalorar; *v.* acalorar, aquecer, animar, exitar, inflamar, entusiasmar.
acampar; *v.* acampar.
acanalar; *v.* canalar, abrir canais.
acantilado; *adj.* alcantilado, escarpado.
acanto; *s.* acanto.
acaparador; *adj.* açambarcador.
acaparar; *v.* açambarcar, monopolizar.
acaramelado; *adj.* doce, requintado, coberto de açúcar.
acaramelar; *v.* acaramelar, caramelizar.
acariciar; *v.* acariciar, afagar, mimar.
acarrear; *v.* conduzir, transportar.
acarreo; *s.* acarreio, transporte em carro.
acartonarse; *v.* acartonar-se.
acaso; *s.* acaso, casualidade, talvez.
acatar; *v.* acatar, respeitar, aguardar.
acatarrarse; *v.* resfriar-se.
acaudalado; *adj.* rico, abastado.
acaudillar; *v.* acaudilhar, capitanear, guiar.
acceder; *v.* aceder, consentir, anuir, assentir, concordar.
accesible; *adj.* acessível.
acceso; *s.* acesso, entrada, ingresso.
accesorio; *adj.* acessório, secundário.
accidental; *adj.* acidental, casual, imprevisto, eventual.
accidente; *s.* acidente, incidente, casualidade, peripécia, desastre.
acción; *s.* ação, ato, feito, atitude.
accionar; *v.* acionar, ligar.
accionista; *s.* acionista.
acebo; *s.* azevinho.
acechar; *v.* espreitar, observar, espiar.
acecho; *s.* espreita.
acedera; *s.* azedeira.
acéfalo; *adj.* acéfalo, que não tem cabeça.

aceite; *s.* azeite, óleo.
aceitera; *s.* azeiteira.
aceitoso; *adj.* azeitado, gorduroso, oleoso.
aceituna; *s.* azeitona, fruto de oliveira.
aceitunado; *adj.* azeitonado, verde-oliva.
aceleración; *s.* aceleração, aquecimento.
acelerador; *adj.* acelerador.
acelerar; *v.* acelerar, apressar, antecipar, ativar, instigar.
acelga; *s.* acelga.
acémila; *s.* azêmola, cavalgadura.
acento; *s.* acento, tom de voz, entonação, timbre, sotaque.
acentuar; *v.* acentuar, realçar, salientar.
acepción; *s.* acepção, sentido.
aceptable; *adj.* aceitável, admissível.
aceptación; *s.* aceitação, acolhida, aprovação.
aceptar; *v.* aceitar, receber, admitir, aprovar.
acequia; *s.* acéquia, açude.
acera; *s.* passeio, calçada para pedestres.
acerado; *adj.* acerado.
acerbo; *adj.* acerbo, áspero.
acerca; *adv.* sobre, a respeito de.
acercar; *v.* acercar, aproximar, chegar perto.
acería; *s.* aceria, aciaria.
acero; *s.* aço.
acérrimo; *adj.* acérrimo, forte.
acertado; *adj.* acertado, avisado.
acertar; *v.* acertar, igualar, coincidir.
acertijo; *s.* adivinhação, enigma.
acervo; *s.* acervo, cúmulo.
acetileno; *s.* acetileno.
achacar; *v.* achacar, atribuir, imputar, inculpar.
achacoso; *adj.* achacoso, que tem achaques.
achantarse; *v.* ter médo, ocultar-se.
achaque; *s.* achaque, indisposição, doença.
achatar; *v.* achatar, amassar.
achicar; *v.* diminuir, encurtar, reduzir.
achicoria; *s.* chicória.
achicharrar; *v.* torrar, crestar, tostar.
achispado; *adj.* embriagado.
achisparse; *v.* embriagar-se.
achuchar; *v.* apertar, esmagar, incitar.
achuchón; *s.* empurrão.
achuras; *s.* intestinos.
aciago; *adj.* aziago, infausto, de mau agouro.
acicalar; *v.* açacalar, polir.
acicate; *s.* acicate, incentivo.
acidez; *s.* acidez.
ácido; *adj.* ácido, azedo.
acierto; *s.* acerto, ajuste.
aclamación; *s.* aclamação, aplausos, glorificação.
aclamar; *v.* aclamar, aplaudir, glorificar.
aclaración; *s.* aclaração, esclarecimento.
aclarar; *v.* aclarar, esclarecer, explicar.
aclimatar; *v.* aclimatar, climatizar.
acobardar; *v.* acovardar, amedrontar, assustar, atemorizar.
acodarse; *v.* apoiar os cotovelos sobre alguma coisa.
acogedor; *adj.* acolhedor, hospitaleiro, receptivo.
acoger; *v.* acolher.
acogida; *s.* acolhida, recepção.
acogotar; *v.* matar com uma pancada na nuca.
acólito; *s.* acólito.
acometer; *v.* acometer, atacar, invadir.
acometida; *s.* acometida, acometimento.
acomodado; *adj.* acomodado, apto, oportuno, rico.
acomodador; *adj.* acomodador.
acomodar; *v.* acomodar, adaptar, ajustar, adequar, dispor.

acomodo; *s.* emprego, cargo.
acompañamiento; *s.* acompanhamento, cortejo, séquito.
acompañante; *s.* acompanhante, companhia.
acompañar; *v.* acompanhar, seguir, escoltar.
acompasar; *v.* compassar.
acondicionar; *v.* acondicionar, condicionar, embalar.
acongojar; *v.* angustiar, afligir, inquietar, oprimir, entristecer.
aconsejable; *adj.* aconselhável, recomendável.
aconsejar; *v.* aconselhar, guiar, recomendar.
acontecer; *v.* acontecer, suceder, ocorrer.
acontecimiento; *s.* acontecimento.
acopiar; *v.* aprovisionar, juntar.
acopio; *s.* juntar grande quantidade.
acoplar; *v.* acoplar, juntar, unir.
acoquinar; *v.* acovardar, intimidar.
acorazado; *s.* encouraçado, couraçado, blindado.
acordar; *v.* acordar, concordar, conciliar.
acorde; *adj.* acorde, conforme.
acordeón; *s.* acordeão, harmônica.
acordonar; *v.* acordoar.
acorralar; *v.* encurralar.
acortar; *v.* encurtar, reduzir.
acosar; *v.* acossar, perseguir.
acoso; *s.* acossamento.
acostar; *v.* deitar, encostar, atracar.
acostumbrar; *v.* acostumar, habituar.
acotar; *v.* cotar, demarcar, delimitar.
acre; *s.* acre, medida agrária, azedo, picante.
acrecentar; *v.* acrescentar, aumentar, adicionar, juntar.
acreditar; *v.* acreditar, creditar, abonar.
acreedor; *adj.* credor, merecedor.
acribillar; *v.* fazer muitos furos, crivar.
acrisolar; *v.* acrisolar, purificar no crisol, apurar.
acritud; *s.* acritude.
acrobacia; *s.* acrobacia.
acróbata; *s.* acrobata.
acrópolis; *s.* acrópole.
acta; *s.* ata, registro.
actitud; *s.* atitude, postura, pose.
activar; *v.* ativar, impulsionar, despertar, excitar.
actividad; *s.* atividade, pressa, dinamismo, vivacidade.
activo; *adj.* ativo, ágil, diligente, animado.
acto; *s.* ato, feito, ação.
actor; *s.* ator, artista.
actriz; *s.* atriz, artista.
actuación; *s.* atuação, funcionamento.
actual; *adj.* atual, efetivo, real, corrente, presente.
actualidad; *s.* atualidade, oportunidade.
actualizar; *v.* atualizar, modernizar, realizar.
actualmente; *adv.* atualmente.
actuar; *v.* atuar.
acuarela; *s.* aquarela.
acuario; *s.* aquário.
acuartelar; *v.* aquartelar, alojar.
acuático; *adj.* aquático.
acuchillar; *v.* esfaquear.
acuciar; *v.* estimular, aguçar, induzir, incentivar.
acudir; *v.* acudir, socorrer, atender, acorrer.
acueducto; *s.* aqüeduto.
acuerdo; *s.* acordo, contrato, ajuste, convênio.
acumulador; *s.* acumulador.
acumular; *v.* acumular, reunir, juntar, aglomerar.
acunar; *v.* embalar, balançar uma criança no berço.
acuñar; *v.* cunhar, meter cunhas.
acuoso; *adj.* aquoso.
acurrucarse; *v.* acocorar-se, encolher-se.

acusación; *s.* acusação, incriminação.
acusado; *adj.* acusado.
acusador; *adj.* acusador, que acusa.
acusar; *v.* acusar, culpar, incriminar.
acústica; *s.* acústica.
adagio; *s.* adágio, ditado, sentença, aforismo.
adalid; *s.* chefe, caudilho.
adán; *s.* adão, homem sujo, apático, negligente.
adaptable; *adj.* adaptável.
adaptación; *s.* adaptação.
adaptar; *v.* adaptar, ajustar, moldar.
adecentar; *v.* arrumar, assear.
adecuado; *adj.* adequado, conveniente, apropriado.
adecuar; *v.* adequar, ajustar, igualar, convir.
adefesio; *s.* extravagância.
adelantado; *adj.* adiantado, antecipado.
adelantar; *v.* adiantar, acelerar.
adelante; *adv.* adiante.
adelanto; *s.* adiantamento, melhoria.
adelgazar; *v.* emagrecer, adelgaçar.
ademán; *s.* ademã, gesto, trejeito.
además; *adj.* ademais, demais, alémdisso.
adentro; *adv.* adentro, dentro, interiormente.
adepto; *adj.* adepto, partidário.
aderezar; *v.* adereçar, enfeitar, compor.
aderezo; *s.* adereço, enfeite, aparelho, tempero, condimento.
adeudar; *v.* endividar, dever.
adherirse; *v.* aderir, anuir, vincular, ligar.
adhesión; *s.* adesão, acordo, união, ligação.
adhesivo; *adj.* adesivo, aderente.
adición; *s.* adição, acréscimo, adiantamento, aumento.
adicto; *adj.* adepto, apegado, dedicado, propenso.
adiestramiento; *s.* adestramento, treino, exercício.
adiestrar; *v.* adestrar, treinar, exercitar.
adinerado; *adj.* endinheirado, rico.
adiós; *s.* adeus.
adiposo; *adj.* adiposo, gorduroso.
adivinanza; *s.* adivinhação, enigma.
adivinar; *v.* adivinhar, predizer, profetizar.
adivino; *s.* adivinho, profeta.
adjetivo; *s.* adjetivo.
adjudicación; *s.* adjudicação.
adjudicar; *v.* adjudicar, declarar judicialmente.
adjuntar; *v.* juntar, unir, agregar, associar.
adjunto; *adj.* adjunto, unido, junto, anexo.
administración; *s.* administração, gerência, direção.
administrador; *s.* administrador, gerente, diretor.
administrar; *v.* administrar, gerenciar, conduzir, conferir.
admirable; *adj.* admirável, digno de admiração.
admirablemente; *adv.* admiravelmente.
admiración; *s.* admiração, entusiasmo, arroubo, espanto, assombro.
admirador; *s.* admirador, entusiasta, apaixonado.
admirar; *v.* admirar, contemplar, apreciar.
admisión; *s.* admissão, ingresso, iniciação, entrada.
admitir; *v.* admitir, receber, consentir, concordar, permitir, aceitar.
adobar; *v.* temperar, condimentar, adubar.
adobe; *s.* adobe, tijolo cru, adobo.
adobo; *s.* adobo, tempero, adubo, reparo.
adocenado; *adj.* vulgar.
adoctrinar; *v.* doutrinar, educar.
adolecer; *v.* adoecer, sofre.
adolescencia; *s.* adolescência.

adolescente; *adj.* adolescente.
adonde; *adv.* aonde, para onde.
adopción; *s.* adoção, aceitação, perfilhação.
adoptar; *v.* adotar, aceitar, abraçar, perfilhar.
adoptivo; *adj.* adotivo, adotado.
adoquín; *s.* paralelepípedo, pedra, macadame.
adoquinar; *v.* empedrar.
adorable; *adj.* adorável, encantador, estimável.
adoración; *s.* adoração, veneração, estima.
adorar; *v.* adorar, prestar culto, amar apaixonadamente, reverenciar.
adormecer; *v.* adormecer, acalentar, entorpecer.
adornar; *v.* adornar, enfeitar, decorar, ornamentar, embelezar.
adorno; *s.* adorno, enfeite, ornamento.
adosar; *v.* encostar, apoiar.
adquirir; *v.* adquirir, comprar, obter, conseguir.
adquisición; *s.* aquisição, obtenção, compra.
adrede; *adv.* adrede, de propósito.
aduana; *s.* aduana, alfândega.
aduanero; *s.* aduaneiro, alfandegário.
aducir; *v.* aduzir, alegar, apresentar, juntar, acrescentar.
adueñarse; *v.* apossar-se, apoderar-se, apropriar-se.
adulación; *s.* adulação, lisonja.
adulador; *adj.* adulador.
adular; *v.* adular, lisonjear, bajular.
adulterar; *v.* adulterar, falsificar.
adulterio; *s.* adultério.
adulto; *adj.* adulto, crescido.
adusto; *adj.* adusto, queimado, tostado.
advenimiento; *s.* advento, vinda, chegada.
adverbio; *s.* advérbio.
adversario; *adj.* adversário, oponente, antagonista.
adversidad; *s.* adversidade, desventura, infelicidade.
adverso; *adj.* adverso, desfavorável, infeliz, oposto.
advertencia; *s.* advertência, conselho.
advertir; *v.* advertir, chamar a atenção, notar, reparar.
adyacente; *adj.* adjacente, vizinho, contíguo.
aéreo; *adj.* aéreo.
aeródromo; *s.* aeródromo.
aerolito; *s.* aerólito.
aeronauta; *s.* aeronauta.
aeronáutica; *s.* aeronáutica.
aeronave; *s.* aeronave.
aeroplano; *s.* aeroplano, avião.
aeropuerto; *s.* aeroporto.
aerosol; *s.* aerosol.
aerostática; *s.* aerostática.
aerovía; *s.* aerovia.
afable; *adj.* afável, benevolente, cortês, meigo, delicado.
afamado; *adj.* afamado, famoso, notável, célebre.
afán; *s.* afã, esforço, trabalho, empenho.
afear; *v.* afear.
afección; *s.* afeição.
afectación; *s.* afetação, vaidade, fingimento, presunção.
afectado; *adj.* afetado, fingido, falso.
afectar; *v.* afetar, fingir, simular, dissimular.
afectividad; *s.* afetividade, emotividade.
afectivo; *adj.* afetivo, sensível, afetuoso.
afecto; *s.* afeto, afeição, amor, carinho, dedicação.
afectuoso; *adj.* afetuoso, carinhoso, afável, cordial, meigo.
afeitado; *s.* barbeado.
afeitar; *v.* barbear, fazer a barba.
afeite; *s.* enfeite, cosmético.
afeminado; *adj.* afeminado.
aferrar; *v.* aferrar, agarrar com força, segurar, prender.

afgano; *adj.* afegã.
afianzar; *v.* afiançar, garantir afirmar.
afición; *s.* afeição, afeto, predileção.
aficionarse; *v.* afeiçoar-se.
aficionado; *adj.* aficionado, amador.
afijo; *s.* afixo.
afilador; *adj.* afiador, amolador.
afilar; *v.* afiar, amolar, aguçar, dar fio.
afiliado; *adj.* afiliado.
afiliar; *v.* afiliar, adotar, ingressar.
afín; *adj.* afim, com afinidades, próximo.
afinar; *v.* afinar, aperfeiçoar.
afinidad; *s.* afinidade, analogia, parentesco.
afirmación; *s.* afirmação, confirmação, afirmativa, declaração.
afirmado; *adj.* afirmado, consolidado, assegurado.
afirmar; *v.* afirmar, garantir, certificar, assegurar.
afirmativo; *adj.* afirmativo.
aflicción; *s.* aflição, sentimento, amargura, angústia, ansiedade.
aflictivo; *adj.* aflitivo, perturbador, angustiante.
afligir; *v.* afligir, inquietar, assolar, devastar.
aflojar; *v.* afrouxar, alargar.
aflorar; *v.* aflorar, nivelar, emergir.
afluencia; *s.* afluência, abundância.
afluente; *adj.* afluente.
afluir; *v.* afluir, convergir, correr, concorrer.
afonía; *s.* afonia.
afónico; *adj.* afônico.
aforar; *v.* aforar, avaliar.
aforismo; *s.* aforismo, máxima, sentença.
afortunado; *adj.* afortunado, feliz, ditoso, favorecido.
afrancesado; *adj.* afrancesado.
afrenta; *s.* afronta, injúria, insulto, ofensa, agravo.
afrentar; *v.* afrontar, insultar, ofender, injuriar.
africano; *adj.* africano.
afrodisíaco; *adj.* afrodisíaco.
afrontar; *v.* enfrentar, encarar, confrontar.
afuera; *adv.* fora.
agachar; *v.* agachar, esconder, encobrir, ocultar.
agalla; *s.* guelra.
ágape; *s.* ágape, banquete, festim, jantar.
agarrado; *adj.* agarrado, avarento, avaro, mesquinho, sovina.
agarrar; *v.* agarrar, pegar, segurar, apreender, colher.
agasajar; *v.* tratar com atenção; obsequiar.
agasajo; *s.* hospedagem.
ágata; *s.* ágata.
agazapar; *v.* agarrar, esconder.
agencia; *s.* agência, filial.
agenciar; *v.* agenciar, negociar, solicitar.
agenda; *s.* agenda, apontamento.
agente; *s.* agente, corretor.
agigantar; *v.* agigantar.
ágil; *adj.* ágil, rápido, ligeiro, destro, vivo, desembaraçado.
agilidad; *s.* agilidade, rapidez, vivacidade, desembaraço.
agio; *s.* ágio, usura, especulação.
agitación; *s.* agitação.
agitar; *v.* agitar, sacudir.
aglomeración; *s.* aglomeração, agrupamento, ajuntamento.
aglomerado; *adj.* aglomerado.
aglomerar; *v.* aglomerar, juntar, reunir, amontoar.
aglutinar; *v.* aglutinar, unir, reunir.
agnóstico; *adj.* agnóstico.
agobiado; *adj.* preocupado.
agobiar; *v.* curvar, dobrar o corpo para o chão, incômodo.
agobio; *s.* angústia, sufocação.
agolpar; *v.* amontoar, empilhar.
agonía; *s.* agonia, angústia, aflição.
agonizante; *adj.* agonizante, moribundo.

agonizar; *v.* agonizar, agonia.
agorero; *adj.* agoureiro, advinhador.
agostar; *v.* agostar, murchar, estiolar.
agosto; *s.* agosto, colheita.
agotamiento; *s.* esgotamento, exaustão.
agotar; *v.* esgotar, consumir, fatigar, extenuar.
agraciado; *adj.* agraciado, felizardo.
agraciar; *v.* agraciar, favorecer.
agradable; *adj.* aprazível, ameno, suave, amável.
agradar; *v.* agradar, amenizar, suavizar.
agradecer; *v.* agradecer.
agradecido; *adj.* agradecido.
agradecimiento; *s.* agradecimento, gratidão.
agrado; *s.* agrado, gosto, deleite, prazer.
agrandar; *v.* engrandecer, tornar grande.
agrario; *adj.* agrário, agrícola.
agravar; *v.* agravar, exagerar.
agravio; *s.* agravo, ofensa, dano.
agraz; *s.* agraço, amargura.
agredir; *v.* agredir atacar, ir contra.
agregado; *adj.* agregado, adido, anexo.
agregar; *v.* agregar, associar, anexar, juntar, reunir.
agresión; *s.* agressão, ataque, assalto, embate.
agresividad; *s.* agressividade, combatividade, violência.
agresivo; *adj.* agressivo.
agresor; *s.* agressor, provocador, atacante.
agreste; *adj.* agreste, rústico, silvestre.
agriar; *v.* azedar.
agrícola; *adj.* agrícola.
agricultor; *s.* agricultor, lavrador.
agricultura; *s.* agricultura.
agrio; *adj.* acre, ácido, azedo.
agronomía; *s.* agronomia.
agropecuario; *adj.* agropecuário.
agrupación; *s.* agrupação.
agrupamiento; *s.* agrupamento, ajuntamento.
agrupar; *v.* agrupar, ajuntar, reunir.
agua; *s.* água, líquido.
aguacate; *s.* abacate.
aguacero; *s.* aguaceiro, chuva forte.
aguada; *s.* aguada.
aguador; *s.* aguadeiro.
aguafiestas; *s.* desmancha-prazeres.
aguafuerte; *s.* água-forte.
aguantar; *v.* aguentar, suportar, tolerar.
aguante; *s.* tolerância, paciência.
aguar; *v.* aguar, regar, borrifar, frustrar.
aguardar; *v.* aguardar, esperar.
aguardiente; *s.* aguardente, cachaça.
aguarrás; *s.* aguarrás.
agudeza; *s.* agudeza, astúcia, perspicácia, sagacidade.
agudizar; *v.* aguçar.
agudo; *adj.* agudo, penetrante aguçado.
agüero; *s.* agouro, presságio, vaticínio.
aguerrido; *adj.* aguerrido, valente, belicoso.
aguijón; *s.* aguilhão, ferão.
aguijonear; *v.* aguilhoar.
águila; *s.* águia.
aguileño; *adj.* aquilino.
aguja; *s.* agulha, bússola, ponteiro de rélogio.
agujerear; *v.* furar, esburacar, perfurar.
agujero; *s.* agulheiro, buraco, furo, perfuração.
agujeta; *s.* agulhada, pontada, dores musculares.
aguzar; *s.* aguçar, estimular, avivar, incitar.
aherrojar; *v.* aferrolhar, algemar, trancar, oprimir.
ahí; *adv.* aí, nesse lugar.
ahijado; *adj.* afilhado, protegido.
ahijar; *v.* adotar, perfilhar, proteger.

ahínco; *s.* afinco, persistência, empenho.
ahíto; *adj.* farto, fatigado, abarrotado.
ahogado; *adj.* afogado, sufocado.
ahogar; *v.* afogar, sufocar, asfixiar.
ahogo; *s.* sufoco, aflição, pressão, aperto.
ahondar; *v.* afundar, penetrar, aprofundar.
ahora; *adv.* agora, neste instante.
ahorcado; *adj.* enforcado.
ahorcar; *v.* enforcar, estrangular.
ahorrar; *v.* economizar, poupar.
ahorro; *s.* economia, poupança.
ahuecar; *v.* cavar, escavar, tornar oco, afofar.
ahulado; *s.* oleado, tecido impermeável.
ahumado; *adj.* defumado.
ahumar; *v.* defumar, fumegar.
ahuyentar; *v.* afugentar, espantar.
airado; *adj.* colérico, irritado.
airar; *v.* irar, irritar, colerizar.
aire; *s.* ar, vento, atmosfera, clima.
aireación; *s.* ventilação, arejamento.
airear; *v.* arejar, desabafar, ventilar.
airoso; *adj.* arejado, airoso, garboso.
aislacionismo; *s.* isolacionismo.
aislado; *adj.* isolado, avulso, desacompanhado, solitário.
aislador; *adj.* isolador.
aislante; *s.* isolante.
aislar; *v.* isolar, separar.
ajar; *v.* estragar, maltratar, amarfanhar.
ajedrecista; *s.* enxadrista.
ajedrez; *s.* xadrez.
ajenjo; *s.* absinto.
ajeno; *s.* alheio, alienado, distante.
ajetreo; *s.* agitação, fadiga.
ají; *s.* pimentão.
ajo; *s.* alho.
ajorca; *s.* pulseira, bracelete.
ajuar; *s.* enxoval.
ajustado; *adj.* ajustado, aparelhado.
ajustador; *adj.* ajustador, montador.
ajustar; *v.* ajustar, estipular, reconciliar, combinar.
ajuste; *s.* ajuste, trato, pacto, acordo, ajustamento.
ajusticiado; *adj.* justiçado, executado.
ajusticiar; *v.* justiçar, executar.
al; *contração da prep. a com o art el.*
ala; *s.* ala, aba, asa.
alabanza; *s.* elogio, louvor, louvação, aplauso.
alabar; *v.* louvar.
alabastro; *s.* alabastro.
alacena; *s.* armário embutido.
alaco; *s.* farrapo, andrajo.
alacrán; *s.* escorpião, lacrau.
alado; *adj.* alado, com asas, ligeiro.
alajú; *s.* massa de amêndoas e nozes.
alambique; *s.* alambique, destilador.
alambrar; *v.* alambrar, cercar com arame.
alambre; *s.* arame, fio de metal.
alambrera; *s.* rede de arame, tela.
alameda; *s.* alameda, rua com árvores, avenida.
álamo; *s.* álamo.
alarde; *s.* alarde, ostentação, orgulho, vaidade.
alardear; *v.* alardear, propalar, divulgar.
alargar; *v.* alongar, encompridar, estender, dilatar, prolongar.
alarido; *s.* alarido, clamor.
alarma; *s.* alarme, rebate, susto, clamor.
alarmar; *v.* alarmar, assustar, clamar.
alarmista; *adj.* alarmista, assustador.
alazán; *adj.* alazão.
alba; *s.* alba, alvorada, aurora, amanhecer.
albacea; *s.* testamenteiro.
albanés; *adj.* albanês.
albañil; *s.* pedreiro.
albañilería; *s.* alvenaria, construção civil.

albarán; *s.* tabuleta, rótulo.
albarda; *s.* albarda.
albaricoque; *s.* abricó, damasco.
albear; *v.* alvejar, branquear.
albedrío; *s.* arbítrio.
alberca; *s.* alverca.
albergar; *v.* albergar, hospedar, acolher, alojar.
albergue; *s.* albergue, estalagem, hospedaria, pensão, pousada.
albino; *adj.* albino.
albóndiga; *s.* almôndega.
alborada; *s.* alvorada, madrugada.
alborear; *v.* alvorecer, romper o dia.
albor; *s.* alvor, brancura.
alborada; *s.* alvorada, antes da madrugada.
albornoz; *s.* albornoz.
alborotar; *v.* alvoroçar.
alboroto; *s.* alvoroço, balbúrdia, motim.
alborozar; *v.* alvoroçar, alegrar.
alborozo; *s.* alvoroço, alegria, animação.
albricias; *s.* alvíssaras.
albufera; *s.* lagoa, restinga.
álbum; *s.* álbum, livro.
albumen; *s.* albume, albúmen.
albúmina; *s.* albumina.
albur; *s.* boga.
alcachofa; *s.* alcachofra.
alcahuete; *s.* alcoviteiro, fofoqueiro, mexeriqueiro.
alcaldada; *s.* abuso de autoridade.
alcalde; *s.* alcaide, prefeito
alcaldía; *s.* alcaidia, prefeitura.
alcalino; *adj.* alcalino.
alcaloide; *s.* alcalóide.
alcance; *s.* alcance, seguimento.
alcancía; *s.* alcanzia.
alcanfor; *s.* cânfora.
alcantarilla; *s.* cloaca, esgoto.
alcanzar; *v.* alcançar, atingir, tocar, avisar.
alcaparra; *s.* alcaparra.
alcatifa; *s.* alcatifa, alfombra.
alcázar; *s.* fortaleza, castelo.
alce; *s.* alce.
alcoba; *s.* alcova, quarto de dormir.
alcohol; *s.* álcool.
alcohólico; *adj.* alcoólico, alcoólatra.
alcoholismo; *s.* alcoolismo.
alcornoque; *s.* sobreiro, sobro.
alcurnia; *s.* família, linhagem, estirpe.
aldaba; *s.* aldrava.
aldea; *s.* aldeia, vila, vilarejo, povoado.
aldeano; *adj.* aldeão.
aleación; *s.* liga de metal.
aleatorio; *adj.* aleatório.
aleccionar; *v.* lecionar, adestrar.
aledaño; *adj.* divisório, limítrofe.
alegación; *s.* alegação, defesa.
alegar; *v.* alegar, citar, afirmar.
alegato; *s.* alegação por escrito.
alegoría; *s.* alegoria, fábula, metáfora.
alegórico; *adj.* alegórico, simbólico, metafórico.
alegrar; *v.* alegrar, divertir, brincar.
alegre; *adj.* alegre, contente, animado.
alegría; *s.* alegria, contentamento, animação, brincadeira.
alegro; *s.* alegro.
alejar; *v.* afastar, distanciar.
aleluya; *s.* aleluia.
alemán; *adj.* alemão, germânico.
alentada; *s.* respiração contínua.
alentar; *v.* alentar, animar, encorajar.
alergia; *s.* alergia.
alérgico; *adj.* alérgico.
alerta; *s.* alerta.
alertar; *v.* alertar, vigiar.
aleta; *s.* aleta, pequena asa.
aletargar; *v.* aletargar.
aletear; *v.* bater as asas, esvoaçar.
alevosía; *s.* aleivosia, traição, falsidade, infidelidade.
alevoso; *adj.* aleivoso, traidor.
alfa; *s.* alfa, primeira letra do alfabeto grego.

alfabético; *adj.* alfabético.
alfabetización; *s.* alfabetização.
alfabetizar; *v.* alfabetizar.
alfajor; *s.* alfajor, doce seco.
alfalfa; *s.* alfafa, erva para pasto.
alfanje; *s.* alfange, sabre oriental.
alfarería; *s.* olaria.
alfarero; *s.* oleiro, ceramista.
alféizar; *s.* batente, vão da porta ou janela.
alfeñique; *s.* alfenim, pessoa delicada.
alférez; *s.* alferes.
alfiler; *s.* alfinete, adorno, broche.
alfiletero; *s.* agulheiro.
alfombra; *s.* tapete.
alfombrar; *v.* atapetar.
alforja; *s.* alforje, provisão.
alga; *s.* alga, sargaço.
algarabía; *s.* algaravia.
algarada; *s.* algarada.
algarroba; *s.* alfarroba.
algazara; *s.* algazarra.
álgebra; *s.* álgebra.
álgido; *adj.* álgido, muito frio.
algo; *pron.* algo.
algodón; *s.* algodão.
algodonero; *s.* algodoeiro.
alguacil; *s.* aguazil.
alguien; *pron.* alguém, alguma pessoa.
algún; *pron.* algum.
alguno; *pron.* algum.
alhaja; *s.* jóia, adorno.
alhajera; *s.* porta-jóias.
aliado; *adj.* aliado, coligado.
alianza; *s.* aliança, liga, anel de casamento, coligação.
aliar; *v.* aliar, unir, harmonizar.
alias; *adv.* aliás, por outro nome.
alicaído; *adj.* abatido, triste, desanimado, desalentado.
alicates; *s.* alicates.
aliciente; *adj.* aliciante, sedutor, atraente.
alícuota; *s.* alíquota.
alienación; *s.* alienação, demência.
alienar; *v.* alienar, alhear, afastar.
aliento; *s.* alento, vigor.
aligerar; *v.* aligeirar, aliviar.
alijo; *s.* muamba, contrabando.
alimaña; *s.* alimária.
alimentación; *s.* alimentação, nutrição, sustento.
alimentar; *v.* alimentar, nutrir, sustentar.
alimenticio; *adj.* alimentício, nutritivo, substancial.
alimento; *s.* alimento, comida, sustento.
alinear; *v.* alinhar, enfileirar.
aliñar; *v.* alinhar, enfeitar, compor, preparar, condimentar, temperar.
aliño; *s.* alinho, asseio, gosto, condimento, tempero.
alisar; *v.* alisar, amaciar, desgastar, polir.
alisios; *adj.* alísios, vento.
alistamiento; *s.* alistamento, recrutamento, arrolamento.
alistar; *v.* alistar, catalogar, dispor, preparar.
aliviar; *v.* aliviar, moderar, suavizar, consolar.
alivio; *s.* alívio, descanso, consolação.
aljibe; *s.* algibe, cisterna.
allá; *adv.* lá, além.
allanamiento; *s.* aplainamento.
allanar; *v.* aplainar, igualar, pacificar.
allegado; *adj.* chegado, próximo, parente.
allegar; *v.* aproximar, ajuntar, acrescentar.
allende; *adj.* além de, além disso.
allí; *adv.* ali.
alma; *s.* alma, espírito.
almacén; *s.* armazém, almoxarifado, depósito.
almacenaje; *s.* armazenagem, armazenamento.
almacenar; *v.* armazenar, conservar, depositar, reunir.
almacenista; *s.* atacadista.
almanaque; *s.* almanaque.
almazara; *s.* lagar de azeite.

almeja; *s.* amêijoa.
almendra; *s.* amêndoa.
almendrado; *adj.* amendoado.
almendro; *s.* amendoeira.
almíbar; *s.* calda de açúcar.
almibarado; *adj.* açucarado, em calda.
almibarar; *v.* adoçar, açucarar.
almidón; *s.* amido, fécula.
almidonar; *v.* engomar.
alminar; *s.* minarete, almenara.
almirante; *s.* almirante.
almirez; *s.* almofariz, gral.
almizcle; *s.* almíscar.
almohada; *s.* almofada, travesseiro.
almohadón; *s.* almofadão.
almoneda; *s.* leilão.
almorrana; *s.* hemorróidas.
almorzar; *v.* almoçar, comer.
almuerzo; *s.* almoço, refeição.
alocado; *adj.* amalucado, doido.
alocución; *s.* alocução, conferência, discurso.
alojamiento; *s.* alojamento, aposento.
alojar; *v.* alojar, hospedar, acomodar, recolher.
alón; *s.* asa sem penas.
alondra; *s.* cotovia.
alpaca; *s.* alpaca, lã.
alpargata; *s.* alpercata, alpargata.
alpinismo; *s.* alpinismo.
alpinista; *s.* alpinista.
alpino; *adj.* alpino.
alpiste; *s.* alpiste.
alquería; *s.* casa de campo, granja.
alquilar; *v.* alugar, arrendar, ceder temporalmente.
alquiler; *s.* aluguel, arrendamento.
alquimia; *s.* alquimia.
alquimista; *s.* alquimista.
alquitrán; *s.* alcatrão.
alrededor; *adv.* ao redor, em torno, em volta.
alta; *s.* alta, licença para sair do hospital.
altanería; *s.* altivez, orgulho.
altanero; *adj.* altaneiro, altivo, orgulhoso.
altar; *s.* altar, ara.
altavoz; *s.* alto-falante, megafono.
alteración; *s.* alteração, inquietação, desordem.
alterar; *v.* alterar, mudar, transformar.
altercar; *v.* altercar, disputar, discutir.
alternador; *s.* alternador.
alternar; *v.* alternar, revezar, variar.
alternativa; *s.* alternativa, opção, escolha.
alterno; *adj.* alternativo, alterno, revezado.
alteza; *s.* alteza.
altibajo; *s.* desigual, irregular.
altilocuencia; *s.* grandiloquência.
altímetro; *s.* altímetro.
altiplanicie; *s.* altiplano, planalto, chapada.
altitud; *s.* altitude, altura, elevação, estatura.
altivez; *s.* altivez, arrogância.
altivo; *adj.* altivo, orgulhoso, arrogante.
alto; *adj.* alto, eminente.
altoparlante; *s.* altofalante, amplificador.
altramuz; *s.* tremoço.
altruismo; *s.* altruísmo, generosidade.
altruista; *adj.* altruísta, generoso.
altura; *s.* altura, elevação.
alubia; *s.* feijão.
alucinación; *s.* alucinação, visão, delírio.
alucinante; *adj.* alucinante, delirante.
alucinar; *v.* alucinar, delirar, fascinar, ofuscar, deslumbrar.
alucinógeno; *s.* alucinógeno.
alud; *s.* avalanche.
aludir; *v.* aludir, citar, mencionar.
alumbrado; *s.* iluminação.
alumbrado; *adj.* iluninado, alumiado.
alumbramiento; *s.* iluminação, parto.

alumbrar; *v.* iluminar, alumiar.
alumbre; *s.* alúmen, pedra-ume.
alúmina; *s.* alumina.
aluminio; *s.* alumínio.
alumnado; *s.* alunado, corpo discente.
alumno; *s.* aluno, discípulo, estudante, colegial.
alunizaje; *s.* alunissagem.
alunizar; *v.* alunissar.
alusión; *s.* alusão, menção, citação.
alusivo; *adj.* alusivo, indireto.
aluvión; *s.* aluvião, inundação.
alveolar; *adj.* alveolar.
alvéolo; *s.* alvéolo, casulo, pequena cavidade.
alza; *s.* alça.
alzado; *adj.* alçado.
alzamiento; *s.* alçamento, revolta.
alzar; *v.* alçar, levantar, elevar.
ama; *s.* ama, dona-de-casa, senhora, governanta.
amabilidad; *s.* amabilidade, cortesia, delicadeza, atenção.
amable; *adj.* amável, cortês, delicado, atencioso.
amaestrado; *adj.* amaestrado, treinado.
amaestrar; *v.* amestrar, ensinar, treinar.
amagar; *v.* ameaçar.
amago; *s.* ameaça, sintoma, sinal, indício.
amainar; *v.* amainar, acalmar.
amalgama; *s.* amálgama.
amalgamar; *v.* amalgamar, mesclar, misturar.
amamantar; *v.* amamentar.
amancebarse; *v.* amancebar-se, amasiar-se.
amanecer; *s.* amanhecer.
amanerado; *adj.* amaneirado, afetado.
amansar; *v.* amansar, domesticar.
amante; *adj.* amante, companheiro, amigo, namorado, fã.
amanuense; *s.* amanuense, tipógrafo.
amañar; *v.* amanhar, lavrar, ajeitar, preparar.
amaño; *s.* amanho, jeito, preparo.
amapola; *s.* papoula.
amar; *v.* amar, estimar, apreciar, querer, gostar.
amaraje; *s.* amerissagem.
amargado; *adj.* amargurado, angustiado, desgostoso, aflito.
amargar; *v.* amargar, amargurar, desgostar, afligir.
amargo; amargo, acre.
amargura; *s.* amargura, desgosto, angústia.
amariconado; *adj.* afeminado, maricas, bichoso, boneca.
amarillear; *v.* amarelar.
amarillento; *adj.* amarelento, amarelado.
amarillo; *adj.* amarelo, cor-de-ouro.
amarra; *s.* amarra, corda de navio.
amarrado; *adj.* amarrado.
amarrar; *v.* amarrar, prender, atracar.
amartelar; *v.* enciumar, atormentar com ciúmes.
amartillar; *v.* martelar.
amasar; *v.* amassar, misturar.
amasijo; *s.* massa, confusão.
amatista; *s.* ametista.
amazona; *s.* amazona.
amazónico; *adj.* amazônico.
ambages; *s.* rodeios, evasivas, circunlóquios.
ámbar; *s.* âmbar.
ambición; *s.* ambição, cobiça, ganância.
ambicionar; *v.* ambicionar, cobiçar, desejar.
ambicioso; *adj.* ambicioso, cobiçoso.
ambidextro; *adj.* ambidestro.
ambiental; *adj.* ambiental.
ambientar; *v.* ambientar.
ambiente; *s.* ambiente, meio, atmosfera.
ambigüedad; *adj.* ambiguidade, equívoco, dúvida, incerteza.

ambiguo; *adj.* ambíguo, equívoco, duvidoso, incerto.
ámbito; *s.* âmbito, esfera, contorno, circuito.
ambivalencia; *s.* ambivalência.
ambivalente; *adj.* ambivalente.
ambos; *adj.* ambos, os dois.
ambrosía; *s.* ambrosia.
ambucia; *s.* voracidade, gulodice.
ambulancia; *s.* ambulância.
ambulante; *adj.* ambulante, errante, nômade.
ambulatorio; *adj.* ambulatório.
ameba; *s.* ameba.
amedrentar; *v.* amedrontar, atemorizar, assustar.
amén; *s.* amém.
amenaza; *s.* ameaça, intimidação.
amenazador; *adj.* ameaçador.
amenazar; *v.* ameaçar, intimidar, coagir.
amenidad; *adj.* amenidade, suavidade, delicadeza, brandura.
amenizar; *v.* amenizar.
ameno; *adj.* ameno, aprazível, suave, delicado.
americana; *s.* jaqueta, jaquetão, casaco.
americanismo; *s.* americanismo.
americanista; *s.* americanista.
americanizar; *v.* americanizar.
americano; *adj.* americano, norte-americano.
ametralladora; *s.* metralhadora.
ametrallar; *v.* metralhar, fuzilar.
amianto; *s.* amianto.
amiga; *s.* amiga, concubina, amante.
amigable; *adj.* amigável.
amígdala; *s.* amídala.
amigdalitis; *s.* amidalite.
amigo; *adj.* amigo, companheiro, camarada, colega, namorado.
amigo; *s.* amigo.
amilanar; *v.* assustar, intimidar.
aminoración; *s.* diminuição, minoração, redução.
aminorar; *v.* minorar, diminuir, reduzir.
amistad; *s.* amizade, dedicação.
amistosamente; *adv.* amistosamente.
amistoso; *adj.* amistoso, amigável, dedicado, gentil, amável.
amnesia; *s.* amnésia, perda de memória.
amnésico; *adj.* amnésico.
amniótico; *adj.* amniótico.
amnistía; *s.* anistia, indulto, perdão.
amnistiar; *v.* anistiar, indultar, perdoar.
amo; *s.* amo, dono de casa, proprietário.
amodorrarse; *v.* amodorrar-se.
amohinar; *v.* aborrecer.
amojonar; *v.* demarcar, delimitar.
amolar; *v.* amolar, afiar, aguçar.
amoldar; *v.* amoldar, moldar, modelar.
amonestación; *s.* admoestação, repreensão.
amonestar; *v.* admoestar, repreender.
amoníaco; *s.* amoníaco.
amontonar; *v.* amontoar.
amor; *s.* amor, afeto, afeição, carinho, paixão.
amoral; *adj.* amoral.
amoralidad; *s.* amoralidade.
amoratar; *v.* arroxear.
amordazar; *v.* amordaçar.
amorfo; *adj.* amorfo, disforme.
amorío; *s.* namorar.
amoroso; *adj.* amoroso, carinhoso, afetuoso, meigo.
amortiguador; *adj.* amortecedor.
amortiguar; *v.* amortecer.
amortizable; *adj.* amortizável.
amortización; *s.* amortização.
amortizar; *v.* amortizar, pagar, resgatar.
amotinar; *v.* amotinar, sublevar, alvoroçar.
amovible; *adj.* removível, transferível.
amparar; *v.* amparar, proteger.
amparo; *s.* amparo, proteção, auxílio, socorro, defesa, abrigo.
amperímetro; *s.* amperímetro.

amperio; *s.* ampere.
ampliación; *s.* ampliação, amplificação, aumento.
ampliar; *v.* ampliar, amplificar, aumentar.
ampliar; *v.* amplificar, ampliar, dilatar.
amplificación; *s.* amplificação, aumento, acréscimo.
amplificador; *s.* amplificador.
amplio; *adj.* amplo, espaçoso, extenso, vasto.
amplitud; *s.* amplitude, extensão, vastidão.
ampolla; *s.* ampola, bolha, bexiga.
ampolleta; *s.* ampulheta.
ampuloso; *adj.* empolado, enfático.
amputación; *s.* amputação, mutilação.
amputar; *v.* amputar, mutilar, extirpar.
amuchar; *v.* aumentar.
amueblar; *v.* mobiliar.
amular; *v.* esterilizar.
amuleto; *s.* amuleto, talismã.
anacoreta; *s.* anacoreta, ermitão.
anacrónico; *adj.* anacrônico.
anacronismo; *s.* anacronismo.
anaerobio; *adj.* anaerobio.
anáfora; *s.* anáfora, repetição.
anagrama; *s.* anagrama.
anal; *adj.* anal.
anales; *s.* anais, narração de eventos organizada por ano.
analfabetismo; *s.* analfabetismo.
analfabeto; *adj.* analfabeto, iletrado, ignorante.
analgésico; *adj.* analgésico.
análisis; *s.* análise, estudo, exame.
analista; *s.* analista, pesquisador.
analítico; *adj.* analítico.
analizar; *v.* analisar, decompor, estudar, examinar.
analogía; *s.* analogia, semelhança, similaridade.
análogo; *adj.* semelhante.
ananás; *s.*ananás, abacaxi.
anaquel; *s.* prateleira.
anaranjado; *adj.* alaranjado.
anarquía; *s.* anarquia, desgoverno.
anárquico; *adj.* anárquico.
anarquismo; *s.* anarquismo.
anarquista; *adj.* anarquista.
anatema; *s.* anátema, excomunhão.
anatomía; *s.* anatomia.
anatómico; *adj.* anatômico.
anca; *s.* anca, quadril.
ancestral; *adj.* ancestral, antigo.
ancho; *adj.* largo, amplo, extenso, espaçoso.
anchoa; *s.* anchova.
anchura; *s.* largura, extensão.
ancianidad; *s.* ancianidade, velhice.
anciano; *adj.* ancião, velho.
ancla; *s.* âncora.
ancladero; *s.* ancoradouro.
anclar; *v.* ancorar, fundear.
andaluz; *adj.* andaluz, natural da andaluzia.
andamio; *s.* andaime.
andante; *adj.* andante.
andanza; *s.* andança.
andar; *v.* andar, caminhar, ir.
andariego; *adj.* andarilho, errante, andejo.
andas; *s.* padiola, liteira.
andén; *s.* cais, embarcadouro, plataforma de estação.
andino; *adj.* andino.
andrajo; *s.* andrajo, farrapo, trapo.
andrajoso; *adj.* andrajoso, esfarrapado.
androceo; *s.* androceu.
andrógino; *adj.* andrógino, hermafrodita.
androide; *s.* andróide, robô.
anécdota; *s.* anedota, episódio.
anecdótico; *adj.* anedótico, episódico.
anegadizo; *adj.* alagadiço.
anegar; *v.* alagar, inundar, encher.
anejo; *adj.* anexo, incorporado.
anemia; *s.* anemia, fraqueza, enfraquecimento.
anémico; *adj.* anêmico, fraco, débil.
anémona; *s.* anêmona.
anestesia; *s.* anestesia.

anestesiar; *v.* anestesiar.
anestesista; *s.* anestesista.
anexión; *s.* anexação, incorporação.
anexionar; *v.* anexar, juntar, incorporar.
anexo; *adj.* anexo, ligado, incorporado.
anfibio; *adj.* anfíbio, ambíguo.
anfibología; *s.* anfibiologia.
anfiteatro; *s.* anfiteatro.
anfitrión; *s.* anfitrião.
ánfora; *s.* ânfora, vaso.
angarillas; *s.* padiola, cangalhas.
ángel; *s.* anjo.
angelical; *adj.* angelical, angélico.
angina; *s.* angina.
anglicanismo; *s.* anglicanismo.
anglicismo; *s.* anglicismo.
anglófilo; *adj.* anglófilo.
anglosajón; *adj.* anglo-saxão.
angora; *adj.* angorá.
angosto; *adj.* estreito, apertado, reduzido.
anguila; *s.* enguia.
angular; *adj.* angular.
ángulo; *s.* ângulo, aresta, esquina, canto.
anguloso; *adj.* anguloso.
angustia; *s.* angústia, aflição, opressão, ansiedade, agonia.
angustiado; *adj.* angustiado, amargurado, oprimido, ansioso.
angustiar; *v.* angustiar, afligir, amargurar, entristecer.
anhelante; *adj.* anelante, desejoso.
anhelar; *v.* anelar, desejar, aspirar.
anhelo; *s.* anelo, desejo, aspiração, anseio.
anidar; *v.* aninhar.
anilina; *s.* anilina.
anilla; *s.* argola, aro de metal, anel.
anillo; *s.* anel.
ánima; *s.* alma.
animación; *s.* animação, entusiasmo, alegria, vivacidade.
animado; *adj.* animado, alegre, entusiasmo.
animador; *adj.* animador.
animal; *s.* animal, besta, fera.
animar; *v.* animar, entusiasmar.
anímico; *adj.* anímico.
animismo; *s.* animismo.
ánimo; *s.* ânimo, espírito, coragem.
animosidad; *s.* animosidade, antipatia, aversão, inimizade.
animoso; *adj.* animoso, corajoso.
aniñado; *adj.* pueril, infantil.
aniquilar; *v.* aniquilar, exterminar, destruir, acabar.
anís; *s.* anis.
aniversario; *s.* aniversário.
ano; *s.* ânus.
anoche; *adv.* ontem à noite.
anochecer; *s.* crepúsculo.
anochecer; *v.* anoitecer.
anodino; *adj.* anódino, inofensivo.
anomalía; *s.* anomalia, anormalidade.
anómalo; *adj.* anômalo, anormal.
anonadar; *v.* reduzir a nada, aniquilar.
anonimato; *s.* anonimato.
anónimo; *adj.* anônimo, incógnito.
anorak; *s.* agasalho impermeável.
anormal; *adj.* anormal, extraordinário.
anormalidad; *s.* anormalidade, anomalia.
anotación; *s.* anotação, advertência, minuta, comentário.
anotar; *v.* anotar, tomar notas, explicar.
ánsar; *s.* ganso.
ansia; *s.* ânsia, angústia, desejo, tormento, agonia, anseio.
ansiar; *v.* ansiar, desejar, ambicionar.
ansiedad; *s.* ansiedade, angústia, incerteza.
ansioso; *adj.* ansioso, ávido, desejoso, aflito, agoniado.
anta; *s.* anta, tapir.
antagónico; *adj.* antagônico, oposto.
antagonismo; *s.* antagonismo, oposição.
antaño; *adv.* antanho, outrora.
antártico; *adj.* antártico.

ante; *s.* anta, alce.
ante; *adv.* antes.
anteanoche; *adv.* anteontem à noite.
anteayer; *adv.* anteontem.
antebrazo; *s.* antebraço.
antecámara; *s.* antecâmara.
antecedente; *s.* antecedente, fato anterior.
anteceder; *v.* anteceder, preceder.
antecesor; *s.* antecessor.
antedicho; *adj.* expresso, dito anteriormente.
antediluviano; *adj.* antediluviano.
antelación; *s.* antelação, antecipação.
antemano; *adv.* antemão, antecipadamente.
antena; *s.* antena.
anteojo; *s.* óculos, lente, luneta.
antepasado; *adj.* antepassado, ancestral.
antepecho; *s.* parapeito, peitoril.
antepenúltimo; *adj.* antepenúltimo.
anteponer; *v.* antepor, preferir.
anteproyecto; *s.* anteprojeto.
anterior; *adj.* anterior, precedente.
antes; *adv.* antes.
antesala; *s.* ante-sala.
antiaéreo; *adj.* antiaéreo.
antialcoholismo; *s.* anti-alcolismo.
antiatómico; *adj.* anti-atômico.
antibiótico; *adj.* antibiótico.
anticipar; *v.* antecipar, avançar, prevenir.
anticipo; *s.* antecipação, adiantamento.
anticlericalismo; anticlericalismo.
anticoagulante; *adj.* anticoagulante.
anticomunista; *adj.* anticomunista.
anticonceptivo; *adj.* contraconceptivo, anticoncepcional.
anticongelante; *adj.* anticongelante.
anticuado; *adj.* antiquado, velho, obsoleto, ultrapassado.
anticuario; *s.* antiquário, colecionador de antiguidades.
anticuerpo; *s.* anticorpo.
antídoto; *s.* antídoto, contraveneno.
antiestético; *adj.* anti-estético.
antifaz; *s.* máscara, carapuça.
antigüedad; *s.* antiguidade, velhice.
antiguo; *adj.* antigo, antiquado, obsoleto, velho, desusado.
antillano; *adj.* antilhano.
antílope; *s.* antílope.
antimonio; *s.* antimônio.
antinomia; *s.* antinomia, contradição.
antipara; *s.* anteparo, biombo.
antipatía; *s.* antipatia, aversão, repulsa, birra.
antipático; *adj.* antipático, desagradável, detestável.
antipirético; *adj.* antipirético.
antípoda; *s.* antípoda.
antiquísimo; *adj.* antiquíssimo.
antirrábico; *adj.* anti-rábico.
antirrobo; *s.* anti-roubo.
antisemita; *adj.* anti-semita.
antisepsia; *s.* anti-sepsia.
antiséptico; *adj.* anti-séptico.
antisocial; *adj.* anti-social.
antítesis; *s.* antítese, oposição, contraste.
antitoxina; *s.* antitoxina.
antojarse; *v.* apetecer, desejar muito.
antojo; *s.* desejo, capricho, fantasia.
antología; *s.* antologia, coletânea, seleta, seleção de texto.
antológico; *adj.* antológico.
antónimo; *s.* antônimo.
antonomasia; *s.* antonomásia.
antorcha; *s.* tocha, facho, farol.
antracita; *s.* antracite.
ántrax; *s.* antraz, tumor.
antro; *s.* antro, cova, covil.
antropofagia; *s.* antropofagia, canibalismo.
antropófago; *adj.* antropófago, canibal.
antropoide; *adj.* antropóide.
antropología; *s.* antropologia.
antropólogo; *s.* antropólogo.
antropomorfo; *adj.* antropomorfo.
anual; *adj.* anual.

anualidad; *s.* anualidade, anuidade.
anuario; *s.* anuário.
anubarrado; *adj.* nublado, anuviado, enevoado.
anudar; *v.* atar, juntar, dar nós.
anuencia; *s.* anuência, consentimento.
anulación; *s.* anulação, revogação.
anular; *v.* anular, invalidar, cancelar.
anunciación; *s.* anunciação, manifestação, notícia.
anunciar; *v.* anunciar, noticiar, publicar.
anuncio; *s.* anúncio, aviso, convocação, sinal.
anverso; *s.* anverso, frente, face.
anzuelo; *s.* anzol.
añadidura; *s.* acréscimo, contrapeso, adição, aumento.
añadir; *v.* agregar, acrescentar, adicionar.
añejo; *adj.* antigo, velho, ancestral, antiquado.
añicos; *s.* pedaços, fragmentos.
añil; *s.* anil.
año; *s.* ano.
añoranza; *s.* nostalgia, saudade.
añorar; *v.* ter saudades, desejar.
aojar; *v.* encantar, fascinar, enfeitiçar.
aojo; *s.* encanto, fascinação, feitiço, quebranto.
aorta; *s.* aorta.
aovado; *adj.* oval, ovalado.
aovar; *v.* desovar.
apabullar; *v.* esmagar, achatar.
apacentar; *v.* apascentar, pastorear.
apacible; *adj.* aprazível, agradável.
apaciguar; *v.* apaziguar, desarmar, sossegar, pacificar.
apadrinar; *v.* apadrinhar.
apagado; *adj.* apagado, tímido, acanhado, extinto.
apagar; *v.* apagar, extinguir, aplacar, abafar.
apagón; *s.* blecaute, apagamento.
apalabrar; *v.* apalavrar, ajustar.
apalancar; *v.* alavancar.
apalear; *v.* espancar, bater.
apandillar; *v.* formar partidos.
apañado; *adj.* apanhado, colhido.
apañar; *v.* apanhar, colher, furtar.
aparador; *s.* aparador.
aparar; *v.* aparar, cortar.
aparato; *s.* aparato, ostentação, pompa, grandeza.
aparatoso; *adj.* aparatoso, grandioso, suntuoso.
aparcamiento; *s.* estacionamento.
aparcar; *v.* estacionar, parar.
aparear; *v.* emparelhar, igualar, juntar.
aparecer; *v.* aparecer, comparecer, surgir.
aparecimiento; *s.* aparição, aparecimento, surgimento.
aparejador; *s.* aparelhador, construtor.
aparejar; *v.* aparelhar, preparar.
aparentar; *v.* aparentar, fingir, enganar.
aparente; *adj.* aparente, falso, enganoso.
aparición; *s.* aparição, visão, aparecimento.
apariencia; *s.* aparência, aspecto.
apartado; *adj.* afastado, distante.
apartamento; *s.* apartamento, compartimento, aposento.
apartamiento; *s.* afastamento.
apartar; *v.* apartar, separar, afastar.
aparte; *adv.* à parte, separadamente.
apasionado; *adj.* apaixonado, enamorado.
apasionar; *v.* apaixonar.
apatía; *s.* apatia, indiferença, indolência.
apático; *adj.* apático, indiferente, impassível, insensível.
apátrida; *s.* apátrida.
apear; *v.* apear, delimitar, demarcar.
apedreamiento; *s.* apedrejamento.
apedrear; *v.* apedrejar, lapidar.
apegarse; *v.* apegar-se, agarrar-se.
apego; *s.* apego, afeição, afeto.
apelación; *s.* apelação.

apelar; *v.* apelar, recorrer, invocar, chamar.
apelativo; *adj.* apelativo.
apelmazar; *v.* condensar, comprimir.
apellidar; *v.* apelidar, cogminar, nomear.
apellido; *s.* sobrenome.
apenar; *v.* causar pena, desgostar.
apenas; *adv.* apenas, unicamente, somente.
apéndice; *s.* apêndice.
apendicitis; *s.* apendicite.
apercibir; *v.* aperceber, dispor, avisar, perceber.
aperitivo; *s.* aperitivo, antepasto.
apertura; *s.* abertura, entrada, inauguração.
apesadumbrar; *v.* afligir, entristecer.
apestar; *v.* empestar, infectar.
apestillar; *v.* agarrar, pegar.
apestoso; *adj.* pestilento, fétido.
apetecer; *v.* apetecer, desejar, pretender.
apetencia; *s.* apetência, apetite.
apetito; *s.* apetite, estímulo, desejo.
apetitoso; *adj.* apetitoso, saboroso, gostoso, tentador.
apiadarse; *v.* apiedar-se.
ápice; *s.* ápice, auge, cume, vértice.
apicultor; *s.* apicultor.
apicultura; *s.* apicultura.
apilar; *v.* empilhar, amontoar.
apiñar; *v.* apinhar, ajuntar, agregar.
apio; *s.* aipo.
apisonar; *v.* calcar.
aplacar; *v.* aplacar, acalmar, tranquilizar.
aplanar; *v.* aplanar, nivelar, igualar.
aplastar; *v.* achatar, esmagar.
aplaudir; *v.* aplaudir, louvar.
aplauso; *s.* aplauso, aclamação, louvor.
aplazamiento; *s.* aprazamento, convocação.
aplazar; *v.* aprazar, prorrogar, adiar, retardar.
aplicable; *adj.* aplicável.
aplicación; *s.* aplicação, adaptação.
aplicado; *adj.* aplicado, estudioso, atento, assíduo, dedicado.
aplicar; *v.* aplicar, adaptar, adequar.
aplomo; *s.* gravidade, serenidade, circunspecção.
apocalipsis; *s.* apocalipse.
apocalíptico; *adj.* apocalítico.
apocar; *v.* apoucar, diminuir, minguar, reduzir.
apócope; *s.* apócope.
apócrifo; *adj.* apócrifo, falso, suposto.
apoderado; *adj.* apoderado.
apoderado; *s.* procurador, agente.
apoderar; *v.* apoderar, dar procuração, autorizar, encarregar.
apodo; *s.* apodo, alcunha.
apófisis; *s.* apófise.
apogeo; *s.* apogeu, auge, culminância.
apolillar; *v.* roer.
apolítico; *adj.* apolítico.
apologético; *adj.* apologético.
apología; *s.* apologia, defesa, elogio.
apologista; *adj.* apologista.
apoltronarse; *v.* tornar-se preguiçoso.
apoplejía; *s.* apoplexia.
aporrear; *v.* espancar, bater.
aportación; *s.* contribuição.
aportar; *v.* contribuir, ocasionar.
aposentar; *v.* hospedar, alojar.
aposento; *s.* aposento, casa, moradia, quarto.
apósito; *s.* apósito, compressa.
apostar; *v.* apostar, competir, arriscar.
apóstata; *s.* apóstata.
apostilla; *s.* apostila, comentário, anotação.
apostillar; *v.* apostilar, comentar.
apóstol; *s.* apóstolo, missionário.
apostolado; *s.* apostolado, missão.
apostólico; *adj.* apostólico.
apóstrofe; *s.* apóstrofe.

apóstrofo; *s.* apóstrofo.
apostura; *s.* atitude, garbo, gentileza, linha.
apoteósico; *adj.* apoteótico, consagrador.
apoteosis; *s.* apoteose, consagração.
apoyar; *v.* apoiar, sustentar, colaborar, amparar.
apoyo; *s.* apoio, arrimo, amparo, favor, base, descanso.
apreciable; *adj.* apreciável, digno, admirável.
apreciación; *s.* apreciação, admiração, estima.
apreciar; *v.* apreciar, avaliar, julgar.
aprecio; *s.* apreço, consideração, estima.
aprehender; *v.* apreender, prender.
aprehensión; *s.* apreensão, percepção.
apremiar; *v.* apressar, acelerar.
aprender; *v.* aprender, estudar, instruir-se.
aprendiz; *s.* aprendiz, estagiário.
aprendiz; *adj.* principiante, novato, calouro.
aprendizaje; *s.* aprendizagem.
aprensión; *s.* apreensão, receio, temor.
aprensivo; *adj.* apreensivo, receoso, preocupado.
apresamiento; *s.* captura, detenção, prisão.
apresar; *v.* capturar, deter, prender, agarrar.
aprestar; *v.* preparar, equipar, dispor.
apresurar; *v.* apressar, acelerar, ativar.
apretado; *adj.* apertado.
apretar; *v.* apertar, marrar, estreitar.
apretón; *s.* apertão.
aprieto; *s.* aperto, perigo.
aprisa; *adv.* às pressas, velozmente.
aprisionar; *v.* aprisionar, capturar, prender.
aprobación; *s.* aprovação, permissão, adesão.
aprobado; *adj.* aprovado, habilitado.
aprobar; *v.* aprovar, admitir, autorizar, habilitar.
apropiación; *s.* apropriação.
apropiado; *adj.* apropriado, próprio.
apropiar; *v.* apropriar, acomodar, atribuir.
aprovechable; *adj.* aproveitável, útil.
aprovechado; *adj.* aproveitado, utilizado.
aprovechar; *v.* aproveitar, ganhar.
aprovisionamiento; *s.* aprovisionamento, abastecimento.
aprovisionar; *v.* aprovisionar, prover, abastecer.
aproximación; *s.* aproximação, proximidade.
aproximado; *adj.* aproximado, próximo, chegado.
aproximar; *v.* aproximar.
aproximativo; *adj.* aproximativo.
aptitud; *s.* aptidão, habilidade, jeito, queda.
apto; *adj.* apto, hábil, conveniente.
apuesta; *s.* aposta.
apuesto; *adj.* enfeitado, aplicado.
apuntalar; *v.* escorar.
apuntamiento; *s.* apontamento, anotação.
apuntar; *v.* apontar, anotar, aguçar, fazer pontaria.
apunte; *s.* apontamento, nota, anotação.
apuñalar; *v.* apunhalar, esfaquear.
apurado; *adj.* apurado, exato, esmerado.
apurar; *v.* apurar, purificar, escolher, selecionar.
apuro; *s.* apuro, aperto, aflição.
aquejar; *v.* afligir, magoar.
aquel; *pron.* aquele.
aquella; *pron.* aquela.
aquello; *pron.* aquilo.
aquí; *adv.* aqui, neste lugar.

aquietar; *v.* aquietar, sossegar, acomodar.
ara; *s.* ara, altar, lugar sagrado.
árabe; *adj.* árabe.
arabesco; *s.* arabesco.
arábico; *adj.* arábico, árabe, mouro.
arado; *s.* arado, charrua.
arancel; *s.* tarifa.
arancelario; *adj.* tarifário.
arandela; *s.* arandela, candelabro.
araña; *s.* aranha, lustre, candelabro.
arañar; *v.* arranhar, riscar.
arañazo; *s.* arranhão.
arar; *v.* arar, lavrar a terra.
arbitraje; *s.* arbitragem, arbitramento, julgamento.
arbitrar; *v.* arbitrar, julgar, dirigir jogos.
arbitrariedad; *s.* arbitrariedade, injustiça.
arbitrario; *adj.* arbitrário, despótico.
árbitro; *s.* árbitro, juiz.
árbol; *s.* árvore.
arbolado; *adj.* arborizado, arvoredo, bosque.
arbusto; *s.* arbusto.
arca; *s.* arca, baú, cofre.
arcada; *s.* arcada, série de arcos, náusea.
arcaico; *adj.* arcaico, antiquado, antigo.
arcaísmo; *s.* arcaísmo.
arcángel; *s.* arcanjo.
arcano; *s.* arcano, segredo profundo.
arcilla; *s.* argila, barro.
arcilloso; *adj.* argiloso, barrento.
arco; *s.* arco, curva.
archidiócesis; *s.* arquidiocese.
archipiélago; *s.* arquipélago.
archivador; *s.* arquivista, classificador.
archivero; *s.* arquivista.
archivo; *s.* arquivo, depósito.
arder; *v.* arder, abrasar, queimar.
ardid; *s.* ardil, armadilha, emboscada.
ardiente; *adj.* ardente, tórrido, abrasador.
ardilla; *s.* esquilo.
ardor; *s.* ardor, calor, afã, paixão.
ardoroso; *adj.* ardoroso, ardente, intenso, fogoso.
arduo; *adj.* árduo, difícil, penoso, trabalhoso.
área; *s.* área, espaço, superfície, zona, campo.
arena; *s.* areia, pó.
arenal; *s.* areal.
arenga; *s.* arenga, palavreado.
arenoso; *adj.* arenoso, areento.
arenque; *s.* arenque.
argamasa; *s.* argamassa.
argelino; *adj.* argelino.
argénteo, *adj.* argênteo, prateado.
argentino; *adj.* argentino.
argolla; *s.* argola, aro, elo.
argucia; *s.* argúcia, perspicácia, sutileza.
argüir; *v.* arguir, deduzir, provar.
argumentación; *s.* argumentação, alegação.
argumentar; *v.* argumentar, discutir, alegar.
argumento; *s.* argumento, assunto.
aria; *s.* ária.
aridez; *s.* aridez, secura, esterilidade.
árido; *adj.* árido, seco, estéril.
aries; *s.* áries.
ario; *adj.* ariano.
arisco; *adj.* arisco, esquivo, áspero.
arista; *s.* aresta.
aristocracia; *s.* aristocracia, nobreza.
aristócrata; *s.* aristocrata, nobre, fidalgo.
aristocrático; *adj.* aristocrático, nobre, fino, distinto.
aristotélico; *adj.* aristotélico.
aritmética; *s.* aritmética.
aritmético; *adj.* aritmético.
arma; *s.* arma.
armada; *s.* armada, esquadra.
armadía; *s.* jangada.
armadillo; *s.* tatu.
armador; *s.* armador.

armadura; *s.* armadura, armação.
armamento; *s.* armamento, arsenal.
armar; *v.* armar, munir, equipar, aparelhar.
armario; *s.* armário, móvel.
armazón; *s.* armação, esqueleto.
armería; *s.* armaria, depósito de armas.
armero; *s.* armeiro.
armiño; *s.* arminho.
armisticio; *s.* armistício, trégua.
armonía; *s.* harmonia, acordo, fraternidade.
armónica; *s.* hamônicia.
armónico; *adj.* harmônico, harmonioso, melodioso.
armonioso; *adj.* harmonioso, sonoro, agradável.
armonizar; *v.* harmonizar, acordar, assentar.
árnica; *s.* arnica.
aro; *s.* aro, argola.
aroma; *s.* aroma, perfume, cheiro, odor, fragrância.
aromático; *adj.* aromático, perfumado, fragrante.
aromatizar; *v.* aromatizar, perfumar.
arpa; *s.* harpa.
arpegio; *s.* arpejo.
arpía; *s.* hárpia.
arpón; *s.* arpão.
arquear; *v.* arquear, curvar, encurvar.
arqueología; *s.* arqueologia.
arqueológico; *adj.* arqueológico.
arqueólogo; *s.* arqueólogo.
arquero; *s.* arqueiro.
arquetipo; *s.* arquétipo, modelo, padrão.
arquitecto; *s.* arquiteto.
arquitectónico; *adj.* arquitetônico.
arquitectura; *s.* arquitetura.
arrabal; *s.* arrabalde, subúrbio, cercanias.
arrabalero; *s.* suburbano.
arrabalero; *adj.* vulgar, grosseiro.
arrabio; *s.* fundido.
arraigar; *v.* arraigar, enraizar.
arrancar; *v.* arrancar, extorquir, separar, extirpar.
arranque; *s.* arranque, arrancada.
arras; *s.* penhor, sinal, doação.
arrasar; *v.* arrasar, aplanar, nivelar, demolir, derrubar.
arrastrar; *v.* arrastar, impelir, atrelar.
arrastre; *s.* arrasto.
arrayán; *s.* murta.
arrear; *v.* arrear, apressar, estimular.
arrebañar; *v.* arrebanhar, recolher.
arrebatado; *adj.* arrebatado, precipitado, fogoso, impetuoso.
arrebatar; *v.* arrebatar, precipitar, irritar, arrancar.
arrebato; *s.* arrebato, arrebatamento.
arrebol; *s.* arrebol, cor vermelha.
arrebujar; *v.* amarrotar, agasalhar-se.
arreciar; *v.* aumentar, fortalecer.
arrecife; *s.* recife, banco de areia.
arredrar; *v.* arredar, afastar, apartar.
arreglado; *adj.* regulado, regrado, arranjado.
arreglar; *v.* regular, ajustar, arrumar, compor.
arreglo; *s.* regra, ordem, arranjo, concerto.
arremangar; *v.* arregaçar.
arremeter; *v.* arremeter, investir, agredir, embater, atacar.
arremetida; *s.* arremetida.
arremolinarse; *v.* amontoar-se, apinhar-se.
arrendador; *s.* arrendador.
arrendamiento; *s.* arrendamento.
arrendar; *v.* arrendar, alugar.
arrendatario; *s.* arrendatário.
arreo; *s.* arreio, rédea.
arrepentido; *adj.* arrependido, contrito.
arrepentimiento; *s.* arrependimento, contrição, pesar, remorso.
arrepentirse; *v.* arrepender-se.
arrestado; *adj.* detido, preso, apreendido, embargado.

arrestar; *v.* prender, deter, arrestar, embargar.
arresto; *s.* arresto, detenção.
arriar; *v.* arriar, afrouxar.
arriba; *adv.* em cima, para cima.
arribada; *s.* arribação.
arribar; *v.* arribar, atracar, ancorar, chegar.
arribista; *adj.* arrivista, oportunista.
arriero; *s.* arrieiro.
arriesgado; *adj.* arriscado, perigoso.
arriesgar; *v.* arriscar, aventurar, expor.
arrimar; *v.* arrimar, aproximar, encostar, apoiar.
arrimo; *s.* arrimo, apoio, encosto, amparo.
arrinconar; *v.* encurralar, acuar.
arritmia; *s.* arritmia.
arrítmico; *adj.* arrítmico.
arroba; *s.* arroba.
arrobamiento; *s.* arroubamento, êxtase.
arrobar; *v.* elevar, entusiasmar, extasiar.
arrodillar; *v.* ajoelhar.
arrogancia; *s.* arrogância.
arrogante; *adj.* arrogante, pretensioso, insolente, altivo.
arrogarse; *v.* arrogar-se, atribuir-se.
arrojado; *adj.* arrojado, empreendedor, audacioso, decidido.
arrojar; *v.* arrojar, arremessar, lançar.
arrojo; *s.* arrojo, ímpeto, ousadia, atrevido.
arrollador; *adj.* arrolador, enrolado.
arrollar; *v.* enrolar, rolar, envolver.
arropar; *v.* agasalhar, abafar.
arrostrar; *v.* encarar, afrontar, enfrentar.
arroyo; *s.* arroio, riacho, regato, ribeiro, córrego.
arroz; *s.* arroz.
arrozal; *s.* arrozal.
arruga; *s.* ruga, dobra, prega, franzimento.
arrugar; *v.* enrugar, franzir, encrespar, amarrotar.
arruinar; *v.* arruinar, empobrecer, destruir, estragar.
arrullar; *v.* arrulhar, sussurrar.
arrullo; *s.* arrulho, sussurro.
arsenal; *s.* arsenal, depósito.
arsénico; *s.* arsênico.
arte; *s.* arte, cautela, astúcia, método, habilidade, destreza.
artefacto; *s.* artefato.
artejo; *s.* falange.
arteria; *s.* artéria.
arterial; *adj.* arterial.
arteriosclerosis; *s.* arteriosclerose.
artesanal; *adj.* artesanal, manual.
artesanía; *s.* artesanato.
artesano; *s.* artesão, artífice.
ártico; *adj.* ártico, boreal.
articulación; *s.* articulação, junção.
articulado; *adj.* articulado.
articular; *v.* articular, unir, ligar, juntar.
artículo; *s.* artigo.
artífice; *s.* artífice, artesão, artista, autor.
artificial; *adj.* artificial, falso, fingido.
artificiero; *s.* artífice, fogueteiro.
artificio; *s.* artifício, produto de arte, astúcia, ardil.
artillería; *s.* artilharia.
artillero; *s.* artilheiro, atacante.
artimaña; *s.* artimanha, ardil, astúcia.
artista; *s.* artista, artífice.
artista; *adj.* engenhoso, artístico.
artritis; *s.* artrite.
arzobispado; *s.* arcebispado.
arzobispo; *s.* arcebispo.
asa; *s.* asa.
asado; *adj.* assado.
asador; *s.* assador, espeto, assadeira, tabuleiro para assar.
asadura; *s.* entranhas, vísceras, fígado, bofe.
asalariado; *adj.* assalariado.

asalariado; *s.* trabalhador.
asalariar; *v.* assalariar, pagar salário.
asaltante; *s.* assaltante, atacante.
asaltar; *v.* assaltar, atacar, acometer, avançar.
asalto; *s.* assalto, investida, avanço.
asamblea; *s.* assembléia, junta, reunião, congresso.
asar; *v.* assar, torrar, abrasar.
ascendencia; *s.* ascendência, família, linhagem, influência.
ascender; *v.* ascender, subir, elevar-se.
ascendiente; *s.* ascendente, antecedente.
ascensión; *s.* ascensão, subida, elevação, promoção.
ascenso; *s.* ascensão, subida.
ascensor; *s.* elevador.
ascensorista; *s.* ascensorista.
asco; *s.* asco, nojo, náusea, repugnância.
ascua; *s.* brasa, carvão ardente.
aseado; *adj.* asseado, limpo.
asear; *v.* assear, limpar.
asechanza; *s.* armadilha, cilada.
asediar; *v.* assediar, sitiar, bloquear.
asedio; *s.* assédio, cerco.
asegurar; *v.* assegurar, garantir.
asemejar; *v.* assemelhar, semelhar, parecer.
asenso; *s.* assenso, assentimento.
asentado; *adj.* sentado, situado, estável.
asentamiento; *s.* assentamento, juízo.
asentar; *v.* assentar, afirmar, pressupor, consolidar.
asentimiento; *s.* assentimento, anuência, aprovação.
asentir; *v.* assentir, consentir, concordar, afirmar.
aseo; *s.* asseio, limpeza, esmero.
asepsia; *s.* assepsia, estererilização.
aséptico; *adj.* asséptico, esterilizado.
asequible; *adj.* acessível, exequível, fácil.
aserción; *s.* asserção, afirmativa, enunciado, proposição.
aserradero; *s.* serraria.
aserrador; *s.* serrador.
aserrar; *v.* serrar, cortar com serra.
asesinar; *v.* assassinar, matar, eliminar, trucidar.
asesinato; *s.* assassinato, homicídio.
asesino; *s.* assassino, homicida.
asesor; *s.* assessor, auxiliar.
asesor; *adj.* adjunto, conselheiro.
asesoramiento; *s.* assessoramento, assessoria.
asesorar; *v.* assessorar, aconselhar, auxiliar.
asesoría; *s.* assessoria.
aseveración; *s.* asseveração, afirmação.
aseverar; *v.* asseverar, afirmar, certificar.
asexuado; *adj.* assexuado.
asfaltado; *adj.* asfaltado.
asfaltar; *v.* asfaltar, recapear, pavimentar.
asfalto; *s.* asfalto.
asfixia; *s.* asfixia, sufoco.
asfixiar; *v.* asfixiar, sufocar, estrangular.
así; *adv.* assim.
asiático; *adj.* asiático.
asiduidad; *s.* assiduidade, frequência, empenho.
asiduo; *adj.* assíduo, frequente, pontual.
asiento; *s.* assento, cadeira, banco.
asignación; *s.* vencimento, consignação, destinação.
asignar; *v.* destinar, nomear, atribuir, assinalar.
asignatura; *s.* cadeira disciplina, programa universitário.
asilado; *adj.* asilado, albergado, recolhido.
asilar; *v.* asilar, abrigar, albergar.
asilo; *s.* asilo, albergue, abrigo.
asimetría; *s.* assimetria.
asimétrico; *adj.* assimétrico.
asimilable; *adj.* assimilável.

asimilación; *s.* assimilação, semelhança.
asimilar; *v.* assimilar, acomodar, assemelhar.
asimismo; *adv.* deste modo, do mesmo modo.
asir; *v.* agarrar, pegar, segurar, prender.
asirio; *adj.* assírio.
asistencia; *s.* assistência, auxílio, ajuda.
asistencial; *adj.* assistencial.
asistenta; *s.* criada, empregada doméstica.
asistente; *adj.* assistente, auxiliar, ajudante.
asistir; *v.* assistir, estar presente.
asma; *s.* asma.
asmático; *adj.* asmático.
asno; *s.* asno, burro.
asociación; *s.* associação, sociedade.
asociado; *adj.* associado, sócio, parceiro.
asociar; *v.* associar, agregar, aliar.
asolar; *v.* assolar, arrasar, exterminar, destruir.
asomar; *v.* assomar, despontar, aparecer, indicar, apontar.
asombrar; *v.* assombrar, maravilhar, espantar, admirar.
asombro; *s.* assombro, admiração, espanto, estranheza.
asomo; *s.* assomo, indício, suspeita.
aspecto; *s.* aspecto, aparência.
aspereza; *s.* aspereza, rudeza, severidade.
asperjar; *v.* aspergir.
áspero; *adj.* áspero, rugoso, duro, rigoroso, austero.
aspersión; *s.* aspersão.
aspiración; *s.* aspiração, desejo, anelo, ambição.
aspirador; *adj.* aspirador,
aspirante; *s.* aspirante.
aspirar; *v.* aspirar, desejar, sorver, inalar, pretender.
aspirina; *s.* aspirina.
asqueroso; *adj.* asqueroso, repugnante, repelente, sórdido.
asta; *s.* haste, lança, chifre.
astenia; *s.* astenia, fraqueza.
asténico; *adj.* astênico.
asterisco; *s.* asterisco.
asteroide; *s.* asteróide, pequeno astro.
astigmatismo; *adj.* astigmatismo.
astilla; *s.* lasca, estilhaço, fragmento.
astillar; *v.* estilhaçar, despedaçar, fragmentar.
astillazo; *s.* estilhaço, fragmento.
astillero; *s.* estaleiro, depósito de madeira.
astral; *adj.* astral, sideral.
astringencia; *s.* adstringência.
astringente; *adj.* adstringente.
astringir; *v.* adstringir, contrair, apertar, estreitar.
astro; *s.* astro, corpo celeste.
astrofísica; *s.* astrofísica.
astrología; *s.* astrologia.
astrólogo; *s.* astrólogo.
astronauta; *s.* astronauta.
astronomía; *s.* astronomia.
astronómico; *adj.* astronômico.
astrónomo; *s.* astrônomo.
astroso; *adj.* desastroso, desgraça.
astucia; *astúcia* sagacidade, esperteza.
astuto; *adj.* astuto, hábil, esperto, sagaz.
asumir; *v.* assumir, atribuir-se, encarregar-se.
asunto; *s.* assunto, tema, motivo, argumento.
asustado; *adj.* assustado, inquieto, intimidado, amedrontado.
asustar; *v.* assustar, intimidar, inquietar, amedrontar.
atacante; *adj.* atacante, agressor.
atacar; *v.* atacar, acometer, agredir.
atado; *adj.* atado, amarrado.
atadura; *s.* atadura.
atajar; *v.* atalhar, interceptar, deter, separar.
atajo; *s.* atalho, vereda.

atalaya; *s.* atalaia, sentinela.
atañer; *v.* corresponder, tocar, pertencer.
ataque; *s.* ataque, assalto, investida, agressão, arremesso.
atar; *v.* atar, ligar, unir, amarrar, cingir.
atarantar; *v.* atarantar, atordoar, perturbar, atrapalhar.
atardecer; *v.* entardecer, a tardinha.
atareado; *adj.* atarefado, ocupado.
atarear; *v.* atarefar, dar tarefa.
atascar; *v.* atolar, calafetar, entupir.
ataúd; *s.* ataúde, féretro, esquife.
ataviar; *v.* ataviar, adornar, embelezar, enfeitar, ornar.
atavío; *s.* adorno, enfeite, ornamento.
atavismo; *s.* atavismo.
ateísmo; *s.* ateísmo.
atemorizar; *v.* atemorizar, assustar, espantar.
atemperar; *v.* temperar, suavizar, conciliar, restabelecer.
atención; *s.* atenção, cortesia, consideração, deferência.
atender; *v.* atender, considerar, observar, notar.
atenerse; *v.* ater-se, aderir.
atentado; *adj.* atentado.
atentar; *v.* atentar, cometer um atentado, tentar.
atento; *adj.* atento, cortês, atencioso, educado.
atenuación; *s.* atenuação, suavização.
atenuante; *adj.* atenuante.
atenuar; *v.* atenuar, desvanecer, enfraquecer.
ateo; *adj.* ateu, impio.
aterciopelado; *adj.* aveludado.
aterirse; *v.* inteiriçar-se, ficar hirto, enregelar-se.
aterrar; *v.* espantar, apavorar, aterrorizar.
aterrizaje; *s.* aterrissagem, pouso.
aterrizar; *v.* aterrizar, pousar.
aterrorizar; *v.* aterrorizar, aterrar, apavorar, assustar.
atesorar; *v.* entesourar, acumular.
atestado; *s.* atestado, declaração.
atestar; *v.* atestar, certificar.
atestiguar; *v.* testemunhar, atestar.
atiborrar; *v.* atulhar.
ático; *s.* ático, água-furtada.
atildar; *v.* pontuar, acentuar.
atinar; *v.* atinar, conseguir, encontrar.
atisbar; *v.* observar, espreitar.
atizar; *v.* atiçar, atear fogo, avivar.
atlántico; *adj.* atlântico.
atlas; *s.* atlas, mapas.
atleta; *s.* atleta.
atlético; *adj.* atlético.
atmósfera; *s.* atmosfera.
atmosférico; *adj.* atmosférico.
atolladero; *s.* atoleiro, lodaçal, pântano.
atollar; *v.* atolar, encalhar.
atolondrar; *v.* estontear, aturdir, atordoar, desorientar.
atómico; *adj.* atômico.
átomo; *s.* átomo.
atonía; *s.* atonia.
atónito; *adj.* atônito, espantado, aturdido.
átono; *adj.* átono.
atontamiento; *s.* atordoamento, espanto.
atontar; *v.* atordoar, estontear, espantar.
atormentar; *v.* atormentar, torturar, afligir, importunar.
atornillar; *v.* atarraxar, parafusar.
atosigar; *v.* intoxicar, envenenar.
atracadero; *s.* atracadouro.
atracar; *v.* atracar, aproximar, assaltar, fartar, encher.
atracción; *s.* atração.
atraco; *s.* assalto, roubo.
atractivo; *adj.* atrativo, atraente, encantador.
atraer; *v.* atrair.
atragantar; *v.* engasgar, afogar.
atrancar; *v.* trancar, atravancar, empacar.
atrapar; *v.* apanhar, pegar.

atrás; *adv.* atrás, detrás, anteriormente.
atrasado; *adj.* atrasado.
atrasar; *v.* atrasar, retardar, demorar.
atraso; *s.* atraso, decadência, demora, retardo.
atravesar; *v.* atravessar, cruzar, trespassar.
atrayente; *adj.* atraente, magnético.
atreverse; *v.* atrever-se, ousar, arriscar.
atrevido; *adj.* atrevido, audacioso, ousado.
atrevimiento; *s.* atrevimento, ousadia, audácia.
atribución; *s.* atribuição, direito, autoridade, competência.
atribuir; *v.* atribuir, conceder, conferir, dar.
atribular; *v.* atribular, afligir, angustiar, maltratar.
atributo; *s.* atributo, qualidade, condição.
atril; *s.* atril.
atrio; *s.* átrio, vestíbulo.
atrocidad; *s.* atrocidade, crueldade, ferocidade.
atrofia; *s.* atrofia, enfraquecimento.
atrofiar; *v.* atrofiar, enfraquecer, tolher.
atronar; *v.* atordoar, abalar, troar, retumbar.
atropellar; *v.* atropelar, derrubar.
atropello; *s.* atropelo, transgressão.
atroz; *adj.* atroz, cruel, desumano.
atún; *s.* atum.
aturar; *v.* aturar, suportar, tolerar.
aturdido; *adj.* aturdido, atordoado, perturbado.
aturdir; *v.* aturdir, atordoar, perturbar, espantar.
atusar; *v.* aparar, podar.
audacia; *s.* audácia, ousadia, atrevimento, arrojo.
audaz; *adj.* audaz, atrevido, arrojado.
audible; *adj.* audível.
audición; *s.* audição.
audiencia; *s.* audiência, sessão de um tribunal, auditório.
auditor; *s.* auditor, ouvinte, magistrado.
auditoría; *s.* auditoria.
auge; *s.* auge, apogeu, ápice.
augurar; *v.* augurar, prognosticar, pressagiar, vaticinar.
augurio; *s.* augúrio, presságio, vaticínio.
augusto; *adj.* augusto, majestoso, imponente.
aula; *s.* sala-de-aula, sala-de-estudo, classe.
aullar; *v.* uivar, ulular.
aullido; *s.* uivo, guincho.
aumentar; *v.* aumentar, ampliar, alargar, estender, crescer.
aumentativo; *adj.* aumentativo.
aumento; *s.* aumento, acréscimo, extensão, alongamento.
aun; *adv.* até, inclusive, também.
aún; *adv.* ainda, todavia.
aunar; *v.* unir, unificar.
aunque; *adv.* ainda que, embora, mesmo que.
aura; *s.* aura, halo.
áureo; *adj.* áureo, dourado, brilhante.
aureola; *s.* auréola.
aurícula; *s.* aurícula.
auricular; *adj.* auricular.
aurora; *s.* aurora, amanhecer, madrugada.
auscultación; *s.* auscultação.
auscultar; *v.* auscultar, examinar, explorar.
ausencia; *s.* ausência, inexistência, retiro, afastamento, falta.
ausentar; *v.* ausentar, afastar, retirar.
ausente; *adj.* ausente, afastado, distante, retirado.
auspicio; *s.* auspício, presságio, augúrio, prognóstico.
austeridad; *s.* austeridade, integridade, severidade.
austero; *adj.* austero, íntegro, severo, sério.

austral; *adj.* austral, meridional.
australiano; *adj.* australiano.
austríaco; *adj.* austríaco.
autarquía; *s.* autarquia, auto suficiência.
autenticar; *v.* autenticar, legalizar, autorizar.
autenticidad; *s.* autenticidade, veracidade, legitimidade.
auténtico; *adj.* autêntico, verdadeiro, legítimo.
auto; *s.* auto, decreto, despacho, sentença.
auto; *s.* auto, composição dramática.
auto; *s.* automóvel.
autoadhesivo; *adj.* auto adesivo.
autobiografía; *s.* autobiografia.
autobús; *s.* ônibus, lotação.
autocar; *s.* ônibus.
autocracia; *s.* autocracia, poder absoluto.
autócrata; *adj.* autocrata, tirano.
autocrítica; *s.* autocrítica.
autóctono; *adj.* autóctone.
autodefensa; *s.* autodefesa.
autodeterminación; *s.* autodeterminação.
autodidacta; *adj.* autodidata.
autoescuela; *s.* auto-escola.
autoestop; *s.* carona.
autoestopista; *s.* caronista.
autógeno; *adj.* autógeno.
autogestión; *s.* autogestão.
autógrafo; *s.* autógrafo.
autómata; *s.* autômato, robô.
automático; *adj.* automático, mecânico.
automatizar; *v.* automatizar.
automóvil; *s.* automóvel.
automovilismo; *s.* automobilismo.
automovilista; *adj.* automobilista.
autonomía; *s.* autonomia, independência, soberania.
autopista; *s.* estrada, rodovia.
autopsia; *s.* autópsia.
autor; *s.* autor, criador, produtor, escritor, literato, fundador.
autoría; *s.* autoria.
autoridad; *s.* autoridade, domínio, mando, influência.
autoritario; *adj.* autoritário, dominador, influente.
autorización; *s.* autorização, ordem, permissão, licença.
autorizar; *v.* autorizar, permitir, validar, apoiar.
autorretrato; *s.* auto-retrato.
autoservicio; *s.* auto-serviço.
autovía; *s.* rodovia, estrada.
auxiliar; *v.* auxiliar, ajudar, socorrer.
auxiliar; *adj.* ajudante, subalterno.
auxilio; *s.* auxílio, ajuda, esmola.
aval; *s.* aval, garantia, caução.
avalancha; *s.* avalancha, avalanche, alude.
avalar; *v.* avaliar, garantir, assegurar.
avalista; *adj.* avalista.
avance; *s.* avance, avanço.
avanzado; *adj.* avançado, atrevido, saliente, liberal.
avanzar; *v.* avançar, ir adiante; investir, andar, progredir.
avaricia; *s.* avareza, avidez, mesquinhez, mesquinharia.
avaricioso; *adj.* avaro, mesquinho.
avaro; *adj.* avaro, avarento.
avasallar; *v.* avassalar, dominar, subjugar.
ave; *s.* ave, pássaro.
avecinar; *v.* avizinhar, aproximar.
avellana; *s.* avelã.
avena; *s.* aveia.
avenencia; *s.* avença, acordo, ajuste, conciliação.
avenida; *s.* avenida, alameda, enchente, inundação.
avenir; *v.* advir, concordar, acontecer, suceder.
aventajar; *v.* avantajar, adiantar, progredir, exceder.
aventar; *v.* aventar, ventilar, arejar, abanar.
aventura; *s.* aventura, proeza, acontecimento.

aventurero; *adj.* aventureiro.
avergonzado; *adj.* envergonhado, encabulado.
avergonzar; *v.* envergonhar, encabular, acanhar.
avería; *s.* avaria, dano, prejuízo.
averiar; *v.* avariar, estragar, danificar.
averiguación; *s.* averiguação, investigação, exploração.
averiguar; *v.* averiguar, investigar, explorar.
aversión; *s.* aversão, antipatia, oposição, repulsa.
avestruz; *s.* avestruz.
aviación; *s.* aviação, aeronáutica.
aviador; *s.* aviador; piloto.
aviar; *v.* aviar, despachar, dispor.
avícola; *s.* avícola.
avicultura; *s.* avicultura.
avidez; *s.* avidez, cobiça, avareza, ganância.
ávido; *adj.* ávido, cobiçoso, ganancioso, voraz.
aviejar; *v.* envelhecer.
avieso; *adj.* avesso, contrário, oposto.
avinagrar; *v.* avinagrar, azedar.
avío; *s.* aviamento, preparo.
avión; *s.* avião, aeronave.
avisado; *adj.* avisado, prudente, experiente.
avisar; *v.* avisar, prevenir, notificar, advertir, delatar, denunciar.
aviso; *s.* aviso, advertência, anúncio, informe, conselho.
avispa; *s.* vespa.
avispado; *adj.* esperto.
avispero; *s.* vespeiro.
avistar; *v.* avistar, ver, encontrar.
avituallar; *v.* abastecer, prover, fornecer.
avivar; *v.* avivar, animar, despertar, entusiasmar.
axial; *adj.* axial.
axila; *s.* axila, sovaco.
axioma; *s.* axioma, máxima.
ayer; *adv.* ontem.
ayuda; *s.* ajuda, auxílio, socorro, favor.
ayudante; *s.* ajudante, auxiliar, assistente.
ayudar; *v.* ajudar, auxiliar, socorrer.
ayunar; *v.* jejuar, privar-se.
ayuno; *s.* jejum, abstinência.
ayuntamiento; *s.* ajuntamento, prefeitura, câmara municipal.
ayuntar; *v.* ajuntar, juntar, reunir.
azabache; *s.* azeviche.
azada; *s.* enxada.
azafata; *s.* aeromoça.
azafrán; *s.* açafrão.
azahar; *s.* flor de laranjeira, de cidreira, de limoeiro.
azar; *s.* azar, acaso, casualidade, desgraça.
azogue; *s.* azougue, mercúrio.
azorar; *v.* sobressaltar, irritar.
azotar; *v.* açoitar, chicotear, fustigar.
azote; *s.* açoite, chicote.
azotea; *s.* açoteia, terraço.
azteca; *adj.* asteca.
azúcar; *s.* açúcar.
azucarado; *adj.* açucarado, doce.
azucarar; *v.* açucarar, adoçar.
azucarero; *adj.* açucareiro.
azucena; *s.* açucena.
azufre; *s.* enxofre.
azufroso; *adj.* sulfuroso.
azul; *s.* azul.
azulejo; *s.* azulejo, ladrilho.
azuzar; *v.* açular, atiçar, instigar.

B

b; segunda letra do alfabeto.
baba; *s.* baba, saliva espessa.
babear; *v.* babar.
babel; *s.* babel.
babero; *s.* babador.
babor; *s.* bombordo.
babosa; *s.* lesma.
baboso; *adj.* baboso.
babucha; *s.* chinela, chinelo.
bacalao; *s.* bacalhau.
bacanal; *s.* bacanal, orgia.
bache; *s.* cova, buraco.
bachear; *v.* concertar, tapar.
bachiller; *s.* bacharel.
bachillerato; *s.* bacharelato.
bacía; *s.* bacia, vasilha.
bacilo; *s.* bacilo.
bacín; *s.* urinol, penico.
bacteria; *s.* bactéria.
bactericida; *adj.* bactericida.
bacteriología; *s.* bacteriologia.
bacteriólogo; *s.* bacteriologista.
báculo; *s.* bastão, cajado.
badajo; *s.* badalo.
badana; *s.* badana, pele curtida de animal.
bagaje; *s.* bagagem, equipamento militar.
bagatela; *s.* bagatela, ninharia.
bahía; *s.* baía, enseada, angra.
bailable; *adj.* dançante.
bailar; *v.* bailar, dançar.
bailarín; *adj.* bailarino, dançarino.
baile; *s.* baile, dança.
baja; *s.* baixa, diminuição de preço.
bajada; *s.* baixàda, declive, ladeira.
bajamar; *s.* baixa mar, maré baixa.
bajar; *v.* baixar, diminuir.
bajeza; *s.* baixeza, vileza.
bajo; *adj.* baixo, inferior, humilde, desprezível.
bajorrelieve; *s.* baixo-relevo.
bala; *s.* bala, projétil de arma de fogo, fardo.
balacera; *s.* tiroteio.
balada; *s.* balada.
baladí; *adj.* fútil, superficial.
balance; *s.* balanço.
balancear; *v.* balançar, agitar-se.
balandro; *s.* balandra, barco pequeno, barco pesqueiro.
balanza; *s.* balança.
balar; *v.* balir.
balaustre; *s.* balaústre.
balbucear; *v.* balbuciar, gaguejar.
balcón; *s.* balcão, sacada, varanda.
baldar; *v.* baldar, frustrar.
balde; *s.* balde.
balde; *adv.* debalde, sem motivo, gratuitamente.
baldear; *v.* baldear, fazer baldeação, molhar plantas.
baldío; *adj.* baldio, inútil, vadio, vagabundo.
baldón; *s.* ofensa, afronta.
baldosa; *s.* ladrilho.
balear; *v.* balear, fuzilar.
balido; *s.* balido.

balístico; *adj.* balístico.
baliza; *s.* baliza, bóia, meta.
balizar; *v.* balizar, limitar, demarcar.
ballena; *s.* baleia.
ballenero; *adj.* baleeiro.
ballet; *s.* balé.
balneario; *s.* balneário.
balompié; *s.* futebol.
balón; *s.* balão, bola para jogar.
baloncesto; *s.* basquete.
balonmano; *s.* handebol.
balonvolea; *s.* vôlei.
balsa; *s.* balsa, jangada, charco, pântano.
bálsamo; *s.* bálsamo.
baluarte; *s.* baluarte, bastião.
bambolear; *v.* bambolear, vacilar.
bambú; *s.* bambu.
banal; *adj.* banal, trivial.
banalidad; *s.* banalidade.
banana; *s.* banana.
banano; *s.* bananeira.
banca; *s.* banco, cadeira sem costas.
bancario; *adj.* bancário, relativo a banco.
banco; *s.* banco, assento.
banco; *s.* estabelecimento de crédito.
banda; *s.* banda, faixa, fita.
banda; *s.* bando, grupo de pessoas armadas.
banda; *s.* banda, conjunto de musica.
bandada; *s.* bandada, aves voando.
bandeja; *s.* bandeja, travessa de louça.
bandera; *s.* bandeira.
banderín; *s.* bandeirola, flâmula.
bandido; *s.* bandido, ladrão.
bando; *s.* bando, partido, édito, proclamação pública.
bandolero; *s.* bandoleiro, salteador, bandido, ladrão.
banquero; *s.* banqueiro, cambista.
banqueta; *s.* banqueta, banquinho.
banquete; *s.* banquete.
banquillo; *s.* banquinho.
bañador; *s.* maiô, banheiro
bañar; *v.* banhar, molhar.
bañera; *s.* banheira.
bañista; *s.* banhista.
baño; *s.* banho, banheiro, balneário.
baptisterio; *s.* baptidtério.
baqueta; *s.* baqueta.
bar; *s.* bar, cantina, botequim.
barahúnda; *s.* barafunda, confusão.
baraja; *s.* baralho.
barajar; *v.* baralhar, embaralhar, confundir.
baranda; *s.* corrimão, varanda.
barandilla; *s.* varanda, galeria.
barata; *s.* barata, troca, câmbio.
baratija; *s.* bagatela, ninharia.
barato; *adj.* barato, baixo preço.
barba; *s.* barba.
barbacoa; *s.* grelha.
barbaridad; *s.* barbaridade, crueldade, atrocidade.
barbarie; *s.* barbárie.
bárbaro; *adj.* bárbaro, rude, grosseiro.
barbería; *s.* barbearia.
barbero; *s.* barbeiro.
barbilla; *s.* queixo, barbicha.
barbitúrico; *s.* barbitúrico.
barbotar; *v.* resmungar.
barca; *s.* barca, jangada.
barcaza; *s.* barcaça.
barco; *s.* barco, navio, embarcação.
bario; *s.* bário.
barítono; *s.* barítono.
barniz; *s.* verniz, polimento.
barnizar; *v.* envernizar, lustrar.
barómetro; *s.* barômetro.
barón; *s.* barão.
barquero; *s.* barqueiro.
barquillo; *s.* barquete.
barra; *s.* barra, alavanca.
barraca; *s.* barraco, choça.
barracón; *s.* barração, alpendre.
barranco; *s.* barranco, obstáculo.
barrena; *s.* verruma.
barrenar; *v.* verrumar, furar com verruma.
barrendero; *s.* varredor, gari.
barreño; *s.* terrina.
barrer; *v.* varrer.

barrera; *s.* barreira, tapume, cancela.
barriada; *s.* bairro, arrabalde.
barrica; *s.* barrica, tonel.
barricada; *s.* barricada, trincheira.
barriga; *s.* barriga, abdômen, ventre.
barril; *s.* barril.
barrio; *s.* bairro, arrabalde.
barrizal; *s.* lamaçal, lodaçal.
barro; *s.* barro, lama, lodo, argila.
barroco; *adj.* barroco.
barrote; *s.* barrote, travessa, tranca.
bártulos; *s.* objetos de uso.
barullo; *s.* barulho, desordem.
basalto; *s.* basalto.
basamento; *s.* embasamento.
basar; *v.* embasar, fundamentar, basear.
báscula; *s.* balança.
base; *s.* base, apoio, alicerce.
básico; *adj.* básico, essencial.
basílica; *s.* basílica.
bastante; *adj.* bastante, suficiente.
bastar; *v.* bastar, ser suficiente.
bastardilla; *s.* letra cursiva, grifo, itálico.
bastardo; *s.* bastardo.
bastidor; *s.* bastidor, caixilho.
bastión; *s.* bastão, fortificação.
basto; *adj.* basto, denso, bruto.
bastón; *s.* bastão, bengala.
basura; *s.* lixo, sujeira, imundície.
basurero; *s.* lixeiro.
bata; *s.* bata, roupão.
batalla; *s.* batalha, combate.
batallar; *v.* batalhar, guerrear, combater.
batata; *s.* batata-doce.
batel; *s.* batel, bote, canoa.
batería; *s.* bateria.
batiborrillo; *s.* confusão.
batidera; *s.* batedeira.
batiente; *s.* batente, ombreira.
batir; *v.* bater, explorar, abater, sacudir, mexer.
batiscafo; *s.* batiscafo.
batracio; *s.* batráquio.
baturro; *adj.* rústico.
batuta; *s.* batuta.
baúl; *s.* baú, cofre, arca.
bautismo; *s.* batismo.
bautizar; *v.* batizar.
bauxita; *s.* bauxita.
baya; *s.* baga, bago.
bayoneta; *s.* baioneta.
bazar; *s.* bazar, loja.
bazo; *s.* baço.
bazo; *adj.* baço, embaçado.
bazofia; *s.* bazófia.
beatificar; *v.* beatificar.
beatitud; *s.* beatitude, placidez.
beato; *s.* beato, devota, religiosa.
bebé; *s.* bebê, nenê.
bebedero; *s.* bebedouro.
beber; *v.* beber, ingerir, engolir, absorver.
bebida; *s.* bebida, beberagem.
bebido; *adj.* embriagado, bêbado.
beca; *s.* beca, bolsa de estudos.
becario; *adj.* bolsista.
becerro; *s.* bezerro.
bedel; *s.* bedel.
beduino; *s.* beduíno.
begonia; *s.* begônia.
beige; *adj.* bege.
béisbol; *s.* beisebol.
beldad; *s.* beldade, formosura.
belén; *s.* presépio.
belga; *adj.* belga.
belicismo; *s.* belicismo.
bélico; *adj.* bélico.
belicoso; *adj.* belicoso, guerreiro, agressivo.
beligerancia; *s.* beligerância.
bellaco; *adj.* velhaco, astuto.
belladona; *s.* beladona.
bellaquería; *s.* velhacaria, baixeza.
belleza; *s.* beleza, formosura, beldade.
bello; *adj.* belo, formoso, lindo, distinto, agradável.
bellota; *s.* bolota.
bencina; *s.* benzina.
bendecir; *v.* benzer, abençoar, bendizer, louvar.
bendición; *s.* bênção.
bendito; *adj.* bendito, bento.

benefactor; *adj.* benfeitor.
beneficencia; *s.* beneficência, caridade.
beneficiar; *v.* beneficiar, favorecer, melhorar.
beneficiario; *adj.* beneficiário.
beneficio; *s.* benefício, proveito, privilégio.
benéfico; *adj.* benéfico.
benemérito; *adj.* benemérito.
beneplácito; *s.* beneplácito, aprovação, licença.
benevolencia; *s.* benevolência, bondade, boa-vontade.
benévolo; *adj.* benévolo, afetuoso, bondoso, benevolente.
bengala; *s.* bengala, bastão.
benignidad; *s.* benignidade, bondade, doçura, clemência.
benigno; *adj.* benigno, ameno, agradável.
beodo; *adj.* bêbado, ébrio, embriagado.
berbiquí; *s.* berbequim, furador.
berenjena; *s.* berinjela.
bermejo; *adj.* vermelho, encarnado.
bermellón; *s.* zarcão, mínio, vermelhão.
berrido; *s.* berro, mugido, grito.
berrinche; *s.* rabugem, cólera, berreiro das crianças.
berro; *s.* agrião.
berza; *s.* couve, couve-galega.
besamel; *s.* bechamel, tipo de molho.
besar; *v.* beijar.
beso; *s.* beijo.
bestia; *s.* besta, animal.
bestial; *adj.* bestial, brutal.
bestialidad; *s.* bestialidade, brutalidade.
besucón; *adj.* beijoqueiro.
besugo; *s.* besugo.
besuquear; *v.* beijocar, dar beijocas.
betún; *s.* betume.
bezo; *s.* beiço, lábio grosso.
biberón; *s.* mamadeira.
biblia; *s.* bíblia.
bíblico; *adj.* bíblico.
bibliografía; *s.* bibliografia.
biblioteca; *s.* biblioteca, livraria.
bibliotecario; *s.* bibliotecário.
bicarbonato; *s.* bicarbonato.
bicentenario; *s.* bicentenário.
bíceps; *s.* bíceps.
bicho; *s.* bicho, animal.
bicicleta; *s.* bicicleta.
bicoca; *s.* ninharia.
bicolor; *adj.* bicolor.
bidé; *s.* bidê.
bidón; *s.* vasilha.
biela; *s.* biela.
bien; *s.* bem, benefício, virtude.
bien; *adj.* bem, corretamente, com saúde.
bienal; *adj.* bienal.
bienaventurado; *adj.* bem-aventurado.
bienaventuranza; *s.* bem-aventurança, felicidade.
bienestar; *s.* bem-estar, conforto.
bienhechor; *adj.* benfeitor.
bienintencionado; *adj.* bem-intencionado.
bienio; *s.* biênio.
bienquerer; *v.* bem-querer, estimar.
bienvenida; *s.* boas-vindas.
bienvenido; *adj.* bem-vindo.
biés; *s.* viés.
bifásico; *adj.* bifásico.
bistec; *s.* bife.
bifurcación; *s.* bifurcação, vértice.
bifurcarse; *v.* bifurcar-se, dividir-se.
bigamia; *s.* bigamia.
bígamo; *adj.* bígamo.
bigote; *s.* bigode.
bigotudo; *adj.* bigodudo.
bilabial; *adj.* bilabial.
bilateral; *adj.* bilateral.
biliar; *adj.* biliar.
bilingüe; *adj.* bilíngue.
bilis; *s.* bílis, bile.
billar; *s.* bilhar.
billete; *s.* bilhete, escrito breve.
billetero; *s.* bilheteiro.
billón; *s.* bilhão, um milhão de milhões.

bimotor; *adj.* bimotor.
binario; *adj.* binário.
bingo; *s.* bingo.
binóculo; *s.* binóculo.
binomio; *s.* binômio.
biodegradable; *adj.* biodegradável.
biofísica; *s.* biofísica.
biografía; *s.* biografia.
biología; *s.* biologia.
biológico; *adj.* biológico.
biólogo; *s.* biólogo.
biomasa; *s.* biomassa.
biombo; *s.* biombo, anteparo.
biopsia; *s.* biópsia.
biosfera; *s.* biosfera.
bióxido; *s.* bióxido.
bípede; *adj.* bípede.
bipolar; *adj.* bipolar.
birlar; *v.* derrubar, tirar, tomar algo.
birrete; *s.* barrete, boné.
birria; *s.* ridículo, grotesco.
bis; *adv.* duas vezes.
bisabuelo; *s.* bisavô.
bisagra; *s.* dobradiça, gonzo.
bisbiseo; *s.* murmuração, murmúrio, cochicho.
bisección; *s.* bissecção, bipartição.
bisector; *s.* bissector.
bisel; *s.* corte oblíquo, chanfradura.
biselar; *v.* chanfrar.
bisexual; *adj.* bissexual.
bisiesto; *adj.* bissexto.
bisílabo; *adj.* dissílabo.
bismuto; *s.* bismuto.
bisonte; *s.* bisão, bisonte.
bisoñé; *s.* peruca.
bisoño; *adj.* acanhado, inexperiente.
bistec; *s.* bife.
bisturí; *s.* bisturi.
bisutería; *s.* bijuteria, quinquilharia.
bíter; *s.* bíter.
bituminoso; *adj.* betuminoso.
bizantino; *adj.* bizantino.
bizco; *adj.* vesgo, estrábico.
bizcocho; *s.* biscoito, bolacha.
biznieto; *s.* bisneto.
blanco; *adj.* branco.
blancor; *s.* alvura.
blancura; *s.* brancura.
blandengue; *adj.* brando, suave.
blandir; *v.* brandir, agitar uma arma.
blando; *adj.* brando, suave, macio, fraco, vagaroso.
blandura; *s.* brandura, doçura.
blanquear; *v.* branquear, caiar, alvejar, desencardir.
blanquecino; *adj.* alvacento, esbranquiçado.
blasfemar; *v.* blasfemar, ultrajar.
blasfemia; *s.* blasfêmia.
blasfemo; *adj.* blasfemo, ímpio.
blasón; *s.* brasão, escudo de armas.
blenorragia; *s.* blenorragia, gonorréia.
blindado; *adj.* blindado, couraçado.
blindaje; *s.* blindagem.
blindar; *v.* blindar, couraçar, fortificar.
bloc; *s.* bloco de papel.
bloquear; *v.* bloquear, sitiar.
bloqueo; *s.* bloqueio, cerco.
blusa; *s.* blusa.
boa; *s.* boa, jibóia.
boato; *s.* ostentação, pompa, luxo.
bobada; *s.* bobeira, bobice.
bobina; *s.* bobina, carretel.
bobinadora; *s.* bobinador.
bobinar; *v.* bobinar.
bobo; *adj.* bobo, tonto, tolo, bobalhão.
boca; *s.* boca, lábios.
boca; *s.* foz de um rio.
bocacalle; *s.* embocadura, entrada de rua, cruzamento.
bocadillo; *s.* sanduíche.
bocado; *s.* bocado.
bocal; *s.* jarro.
bocanada; *s.* gole, bochechada, baforada.
boceto; *s.* bosquejo, esboço.
bocina; *s.* buzina, trombeta, megafone.
bochorno; *s.* bochorno, ar quente.
bocio; *s.* bócio, papeira.
bodas; *s.* bodas, casamento.
bode; *s.* bode.

bodega; *s.* bodega, armazém, adega, taverna.
bodegón; *s.* taverna, tasca.
bodoque; *s.* bodoque.
bofetada; *s.* bofetada, sopapo.
boga; *s.* voga, ato e remar.
bogar; *v.* vogar, remar.
bohemio; *s.* boêmio, cigano.
boicot; *s.* boicote.
boina; *s.* boina.
bola; *s.* bola.
bolchevique; *adj.* bolchevique.
bolear; *v.* jogar bola.
bolero; *s.* bolero.
boletín; *s.* boletim, vale, publicação periódica.
boleto; *s.* bilhete de entrada.
bolívar; *s.* bolívar.
boliviano; *adj.* boliviano.
bollería; *s.* confeitaria.
bollo; *s.* bolo.
bolo; *s.* bola, jogo de bola, pílula.
bolsa; *s.* bolsa, saco.
bolsillo; *s.* bolso, algibeira.
bolso; *s.* bolso.
bomba; *s.* bomba.
bombardear; *v.* bombardear.
bombardero; *s.* bombardeiro.
bombear; *v.* bombear, extrair água, bombardear.
bombero; *s.* bombeiro.
bombilla; *s.* lâmpada elétrica.
bombo; *s.* bombo, zabumba.
bombón; *s.* bombom, confeito.
bombona; *s.* vasilha de vidro de muita capacidade.
bombonería; *s.* confeitaria.
bonachón; *adj.* bonachão, bondoso, crédulo.
bonanza; *s.* bonança, calma, sossego.
bondad; *s.* bondade, benevolência.
bondadoso; *adj.* bondoso, bom, clemente.
bonete; *s.* boné, barrete.
boniato; *s.* batata-doce.
bonificación; *s.* bonificação.
bonificar; *v.* bonificar.
bonito; *adj.* bonito, lindo, formoso, engraçado.
bono; *s.* bônus, título de crédito.
bonzo; *s.* bonzo, sacerdote budista.
boñiga; *s.* bosta, esterco.
boomerang; *s.* bumerangue.
boquear; *v.* boquear, bocejar.
boquerón; *s.* boqueirão, anchova.
boquete; *s.* boquete, garganta, desfiladeiro, brecha.
boquiabierto; *adj.* boquiaberto.
boquilla; *s.* boquinha.
borbollar; *v.* borbulhar.
borbotar; *v.* borbotar, ferver.
borbotón; *s.* borbotão, jato forte.
borda; *s.* borda, cabana, choça.
bordado; *s.* bordado.
bordar; *v.* bordar, orlar, enfeitar.
borde; *s.* borda, margem, orla.
bordear; *v.* bordear, beirar, costear.
bordo; *s.* bordo, costado, lado do navio.
boreal; *adj.* boreal, setentrional.
boricado; *adj.* boricado.
bórico; *adj.* bórico.
borla; *s.* borla, barrete de doutor.
borne; *s.* borne, extremidade.
bornearse; *v.* curvar, revolver, dobrar.
boro; *s.* boro.
borona; *s.* pão de milho, broa.
borra; *s.* borra, felpa, fezes.
borrachera; *s.* bebedeira, embriaguez.
borracho; *adj.* bêbado, embriagado, beberrão.
borrador; *s.* rascunho, borrão.
borrar; *v.* borrar, rabiscar, apagar, rasurar.
borrasca; *s.* borrasca, tempestade.
borrego; *s.* borrego.
borrico; *s.* burrico, burro, jumento.
borrón; *s.* borrão, nódoa de tinta.
borroso; *adj.* impreciso, confuso.
bosque; *s.* bosque, mata, selva.
bosquejo; *s.* bosquejo, esboço.
bosta; *s.* bosta, excremento.

bostezar; *v.* bocejar.
bostezo; *s.* bocejo.
bota; *s.* bota, botina, calçado.
botadura; *s.* bota-fora, lançamento dum barco à água.
botánica; *s.* botônica.
botar; *v.* botar, lançar, atirar, arremessar.
bote; *s.* bote, golpe, salto de cavalo, pulo.
botella; *s.* botelha, garrafa.
botica; *s.* botica, farmácia.
boticario; *s.* boticário, farmacêutico.
botija; *s.* botija, jarra.
botijo; *s.* moringa, vasilha de barro.
botín; *s.* botim, bota de cano curto.
botiquín; *s.* farmácia ou botica portátil.
botón; *s.* botão, rebento, botão de roupa.
botonadura; *s.* abotoadura.
botones; *s.* paquete, rapaz, moço de recado.
botulismo; *s.* botulismo.
bouquet; *s.* buquê, ramalhete, aroma dos vinhos.
bóveda; *s.* abóbada.
bovino; *adj.* bovino.
boxeador; *s.* boxeador, pugilista.
boxear; *v.* boxear.
boxeo; *s.* boxe, pugilismo.
boya; *s.* bóia, baliza.
boyante; *adj.* flutuante.
boyar; *v.* boiar, flutuar.
boyero; *s.* boiadeiro.
bozo; *s.* buço, bigode incipiente, bigodinho.
bracear; *v.* bracejar, nadar.
bragado; *adj.* pessoa enérgica.
bragas; *s.* calcinha, braga.
braguero; *s.* bragueiro, faixa ou funda.
bragueta; *s.* braguilha.
brahmán; *s.* brâmane.
brahmanismo; *s.* bramanismo.
bramante; *adj.* bramante, bramador.
bramante; *s.* barbante, fio, cordel.
bramido; *s.* bramido, rugido.
branquia; *s.* brânquia.
branquicéfalo; *adj.* branquicéfalo.
brasa; *s.* brasa, carvão incandescente.
brasero; *s.* braseiro, fogareiro.
brasileño; *adj.* brasileiro.
bravata; *s.* bravata, fanfarronice.
bravío; *adj.* bravio, silvestre, selvagem.
bravo; *adj.* bravo, valente, destemido.
bravucón; *adj.* fanfarrão, valentão.
bravura; *s.* bravura, coragem.
braza; *s.* braça, medida de comprimento.
brazada; *s.* braçada.
brazalete; *s.* bracelete, pulseira.
brazo; *s.* braço.
brazo; *s.* braço de rio.
brazo; *s.* ramo de árvore.
brea; *s.* breu.
brebaje; *s.* beberagem, poção.
brecha; *s.* brecha, abertura, fenda.
brega; *s.* briga, luta.
bregar; *v.* brigar, lutar, trabalhar muito.
breña; *s.* brenha, matagal.
brete; *s.* grilhão.
bretón; *adj.* bretão.
breve; *adj.* breve, curto.
brevedad; *s.* brevidade, efemeridade.
breviario; *s.* breviário.
brezo; *s.* urze.
bribón; *adj.* preguiçoso, velhaco.
brigada; *s.* brigada.
brigadier; *s.* brigadeiro.
brillante; *adj.* brilhante, fulgurante, reluzente.
brillantina; *s.* brilhantina.
brillar; *v.* brilhar, reluzir, cintilar.
brillo; *s.* brilho, esplendor, claridade.
brincar; *v.* brincar, saltar, pular.
brinco; *s.* salto, pulo.
brindar; *v.* brindar; oferecer, presentear.
brindis; *s.* brinde, saudação.
brío; *s.* brio, valor, coragem.
brisa; *s.* brisa, aragem.
brisca; *s.* bisca.

británico; *adj.* britânico.
brizna; *s.* fibra, fio delgado, fiapo.
broca; *s.* broca.
brocado; *s.* brocado, tecido de seda.
brocha; *s.* broxa, pincel.
broche; *s.* broche, fecho de metal.
broma; *s.* brincadeira, diversão.
bromear; *v.* caçoar, gracejar.
bromista; *s.* brincalhão.
bromo; *s.* bromo.
bronca; *s.* bronca, briga, rixa.
bronce; *s.* bronze.
bronceado; *adj.* bronzeado.
bronceador; *s.* bronzeador.
broncear; *v.* bronzear.
bronco; *adj.* bronco, rude, estúpido.
bronconeumonía; *s.* broncopneumonia.
bronquio; *s.* brônquio.
bronquitis; *s.* bronquite.
brotar; *v.* brotar, aparecer, nascer, aflorar.
brote; *s.* broto, pimpolho.
bruces; *adv.* bruços, de bruços.
brujería; *s.* bruxaria, magia, feitiçaria, feitiço.
brujo; *s.* bruxo, mago, feiticeiro.
brújula; *s.* bússola.
bruma; *s.* bruma, nevoeiro.
bruñir; *v.* brunir, polir, lustrar.
brusco; *adj.* brusco, desagradável.
brutal; *adj.* brutal, violento.
brutalidad; *adj.* brutalidade, violência, estupidez.
bruto; *adj.* bruto, estúpido.
bu; *s.* papão, bicho-papão.
bucal; *adj.* bucal.
bucear; *v.* mergulhar, ficar debaixo d'água.
buche; *s.* bucho, ventre.
bucle; *s.* anel, caracol feito de cabelo.
bucólico; *adj.* bucólico, campestre.
budismo; *s.* budismo.
buenaventura; *s.* boa sorte.
bueno; *adj.* bom, útil, agradável, divertido.
buey; *s.* boi.
búfalo; *s.* búfalo.
bufanda; *s.* cachecol.
bufar; *v.* bufar, resfolegar.
bufete; *s.* escrivaninha, banca de advogado.
bufón; *s.* bufão, bobo-da-corte.
bugavilia; *s.* buganvílla.
buhardilla; *s.* águas-furtadas, trapeira, desvão.
búho; *s.* mocho, bubo, bufo.
buhonero; *s.* vendedor ambulante de quinquilharia.
buitre; *s.* abutre.
bujía; *s.* vela de cera, castiçal.
bujía; *s.* vela de motor.
bula; *s.* bula.
bulbo; *s.* bulbo.
bulevar; *s.* bulevar, alameda.
búlgaro; *adj.* búlgaro.
bulla; *s.* bulha, confusão, desordem.
bullicio; *s.* bulício, confusão, motim.
bullir; *v.* bulir, ferver, mexer, agitar.
bulo; *s.* boato, mentira.
bulto; *s.* vulto, volume, fardo, pacote, inchação, maleta.
bungalow; *s.* bangalô.
bunker; *s.* búnquer.
buñuelo; *s.* filhó, massa de farinha com ovos.
buque; *s.* buco, cabida, espaço ou capacidade.
buque; *s.* buque, barco, navio, casco de navio.
burbuja; *s.* borbulha, bolha.
burbujear; *v.* borbulhar.
burdel; *s.* bordel.
burgués; *adj.* burguês.
burguesía; *s.* burguesia.
buril; *s.* buril, cinzel.
burla; *s.* burla, engano, trapaça, gozação, zombaria.
burlar; *v.* burlar, enganar, zombar.
burlesco; *adj.* burlesco, festivo, caricato, jocoso.
burlón; *adj.* zombador, gozador.
burocracia; *s.* burocracia.
burócrata; *s.* burocrata.
burocrático; *adj.* burocrático.
burrada; *s.* burrada, asneira.

burro; *s.* burro, asno, jumento.
burro; *adj.* burro, ignorante, teimoso, tonto.
bus; *s.* ônibus.
busca; *s.* busca, pesquisa.
buscapiés; *s.* busca-pé.
buscar; *v.* buscar, procurar, pesquisar, averiguar.
búsqueda; *s.* busca.
busto; *s.* busto, efígie.
butaca; *s.* poltrona, cadeira com braços.
butano; *s.* butano.
butifarra; *s.* espécie de chouriço.
buzo; *s.* mergulhador.
buzón; *s.* tampa, rolha, caixa de correio.
buzonero; *s.* carteiro.

C

c; terceira letra do alfabeto.
cabal; *adj.* cabal, completo, perfeito.
cábala; *s.* cabala, ciência oculta.
cabalgada; *s.* cavalgada.
cabalgar; *v.* cavalgar, montar.
caballa; *s.* cavala, peixe.
caballeresco; *adj.* cavalheiresco, nobre.
caballería; *s.* cavalaria, cavalgadura.
caballero; *adj.* cavaleiro, cavalheiro, gentil, nobre.
caballerosidad; *s.* cavalheirismo.
caballete; *s.* cavalete, cavalinho, potro.
caballo; *s.* cavalo.
caballo; *s.* cavalo, peça do jogo de xadrez.
cabaña; *s.* cabana, choupana.
cabaret; *s.* cabaré.
cabe; *prep.* junto a, cerca de.
cabecear; *v.* cabecear, pender.
cabecera; *s.* cabeceira de mesa, de cama.
cabecera; *s.* cabeceira, origem de um rio.
cabecilla; *s.* cabeça pequena, cabecinha.
cabecilla; *s.* cabecilha, chefe de rebeldes.
cabellera; *s.* cabeleira, peruca.
cabello; *s.* cabelo, pêlo.
cabelludo; *adj.* cabeludo, fibroso.
caber; *v.* caber, pertencer, conter, ter capacidade.
cabestro; *s.* cabresto.
cabeza; *s.* cabeça.
cabezada; *s.* cabeçada.
cabida; *s.* cabida, cabimento, capacidade.
cabildo; *s.* cabido.
cabina; *s.* cabina, camarote.
cabizbajo; *adj.* cabisbaixo, abatido.
cable; *s.* cabo, corda grossa.
cablegrama; *s.* cabograma.
cabo; *s.* cabo, extremidade, fim.
cabotaje; *s.* cabotagem.
cabra; *s.* cabra.
cabrear; *v.* irritar-se.
cabria; *s.* guindaste.
cabriola; *s.* cabriola, salto, pulo, pinote.
cabritilla; *s.* pelica.
cabrito; *s.* cabrito.
cabrón; *s.* bode.
cabrón; *s.* marido traído, corno.
caca; *s.* caca, cocô, excremento humano.
cacahuete; *s.* amendoim.
cacao; *s.* cacau.
cacarear; *v.* cacarejar, gaguejar.
cacerola; *s.* caçarola.
cacha; *s.* folha do cabo da navalha.
cachafaz; *s.* atrevido, velhaco.
cachalote; *s.* cachalote.
cacharro; *s.* vasilha ordinária, louça quebrada, cacos.
cachaza; *s.* lentidão,

despreocupação, sossego.
cachaza; *s.* cachaça, aguardente.
cachear; *v.* revistar.
cachete; *s.* soco, murro, bochecha.
cachimbo; *s.* cachimbo.
cachiporra; *s.* clava, maça.
cacho; *s.* pedaço, porção, talhada, cacho de banana.
cachondo; *adj.* cachondo, brincalhão.
cachondo; *adj.* dominado por apetites sexuais.
cachorro; *s.* cachorro, cão.
cachupín; *s.* espanhol estabelecido na América.
cacique; *s.* cacique.
cacofonía; *s.* cacofonia.
cacto; *s.* cacto.
cada; *pron.* cada.
cada; *adv.* cada um, cada passo, cada qual.
cadalso; *s.* cadafalso, palanque.
cadáver; *s.* cadáver, defunto.
cadavérico; *adj.* cadavérico.
cadena; *s.* cadeia, corrente, prisão, sucessão, série.
cadencia; *s.* cadência, ritmo.
cadera; *s.* cadeira, quadril, anca.
cadete; *s.* cadete.
cadmio; *s.* cádmio.
caducar; *v.* caducar, declinar, envelhecer.
caduco; *adj.* caduco, decrépito.
caer; *v.* cair, desabar, tombar, diminuir, morrer, sucumbir.
café; *s.* café.
cafeína; *s.* cafeína.
cafetera; *s.* cafeteira.
cafetería; *s.* cafeteria, bar.
cagada; *s.* cagada, dejeção.
cagado; *adj.* cagado.
cagalera; *s.* caganeira, diarréia.
cagar; *v.* cagar, defecar.
cagón; *adj.* cagão, medroso.
caída; *s.* queda, ruína, declive.
caimán; *s.* caimão, jacaré.
caja; *s.* caixa, arca, cofre.
cajero; *s.* caixeiro, caixa, pessoa que recebe pagamento.
cajetilla; *s.* maço de cigarros.
cajón; *s.* gaveta, caixa grande, caixão, esquife.
cajonera; *s.* gaveteiro.
cal; *s.* cal.
cala; *s.* enseada pequena.
cala; *s.* pedaço de fruta.
cala; *s.* perfuração em um terreno.
calabaza; *s.* abóbora, cabaça.
calabozo; *s.* calabouço, cárcere, prisão.
calado; *s.* bordado, entalhe.
calado; *s.* calado do navio.
calafatear; *v.* calafetar.
calamar; *s.* calamar, lula.
calambre; *s.* câimbra.
calamidad; *s.* calamidade, desgraça.
calamitoso; *adj.* calamitoso.
calaña; *s.* amostra, modelo, padrão, índole, qualidade.
calar; *v.* calar, impregnar, trespassar, atravessar.
calavera; *s.* caveira.
calcañar; *s.* calcanhar.
calcar; *v.* calcar, comprimir, pisar.
calcetín; *s.* meia três-quartos, meia soquete.
calcificación; *s.* calcificação.
calcificar; *v.* calcificar.
calcinar; *v.* calcinar, carbonizar.
calcio; *s.* cálcio.
calco; *s.* calco de um desenho, decalque.
calculable; *adj.* calculável.
calculador; *adj.* calculador.
calcular; *v.* calcular, computar, contar.
calculista; *s.* calculista, projetista.
cálculo; *s.* cálculo, avaliação.
caldear; *v.* escaldar, temperar.
caldera; caldeira reservatório.
caldereta; *s.* caldeirada, ensopado.
calderilla; *s.* caldeirinha, moedinhas.
caldero; *s.* caldeirão.
caldo; *s.* caldo, molho, tempero, caldo de cana.
calefacción; *s.* calefação.

calefón; *s.* aparelho para aquecer água.
calendario; *s.* calendário, almanaque.
calentador; *s.* aquecedor.
calentar; *v.* aquecer, esquentar, excitar.
calentura; *s.* febre, agitação.
calibrar; *v.* calibrar.
calibre; *s.* calibre, volume, diâmetro.
calidad; *s.* qualidade, nobreza, excelência, caráter, índole.
cálido; *adj.* cálido, quente.
calidoscopio; *s.* caleidoscópio.
caliente; *adj.* quente, acalorado.
califa; *s.* califa.
calificación; *s.* qualificação, juízo, apreciação, avaliação.
calificar; *v.* qualificar, aprovar, autorizar, distinguir.
caligrafía; *s.* caligrafia.
caligráfico; *adj.* caligráfico.
calígrafo; *s.* calígrafo.
cáliz; *s.* cálice.
callado; *adj.* calado, quieto.
callar; *v.* calar, emudecer.
calle; *s.* rua, via, estrada.
calleja; *s.* ruela, viela, beco.
callejero; *s.* roteiro, guia das ruas de uma cidade.
callejero; *adj.* andarilho.
callejón; *s.* beco, passagem estreita.
callista; *s.* calista, pedicuro.
callo; *s.* bucho, dobradinha.
calma; *s.* calma, tranquilidade, calmaria, bonança.
calmante; *s.* calmante, sedativo.
calmar; *v.* acalmar, aplacar, pacificar, amortecer.
calmo; *adj.* calmo, sossegado, tranquilo.
caló; *s.* calão, linguagem dos ciganos.
calofrío; *s.* calafrio, arrepio.
calor; *s.* calor.
caloría; *s.* caloria.
calostro; *s.* colostro.
calumnia; *s.* calúnia, difamação.
calumniar; *v.* caluniar, difamar.
calva; *s.* calva, careca.
calvario; *s.* calvário.
calvicie; *s.* calvície.
calvinismo; *s.* calvinismo.
calvinista; *adj.* calvinista.
calvo; *adj.* calvo, careca.
calza; *s.* calça, calção
calzada; *s.* calçada.
calzado; *s.* calçado, sapato.
calzo; *s.* calço, cunha.
calzoncillos; *s.* cueca, ceroula.
cama; *s.* cama, leito.
camada; *s.* camada, ninhada, cambada.
camafeo; *s.* camafeu.
camaleón; *s.* camaleão.
cámara; *s.* câmara, quarto, câmara municipal, câmara cinematográfica.
camarada; *s.* camarada, colega, companheiro.
camaradería; *s.* camaradagem.
camarero; *s.* camareiro, criado.
camarilla; *s.* camarilha.
camarín; *s.* camarim.
camarón; *s.* camarão.
camarote; *s.* camarote.
cambalache; *s.* cambalacho, troca de objetos de pouco valor.
cambiante; *adj.* cambiante, mutante, furta-cor.
cambiar; *v.* mudar, trocar, alterar, transferir, converter.
cambio; *s.* câmbio, troca de dinheiro ou letras.
cambista; *s.* cambista.
camelar; *v.* galantear, seduzir, enganar adulando.
camelia; *s.* camélia.
camello; *s.* camelo.
camelo; *s.* engano, sarro, gozação.
camilla; *s.* maca, camilha, cama de encosto, mesa com braseiro.
caminada; *s.* caminhada, passeio.
caminar; *v.* caminhar, andar.
camino; *s.* caminho, estrada, senda, direção, rota.
camión; *s.* caminhão.
camionero; *s.* caminhoneiro.

camioneta; *s.* caminhonete, furgão, perua.
camisa; *s.* camisa.
camiseta; *s.* camiseta.
camisón; *s.* camisão, camisola.
camomila; *s.* camomila.
camorra; *s.* briga, rixa.
camote; *s.* batata-doce.
campamento; *s.* acampamento.
campana; *s.* sino.
campanario; *s.* campanário.
campanilla; *s.* campainha, sineta.
campante; *adj.* alegre, tranquilo.
campaña; *s.* campanha, batalha.
campar; *v.* ostentar, brilhar.
campechano; *adj.* afável, franco.
campeón; *s.* campeão, herói.
campeonato; *s.* campeonato.
campesino; *s.* camponês.
campestre; *adj.* campestre.
camping; *s.* acampamento.
campiña; *s.* campina.
campo; *s.* campo, planície, extensão.
camposanto; *s.* cemitério.
camuflaje; *s.* camuflagem, disfarce.
camuflar; *v.* camuflar, disfarçar.
can; *s.* cão, gatilho de arma.
caná; *s.* cã, cabelos brancos.
canadiense; *adj.* canadense.
canal; *s.* canal, cano, faixa de frequência para sintonizar a televisão.
canalización; *s.* canalização.
canalizar; *v.* canalizar.
canalla; *s.* canalha.
canalla; *adj.* canalha, safado, sem-vergonha.
canalón; *s.* calha, pia de cozinha.
canapé; *s.* canapé, espécie de divã.
canario; *s.* canário.
canasta; *s.* canastra.
cancel; *s.* biombo.
cancela; *s.* cancela, portão de ferro.
cancelación; *s.* cancelamento.
cancelar; *v.* cancelar, anular, apagar.
cáncer; *s.* câncer, cancro, tumor maligno.
cáncer; *s.* câncer, constelação zodiacal.
cancerígeno; *adj.* cancerígeno.
canceroso; *adj.* canceroso.
cancha; *s.* cancha, campo destinado a jogos, terreno espaçoso.
canciller; *s.* chanceler.
cancillería; *s.* chancelaria.
canción; *s.* canção, cantiga.
candado; *s.* cadeado, fechadura móvel.
candado; *s.* brincos das orelhas.
candela; *s.* candeia, vela de sebo ou cera.
candelabro; *s.* candelabro, castiçal, lustre.
candelero; *s.* castiçal.
candente; *adj.* candente, incandescente.
candidato; *s.* candidato.
candidatura; *s.* candidatura.
cándido; *adj.* cândido, simples, sincero.
candil; *s.* candil, candeia.
candor; *s.* candura, alvura.
canela; *s.* canela.
cangrejo; *s.* caranguejo.
canguro; *s.* canguru.
caníbal; *s.* canibal.
canibalismo; *s.* canibalismo.
canica; *s.* bola-de-gude.
canijo; *adj.* débil, fraco.
canilla; *s.* tíbia, canela, bobina.
canino; *adj.* canino.
canje; *s.* troca, permuta.
canjear; *v.* trocar, permutar.
cano; *adj.* encanecido, que tem cabelos brancos.
canoa; *s.* canoa.
canon; *s.* cânon, cânone, regra.
canónico; *adj.* canânico.
canónigo; *s.* cónego.
canonizar; *v.* canonizar.
canoro; *adj.* canoro, canto melodioso.
cansado; *adj.* cansado, fatigado, enfraquecido.
cansancio; *s.* cansaço, fadiga, canseira.

cansar; *v.* cansar, fatigar, importunar, aborrecer.
cantante; *adj.* cantante, cantor profissional.
cantar; *s.* canto, canção.
cantar; *v.* cantar.
cántaro; *s.* cântaro, bilha.
cantata; *s.* cantata, serenata.
cantera; *s.* cantaria, pedreira.
cantero; *s.* canteiro, porção de terreno.
cantero; *s.* canteiro, pessoa que trabalha em cantaria.
cántico; *s.* cântico, hino, canto.
cantidad; *s.* quantidade, quantia, porção.
cantiga; *s.* cantiga.
cantina; *s.* cantina, adega.
canto; *s.* canto, cantoria, hino.
canto; *s.* canto, extremidade, ponta, ângulo.
cantón; *s.* cantão, distrito, esquina.
cantor; *s.* cantor.
canuto; *s.* canudo, tubo.
caña; *s.* cana, talo, pé de milho, pé de cana, junco.
caña; *s.* vara de pescar.
caña; *s.* tíbia, canela.
caña; *s.* caneca de cerveja, chope.
cañada; *s.* canhada, planície, vale estreito.
cáñamo; *s.* cânhamo.
cañaveral; *s.* canavial.
cañería; *s.* encanamento, aqueduto.
cañero; *s.* encanador.
cañizo; *s.* caniço.
caño; *s.* cano, canudo, tubo, esgoto.
cañón; *s.* canhão, tubo, cilindro, tronco de árvore.
caoba; *s.* caoba, acaju.
caos; *s.* caos, desordem, confusão.
caótico; *adj.* caótico.
capa; *s.* capa, cobertura.
capacidad; *s.* capacidade, extensão, espaço.
capacitación; *s.* capacitação, qualificação.
capacitado; *adj.* capacitado, qualificado, habilitado.
capacitar; *v.* capacitar, qualificar, habilitar.
capar; *v.* capar, castrar.
caparazón; *s.* caparazão, carcaça.
capataz; *s.* capataz, feitor, caseiro.
capaz; *adj.* capaz, apto, digno, inteligente.
capcioso; *adj.* capcioso, enganoso.
capellán; *s.* capelão.
caperuza; *s.* carapuça, capuz.
capilar; *s.* capilar.
capilar; *adj.* capilar.
capital; *adj.* capital, principal.
capital; *s.* capital, metrópole.
capital; *s.* capital, dinheiro, patrimônio.
capitalismo; *s.* capitalismo.
capitalista; *s.* capitalista.
capitalización; *s.* capitalização.
capitalizar; *v.* capitalizar.
capitán; *s.* capitão.
capitanía; *s.* capitania.
capitel; *s.* capitel.
capitulación; *s.* capitulação.
capitular; *v.* capitular, render-se.
capítulo; *s.* capítulo.
capó; *s.* capô de automóvel.
capón; *s.* capão, castrado.
capotar; *v.* capotar.
capote; *s.* capote, capa grande.
capricho; *s.* capricho, fantasia.
capricornio; *s.* capricórnio.
cápsula; *s.* cápsula.
captación; *s.* captação, conquista.
captar; *v.* captar, atrair, interceptar.
capturar; *v.* capturar.
capucha; *s.* capuz.
capuchino; *s.* capuchinho, religioso.
capullo; *s.* capulho, casulo, botão de flor; prepúcio, glande.
caqui; *adj.* cáqui.
cara; *s.* cara, rosto.
carabela; *s.* caravela.
carabina; *s.* carabina, espingarda.
caracol; *s.* caracol.
caracola; *s.* búzio.

carácter; *s.* caráter, marca, dignidade, firmeza.
característico; *adj.* característico.
caracterizar; *v.* caracterizar.
caradura; *s.* cara-de-pau, sem-vergonha.
caramba; *interj.* caramba, puxa.
carambola; *s.* carambola, jogo de bilhar.
carambola; *s.* mentira, trapaça.
carambola; *s.* carambola, fruta do carambolo.
caramelo; *s.* caramelo, bala, confeito.
caramujo; *s.* caramujo.
caravana; *s.* caravana.
caray; *interj.* caramba, puxa.
carbón; *s.* carvão, brasa apagada.
carbonero; *adj.* carbonífero.
carbonero; *s.* carvoeiro.
carbónico; *adj.* carbônico.
carbonífero; *adj.* carbonífero.
carbonización; *s.* carbonização.
carbonizar; *v.* carbonizar.
carbono; *s.* carbono.
carbúnculo; *s.* carbúnculo.
carburación; *s.* carburação.
carburador; *s.* carburador.
carburante; *s.* carburante.
carburar; *v.* carburar.
carburo; *s.* carboneto.
carcajada; *s.* gargalhada, risada.
cárcel; *s.* cárcere, prisão, cadeia.
carcelero; *s.* carcereiro.
carcinoma; *s.* carcinoma.
carcoma; *s.* carcoma, caruncho.
carcomer; *v.* carcomer, roer.
cardar; *v.* cardar, pentear a lã.
cardenal; *s.* cardeal.
cardenal; *s.* equimose, contusão.
cárdeno; *adj.* azul-violáceo.
cardíaco; *adj.* cardíaco.
cardinal; *adj.* cardinal, cardeal.
cardiología; *s.* cardiologia.
cardiólogo; *s.* cardiologista.
cardo; *s.* cardo.
carear; *v.* carear, confrontar.
carecer; *v.* carecer, falhar.
carencia; *s.* carência, necessidade.
carente; *adj.* carente, necessitado.
careo; *s.* acareação, confronto.
carestía; *s.* carestia, escassez, falta.
careta; *s.* careta, máscara.
carey; *s.* carei, tartaruga do mar.
carga; *s.* carga, carregamento, peso, imposto.
cargador; *s.* carregador.
cargamento; *s.* carregamento, carga.
cargar; *v.* carregar, embarcar mercadorias.
cargo; *s.* carga, carregamento, cargo, emprego.
carguero; *s.* cargueiro.
cariar; *v.* cariar, criar cárie.
caricatura; *s.* caricatura.
caricia; *s.* carícia, carinho, afago.
caridad; *s.* caridade, benevolência, benefício.
caries; *s.* cárie.
cariño; *s.* carinho, amor, ternura.
cariñoso; *adj.* carinhoso, afetuoso.
carisma; *s.* carisma.
carismático; *adj.* carismático.
cariz; *s.* cariz, aspecto da atmosfera.
carmesí; *adj.* carmesim, vermelho.
carmín; *s.* carmim.
carnada; *s.* carnada, isca de carne para pescar.
carnal; *adj.* carnal.
carnaval; *s.* carnaval.
carnavalesco; *adj.* carnavalesco.
carnaza; *s.* carnaz, sebo.
carne; *s.* carne, tecido muscular, polpa dos frutos.
carnero; *s.* carneiro.
carnero; *s.* ossário, jazigo familiar.
carnicería; *s.* açougue, matadouro.
carnicero; *s.* açougueiro.
carnívoro; *adj.* carnívoro.
carnoso; *adj.* carnudo, cheio.
caro; *adj.* caro, de preço elevado.
caro; *adj.* querido, estimado.
carótida; *s.* carótida.
carozo; *s.* caroço de azeitona, caroço de fruta.
carpa; *s.* carpa.

carpa; *s.* toldo de feira.
carpeta; *s.* pasta para guardar papeis.
carpintería; *s.* carpintaria.
carpintero; *s.* carpinteiro.
carpir; *v.* carpir, chorar, lamentar.
carpo; *s.* carpo.
carraca; *s.* matraca,
carraspear; *v.* pigarrear.
carraspera; *s.* rouquidão, pigarro.
carrera; *s.* carreira, corrida.
carrera; *s.* carreira profissional.
carrera; *s.* carreira, risca do cabelo.
carreta; *s.* carreta.
carrete; *s.* carretel.
carretera; *s.* estrada.
carretilla; *s.* carretilha, carinho de mão.
carril; *s.* carril, sulco, pista, trilho.
carrillo; *s.* bochecha.
carro; *s.* carro, automóvel.
carrocería; *s.* carroceria, oficina mecânica.
carroña; *s.* carniça.
carroza; *s.* carroça.
carruaje; *s.* carruagem.
carta; *s.* carta, missiva.
carta; *s.* carta do baralho.
carta; *s.* cardápio.
carta; *s.* mapa.
cartabón; *s.* esquadro.
cartapacio; *s.* pasta escolar, caderno de apontamento.
cartel; *s.* cartaz, anúncio.
cártel; *s.* cartel, consórcio de empresas.
cartelera; *s.* armação para cartazes.
cartelera; *s.* anúncios de cinema e teatro no jornal.
cartera; *s.* carteira.
cartería; *s.* repartição dos correios.
carterista; *s.* ladrão de carteiras, batedor de carteira.
cartero; *s.* carteiro.
cartilaginoso; *adj.* cartilaginoso.
cartílago; *s.* cartilagem.
cartilla; *s.* cartilha, breviário.
cartografía; *s.* cartografia.
cartógrafo; *s.* cartógrafo.
cartomancia; *s.* cartomancia.
cartón; *s.* cartão, papelão.
cartucho; *s.* cartucho.
cartujo; *s.* cartuxo, ordem religiosa.
cartulina; *s.* cartolina.
casa; *s.* casa, morada, habitação, edifício.
casaca; *s.* casaca.
casación; *s.* cassação.
casado; *adj.* casado.
casal; *s.* parelha de animais.
casamiento; *s.* casamento, enlace, matrimônio, união.
casar; *v.* casar, contrair matrimônio, unir.
casca; *s.* casca.
cascabel; *s.* cascavel.
cascabel; *s.* guizo.
cascada; *s.* cascata, cachoeira.
cascajo; *s.* cascalho.
cascanueces; *s.* quebra-nozes.
cascar; *v.* quebrar, partir, rachar.
cáscara; *s.* casca, revestimento externo.
cascarón; *s.* casca de ovo.
casco; *s.* casco, vasilha, capacete.
cascote; *s.* cascalho, entulho.
caserío; *s.* casaria, casario.
casero; *adj.* caseiro, familiar.
casero; *s.* caseiro, inquilino.
caserón; *s.* casarão.
casi; *adj.* quase, por pouco.
casilla; *s.* casinha, bilheteria, compartimento, latrina.
casilla; *s.* caixa postal.
casino; *s.* cassino, clube.
caso; *s.* caso, acontecimento, acaso, circunstância.
casorio; *s.* casório, casamento sem consideração.
caspa; *s.* caspa.
casta; *s.* casta, linhagem, qualidade.
castaña; *s.* castanha.
castañar; *s.* castanhal, castanhedo.
castaño; *adj.* castanho.

castañuela; *s.* castanholas.
castellano; *adj.* castelhano.
castidad; *s.* castidade, pureza.
castigar; *v.* castigar, punir, fazer sofrer.
castigo; *s.* castigo, punição.
castillo; *s.* castelo, fortaleza.
castizo; *adj.* castiço, de boa casta.
casto; *adj.* casto, puro.
castor; *s.* castor.
castración; *s.* castração.
castrar; *v.* castrar, capar.
casual; *adj.* casual, eventual, fortuito.
casualidad; *s.* casualidade, eventualidade, acaso.
cata; *s.* prova, degustação.
cataclismo; *s.* cataclismo, desastre.
catacumbas; *s.* catacumba.
catadura; *s.* catadura, aspecto, aparência, semblante.
catalán; *adj.* catalão.
catalejo; *s.* binóculo.
catalepsia; *s.* catalepsia.
catálisis; *s.* catálise.
catalizador; *adj.* catalisador.
catalogación; *s.* catalogação, indexação.
catalogar; *v.* catalogar, apontar, registrar, inscrever.
catálogo; *s.* catálogo, minuta, inventário.
cataplasma; *s.* cataplasma.
catapulta; *s.* catapulta.
catar; *v.* catar, provar, ensaiar, ver, examinar, buscar, pesquisar.
catarata; *s.* catarata.
catarro; *s.* catarro.
catástrofe; *s.* catástrofe, grande desgraça.
catecismo; *s.* catecismo.
cátedra; *s.* cátedra, cadeira, classe.
catedral; *s.* catedral.
catedrático; *adj.* catedrático, professor universitário.
categoría; *s.* categoria, classe, ordem.
categórico; *adj.* categórico, taxativo.
catequizar; *v.* catequizar.
caterva; *s.* caterva, multidão.
catéter; *s.* cateter.
cateterismo; *s.* cateterismo.
cateto; *s.* cateto.
catinga; *s.* catinga, cheiro desagradável.
catolicismo; *s.* catolicismo.
católico; *adj.* católico.
cauce; *s.* leito de rio ou riacho.
caucho; *s.* caucho, borracha.
caución; *s.* caução, preocupação, cautela.
caudal; *adj.* caudaloso, torrencial.
caudal; *s.* caudal, torrente.
caudaloso; *adj.* caudaloso.
caudillo; *s.* caudilho, chefe militar.
causa; *s.* causa, origem, razão.
causal; *adj.* causal.
causalidad; *s.* causalidade, origem.
causar; *v.* causar, acarretar, originar, produzir.
cáustico; *adj.* cáustico.
cautela; *s.* cautela, precaução, prevenção.
cauteloso; *adj.* cauteloso.
cauterio; *adj* cautério.
cauterización; *s.* cauterização.
cautivar; *v.* cativar, seduzir, enamorar, encantar.
cautiverio; *s.* cativeiro, prisão, cárcere.
cautivo; *adj.* cativo, prisioneiro.
cava; *s.* cava, fosso.
cavar; *v.* cavar, escavar, aprofundar.
caverna; *s.* caverna, gruta, antro.
cavernoso; *adj.* cavernoso, cavo, profundo.
caviar; *s.* caviar.
cavidad; *s.* cavidade, depressão, cova.
cavilar; *v.* cavilar, matutar, pensar, cismar.
cayado; *s.* cajado, bordão, bastão de apoio.
caza; *s.* caça, caçada, animais caçados.

cazador; *s.* caçador.
cazar; *v.* caçar, procurar, perseguir.
cazo; *s.* caçarola, frigideira, concha.
cazuela; *s.* caçarola, guisado.
cazurro; *adj.* casmurro, carrancudo.
cebada; *s.* cevada.
cebar; *v.* cevar, fazer engordar, nutrir.
cebo; *s.* ceva, isca, engodo.
cebolla; *s.* cebola.
cebolleta; *s.* cebolinha.
cebra; *s.* zebra.
cebú; *s.* zebu.
cecina; *s.* carne defumada, seca e salgada.
cedazo; *s.* peneira, crivo, rede.
ceder; *v.* ceder, transferir, renunciar, deixar.
cedilla; *s.* cedilha.
cedro; *s.* cedro.
cédula; *s.* cédula.
cefálico; *adj.* cefálico.
cegar; *v.* cegar, tirar a visão.
ceguera; *s.* cegueira.
ceja; *s.* sobrancelha, supercílio.
cejar; *v.* retroceder, recuar.
celador; *s.* zelador, vigilante.
celar; *v.* zelar, cuidar, vigiar.
celda; *s.* cela, célula, cavidade pequena, cubículo.
celdilla; *s.* célula, nicho.
celebrar; *v.* celebrar, louvar, festejar, comemorar.
célebre; *adj.* célebre, famoso.
celebridad; *s.* celebridade, fama.
celeridad; *s.* celeridade, rapidez.
celeste; *adj.* celeste, azul-celeste.
celestial; *adj.* celestial.
celibato; *s.* celibato.
célibe; *adj.* celibatário, solteiro.
celo; *s.* zelo, cuidado, cio, anseio, ciúme.
celofán; *s.* celofane.
celosía; *s.* gelosia.
celoso; *adj.* zeloso, ciumento.
celta; *adj.* celta.
célula; *s.* célula.
celular; *adj.* celular.
celulitis; *s.* celulite.
celuloide; *s.* celulóide.
celulosa; *s.* celulose.
cementerio; *s.* cemitério.
cemento; *s.* cimento.
cena; *s.* ceia, jantar.
cenagal; *s.* atoleiro, lamaçal, lameiro.
cenagoso; *adj.* lamacento.
cenar; *v.* cear, jantar.
cencerro; *s.* chocalho.
cenefa; *s.* sanefa, grinalda.
cenicero; *s.* cinzeiro.
ceniza; *s.* cinza, pó.
cenizo; *adj.* cinzento.
censar; *v.* recensear.
censo; *s.* censo, recenseamento.
censor; *s.* censor, crítico.
censura; *s.* censura, crítica.
censurar; *v.* censurar, examinar, repreender.
centauro; *s.* centauro.
centella; *s.* centelha, faísca, raio.
centelleante; *adj.* cintilante.
centena; *s.* centena.
centenario; *s.* centenário, século.
centenario; *adj.* centenário.
centeno; *s.* centeio.
centígrado; *adj.* centígrado.
centímetro; *s.* centímetro.
céntimo; *s.* cêntimo.
céntimo; *adj.* centésimo.
centinela; *s.* sentinela, vigia.
centolla; *s.* centola, santola.
centrado; *adj.* centrado.
central; *adj.* central, médio.
central; *s.* repartição pública.
centralismo; *s.* centralismo.
centralita; *s.* posto telefônico.
centralización; *s.* centralização.
centralizar; *v.* centralizar, centrar.
centrar; *v.* centrar, determinar o centro, concentrar-se.
centrifugar; *v.* centrifugar.
centrífugo; *adj.* centrífugo.
centrípeto; *adj.* centrípeto.
centro; *s.* centro, meio.
centuplicar; *v.* centuplicar.

ceñir; *v.* cingir, rodear, abraçar-se.
ceño; *s.* cenho, semblante severo, enfado.
cepa; *s.* cepa, tronco.
cepillar; *v.* escovar, alisar, polir.
cepillo; *s.* escova de cabelo, escova de dente.
cepo; *s.* cepo, tronco cortado.
cera; *s.* cera, secreção das abelhas.
cerámica; *s.* cerâmica.
cerca; *s.* cerca, muro.
cerca; *adv.* quase, perto, próximo, em torno.
cercanía; *s.* cercania, proximidade.
cercano; *adj.* próximo, vizinho.
cercar; *v.* cercar, sitiar, rodear.
cercenar; *v.* cercear, cortar rente.
cerciorar; *v.* certificar, afirmar, afiançar, assegurar.
cerco; *s.* cerco, sítio, circuito, recinto.
cerda; *s.* cerda, pêlo.
cerdo; *s.* porco, suíno.
cereal; *s.* cereal.
cerealista; *s.* cerealista.
cerebelo; *s.* cerebelo.
cerebral; *adj.* cerebral.
cerebro; *s.* cérebro.
ceremonia; *s.* cerimônia, formalidade, etiqueta, ritual.
ceremonial; *s.* cerimonial.
ceremonial; *adj.* cerimonioso.
ceremonioso; *adj.* cerimonial.
cereza; *s.* cereja.
cerilla; *s.* fósforo, pavio, cerúmem.
cerner; *v.* peneirar, crivar, examinar.
cero; *s.* zero.
cerrado; *adj.* fechado, oculto.
cerradura; *s.* fechadura.
cerrajero; *s.* serralheiro.
cerrar; *v.* cerrar, fechar, encerrar, saldar, vedar.
cerrazón; *s.* cerração, nevoeiro.
cerro; *s.* cerro, colina, outeiro.
cerrojo; *s.* ferrolho.
certamen; *s.* desafio, duelo, competição.
certero; *adj.* certeiro, seguro.
certeza; *s.* certeza, segurança, convicção.
certificado; *s.* certificado, atestado.
certificar; *v.* certificar, assegurar, afirmar.
cerumen; *s.* cerume, cera de ouvido.
cervecería; *s.* cervejaria.
cerveza; *s.* cerveja.
cervical; *adj.* cervical.
cerviz; *s.* cerviz, nuca.
cesante; *adj.* cessante, parado.
cesar; *v.* cessar, parar, acabar, suspender, deixar.
cesárea; *s.* cesárea, operação cesariana.
cese; *s.* cessação, suspensão.
cesión; *s.* cessão, transferência, abandono.
césped; *s.* gramado, relva.
cesta; *s.* cesta.
cesto; *s.* cesto.
cetáceo; *adj.* cetáceo.
cetro; *s.* cetro, bastão.
ch; quarta letra do alfabeto espanhol.
chabacanería; *s.* grosseria, indecência, soez.
chabacano; *adj.* grosseiro, tosco, sem arte, de mau gosto.
chabola; *s.* favela.
chacal; *s.* chacal.
chacarero; *s.* caseiro de chácara, camponês, colono.
chacota; *s.* chacota, bulha, zombaria, caçoada.
chacra; *s.* chácara, granja.
chal; *s.* xale.
chalado; *adj.* tonto, bobo, enamorado.
chalar; *v.* endoidecer, enamorar, apaixonar-se.
chaleco; *s.* jaleco, colete.
chalet; *s.* chalé.
chamaco; *s.* menino, rapaz, moço.
champán; *s.* champanhe.
champiñón; *s.* cogumelo.
champú; *s.* xampu.
chamuscar; *v.* chamuscar, crestar.

chanchullo; *s.* negócio ilícito, sujo, tramóia, trapaça.
chancla; *s.* chinela, sapato velho.
chanclo; *s.* galocha, tamanco.
chancro; *s.* cancro, cancer, úlcera venérea.
chantaje; *s.* chantagem.
chantajear; *v.* chantagear.
chanza; *s.* gracejo, brincadeira.
chapa; *s.* chapa, folha, lâmina.
chapado; *adj.* chapado.
chapar; *v.* chapar.
chaparrón; *s.* chuva forte de pouca duração, aguaceiro.
chapotear; *v.* umedecer, molhar.
chapucería; *s.* obra ou serviço mal feito, embuste, mentira.
chapucero; *adj.* incompetente, grosseiro, tosco, atabalhoado.
chapuzar; *v.* mergulhar.
chaqué; *s.* fraque.
chaqueta; *s.* jaqueta, casaco curto para homem.
chaquetón; *s.* jaquetão.
charada; *s.* charada, enigma.
charanga; *s.* charanga.
charca; *s.* açude.
charco; *s.* charco, lodaçal, atoleiro.
charla; *s.* conversa à toa, falatório.
charlatán; *s.* charlatão, tagarela.
charol; *s.* verniz.
chascarrillo; *s.* anedota ligeira, picante, jocoso.
chasco; *s.* decepção, engano, contratempo, zombaria.
chasis; *s.* chassis.
chasquido; *s.* estalo.
chatarra; *s.* sucata.
chatarrero; *s.* sucateiro.
chauvinismo; *s.* chauvinismo.
chaval; *s.* garoto, rapaz, jovem.
checoslovaco; *adj.* checoslovaco.
chepa; *s.* corcova, corcunda.
cheque; *s.* cheque.
chequear; *v.* checar, examinar.
chic; *adj.* chique, elegância.
chicharra; *s.* cigarra.
chicharrón; *s.* torresmo.
chico; *adj.* pequeno.
chico; *s.* menino.
chifla; *s.* silvo, apito, assobio.
chiflado; *adj.* louco, demente.
chileno; *adj.* chileno.
chillar; *v.* chiar, guinchar.
chillido; *s.* chiado, guincho, berro.
chimenea; *s.* chaminé.
chimpancé; *s.* chimpanzé.
china; *s.* pedra pequena, seixo, porcelana.
chinchar; *v.* importunar, molestar, incomodar.
chinche; *s.* percevejo.
chinchilla; *s.* chinchila.
chinela; *s.* chinela, chinelo.
chino; *adj.* chinês.
chipirón; *s.* lula.
chipriota; *s.* cipriota.
chiquillería; *s.* criançada.
chiquillo; *s.* criança, menino, garoto.
chirriar; *v.* chiar, guinchar.
chisme; *s.* intriga, mexerico, boato, fofoca.
chispa; *s.* chispa, faísca.
chispear; *v.* chispar, faiscar, reluzir.
chisporrotear; *v.* chispar, crepitar.
chistar; *v.* assobiar.
chiste; *s.* piada, gracejo, brincadeira.
chivar; *v.* denunciar, delatar.
chivato; *s.* delator.
chivo; *s.* cabrito.
chocante; *adj.* chocante, surpreendente.
chocar; *v.* chocar, bater, ofender.
chochear; *v.* caducar.
chocho; *adj.* caduco, decrépito.
choclo; *s.* tamanco, milho verde.
chocolate; *s.* chocolate.
chocolatera; *s.* chocolateira.
chófer; *s.* chofer, motorista.
chopo; *s.* choupo.
choque; *s.* choque, embate, briga.
chorizo; *s.* chouriço.
chorrear; *v.* jorrar, gotejar, pingar.
chorro; *s.* jorro, esguicho.

choza; *s.* choça, palhoça.
chubasco; *s.* aguaceiro, chuvada, chuvarada.
chubasquero; *s.* impermeável, capa de chuva.
chuchería; *s.* coisa sem importância.
chulear; *v.* zombar.
chuleta; *s.* chuleta, costela assada.
chulo; *adj.* chulo, grosseiro.
chulo; *s.* rufião.
chunga; *s.* algazarra, barulho.
chupado; *adj.* chupado, extenuado.
chupar; *v.* chupar, sugar, absorver.
chupatintas; *s.* empregado de escritório.
chupeta; *s.* chupeta.
chupetear; *v.* chupar aos poucos.
chupinazo; *s.* disparo de morteiro, fogos de artifício.
chupón; *adj.* chupão, chupim, parasita, explorador.
churrasco; *s.* churrasco.
churro; *s.* churro.
chusma; *s.* chusma, plebe.
chutar; *v.* chutar, dar pontapés.
cianuro; *s.* cianureto.
ciática; *s.* ciática, dor no nervo ciático.
cibernética; *s.* cibernética.
cicatería; *s.* mesquinharia, avareza.
cicatero; *adj.* avaro, sovina, mesquinho.
cicatriz; *s.* cicatriz.
cicatrizar; *v.* cicatrizar.
cicerone; *s.* cicerone.
cíclico; *adj.* cíclico.
ciclismo; *s.* ciclismo.
ciclista; *s.* ciclista.
ciclo; *s.* ciclo, período cronológico.
ciclón; *s.* ciclone.
cicuta; *s.* cicuta, veneno.
ciego; *adj.* cego.
cielo; *s.* céu, firmamento, atmosfera, paraíso.
ciempiés; *s.* centopéia.
cien; *adj.* cem.
ciencia; *s.* ciência, conhecimento, sabedoria.
cieno; *s.* lodo, lama, barro.
científico; *adj.* científico.
cierne; *s.* imaturo.
cierre; *s.* fecho, fechamento.
cierto; *adj.* certo, verdadeiro.
ciervo; *s.* cervo, veado.
cifra; *s.* cifra, zero, algarismo sem valor.
cifrar; *v.* cifrar, escrever em cifra.
cigarra; *s.* cigarra.
cigarrería; *s.* charutaria, tabacaria.
cigarrillo; *s.* cigarro, cigarrilha.
cigarro; *s.* charuto.
cigüeña; *s.* cegonha.
cilindrada; *s.* cilindrada.
cilíndrico; *adj.* cilíndrico.
cilla; *s.* celeiro.
cima; *s.* cimo, cume, topo.
cimentar; *v.* cimentar, alicerçar.
cimiento; *s.* cimento, alicerce.
cinc; *s.* zinco.
cincel; *s.* cinzel.
cincha; *s.* tento, tira de couro.
cincuentenario; *s.* cinquetenário.
cine; *s.* cine, cinema.
cineasta; *s.* cineasta.
cineclub; *s.* cineclube.
cíngaro; *adj.* zíngaro, cigano.
cínico; *adj.* cínico, falacioso.
cinismo; *s.* cinismo.
cinta; *s.* cinta, faixa, tira, fita, cinto.
cinto; *s.* cinto, cinturão.
cintura; *s.* cintura.
cinturón; *s.* cinturão, cinto largo.
ciprés; *s.* cipreste.
circo; *s.* circo, anfiteatro.
circuito; *s.* circuito, contorno.
circulación; *s.* circulação, giro, trânsito.
circular; *adj.* circular, redondo.
circular; *v.* circular.
círculo; *s.* círculo, circuito, distrito, clube, grêmio.
circuncidar; *v.* circuncidar.
circuncisión; *s.* circuncisão.
circunciso; *adj.* circuncidado.
circunferencia; *s.* circunferência.
circunflejo; *adj.* circunflexo.

circunloquio; *s.* circunlóquio, perífrase.
circunscribir; *v.* circunscrever, marcar limites.
circunspección; *s.* circunspeção, atenção.
circunspecto; *adj.* circunspecto, prudente, sério.
circunstancia; *s.* circunstância, qualidade, requisito, valor.
circunstante; *adj.* circunstante, que está perto.
cirio; *s.* círio, vela grande de cera.
cirro; *s.* cirro, nuvem branca e muito alta.
cirrosis; *s.* cirrose.
ciruela; *s.* ameixa.
cirugía; *s.* cirurgia.
cirujano; *s.* cirurgião.
cisco; *s.* cisco, pó de carvão.
cisma; *s.* cisma, discórdia, desavença.
cisne; *s.* cisne.
cisterna; *s.* cisterna, poço.
cisura; *s.* fissura, fenda.
cita; *s.* entrevista, encontro, citação, epígrafe.
citación; *s.* citação.
citar; *v.* citar, apontar, avisar, referir, mencionar.
cítara; *s.* cítara.
citología; *s.* citologia.
citoplasma; *s.* citoplasma.
cítrico; *adj.* cítrico.
citrón; *s.* limão.
ciudad; *s.* cidade, povoação urbana.
ciudadanía; *s.* cidadania.
ciudadano; *s.* cidadão.
cívico; *adj.* cívico.
civil; *adj.* civil, sociável, delicado, urbano.
civilización; *s.* civilização, progresso, cultura.
civilizar; *v.* civilizar, ilustrar.
civismo; *s.* civismo, patriotismo.
cizalla; *s.* cisalha, tesoura mecânica.
cizaña; *s.* joio, cizânia, discórdia.
clamar; *v.* clamar, vociferar, bradar.
clamor; *s.* clamor, brado.
clan; *s.* clã, tribo, família.
clandestinidad; *s.* clandestinidade.
clandestino; *adj.* clandestino.
clara; *s.* clara de ovo.
claraboya; *s.* clarabóia.
clarear; *v.* clarear, aclarar, abrir clareiras, amanhecer.
claridad; *s.* claridade, luz, transparência.
clarificar; *v.* clarificar, esclarecer, iluminar.
clarín; *s.* clarim.
clarinete; *s.* clarinete.
clarividencia; *s.* clarividência, perspicácia.
claro; *adj.* claro, luminoso, evidente, franco, sincero.
clase; *s.* classe, ordem, categoria, sala de aula, grupo.
clasicismo; *s.* classicismo.
clásico; *adj.* clássico.
clasificar; *v.* classificar, ordenar.
claudicar; *v.* claudicar, mancar.
claustro; *s.* claustro.
claustrofobia; *s.* claustrofobia.
cláusula; *s.* cláusula.
clausura; *s.* clausura.
clavar; *v.* cravar, pregar, firmar, fixar, encravar-se.
clave; *s.* clave, chave, explicação.
clavel; *s.* cravo.
clavícula; *s.* clavícula.
clavija; *s.* cavilha, cravelha.
clavo; *s.* cravo, prego, cravo-da-índia.
claxon; *s.* buzina.
clemencia; *s.* clemência, bondade, indulgência.
cleptomanía; *s.* cleptomania.
clérigo; *s.* clérigo, presbítero, sacerdote.
clero; *s.* clero.
cliché; *s.* clichê, matriz.
cliente; *s.* cliente, freguês.
clientela; *s.* clientela, freguesia.
clima; *s.* clima, temperatura.
climaterio; *s.* climatério.
climático; *adj.* climático.

climatizado; *adj.* climatizado, refrigerado.
climatología; *s.* climatologia.
clímax; *s.* clímax, auge.
clínica; *s.* clínica.
clínico; *adj.* clínico.
clip; *s.* clipe, grampo.
clítoris; *s.* clitóris.
cloaca; *s.* cloaca, fossa.
cloro; *s.* cloro.
clorofila; *s.* clorofila.
cloroformo; *s.* clorofórmio.
club; *s.* clube, grêmio, associação.
coacción; *s.* coação, imposição.
coaccionar; *v.* coagir, obrigar.
coadyuvar; *v.* coadjuvar, ajudar, auxiliar, colaborar.
coagulación; *s.* coagulação.
coagulante; *adj.* coagulante.
coagular; *v.* coagular, coalhar, solidificar.
coágulo; *s.* coágulo.
coalición; *s.* coalizão, liga.
coartar; *v.* restringir, limitar, reduzir.
coba; *s.* adulação fingida, engodo, molestar, incomodar.
cobalto; *s.* cobalto.
cobarde; *adj.* covarde, medroso, fraco.
cobardía; *s.* covardia, medo, indignidade, fraqueza.
cobayo; *s.* cobaia, porquinho-da-índia, preá.
cobertura; *s.* cobertura.
cobijar; *v.* cobrir, tapar, ocultar.
cobra; *s.* cobra, serpente venenosa.
cobrador; *s.* cobrador.
cobrar; *v.* cobrar, receber.
cobre; *s.* cobre.
coca; *s.* coca, planta narcótica.
cocaína; *s.* cocaína.
cocción; *s.* cocção, cozimento.
cóccix; *s.* cóccix.
cocer; *v.* cozer, cozinhar, ferver um líquido.
cochambre; *s.* sujeira, porcaria, imundície.
cochambroso; *adj.* sujo, porco, imundo.
coche; *s.* coche, carro, vagão de trem.
cochinería; *s.* porcaria, sujeira.
cochinillo; *s.* leitão novo.
cochino; *s.* porco.
cocido; *adj.* cozido.
cociente; *s.* quociente.
cocina; *s.* cozinha.
cocinar; *v.* cozinhar, condimentar, temperar.
cocinero; *s.* cozinheiro, mestre-cuca.
coco; *s.* coco.
cocodrilo; *s.* crocodilo.
cóctel; *s.* coquetel.
codear; *v.* acotovelar.
codicia; *s.* cobiça, avidez.
codiciar; *v.* cobiçar, desejar.
codicioso; *adj.* ambicioso, ávido.
codificar; *v.* codificar.
código; *s.* código, conjunto de leis, regras.
codo; *s.* cotovelo.
codorniz; *s.* codorniz, perdiz.
coeficiente; *s.* coeficiente.
coercitivo; *adj.* coercitivo.
coetáneo; *adj.* coetâneo, coevo, contemporâneo.
coexistir; *v.* coexistir.
cofia; *s.* coifa, touca.
cofradía; *s.* confraria.
cofre; *s.* cofre, baú, arca.
coger; *v.* colher, agarrar, pegar, recolher.
cognoscitivo; *adj.* cognitivo, cognoscitivo.
cohabitar; *v.* coabitar, viver em comum.
cohecho; *s.* suborno.
coherencia; *s.* coerência, lógica.
cohesión; *s.* coesão, aderência.
cohete; *s.* foguete.
cohibir; *v.* coibir, reprimir, privar-se.
coincidencia; *s.* coincidência.
coincidir; *v.* coincidir, concordar.
coito, *s.* coito, cópula, relação sexual.
cojear; *v.* coxear, mancar.

cojín; *s.* coxim, almofadão.
cojinete; *s.* almofada.
cojo; *adj.* coxo, manco.
cojonudo; *adj.* excelente, incrível.
col; *s.* couve.
cola; *s.* cauda, rabo, fila, cola, grude.
colaboración; *s.* colaboração, cooperação, ajuda.
colaborador; *s.* colaborador, ajudante.
colaborar; *v.* colaborar, cooperar, ajudar.
colación; *s.* colação, nomeação, cortejo, refeição leve.
colada; *s.* filtragem, ação de coar, colagem, desfiladeiro.
colada; *s.* roupa branca lavada.
coladero; *s.* corredor, passagem estreita, filtro.
colador; *s.* coador, filtro.
coladora; *s.* lavadeira.
colapso; *s.* colapso, queda, paralisação repentina.
colar; *v.* colar, coar, filtrar.
colateral; *adj.* colateral.
colcha; *s.* colcha.
colchón; *s.* colchão.
colección; *s.* coleção, conjunto, série.
coleccionar; *v.* colecionar, juntar, compilar.
coleccionista; *s.* colecionador.
colecta; *s.* coleta, contribuição.
colectividad; *s.* coletividade, sociedade, conjunto.
colectivo; *adj.* coletivo.
colectivo; *s.* micro-ônibus.
colector; *adj.* coletor.
colega; *s.* colega, companheiro.
colegiado; *s.* colegiado.
colegial; *adj.* colegial, estudante, escolar.
colegiarse; *v.* agremiar-se, reunir-se em colégio.
colegio; *s.* colégio, escola, corporação, associação.
colegir; *v.* coligir, juntar, compilar.
cólera; *s.* cólera, ira, zanga.
colérico; *adj.* colérico, irado, encolerizado.
colesterol; *s.* colesterol.
coleta; *s.* coleta, rabo-de-cavalo.
coletazo; *s.* rabanada, pancada com a cauda.
colgador; *s.* varal.
colgadura; *s.* tapeçaria pendurada em paredes ou janelas.
colgar; *v.* pendurar, dependurar, suspender.
colibrí; *s.* colibri, beija-flor.
cólica; *s.* cólica, dor abdominal.
coliflor; *s.* couve-flor.
coligar; *v.* coligar, unir-se.
colilla; *s.* toco de cigarro, bagana, bituca.
colina; *s.* colina, morro, outeiro, encosta.
colindar; *v.* limitar, ser vizinho.
colirio; *s.* colírio.
coliseo; *s.* coliseu, anfiteatro.
colisión; *s.* colisão, choque.
colisionar; *v.* colidir, chocar.
colitis; *s.* colite.
collar; *s.* colar, gola, coleira.
collarín; *s.* colarinho, gola estreita.
colmar; *v.* cumular, abarrotar.
colmena; *s.* colméia.
colmillo; *s.* presa, dente canino.
colmo; *s.* cúmulo, demasia, excesso.
colmo; *adj.* cheio, abarrotado.
colocación; *s.* colocação, situação, emprego.
colocar; *v.* colocar, acomodar, situar, arranjar.
colofón; *s.* anotação final.
colombiano; *adj.* colombiano.
colon; *s.* cólon.
colonia; *s.* colônia, povoação.
colonia; *s.* água-de-colônia, perfume.
colonial; *adj.* colonial.
colonialismo; *s.* colonialismo.
colonialista; *adj.* colonialista.
colonización; *s.* colonização.
colonizar; *v.* colonizar.
colono; *s.* colono, colonizador.

coloquial; *adj.* coloquial, próximo.
coloquio; *s.* colóquio, palestra.
color; *s.* cor, coloração.
coloración; *s.* coloração.
colorado; *adj.* colorido, corado, vermelho.
colorante; *adj.* corante.
colorear; *v.* colorir.
colorete; *s.* ruge.
colorido; *adj.* colorido, corado.
colosal; *adj.* colossal, enorme.
coloso; *s.* colosso, estátua enorme.
columbrar; *v.* vislumbrar, descobrir, lobrigar, divisar.
columna; *s.* coluna, pilar, apoio.
columna; *s.* coluna vertebral.
columnista; *s.* colunista de jornal.
columpiar; *v.* balançar.
columpio; *s.* balanço.
coma; *s.* vírgula, sinal gráfico.
coma; *s.* coma, sono profundo.
comadre; *s.* comadre, madrinha de batismo, parteira, amiga.
comadreja; *s.* doninha.
comandante; *s.* comandante, chefe.
comandar; *v.* comandar, chefiar, dirigir.
comando; *s.* comando, chefia.
comarca; *s.* comarca, região.
comatoso; *adj.* comatoso, em estado de coma.
comba; *s.* curva.
comba; *s.* pular corda.
combar; *v.* curvar, empenar.
combate; *s.* combate, luta, batalha, ação de guerra.
combatible; *adj.* combatível.
combatiente; *adj.* combatente.
combatir; *v.* combater, lutar, batalhar, arremeter, atacar.
combatividad; *s.* combatividade.
combativo; *adj.* combativo, belicoso.
combinable; *adj.* combinável.
combinación; *s.* combinação, ajuste, pacto.
combinación; *s.* combinação, peça do vestuário feminino.
combinación; *s.* combinação, composto.
combinar; *v.* combinar, agrupar, unir, dispor.
combustibilidad; *s.* combustividade.
combustible; *adj.* combustível.
combustible; *s.* combustível, lenha, gás, álcool.
combustión; *s.* combustão.
comedero; *adj.* comestível, comível.
comedero; *s.* comedor, sala de jantar.
comedia; *s.* comédia, farsa.
comediante; *s.* comediante, ator.
comedido; *adj.* comedido, discreto, modesto.
comedimiento; *s.* comedimento, modéstia, sobriedade.
comedir; *v.* comedir, moderar, conter-se.
comedor; *adj.* comilão.
comedor; *s.* sala de jantar.
comendador; *s.* comendador.
comensal; *s.* comensal.
comentar; *v.* comentar, explicar, esclarecer.
comentario; *s.* comentário, análise, crítica.
comenzar; *v.* começar, iniciar, principiar, abrir, estrear.
comer; *v.* comer, alimentar-se, almoçar, jantar.
comercial; *adj.* comercial, mercantil.
comercialización; *s.* comercialização.
comercializar; *v.* comercializar.
comerciante; *s.* comerciante, negociante.
comerciar; *v.* comerciar, negociar.
comercio; *s.* comércio, mercado.
comercio; *s.* conjunto de estabelecimentos comerciais.
comestible; *adj.* comestível.
cometa; *s.* cometa, astro errante.
cometa; *s.* cometa, papagaio, pipa.
cometer; *v.* cometer, praticar.
cometido; *s.* encargo, incumbência.
comezón; *s.* comichão, coceira.
cómic; *s.* história em quadrinho, gibi.

comicios; *s.* comícios, eleição.
cómico; *adj.* cômico, ridículo.
comida; *s.* comida, alimento, refeição.
comidilla; *s.* fofoca, assunto de murmuração.
comienzo; *s.* começo, início, princípio, origem.
comilla; *s.* aspa.
comilona; *s.* refeição abundante, regabofe.
comisaría; *s.* comissariado.
comisario; *s.* comissário.
comisión; *s.* comissão, incumbência, encargo.
comisionar; *v.* comissionar, encarregar, delegar.
comité; *s.* comitê, junta.
comitiva; *s.* comitiva, acompanhamento, séquito.
como; *adv.* como, assim.
cómoda; *s.* cômoda, gaveteiro para roupas.
comodidad; *s.* comodidade, bem-estar, conforto.
cómodo; *adj.* cômodo, conveniente, oportuno.
compacto; *adj.* compacto, denso, espesso.
compadecer; *v.* compadecer.
compadre; *s.* compadre, padrinho de batismo.
compaginar; *v.* compaginar, ligar intimamente.
compañerismo; *s.* companheirismo.
compañero; *s.* companheiro, camarada, parceiro, colega.
compañía; *s.* companhia, acompanhante, sociedade, associação, grupo teatral.
comparación; *s.* comparação, paralelo.
comparar; *v.* comparar, cotejar, confrontar.
comparecencia; *s.* comparecimento.
comparecer; *v.* comparecer, apresentar-se.
compartimiento; *s.* compartimento, quarto, aposento, departamento.
compartir; *v.* partilhar, dividir, participar.
compás; *s.* compasso, regra, princípio.
compás; *s.* compasso, ritmo.
compasión; *s.* compaixão, piedade, dó.
compasivo; *adj.* compassivo, bondoso.
compatibilidad; *s.* compatibilidade.
compatible; *adj.* compatível.
compatriota; *s.* compatriota.
compendio; *s.* compêndio, resumo, sumário, síntese.
compenetración; *s.* compenetração.
compenetrarse; *v.* compenetrar-se.
compensación; *s.* compensação.
compensar; *v.* compensar, contrabalançar, remunerar, equilibrar.
competencia; *s.* competência, disputa, contenda, incumbência.
competente; *adj.* competente, adequado, apto, devido.
competer; *v.* competir, pertencer, incumbir.
competición; *s.* competição, rivalidade, concorrência.
competidor; *adj.* competidor, adversário.
competir; *v.* competir, concorrer, rivalizar.
compilación; *s.* compilação, coleção.
compilador; *s.* compilador.
compilar; *v.* compilar, coligir, reunir.
complacencia; *s.* complacência, benevolência.
complacer; *v.* comprazer, contentar, agradar.
complaciente; *adj.* complacente.
complejidad; *s.* complexidade.
complejo; *s.* complexo.
complejo; *adj.* complexo, complicado.
complementar; *v.* complementar.

complemento; *s.* complemento, acréscimo.
completar; *v.* completar, integrar, concluir, acabar, preencher.
completo; *adj.* completo, total, perfeito, inteiro.
complexión; *s.* compleição, constituição fisiológica.
complicación; *s.* complicação, concorrência, dificuldade
complicado; *adj.* complicado, difícil, confuso.
complicar; *v.* complicar, confundir, embaraçar, agravar.
cómplice; *s.* cúmplice, conivente.
complicidad; *s.* cumplicidade, conivência.
complot; *s.* complô, conspiração, intriga.
componente; *adj.* componente, elemento.
componer; *v.* compor, constituir, formar, restaurar, concertar, enfeitar.
comportamiento; *s.* comportamento.
comportar; *v.* comportar, suportar, permitir.
composición; *s.* composição, arranjo, acordo.
compositor; *s.* compositor, autor.
compostura; *s.* compostura, arranjo.
compota; *s.* compota.
compra; *s.* compra, aquisição.
comprar; *v.* comprar, adquirir.
compraventa; *s.* compra e venda, contrato.
comprender; *v.* compreender, abranger, incluir, entender.
comprensión; *s.* compreensão, percepção.
comprensivo; *adj.* compreensivo.
compresa; *s.* compressa.
compresor; *s.* compressor.
comprimido; *adj.* comprimido, apertado.
comprimir; *v.* comprimir, apertar, reduzir.
comprobación; *s.* comprovação, prova.
comprobante; *adj.* comprovante.
comprobar; *v.* comprovar, confirmar, verificar, constatar.
comprometer; *v.* comprometer, arriscar, assumir.
compromiso; *s.* compromisso, obrigação, acordo.
compuerta; *s.* comporta, eclusa.
compuesto; *s.* composto.
compulsar; *v.* compulsar, constatar, apurar.
compulsión; *s.* compulsão.
compunción; *s.* compunção.
compungir; *v.* compungir, afligir.
computable; *adj.* computável, calculável.
computadora; *s.* computadora, ordenador.
computar; *v.* computar, contar, calcular.
cómputo; *s.* cômputo, cálculo, conta.
comulgar; *v.* comungar.
común; *adj.* comum, geral, vulgar, usual, trivial, habitual.
comunicación; *s.* comunicação, informação, aviso.
comunicado; *s.* comunicado, aviso, informação.
comunicar; *v.* comunicar, informar, participar, ligar.
comunicativo; *adj.* comunicativo, contagioso.
comunidad; *s.* comunidade.
comunión; *s.* comunhão, harmonia.
comunismo; *s.* comunismo.
comunista; *adj.* comunista.
comunitario; *adj.* comunitário.
con; *prep.* com, em, sobre, de.
conato; *s.* esforço, empenho.
concatenar; *v.* concatenar, encadear, ligar.
concavidad; *s.* concavidade.
cóncavo; *adj.* côncavo.
concebir; *v.* conceber, gerar, inventar, elaborar.

conceder; *v.* conceder, dar, ceder, permitir, deferir.
concejo; *s.* concelho.
concentración; *s.* concentração, meditação, reunião.
concentrado; *adj.* concentrado.
concentrar; *v.* concentrar, centralizar.
concéntrico; *adj.* concêntrico.
concepción; *s.* concepção, geração.
concepto; *s.* conceito, opinião, pensamento.
conceptuar; *v.* conceituar, pensar, avaliar.
concernir; *v.* concernir.
concertar; *v.* consertar, ajustar, combinar, concordar.
concertista; *s.* concertista, solista.
concesión; *s.* concessão, permissão, licença.
concha; *s.* concha.
conchavar; *v.* aconchavar, unir, juntar, tramar.
conciencia; *s.* consciência, convicção, justiça.
concierto; *s.* concerto, acordo.
conciliábulo; *s.* conciliábulo.
conciliación; *s.* conciliação, acordo, acomodação.
conciliar; *v.* conciliar, harmonizar, combinar.
concilio; *s.* concílio.
concisión; *s.* concisão, brevidade, síntese.
conciso; *adj.* conciso, compacto, resumido.
cónclave; *s.* conclave, junta, reunião.
concluir; *v.* concluir, terminar, acabar, arrematar.
conclusión; *s.* conclusão, consequência, fim, dedução.
concomitancia; *s.* concomitância, simultaneidade.
concordancia; *s.* concordância, conformidade, consonôncia.
concordar; *v.* concordar, conciliar, acertar, condizer.
concordia; *s.* concórdia, paz, harmonia.
concretar; *v.* concretizar, combinar, determinar.
concreto; *adj.* concreto, determinado.
concubina; *s.* concubina.
concupiscencia; *s.* concupiscência, sensualidade.
concurrencia; *s.* concorrência, afluência.
concurrente; *adj.* concorrente, rival.
concurrido; *adj.* concorrido.
concurrir; *v.* concorrer, cooperar, ajudar.
concursar; *v.* concursar, participar de concurso.
concurso; *s.* concurso, assistência, afluência.
conde; *s.* conde.
condecoración; *s.* condecoração.
condecorar; *v.* condecorar, agraciar.
condenación; *s.* condenação, sentença, censura, reprovação.
condenado; *adj.* condenado.
condenar; *v.* condenar, castigar, reprovar.
condensación; *s.* condensação, resumo.
condensador; *adj.* condensador.
condensar; *v.* condensar, reduzir.
condesa; *s.* condessa.
condescendencia; *s.* condescendência, consentimento.
condescender; *v.* condescender, consentir.
condescendiente; *adj.* condescendente.
condición; *s.* condição, categoria, índole, caráter.
condicional; *adj.* condicional.
condicionamiento; *s.* condicionamento.
condicionar; *v.* condicionar, regular, acondicionar.
condigno; *adj.* condigno, adequado.
condimentación; *s.* condimentação, tempero.
condimentar; *v.* condimentar, temperar.
condimento; *s.* condimento, tempero.

condiscípulo; *s.* condiscípulo.
condolencia; *s.* condolência, pêsames.
condolerse; *v.* condoer-se, compadecer-se.
condominio; *s.* condomínio.
cóndor; *s.* condor.
conducción; *s.* condução, transporte, transmissão, guia.
conducir; *v.* conduzir, dirigir, levar, transportar, orientar.
conducta; *s.* conduta, procedimento.
conductividad; *s.* condutividade.
conductivo; *adj.* condutor.
conducto; *s.* conduto, cano, tubo, via, canal.
conductor; *adj.* condutor, chefe, guia, motorista.
conectar; *v.* acionar, ligar aparelho.
conejillo; *s.* coelhinho, cobaia, porquinho-da-índia.
conejo; *s.* coelho.
conexión; *s.* conexão, nexo, ligação.
conexo; *adj.* conexo, ligado.
confabulación; *s.* confabulação, trama.
confabular; *v.* confabular, tramar.
confección; *s.* confecção, acabamento.
confeccionar; *v.* confeccionar, fabricar, produzir roupas.
confederación; *s.* confederação, liga, coligação, pacto.
confederar; *v.* confederar, coligar.
conferencia; *s.* conferência, palestra, discurso, entrevista.
conferenciar; *v.* conferenciar, discursar.
conferir; *v.* conferir, administrar, examinar, conceder.
confesar; *v.* confessar, revelar.
confesión; *s.* confissão, declaração, revelação.
confesor; *s.* confessor.
confeti; *s.* confete.
confianza; *s.*confiança, segurança, firmeza, crédito.
confiar; *v.* confiar, crer, revelar, depositar.
confidencia; *s.* confidência.
configurar; *v.* configurar.
confín; *s.* confim.
confinado; *adj.* confinado, desterrado.
confinar; *v.* confinar, limitar, desterrar.
confirmación; *s.* confirmação, certeza, aprovação.
confirmar; *v.* confirmar, certificar, aprovar.
confiscación; *s.* confisco.
confiscar; *v.* confiscar, expropriar.
confitado; *adj.* confeitado.
confitar; *v.* confeitar.
confite; *s.* confeito.
confitería; *s.* confeitaria.
conflagración; *s.* conflagração.
conflagrar; *v.* conflagrar, guerrear.
conflicto; *adj.* conflito, luta, embate, desordem.
confluencia; *s.* confluência, concorrência, convergência.
confluir; *v.* confluir, convergir.
conformación; *s.* conformação, configuração.
conformar; *v.* conformar, ajustar, convir, resignar-se.
conformidad; *s.* conformidade, semelhança.
conformismo; *s.* conformismo.
confort; *s.* conforto, comodidade.
confortable; *adj.* confortável, cômodo.
confortador; *adj.* confortador, reconfortante.
confraternizar; *v.* confraternizar.
confrontación; *s.* confrontação.
confrontar; *v.* confrontar, enfrentar.
confundir; *v.* confundir, enganar, equivocar, atrapalhar, errar.
confusión; *s.* confusão, alteração, transtorno.
confuso; *adj.* confuso, desordenado, misturado.

congelación; *s.* congelamento.
congelador; *s.* congelador, frigorífico.
congelar; *v.* congelar, gelar.
congénere; *adj.* congênere.
congeniar; *v.* congeniar, simpatizar, harmonizar.
congénito; *adj.* congênito, inato.
congestión; *s.* congestão.
congestionar; *v.* congestionar.
conglomerado; *s.* conglomerado.
conglomerar; *v.* conglomerar, juntar-se, reunir.
congoja; *s.* desmaio, fadiga, angústia, aflição.
congraciar; *v.* congraciar, reconciliar, adular.
congratulación; *s.* congratulação.
congratular; *v.* congratular, felicitar.
congregación; *s.* congregação, assembléia.
congregar; *v.* congregar, reunir, unir, juntar.
congresista; *s.* congressista.
congreso; *s.* congresso, assembléia.
congruencia; *s.* congruência.
congruente; *adj.* congruente, harmonioso.
conjetura; *s.* conjetura, hipótese.
conjeturar; *v.* conjeturar.
conjugación; *s.* conjugação.
conjugar; *v.* conjugar.
conjunción; *s.* conjunção.
conjuntivitis; *s.* conjuntivite.
conjuntivo; *adj.* conjuntivo.
conjunto; *s.* conjunto, equipe, coleção.
conjunto; *adj.* conjunto, unido, ligado, próximo.
conjura; *s.* conjuração, conspiração.
conjurar; *v.* conjurar, conspirar.
conllevar; *v.* ajudar, tolerar.
conmemoración; *s.* comemoração, recordação.
conmemorar; *v.* comemorar, festejar, lembrar.
conmigo; *pron.* comigo.
conminar; *v.* cominar, ameaçar, exigir.
conmiseración; *s.* comiseração, dó, pena, compaixão.
conmoción; *s.* comoção, abalo.
conmover; *v.* comover, perturbar, emocionar-se.
conmutación; *s.* comutação.
conmutar; *v.* comutar, trocar, permutar.
connivencia; *s.* conivência, cumplicidade.
connivente; *adj.* conivente, cúmplice.
connotación; *s.* conotação.
cono; *s.* cone, cone de luz.
conocedor; *adj.* conhecedor.
conocer; *v.* conhecer, saber, perceber, entender.
conocido; *adj.* conhecido,
conocimiento; *s.* conhecimento.
con que; *conj.* com que, de modo que.
conquista; *s.* conquista.
conquistador; *adj.* conquistador.
conquistar; *v.* conquistar, dominar, subjugar.
consagración; *s.* consagração, devoção.
consagrar; *v.* consagrar, sagrar, devotar, dedicar-se.
consanguíneo; *adj.* consaguíneo.
consciente; *adj.* consciente.
consecución; *s.* consecução, obtenção.
consecuencia; *s.* consequência, resultado.
consecuente; *adj.* consequente, coerente.
consecutivo; *adj.* consecutivo, imediato.
conseguir; *v.* conseguir, obter, alcançar, adquirir.
consejo; *s.* conselho, advertência.
consenso; *s.* consenso.
consentido; *adj.* consentido, mimado, caprichoso.
consentimiento; *s.* consentimento, acordo, anuência.
consentir; *v.* consentir, permitir, condescender.

conserje; *s.* zelador.
conserva; *s.* conserva.
conservador; *adj.* conservador.
conservar; *v.* conservar, guardar.
conservatorio; *s.* conservatório.
considerable; *adj.* considerável, estimável.
consideración; *s.* consideração, estima.
considerar; *v.* considerar, apreciar, estimar.
consignación; *s.* consignação.
consignar; *v.* consignar, confiar, depositar.
consigo; *pron.* consigo.
consiguiente; *adj.* conseguinte.
consistencia; *s.* consistência.
consistente; *adj.* consistente, estável, duradouro.
consistir; *v.* consistir, fundar-se, basear-se.
consola; *s.* consola, móvel de sala.
consolación; *s.* consolação, consolo, alívio, conforto.
consolar; *v.* consolar, aliviar, reanimar.
consolidar; *v.* consolidar, fortalecer, estabilizar.
consonancia; *s.* consonância, concordância.
consonante; *adj.* consonante.
consonante; *s.* consoante.
consonar; *v.* consoar, concordar, rimar.
consorcio; *s.* consórcio, associação.
consorte; *s.* consorte, cônjuge.
conspicuo; *adj.* conspícuo, ilustre, notável.
conspiración; *s.* conspiração, conjuração, trama.
conspirador; *adj.* conspirador, conjurado.
conspirar; *v.* conspirar, tramar, conjurar.
constancia; *s.* constância, firmeza, empenho.
constante; *adj.* constante, firme, assíduo.
constar; *v.* constar, consistir.
constatación; *s.* constatação.
constatar; *v.* constatar, comprovar.
constelación; *s.* constelação.
consternación; *s.* consternação, tristeza, desolação.
consternar; *v.* consternar, desolar, entristecer.
constipado; *adj.* constipado, resfriado.
constitución; *s.* constituição, composição.
constitucional; *adj.* constitucional.
constituir; *v.* constituir, estabelecer, organizar, compor.
constituyente; *adj.* constituinte.
constreñimiento; *s.* constrangimento.
constreñir; *v.* constranger.
construcción; *s.* construção, edificação.
constructor; *adj.* construtor.
construir; *v.* construir, erigir.
consuelo; *s.* consolo, alívio.
cónsul; *s.* cônsul.
consulado; *s.* consulado.
consulta; *s.* consulta.
consultar; *v.* consultar, perguntar.
consultor; *s.* consultor.
consultorio; *s.* consultório.
consumación; *s.* consumação, conclusão, fim.
consumar; *v.* consumar, completar, terminar, acabar.
consumidor; *adj.* consumidor.
consumir; *v.* consumir, acabar, desgastar.
consumo; *s.* consumo, gasto.
contabilidad; *s.* contabilidade, cálculos, contas comerciais.
contable; *adj.* contável.
contable; *adj.* contador.
contacto; *s.* contato.
contado; *adj.* contado, escasso, raro.
contagiar; *v.* contagiar, propagar, transmitir doença.
contaminación; *s.* contaminação, contágio, infecção.

contaminar; *v.* contaminar, contagiar, infeccionar.
contar; *v.* contar, calcular, computar, narrar, dizer.
contemplación; *s.* contemplação.
contemplar; *v.* contemplar, admirar, examinar.
contemplativo; *adj.* contemplativo.
contemporáneo; *adj.* contemporâneo.
contemporizar; *v.* contemporizar, transigir.
contención; *s.* contenção, litígio.
contender; *v.* contender, disputar.
contener; *v.* conter, encerrar, incluir, abranger, coagir.
contenido; *adj.* contido, moderado.
contenido; *s.* conteúdo, assunto.
contentar; *v.* contentar, satisfazer, agradar.
contento; *adj.* contente, satisfeito, alegre.
contento; *s.* contentamento, alegria.
contestar; *v.* contestar, responder, convir.
contexto; *s.* contexto.
contienda; *s.* contenda, luta, disputa.
contigo; *pron.* contigo.
contiguo; *adj.* contíguo, vizinho, próximo.
continente; *s.* continente.
continente; *adj.* moderado.
contingencia; *s.* contingência.
continuar; *v.* continuar, prosseguir, prolongar, durar.
continuidad; *s.* continuidade.
contorcerse; *v.* contorcer-se, dobrar-se.
contornar; *v.* contornar.
contorno; *s.* contorno, perímetro, redor, circuito.
contorsión; *s.* contorsão.
contra; *prep.* contra, diante de, em oposição.
contrabajo; *s.* contrabaixo.
contrabandista; *s.* contrabandista.
contrabando; *s.* contrabando, fraude.
contracción; *s.* contração, retraimento, encolhimento.
contráctil; *adj.* contrátil.
contradecir; *v.* contradizer, desmentir, contrariar.
contradicción; *s.* contradição, objeção.
contradictorio; *adj.* contraditório.
contraer; *v.* contrair, apertar, encolher, restringir.
contraespionaje; *s.* contra-espionagem.
contrahecho; *adj.* contrafeito, contrário, aleijado.
contraindicar; *v.* contra-indicar.
contramaestre; *s.* contramestre.
contramarcha; *s.* contramarcha, retrocesso, marcha-a-ré.
contraofensiva; *s.* contra-ofensiva.
contraorden; *s.* contra-oredem.
contrapartida; *s.* contrapartida.
contrapeso; *s.* contrapeso, compensação.
contraponer; *v.* contrapor, confrontar, opor.
contraposición; *s.* contraposição, confronto.
contraproducente; *adj.* contraproducente.
contrapunto; *s.* contraponto.
contrariar; *v.* contrariar, contradizer.
contrariedad; *s.* contrariedade, desgosto, adversidade.
contrario; *adj.* contrário, oposto, adverso.
contrarrevolución; *s.* contra-revolução.
contrasentido; *s.* contra-senso, absurdo.
contraseña; *s.* contra-senha.
contrastar; *v.* contrastar, afrontar, opor.
contraste; *s.* contraste, oposição.
contrata; *s.* contrato, ajuste.
contratar; *v.* contratar, negociar, estipular.
contratiempo; *s.* contratempo, acidente, contrariedade.
contrato; *s.* contrato, ajuste, convenção.

contravenir; *v.* contravir, transgredir, infringir a lei.
contribución; *s.* contribuição, tributo, imposto.
contribuir; *v.* contribuir, cooperar, ajudar.
contribuyente; *adj.* contribuinte.
contrición; *s.* contrição, arrependimento.
control; *s.* controle.
controlar; *v.* controlar, fiscalizar.
controvertir; *v.* controverter, rebater, contestar.
contubernio; *s.* convivência.
contumaz; *adj.* contumaz, rebelde.
contundente; *adj.* contundente.
contundir; *v.* contundir, bater, moer.
conturbar; *v.* conturbar, perturbar.
contusión; *s.* contusão.
convalecer; *v.* convalescer, restabelecer-se.
convalidar; *v.* convalidar, revalidar.
convencer; *v.* convencer, persuadir.
convencimiento; *s.* convencimento, convicção.
convención; *s.* convenção, acordo, ajuste, congresso.
convencional; *adj.* convencional.
conveniente; *adj.* conveniente.
convenio; *s.* convênio, ajuste, arranjo.
convenir; *v.* convir, concordar, condizer.
conventillo; *s.* cortiço.
convento; *s.* convento, mosteiro.
converger; *v.* convergir, convir, concordar.
conversar; *v.* conversar, falar.
convertir; *v.* converter, mudar, transformar.
convexo; *adj.* convexo, abaulado.
convicción; *s.* convicção, certeza.
convicto; *adj.* convicto, convencido.
convidado; *adj.* convidado.
convidar; *v.* convidar, oferecer.
convincente; *adj.* convincente, eloquente.
convite; *s.* convite.
convivencia; *s.* convivência, convívio.
convivir; *v.* conviver.
convocar; *v.* convocar, citar
convulsión; *s.* convulsão.
conyugal; *adj.* conjugal.
cónyuge; *s.* cônjuge.
coñac; *s.* conhaque.
cooperar; *v.* cooperar, colaborar.
cooperativa; *s.* cooperativa.
coordinación; *s.* coordenação.
coordinar; *v.* coordenar, ajustar, classificar.
copa; *s.* copa, taça, cálice.
copa; *s.* copa, troféu.
copetín; *s.* drinque, aperitivo.
copia; *s.* cópia, reprodução, imitação, plágio, fraude.
copiar; *v.* copiar, reproduzir, imitar, transcrever.
copioso; *adj.* copioso, abundante, farto.
copla; *s.* copla, estrofe, quadra.
copo; *s.* floco de neve, porção de fio de lã e algodão.
coproducción; *s.* coprodução.
cópula; *s.* cópula, coito.
coqueluche; *s.* coqueluche.
coquetería; *s.* galanteria.
coraje; *s.* coragem, ânimo.
coral; *s.* coral, cobra coral.
coraza; *s.* couraça.
corazón; *s.* coração.
corbata; *s.* gravata.
corbeta; *s.* corveta.
corchete; *s.* colchete.
corchete; *s.* colchete, sinal ortográfico.
corcho; *s.* corcho, casca, cortiça de árvore, rolha.
corcova; *s.* corcova, corcunda.
cordel; *s.* cordel, barbante.
cordero; *s.* cordeiro.
cordial; *adj.* cordial, afetuoso, sincero.
cordialidad; *adj.* cordialidade.
cordillera; *s.* cordilheira.

cordón; *s.* cordão, corda fina.
cordura; *s.* cordura, juízo, prudência.
coreano; *adj.* coreano.
coreografía; *s.* coreografia.
coreógrafo; *s.* coreógrafo.
córnea; *s.* córnea.
corneta; *s.* corneta.
coro; *s.* coro, canto de muitas vozes.
corola; *s.* corola.
corona; *s.* coroa, auréola, grinalda.
coronación; *s.* coroação.
coronar; *v.* coroar, premiar.
coronario; *adj.* coronário.
coronel; *s.* coronel.
corpiño; *s.* corpinho, sutiã, espartilho.
corporación; *s.* corporação, comunidade, associação.
corporal; *adj.* corporal, material, físico.
corporativo; *adj.* corporativo.
corpóreo; *adj.* corpóreo, material.
corpulencia; *s.* corpulência.
corpulento; *adj.* corpulento, encorpado.
corpúsculo; *s.* corpúsculo.
corral; *s.* curral.
correa; *s.* correia.
corrección; *s.* correção, retificação, emenda, revisão.
correctivo; *adj.* corretivo.
correcto; *adj.* correto, alinhado, fino.
corredor; *s.* corredor, pessoa que corre.
corregir; *v.* corrigir, emendar, melhorar.
correlación; *s.* correlação.
correo; *s.* correio, carteiro.
correr; *v.* correr, passar.
correspondencia; *s.* correspondência.
corresponder; *v.* corresponder, retribuir, equivaler.
corretear; *v.* vadiar.
corrida; *s.* corrida, tourada.
corriente; *s.* corrente, correnteza.
corriente; *adj.* corrente, habitual, usual.
corroborar; *v.* corroborar, fortalecer, fortificar.
corroer; *v.* corroer, roer, desgastar.
corromper; *v.* corromper, subornar, depravar, apodrecer.
corrosión; *s.* corrosão.
corrosivo; *adj.* corrosivo.
corrupción; *s.* corrupção, putrefação, degeneração.
corrupto; *adj.* corrupto, corrompido.
corruptor; *s.* corruptor.
corsario; *s.* corsário, pirata.
corsé; *s.* espartilho, corpete.
cortacircuitos; *s.* cortacircuitos, fusível.
cortadera; *s.* talhadeira.
cortado; *adj.* cortado, talhado, interrompido.
cortadura; *s.* corte, incisão, retalhos.
cortafrío; *s.* cinzel.
cortante; *adj.* cortante, afiado.
cortapapeles; *s.* corta-papel.
cortar; *v.* cortar, talhar.
corte; *s.* corte, talho.
cortejar; *v.* cortejar.
cortejo; *s.* cortejo, acompanhamento.
cortés; *adj.* cortês, atencioso, educado.
cortesano; *adj.* cortesão.
cortesía; *s.* cortesia, educação, polidez.
corteza; *s.* cortiça, casca.
cortijo; *s.* granja, construção rústica.
cortina; *s.* cortina.
corto; *adj.* curto, breve, escasso, deficitário.
cortocircuito; *s.* curto circuito.
cortometraje; *s.* curta metragem.
corva; *s.* curva, dobra do joelho.
corvo; *adj.* curvo, curvado, arqueado.
corzo; *s.* veado, corça.
cosa; *s.* coisa, objeto, elemento.
cosecha; *s.* colheita, safra.
cosechadora; *s.* colheitadeira.
cosechar; *v.* colher.
coseno; *s.* co-seno, cosseno.

coser; *v.* coser, costurar, juntar, prender.
cosmético; *adj.* cosmético.
cósmico; *adj.* cósmico.
cosmonauta; *s.* cosmonauta.
cosmonave; *s.* cosmonave.
cosmopolita; *s.* cosmopolita.
cosmos; *s.* cosmos, universo.
cosquillas; *s.* cócegas.
costa; *s.* custo, preço, despesa, margem, litoral.
costado; *s.* costas.
costanera; *s.* ladeira, declive.
costar; *v.* custar, valer.
costarriqueño; *adj.* costariquenho.
coste; *s.* custo, preço.
costear; *v.* custear, costear.
costilla; *s.* costela.
costo; *s.* custo.
costoso; *adj.* custoso, caro, trabalhoso.
costumbre; *s.* costume, hábito.
costura; *s.* costura.
costurero; *s.* costureiro.
cotidiano; *adj.* cotidiano.
cotizar; *v.* cotar, taxar, cotizar.
coto; *s.* couto, cerrado.
cotorra; *s.* periquito.
coxis; *s.* cóccix.
coyote; *s.* coiote.
coyuntura; *s.* conjuntura, junta, articulação.
coz; *s.* coice.
cráneo; *s.* crânio.
crápula; *s.* crápula.
cráter; *s.* cratera, boca.
creación; *s.* criação, invenção.
creador; *s.* criador, inventor.
crear; *v.* criar, gerar, produzir, compor.
crecer; *v.* crescer, prosperar, subir, aumentar.
crecida; *s.* enchente de rio.
crecimiento; *s.* crescimento, aumento, desenvolvimento.
credencial; *adj.* credencial, alvará.
crédito; *s.* crédito, consideração.
credo; *s.* credo.
crédulo; *adj.* crédulo, ingênuo.
creencia; *s.* crença, fé.
creer; *v.* crer, acreditar.
crema; *s.* creme, nata.
cremación; *s.* cremação, incineração.
cremallera; *s.* cremalheira, zíper, fecho-ecler.
crematorio; *s.* crematório.
cremoso; *adj.* cremoso.
crepitar; *v.* crepitar.
crepúsculo; *s.* crepúsculo, ocaso.
crespo; *adj.* crespo, franzido.
cresta; *s.* crista de aves, cume de montanhas, crista de onda.
cretino; *adj.* cretino, idiota, estúpido.
cretona; *s.* cretone.
creyente; *adj.* crente.
cría; *s.* cria, criação, criança pequena, ninhada.
criada; *s.* criada, empregada doméstica.
criado; *adj.* criado, educado.
crianza; *s.* criação, educação.
criar; *v.* criar, produzir, gerar.
criatura; *s.* criatura, ser, indivíduo.
criba; *s.* crivo, peneira grande.
crimen; *s.* crime, delito grave.
criminoso; *adj.* criminoso, réu.
crin; *s.* crina.
crío; *s.* criança pequena.
criollo; *adj.* crioulo, mestiço.
cripta; *s.* cripta, gruta, caverna.
crisálida; *s.* crisálida.
crisantemo; *s.* crisântemo.
crisis; *s.* crise.
crisma; *s.* crisma.
crispar; *v.* crispar, enrugar, franzir.
cristal; *s.* cristal, vidro.
cristiandad; *s.* cristandade.
cristianizar; *v.* cristianizar.
cristiano; *adj.* cristão.
criterio; *s.* critério.
crítica; *s.* crítica, apreciação.
criticar; *v.* criticar, apreciar, julgar.
cromar; *v.* cromar.

cromosoma; *s.* cromossoma.
crónica; *s.* crônica, narração.
crónico; *adj.* crônico, permanente.
cronista; *s.* cronista.
cronología; *s.* cronologia.
cronometrar; *v.* cronometrar.
cronómetro; *s.* cronômetro.
croqueta; *s.* croquete, almôndega, bolinho de carne.
croquis; *s.* esboço, croqui.
cruce; *s.* cruzamento, encruzilhada.
crucero; *s.* cruzeiro, encruzilhada.
crucial; *adj.* crucial, decisivo.
crucificar; *v.* crucificar, torturar.
crucifijo; *s.* crucifixo.
crudeza; *s.* crueza, crueldade.
crudo; *adj.* cru.
cruel; *adj.* cruel, atroz.
crueldad; *s.* crueldade.
crujido; *s.* rangido, estalo.
crujir; *v.* ranger.
crustáceo; *s.* crustáceo.
cruz; *s.* cruz.
cruzar; *v.* cruzar, atravessar.
cuaderno; *s.* caderno, caderneta.
cuadra; *s.* quadra, quarteirão.
cuadrado; *adj.* quadrado.
cuadrante; *s.* quadrante.
cuadrar; *v.* quadrar, quadricular.
cuadrilátero; *adj.* quadrilátero.
cuadrilla; *s.* quadrilha.
cuadro; *s.* quadro, painel.
cuadrúpedo; *adj.* quadrúpede.
cuadruplicar; *v.* quadruplicar.
cuajada; *s.* coalhada.
cuajado; *adj.* coalhado.
cuajar; *v.* coalhar, coagular.
cuajo; *s.* coalho, coágulo.
cual; *pron.* qual.
cualesquier; *pron.* quaisquer.
cualidad; *s.* qualidade, índole, natureza.
cualquier; *pron.* qualquer.
cuán; *adv.* quão, quanto.
cuando; *adv.* quando.
cuantía; *s.* quantia, quantidade.
cuantitativo; *adj.* quantitativo.
cuánto; *adv.* quanto.
cuarentena; *s.* quarentena.
cuaresma; *s.* quaresma.
cuartear; *v.* esquartejar, dividir.
cuartel; *s.* quartel.
cuarteto; *s.* quarteto.
cuarto; *adj.* quarto.
cuarzo; *s.* quartzo.
cuaternario; *adj.* quaternário.
cuatrimestre; *s.* quadrimestre.
cuatro; *adj.* quatro.
cuba; *s.* cuba, tina, tonel.
cubano; *adj.* cubano.
cubículo; *s.* cubículo.
cubierta; *s.* coberta, cobertor, colcha, tampa, telhado.
cubierto; *adj.* coberto.
cubierto; *s.* talheres, serviço de mesa.
cubil; *s.* covil, antro.
cubismo; *s.* cubismo.
cúbito; *s.* cúbito.
cubo; *s.* cubo, balde.
cubrir; *v.* cobrir, tapar, ocultar, encobrir, abrigar, fecundar.
cucaracha; *s.* barata.
cuchara; *s.* colher.
cucharada; *s.* colherada.
cucharilla; *s.* colherzinha, colherinha.
cuchichear; *v.* cochichar.
cuchilla; *s.* cutelo, machadinha.
cuchillo; *s.* faca.
cuchitril; *s.* pocilga.
cuclillas; *adv.* cócoras.
cuello; *s.* pescoço, colo, gargalo.
cuenca; *s.* conca, tigela, órbita do olho, vale, bacia de rio.
cuenco; *s.* tigela.
cuenta; *s.* conta, cálculo.
cuentagotas; *s.* conta-gotas.
cuento; *s.* conto, narração, fábula.
cuerda; *s.* corda.
cuerno; *s.* corno, chifre.
cuero; *s.* couro.
cuerpo; *s.* corpo, tronco.
cuervo; *s.* corvo.
cuesta; *s.* costa, ladeira, declive.
cuestión; *s.* questão, pergunta.

cuestionario; *s.* questionário.
cueva; *s.* cova, gruta, antro.
cuidado; *s.* cuidado.
cuidadoso; *adj.* cuidadoso, solícito, atencioso.
cuidar; *v.* cuidar, conservar, guardar.
culata; *s.* culatra, anca, traseiro.
culebra; *s.* cobra.
culinario; *adj.* culinário.
culminante; *adj.* culminante.
culminar; *v.* culminar.
culpa; *s.* culpa, falta, delito.
culpado; *adj.* culpado.
culpar; *v.* culpar, recriminar.
cultivar; *v.* cultivar, lavrar, aperfeiçoar.
cultivo; *s.* cultivo.
culto; *adj.* culto, cultivado.
culto; *s.* culto, cerimônia religiosa.
cultura; *s.* cultura, cultivo.
cultural; *adj.* cultural.
cumbre; *s.* cume.
cumpleaños; *s.* aniversário.
cumplido; *adj.* completo, cheio, amabilidade, cortesia.
cumplimentar; *v.* cumprimentar.
cumplir; *v.* cumprir, observar, completar.
cúmulo; *s.* cúmulo, montão, nuvens.
cuna; *s.* berço.
cundir; *v.* estender, aumentar, propagar-se.
cuña; *s.* cunha.
cuñado; *s.* cunhado.
cuño; *s.* cunho, marca.
cuota; *s.* quota.
cupo; *s.* quota,
cupón; *s.* cupom.
cúpula; *s.* cúpula, abóbada.
cura; *s.* cura, sacerdote, pároco, padre.
curandero; *s.* curandeiro.
curar; *v.* curar, sanar, sarar.
curia; *s.* cúria.
curiosear; *v.* curiosar, bisbilhotar.
curiosidad; *s.* curiosidade.
curioso; *adj.* curioso, indiscreto.
cursar; *v.* cursar, frequentar, estudar.
cursi; *adj.* ridículo, afetado.
curso; *s.* curso, direção, carreira.
curtir; *v.* curtir, preparar as peles, bronzear.
curva; *s.* curva.
curvar; *v.* curvar, arquear.
curvatura; *s.* curvatura, arqueamento.
cúspide; *s.* cúspide, ponto, pico.
custodia; *s.* custódia, guarda.
custodiar; *v.* custodiar, guardar, vigilar.
cutáneo; *adj.* cutâneo.
cutis; *s.* cútis.
cuyo; *pron.* cujo.
czar; *s.* zar.

D

d; quinta letra do alfabeto espanhol.
dable; *adj.* possível, praticável, factível.
dactilografía; *s.* datilografia.
dactilógrafo; *s.* datilógrafo.
dádiva; *s.* dádiva, donativo, presente.
dado; *s.* dado, cubo.
daga; *s.* adaga, punhal.
dalia; *s.* dália.
dálmata; *adj.* dálmata.
daltonismo; *s.* daltonismo.
dama; *s.* dama, senhora.
damasco; *s.* damasco.
damnificado; *adj.* danificado.
damnificar; *v.* danificar, avariar.
danés; *adj.* dinamarquês.
dantesco; *adj.* dantesco.
danza; *s.* dança.
danzar; *v.* dançar, bailar.
danzarín; *adj.* dançarino, bailarino.
dañar; *v.* danificar, estragar, avariar.
dañino; *adj.* daninho, prejudicial.
daño; *adj.* dano, prejuízo.
dañoso; *adj.* danoso, pernicioso, nocivo.
dar; *v.* dar, confiar, entregar, conferir, outorgar.
dardo; *s.* dardo.
dársena; *s.* doca, dique.
data; *s.* data.
datar; *v.* datar, debitar.
dátil; *s.* tâmara.
dato; *s.* dado, indicação, antecedente, base, documento.
deán; *s.* deão.
debacle; *s.* desastre, caos.
debajo; *adv.* debaixo, embaixo, sob.
debate; *s.* debate, discussão.
debatir; *v.* debater, discutir, altercar, contestar.
debelar; *v.* debelar, vencer, conter.
deber; *s.* dever, obrigação, incumbência.
deber; *v.* dever.
debido; *adj.* devido, merecido.
débil; *adj.* débil, fraco.
debilidad; *s.* debilidade, fraqueza.
debilitar; *v.* debilitar, enfraquecer.
débito; *s.* débito, dívida.
debut; *s.* estréia.
debutante; *adj.* debutante, principiante.
debutar; *v.* debutar, estrear.
década; *s.* década.
decadencia; *s.* decadência, declínio, atraso.
decadente; *adj.* decadente.
decaer; *v.* decair, diminuir, declinar, abater-se.
decálogo; *s.* decálogo.
decanato; *s.* decanato.
decano; *s.* decano, deão.
decantación; *s.* decantação.
decapitar; *v.* decapitar.
decasílabo; *s.* decassílabo.
decena; *s.* dezena.
decencia; *s.* decência, honestidade, decoro, modéstia.

decenio; *s.* decênio.
decente; *adj.* decente, honesto, conveniente.
decepción; *s.* decepção, desilusão.
decepcionar; *v.* decepcionar, desiludir.
decibelio; *s.* decibel.
decidido; *adj.* decidido, resoluto.
decidir; *v.* decidir, resolver, determinar.
decimal; *adj.* decimal.
décimo; *adj.* décimo.
decir; *v.* dizer, enunciar, falar, assegurar, narrar.
decisión; *s.* decisão, sentença, resolução. coragem.
declamación; *s.* declamação, discurso.
declamar; *v.* declamar, recitar.
declaración; *s.* declaração, manifestação, confissão.
declarar; *v.* declarar, manifestar.
declinación; *s.* declinação, inclinação, declive.
declinar; *v.* declinar, decair, pender.
declive; *s.* declive, descida.
decolorante; *adj.* descolorante.
decolorar; *v.* descorar, desbotar.
decomisar; *v.* confiscar.
decorado; *adj.* decorado, ornamentado.
decorador; *s.* decorador.
decorar; *v.* decorar, enfeitar, condecorar.
decorativo; *adj.* decorativo.
decoro; *s.* decoro, dignidade, decência.
decrecer; *v.* decrescer, diminuir, baixar.
decrépito; *adj.* decrépito, senil.
decretar; *v.* decretar, deliberar, resolver, ordenar.
decreto; *s.* decreto, decisão, resolução.
decurso; *s.* decurso, duração.
dedicación; *s.* dedicação, devoção, consagração.
dedicar; *v.* dedicar, consagrar, oferecer, aplicar-se.
dedicatoria; *s.* dedicatória.
dedillo; *s.* dedinho.
dedo; *s.* dedo.
deducción; *s.* dedução, conclusão, abatimento, diminuição.
deducir; *v.* deduzir, concluir, diminuir, abater.
defecación; *s.* defecação, dejeção.
defecar; *v.* defecar, evacuar.
defectivo; *adj.* defectivo, defeituoso, imperfeito.
defecto; *s.* defeito, imperfeição, erro, vício, mancha.
defectuoso; *adj.* defeituoso, imperfeito.
defender; *v.* defender, proteger, socorrer, amparar.
defensa; *s.* defesa, amparo, abrigo, auxílio.
defensiva; *s.* defensiva.
defensor; *adj.* defensor, protetor.
deferencia; *s.* deferência, atenção.
deferente; *adj.* deferente, respeitoso.
deferir; *v.* deferir, conceder, acatar.
deficiencia; *s.* deficiência, falta.
deficiente; *adj.* deficiente.
déficit; *s.* déficit.
deficitario; *adj.* deficitário.
definición; *s.* definição, decisão.
definir; *v.* definir, determinar, enunciar, decidir.
definitivo; *adj.* definitivo.
deflación; *s.* deflação.
deflagrar; *v.* deflagrar, desencadear.
deforestación; *s.* desflorestamento, desmatamento.
deforestar; *v.* desflorestar, desmatar.
deformación; *s.* deformação.
deformar; *v.* deformar, alterar.
deformidad; *s.* deformidade.
defraudar; *v.* defraudar, furtar, despojar.
defunción; *s.* falecimento, morte.
degeneración; *s.* degeneração, decadência, aviltamento.
degenerar; *v.* degenerar, decair, declinar.

deglución; *s.* deglutição, ingestão.
deglutir; *v.* deglutir, ingerir, engolir.
degollación; *s.* degolação.
degollar; *v.* degolar, decapitar.
degradable; *adj.* degradável.
degradante; *adj.* degradante, humilhante.
degradar; *v.* degradar, humilhar, aviltar.
degustación; *s.* degustação.
dehesa; *s.* devesa, pastagem.
deidad; *s.* deidade, divindade.
dejadez; *s.* preguiça, negligência, desleixo.
dejar; *v.* deixar, abandonar, omitir, tolerar.
delación; *s.* delação, denúncia, acusação.
delantal; *s.* avental.
delante; *adv.* diante, em frente, defronte, frente a.
delantera; *s.* dianteira, fachada.
delantero; *adj.* dianteiro.
delatar; *v.* delatar, enunciar, acusar.
delator; *s.* delator, denunciante, acusador.
delegación; *s.* delegação, missão.
delegado; *adj.* delegado, enviado, encarregado.
delegar; *v.* delegar, incumbir.
deleitar; *v.* deleitar, deleitar-se.
deleite; *s.* deleite, encanto, prazer sensual.
deletrear; *v.* soletrar.
delfín; *s.* delfim.
delgadez; *s.* magreza.
delgado; *adj.* delgado, magro, fino, tênue, delicado.
deliberación; *s.* deliberação, decisão.
deliberar; *v.* deliberar, decidir.
delicadeza; *s.* delicadeza, suavidade, cortesia, fragilidade.
delicado; *adj.* delicado, suave, meigo, amável.
delicia; *s.* delícia, deleite, encanto.
delicioso; *adj.* delicioso, excelente.
delimitar; *v.* delimitar, demarcar.
delincuencia; *s.* delinquência.
delincuente; *adj.* delinquente.
delineante; *s.* delineador, projetista.
delinear; *v.* delinear, delimitar, esboçar.
delinquir; *v.* delinquir.
delirar; *v.* delirar, devanear.
delirio; *s.* delírio, devaneio, desordem.
delito; *s.* delito, crime.
delta; *s.* delta.
demacrarse; *v.* consumir-se, extenuar-se.
demagogia; *s.* demagogia.
demagógico; *adj.* demagógico.
demagogo; *adj.* demagogo.
demanda; *s.* demanda, petição, requerimento.
demandar; *v.* demandar, pedir, rogar, exigir.
demarcar; *v.* demarcar, delimitar, assinalar.
demás; *adj.* demais, outro.
demás; *adv.* além disso.
demasía; *s.* demasia, excesso.
demasiado; *adj.* demasiado, excessivo.
demencia; *s.* demência, loucura.
demente; *adj.* demente, louco, imbecil.
demiurgo; *s.* demiurgo.
democracia; *s.* democracia.
demócrata; *adj.* democrata.
democrático; *adj.* democrático.
democratizar; *v.* democratizar.
demografía; *s.* demografia.
demoler; *v.* demolir, derrubar, desmantelar, destruir.
demoníaco; *adj.* demoníaco.
demonio; *s.* demônio, diabo.
demora; *s.* demora, atraso.
demorar; *v.* demorar, retardar.
demostrar; *v.* demonstrar, manifestar.
denegación; *s.* denegação, recusa.
denegar; *v.* denegar, negar, recusar.
denigrar; *v.* denegrir.
denodado; *adj.* impetuoso, ousado.

denominar; *v.* denominar, nomear, chamar, distinguir.
denotar; *v.* denotar, anunciar, indicar.
densidad; *s.* densidade, espessura.
denso; *adj.* denso, espesso, compacto.
dentado; *adj.* dentado.
dentadura; *s.* dentadura, dentadura postiça.
dentar; *v.* dentar, dentear.
dentición; *s.* dentição.
dentífrico; *s.* dentifrício.
dentista; *s.* dentista.
dentro; *adv.* dentro.
denuesto; *s.* afronta, insulto.
denuncia; *s.* denúncia, delação, acusação.
denunciar; *v.* denunciar, acusar, noticiar, declarar.
deparar; *v.* deparar, proporcionar, conceder.
departamento; *s.* departamento, apartamento.
depauperar; *v.* depauperar, debilitar.
dependencia; *s.* dependência, subordinação.
depender; *v.* depender, subordinar-se.
dependiente; *adj.* dependente, empregado, subordinado.
depilación; *s.* depilação.
depilar; *v.* depilar.
depilatorio; *adj.* depilatório.
deplorable; *adj.* deplorável, lamentável.
deplorar; *v.* deplorar, lamentar, lastimar.
deponer; *v.* depor, destituir, separar, evacuar, defecar.
deportación; *s.* deportação, exílio.
deportar; *v.* deportar, exilar, banir.
deporte; *s.* esporte, recreação.
deportista; *adj.* esportista.
deportivo; *adj.* esportivo.
deposición; *s.* deposição, destituição, exoneração, evacuação.
depositar; *v.* depositar, entregar, confiar, colocar.
depósito; *s.* depósito.
depravación; *s.* depravação, perversão.
depravado; *adj.* depravado, viciado, corrompido.
depreciar; *v.* depreciar, desvalorizar.
depredación; *s.* depredação.
depredar; *v.* depredar, saquear.
depresión; *s.* depressão.
depresivo; *adj.* depressivo, deprimente.
deprimir; *v.* deprimir, humilhar, rebaixar.
deprisa; *adv.* depressa, rapidamente.
depurar; *v.* depurar, limpar, purificar.
derecha; *s.* direita, destra, mão direita.
derecho; *adj.* reto, igual, justo, legítimo.
deriva; *s.* deriva.
derivar; *v.* derivar.
dermatitis; *s.* dermatite.
dermatología; *s.* dermatologia.
dermatólogo; *s.* dermatologista.
dérmico; *adj.* dérmico.
dermis; *s.* derme.
derogar; *v.* derrogar, anular, destruir.
derramar; *v.* derramar, verter, entornar, transbordar.
derrame; *s.* derramamento.
derredor; *s.* derredor, contorno.
derretir; *v.* derreter, descongelar.
derribar; *v.* derrubar, desmantelar.
derrochar; *v.* esbanjar, desperdiçar, dissipar.
derroche; *s.* esbanjamento, desperdício.
derrotar; *v.* derrotar, arruinar, destruir.
derrotero; *s.* roteiro, caminho, via, rumo.
derrotismo; *s.* derrotismo, pessimismo.
derruir; *v.* derruir, destruir, desmoronar, arruinar.
derrumbar; *v.* derrubar, despencar.

derrumbe; *s.* despenhadeiro, precipício, derrubada.
desabastecer; *v.* desabastecer, desprover.
desabotonar; *v.* desabotoar, desabrochar.
desabrido; *adj.* desabrido, tempestuoso, áspero, severo.
desabrir; *v.* desanimar, temperar mal.
desabrochar; *v.* desabrochar, abrir.
desacatar; *v.* desacatar, desobedecer, afrontar.
desacato; *s.* desacato, desobediência, escândalo.
desacelerar; *v.* desacelerar.
desacierto; *s.* desacerto, erro.
desacomodar; *v.* desacomodar, deslocar.
desaconsejar; *v.* desaconselhar, dissuadir.
desacoplar; *v.* separar, desajustar.
desacordar; *v.* desacordar, desafiar, destoar.
desacostumbrar; *v.* desacostumar.
desacreditar; *v.* desacreditar, difamar.
desacuerdo; *s.* desacordo, discórdia, desarranjo.
desafiar; *v.* desafiar, provocar.
desafinar; *v.* desafinar, destoar.
desafío; *s.* desafio, provocação.
desafortunado; *adj.* desafortunado, desventurado, infeliz.
desafuero; *s.* desaforo, atrevimento.
desagradar; *v.* desagradar, desgostar.
desagradecer; *v.* não agradecer.
desagradecido; *adj.* ingrato, mal-agradecido.
desagrado; *s.* desagrado, desgosto, descontentamento.
desagraviar; *v.* desagravar, vingar.
desagravio; *s.* desagravo, reparação.
desaguar; *v.* desaguar.
desagüe; *s.* desaguamento.
desahogar; *v.* desafogar, aliviar, desabafar.
desahogo; *s.* desafogo, alívio.
desahuciar; *v.* desesperançar.
desahucio; *s.* despejo de inquilino.
desairar; *v.* desprezar, humilhar.
desajustar; *v.* desajustar, desnivelar, desconcertar.
desalentar; *v.* desalentar, desanimar, desconsolar.
desaliñar; *v.* desalinhar, desarranjar.
desalmado; *adj.* desalmado, malvado, cruel.
desalojar; *v.* desalojar, expulsar.
desamarrar; *v.* desamarrar, soltar.
desamparar; *v.* desamparar, abandonar.
desangrar; *v.* dessangrar, tirar o sangue.
desanimar; *v.* desanimar, desencorajar.
desánimo; *s.* desânimo, desalento, abatimento.
desapacible; *adj.* desagradável.
desaparecer; *v.* desaparecer, sumir.
desapegar; *v.* desapegar.
desaprobar; *v.* desaprovar.
desaprovechar; *v.* desperdiçar.
desarmar; *v.* desarmar, desmantelar.
desarraigar; *v.* desarraigar, desenraizar.
desarreglar; *v.* desregrar, desordenar.
desarrollar; *v.* desenvolver, estender.
desarrollo; *s.* desenvolvimento, progresso.
desarticular; *v.* desarticular, deslocar.
desasear; *v.* desassear, sujar.
desasir; *v.* desasir, soltar, largar, desprender.
desasosegar; *v.* desassossegar, inquietar.
desastre; *s.* desastre, fatalidade.
desatar; *v.* desatar, soltar, desamarrar.

desatascar; *v.* desatascar, desentupir, desatolar.
desatender; *v.* desatender, desconsiderar.
desatinar; *v.* desatinar.
desatino; *s.* desatino, loucura.
desautorizar; *v.* desautorizar.
desavenir; *v.* discordar, indispor.
desayunar; *v.* desjejuar, tomar o café da manhã.
desbancar; *v.* desbancar, despejar.
desbandar; *v.* debandar.
desbarajuste; *s.* desordem desarranjo.
desbaratar; *v.* desbaratar, arruinar.
desbarrar; *v.* esbarrar, descarrilar.
desbastar; *v.* desbastar, diminuir.
desbloquear; *v.* desbloquear.
desbordar; *v.* transbordar.
desbravar; *v.* desbravar.
descabellar; *v.* descabelar, despentear.
descabezar; *v.* decapitar.
descalabro; *s.* descalabro, dano.
descalificar; *v.* desqualificar, desclassificar.
descalzar; *v.* descalçar.
descaminar; *v.* desencaminhar, extraviar.
descampado; *adj.* descampado, despovoado.
descansar; *v.* descansar, tranquilizar, repousar, sossegar.
descanso; *s.* descanso, repouso, quietude, sossego, alívio.
descarado; *adj.* descarado, atrevido, insolente.
descargar; *v.* descarregar, esvaziar.
descarnar; *v.* descarnar.
descaro; *s.* descaramento, insolência, atrevimento.
descarriar; *v.* descarrilar, desencaminhar.
descarrilar; *v.* descarrilar, sair do trilho.
descartar; *v.* descartar, excluir.
descasar; *v.* descasar, separar-se.
descascarar; *v.* descascar.
descendencia; *s.* descendência, linhagem.
descender; *v.* descender, descer.
descendiente; *adj.* descendente, sucessor.
descenso; *s.* descenso, descida, descimento.
descentralización; *s.* descentralização.
descentralizar; *v.* descentralizar, descentrar.
descentrar; *v.* descentrar, descentralizar.
descerrar; *v.* descerrar, abrir.
descifrar; *v.* decifrar, interpretar.
desclavar; *v.* desencravar, despregar.
descocado; *adj.* descarado, atrevido, ousado.
descoco; *s.* descaramento, atrevimento, desplante.
descodificar; *v.* decodificar.
descolgar; *v.* desprender, arriar.
descollar; *v.* sobressair.
descolonizar; *v.* descolonizar.
descolorido; *adj.* descolorido, desbotado.
descombrar; *v.* desentulhar, desobstruir.
descomedido; *adj.* descomedido, desproporcional.
descompasado; *adj.* descompassado.
descomponer; *v.* decompor, desordenar, apodrecer.
descomposición; *s.* decomposição, putrefação.
descompostura; *s.* descompostura, desalinho.
descompuesto; *adj.* descomposto, desarranjado.
descomunal; *adj.* descomunal, enorme, colossal.
desconcertar; *v.* desconcertar, perturbar, embaraçar.
desconcierto; *s.* desconcerto, desarranjo.
desconectar; *v.* desligar, desvincular.
desconfiado; *adj.* desconfiado, receoso.

desconfianza; *s.* desconfiança, suspeita.
desconfiar; *v.* desconfiar, suspeitar, recear.
descongelar; *v.* descongelar.
descongestionar; *v.* descongestionar.
desconocer; *v.* desconhecer, ignorar.
desconsideración; *s.* desconsideração.
desconsolar; *v.* desconsolar, desolar.
desconsuelo; *s.* desconsolo.
descontaminar; *v.* descontaminar.
descontar; *v.* descontar, abater, deduzir.
descontento; *adj.* descontente, descontentamento.
descorazonar; *v.* desacorçoar, desalentar, desencorajar.
descorchar; *v.* descortiçar.
descorrer; *v.* retroceder, retornar.
descortés; *adj.* descortês, grosseiro.
descortesía; *s.* descortesia, grosseria.
descoser; *v.* descosturar.
descote; *s.* decote.
descoyuntar; *v.* desconjuntar.
descrédito; *s.* descrédito, desonra.
descreído; *adj.* descrente, incrédulo.
describir; *v.* descrever, narrar, explicar.
descuartizar; *v.* desquartejar, despedaçar.
descubierta; *s.* descoberta, descobrimento, revelação.
descubierto; *adj.* descoberto, destampado.
descubrir; *v.* descobrir, achar.
descuento; *s.* desconto, abatimento.
descuidar; *v.* descuidar.
descuido; *s.* descuido, negligência.
desde; *prep.* desde, a partir de.
desdecir; *v.* desdizer, negar.
desdén; *s.* desdém, indiferença.
desdeñar; *v.* desdenhar, descuidar, desprezar.
desdicha; *s.* desdita, infortúnio.
desdichado; *adj.* desventurado, infeliz.
desdoblar; *v.* desdobrar.
deseable; *adj.* desejável.
desear; *v.* desejar, querer, aspirar.
desechar; *v.* desprezar, excluir.
desembalar; *v.* desembalar, desembrulhar.
desembarazar; *v.* desembaraçar, desocupar, livrar.
desembarazo; *s.* desembaraço, desenvoltura, agilidade.
desembarcar; *v.* desembarcar.
desembocar; *v.* desembocar, entrar, desaguar.
desembolsar; *v.* desembolsar.
desembrollar; *v.* desembrulhar.
desempacar; *v.* desempacotar.
desempaquetar; *v.* desembrulhar.
desempatar; *v.* desempatar.
desempeñar; *v.* desempenhar, executar, exercitar.
desempeño; *s.* desempenho, interpretação.
desempleado; *adj.* desempregado.
desempleo; *s.* desemprego.
desempolvar; *v.* desempoeirar.
desencadenar; *v.* desencadear, desprender.
desencajar; *v.* desencaixar.
desencajonar; *v.* desencaixotar, desembalar.
desencaminar; *v.* desencaminhar.
desencantar; *v.* desencantar, desiludir.
desencanto; *s.* desencanto, desilusão.
desenchufar; *v.* desligar, desconectar.
desencuadernar; *v.* desencadernar.
desenfadar; *v.* desenfadar, distrair, alegrar.
desenfado; *s.* desenfado, distração.
desenfrenar; *v.* desenfrear.
desenganchar; *v.* desenganchar, desprender, soltar.
desengañar; *v.* desenganar, desiludir.
desengaño; *s.* desengano, desilusão.
desenlace; *s.* desenlace.
desenlazar; *v.* desenlaçar.

desenredar; *v.* desenredar, desembaraçar.
desenrollar; *v.* desenrolar.
desenroscar; *v.* desenroscar.
desentenderse; *v.* desentender-se, desinteressar-se.
desenterrar; *v.* desenterrar.
desentonar; *v.* desentoar, desafinar.
desentrañar; *v.* desentranhar.
desentumecer; *v.* desentorpecer.
desenvoltura; *s.* desenvoltura, desembaraço.
desenvolver; *v.* desembrulhar, esclarecer.
desenvolvimiento; *s.* desenvolvimento, desenvolver.
desenvuelto; *adj.* desenvolto, desembaraçado.
deseo; *s.* desejo, vontade, apetite.
desequilibrar; *v.* desequilibrar.
desequilibrio; *s.* desequilíbrio.
desertar; *v.* desertar, abandonar.
desertor; *adj.* desertor.
desesperar; *v.* desesperar.
desestimar; *v.* desprezar, menosprezar, desconsiderar.
desfachatez; *s.* desfaçatez, descaramento.
desfalcar; *v.* desfalcar, reduzir.
desfallecer; *v.* desfalecer, desmaiar.
desfasar; *v.* defasar.
desfavorable; *adj.* desfavorável.
desfigurar; *v.* desfigurar.
desfiladero; *s.* desfiladeiro.
desfilar; *v.* desfilar.
desfile; *s.* desfile.
desfloración; *s.* desfloramento.
desflorar; *v.* desflorar.
desgajar; *v.* escachar, desgalhar, despedaçar.
desgana; *s.* inapetência.
desganar; *v.* aborrecer, perder o apetite.
desgarrar; *v.* rasgar, dilacerar, esfarrapar.
desgarro; *s.* rompimento, ruptura, dilaceração.
desgastar; *v.* desgastar.
desglosar; *v.* separar, suprimir folhas impressas.
desgobernar; *v.* desgovernar.
desgracia; *s.* desgraça, infelicidade, desventura, azar.
desgraciado; *adj.* desgraçado, infeliz, desventurado.
desgraciar; *v.* desgraçar, desagradar, estragar.
desgranar; *v.* debulhar, descaroçar.
desgrasar; *v.* desengordurar, desensebar, desengraxar.
desgreñar; *v.* desgrenhar, despentear, descabelar-se.
desguace; *s.* desmantelamento.
desguarnecer; *v.* desguarnecer.
deshabitar; *v.* desabitar, despovoar.
deshabituar; *v.* desabituar.
deshacer; *v.* desfazer, desmanchar.
desharrapado; *adj.* esfarrapado.
deshecho; *adj.* desfeito.
deshelar; *v.* degelar, descongelar.
desheredar; *v.* deserdar.
deshidratar; *v.* desidratar.
deshielo; *s.* degelo, descongelamento.
deshilachar; *v.* desfiar.
deshilar; *v.* desfiar, desfibrar.
deshinchar; *v.* desinchar.
deshojar; *v.* desfolhar.
deshonestidad; *adj.* desonestidade.
deshonra; *s.* desonra.
deshuesar; *v.* desossar, descaroçar.
deshumanizar; *v.* desumanizar.
desidia; *s.* indolência.
desierto; *adj.* deserto, desabitado, despovoado.
designar; *v.* designar, apontar.
desigual; *adj.* desigual, diferente, variável.
desigualar; *v.* desigualar.
desigualdad; *s.* desigualdade, diferença.
desilusión; *s.* desilusão, desengano, desencanto.
desilusionar; *v.* desiludir, desenganar, desencantar.
desinencia; *s.* desinência.
desinfectar; *v.* desinfetar, sanear.

desinflar; *v.* desinflar.
desintegrar; *v.* desintegrar, decompor.
desinterés; *s.* desinteresse, indiferença.
desinteresarse; *v.* desinteressar-se.
desistir; *v.* desistir, ceder, abandonar, deixar.
desleal; *adj.* desleal, infiel, traidor.
deslealtad; *s.* deslealdade.
deslenguado; *adj.* desbocado.
desligar; *v.* desligar, desamarrar.
deslindar; *v.* deslindar.
desliz; *s.* deslize, escorregão.
deslizar; *v.* deslizar, escorregar.
deslucido; *adj.* opaco, fosco, sem brilho.
deslumbrar; *v.* deslumbrar, ofuscar, estontear.
desmán; *s.* desmando, abuso.
desmandar; *v.* desmandar, debandar.
desmantelamiento; *s.* desmantelamento.
desmantelar; *v.* desmantelar, desbaratar.
desmayar; *v.* desmaiar, desfalecer.
desmayo; *s.* desmaio.
desmedido; *adj.* desmedido, desmesurado.
desmejorar; *v.* piorar.
desmembrar; *v.* desmembrar.
desmentir; *v.* desmentir, contradizer.
desmenuzar; *v.* esmiuçar, esmigalhar.
desmerecer; *v.* desmerecer.
desmesurado; *adj.* desmesurado, excessivo.
desmilitarizar; *v.* desmilitarizar.
desmontar; *v.* desmontar, desbravar, apear.
desmoralizar; *v.* desmoralizar.
desmoronar; *v.* desmoronar, derrubar, demolir.
desnatar; *v.* desnatar.
desnaturalizar; *v.* desnaturalizar.
desnivel; *s.* desnível, desigualdade.
desnuclearizar; *v.*desnuclearizar.
desnudar; *v.* desnudar, despir, despojar.
desnudez; *s.* nudez.
desnudo; *adj.* nu, desnudo, despido.
desnutrición; *s.* desnutrição.
desnutrir; *v.* desnutrir.
desobedecer; *v.* desobedecer, desrespeitar.
desobediencia; *s.* desobediência, indisciplina.
desocupar; *v.* desocupar, deixar, abandonar.
desodorante; *adj.* desodorante.
desoír; *v.* não ouvir, não entender.
desolación; *s.* desolação.
desollar; *v.* esfolar.
desorbitar; *v.* exorbitar, exagerar.
desorden; *s.* desordem, confusão.
desordenar; *v.* desordenar, desarranjar, desarrumar.
desorganizar; *v.* desorganizar, perturbar, desordenar.
desorientar; *v.* desorientar, desnortear.
desovar; *v.* desovar.
despabilar; *v.* espevitar, avivar.
despacho; *s.* despacho, decisão, escritorio.
despachurrar; *v.* esmagar.
despacio; *adv.* devagar, lentamente, silenciosamente.
despacito; *adv.* devagarinho.
despachar; *v.* despachar, expedir.
despampanante; *adj.* espantoso, deslumbrante.
desparejo; *s.* desigual, díspar.
desparramar; *v.* esparramar, espalhar, desperdiçar.
despavorido; *adj.* apavorado.
despechado; *adj.* despeitado.
despecho; *s.* despeito, irritação.
despedazar; *v.* despedaçar, partir.
despedida; *s.* despedida.
despedir; *v.* despedir, lançar, expulsar.
despegar; *v.* separar, decolar.
despeinar; *v.* despentear.
despejar; *v.* despejar, esvaziar, desocupar, tornar claro, desanuviar.

despellejar; *v.* esfolar, pelar.
despensa; *s.* despensa.
despeñadero; *s.* despenhadeiro, precipício.
despeñar; *v.* despenhar, precipitar, atirar.
desperdiciar; *v.* desperdiçar, esbanjar.
desperdicio; *s.* desperdício, esbanjamento.
desperdigar; *v.* separar, esparramar.
desperezarse; *v.* espreguiçar-se.
desperfecto; *s.* defeito leve, imperfeição.
despersonalizar; *v.* despersonalizar.
despertador; *s.* despertador.
despertar; *v.* despertar, acordar.
despiadado; *adj.* desapiedado, despiedado, despiedoso.
despilfarrar; *v.* esbanjar, desperdiçar.
despilfarro; *s.* esbanjamento, dissipação, desordem.
despistar; *v.* despistar, desorientar, desinformar.
desplante; *s.* desplante, descaramento.
desplazar; *v.* deslocar, mudar.
desplegar; *v.* despregar, desenrolar, estender.
desplomar; *v.* desaprumar, desabar.
desplumar; *v.* depenar.
despoblado; *adj.* despovoado.
despoblar; *v.* despovoar.
despojar; *v.* despojar, espoliar, expropriar.
despojo; *s.* despojo, espólio.
desportillar; *v.* lascar, fender.
desposar; *v.* desposar, casar.
desposeer; *v.* desempossar, expropriar.
desposorio; *s.* esponsais.
déspota; *s.* déspota, tirano.
despotismo; *s.* despotismo, tirania.
despreciable; *adj.* desprezável, vergonhoso.
despreciar; *v.* desprezar, menosprezar.
despreciativo; *adj.* depreciativo, ofensivo.
desprecio; *s.* desprezo, menosprezo, desdém.
desprender; *v.* desprender, desengatar.
despreocuparse; *v.* despreocupar-se.
desprestigiar; *v.* desprestigiar, desacreditar.
desprevenido; *s.* desprevenido, descuidado.
desproporción; *s.* desproporção.
despropósito; *s.* despropósito, disparate.
desproveer; *v.* desprover, despojar.
después; *adv.* depois, após, atrás.
despuntar; *v.* despontar, aparecer, sobressair.
desquiciar; *v.* desengonçar, alterar, desordenar.
desquitar; *v.* desquitar, desforrar, vingar-se.
desquite; *s.* desquite, desforra, vingança.
destacar; *v.* destacar, separar.
destajo; *s.* empreitada.
destapar; *v.* destapar, descobrir.
destartalado; *adj.* destrambelhado, descomposto, desproporcionado.
destellar; *v.* cintilar, faiscar.
destemplar; *v.* destemperar, perturbar.
desteñir; *v.* desbotar.
desterrar; *v.* desterrar, degredar, exilar.
destetar; *v.* desmamar.
destiempo; *adv.* fora do tempo.
destierro; *s.* desterro, exílio.
destilar; *v.* destilar, filtrar, gotejar.
destilería; *s.* destilaria.
destinar; *v.* destinar, designar, dedicar.
destino; *s.* destino, fatalidade.
destituir; *v.* destituir.
destornillador; *s.* chave de fenda.
destornillar; *v.* desaparafusar.
destreza; *s.* destreza, habilidade, jeito.

destripar; *v.* estripar.
destronar; *v.* destronar, depor.
destrozar; *v.* destroçar, despedaçar, destruir.
destructor; *adj.* destrutivo.
destruir; *v.* destruir, arruinar, desfazer.
desunión; *s.* desunião.
desunir; *v.* desunir, separar, desatar.
desuso; *adj.* desusado, estranho.
desvaído; *adj.* desbotado.
desvalido; *adj.* desvalido, desamparado.
desvalijar; *v.* roubar.
desvalorizar; *v.* desvalorizar.
desván; *s.* desvão.
desvanecer; *v.* desvanecer, apagar, desmaiar.
desvariar; *v.* desvairar, delirar.
desvelar; *v.* desvelar, tirar o sono.
desvelo; *s.* desvelo, cuidado, zelo.
desvencijar; *v.* desvencilhar, separar.
desventaja; *s.* desvantagem.
desventura; *s.* desventura, infelicidade.
desvergüenza; *s.* sem-vergonhice.
desvestir; *v.* despir.
desviar; *v.* desviar, afastar, apartar.
desvincular; *v.* desvincular.
desvirtuar; *v.* desvirtuar, deturpar.
detall; *loc adv.* a varejo.
detallar; *v.* detalhar, esmiuçar.
detalle; *s.* detalhe, minúcia, pormenor.
detectar; *v.* detectar, descobrir.
detective; *s.* detetive.
detener; *v.* deter, prender, impedir, reter.
detenido; *adj.* detido, preso.
detergente; *s.* detergente.
deteriorar; *v.* deteriorar, apodrecer, estragar.
deterioro; *s.* deterioração, estrago.
determinación; *s.* determinação.
determinar; *v.* determinar, estabelecer, assentar, decidir.
detestable; *adj.* detestável, abominável.
detestar; *v.* detestar, condenar, repelir.
detonar; *v.* detonar, estourar, explodir.
detractor; *v.* detrator.
detrás; *adv.* detrás, atrás.
detrimento; *s.* detrimento, prejuízo, dano.
detrito; *s.* detrito, resíduo.
deuda; *s.* dívida, débito.
deudo; *s.* parente, parentesco.
deudor; *s.* devedor.
devaluar; *v.* desvalorizar, depreciar.
devaneo; *s.* devaneio, sonho.
devastar; *v.* devastar, arruinar, assolar, destruir.
devenir; *v.* suceder, acontecer.
devoción; *s.* devoção, dedicação, zelo.
devolver; *v.* devolver, restituir.
devorar; *v.* devorar, consumir, comer.
devoto; *adj.* devoto, afeiçoado.
deyección; *s.* dejeção, defecação.
día; *s.* dia.
diabetes; *s.* diabete.
diablo; *s.* diabo, demônio.
diabólico; *adj.* diabólico.
diácono; *s.* diácono.
diadema; *s.* diadema, tiara.
diáfano; *adj.* diáfano, transparente.
diafragma; *s.* diafragma.
diagnosticar; *v.* diagnosticar.
diagrama; *s.* diagrama, esquema.
dialéctico; *adj.* dialético.
dialecto; *s.* dialeto.
dialogar; *v.* dialogar, conversar.
diálogo; *s.* diálogo, conversa, colóquio.
diamante; *s.* diamante.
diámetro; *s.* diâmetro.
diapositiva; *s.* diapositiva, slide.
diario; *adj.* diário.
diario; *s.* jornal, periódico, diária.
diarrea; *s.* diarréia.
diáspora; *s.* diáspora, dispersão.
diástole; *s.* diástole.
dibujante; *adj.* desenhista.

dibujar; *v.* desenhar.
dibujo; *s.* desenho.
dicción; *s.* dicção.
diccionario; *s.* dicionário.
dicha; *s.* fortuna, felicidade, sorte.
dicho; *s.* dito, sentença.
dichoso; *adj.* ditoso, feliz, bem-aventurado.
diciembre; *s.* dezembro.
dictado; *s.* ditado.
dictador; *s.* ditador, déspota.
dictadura; *s.* ditadura.
dictamen; *s.* ditame.
dictar; *v.* ditar, ordenar, mandar.
didáctica; *s.* didática.
diente; *s.* dente.
diéresis; *s.* diérese.
diesel; *s.* diesel.
diestro; *adj.* destro, direito, hábil.
dieta; *s.* dieta, regime alimentar.
dietario; *s.* agenda.
dietético; *adj.* dietético.
diez; *adj.* dez.
diezmar; *v.* pagar dízimo.
difamar; *v.* difamar, caluniar.
diferencia; *s.* diferença, diversidade.
diferencial; *adj.* diferencial.
diferenciar; *v.* diferenciar, distinguir, discordar.
diferente; *adj.* diferente, desigual, diverso.
diferir; *v.* diferir, demorar, adiar.
difícil; *adj.* difícil, custoso, trabalhoso, arriscado.
dificultad; *s.* dificuldade, embaraço, transtorno.
dificultar; *v.* dificultar.
difteria; *s.* difteria.
difundir; *v.* difundir, espalhar, propagar.
difunto; *adj.* defunto, falecido, morto.
difusión; *s.* difusão, divulgação.
digerir; *v.* digerir, engolir.
digestión; *s.* digestão.
digital; *adj.* digital.
dígito; *s.* dígito.
dignarse; *v.* dignar-se, condescender.
dignidad; *s.* dignidade.
dignificar; *v.* dignificar, honrar, enobrecer.
digno; *adj.* digno, merecedor, honesto.
digresión; *s.* digressão.
dilación; *s.* demora, atraso.
dilapidar; *v.* dilapidar, esbanjar, desperdiçar.
dilatación; *s.* dilatação, ampliação.
dilatar; *v.* dilatar, estender, alongar, demorar, retardar.
dilema; *s.* dilema.
diletante; *s.* diletante.
diligencia; *s.* diligência, prontidão, agilidade, pressa.
diligencia; *s.* diligência, carruagem.
dilucidar; *v.* elucidar, esclarecer.
diluir; *v.* diluir, dissolver.
diluvio; *s.* dilúvio.
dimensión; *s.* dimensão, medida, tamanho.
diminutivo; *adj.* diminutivo.
diminuto; *adj.* diminuto, pequeno, minúsculo.
dimisión; *s.* demissão, renúncia, exoneração.
dimitir; *v.* demitir, exonerar.
dinamarqués; *adj.* dinamarquês.
dinámica; *s.* dinâmica.
dinamita; *s.* dinamite.
dínamo; *s.* dínamo.
dinastía; *s.* dinastia.
dinero; *s.* dinheiro.
dinosaurio; *s.* dinossauro.
dios; *s.* deus.
diosa; *s.* deusa.
diploma; *s.* diploma.
diplomacia; *s.* diplomacia.
diptongo; *s.* ditongo.
diputado; *s.* deputado.
dique; *s.* dique, açude, doca.
dirección; *s.* direção, rumo.
directo; *adj.* direto, reto.
director; *adj.* diretor.
directriz; *s.* diretriz.
dirigir; *v.* dirigir, guiar, conduzir, governar.
discente; *adj.* discente.

discernimiento; *s.* discernimento.
disciplina; *s.* disciplina, obediência.
discípulo; *s.* discípulo, aluno.
disco; *s.* disco.
díscolo; *adj.* rebelde, indócil.
disconforme; *adj.* desconforme, inconformado.
discontinuo; *adj.* descontínuo, interrompido.
discordancia; *s.* discordância, divergência.
discoteca; *s.* discoteca.
discreción; *s.* discrição, reserva.
discrepar; *v.* discrepar, divergir.
discreto; *adj.* discreto, reservado.
discriminar; *v.* discriminar, distinguir, separar.
disculpa; *s.* desculpa.
disculpar; *v.* desculpar, perdoar.
discurrir; *v.* discorrer.
discurso; *s.* discurso.
discusión; *s.* discussão, debate, polêmica.
discutir; *v.* discutir, debater.
disecar; *v.* dissecar.
diseminar; *v.* disseminar, semear, espalhar.
disensión; *s.* dissensão, oposição, contradição.
disentería; *s.* disenteria, diarréia.
disentir; *v.* dissentir, discrepar, discordar.
diseñar; *v.* desenhar.
diseño; *s.* desenho.
disertar; *v.* dissertar, discorrer.
disfraz; *s.* disfarce, fantasia.
disfrazar; *v.* disfarçar, encobrir, mentir, fantasiar.
disfrutar; *v.* desfrutar, aproveitar.
disgregar; *v.* desagregar, dispersar.
disgustar; *v.* desgostar, aborrecer, magoar.
disgusto; *s.* desgosto, aborrecimento.
disidencia; *s.* dissidência.
disimular; *v.* dissimular, esconder, encobrir, ocultar.
disimulo; *s.* dissimulação, encobrimento.
disipar; *v.* dissipar, consumir, devorar, esbanjar.
dislate; *s.* dislate, disparate.
dislexia; *s.* dislexia.
dislocar; *v.* deslocar, mexer.
disminuir; *v.* diminuir, reduzir, abater, minguar.
disociar; *v.* dissociar, separar, desagregar.
disolución; *s.* dissolução, solúvel.
disolvente; *adj.* solvente.
disolver; *v.* dissolver, diluir.
disonancia; *s.* dissonância, desarmonia.
disonar; *v.* destoar, discrepar.
dispar; *adj.* díspar, desigual.
disparada; *s.* disparada, correria, fuga precipitada.
disparar; *v.* disparar, atirar com arma de fogo.
disparatar; *v.* desatinar, desvairar.
disparate; *s.* disparate, despropósito, desatino, absurdo.
disparidad; *s.* disparidade, desigualdade.
disparo; *s.* disparo, tiro.
dispendio; *s.* dispêndio, consumo, despesa.
dispensar; *v.* dispensar, dar, desculpar.
dispensario; *s.* dispensário.
dispepsia; *s.* dispepsia.
dispersar; *v.* dispersar, separar, espalhar.
displicencia; *s.* displicência.
disponer; *v.* dispor, arrumar, coordenar, preparar.
dispuesto; *adj.* disposto, hábil, apto, animado.
disputa; *s.* disputa, luta, debate, controvérsia.
disputar; *v.* disputar, lutar, debater.
distancia; *s.* distância.
distanciar; *v.* distanciar, afastar.
distender; *v.* distender, dilatar.
distinguir; *v.* distinguir, honrar, avistar.
distinto; *adj.* distinto, diferente.

distorsión; *s.* distorção.
distorsionar; *v.* distorcer.
distracción; *s.* distração, recreação.
distraer; *v.* distrair, divertir.
distribuir; *v.* distribuir, dividir.
distrito; *s.* distrito, circunscrição.
disturbio; *s.* distúrbio, desordem, tumulto.
disuadir; *v.* dissuadir, desviar.
disyuntor; *s.* disjuntor, interruptor.
diurético; *adj.* diurético.
diurno; *adj.* diurno.
divagar; *v.* divagar.
diván; *s.* divã, sofá.
divergencia; *s.* divergência, discórdia.
divergir; *v.* divergir, discordar.
diversidad; *s.* diversidade, diferença, variedade.
diversificar; *v.* diversificar, variar.
diversión; *s.* diversão, distração, passatempo.
diverso; *adj.* diverso, diferente.
divertir; *v.* divertir, recrear, alegrar, entreter.
dividir; *v.* dividir, partir, cortar.
divinidad; *s.* divindade.
divino; *adj.* divino, maravilhoso.
divisa; *s.* divisa, lema.
divisar; *v.* divisar, perceber, entrever.
división; *s.* divisão.
divisor; *s.* divisor.
divorciar; *v.* divorciar.
divulgar; *v.* divulgar, expandir.
do; *s.* dó, primeira nota da escala.
dobladillo; *s.* prega, bainha, franzido em roupa.
doblado; *adj.* dobrado, duplicado, amarrotado.
doblaje; *s.* dublagem.
doblar; *v.* dobrar, duplicar, dublar, mudar de direção, inclinar.
doble; *adj.* dobre, duplo, falso, fingido.
doblegar; *v.* dobrar, torcer, amolecer.
doblez; *s.* dobra, vinco.
docena; *s.* dúzia.
docente; *s.* docente.
dócil; *adj.* dócil, suave, submisso.
docto; *s.* douto, sábio, ilustrado.
doctor; *s.* doutor, médico.
doctrina; *s.* doutrina, norma, disciplina.
documentación; *s.* documentação.
documental; *adj.* documental.
documental; *s.* documentário.
documentar; *v.* documentar, fundamentar, comprovar.
documento; *s.* documento, prova, confirmação.
dogma; *s.* dogma.
dólar; *s.* dólar.
dolencia; *s.* doença, indisposição, mal, achaque.
doler; *v.* doer, padecer.
dolo; *s.* dolo, fraude, engano.
dolor; *s.* dor, mágoa, pesar.
doloroso; *adj.* doloroso, lamentável.
doloso; *adj.* doloso, fraudulento.
domador; *s.* domador.
domar; *v.* domar, domesticar.
domeñar; *v.* dominar, submeter, reprimir.
domesticar; *v.* domesticar, amansar.
doméstico; *adj.* doméstico.
domiciliar; *v.* domiciliar.
domicilio; *s.* domicílio, residência.
dominar; *v.* dominar, sujeitar, subjugar, conquistar.
domingo; *s.* domingo.
dominguero; *adj.* domingueiro.
dominicano; *adj.* dominicano.
dominio; *s.* domínio, posse, propriedade.
dominó; *s.* dominó.
don; *s.* dom, dádiva, qualidade.
donación; *s.* doação.
donaire; *s.* elegância, graça, gentileza.
donar; *v.* doar, presentear.
donativo; *s.* donativo, doação, oferta, esmola.
doncella; *s.* donzela.
donde; *adv.* onde.

dondequiera; *adv.* onde quer que seja.
doña; *s.* dona, senhora, proprietária.
dorado; *adj.* dourado.
dorar; *v.* dourar.
dormilón; *adj.* dorminhoco, preguiçoso.
dormir; *v.* dormir, repousar, pernoitar.
dormitar; *v.* dormitar, cochilar.
dorso; *s.* dorso, costas.
dos; *s.* dois.
dosificar; *v.* dosar.
dosis; *s.* dose, dosagem.
dotación; *s.* dotação.
dotar; *v.* dotar, prover.
dote; *s.* dote.
draga; *s.* draga.
dragar; *v.* dragar.
dragón; *s.* dragão.
drama; *s.* drama.
dramático; *adj.* dramático.
dramaturgia; *s.* dramaturgia.
drástico; *adj.* drástico, violento.
drenaje; *s.* drenagem.
droga; *s.* droga.
drogadicto; *adj.* drogado, viciado.
droguería; *s.* drogaria.
dromedario; *s.* dromedário.
dualidad; *s.* dualidade.
ducha; *s.* ducha, chuveiro.
dúctil; *adj.* dúctil, flexível.
duda; *s.* dúvida, incerteza, suspeita.
dudar; *v.* duvidar, desconfiar, suspeitar.
dudoso; *adj.* duvidoso, incerto.
duelo; *s.* duelo, dó, lástima, pena.
duende; *s.* duende.
dueño; *s.* dono, proprietário.
dulce; *adj.* doce, brando, grato.
dulce; *s.* doce.
dulcificar; *v.* adoçar.
dulzón; *adj.* adocicado, enjoativo.
dulzura; *s.* doçura.
duna; *s.* duna.
dúo; *s.* duo.
duodeno; *s.* duodeno.
duplicar; *v.* duplicar, copiar, dobrar.
duplo; *adj.* duplo, dobro.
duque; *s.* duque.
durabilidad; *s.* durabilidade.
duradero; *adj.* duradouro, resistente.
durante; *adv.* durante.
durar; *v.* durar, persistir, viver.
durazno; *s.* pêssego.
dureza; *s.* dureza, solidez.
duro; *adj.* duro, sólido, consistente, forte.

E

e; sexta letra do alfabeto espanhol.
ebanista; *s.* ebanista, marceneiro, entalhador.
ébano; *s.* ébano.
ebrio; *adj.* ébrio, embriagado, bêbado.
ebullición; *s.* ebulição, efervescência.
eccema; *s.* eczema.
echar; *v.* jogar, lançar, atirar, arremessar, jogar fora, exalar.
echar; *v.* expulsar.
echar; *v.* projetar filme, seguir, calcular, entregar, repartir.
ecléctico; *adj.* eclético, versátil.
eclesiástico; *adj.* eclesiástico.
eclipsar; *v.* eclipsar.
eclipse; *s.* eclipse.
eclosión; *s.* eclosão, explosão.
eco; *s.* eco.
ecografía; *s.* ecografia.
ecología; *s.* ecologia.
ecológico; *adj.* ecológico.
economato; *s.* cooperativa de consumo, varejão.
economía; *s.* economia, moderação, conjunto de bens, poupança.
economizar; *v.* economizar, poupar, acumular, juntar, guardar.
ecosistema; *s.* ecossistema.
ecuación; *s.* equação.
ecuador; *s.* equador.
ecuánime; *adj.* equânime, imparcial.
ecuatorial; *adj.* equatorial.
ecuatoriano; *adj.* equatoriano.
ecuestre; *adj.* equestre.
ecuménico; *adj.* ecumênico.
edad; *s.* idade, período, era.
edema; *s.* edema, inchaço.
edén; *s.* éden, paraíso terrenal.
edición; *s.* edição, impressão, publicação.
edicto; *s.* édito, edital, ordem, decreto.
edificación; *s.* edificação, construção.
edificante; *adj.* edificante, instrutivo.
edificar; *v.* edificar, construir.
edificio; *s.* edifício, prédio, construção.
editar; *v.* editar, publicar, divulgar.
editor; *s.* editor.
editorial; *adj.* editorial, artigo em jornal.
editorial; *s.* editora.
edredón; *s.* adredom, acolchoado.
educación; *s.* educação, instrução, ensino, delicadeza, polidez.
educar; *v.* educar, instruir, dirigir, ensinar.
edulcorante; *adj.* adoçante.
efectivamente; *adv.* efetivamente.
efectivo; *adj.* efetivo, real, verdadeiro.
efectivo; *s.* dinheiro.
efecto; *s.* efeito, resultado.
efectuar; *v.* efetuar, realizar, concretizar.

efemérides; *s.* efeméride, almanaque.
efervescencia; *s.* efervescência, ebulição.
eficacia; *s.* eficácia, energia, eficiência.
efigie; *s.*efígie, imagem, figura.
efímero; *adj.* efêmero, passageiro.
efluvio; *s.* eflúvio, emanação, fragrância.
efusión; *s.* efusão, desafogo.
egipcio; *adj.* egípcio.
egocéntrico; *adj.* egocêntrico.
egoísta; *s.* egoísta, individualista.
eje; *s.* eixo.
ejecución; *s.* execução, realização, aplicação.
ejecutar; *v.* executar, empreender, realizar, cumprir pena de morte.
ejemplar; *adj.* exemplar.
ejemplo; *s.* exemplo, modelo, demonstração.
ejercer; *v.* exercer, praticar, exercitar.
ejercitar; *v.* exercitar, treinar, exercer.
ejército; *s.* exército.
ejido; *s.* logradouro.
el; *art.* o, artigo definido do gênero masculino e singular.
él; *pron.* ele, pronome pessoal da terceira pessoa, masculino singular.
elaborar; *v.* elaborar, preparar, criar.
elasticidad; *s.* elasticidade, maleabilidade, flexibilidade.
elección; *s.* eleição, votação, escolha.
elector; *adj.* eleitor.
electoral; *adj.* eleitoral.
electricidad; *s.* eletricidade.
electrificar; *v.* eletrificar.
electrizante; *adj.* eletrizante.
electrizar; *v.* eletrizar.
electrocardiograma; *s.* eletrocardiograma.
electrochoque; *s.* eletrochoque.
electrocutar; *v.* eletrocutar.
electrodo; *s.* eletrodo.
electrodoméstico; *adj.* eletrodoméstico.
electrógeno; *adj.* eletrógeno.
electrólisis; *s.* eletrólise.
electrón; *s.* eléctron.
electrostática; *s.* eletrostática.
elefante; *s.* elefante.
elefantíasis; *s.* elefantíase.
elegancia; *s.* elegância, distinção, nobreza.
elegante; *adj.* elegante, distinto, nobre.
elegía; *s.* elegia.
elegido; *adj.* eleito, escolhido.
elegir; *v.* eleger, escolher, nomear.
elemental; *adj.* elementar, necessário, principal, óbvio.
elemento; *s.* elemento, essência, fundamento, matéria.
elenco; *s.* elenco.
elevador; *adj.* elevador.
elevar; *v.* elevar, exaltar, aumentar, erguer.
eliminar; *v.* eliminar, suprimir, tirar, separar, excluir.
elipse; *s.* elipse, curva.
elite; *s.* elite.
elixir; *s.* elixir.
ella; *pron.* ela, feminino de ele.
ello; *pron.* gênero neutro, inexistente no português.
ellos, ellas; *pron.* eles, elas.
elocución; *s.* elocução.
elocuencia; *s.* eloquência.
elocuente; *adj.* eloquente, expressivo.
elogiar; *v.* elogiar, louvar, aclamar.
elogio; *s.* elogio, louvor, aplauso.
eludir; *v.* iludir, evitar.
emanar; *v.* emanar, provir, proceder.
emancipar; *v.* emancipar, libertar, livrar.
embadurnar; *v.* enlambuzar, besuntar, manchar, enlamear, sujar.
embajada; *s.* embaixada.
embajador; *s.* embaixador.

embalaje; *s.* embalagem, empacotamento, encaixotamento.
embalar; *v.* embalar, empacotar, embrulhar.
embaldosar; *v.* ladrilhar, pavimentar.
embalsamar; *v.* embalsamar, mumificar, perfumar, aromatizar.
embalse; *s.* estagnação, represa, açude.
embarazar; *v.* embaraçar, impedir, atrapalhar, entravar, engravidar.
embarcación; *s.* embarcação, embarque.
embarcar; *v.* embarcar.
embargar; *v.* embargar, impedir, reter.
embarque; *s.* embarque.
embarrancar; *v.* embarrancar, encalhar.
embarrar; *v.* embarrar, barrar, rebocar.
embarullar; *v.* embaralhar, atrapalhar, confundir, desordenar.
embate; *s.* embate, choque, golpe.
embaucar; *v.* embaucar, enganar, iludir.
embeber; *v.* embeber, empapar, encharcar.
embelesar; *v.* embelezar, encantar.
embellecer; *v.* embelezar, ornamentar, enfeitar.
embestir; *v.* investir, avançar.
embetunar; *v.* embetumar, betumar.
emblema; *s.* emblema, símbolo, insígnia.
embobar; *v.* embevecer, distrair, entreter, cativar.
embocadura; *s.* embocadura, foz de rio, bocal.
embocar; *v.* embocar.
embolia; *s.* embolia, coágulo.
émbolo; *s.* êmbolo.
embolsar; *v.* embolsar, guardar.
emborrachar; *v.* embriagar, embebedar.
emborronar; *v.* borrar, rabiscar.
emboscada; *s.* emboscada, cilada, armadilha.
emboscar; *v.* emboscar, esconder.
embotamiento; *s.* embotamento, entorpecimento.
embotar; *v.* embotar, entorpecer.
embotellado; *adj.* engarrafado.
embotellar; *v.* engarrafar, encurralar, congestionar o trânsito.
embozar; *v.* embuçar.
embozo; *s.* embuço.
embragar; *v.* engrenar, embrear, atar.
embrague; *s.* embreagem.
embravecer; *v.* enfurecer, irritar.
embriagador; *adj.* embriagador, inebriante.
embriagar; *v.* embriagar, embebedar.
embriaguez; *s.* embriaguez, bebedeira.
embrión; *s.* embrião.
embrionario; *adj.* embrionário.
embrollar; *v.* embrulhar, confundir, emaranhar, desnortear.
embrollo; *s.* embrulhada, enredo, confusão, trapalhada, mentira.
embromar; *v.* embromar, enganar, gracejar, zombar, caçoar, troçar.
embrujar; *v.* embruxar, enfeitiçar.
embrutecer; *v.* embrutecer, entorpecer.
embuchado; *s.* embuchado, chouriço, amuo, zanga.
embudo; *s.* funil.
embuste; *s.* embuste, engano, mentira.
embutido; *s.* embutido, chouriço.
embutido; *adj.* embutido, encaixado, incrustado.
emerger; *v.* emergir, subir.
emigrar; *v.* emigrar.
eminencia; *s.* eminência, superioridade, excelência.
eminente; *adj.* eminente, elevado, excelente.
emisario; *s.* emissário, mensageiro.
emisión; *s.* emissão, emanação, ejaculação.
emisor; *adj.* emissor.
emisora; *s.* emissora, estação de rádio.

emitir; *v.* emitir, lançar.
emocional; *adj.* emocional.
emocionante; *adj.* emocionante, impressionante, comovente.
emocionar; *v.* emocionar, comover, abalar, impressionar.
emotividad; *s.* emotividade, emoção.
emotivo; *adj.* emotivo, comovente, emocionante.
empachar; *v.* empachar, fartar.
empacho; *s.* empacho, indigestão.
empadronamiento; *s.* recenseamento, alistamento.
empajar; *v.* empalhar.
empalagar; *v.* enjoar, enfastiar-se.
empalagoso; *adj.* enjoativo, fastidioso.
empalizar; *v.* estacar.
empanada; *s.* empanada, empada, pastel.
empanar; *v.* empanar, panar.
empantanar; *v.* alagar.
empañar; *v.* empanar, denegrir, tirar o brilho, embaciar.
empañar; *v.* enfaixar criança com fralda.
empapar; *v.* empapar, embeber, encharcar.
empapelar; *v.* empapelar, embrulhar, forrar, revestir com papel.
empaque; *s.* empacotamento.
empaquetador; *s.* empacotador.
empaquetar; *v.* empacotar.
emparedado; *adj.* preso.
emparedado; *s.* sanduíche de presunto.
emparedar; *v.* emparedar, enclausurar, prender, isolar.
emparejar; *v.* emparelhar, nivelar, igualar.
emparentar; *v.* aparentar, contrair parentesco.
empastar; *v.* empastar, encadernar, obturar dentes.
empatar; *v.* empatar, igualar.
empate; *s.* empate, igualdade, equilíbrio.
empecinarse; *v.* obstinar-se, teimar.
empedernido; *adj.* empedernido, insensível.
empedrado; *s.* pavimento de pedras, piso.
empedrado; *adj.* empedrado, empelotado.
empedrar; *v.* calçar, pavimentar.
empeine; *s.* baixo-ventre, púbis, peito do pé.
empellón; *s.* empurrão.
empeñar; *v.* empenhar, endividar.
empeño; *s.* empenho, constancia, tenacidade.
empeorar; *v.* piorar, agravar.
empequeñecer; *v.* diminuir, reduzir, minguar, encolher.
emperador; *s.* imperador, monarca.
empero; *conj.* mas, porém, todavia.
emperrarse; *v.* obstinar-se, teimar.
empezar; *v.* começar, principiar, iniciar.
empinar; *v.* empinar, empertigar.
empírico; *adj.* empírico, prático.
empirismo; *s.* empirismo.
emplastar; *v.* emplastar, lambuzar.
emplasto; *s.* emplastro, unguento.
emplazar; *v.* emprazar, marcar prazos, marcar um lugar.
empleado; *s.* empregado, funcionário.
emplear; *v.* empregar, ocupar, destinar.
empleo; *s.* emprego, cargo, colocação.
emplomar; *v.* chumbar, soldar.
emplumar; *v.* emplumar.
empobrecer; *v.* empobrecer.
empollar; *v.* empolhar, chocar ovos, incubar.
emponzoñador; *adj.* envenenador, peçonhento, daninho.
emponzoñar; *v.* envenenar.
emporio; *s.* empório, entreposto, centro comercial internacional.
empotrar; *v.* embutir, encravar.
emprendedor; *adj.* empreendedor.
emprender; *v.* empreender.

empresa; *s.* empresa, empreendimento.
empresarial; *adj.* empresarial.
empréstito; *s.* empréstimo.
empujar; *v.* empurrar, impelir, pressionar.
empujón; *s.* empurrão, embate.
empuñar; *v.* empunhar, obter, conseguir.
emular; *v.* emular, rivalizar, competir.
émulo; *s.* êmulo, rival, competidor.
emulsión; *s.* emulsão.
en; *prep.* em, indica lugar, tempo, modo.
enagua; *s.* anágua, combinação.
enajenar; *v.* alienar, alhear, enlouquecer, transferir.
enaltecer; *v.* enaltecer, exaltar.
enamorado; *adj.* enamorado, apaixonado.
enamorar; *v.* enamorar, apaixonar, encantar, cortejar.
enanismo; *s.* nanismo.
enano; *s.* anão.
enarbolar; *v.* arvorar, içar, hastear, erigir.
enardecer; *v.* avivar, exitar, inflamar.
encabezar; *v.* encabeçar, liderar.
encadenar; *v.* encadear, acorrentar, prender.
encajar; *v.* encaixar, ajustar.
encaje; *s.* encaixe, junta, renda de vários desenhos.
encajonar; *v.* encaixotar.
encalar; *v.* caiar, branquear.
encallar; *v.* encalhar, encruar.
encalmarse; *v.* acalmar-se, amainar.
encamar; *v.* acamar, deitar, estender.
encaminar; *v.* encaminhar, dirigir, endereçar, enveredar.
encandilar; *v.* deslumbrar, ofuscar, alucinar.
encanecer; *v.* encanecer, criar cãs.
encanijar; *v.* definhar, pôr-se fraco, enfermiço.
encantador; *adj.* encantador, amável, aprazível.
encantar; *v.* encantar, seduzir, cativar.
encanto; *s.* encanto, atrativo, agrado, encantamento.
encapotarse; *v.* encapotar-se, ocultar, cobrir com capote.
encapricharse; *v.* encaprichar-se, teimar.
encaramar; *v.* encarapitar.
encarar; *v.* encarar, enfrentar.
encarcelar; *v.* encarcerar, prender, aprisionar.
encarecer; *v.* encarecer, exagerar.
encargado; *adj.* encarregado, gerente.
encargar; *v.* encarregar, pedir, recomendar.
encargo; *s.* encargo, obrigação.
encariñarse; *v.* afeiçoar-se.
encarnado; *adj.* encarnado, vermelho.
encarnar; *v.* incarnar, encarnar.
encarnizar; *v.* encarniçar, enfurecer.
encarrilar; *v.* encarrilhar, pôr nos trilhos.
encartar; *v.* proscrever, banir.
encasillar; *v.* enquadrar, classificar.
encasquetar; *v.* encasquetar, obstinar, teimar.
encastillar; *v.* encastelar, fortificar com castelos.
encausar; *v.* processar,
encefálico; *adj.* encefálico.
encefalitis; *s.* encefalite.
encéfalo; *s.* encéfalo.
encelar; *v.* enciumar.
encendedor; *s.* acendedor.
encender; *v.* acender, incendiar.
encendido; *adj.* aceso, inflamado, afogueado, ruborizado.
encerado; *s.* encerado, oleado, quadro-negro.
enceradora; *s.* enceradeira.
encerar; *v.* encerar.
encerrar; *v.* encerrar, fechar, prender, incluir.

encerrona; *s.* retiro voluntário, encerro.
enchapado; *adj.* chapeado, revestido com chapas.
encharcar; *v.* encharcar, empapar.
enchufado; *adj.* ligado, conectado, protegido, apadrinhado.
enchufar; *v.* conectar, ligar na eletricidade.
enchufe; *s.* tomada elétrica, ligação, conexão.
encía; *s.* gengiva.
encíclica; *s.* encíclica, carta papal.
enciclopedia; *s.* enciclopédia.
encierro; *s.* encerramento, encerro, clausura, prisão.
encima; *adv.* em cima, demais, além disso.
encina; *s.* azinheira, azinheiro, carvalho.
encinta; *adj.* grávida.
enclaustrar; *v.* enclausurar, prender.
enclavar; *v.* cravar, pregar, encravar.
enclenque; *adj.* adoentado, doentio.
encoger; *v.* encolher, contrair, diminuir, reduzir.
encolar; *v.* colar, grudar.
encolerizar; *v.* encolerizar, irritar, enfurecer, indignar.
encomendar; *v.* encomendar, incumbir, confiar.
encomiar; *v.* encomiar, louvar, elogiar, gabar.
encomienda; *s.* encomenda, encargo.
encomio; *s.* encômio, louvor, grande elogio.
enconar; *v.* inflamar, irritar, exasperar.
encono; *s.* animadversão, ódio, rancor.
encontrar; *v.* encontrar, achar.
encontronazo; *s.* encontrão, embate, choque, empurrão.
encopetado; *adj.* presunçoso, esnobe.
encorchar; *v.* arrolhar, tapar com rolha.
encorvar; *v.* encurvar, curvar.
encrespar; *v.* encrespar, arrepiar.
encrucijada; *s.* encruzilhada.
encrudecer; *v.* encruar, encruecer.
encuadernación; *s.* encadernação.
encuadernar; *v.* encadernar.
encuadrar; *v.* enquadrar, limitar, emoldurar.
encuartelar; *v.* aquartelar.
encubrir; *v.* encobrir, ocultar, dissimular.
encuentro; *s.* encontro, choque, embate, rixa, oposição.
encuesta; *s.* enquete, pesquisa, averiguação.
encuestador; *s.* pesquisador.
encumbrar; *v.* encumear, elevar, louvar, enaltecer.
endeble; *adj.* débil, fraco, frágil.
endemia; *s.* endemia.
endémico; *adj.* endêmico, frequente.
endemoniado; *adj.* endiabrado, infernal.
enderezar; *v.* endereçar, dirigir, endireitar.
endeudarse; *v.* endividar-se.
endibia; *s.* escarola.
endiosar; *v.* endeusar, divinizar.
endocardio; *s.* endocárdio.
endocrino; *adj.* endócrino.
endocrinólogo; *s.* endocrinologista.
endosar; *v.* endossar.
endulzar; *v.* adoçar, suavizar.
endurecer; *v.* endurecer.
enebro; *s.* zimbro.
enemigo; *adj.* inimigo, contrário, adversário.
enemistad; *s.* inimizade.
enemistar; *v.* indispor, brigar.
energético; *adj.* energético, revigorante.
energía; *s.* energia, vigor.
enérgico; *adj.* enérgico, forte.
energúmeno; *s.* energúmeno, furioso, alvoroçado.
enero; *s.* janeiro.
enervar; *v.* enervar, debilitar, tirar as forças.
enfadar; *v.* enfadar, incomodar, aborrecer, irritar.

enfado; *s.* enfado, aborrecimento.
enfangar; *v.* enlamear, sujar.
énfasis; *s.* ênfase.
enfático; *adj.* enfático.
enfermar; *v.* adoecer.
enfermedad; *s.* enfermidade, doença.
enfermería; *s.* enfermaria.
enfermero; *s.* enfermeiro.
enfermo; *adj.* enfermo, doente.
enfilar; *v.* enfiar, enfileirar.
enflaquecer; *v.* enfraquecer, debilitar, minguar.
enfocar; *v.* enfocar, focalizar.
enfrascar; *v.* enfrascar, engarrafar.
enfrentar; *v.* enfrentar, defrontar.
enfrente; *adv.* em frente, diante, defronte.
enfriar; *v.* esfriar, arrefecer.
enfurecer; *v.* enfurecer, irritar.
engalanar; *v.* engalanar, ataviar, ornamentar, enfeitar.
enganchar; *v.* enganchar, engatar.
enganche; *s.* engate.
engañar; *v.* enganar, iludir, distrair, ludibriar, mentir.
engaño; *s.* engano, fraude, farsa, mentira.
engarce; *s.* engrenagem.
engarzar; *v.* engastar, encadear, eriçar.
engastar; *v.* engastar, encravar.
engatusar; *v.* bajular, adular, seduzir.
engendrar; *v.* engendrar, gerar, produzir.
engendro; *s.* feto, aborto, monstro.
englobar; *v.* englobar.
engomar; *v.* engomar.
engordar; *v.* engordar, encorpar, cevar.
engorde; *s.* engorda.
engorro; *s.* embaraço, impedimento, incômodo, estorvo.
engranaje; *s.* engrenagem.
engranar; *v.* engrenar, entrosar, encadear.
engrandecer; *v.* engrandecer, elevar, exagerar.
engrasar; *v.* engordurar, engraxar, lubrificar.
engreír; *v.* envaidecer, elevar-se, afeiçoar, inflar-se.
engrescar; *v.* incitar, atiçar.
engrillar; *v.* algemar, agrilhoar.
engrosar; *v.* engrossar, engordar.
engrudo; *s.* grude, cola.
engullir; *v.* engolir, deglutir, devorar.
enhebrar; *v.* enfiar a linha na agulha.
enhorabuena; *s.* felicitação, parabéns.
enigma; *s.* enigma, charada.
enjabonar; *v.* ensaboar.
enjalbegar; *v.* caiar, branquear.
enjambre; *s.* enxame.
enjaular; *v.* enjaular, engaiolar.
enjuagar; *v.* enxaguar, bochechar.
enjugar; *v.* enxugar, secar.
enjuiciar; *v.* julgar, ajuizar.
enjuto; *adj.* enxuto, seco, magro, delgado.
enlace; *s.* enlace, união, ligação, conexão.
enladrillar; *v.* ladrilhar, pavimentar.
enlatar; *v.* enlatar.
enlazar; *v.* enlaçar, laçar animais.
enloquecer; *v.* enlouquecer, endoidar.
enlosar; *v.* lajear.
enlucir; *v.* revestir com gesso, estucar.
enlutar; *v.* enlutar.
enmaderar; *v.* emadeirar, madeirar.
enmarañar; *v.* emaranhar, enredar.
enmarcar; *v.* emoldurar.
enmascarado; *adj.* mascarado.
enmascarar; *v.* mascarar, disfarçar, encobrir.
enmendar; *v.* emendar, corrigir.
enmienda; *s.* emenda, correção.
enmohecer; *v.* embolorar, mofar.
enmudecer; *v.* emudecer, calar.
ennegrecer; *v.* enegrecer, denegrir.
ennoblecer; *v.* enobrecer, elevar, realçar, dignificar.
enojar; *v.* enojar, desgostar, indignar, incomodar, aborrecer.

enojo; *s.* nojo, ofensa, injúria, cólera.
enología; *s.* enologia.
enorgullecer; *v.* orgulhar.
enormidad; *s.* enormidade, grandeza.
enrabiar; *v.* irritar, enfurecer, encolerizar.
enraizar; *v.* enraizar, arraigar.
enramada; *s.* enramada, ramada.
enrarecer; *v.* enrarecer, rarear, escassear.
enrasar; *v.* rasar, nivelar, igualar.
enredadera; *s.* trepadeira.
enredar; *v.* enredar, entrelaçar, emaranhar.
enredo; *s.* enredo, entrelaçamento.
enrejado; *s.* gradeamento.
enrejar; *v.* gradear.
enrevesado; *adj.* arrevesado.
enriquecer; *v.* enriquecer, prosperar.
enrojecer; *v.* incandescer, avermelhar.
enrollar; *v.* enrolar, encaracolar.
enroscar; *v.* enroscar, enrolar, torcer.
ensalada; *s.* salada.
ensalivar; *v.* salivar.
ensalzar; *v.* elogiar, louvar.
ensamblar; *v.* encaixar, embutir, entalhar.
ensanchar; *v.* alargar, dilatar, ampliar, inchar.
ensanche; *s.* alargamento, dilatação.
ensangrentar; *v.* ensanguentar.
ensartar; *v.* ensartar, enfiar, por um fio, atravessar.
ensayar; *v.* ensaiar, treinar, experimentar, exercitar, preparar.
ensayo; *s.* ensaio, exame, dissertação, treinamento.
enseguida; *adv.* em seguida, logo depois.
ensenada; *s.* enseada, angra.
enseña; *s.* insígnia, divisa.
enseñanza; *s.* ensino, doutrina.
enseñar; *v.* ensinar, educar, instruir, adestrar.
enseres; *s.* móveis, utensílios.
ensimismarse; *v.* ensimesmar-se, abstrair-se, concentrar-se.
ensombrecer; *v.* escurecer, ensombrar, sombrear.
ensopar; *v.* ensopar, embeber, encharcar.
ensordecer; *v.* ensurdecer.
ensortijado; *adj.* cacheado, encaracolado, crespo.
ensortijar; *v.* cachear, encaracolar, frisar.
ensuciar; *v.* sujar, emporcalhar, manchar.
ensueño; *s.* sonho, fantasia, ilusão.
entablar; *v.* entabular, dispor, preparar.
entallar; *v.* entalhar, esculpir, gravar.
entarimado; *s.* soalhado.
entarimar; *v.* assoalhar.
ente; *s.* ente, ser.
entender; *v.* entender, compreender.
entendido; *s.* entendido, perito.
enterado; *adj.* inteirado, informado.
enterar; *v.* inteirar, informar.
enteritis; *s.* enterite.
enternecer; *v.* enternecer, amolecer, abrandar.
entero; *adj.* inteiro.
enterrar; *v.* enterrar, sepultar.
entibar; *v.* escorar.
entibiar; *v.* entibiar, tornar tíbio, amornar.
entierro; *s.* enterro, sepultura, sepulcro, túmulo.
entoldar; *v.* toldar.
entonación; *s.* entonação, tom.
entonar; *v.* entoar, cantar, harmonizar.
entonces; *adv.* então.
entontecer; *v.* estontear, desvairar.
entornar; *v.* entornar, inclinar.
entorpecer; *v.* entorpecer, paralisar.
entrada; *s.* entrada, ingresso, introdução.
entrambos; *adj.* ambos, os dois.
entrante; *adj.* entrante.
entraña; *s.* entranha, víscera.
entrañable; *adj.* entranhável, íntimo, muito afetuoso.

entrañar; *v.* entranhar, penetrar, dedicar-se, unir-se.
entrar; *v.* entrar, introduzir, ingressar, invadir, ocupar.
entre; *prep.* entre, no meio.
entreabrir; *v.* entreabrir.
entreacto; *s.* entreato, intervalo.
entrecano; *adj.* grisalho.
entrecomillar; *v.* aspar, aspear.
entrecortado; *adj.* entrecortado.
entrecruzar; *v.* entrecruzar, cruzar.
entredicho; *s.* interdição, proibição, dificuldade.
entrega; *s.* entrega, restituição, dedicação.
entregar; *v.* entregar, restituir, dar, depositar.
entrelazar; *v.* entrelaçar, entrançar.
entrelínea; *s.* entrelinha.
entremedias; *adv.* entrementes, entretanto.
entremés; *s.* aperitivo, peça teatral de um ato.
entremeter; *v.* intrometer.
entremezclar; *v.* misturar, mesclar.
entrenador; *s.* treinador, preparador.
entrenar; *v.* treinar, preparar, ensaiar.
entreoír; *v.* entreouvir, ouvir de relance.
entrepaño; *s.* entrepano, prateleira.
entresacar; *v.* escolher, desbastar, podar.
entresuelo; *s.* sobreloja.
entretanto; *adv.* entretanto.
entretener; *v.* entreter, divertir.
entrevista; *s.* entrevista.
entristecer; *v.* entristecer, causar tristeza.
entrometer; *v.* intrometer-se.
entrometido; *adj.* intrometido.
entroncar; *v.* entroncar.
entronizar; *v.* entronizar, colocar no trono.
entubar; *v.* tubular.
entuerto; *s.* torto, agravo, injúria, ofensa.
entumecer; *v.* impedir, entorpecer, embaraçar.
entupir; *v.* entupir, tapar, obstruir.
enturbiar; *v.* enturvar, tornar turvo, turvar.
entusiasmar; *v.* entusiasmar.
entusiasmo; *s.* entusiasmo, arrebatamento.
enumeración; *s.* enumeração, cômputo, descrição, exposição.
enumerar; *v.* enumerar, contar.
enunciación; *s.* enunciação.
enunciado; *adj.* enunciado, definição.
enunciar; *v.* enunciar, declarar, expressar.
envainar; *v.* embainhar.
envalentonar; *v.* alentar, encorajar.
envanecer; *v.* envaidecer.
envasar; *v.* envasilhar, envasar, engarrafar.
envase; *s.* vasilha, vasilhame, invólucro, envoltório.
envejecer; *v.* envelhecer, avelhantar.
envenenar; *v.* envenenar.
envergadura; *s.* envergadura.
envés; *s.* invés, avesso, revés.
enviado; *s.* enviado, mensageiro.
enviar; *v.* enviar, mandar, expedir.
enviciar; *v.* viciar, corromper.
envidia; *s.* inveja, ciúme.
envidiar; *v.* invejar, cobiçar, desejar.
envilecer; *v.* envilecer, aviltar.
envío; *s.* envio, remessa.
enviudar; *v.* enviuvar.
envoltorio; *s.* envoltório, invólucro.
envolver; *v.* envolver, embrulhar, enrolar.
enzarzar; *v.* enredar, discordar, discutir, brigar.
enzima; *s.* enzima.
epicentro; *s.* êpicentro.
epidemia; *s.* epidemia.
epidémico; *adj.* epidêmico, contagioso.
epidermis; *s.* epiderme.
epígrafe; *s.* epígrafe, inscrição.
epilepsia; *s.* epilepsia.
epílogo; *s.* epílogo, conclusão, final.
episcopal; *adj.* episcopal.
episódico; *adj.* episódico, secundário.

episodio; *s.* episódio.
epístola; *s.* epístola, carta.
epitafio; epitáfio, inscrição tumular.
epitelio; *s.* epitélio.
época; *s.* época, era, período.
epopeya; *s.* epopéia.
equidad; *s.* equidade, retidão.
equidistante; *adj.* equidistante.
equilátero; *adj.* equilátero.
equilibrado; *adj.* equilibrado.
equilibrar; *v.* equilibrar, harmonizar, compensar, contrabalançar.
equilibrio; *s.* equilíbrio.
equimosis; *s.* equimose, contusão.
equino; *s.* equino.
equipaje; *s.* equipagem, bagagem, tripulação.
equipar; *v.* equipar, prover.
equiparable; *adj.* equiparável, comparável.
equiparar; *v.* equiparar, igualar.
equipo; *s.* equipe.
equitación; *s.* equitação.
equitativo; *adj.* equitativo.
equivalencia; *s.* equivalência.
equivaler; *v.* equivaler, corresponder.
equivocar; *v.* equivocar, errar, confundir.
equívoco; *adj.* equívoco, confusão, engano, trocadilho.
era; *s.* era, época.
era; *s.* eira, espaço de terra limpa.
erario; *s.* erário, tesouro público.
erección; *s.* ereção, tensão.
erecto; *adj.* ereto, rígido, teso, levantado.
eremita; *s.* eremita, ermitão.
erguir; *v.* erguer, levantar, endireitar.
erigir; *v.* erigir, erguer.
erisipela; *s.* erisipela.
erizar; *v.* eriçar, arrepiar, encrespar.
erizo; *s.* ouriço.
ermita; *s.* ermida, capela.
erosión; *s.* erosão, corrosão.
erótico; *adj.* erótico, sensual.
erradicación; *s.* erradicação.
errante; *adj.* errante, nômade.
errar; *v.* errar, faltar, equivocar.
errar; *v.* vaguear.
errata; *s.* errata.
erróneo; *adj.* errôneo, equivocado.
error; *s.* erro, engano, equívoco.
eructar; *v.* arrotar.
eructo; *s.* arroto.
erudición; *s.* erudição, saber.
erupción; *s.* erupção, explosão.
esbelto; *adj.* esbelto, elegante.
esbozar; *v.* esboçar, delinear.
esbozo; *s.* esboço, ensaio, anteprojeto, resumo.
escabeche; *s.* escabeche, conserva de vinagre.
escabroso; *adj.* escabroso, acidentado, de difícil resolução.
escabullirse; *v.* escapar, escapulir.
escala; *s.* escala, escada de mão.
escalar; *v.* escalar, subir.
escaldar; *v.* escaldar.
escalera; *s.* escada.
escalofrío; *s.* calafrio, arrepio.
escalón; *s.* degrau, escalão, grau, categoria.
escalonar; *v.* escalonar, distribuir.
escama; *s.* escama.
escamar; *v.* escamar.
escamotear; *v.* escamotear, esconder.
escampar; *v.* abrir um espaço, desanuviar o céu.
escanciar; *v.* servir vinho.
escandalizar; *v.* escandalizar.
escándalo; *s.* escândalo, tumulto, alvoroço.
escapada; *s.* escapada.
escapar; *v.* escapar, fugir, omitir.
escaparate; *s.* vitrine.
escapatoria; *s.* escapatória, escapadela.
escarabajo; *s.* escaravelho.
escaramujo; *s.* caramujo.
escarbar; *v.* escavar, esgaravatar, palitar os dentes.
escarcha; *s.* escarcha, orvalho da noite, neve.
escarlata; *s.* escarlate, cor vermelha muito viva.

escarmentar; *v.* escarmentar, castigar, punir.
escarnio; *s.* escárnio, menosprezo, zombaria.
escarola; *s.* escarola.
escarpa; *s.* escarpa, ladeira.
escarpado; *adj.* escarpado, íngreme.
escasear; *v.* escassear, faltar.
escasez; *s.* escassez, falta.
escaso; *adj.* escasso, raro, limitado.
escatimar; *v.* regatear, pechinchar.
escayola; *s.* escaiola, estuque.
escena; *s.* cena, palco.
escenario; *s.* cenário, palco.
escenografía; *s.* cenografia.
escepticismo; *s.* ceticismo.
escéptico; *adj.* cético, incrédulo, indiferente.
escisión; *s.* cisão, rompimento, separação, dissidência.
esclarecer; *v.* esclarecer.
esclavitud; *s.* escravidão, servidão.
esclavizar; *v.* escravizar.
esclavo; *adj.* escravo, cativo.
esclerosis; *s.* esclerose.
esclusa; *s.* eclusa, comporta.
escoba; *s.* vassoura.
escobar; *v.* varrer.
escobón; *s.* escovão.
escocedura; *s.* coceira, comichão, ardência.
escocer; *v.* arder, queimar.
escocés; *adj.* escocês.
escoger; *v.* escolher, preferir.
escolar; *adj.* escolar.
escollo; *s.* escolho, obstáculo, perigo, risco.
escolta; *s.* escolta, acompanhamento.
escoltar; *v.* escoltar, acompanhar, proteger.
escombro; *s.* escombro, entulho.
esconder; *v.* esconder, ocultar, encobrir.
escondite; *s.* esconderijo.
escoria; *s.* escória, escuma, fezes, resto.
escorpión; *s.* escorpião.
escote; *s.* decote.
escotilla; *s.* escotilha.
escozor; *s.* ardência.
escribano; *s.* escrivão, tabelião, escriturário.
escribir; *v.* escrever, redigir.
escritor; *s.* escritor, autor, redator.
escritorio; *s.* escrivaninha, escritório.
escrúpulo; *s.* escrúpulo, zelo.
escrupuloso; *adj.* escrupuloso, cuidadoso, rigoroso.
escrutinio; *s.* escrutínio, apuração de votos.
escuadra; *s.* esquadra, esquadro.
escuadrón; *s.* esquadrão.
escuálido; *adj.* esquálido, fraco, magro.
escuchar; *v.* escutar, ouvir, atender.
escudar; *v.* escudar, cobrir, defender com escudo.
escudo; *s.* escudo.
escudriñar; *v.* esquadrinhar.
escuela; *s.* escola.
escueto; *adj.* descoberto, livre, despido, simples.
esculpir; *v.* esculpir.
escultura; *s.* escultura.
escupidera; *s.* cuspideira, escarradeira.
escupir; *v.* cuspir, escarrar.
escurridor; *s.* escorredor.
escurrir; *v.* escorrer, coar.
esdrújulo; *adj.* esdrúxulo, proparoxítono.
ese; *pron.* este, esse.
esencia; *s.* essência.
esencial; *adj.* essencial, fundamental.
esfera; *s.* esfera, bola, âmbito, círculo, órbita.
esférico; *adj.* esférico, redondo.
esfinge; *s.* esfinge.
esfínter; *s.* esfínter.
esforzar; *v.* esforçar, reforçar.
esfumar; *v.* esfumar, atenuar a cor, desvanecer.
esgrima; *s.* esgrima.
eslabón; *s.* elo.
eslavo; *adj.* eslavo.

esmaltar; *v.* esmaltar.
esmalte; *s.* esmalte.
esmeralda; *s.* esmeralda.
esmerar; *v.* esmerar.
esmero; *s.* esmero, cuidado, zelo.
esnob; *adj.* esnobe.
eso; *pron.* isso, isto.
esófago; *s.* esôfago.
esotérico; *adj.* esotérico.
espabilar; *v.* espevitar, avivar.
espaciar; *v.* espaçar, espacejar.
espacio; *s.* espaço, extensão, demora.
espacioso; *adj.* espaçoso, amplo, dilatado, vasto.
espada; *s.* espada.
espaldas; *s.* costas.
espantajo; *s.* espantalho.
espantar; *v.* espantar, assustar, amedrontar.
espanto; *s.* espanto, susto, pavor, fantasma.
español; *adj.* espanhol.
esparadrapo; *s.* esparadrapo.
esparcir; *v.* esparzir, derramar, espairecer.
espárrago; *s.* aspargo.
espasmo; *s.* espasmo.
espátula; *s.* espátula.
especia; *s.* especiaria.
especial; *adj.* especial.
especialidad; *s.* especialidade, particularidade.
especialista; *s.* especialista.
especie; *s.* espécie, classe, qualidade.
especificar; *v.* especificar, explicar, declarar.
espectáculo; *s.* espetáculo, diversão, representação teatral.
espectador; *adj.* espectador, observador.
espectro; *s.* espectro, sombra, fantasma.
especular; *s.* especular.
espejismo; *s.* miragem.
espejo; *s.* espelho.
espeleólogo; *s.* espeleólogo.
espeluznante; *adj.* arrepiante, horripilante.
espera; *s.* espera, calma, paciência.
esperanza; *s.* esperança, confiança, expectativa.
esperar; *v.* esperar, aguardar.
esperma; *s.* esperma, sêmen.
espermatozoide; *s.* espermatozóide.
esperpento; *s.* espantalho, desatino, absurdo.
espesar; *v.* espessar, engrossar, condensar.
espeso; *adj.* espesso, grosso, denso.
espesor; *s.* espessura, grossura, densidade.
espesura; *s.* espessura, solidez.
espetar; *v.* espetar, cravar.
espía; *s.* espião.
espiar; *v.* espiar, espreitar.
espiga; *s.* espiga.
espigón; *s.* espigão, ferrão.
espina; *s.* espinho, espinha de peixe.
espinaca; *s.* espinafre.
espinazo; *s.* espinha dorsal, coluna vertebral.
espinoso; *adj.* espinhoso.
espionaje; *s.* espionagem.
espiral; *s.* espiral.
espirar; *v.* expirar, respirar.
espíritu; *s.* espírito.
espléndido; *adj.* esplêndido, magnífico, brilhante.
esplendor; *s.* esplendor, nobreza, brilho.
espliego; *s.* alfazema, lavanda.
espolear; *v.* esporear.
esponja; *s.* esponja.
esponjoso; *adj.* esponjoso.
esponsales; *s.* esponsais, noivado.
espontáneo; *adj.* espontâneo, natural, voluntário.
esporádico; *adj.* esporádico, ocasional.
esposado; *adj.* casado, algemado.
esposas; *s.* algemas.
esposo; *s.* esposo, cônjuge.
espuela; *s.* espora.
espuma; *s.* espuma.

espumadera; *s.* espumadeira, escumadeira.
espumoso; *adj.* espumoso.
espúreo; *adj.* espúreo, ilegítimo.
esqueje; *s.* galho, muda de planta.
esqueleto; *s.* esqueleto.
esquema; *s.* esquema, projeto, plano.
esquí; *s.* esqui.
esquiador; *s.* esquiador.
esquife; *s.* esquife, ataúde, caixão.
esquila; *s.* sineta, chocalho.
esquilar; *v.* tosquiar.
esquimal; *adj.* esquimó.
esquina; *s.* esquina.
esquirol; *s.* esquilo.
esquivar; *v.* esquivar, evitar, fugir.
esquivo; *adj.* esquivo, arisco, arredio.
estabilidad; *s.* estabilidade, segurança.
estabilizar; *v.* estabilizar.
estable; *adj.* estável, firme.
establecer; *v.* estabelecer, ordenar, decretar, fundar.
establo; *s.* estábulo.
estaca; *s.* estaca.
estacada; *s.* estacada.
estación; *s.* estação, período, temporada, posto policial.
estacionar; *v.* estacionar, parar.
estadio; *s.* estádio.
estadista; *s.* estadista.
estadístico; *adj.* estatístico.
estado; *s.* estado, situação, classe, governo.
estafa; *s.* burla, roubo, fraude.
estafar; *v.* burlar, roubar.
estafeta; *s.* estafeta, carteiro, mensageiro.
estallar; *v.* estalar, fender, estourar, estralar, explodir.
estallido; *s.* estalido, estouro.
estampa; *s.* estampa.
estampado; *adj.* estampado, impresso.
estampar; *v.* estampar, imprimir.
estampido; *s.* estampido, detonação.
estancar; *v.* estancar, parar, deter, vedar.
estancia; *s.* habitação, estância, fazenda, casa de campo.
estanciero; *s.* fazendeiro.
estanco; *adj.* estanco.
estanco; *s.* tabacaria, depósito.
estandarte; *s.* estandarte, bandeira.
estanque; *s.* tanque, reservatório de água, lago artificial.
estante; *adj.* parado, fixo.
estante; *s.* estante, prateleira.
estaño; *s.* estanho.
estar; *v.* estar.
estatal; *adj.* estatal, estadual.
estático; *adj.* estático, imóvel.
estatua; *s.* estátua.
estatura; *s.* estatura, altura.
estatuto; *s.* estatuto.
este; *pron.* este, esse.
este; *s.* este, leste, oriente.
estelar; *adj.* estelar, sideral.
estenografía; *s.* estenografia.
estepa; *s.* estepe.
estera; *s.* esteira.
estereofónico; *adj.* estereofônico.
estereoscopio; *s.* estereoscópio.
estéril; *adj.* estéril, árido, impotente, inútil.
esterilizar; *v.* esterilizar, tornar estéril.
esternón; *s.* esterno.
estertor; *s.* estertor.
esteta; *s.* esteta.
estético; *adj.* estético, belo.
estiaje; *s.* estiagem, estio, seca.
estibador; *s.* estivador, carregador de navio.
estiércol; *s.* esterco, estrume.
estigma; *s.* estigma, marca, sinal.
estilar; *v.* usar, costumar, estar na moda.
estilete; *s.* estilete.
estilizar; *v.* estilizar.
estilo; *s.* estilo, modo, maneira, fórmula.
estima; *s.* estima, apreço, consideração.
estimado; *adj.* estimado, considerado, bem-visto.

estimular; *v.* estimular, incitar, excitar, avivar.
.**estímulo;** *s.* estímulo, incentivo, excitação.
estío; *s.* estio, verão.
estipendio; *s.* estipêndio, soldo, remuneração, pagamento, salário.
estipular; *v.* estipular, ajustar, convir, combinar.
estirado; *adj.* estirado, esticado.
estirar; *v.* estirar, esticar, estender, crescer.
estirpe; *s.* estirpe, linhagem, descendência.
estival; *adj.* estival, pertencente ao verão ou estio.
estofado; *adj.* estofado, alinhado, enfeitado.
estofado; *s.* estufado, guisado.
estofar; *v.* estofar, acolchoar, chumaçar.
estómago; *s.* estômago.
estopa; *s.* estopa, tecido grosseiro.
estorbar; *v.* estorvar, dificultar, atravancar, embaraçar, molestar.
estorbo; *s.* estorvo, embaraço, dificuldade.
estornudar; *v.* espirrar.
estornudo; *s.* espirro.
estrábico; *adj.* estrábico, vesgo.
estrado; *s.* estrado, sala de visitas, tarima.
estrafalario; *adj.* estrafalário, extravagante.
estrago; *s.* estrago, dano, prejuízo, ruína, deterioração.
estrangular; *v.* estrangular, sufocar.
estraperlista; *s.* vendedor clandestino e com preço indevido.
estratagema; *s.* estratagema.
estrategia; *s.* estratégia.
estrato; *s.* estrato, camada, espécie de nuvens.
estrechar; *v.* estreitar, apertar, diminuir, reduzir.
estrella; *s.* estrela.
estremecer; *v.* estremecer, abalar, tremer, sacudir.
estrenar; *v.* estrear, debutar, inaugurar.
estreñimiento; *s.* obstrução, prisão de ventre.
estrépito; *s.* estrépito, estrondo.
estría; *s.* estria, sulco.
estribar; *v.* estribar, apoiar.
estribo; *s.* estribo, apoio, fundamento.
estridente; *adj.* estridente, agudo.
estrofa; *s.* estrofe.
estropajo; *s.* bucha, esfregão.
estropear; *v.* estropiar, estragar, deformar, deteriorar.
estructura; *s.* estrutura, composição.
estruendo; *s.* estrondo, estrépito.
estrujar; *v.* espremer, tirar o sumo apertar, comprimir, esmagar.
estuche; *s.* estojo, caixa.
estuco; *s.* estuque.
estudiante; *adj.* estudante, escolar aluno.
estudiar; *v.* estudar, aprender, examinar.
estudio; *s.* estudo, ato de estudar.
estudio; *s.* estúdio, gabinete ou sala de belas-artes.
estufa; *s.* estufa, fogão, braseiro, aquecedor.
estupefacto; *adj.* estupefato, espantado, assombrado.
estupendo; *adj.* estupendo, admirável, extraordinário.
estupidez; *s.* estupidez.
estúpido; *adj.* estúpido, falto de inteligência, bruto.
estupor; *s.* estupor.
estuprar; *v.* estuprar, deflorar, violentar.
etapa; *s.* etapa, período.
éter; *s.* éter.
eternizar; *v.* eternizar, prolongar, perpetuar, imortalizar.
eterno; *adj.* eterno, indestrutível, infinito, interminável.

ético; *adj.* ético, moral.
etimología; *s.* etimologia.
etíope; *adj.* etíope.
etiqueta; *s.* etiqueta, rótulo, marca, formalidade, cerimonial.
etnia; *s.* etnia, raça, nação.
eucalipto; *s.* eucalipto.
eucaristía; *s.* eucaristia.
eufemismo; *s.* eufenismo.
eufonía; *s.* eufonia.
euforia; *s.* euforia, bem-estar, alegria, otimismo.
eunuco; *s.* eunuco.
eunuco; *adj.* castrado.
europeo; *adj.* europeu.
eutanasia; *s.* eutanásia.
evacuación; *s.* evacuação, saída, retirada, ejeção, excreção.
evacuar; *v.* evacuar, abandonar, despejar, esvaziar, defecar, excretar.
evadir; *v.* evadir, escapar, fugir.
evaluar; *v.* avaliar, valorizar, medir, estimar.
evangelio; *s.* evangelho.
evangelista; *s.* evangelista, catequista.
evaporar; *v.* evaporar, dissipar, desvanecer.
evasión; *s.* evasão, fuga.
evasivo; *adj.* evasivo, vago, ambíguo.
evasor; *adj.* evasor, fugitivo.
evento; *s.* evento, acontecimento, imprevisto, fato, episódio.
eventual; *adj.* eventual, casual, ocasional.
evidencia; *s.* evidência, certeza, clareza.
evidente; *adj.* evidente, claro, indiscutível.
evitar; *v.* evitar, impedir.
evocar; *v.* evocar, chamar, lembrar, recordar.
evolucionar; *v.* evolucionar, evoluir, avançar.
exacerbar; *v.* exacerbar, agravar, irritar.
exactitud; *s.* exatidão, perfeição, pontualidade.
exacto; *adj.* exato, perfeito, correto, pontual, rigoroso.
exagerado; *adj.* exagerado, excessivo, fabuloso, descomunal.
exagerar; *v.* exagerar, ampliar, agravar, exorbitar.
exaltado; *adj.* exaltado, frenético, desvairado.
exaltar; *v.* exaltar, engrandecer, elevar, realçar.
examen; *s.* exame, análise, revista, controle.
examinar; *v.* examinar, interrogar, sondar, observar, inquirir, investigar.
exangüe; *adj.* exangue, débil, pálido, exausto, esvaído.
exánime; *adj.* exânime, desfalecido, desmaiado.
exasperar; *v.* exasperar, irritar, exacerbar.
excavación; *s.* escavação.
excavar; *v.* escavar, cavar.
excedencia; *s.* excedência, excesso, sobra.
exceder; *v.* exceder, ultrapassar.
excelencia; *s.* excelência, primazia.
excelente; *adj.* excelente, magnífico, muito bom.
excelso; *adj.* excelso, eminente, sublime.
excéntrico; *adj.* excêntrico, extravagante, original, esquisito.
excepción; *s.* exceção, privilégio, desvio.
excepcional; *adj.* excepcional, extraordinário, excêntrico.
excepto; *adv.* exceto, com exceção de, menos, fora, salvo.
excesivo; *adj.* excessivo, demasiado, desmedido.
exceso; *s.* excesso, o que sai dos limites.
excipiente; *s.* excipiente.
excitable; *adj.* excitável.

excitación; *s.* excitação, exaltação, agitação, alvoroço.
excitar; *v.* excitar, mover, estimular, ativar, irritar, animar.
exclamación; *s.* exclamação, brado de prazer, raiva ou ódio.
exclamar; *v.* exclamar, gritar, bradar.
excluir; *v.* excluir, pôr fora, não admitir, eliminar, omitir.
exclusive; *adv.* exclusive, exclusivamente.
exclusividad; *s.* exclusividade.
exclusivo; *adj.* exclusivo, privativo, restrito, único, só.
excomulgar; *v.* excomungar, expulsar da igreja, exorcizar.
excrecencia; *s.* excrescência, saliência anormal.
excreción; *s.* excreção, eliminação.
excremento; *s.* excremento, fezes.
excretar; *v.* excretar, evacuar, dejetar, expelir.
exculpación; *s.* desculpa, escusa.
exculpar; *v.* desculpar, escusar.
excursión; *s.* excursão, passeio.
excusa; *s.* escusa, desculpa, pretexto.
excusable; *adj.* desculpável.
excusar; *v.* escusar, desculpar, evitar, eximir-se.
execrable; *adj.* execrável, detestável, odioso, abominável.
exención; *s.* isenção, franquia.
exento; *adj.* isento, livre, imune, desobrigado.
exequias; *s.* exéquias, honras fúnebres.
exhalación; *s.* exalação, cheiro, odor.
exhalar; *v.* exalar, expelir, emanar, evaporar-se.
exhaustivo; *adj.* exaustivo, cansativo.
exhausto; *adj.* exausto, cansado, esgotado.
exhibir; *v.* exibir, mostrar, apresentar, expor.
exhortación; *s.* exortação, advertência, admoestação.
exhortar; *v.* exortar, persuadir, induzir.
exhumación; *s.* exumação.
exhumar; *v.* exumar, desenterrar.
exigencia; *s.* exigência.
exigente; *adj.* exigente, rigoroso.
exigir; *v.* exigir, reclamar.
exiguo; *adj.* exíguo, escasso, insuficiente.
exilado; *adj.* exilado, banido, expulso, desterrado.
exilio; *s.* exílio, desterro.
eximio; *adj.* exímio, insigne, eminente, ilustre, excelente.
eximir; *v.* eximir, isentar, franquear, excusar.
existencia; *s.* existência, fato de existir.
existencia; *s.* existências, mercadorias, gêneros armazenados, estoque.
existir; *v.* existir, viver, ter vida.
éxito; *s.* êxito, sucesso final, acabamento, resultado feliz.
éxodo; *s.* êxodo, saída, emigração dum povo.
exoneración; *s.* exoneração, demissão, dispensa, saída.
exonerar; *v.* exonerar, demitir, dispensar.
exorbitante; *adj.* exorbitante, excessivo, astronômico.
exorcismo; *s.* exorcismo.
exotérico; *adj.* esotérico.
exótico, *adj.* exótico, estranho, diferente.
expandir; *v.* expandir, dilatar, espalhar, divulgar.
expansión; *s.* expansão.
expansionarse; *v.* expandir-se, desabafar.
expansivo; *adj.* expansivo, comunicativo, extrovertido.
expatriar; *v.* expatriar, desterrar, exilar, emigrar.
expectativa; *s.* expectativa.
expectorar; *v.* expectorar, escarrar.
expediente; *s.* expediente, despacho, iniciativa.

expedir; *v.* expedir, enviar, despachar.
expeler; *v.* expelir, expulsar.
expender; *v.* vender a varejo, gastar.
expendio; *s.* venda a varejo.
expensas; *s.* expensas, gastos.
experiencia; *s.* experiência, prática, conhecimento.
experimento; *s.* experimento, ensaio, pesquisa.
experto; *adj.* experimentado, perito.
expiar; *v.* expiar, repara, remir.
expiración; *s.* expiração.
expirar; *v.* expirar, morrer.
explanada; *s.* esplanada.
explayar; *v.* espraiar, estender.
explicación; *s.* explicação, esclarecimento.
explicar; *v.* explicar, esclarecer.
explícito; *adj.* explícito, evidente, claro, expresso.
exploración; *s.* exploração, pesquisa, investigação.
explorar; *v.* explorar, investigar, registrar.
explosión; *s.* explosão, detonação, eclosão.
expoliar; *v.* espoliar, depredar, expropriar.
exponer; *v.* expor, explicar, narrar, exibir.
exportar; *v.* exportar.
exposición; *s.* exposição.
expresar; *v.* expressar, exprimir, manifestar.
expresión; *s.* expressão, fisionomia, gesto.
exprimir; *v.* espremer, extrair sumo ou liquido, apertar.
exprimir; *v.* exprimir, expressar, manifestar.
expropiar; *v.* expropriar, desapropriar.
expuesto; *adj.* exposto, descoberto, perigoso.
expulsar; *v.* expulsar, banir, expelir.
expurgar; *v.* expurgar, purificar, limpar.
exquisito; *adj.* esquisito, delicado, excelente, delicioso, muito agradável.
extasiarse; *v.* extasiar-se.
extender; *v.* estender, dilatar, esticar, aumentar.
extensión; *s.* extensão, ampliação, aumento, alcance.
extenuar; *v.* extenuar, debilitar, enfraquecer.
exterior; *adj.* exterior, externo, aparente, aparência.
exteriorizar; *v.* exteriorizar, expor, manifestar.
exterminar; *v.* exterminar, eliminar, destruir, arruinar.
exterminio; *s.* extermínio, destruição, eliminação.
externar; *v.* externar, manifestar.
externo; *adj.* externo.
extinción; *s.* extinção, extermínio.
extinguir; *v.* extinguir, acabar, consumir, liquidar, morrer, desaparecer.
extirpar; *v.* extirpar, arrancar, extrair, destruir.
extorsionar; *v.* extorquir, usurpar, chantagear.
extracción; *s.* extração, origem, linhagem.
extracto; *s.* extrato, resumo.
extralimitarse; *v.* exceder-se, exagerar.
extranjero; *adj.* estrangeiro.
extrañar; *v.* estranhar, exilar, desterrar, ter saudades.
extraño; *adj.* estranho, diferente, esquisito.
extraordinario; *adj.* extraordinário, inacreditável, fantástico.
extraterrestre; *adj.* extraterrestre.
extravagante; *adj.* extravagante, singular, raro, extraordinário, esquisito.
extravasarse; *v.* extravasar, transbordar.
extraviado; *adj.* extraviado, perdido.

extraviar; *v.* extraviar, desencaminhar, perverter-se.
extremar; *v.* extremar, esmerar-se.
extremidad; *s.* extremidade, extremo, limite.
extremo; *adj.* extremo, último, excessivo.
exuberancia; *s.* exuberância, abundância, fartura, vigor.
eyacular; *v.* ejacular, expelir.

F

f; sétima letra do alfabeto espanhol.
fa; *s.* fá, quarta nota da escala musical.
fabada; *s.* guisado com feijão e carne de porco.
fábrica; *s.* fábrica, edifício.
fabricación; *s.* fabricação.
fabricar; *v.* fabricar, produzir, construir, manufaturar.
fábula; *s.* fábula, ficção, boato, rumor, mexerico, mentira, murmuração.
fabuloso; *adj.* fabuloso, falso, incrível, excessivo.
faca; *s.* facão, punhal.
facción; *s.* facção, bando, partido, feição.
faceta; *s.* faceta, face, superfície.
facial; *adj.* facial, rosto.
fácil; *adj.* fácil, simples, dócil, manejável, leviana.
facilitar; *v.* facilitar, auxiliar, entregar, favorecer, fornecer.
facineroso; *adj.* facineroso, delinquente habitual, malvado.
factor; *s.* fator, feitor, administrador.
factoría; *s.* feitoria, oficina.
factura; *s.* fatura, nota fiscal, relação de mercadorias.
facultad; *s.* faculdade, capacidade, aptidão, escola superior.
facultar; *v.* facultar, facilitar, permitir, conceder.
fada; *s.* fada, maga, feiticeira.
fado; *s.* fado, canção popular portuguesa.
faena; *s.* faina, tarefa, lide, trabalho corporal.
faisán; *s.* faisão.
faja; *s.* faixa, cinta, tira.
fajo; *s.* feixe, molho.
falacia; *s.* falácia, engano, mentira.
falange; *s.* falange.
falda; *s.* saia, fralda, sopé da montanha.
fallar; *v.* falhar, faltar.
fallecer; *v.* falecer, acabar, morrer.
fallido; *adj.* falido, fracassado, frustrado.
fallo; *s.* falha.
falo; *s.* falo, pênis.
falsear; *v.* falsear, falsificar, deturpar, adulterar.
falsedad; *s.* falsidade, deslealdade, engano, mentira.
falso; *adj.* falso, fingido, dissimulado, adulterado, artificial.
falta; *s.* falta, ausência, defeito, culpa leve.
faltar; *v.* faltar, falhar, acabar, ofender.
fama; *s.* fama, reputação, notoriedade.
famélico; *adj.* famélico, faminto, esfomeado.
familia; *s.* família, parentes, prole.
familiar; *adj.* familiar, habitual, comum, íntimo.

familiarizar; *v.* familiarizar, habituar.
famoso; *adj.* famoso, célebre, notável.
fan; *s.* fã, admirador.
fanático; *adj.* fanático, entusiasta, apaixonado.
fanfarronear; *v.* fanfarronear, contar vantagem.
fango; *s.* lodo, lama, barro.
fantasear; *v.* fantasiar, inventar, delirar, devanear.
fantasía; *s.* fantasia, imaginação, capricho.
fantasma; *s.* fantasma, visão, assombração.
fantoche; *s.* fantoche, títere.
faraón; *s.* faraó.
fardel; *s.* saco de provisões.
fardo; *s.* fardo, pacote, embrulho, trouxa.
faringe; *s.* faringe.
fariseo; *adj.* fariseu.
farmacia; *s.* farmácia, drogaria.
faro; *s.* farol.
farol; *s.* farol, lanterna.
farsa; *s.* farsa, burla, trapaça.
fascículo; *s.* fascículo.
fascinar; *v.* fascinar, encantar, atrair, seduzir.
fase; *s.* fase, ciclo, etapa, mudança.
fastidiar; *v.* fastidiar, aborrecer, chatear.
fastidio; *s.* fastio, tédio, repugnância.
fatal; *adj.* fatal, trágico, inevitável.
fatiga; *s.* fadiga, cansaço, debilidade.
fatigar; *v.* fatigar, cansar, incomodar.
fatuo; *adj.* fátuo, fantasioso, vão.
fauna; *s.* fauna.
favor; *s.* favor, ajuda, socorro, proteção.
favorecer; *v.* favorecer, ajudar, auxiliar.
faz; *s.* face, rosto, cara, lado, parte exterior, aspecto.
fe; *s.* fé, confiança, certeza.
fealdad; *s.* fealdade, feiúra.
febrero; *s.* fevereiro.
fecha; *s.* data, dia.
fechar; *v.* datar.
fécula; *s.* fécula.
fecundar; *v.* fecundar, gerar, fertilizar.
fecundizar; *v.* fecundar, fertilizar.
federación; *s.* federação.
felicidad; *s.* felicidade, satisfação, contentamento, alegria.
felicitar; *v.* felicitar, cumprimentar, saudar.
feliz; *adj.* feliz, satisfeito, contente.
femenino; *adj.* feminino.
fémur; *s.* fêmur.
fenecer; *v.* fenecer, concluir, falecer, morrer.
fenómeno; *s.* fenômeno, sucesso extraordinário.
feo; *adj.* feio, desagradável.
féretro; *s.* féretro, ataúde, caixão.
feria; *s.* feira, dia semanal, folga, féria, mercado.
fermentar; *v.* fermentar, azedar.
ferocidad; *s.* ferocidade, crueldade.
férreo; *adj.* férreo, tenaz, duro, inflexível.
ferrocarril; *s.* ferrovia, estrada-de-ferro.
fertilizante; *adj.* fertilizante, adubo.
fertilizar; *v.* fertilizar, adubar, fecundar.
fervor; *adj.* fervor, ardor, ebulição, fervura, dedicação.
festejar; *v.* festejar, homenagear.
festejo; *s.* festejo.
festín; *s.* festim.
festival; *s.* festival.
festividad; *s.* festividade, festa, solenidade.
fetidez; *s.* fetidez, mau cheiro, empestamento, fedor.
feto; *s.* feto, embrião.
feudalismo; *s.* feudalismo.
fiambre; *s.* fiambre, frios.
fianza; *s.* fiança, abono, penhor, garantia.
fiar; *v.* fiar, afiançar, abonar, confiar.

fibra; *s.* fibra, filamento.
ficción; *s.* ficção, fábula, simulação, invenção.
ficha; *s.* ficha.
fidedigno; *adj.* fidedigno, confiável.
fidelidad; *s.* fidelidade, lealdade, firmeza.
fiebre; *s.* febre.
fiel; *adj.* fiel, leal, seguro.
fiera; *s.* fera, bicho, animal selvagem.
fiero; *adj.* feroz, terrível, violento.
fiesta; *s.* festa, comemoração.
figura; *s.* figura, cara, rosto estátua, aparência.
figurar; *v.* figurar, fingir, aparentar, simbolizar.
fijeza; *s.* fixidez, segurança.
fijo; *adj.* fixo, firme, pregado.
fila; *s.* fila, fileira, ordem.
filamento; *s.* filamento, fio, fibra.
filantropía; *s.* filantropia, beneficência.
filatelia; *s.* filatelia.
filete; *s.* filé de carne ou peixe.
filiación; *s.* filiação, descendência.
filigrana; *s.* filigrana.
film; *s.* filme, película cinematográfica.
filo; *s.* fio, corte, gume.
filología; *s.* filologia.
filón; *s.* filão, veio, fonte.
filosofía; *s.* filosofia.
filtrar; *v.* filtrar, coar.
filtro; *s.* filtro, coador, beberagem.
fimosis; *s.* fimose.
fin; *s.* fim, conclusão, limite.
fin; *adv.* último, em fim, dar fim, acabar.
finado; *adj.* finado, defunto, morto.
final; *s.* final, fim, desfecho.
final; *adj.* definitivo, último.
finalidad; *s.* finalidade.
finalizar; *v.* finalizar, concluir, terminar, acabar.
financiar; *v.* financiar.
financiero; *adj.* financeiro.
finanzas; *s.* finanças.
finca; *s.* propriedade imóvel, rústica ou urbana.
fingir; *v.* fingir, simular, mentir, falsear.
finlandés; *adj.* filandês.
fino; *adj.* fino, delicado, elegante, delgado, hábil.
finura; *s.* finura, cortesia, delicadeza.
firma; *s.* firma, assinatura, empresa comercial.
firmamento; *s.* firmamento, céu.
firmar; *v.* firmar, assinar.
firme; *adj.* firme, estável, constante, seguro.
fiscal; *adj.* fiscal, interventor eleitoral.
fiscalizar; *v.* fiscalizar, vigiar, controlar.
fisiología; *s.* fisiologia.
fisioterapeuta; *s.* fisioterapeuta.
fisonomía; *s.* fisionomia, aspecto, aparência.
fístula; *s.* fístula, úlcera.
fisura; *s.* fissura, fenda, greta, ulceração.
flácido; *adj.* flácido, fraco, débil, mole.
flaco; *adj.* fraco, débil, frouxo, magro.
flagelar; *v.* flagelar, castigar.
flagelo; *s.* flagelo, castigo, chicote, calamidade.
flamante; *adj.* flamejante, reluzente, resplandecente, novo.
flamear; *v.* flamejar, brilhar, reluzir.
flan; *s.* flã, pudim feito com ovos, leite e açúcar.
flanco; *s.* flanco, costado.
flaquear; *v.* fraquejar, enfraquecer, decair.
flaqueza; *s.* fraqueza, debilidade, fragilidade.
flauta; *s.* flauta.
flebitis; *s.* flebite.
flecha; *s.* flecha, seta.
fleco; *s.* franja.
flema; *s.* escarro.
flema; *s.* fleuma, serenidade, lentidão, pachorra.

flequillo; *s.* franja de cabelo.
fletar; *v.* fretar, alugar um veículo ou embarcação.
flexibilidad; *s.* flexibilidade, elasticidade, maleabilidade.
flexible; *adj.* flexível, elástico, maleável.
flojear; *v.* afrouxar, fraquejar.
flojo; *adj.* frouxo, mole, fraco, débil, indolente.
flor; *s.* flor.
flora; *s.* flora.
floración; *s.* floração.
florecer; *v.* florescer, deitar flor.
floresta; *s.* floresta, mata.
flota; *s.* frota.
flotar; *v.* flutuar, boiar.
fluctuar; *v.* flutuar, oscilar, ondular, duvidar, hesitar.
fluir; *v.* fluir, derivar, brotar.
flujo; *s.* fluxo, influxo, corrente, corrimento, preamar.
fluvial; *adj.* fluvial.
fobia; *s.* fobia.
foca; *s.* foca.
foco; *s.* foco, centro, ponto de irradiação.
fofo; *adj.* fofo, macio, brando.
fogón; *s.* fogão, lareira, fornalha.
fogoso; *adj.* fogoso, ardente, impetuoso.
folio; *s.* fólio, folha de livro ou caderno.
folklore; *s.* folclore.
folleto; *s.* folheto, impresso.
follón; *s.* frouxo, mole, preguiçoso, confusão.
fomentar; *v.* fomentar, promover.
fonda; *s.* hospedaria, estalagem, taberna.
fondo; *s.* fundo, profundidade.
fonética; *s.* fonética.
fontanería; *s.* encanamento, canalização.
fontanero; *s.* encanador.
foragido; *s.* forajido, fugitivo.
forastero; *adj.* forasteiro, estranho.
forcejar; *v.* forcejar, resistir, contradizer tenazmente.
forestal; *adj.* florestal.
forjar; *v.* forjar, fabricar.
forma; *s.* forma, figura, feitio, aparência, molde.
formación; *s.* formação, composição.
formalidad; *adj.* formalidade, seriedade, compostura.
formalizar; *v.* formalizar, concretizar, legitimar, legalizar.
formar; *v.* formar, construir, ordenar, criar, educar.
formato; *s.* formato, feito.
formidable; *adj.* formidável, tremendo, temível, descomunal.
fórmula; *s.* fórmula, regra, modelo, receita.
foro; *s.* foro, fórum.
forraje; *s.* forragem, pasto.
forrar; *v.* forrar, cobrir.
forro; *s.* forro, abrigo, resguardo, revestimento.
fortalecer; *v.* fortalecer, robustecer, tonificar.
fortaleza; *s.* fortaleza.
fortificar; *v.* fortificar, fortalecer.
fortuito; *adj.* fortuito, casual.
fortuna; *s.* fortuna, sorte, destino.
forzar; *v.* forçar, violentar, violar, obrigar, constranger.
forzudo; *adj.* robusto, forte, vigoroso, forçudo.
fosa; *s.* fossa, cova, cavidade.
fósforo; *s.* fósforo, palito ou pavio.
fósil; *adj.* fóssil.
foso; *s.* fosso, escavação, vala, cova, alçapão.
fotografía; *s.* fotografia, foto.
fotografiar; *v.* fotografar.
fracasar; *v.* fracassar, falhar, malograr.
fracaso; *s.* fracasso, frustração, infortúnio.
fracción; *s.* fração, parte, porção.
fraccionar; *v.* fracionar, dividir, fragmentar, repartir.

fractura; *s.* fratura, quebra, ruptura.
fragancia; *s.* fragrância, aroma suave, perfume.
fragante; *adj.* fragrante, perfumado, cheiroso.
frágil; *adj.* frágil, quebradiço.
fragilidad; *s.* fragilidade, delicadeza.
fragmento; *s.* fragmento, parte, porção.
fragor; *s.* fragor, estrondo, estrépito.
fraile; *s.* frade.
frambuesa; *s.* framboesa.
francés; *adj.* francês.
franciscano; *s.* franciscano.
franco; *adj.* franco, dadivoso, desembaraçado.
franela; *s.* flanela.
franja; *s.* franja, galão.
franquear; *v.* franquear, libertar, livrar, desimpedir.
franqueo; *s.* franquia, alforria.
franqueza; *s.* franqueza, privilégio, sinceridade.
frasco; *s.* frasco, recipiente, vaso.
frase; *s.* frase.
fraternidad; *s.* fraternidade, irmandade, harmonia.
fraternizar; *v.* fraternizar.
fratricida; *adj.* fratricida.
fraude; *s.* fraude, engano.
freático; *adj.* freático.
frecuencia; *s.* freqüência.
frecuentar; *v.* frequentar, repetir, conviver, conversar.
frecuente; *adj.* frequente, repetido, assíduo, usual, comum.
fregar; *v.* esfregar, friccionar, limpar.
freír; *v.* fritar, frigir.
frenar; *v.* frear, parar.
frenesí; *s.* frenesi, exaltação.
freno; *s.* freio.
frente; *s.* testa, rosto, semblante.
frente; *adv.* em frente, de frente.
fresa; *s.* morango.
fresco; *adj.* fresco, arejado, viçoso, robusto, desavergonhado, frio moderado.
frescura; *s.* frescura, frescor, amenidade, descuido,.. negligência.
frialdad; *s.* frieza, frigidez.
frígido; *adj.* frígido, frio.
frigorífico; *s.* frigorífico.
frijol; *s.* feijão.
frío; *adj.* frio, gélido, frígido.
frisar; *v.* frisar, esfregar, calhar.
friso; *s.* friso, faixa, filete, barra.
fritada; *s.* fritada, conjunto de coisas fritas.
fritar; *v.* fritar, frigir.
frito; *s.* fritada.
frito; *adj.* frito.
frívolo; *adj.* frívolo, fútil, superficial.
frondosidad; *s.* frondosidade.
frontal; *adj.* frontal.
frontera; *s.* fronteira.
frotar; *v.* esfregar, friccionar.
fructificar; *v.* frutificar.
frugal; *adj.* frugal, moderado, sóbrio, modesto, comedido.
fruncir; *v.* franzir, enrugar, preguear.
fruta; *s.* fruta, fruto.
fuego; *s.* fogo, lume, labareda.
fuelle; *s.* fole.
fuente; *s.* fonte, manancial, chafariz, travessa para servir comida.
fuera; *adv.* fora, além de, exteriormente.
fuerte; *adj.* forte, resistente, enérgico, violento.
fuerza; *s.* força, resistência, energia, vigor, solidez.
fuga; *s.* fuga, , escape, saída.
fugarse; *v.* fugir, escapar-se.
fulano; *s.* fulano, uma pessoa qualquer.
fulgor; *s.* fulgor, esplendor, brilho.
fulminar; *v.* fulminar, bombardear, aniquilar.

fumar; *v.* fumar.
función; *s.* função, exercício, cargo, solenidade, espetáculo.
funcionar; *v.* funcionar, trabalhar, estar em exercício, estar aberto.
funcionario; *s.* funcionário, empregado público.
funda; *s.* capa, coberta, estojo, invólucro, bolsa.
fundamental; *adj.* fundamental, principal, essencial.
fundamento; *s.* fundamento, princípio, base, causa, motivo.
fundar; *v.* fundar, edificar, erigir, inaugurar.
fundición; *s.* fundição.
fundir; *v.* fundir, derreter, desfazer, arruinar.
fúnebre; *adj.* fúnebre, triste.
funeral; *s.* funeral, velório.
funesto; *adj.* funesto, aziago, infausto, fatal, desastroso, triste.
furgón; *s.* furgão.
furia; *s.* fúria, ira, cólera.
furor; *s.* furor, fúria, cólera, ira.
furtivo; *adj.* furtivo, clandestino, oculto.
fusil; *s.* fuzil, espingarda.
fusión; *s.* fusão, fundição, liga, mistura.
fustigar; *v.* fustigar, açoitar.
fútbol; *s.* futebol.
futilidad; *s.* futilidade, leviandade, vaidade.
futuro; *s.* futuro, porvir.
futuro; *adj.* vindouro, próximo.

G

g; *s.* oitava letra do alfabeto espanhol.
gabán; *s.* gabão, capote, sobretudo, abrigo.
gabardina; *s.* gabardina, sobretudo, capa de chuva.
gabinete; *s.* gabinete, camarim, escritório, consultório, ministério, varanda envidraçada.
gacela; *s.* gazela.
gaceta; *s.* gazeta, jornal, periódico.
gafas; *s.* óculos.
gaita; *s.* gaita.
gajo; *s.* galho, ramo, chifre.
gala; *s.* gala, festa, ornamento, graça, garbo, trajes e jóias de luxo.
galán; *s.* galã, ator principal.
galante; *adj.* galante, bonito, gentil.
galanteo, *s.* galanteio, corte.
galápago; *s.* cágado, tartaruga.
galardón; *s.* galardão.
galardonar; *v.* galardoar, premiar.
galaxia; *s.* galáxia.
galería; *s.* galeria em edifício, mina, teatro, corredor.
galgo; *s.* galgo.
galicismo; *s.* galicismo, francesismo.
gallardía; *s.* galhardia, elegância, gentileza.
gallego; *adj.* galego.
galleta; *s.* biscoito, bolacha.
gallina; *s.* galinha.
gallinero; *s.* galinheiro.
gallo; *s.* galo.
galo; *adj.* gaulês.
galopar; *v.* galopar.
galope; *s.* galope.
galvanizar; *v.* galvanizar.
gama; *s.* gama, escala musical ou de cores.
gamberro; *adj.* libertino, grosseiro, arruaceiro.
gameto; *s.* gameta.
gamo; *s.* gamo, veado.
gamuza; *s.* camurça.
gana; *s.* gana, vontade, desejo, apetite.
ganadería; *s.* rebanho, gado.
ganado; *s.* gado.
ganancia; *s.* ganância, ganho, lucro.
ganar; *v.* ganhar, conquistar, vencer, adquirir.
ganchillo; *s.* crochê, agulha de crochê.
gancho; *s.* gancho, engate.
gandul; *adj.* vagabundo, vadio.
ganga; *s.* ganga, escória.
gangrena; *s.* gangrena.
gansada; *s.* asneira, besteira.
ganso; *s.* ganso.
ganzúa; *s.* gazua.
gañir; *v.* ganir, grasnar das aves.
garabato; *s.* gancho de ferro, rabisco mal feito.
garaje; *s.* garagem, estacionamento.
garantía; *s.* garantia, penhor, fiança, aval.
garantizar; *v.* garantir, assegurar, avalar.

garbanzo; *s.* grão-de-bico.
garbo; *s.* garbo, graça, elegância.
garboso; *adj.* garboso, elegante.
garfio; *s.* gancho de ferro.
gargajo; *s.* escarro.
garganta; *s.* garganta, desfiladeiro.
gárgaras; *s.* gargarejo.
gárgola; *s.* gárgula, cano.
garita; *s.* guarita.
garito; *s.* casa de jogo clandestino.
garra; *s.* garra.
garrafa; *s.* garrafão.
garrapata; *s.* carrapato.
garrote; *s.* garrote.
gárrulo; *adj.* falador, tagarela.
gas; *s.* gás.
gasa; *s.* gaze.
gaseosa; *s.* gasosa, refrigerante.
gaseoso; *adj.* gasoso.
gasoil; *s.* gasóleo.
gasolina; *s.* gasolina.
gasolinera; *s.* posto de gasolina.
gasómetro; *s.* gasômetro.
gastar; *v.* gastar, usar, consumir.
gasto; *s.* gasto, consumo, despesa.
gástrico; *s.* gástrico.
gastritis; *s.* gastrite.
gastronomía; *s.* gastronomia.
gata; *s.* gata.
gatear; *v.* engatinhar, trepar, subir.
gatillo; *s.* gatilho.
gato; *s.* gato, macaco para levantar carros.
gaucho; *s.* gaúcho.
gaveta; *s.* gaveta.
gavilán; *s.* gavião.
gavilla; *s.* feixe de cana e ervas.
gaviota; *s.* gaivota.
gazpacho; *s.* gaspacho, sopa fria.
géiser; *s.* gêiser.
geisha; *s.* gueixa.
gel; *s.* gel.
gelatina; *s.* gelatina.
gélido; *adj.* gelado, gélido.
gema; *s.* gema.
gemelo; *adj.* gêmeo, binóculos, abotoaduras.
gemido; *s.* gemido, lamentação.
géminis; *s.* gêmeos.
gemir; *v.* gemer, suspirar, lamentar.
gendarme; *s.* gendarme, guarda, policial.
genealogía; *s.* genealogia, estirpe, linhagem.
generación; *s.* geração, sucessão.
general; *s.* general.
general; *adj.* geral, comum, usual.
generalidad; *s.* generalidade, maioria.
generalizar; *v.* generalizar, difundir, divulgar, propagar.
generar; *v.* gerar, engendrar.
género; *s.* gênero, ordem, classe, mercadorias.
generoso; *adj.* generoso, desprendido, nobre, desinteressado.
génesis; *s.* gênese, origem.
genético; *adj.* genético.
genialidad; *s.* genialidade.
genio; *s.* gênio, índole, caráter, talento.
genital; *adj.* genital.
genocidio; *s.* genocídio.
gente; *s.* gente, população, povo.
gentileza; *s.* gentileza, amabilidade.
gentío; *s.* gentio, multidão, reunião ou afluência de pessoas.
gentuza; *s.* gentalha, plebe, ralé.
genuino; *adj.* genuíno, puro, próprio, natural, legítimo.
geografía; *s.* geografia.
geología; *s.* geologia.
geometría; *s.* geometria.
geranio; *s.* gerânio.
gerente; *s.* gerente, administrador.
geriatra; *s.* geriatra.
germánico; *adj.* germânico.
germen; *s.* germe, embrião, semente.
germinar; *v.* germinar, brotar, começar.
gerundio; *s.* gerúndio.
gestación; *s.* gestação, gravidez.
gesticula; *v.* gesticular.
gestión; *s.* gestão, administração, gerência.

gestionar; *v.* gestionar, administrar, negociar.
gesto; *s.* gesto, fisionomia, expressão, careta.
giba; *s.* giba, corcova, corcunda.
gigante; *adj.* gigante, enorme, descomunal.
gigantesco; *adj.* gigantesco.
gimnasia; *s.* ginástica.
gimnasio; ginásio centro de esportes.
ginebra; *s.* genebra, bebida alcoólica.
gineceo; *s.* gineceu.
ginecología; *s.* ginecologia.
ginecólogo; *s.* ginecologista.
gira; *s.* excursão, passeio, viagem de lazer.
girar; *v.* girar, circular, percorrer.
girasol; *s.* girassol.
giro; *s.* giro, rotação, rodeio.
gis; *s.* giz.
gitano; *adj.* cigano.
glacial; *adj.* glacial, gelado.
glaciar; *s.* glaciar, geleira.
glande; *s.* glande.
glándula; *s.* glândula.
glandular; *adj.* glandular.
glicerina; *s.* glicerina.
global; *adj.* global, total.
globo; *s.* globo, esfera, bola, balão.
glóbulo; *s.* glóbulo.
gloria; *s.* glória, fama, renome, esplendor, reputação.
glorieta; *s.* praça pequena com caramanchão, onde terminam várias ruas.
glorificar; *v.* glorificar, enaltecer, exaltar, honrar.
glosa; *s.* glosa, comentário, crítica.
glotón; *adj.* glutão, comilão.
glotonería; *s.* voracidade, gula.
glucosa; *s.* glicose.
gluten; *s.* glúten.
glúteo; *adj.* glúteo.
gobernador; *s.* governador.
gobernar; *v.* governar, dirigir, administrar.
gobierno; *s.* governo, ordem, regra, autoridade, regime.
goce; *s.* gozo, prazer, proveito.
gol; *s.* gol.
goleada; *s.* goleada.
golf; *s.* golfe.
golfo; *adj.* vadio, vagabundo.
golfo; *s.* golfo, enseada.
golondrina; *s.* andorinha.
golosina; *s.* guloseima, gulodice.
goloso; *adj.* guloso, glutão, voraz.
golpe; *s.* golpe, pancada, choque.
golpear; *v.* golpear, bater, espancar.
goma; *s.* borracha.
gomería; *s.* borracharia.
gomoso; *adj.* gomoso, borrachento.
góndola; *s.* gôndola.
gonorrea; *s.* gonorréia, blenorragia.
gordo; *adj.* gordo, obeso, corpulento.
gordura; *s.* gordura, obesidade, adiposidade.
gorgorito; *s.* trinado.
gorila; *s.* gorila.
gorjeo; *s.* gorjeio, trinado.
gorra; *s.* gorra, barrete.
gorrión; *s.* pardal.
gorro; *s.* gorro.
gorrón; *adj.* parasita, aproveitador.
gota; *s.* gota, pingo.
gotear; *v.* gotear, pingar, destilar.
gotera; *s.* goteira.
gótico; *adj.* gótico.
gozar; *v.* gozar, desfrutar, possuir, sentir prazer.
gozne; *s.* dobradiça, gonzo.
gozo; *s.* gozo, alegria, júbilo, prazer.
grabado; *s.* gravado, gravura.
grabar; *v.* gravar imagem ou som.
gracejo; *s.* gracejo, graça, brincadeira.
gracia; *s.* graça, atrativo, encanto, benefício, favor, perdão.
grada; *s.* degrau, banco, arquibancada.
gradación; *s.* gradação.
grado; *s.* grau.
graduar; *v.* graduar, classificar, colar grau.
gráfico; *s.* gráfico.
grafología; *s.* grafologia.

gragea; *s.* drágea, confeitos miúdos.
gramática; *s.* gramática.
gramo; *s.* grama.
gramófono; *s.* gramofone, fonógrafo.
gran; *adj.* grã, grão, apócope de grande.
grana; *s.* grão, semente miúda, cor escarlate.
granada; *s.* romã, granada.
granate; *s.* grená, cor de vinho.
grande; *adj.* grande, vasto, extenso.
grandeza; *s.* grandeza, extensão, importância, fortuna.
grandiosidad; *s.* grandiosidade, suntuosidade, magnificência.
granear; *v.* semear, granular.
granero; *s.* celeiro, tulha.
granito; *s.* granito.
granizar; *v.* chover granizo.
granizo; *s.* granizo.
granja; *s.* granja, sítio.
granjear; *v.* granjear, adquirir, obter.
granjero; *s.* granjeiro, agricultor.
grano; *s.* grão, semente.
granuja; *s.* uva desbagoada, grupo de vadios, malandro, pícaro.
grapa; *s.* grampo, gancho.
grapadora; *s.* grampeador.
grapar; *v.* grampear, prender, fixar com grampos.
grasa; *s.* gordura, banha, sujeira.
graso; *adj.* gorduroso, gordurento.
gratificación; *s.* gratificação, retribuição.
gratificar; *v.* gratificar, recompensar, retribuir.
gratinar; *v.* gratinar, dourar.
gratis; *adv.* grátis, gratuitamente.
grato; *adj.* grato, agradecido, reconhecido, agradável.
gratuito; *adj.* gratuito, arbitrário.
grava; *s.* cascalho, areia grossa.
gravamen; *s.* encargo, carga, ônus.
gravar; *v.* agravar, oprimir, sobrecarregar, onerar, pesar.
grave; *adj.* grave, pesado, sério, difícil, solene, perigoso.
gravedad; *s.* gravidade, importância, intensidade.
gravidez; *s.* gravidez, gestação.
gravitación; *s.* gravitação, atração.
gravitar; *v.* gravitar, mover-se, descansar um corpo sobre outro.
gravoso; *adj.* oneroso, pesado, incômodo.
graznido; *s.* grasnido, grasno.
gregario; *adj.* gregário, agregado.
gremio; *s.* grêmio, associação.
greña; *s.* grenha, cabelos emaranhado.
gresca; *s.* bulha, barulho, algazarra, briga, rixa, motim.
grey; *s.* grei, rebanho de gado miúdo, congregação de fiéis, raça, povo.
griego; *adj.* grego.
grieta; *s.* greta, fenda.
grifo; *s.* grifo, torneira.
grillo; *s.* grilo.
gripe; *s.* gripe.
gris; *adj.* cor cinza.
grisáceo; *adj.* cinzento, acinzentado.
grisú; *s.* gás metano.
gritar; *v.* gritar, bradar, berrar.
griterío; *s.* gritaria, algazarra.
grito; *s.* grito, brado, berro.
grosería; *s.* grosseria, vulgaridade, indelicadeza, descortesia, rudeza.
grosor; *s.* grossura, espessura.
grotesco; *adj.* grotesco, ridículo, extravagante.
grúa; *s.* grua, guindaste.
grueso; *adj.* grosso, encorpado, rude, denso, estúpido, grosseiro.
gruñido; *s.* grunhido, rosnado.
gruñir; *v.* grunhir, rosnar.
grupa; *s.* garupa.
grupo; *s.* grupo, conjunto.
gruta; *s.* gruta, caverna.
guadaña; *s.* foice.
guajiro; *s.* camponês branco da ilha de Cuba.
gualdo; *adj.* amarelo, da cor do ouro.

guanaco; *s.* guanaco, semelhante ao lama.
guano; *s.* guano, adubo para a terra.
guantazo; *s.* bofetada.
guante; *s.* luva.
guapo; *adj.* guapo, animoso, brioso, valente, elegante, garboso, esbelto.
guaraní; *adj.* guarani.
guarapo; *s.* garapa.
guarda; *s.* guarda, proteção, tutela.
guardacoches; *s.* guardador de corros.
guardaespaldas; *s.* guarda-costas.
guardameta; *s.* goleiro.
guardapolvo; *s.* guarda-pó, avental.
guardar; *v.* guardar, proteger, defender, vigiar.
guardarropa; *s.* guarda-roupa, armário.
guardia; *s.* guarda, custódia.
guardián; *s.* guardião.
guarecer; *v.* guarnecer, amparar, acolher, socorrer.
guarida; *s.* guarida, esconderijo.
guarismo; *s.* algarismo, número.
guarnecer; *v.* guarnecer, enfeitar, ornar, equipar.
guarnición; *s.* guarnição.
guarro; *s.* porco, suíno.
guasa; *s.* brincadeira sem graça, zombaria.
guatemalteco; *adj.* guatemalteco.
guayaba; *s.* goiaba.
guayabo; *s.* goiabeira.
guedeja; *s.* juba, cabeleira comprida.
guerra; *s.* guerra, luta armada.
guerrear; *v.* guerrear, lutar, combater.
guerrilla; *s.* guerrilha.
guía; *s.* guia, líder, condutor.
guiar; *v.* guiar, conduzir, dirigir, encaminhar, orientar.
guija; *s.* seixo, pedrinha, pedregulho.
guijarro; *s.* calhau, pedra.
guijo; *s.* cascalho, conjunto de seixos para calçar os caminhos.
guillotina; *s.* guilhotina.
guinda; *s.* ginja, fruto da ginjeira.
guindilla; *s.* pimenta-malagueta.
guiñapo; *s.* farrapo, trapo.
guiñar; *v.* piscar os olhos.
guiño; *s.* piscada, piscadela.
guión; *s.* roteiro de filme.
guipar; *v.* ver, notar, bater os olhos.
guirnalda; *s.* guirlanda.
guisado; *s.* guisado, refogado.
guisante; *s.* ervilha.
guisar; *v.* guisar, refogar, cozinhar.
guiso; *s.* guisado.
guitarra; *s.* violão.
gula; *s.* gula, gulodice.
gurú; *s.* guru.
gusano; *s.* verme, lombriga.
gustar; *v.* gostar, saborear, degustar, agradar.
gusto; *s.* gosto, sabor, paladar, prazer, satisfação, simpatia.
gutural; *adj.* gutural.

H

h; *s.* nona letra do alfabeto espanhol.
haba; *s.* fava.
habanera; *s.* habanera ou havanera, dança originária de Havana.
habano; *adj.* havano, havanês, pertencente a Havana, diz-se do tabaco.
haber; *s.* haveres, bens, fazenda, cabedal, riqueza.
haber; *v.* verbo auxiliar, ter, possuir, existir, acontecer, ocorrer.
habichuela; *s.* feijão, planta, fruto e semente.
hábil; *adj.* hábil, apto, capaz.
habilidad; *s.* habilidade, capacidade, talento.
habilitar; *v.* habilitar, prover, proporcionar.
habitable; *adj.* habitável.
habitación; *s.* habitação, residência, morada, aposento.
habitante; *adj.* habitante.
habitar; *v.* habitar, morar, viver, residir.
hábito; *s.* hábito, maneira de ser, costume adquirido, traje vestimenta.
habitual; *adj.* habitual, usual, frequente.
habituar; *v.* habituar, acostumar.
habla; *s.* fala, língua, idioma, dialeto, conferência, discurso.
hablador; *adj.* falador, conversador, tagarela, indiscreto no falar.
habladuría; *s.* falatório, tagarelice, loquacidade, palavras inoportunas.
hablar; *v.* falar, discursar, conversar.
hacendado; *adj.* rico, abastado, fazendeiro.
hacendoso; *adj.* trabalhador, laborioso, solícito, diligente.
hacer; *v.* fazer, criar, produzir, realizar, preparar, formar, executar.
hacha; *s.* acha, machado.
hacha; *s.* vela de cera, grande e grossa, tocha, archote.
hacia; *prep.* para, em direção a, rumo a, perto de, para onde.
hacienda; *s.* fazenda, herdade, capital, bens, gado.
hacinamiento; *s.* amontoamento, empilhamento.
hacinar; *v.* amontoar, pôr os feixes uns sobre os outros, empilhar, acumular sem ordem.
hada; *s.* fada, entidade fantástica.
hado; *s.* fado, destino, encantamento fatal dos sucessos.
hagiografía; *s.* hagiografia, vida dos santos.
haitiano; *adj.* haitiano.
halagador; *adj.* adulador, bajulador, afagador.
halagar; *v.* afagar, acariciar, adular, agradar.

halago; *s.* afago, carinho, mimo, carícia, meiguice, lisonja, adulação.
halcón; *s.* falcão.
hálito; *s.* hálito, bafo, alento, fôlego.
hall; *s.* hall, vestíbulo.
hallar; *v.* achar, encontrar.
hallazgo; *s.* achado, coisa achada.
halo; *s.* halo, auréola.
hamaca; *s.* maca, rede que serve de cama e de balanço.
hambre; *s.* fome, apetite ou desejo ardente de uma coisa.
hambriento; *adj.* faminto, esfomeado.
hangar; *s.* hangar, abrigo para avião.
haragán; *adj.* folgazão, preguiçoso, ocioso.
harapiento; *adj.* esfarrapado, maltrapilho.
harapo; *s.* farrapo, trapo, andrajo.
harem; *s.* harém.
harina; *s.* farinha.
harinero; *adj.* farináceo, farinheiro.
harinoso; *adj.* farinhento.
hartar; *v.* fartar, saciar a fome ou a sede, satisfazer um desejo, dar em abundância.
harto; *adj.* farto, saciado, abundante.
hasta; *prep.* até, mesmo, até logo, até quando.
hastiar; *v.* aborrecer, enfastiar.
hastío; *s.* fastio, tédio, desgosto, repugnância à comida.
hatajo; *s.* pequeno rebanho, porção.
hato; *s.* roupa de uso diário, rebanho, manada.
haya;*s.* faia.
haz; *s.* feixe, molho de varas ou canas.
haz; *s.* feixe.
hazaña; *s.* façanha, proeza.
hebilla; *s.* fivela.
hebra; *s.* fibra, fio, filamento.
hebreo; *adj.* hebreu, israelita, judeu.
hecatombe; *s.* hecatombe, matança, carnificina, catástrofe.
hechicería; *s.* feitiçaria, magia, bruxaria, sortilégio.
hechicero; *s.* feiticeiro, mago, bruxo.
hechizar; *v.* enfeitiçar, encantar.
hechizo; *s.* feitiço, encantamento.
hechizo; *adj.* fingido, artificial, postiço.
hecho; *s.* feito, fato, ação.
hecho; *adj.* acostumado, habituado, maduro.
hectárea; *s.* hectare.
heder; *v.* feder, exalar mau cheiro.
hediondo; *adj.* hediondo, repugnante, nojento, fedorento, imundo, obsceno.
hedonismo; *s.* hedonismo.
hedor; *s.* fedor, mau cheiro.
hegemonía; *s.* hegemonia, supremacia.
helada; *s.* geada.
heladera; *s.* geladeira.
heladería; *s.* sorveteria.
helado; *adj.* gelado, congelado.
helado; *s.* sorvete.
helar; *v.* gelar, congelar.
hélice; *s.* hélice.
helicóptero; *s.* helicóptero.
helipuerto; *s.* heliporto.
hematíe; *s.* hemácia, glóbulo vermelho.
hematoma; *s.* hematoma, tumor.
hembra; *s.* fêmea, animal do sexo feminino.
hemeroteca; *s.* hemeroteca, biblioteca de periódicos.
hemiciclo; *s.* semicírculo.
hemiplejía; *s.* hemiplegia.
hemisferio; *s.* hemisfério.
hemofilia; *s.* hemofilia.
hemoglobina; *s.* hemoglobina.
hemorragia; *s.* hemorragia.
hemorroide; *s.* hemorróidas.
henchido; *adj.* cheio, preenchido, satisfeito.
henchir; *v.* encher, preencher, inchar, estofar.

hendidura; *s.* fenda, rachadura, incisão.
hendir; *v.* fender, rachar, abrir.
henil; *s.* palheiro, depósito de feno.
heno; *s.* feno, erva ceifada.
hepático; *adj.* hepático, que sofre do fígado.
hepatitis; *s.* hepatite, inflamação no fígado.
heráldico; *adj.* heráldico, relativo a brasão.
heraldo; *s.* arauto, mensageiro.
herbario; *adj.* herbário.
herbicida; *s.* herbicida.
herbívoro; *s.* herbívoro.
hercúleo; *adj.* hercúleo, forte.
heredad; *s.* herdade, propriedade rústica, bens de raiz.
heredado; *adj.* herdado, abastado, rico.
heredar; *v.* herdar, receber, suceder, constituir como herdeiro.
heredero; *adj.* herdeiro, sucessor.
hereditario; *adj.* hereditário.
hereje; *s.* herege, herético.
herejía; *s.* heresia.
herencia; *s.* herança, legado, sucessão de bens.
herida; *s.* ferida, chaga, úlcera.
herido; *adj.* ferido.
herir; *v.* ferir, atacar, golpear.
hermafrodita; *s.* hermafrodita, que tem dois sexos.
hermanar; *v.* irmanar, igualar, uniformizar.
hermanastro; *s.* meio irmão.
hermandad; *s.* irmandade, fraternidade, grande amizade.
hermano; *s.* irmão, filho dos mesmos pais, eclesiástico leigo.
hermético; *adj.* hermético, fechado, relativo a alquimia.
hermosear; *v.* tornar formoso, embelezar.
hermoso; *adj.* formoso, belo, bonito, esplêndido, grandioso, excelente, perfeito, aprazível, sereno.
hermosura; *s.* formosura, beleza.
hernia; *s.* hérnia.
héroe; *s.* herói, protagonista, célebre pelos feitos.
heroico; *adj.* heróico, ousado.
heroína; *s.* heroína, substância química, droga.
heroísmo; *s.* heroísmo.
herpes; *s.* herpes.
herradura; *s.* ferradura.
herramienta; *s.* ferramenta.
herrar; *v.* ferrar, marcar com ferro, pôr ferradura.
herrería; *s.* ferraria, ofício e estabelecimento de ferreiro.
herrero; *s.* ferreiro, forjador.
herrumbrar; *v.* enferrujar.
herrumbre; *s.* ferrugem.
hervido; *adj.* fervido, cozido.
hervir; *v.* ferver, fervilhar, borbulhar, cozer um líquido.
hervor; *s.* fervor, fervura.
heterodoxia; *s.* heterodoxia.
heterogéneo; *adj.* heterogêneo, misturado.
heterosexual; *adj.* heterossexual.
hexagonal; *adj.* hexagonal.
hez; *s.* fezes, sedimento, borra, excremento expelido pelo ânus.
hiato; *s.* hiato.
hibernación; *s.* hibernação.
hibernar; *v.* hibernar.
híbrido; *adj.* híbrido.
hidalgo; *s.* fidalgo, nobre, aristocrata.
hidalguía; *s.* fidalguia, nobreza, aristocracia.
hidratación; *s.* hidratação.
hidratar; *v.* hidratar.
hidráulico; *adj.* hidráulico.
hidroavión; *s.* hidroavião.
hidrofobia; *s.* hidrofobia, raiva.
hidrógeno; *s.* hidrogênio.
hidrografía; *s.* hidrografia.
hidromiel; *s.* hidromel, mistura de água e mel.
hidrosfera; *s.* hidrosfera, parte liquida da superfície do globo.
hidroterapia; *s.* hidroterapia, tratamento pela água.

hiedra; *s.* hera, trepadeira.
hiel; *s.* fel, bílis, adversidades.
hielo; *s.* gelo.
hiena; *s.* hiena.
hierba; *s.* erva, pasto, pastagens.
hierbabuena; *s.* hortelã-pimenta, menta.
hierro; *s.* ferro.
higa; *s.* figa.
hígado; *s.* fígado.
higiene; *s.* higiene, limpeza, asseio.
higiénico; *adj.* higiênico, limpo, asseado.
higo; *s.* figo.
higrometría; *s.* higrometria.
higuera; *s.* figueira.
hijastro; *s.* enteado.
hijo; *s.* filho.
hijuela; *s.* valeta, canalete, tira, pedaço.
hijuela; *s.* filhinha.
hila; *s.* fileira, alinhamento, fila, fio de água.
hilacha; *s.* fiapo.
hilado; *adj.* fiado, reduzido a fio.
hilar; *v.* fiar, tecer.
hilaridad; *s.* hilaridade, graça, algazarra, alegria súbita.
hilera; *s.* fileira, fila, alinhamento, ordem.
hilo; *s.* fio, fibra, filamento.
hilván; *s.* alinhavo.
hilvanado; *adj.* alinhavado.
himen; *s.* hímen.
himno; *s.* hino, cântico.
hincapié; *s.* finca-pé, insistência.
hincar; *v.* fincar, apoiar, cravar.
hinchar; *v.* inchar, encher, inflar, estufar, avolumar, intumescer.
hinchazón; *s.* inchaço.
hinojo; *s.* funcho, anis doce, erva-doce.
hipérbole; *s.* hipérbole, exagero.
hipermercado; *s.* supermercado.
hipersensible; *adj.* hipersensível.
hipertensión; *s.* hipertensão, tensão arterial excessiva.
hipertrofia; *s.* hipertrofia, desenvolvimento excessivo de um orgão.
hípico; *adj.* hípico, equino, cavalar.
hipnosis; *s.* hipnose.
hipnotizar; *v.* hipnotizar, produzir a hipnose.
hipo; *s.* soluço.
hipocondría; *s.* hipocondria, melancolia.
hipocresía; *s.* hipocrisia, impostura, fingimento, falsidade.
hipodérmico; *adj.* hipodérmico, que está por baixo da pele.
hipódromo; *s.* hipódromo, campo onde se faz corrida de cavalo.
hipopótamo; *s.* hipopótamo.
hipoteca; *s.* hipoteca, penhor.
hipotecar; *v.* hipotecar, penhorar.
hipótesis; *s.* hipótese.
hirviente; *adj.* fervente.
hispánico; *adj.* hispânico.
hispano; *adj.* hispano.
hispanoamericano; *adj.* hispano-americano.
histérico; *adj.* histérico.
histerismo; *s.* histerismo.
historia; *s.* história, narração.
historiador; *s.* historiador.
histórico; *adj.* histórico, comprovado, certo.
hocico; *s.* focinho.
hogar; *s.* lareira, parte da cozinha onde se faz fogo, fogueira.
hogaza; *s.* fogaça, grande bolo ou pão cozido.
hoguera; *s.* fogueira, labareda.
hoja; *s.* folha, pétala, lâmina.
hojalata; *s.* lata, folha-de-flandres.
hojalatero; *s.* funileiro.
hojaldre; *s.* folhado, pastel de massa muito sovada, com manteiga.
hojear; *v.* folhear.
hola; *interj.* olá, alô.
holandés; *adj.* holandês.
holgado; *adj.* folgado, desocupado, largo que não aperta, que tem amplitude, largueza.

holganza; *s.* folga, descanso, repouso, diversão.
holgar; *v.* folgar, descansar, tomar fôlego, não trabalhar, divertir-se.
holgura; *s.* folga, diversão, largura, desaperto.
hollar; *v.* pisar, calcar.
hollín; *s.* fuligem.
holocausto; *s.* holocausto, genocídio.
hombre; *s.* homem, varão, indivíduo.
hombrera; *s.* ombreira.
hombro; *s.* ombro, espádua.
homenaje; *s.* homenagem.
homeopatía; *s.* homeopatia.
homeopático; *adj.* homeopático.
homicida; *adj.* homicida, assassino.
homicidio; *s.* homicídio, assassinato.
homogéneo; *adj.* homogêneo, idêntico, que tem a mesma natureza.
homólogo; *adj.* homólogo, similar, significa uma mesma coisa.
homónimo; *adj.* homônimo, pessoas ou coisas que tem o mesmo nome.
homosexual; *adj.* homossexual.
honda; *s.* funda, estilingue.
hondo; *adj.* fundo, profundo.
hondonada; *s.* depressão, terreno baixo.
hondura; *s.* profundidade.
hondureño; *adj.* hondurenho.
honestidad; *s.* honestidade, decoro, decência, recato, pudor.
hongo; *s.* fungo, cogumelo.
honor; *s.* honra, dignidade, virtude, talento, honestidade, recato.
honorable; *adj.* respeitável, honrado.
honorario; *adj.* honorário, remuneração.
honorífico; *adj.* honorífico.
honra; *s.* honra, dignidade, respeito, pudor, honestidade.
honradez; *s.* honradez, probidade, integridade.
honrado; *adj.* honrado, honesto, íntegro.
hora; *s.* hora.
horario; *s.* horário.
horca; *s.* forca, forquilha, garfo.
horchata; *s.* orchata, espécie de bebida refescante feita com chufas.
horizonte; *s.* horizonte.
horma; *s.* fôrma, molde.
hormiga; *s.* formiga.
hormigón; *s.* concreto.
hormigonera; *s.* betoneira.
hormigueo; *s.* formigamento, comichão.
hormiguero; *s.* formigueiro.
hormona; *s.* hormônio.
hormonal; *adj.* hormonal.
hornada; *s.* fornada.
hornalla; *s.* fornalha, forno de fábrica.
hornear; *v.* fornear, assar no forno.
hornillo; *s.* fornilho, fogareiro, fogãozinho.
horno; *s.* forno, padaria onde se coze e vende pão.
horóscopo; *s.* horóscopo.
horquilla; *s.* forquilha, grampo de cabelo, pau bifurcado.
horrendo; *adj.* horrendo, medonho.
hórreo; *s.* celeiro, espigueiro.
horrible; *adj.* horrível, medonho, atroz, horrendo, feio.
horror; *s.* horror, medo, repulsão, aversão, terror.
horrorizar; *v.* horrorizar, apavorar, causar horror, horripilar, espanto.
horroroso; *adj.* horroroso, medonho, pavoroso, muito feio.
hortaliza; *s.* hortaliça, verdura.
hortensia; *s.* hortênsia.
horticultor; *s.* horticultor.
horticultura; *s.* horticultura.
hosco; *adj.* áspero, intratável, fosco, de cor muito escura.
hospedaje; *s.* hospedagem, alojamento.
hospedar; *v.* hospedar, alojar.
hospedería; *s.* hospedaria.
hospicio; *s.* asilo.
hospital; *s.* hospital.
hospitalario; *adj.* hospitalar, hospitaleiro.

hosquedad; *s.* aspereza no trato, cor escura, desabrimento, insociabilidade.
hostal; *s.* hospedaria, estalagem.
hostelería; *s.* hotelaria.
hostelero; *s.* hoteleiro.
hostería; *s.* hospedaria, estalagem, pousada.
hostia; *s.* hóstia.
hostigar; *v.* fustigar, açoitar.
hostil; *adj.* hostil, inimigo, contrário, adverso, agressivo.
hostilidad; *adj.* hostilidade.
hostilizar; *v.* hostilizar, maltratar, agredir, prejudicar.
hotel; *s.* hotel.
hotelero; *adj.* hoteleiro.
hoy; *adv.* hoje.
hoya; *s.* fossa, cova, concavidade profunda, sepultura, sementeira.
hoyo; *s.* cova, concavidade formada na terra, fossa, escavação.
hoz; *s.* foice, garganta entre montanhas, foz de rio.
hozar; *v.* fuçar.
hucha; *s.* arca, baú, cofre.
hueco; *adj.* oco, côncavo, vazio, vão de abertura em uma parede.
huelga; *s.* greve.
huelguista; *s.* grevista.
huella; *s.* pegada, pisada, sinal, vestígio.
huérfano; *adj.* órfão, desamparado.
huero; *adj.* gorado, vazio, oco, insignificante, chocho.
huerta; *s.* horta.
huerto; *s.* horto, pequena horta.
hueso; *s.* osso.
huésped; *s.* hóspede, anfitrião.
hueste; *s.* hoste, tropa.
huesudo; *adj.* ossudo.
huevo; *s.* ovo, ova de peixe.
huida; *s.* fuga.
huir; *v.* fugir, escapar, retirar-se precipitadamente, livrar-se.
hulla; *s.* hulha, carvão.
humanidad; *adj.* humanidade, caridade, compaixão, humanidades, ciências humanas.
humanismo; *s.* humanismo.
humanitario; *adj.* humanitário.
humano; *adj.* humano, afável, benigno.
humareda; *s.* fumaceira, fumaçada.
humeante; *adj.* fumegante.
humear; *v.* fumegar.
humedad; *s.* umidade.
humedecer; *v.* umedecer.
húmedo; *adj.* úmido.
húmero; *s.* úmero.
humildad; *s.* humildade, modéstia.
humillación; *s.* humilhação.
humillar; *v.* humilhar.
humo; *s.* fumo.
humor; *s.* humor, disposição, jovialidade.
humus; *s.* húmus, terra vegetal.
hundimiento; *s.* afundamento, submersão, demolição, derrubamento.
hundir; *v.* afundar, submergir.
húngaro; *adj.* húngaro.
huracán; *s.* furacão, tufão.
huraño; *adj.* anti-social, intratável.
hurgar; *v.* remexer, remover uma coisa.
hurgón; *s.* atiçador.
hurtar; *v.* furtar, roubar.
hurto; *s.* furto, coisa roubada.
husmear; *v.* farejar, cheirar, buscar pelo faro.
huso; *s.* fuso.
huy; *interj.* hui, ai.

I

i; *s.* décima letra do alfabeto espanhol.
ibérico; *adj.* ibérico.
ibero; *adj.* ibero, ibérico.
iberoamericano; *adj.* ibero-americano.
iceberg; *s.* icebergue.
iconoclasta; *adj.* iconoclasta.
iconografía; *s.* iconografia, descrição de imagens.
ictericia; *s.* icterícia, cor amarela da pele produzida pela bílis.
ida; *s.* ida, ação de ir de um lugar a outro.
idea; *s.* idéia, representação mental.
ideal; *adj.* ideal, quimérico, imaginário, excelente, perfeito.
idealismo; *s.* idealismo.
idealizar; *v.* idealizar, elevar, fantasiar.
idear; *v.* idealizar, projetar, engendrar, conceber, inventar, imaginar.
ídem; *pron.* idem, o mesmo.
idéntico; *adj.* idêntico, igual.
identidad; *s.* identidade, semelhança.
identificar; *v.* identificar.
ideología; *s.* ideologia.
idilio; *s.* idílio.
idioma; *s.* idioma, língua.
idiomático; *adj.* idiomático, peculiar a um idioma.
idiosincrasia; *s.* idiossincrasia, caráter de cada indivíduo.
idiota; *adj.* idiota, ignorante, maluco, parvo.
idiotez; *s.* idiotice, estupidez.
idolatrar; *v.* idolatrar, adorar, venerar.
ídolo; *s.* ídolo.
idóneo; *adj.* idôneo, apto, capaz.
iglesia; *s.* igreja, congregação de fiéis, templo cristão.
iglú; *s.* iglu, casa de esquimó.
ígneo; *adj.* ígneo, da natureza e da cor do fogo.
ignición; *s.* ignição, combustão.
ignominia; *s.* ignomínia, afronta pública.
ignorancia; *s.* ignorância, desconhecimento, incompetência.
ignorante; *adj.* ignorante, inculto.
ignorar; *v.* ignorar, desconhecer.
igual; *adj.* igual, idêntico, equivalente, que tem a mesma natureza.
igualar; *v.* igualar, adequar, ajustar, combinar.
igualdad; *s.* igualdade, conformidade, correspondência, equivalência.
ilegal; *adj.* ilegal, ilícito.
ilegalidad; *s.* ilegalidade.
ilegible; *adj.* ilegível.
ilegítimo; *adj.* ilegítimo, injusto, falso.
ileso; *adj.* ileso, intacto, incólume.
iletrado; *adj.* iletrado, analfabeto, que não tem cultura.
ilícito; *adj.* ilícito, ilegal.

ilimitado; *adj.* ilimitado, infinito, incalculável.
ilógico; *adj.* ilógico, absurdo.
iluminar; *v.* iluminar, aclarar, esclarecer.
ilusión; *s.* ilusão, engano, fantasia.
ilusionar; *v.* iludir, enganar.
ilusionista; *adj.* ilusionista.
iluso; *adj.* iluso, enganado, seduzido.
ilusorio; *adj.* ilusório, enganoso, falso.
ilustrar; *v.* ilustrar, esclarecer, educar, colocar gravuras.
ilustre; *adj.* ilustre, célebre, notável.
imagen; *s.* imagem, figura, representação.
imaginación; *s.* imaginação, representação, fantasia.
imaginar; *v.* imaginar, fantasiar, representar.
imaginario; *adj.* imaginário, irreal.
imán; *s.* ímã.
imantar; *v.* imanar, magnetizar.
imbécil; *adj.* imbecil, idiota, tonto, néscio.
imbecilidad; *s.* imbecilidade.
imborrable; *adj.* indelével.
imbuir; *v.* imbuir, infundir, persuadir.
imitación; *s.* imitação, cópia, arremedo, plágio.
imitar; *v.* imitar, copiar, plagiar.
impaciencia; *s.* impaciência, ansiedade, inquietação.
impacientar; *v.* impacientar.
impaciente; *adj.* impaciente, ansioso, nervoso, irritado.
impactar; *v.* causar impacto, impressionar, chocar.
impacto; *s.* impacto, choque, impressão intensa
impalpable; *adj.* impaipável.
impar; *adj.* ímpar, único.
imparcial; *adj.* imparcial.
imparcialidad; *s.* imparcialidade, neutralidade.
impartir; *v.* repartir, distribuir.
impasible; *adj.* impassível, inalterado.
impecable; *adj.* impecável, perfeito.
impedido; *adj.* impedido, tolhido, vedado.
impedimento; *s.* impedimento, obstáculo, empecilho.
impedir; *v.* impedir, impossibilitar, obstruir, barrar.
impeler; *v.* impelir, empurrar.
impenetrable; *adj.* impenetrável, hermético.
impensado; *adj.* impensado, imprevisto, súbito.
imperar; *v.* imperar, dominar, governar.
imperativo; *adj.* imperativo.
imperceptible; *adj.* imperceptível.
imperdible; *s.* alfinete de segurança de gancho.
imperdonable; *adj.* imperdoável, condenável.
imperecedero; *adj.* imperecedouro, perdurável.
imperfección; *s.* imperfeição, fálha, deformação.
imperfecto; *adj.* imperfeito, defeituoso.
imperial; *adj.* imperial.
imperialismo; *s.* imperialismo.
imperialista; *adj.* imperialista.
impericia; *s.* imperícia.
imperio; *s.* império, poder, potência.
imperioso; *adj.* imperioso, urgente, indispensável.
impermeabilizar; *v.* impermeabilizar, impermear.
impermeable; *adj.* impermeável.
impersonal; *adj.* impessoal.
impertinencia; *s.* impertinência, inconveniência, atrevimento.
impertinente; *adj.* impertinente, despropositado.
imperturbable; *adj.* impertubável, impassível, corajoso.
ímpetu; *s.* ímpeto, arrebatado, impulso violento, assalto repentino.
impetuoso; *adj.* impetuoso, violento, precipitado.

impío; *adj.* ímpio, incrédulo, falto de piedade, cruel, desumano.
implacable; *adj.* implacável, que não perdoa.
implantación; *s.* implantação.
implantar; *v.* implantar, estabelecer, inserir, introduzir uma coisa em outra.
implicación; *s.* implicação, cumplicidade.
implicancia; *s.* implicância, impossibilidade, impedimento legal.
implicar; *v.* implicar, comprometer, envolver, incluir, enredar.
implícito; *adj.* implícito, subentendido.
implorar; *v.* implorar, suplicar, rogar.
imponente; *adj.* imponente, majestoso.
imponer; *v.* impor, atribuir, doutrinar, obrigar, instruir, ensinar.
impopular; *adj.* impopular.
importación; *s.* importação.
importancia; *s.* importância, utilidade, valor.
importante; *adj.* importante, interessante, considerável.
importar; *v.* importar, interessar, convir, aproveitar.
importe; *s.* importe, custo, preço, importância de um crédito.
importunar; *v.* importunar, incomodar.
importuno; *adj.* importuno, enfadonho, maçador, incomodativo.
imposibilidad; *s.* impossibilidade.
imposibilitar; *v.* impossibilitar.
imposible; *adj.* impossível, impraticável, incrível, insuportável.
imposición; *s.* imposição, obrigação.
impostor; *adj.* impostor.
impostura; *s.* impostura.
impotencia; *s.* impotência, incapacidade para conceber.
impotente; *adj.* impotente, incapaz.
impracticable; *adj.* impraticável, inexequível, intransitável em rua e caminho.
imprecación; *s.* imprecação, maldição, praga.
imprecisión; *s.* imprecisão, indefinição.
impreciso; *adj.* impreciso, confuso, vago, indeterminado.
impregnar; *v.* impregnar, embeber, empapar.
imprenta; *s.* imprensa, arte de imprimir, tipografia.
imprescindible; *adj.* imprescindível, indispensável, necessário.
impresión; *s.* impressão, efeito, marca, sinal.
impresionar; *v.* impressionar, comover, abalar.
impreso; *adj.* impresso.
impresor; *s.* impressor, tipógrafo.
impresora; *s.* impressora.
imprevisto; *adj.* imprevisto, inesperado, repentino.
imprimir; *v.* imprimir, gravar, editar, publicar, estampar.
improbable; *adj.* improvável, incerto.
ímprobo; *adj.* ímprobo, indigno, árduo, penoso, trabalhoso.
improcedente; *adj.* improcedente, inadequado, ilógico.
improductivo; *adj.* improdutivo, estéril.
improperio; *s.* impropério, injúria grave de palavra.
impropio; *adj.* impróprio, inoportuno, inadequado, importuno, indecoroso.
improvisar; *v.* improvisar.
improviso; *adj.* improvisado, repentino, súbito.
imprudencia; *s.* imprudência, imprevisão.
imprudente; *adj.* imprudente, imprevidente.
impúdico; *adj.* impudico, desonesto, sem pudor.

impuesto; *s.* imposto, tributo, taxa.
impugnación; *s.* impugnação, resistência.
impugnar; *v.* impugnar, combater, refutar, contestar.
impulsar; *v.* impulsionar; impelir, empurrar.
impulsivo; *adj.* impulsivo, impetuoso.
impulso; *s.* impulso, ímpeto, estímulo.
impune; *adj.* impune.
impunidad; *s.* impunidade, falta de castigo.
impureza; *s.* impureza, contaminação, resíduo.
impuro; *adj.* impuro, sujo, adulterado, contaminado.
imputar; *v.* imputar, atribuir a alguém uma culpa, delito ou ação.
inaccesible; *adj.* inacessível, impossível.
inaceptable; *adj.* inaceitável.
inactividad; *s.* inatividade, falta de diligência.
inactivo; *adj.* inativo, ocioso, inerte.
inadecuado; *adj.* inadequado.
inadmisible; *adj.* inadmissível.
inagotable; *adj.* inesgotável, infinito.
inaguantable; *adj.* insuportável, intolerável, insofrível.
inalterable; *adj.* inalterável, permanente, fixo, invariável.
inamovible; *adj.* inamovível, que não se pode deslocar.
inanición; *s.* inanição, debilidade extrema por falta de alimento.
inanimado; *adj.* inanimado, que não tem vida, morto.
inapetencia; *s.* inapetência, fastio, falta de apetite.
inapreciable; *adj.* inapreciável, precioso, inestimável.
inasequible; *adj.* inexequível, inatingível.
inaudito; *adj.* inaudito, nunca ouvido, extraordinário.
inauguración; *s.* inauguração, abertura, estréia.
inaugurar; *v.* inaugurar, abrir, estrear.
inca; *adj.* inca.
incalculable; *adj.* incalculável.
incandescente; *adj.* incandescente, ardente.
incansable; *adj.* incansável, assíduo, ativo, laborioso.
incapacidad; *s.* incapacidade.
incapacitar; *v.* incapacitar, inabilitar.
incapaz; *adj.* incapaz, inapto, incompetente.
incautarse; *v.* expropriar, tomar posse dos bens de outra classe.
incauto; *adj.* incauto, inocente, crédulo.
incendiar; *v.* incendiar, pôr fogo em alguma coisa.
incendio; *s.* incêndio, fogo grande que destrui.
incensario; *s.* incensário, incensório, turíbulo.
incertidumbre; *s.* incerteza, hesitação, dúvida.
incesante; *adj.* incessante, contínuo, ininterrupto, constante.
incesto; *s.* incesto.
incidente; *adj.* incidente.
incidir; *v.* incidir, sobrevir, incorrer, cair numa falta ou erro.
incienso; *s.* incenso, resina aromática.
incierto; *adj.* incerto, duvidoso, dúbio.
incineración; *s.* incineração.
incinerar; *v.* incinerar, reduzir a cinzas.
incisión; *s.* incisão, corte, fenda.
incisivo; *adj.* incisivo, cortante.
inciso; *s.* inciso.
incitar; *v.* incitar, estimular, instigar.
inclemencia; *s.* inclemência, rigor, severidade.
inclinación; *s.* inclinação, reverência, propensão, declive.
inclinar; *v.* inclinar, pender, curvar.
incluir; *v.* incluir, abranger, conter, inserir.

inclusa; *s.* orfanato, asilo para crianças abandonadas.
inclusión; *s.* inclusão.
incógnito; *adj.* incógnito, desconhecido, anônimo.
incoherencia; *s.* incoerência, desordem, discrepância.
incoloro; *adj.* incolor.
incólume; *adj.* incólume, são, sem lesão, intacto.
incomodar; *v.* incomodar, importunar.
incómodo; *adj.* incômodo, embaraçoso, importuno.
incomparable; *adj.* incomparável, único.
incompatible; *adj.* incompatível, contraditório.
incompetencia; *s.* incompetência, incapacidade.
incompleto; *adj.* incompleto, parcial.
incomprensible; *adj.* incompreensível.
incomunicar; *v.* incomunicar.
inconcebible; *adj.* inconcebível, incrível, inexplicável.
incondicional; *adj.* incondicional, absoluto, sem restrições, sem condições.
inconexo; *adj.* desconexo.
inconfesable; *adj.* inconfessável.
incongruente; *adj.* incongruente, inconveniente, impróprio.
inconsciencia; *s.* inconsciência.
inconsciente; *adj.* inconsciente.
inconsecuente; *adj.* inconsequente.
inconsistencia; *s.* inconsistência, inconstância, incerteza.
inconsistente; *adj.* inconsistente, inconstante, precário.
inconsolable; *adj.* inconsolável.
inconstante; *adj.* inconstante, variável, incerto, volúvel.
incontable; *adj.* incontável, inumerável, incalculável.
incontestable; *adj.* incontestável, indiscutível, irrefutável.
incontinencia; *s.* incontinência, incapacidade de reter fezes ou urina.
inconveniencia; *s.* inconveniência, incomodidade, desconformidade.
inconveniente; *adj.* inconveniente, impróprio, inoportuno, indelicado.
incorporar; *v.* incorporar, unir, reunir, pôr em pé, tomar corpo.
incorpóreo; *adj.* incorpóreo, imaterial, impalpável, que não tem corpo.
incorrección; *s.* incorreção, defeito, grosseria.
incorrecto; *adj.* incorreto, imperfeito, com erros.
incorregible; *adj.* incorrigível, indisciplinado, indócil, rebelde.
incredulidad; *s.* incredulidade, descrença, desconfiança.
incrédulo; *adj.* incrédulo, desconfiado, descrente.
increíble; *adj.* incrível, fantástico, inacreditável.
incrementar; *v.* incrementar, aumentar, adicionar, acrescentar.
increpar; *v.* increpar, repreender com dureza e severidade, acusar.
incriminar; *v.* incriminar, acusar, recriminar, inculpar.
incruento; *adj.* incruento, que não derramou sangue.
incrustar; *v.* incrustar, encravar, inserir.
incubadora; *s.* incubadora, chocadeira.
incubar; *v.* incubar, chocar ovos.
inculcar; *v.* inculcar, apertar, estreitar uma coisa contra outra.
inculpar; *v.* inculpar, acusar, atribuir culpas a alguém.
inculto; *adj.* inculto, sem cultivo, ignorante, rude.
incumbencia; *s.* incumbência, obrigação.
incumbir; *v.* incumbir, encarregar.
incumplido; *adj.* não cumprido, não levado a efeito.
incurable; *adj.* incurável.
incurrir; *v.* incorrer, incidir.

incursión; *s.* incursão, penetração, invasão.
indagación; *s.* indagação, averiguação, investigação.
indagar; *v.* indagar, perguntar, pesquisar.
indebido; *adj.* indevido, inoportuno.
indecencia; *s.* indecência, inconveniência, grosseria.
indecente; *adj.* indecente, indecoroso, vergonhoso.
indecible; *adj.* indizível, inexprimível, inexplicável.
indeciso; *adj.* indeciso, hesitante, duvidoso, dúbio, irresoluto, perplexo, vacilante.
indecoroso; *adj.* indecoroso, indecente, vergonhoso, torpe.
indefenso; *adj.* indefeso, indefenso, desarmado.
indefinido; *adj.* indefinido, indeterminado.
indeleble; *adj.* indelével, indestrutível.
indelicadeza; *s.* indelicadeza, grosseria, inconveniência.
indemne; *adj.* indene, ileso, incólume.
indemnizar; *v.* indenizar, compensar, ressarcir, pagar.
independencia; *s.* independência, autonomia, liberdade, emancipação.
independiente; *adj.* independente, livre, autônomo, emancipado.
indescifrable; *adj.* indecifrável.
indescriptible; *adj.* indescritível.
indeterminado; *adj.* indeterminado, irresoluto, indeciso.
indiano; *adj.* indiano.
indicar; *v.* indicar, sinalizar, esclarecer, demonstrar.
indicativo; *adj.* indicativo, indicador.
índice; *s.* índice, sinal, lista, catálogo.
indicio; *s.* indício, sinal, vestígio.
indiferencia; *s.* indiferença, desinteresse, apatia, desprendimento, negligência, insensibilidade, frieza.
indígena; *adj.* indígena, autóctone.
indigencia; *s.* indigência, miséria, pobreza.
indigente; *adj.* indigente, pobre, mendigo.
indigestarse; *v.* não digerir.
indigestión; *s.* indigestão.
indignación; *s.* indignação, revolta, raiva, ira.
indignar; *v.* indignar, irritar, revoltar.
indigno; *adj.* indigno, desprezível, indecoroso, desonesto.
indio; *adj.* índio.
indirecto; *adj.* indireto.
indisciplina; *s.* indisciplina, desordem, desobediência.
indiscreción; *s.* indiscrição, imprudência, inconfidência.
indiscreto; *adj.* indiscreto, imprudente.
indiscutible; *adj.* indiscutível, incontestável.
indisoluble; *adj.* indissolúvel.
indispensable; *adj.* indispensável, necessário.
indisponer; *v.* indispor, incomodar, irritar, falta de saúde.
indispuesto; *adj.* indisposto, que sente alteração na saúde.
indistinto; *adj.* indistinto, confuso, vago, indefinido.
individual; *adj.* individual, particular.
individualizar; *v.* individualizar, particularizar.
individuo; *s.* indivíduo, pessoa, membro de uma sociedade ou corporação.
indivisible; *adj.* indivisível.
indócil; *adj.* indócil, rebelde.
índole; *s.* índole, temperamento, natureza e condição das coisas.
indolente; *adj.* indolente, negligente, preguiçoso, descuidado.
indoloro; *adj.* indolor.
indomable; *adj.* indomável.
indómito; *adj.* indômito, que não se pode domar.

inducir; *v.* induzir, instigar, incitar, persuadir.
indudable; *adj.* indubitável, incontestável, evidente, certo.
indulgencia; *s.* indulgência, clemência, piedade, benevolência.
indultar; *v.* indultar, perdoar, absolver, anistiar.
indulto; *s.* indulto, perdão, absolvição, anistia.
indumentaria; *s.* indumentária, traje, roupa, vestuário.
industria; *s.* indústria, habilidade, destreza, empresa.
inédito; *adj.* inédito, original, escrito e não publicado.
inefable; *adj.* inefável, indizível, inebriante.
ineficacia; *s.* ineficácia, inutilidade, insuficiência.
ineficaz; *adj.* ineficaz, inútil, insuficiente.
ineludible; *adj.* iniludível.
inepto; *adj.* inepto, incapaz, incompetente, néscio, estúpido.
inequívoco; *adj.* inequívoco, evidente, óbvio.
inercia; *s.* inércia, falta de ação, frouxidão, inação.
inerte; *adj.* inerte, ineficaz, inútil, frouxo.
inesperado; *adj.* inesperado, imprevisto.
inestable; *adj.* instável, inconstante, variável.
inestimable; *adj.* inestimável, incalculável.
inevitable; *adj.* inevitável, infalível.
inexactitud; *s.* inexatidão.
inexacto; *adj.* inexato.
inexcusable; *adj.* inescusável.
inexistencia; *s.* inexistência, carência.
inexorable; *adj.* inexorável, implacável.
inexperiencia; *s.* inexperiência.
inexplicable; *adj.* inexplicável.
inexpresivo; *adj.* inexpressivo.
infalible; *adj.* infalível, seguro, certo.
infamar; *v.* infamar, desacreditar, desonrar.
infame; *adj.* infame, sem crédito, sem honra, vil, abjeto, torpe, ignóbil.
infamia; *s.* infâmia, má fama, mau nome, desonra, maldade, vileza.
infancia; *s.* infância.
infantil; *adj.* infantil.
infarto; *s.* infarto, enfarte.
infatigable; *adj.* infatigável, incansável.
infatuar; *v.* enfatuar, inflar, envaidecer.
infección; *s.* infecção, contaminação, contágio.
infeccioso; *adj.* infeccioso, contagioso.
infectar; *v.* infectar, contaminar.
infecto; *adj.* infecto, infeccionado, contagiado.
infelicidad; *s.* infelicidade, desgraça, sorte adversa.
infeliz; *adj.* infeliz, desgraçado, desventurado.
inferior; *adj.* inferior, ordinário, comum.
inferioridad; *s.* inferioridade.
inferir; *v.* inferir, deduzir, julgar, concluir.
infernal; *adj.* infernal, horrível, medonho.
infestar; *v.* infestar, assolar, empestar, contaminar.
infidelidad; *s.* infidelidade, deslealdade, traição, adultério.
infiel; *adj.* infiel, desleal, traidor, adúltero.
infiernillo; *s.* espiriteira, pequeno fogareiro de álcool.
infierno; *s.* inferno.
infiltración; *s.* infiltração, penetração.
infiltrar; *v.* infiltrar, penetrar.

ínfimo; *adj.* ínfimo, último.
infinidad; *adj.* infinidade, multidão de pessoas ou coisas.
infinito; *adj.* infinito, ilimitado.
inflación; *s.* inflação.
inflamable; *adj.* inflamável, de fácil combustão.
inflamación; *s.* inflamação, ardor intenso.
inflamar; *v.* inflamar, acender, incendiar, afoguear.
inflar; *v.* inflar, inchar, encher de vento.
inflexible; *adj.* inflexível, rígido, firme, obstinado.
infligir; *v.* infligir, castigar.
influencia; *s.* influência, poder.
influir; *v.* influir, atuar, estimular, incutir.
influjo; *s.* influxo, preamar.
influyente; *adj.* influente, ascendente.
información; *s.* informação, esclarecimento.
informal; *adj.* informal, inconveniente, incorreto, impontual.
informalidad; *s.* informalidade, inconveniência.
informar; *v.* informar, avisar, esclarecer.
informativo; *adj.* informativo.
informe; *adj.* disforme, irregular.
infortunio; *s.* infortúnio, infelicidade, adversidade.
infracción; *s.* infração, transgressão.
infractor; *s.* infrator, contraventor.
infraestructura; *s.* infraestrutura.
infringir; *v.* infringir, transgredir.
infundado; *adj.* infundado, improcedente.
infundio; *s.* mentira, patranha, embuste.
infundir; *v.* infundir, incutir, inspirar.
infusión; *s.* infusão.
infuso; *adj.* infuso.
ingeniar; *v.* engenhar, maquinar.
ingeniería; *s.* engenharia.
ingeniero; *s.* engenheiro.
ingenio; *s.* engenho, máquina, talento, habilidade.
ingenioso; *adj.* engenhoso, criativo, inventivo.
ingenuidad; *s.* ingenuidade, inexperiência, inocência.
ingenuo; *adj.* ingênuo, inocente, sincero, cândido, singelo.
ingerir; *v.* ingerir.
ingestión; *s.* ingestão, deglutição.
ingle; *s.* virilha.
inglés; *adj.* inglês.
ingobernable; *adj.* ingovernável.
ingratitud; *s.* ingratidão, desagradecimento.
ingrato; *adj.* ingrato, desagradecido.
ingrediente; *s.* ingrediente, componente.
ingresar; *v.* ingressar, entrar, internar-se no hospital, alistar-se.
ingreso; *s.* ingresso, entrada, admissão.
inhábil; *adj.* inábil, inapto, incapaz.
inhabilitar; *v.* desabilitar, desqualificar.
inhabitable; *adj.* inabitável.
inhalar; *v.* inalar, aspirar, absorver, cheirar.
inherente; *adj.* inerente, inseparável.
inhibición; *adj.* inibição, impedimento.
inhibir; *v.* inibir, suspender, bloquear.
inhumación; *s.* inumação, enterramento, sepultamento.
inhumar; *v.* inumar, enterrar, sepultar.
iniciación; *s.* iniciação, admissão, introdução.
inicial; *adj.* inicial, inaugural.
iniciar; *v.* iniciar, começar, inaugurar, estrear, fundar, empreender.
iniciativa; *s.* iniciativa, expediente.
inicio; *s.* início, começo, princípio.
inicuo; *adj.* iníquo, injusto, perverso, malvado.

inimaginable; *adj.* inimaginável.
ininteligible; *adj.* ininteligível, incompreensível.
iniquidad; *s.* iniquidade, maldade, grande injustiça.
injerencia; *s.* ingerência, intervenção.
injertar; *v.* enxertar.
injerto; *s.* enxerto.
injuria; *s.* injúria, ultraje, ofensa.
injuriar; *v.* injuriar, ultrajar, ofender, insultar, menoscabar, vituperar.
injusticia; *s.* injustiça, iniquidade.
injusto; *adj.* injusto.
inmaculado; *adj.* imaculado, puro, sagrado.
inmanente; *adj.* imanente, inseparável.
inmaterial; *adj.* imaterial, incorpóreo.
inmaturo; *adj.* imaturo, infantil, prematuro.
inmediación; *s.* imediação, vizinhança, proximidade.
inmediato; *adj.* imediato, próximo, instantâneo.
inmejorable; *adj.* que não se pode melhorar.
inmensidad; *s.* imensidade, imensidão, vastidão, amplidão.
inmenso; *adj.* imenso, infinito, ilimitado.
inmersión; *s.* imersão, mergulho.
inmerso; *adj.* imerso, submerso.
inmigración; *s.* imigração.
inmigrar; *v.* imigrar.
inminente; *adj.* iminente, pendente.
inmiscuir; *v.* imiscuir, misturar, intrometer.
inmobiliaria; *s.* imobiliária.
inmodesto; *adj.* imodesto.
inmolar; *v.* imolar, sacrificar.
inmoral; *adj.* imoral, indecente, desonesto.
inmortal; *adj.* imortal, eterno, perpétuo.
inmortalizar; *v.* imortalizar, perpetuar.
inmóvil; *adj.* imóvel, fixo, parado.
inmovilismo; *s.* imobilismo.
inmovilizado; *s.* imobilizado.
inmovilizar; *v.* imobilizar, paralisar.
inmueble; *s.* imóvel, propriedade, bens de raiz.
inmundicia; *s.* imundície, sujeira, lixo, porcaria.
inmundo; *adj.* imundo, sujo, asqueroso.
inmune; *adj.* imune, isento.
inmunidad; *s.* imunidade, privilégio.
inmunizar; *v.* imunizar.
inmutable; *adj.* imutável, firme, inalterável.
inmutar; *v.* alterar, transmutar, variar ou mudar as coisas.
innato; *adj.* inato, inerente, congênito.
innegable; *adj.* inegável, indiscutível.
innoble; *adj.* ignóbil, vil, desprezível.
innocuo; *adj.* inócuo.
innovación; *s.* inovação, renovação.
innovador; *adj.* inovador, renovador.
innovar; *v.* inovar, renovar.
innumerable; *adj.* inumerável, incontável, infinito.
inocencia; *s.* inocência, pureza, ingenuidade, simplicidade.
inocentada; *s.* ação ou palavra inocente, engano ridículo.
inocente; *adj.* inocente, ingênuo.
inocular; *v.* inocular, contagiar.
inocuo; *adj.* inócuo, inofensivo.
inodoro; *adj.* inodoro.
inofensivo; *adj.* inofensivo, inocente, que não faz mal, que não incomoda.
inolvidable; *adj.* inolvidável, inesquecível.
inoperante; *adj.* inoperante, incompetente.
inopia; *s.* pobreza, indigência.

inopinado; *adj.* inopinado, imprevisto.
inoportuno; *adj.* inoportuno, inconveniente.
inorgánico; *adj.* inorgânico.
inoxidable; *adj.* inoxidável.
inquebrantable; *adj.* inquebrantável, inflexível.
inquietar; *v.* inquietar, perturbar, tirar o sossego.
inquieto; *adj.* inquieto, desassossegado.
inquietud; *s.* inquietação, inquietude, desassossego, excitação, comoção.
inquilino; *adj.* inquilino, arrendatário, locatário.
inquina; *s.* aversão, antipatia, má vontade.
inquirir; *v.* inquirir, perguntar, indagar, investigar, informar.
inquisición; *s.* inquisição, averiguação.
inquisidor; *s.* inquisidor.
insaciable; *adj.* insaciável, ávido.
insalivación; *s.* insalivação.
insalivar; *v.* insalivar, impregnar de saliva.
insalubre; *adj.* insalubre, doentio.
insano; *adj.* insano, louco, demente.
insatisfecho; *adj.* insatisfeito.
inscribir; *v.* inscrever, gravar, registrar, anotar.
inscripción; *s.* inscrição de letreiro, gravação, registro.
inscrito; *adj.* inscrito, gravado, registrado.
insecticida; *s.* inseticida.
insecto; *s.* inseto.
inseguro; *adj.* inseguro, instável, vacilante.
inseminación; *s.* inseminação, fecundação.
inseminar; *v.* inseminar, fecundar.
insensatez; *s.* insensatez, falta de razão.
insensato; *adj.* insensato.
insensibilidad; *adj.* insensibilidade.
insensibilizar; *v.* insensibilizar.
insensible; *adj.* insensível, indiferente.
inseparable; *adj.* inseparável, indivisível.
inserción; *s.* inserção, introdução, inclusão.
insertar; *v.* inserir, incluir, entremear.
inservible; *adj.* inservível, inútil.
insidia; *s.* insídia, cilada.
insigne; *adj.* insigne, notável, eminente, célebre, famoso.
insignia; *s.* insígnia, sinal, emblema.
insignificancia; *s.* insignificância, ninharia, inutilidade.
insignificante; *adj.* insignificante, medíocre.
insinuación; *s.* insinuação, sugestão.
insinuar; *v.* , insinuar.
insípido; *adj.* insípido.
insistencia; *s.* insistência, perseverança, persistência.
insistir; *v.* insistir, persistir, prosseguir.
insociable; *adj.* insociável, intratável, misantropo.
insolación; *s.* insolação.
insolencia; *s.* insolência, atrevimento, audácia.
insolente; *adj.* insolente, atrevido, grosseiro.
insólito; *adj.* insólito, extraordinário, incrível.
insoluble; *adj.* insolúvel.
insolvencia; *s.* insolvência, falência.
insolvente; *adj.* insolvente, falido.
insomnio; *s.* insônia.
insondable; *adj.* insondável, impenetrável.
insoportable; *adj.* insuportável, intolerável.
insostenible; *adj.* insustentável.
inspección; *s.* inspeção, exame, vistoria.
inspeccionar; *v.* inspecionar, examinar atentamente.

inspector; *adj.* inspetor, fiscal.
inspiración; *s.* inspiração.
inspirar; *v.* inspirar.
instalación; *s.* instalação.
instalar; *v.* instalar, alojar.
instancia; *s.* instância.
instantáneo; *adj.* instantâneo, súbito, rápido.
instante; *s.* instante, momento.
instar; *v.* instar, insistir, pedir urgentemente.
instauración; *s.* instauração.
instaurar; *v.* instaurar, restabelecer, renovar, restaurar.
instigación; *s.* instigação.
instigar; *v.* instigar, incitar, induzir, açular.
instilar; *v.* instilar.
instintivo; *adj.* instintivo, espontâneo.
instinto; *s.* instinto, impulso.
institución; *s.* instituição, fundação, organização.
institucional; *adj.* institucional.
instituir; *v.* instituir, fundar, criar, estabelecer, constituir.
instituto; *s.* instituto.
instrucción; *s.* instrução, ensino, educação.
instructor; *s.* instrutor.
instruir; *v.* instruir, ensinar, doutrinar, adestrar.
instrumental; *adj.* instrumental.
instrumental; *s.* instrumental, conjunto de instrumentos.
instrumentar; *v.* instrumentar.
instrumento; *s.* instrumento.
insubordinación; *s.* insubordinação, desacato, rebeldia, indisciplina.
insubordinar; *v.* insubordinar, desacatar, rebelar-se.
insuficiencia; *s.* insuficiência, escassez, deficiência, incapacidade.
insuficiente; *adj.* insuficiente, incapaz, inepto, ignorante.
insuflar; *v.* insuflar.
insufrible; *adj.* insofrível.
insulso; *adj.* insulso, insosso, insípido, desenxabido.
insultar; *v.* insultar, ultrajar, ofender.
insulto; *s.* insulto, ultraje, injúria, afronta.
insuperable; *adj.* insuperável, invencível.
insurgente; *adj.* insurgente, rebelde.
insurrección; *s.* insurreição, rebelião, revolta.
insurrecto; *adj.* insurreto, rebelde.
insustituible; *adj.* insubstituível.
intachable; *adj.* irrepreensível, perfeito.
intacto; *adj.* intacto, ileso, inteiro.
intangible; *adj.* intangível.
integración; *s.* integração.
integral; *adj.* integral, total, inteiro.
íntegramente; *adv.* integralmente, totalmente, inteiramente.
integrar; *v.* integrar, participar, reintegrar.
integridad; *s.* integridade, retidão, austeridade.
íntegro; *adj.* íntegro, completo, perfeito.
intelecto; *s.* intelecto, inteligência.
intelectual; *adj.* intelectual, pessoa inteligente e culta.
inteligencia; *s.* inteligência.
inteligente; *adj.* inteligente, instruído, sábio, culto.
intemperancia; *s.* intemperança, glutonaria.
intemperie; *s.* intempérie, perturbação atmosférica.
intempestivo; *adj.* intempestivo, inoportuno.
intención; *s.* intenção, propósito.
intencionado; *adj.* intencionado, deliberado.
intendencia; *s.* intendência.
intendente; *s.* intendente, administrador.
intensidad; *s.* intensidade.
intensificar; *v.* intensificar.
intensivo; *adj.* intensivo, intenso.
intenso; *adj.* intenso, enérgico.
intentar; *v.* intentar, projetar.
interacción; *s.* interação.

intercalar; *v.* intercalar, interpor.
intercambio; *s.* intercâmbio, troca.
interceder; *v.* interceder, intervir, intermediar.
interceptar; *v.* interceptar, interromper.
interdicción; *s.* interdição, proibição.
interdicto; *adj.* interditado, interdito.
interés; *s.* interesse, proveito, vantagem, grande empenho, atenção.
interesado; *adj.* interessado.
interesante; *adj.* interessante, atraente.
interesar; *v.* interessar, atrair.
interferencia; *s.* interferência.
interferir; *v.* interferir, intervir.
interino; *adj.* interino, temporário.
interior; *adj.* interior, interno, íntimo.
interjección; *s.* interjeição, exclamação.
interlocutor; *s.* interlocutor.
interludio; *s.* interlúdio.
intermediar; *v.* intermediar, intervir.
intermediario; *adj.* intermediário, mediador.
intermedio; *adj.* intermédio.
intermedio; *s.* intermédio, entreato, intervalo.
interminable; *adj.* interminável, infindável, demorado.
internacional; *adj.* internacional.
internado; *adj.* internado, hospitalizado.
internar; *v.* internar.
interno; *adj.* interno.
interno; *s.* interno, aluno interno, pessoa que vive em instituição.
interpelar; *v.* interpelar, interrogar, perguntar.
interplanetario; *adj.* interplanetário.
interpolar; *v.* interpolar, alternar, intercalar.
interponer; *v.* interpor, intervir, mediar.
interpretación; *s.* interpretação.
interpretar; *v.* interpretar, traduzir, esclarecer.
intérprete; *s.* intérprete, tradutor.
interrogación; *s.* interrogação, pergunta.
interrogar; *v.* interrogar, perguntar, inquirir.
interrogatorio; *s.* interrogatório, questionário.
interrumpir; *v.* interromper, deter, impedir.
interrupción; *s.* interrupção, suspensão.
interruptor; *s.* interruptor de luz e de aparelhos elétricos.
intersección; *s.* intersecção.
intertropical; *adj.* intertropical.
interurbano; *adj.* interurbano.
intervalo; *s.* intervalo, intermitência.
intervención; *s.* intervenção, intromissão.
intervenir; *v.* intervir, operar, sobrevir, ocorrer, acontecer.
interventor; *s.* interventor.
intestino; *s.* intestino.
intimación; *s.* intimação, notificação.
intimar; *v.* intimar, notificar, tornar-se íntimo, familiarizar-se.
intimidad; *s.* intimidade, familiaridade.
intimidar; *v.* intimidar, atemorizar, assustar.
íntimo; *adj.* íntimo, interior e profundo, interno, cordial, amigo muito querido.
intocable; *adj.* intocável, inacessível.
intolerable; *adj.* intolerável.
intolerancia; *s.* intolerância, violência.
intoxicación; *s.* intoxicação, envenenamento.
intoxicar; *v.* intoxicar.
intraducible; *adj.* intraduzível.
intranquilidad; *s.* intranquilidade, desassossego, inquietação.
intranquilizar; *v.* intranquilizar, desassossegar, inquietar.

intranquilo; *adj.* intranquilo, inquieto.
intransferible; *adj.* intransferível, inalienável.
intransigente; *adj.* intransigente, intolerante.
intransitable; *adj.* intransitável.
intransitivo; *adj.* intransitivo.
intratable; *adj.* intratável, impraticável, rude, áspero.
intrepidez; *s.* intrepidez, arrojo, coragem.
intrépido; *adj.* intrépido, audaz.
intriga; *s.* intriga, enredo oculto, mexerico, bisbilhotice.
intrigante; *adj.* intrigante, bisbilhoteiro.
intrigar; *v.* intrigar.
intrincado; *adj.* intrincado, complicado, confuso.
intrínseco; *adj.* intrínseco, essencial.
introducción; *s.* introdução, apresentação, admissão.
introducir; *v.* introduzir, dar entrada.
intromisión; *s.* intromissão, ingerência.
introspectivo; *adj.* introspectivo, introvertido.
introversión; *s.* introversão, recolhimento.
introvertido; *adj.* introvertido, introspectivo, fechado, absorto.
intrusión; *s.* intrusão, intromissão.
intruso; *adj.* intruso, intrometido.
intubación; *s.* entubagem.
intuición; *s.* intuição, pressentimento, percepção.
intuir; *v.* intuir, pressentir.
inundación; *s.* inundação, alagamento.
inundar; *v.* inundar, alagar.
inusitado; *adj.* inusitado, extraordinário.
inútil; *adj.* inútil, desnecessário, ineficaz.
inutilidad; *s.* inutilidade, incapacidade.
inutilizar; *v.* inutilizar, anular, invalidar.
invadir; *v.* invadir, ocupar.
invalidar; *v.* invalidar, inutilizar.
inválido; *adj.* inválido, doente, nulo.
invariable; *adj.* invariável, constante, firme.
invasión; *s.* invasão, incursão, propagação.
invasor; *s.* invasor.
invectiva; *s.* invectiva.
invencible; *adj.* invencível, irresistível.
invención; *s.* invenção.
inventar; *v.* inventar, criar, descobrir.
inventario; *s.* inventário.
inventiva; *s.* inventiva, imaginação.
invento; *s.* invento, invenção.
inventor; *s.* inventor.
invernada; *s.* invernada.
invernar; *v.* invernar.
inverosímil; *adj.* inverossímil, inacreditável.
inversión; *s.* inversão.
inverso; *adj.* invertido, inverso, alterado.
invertebrado; *adj.* invertebrado.
invertir; *v.* inverter, investir.
investigación; *s.* investigação, averiguação, pesquisa.
investigar; *v.* investigar, averiguar.
investir; *v.* investir, aplicar.
inveterado; *adj.* inveterado, entranhado, arraigado, muito antigo.
invicto; *adj.* invicto, invencível, sempre vitorioso.
invierno; *s.* inverno.
inviolable; *adj.* inviolável.
invisible; *adj.* invisível.
invitación; *s.* convite.
invitado; *s.* convidado.
invitar; *v.* convidar, pedir gentilmente, solicitar.
invocar; *v.* invocar, chamar.
involucrar; *v.* envolver, intercalar.
invulnerable; *adj.* invulnerável, inatacável.
inyección; *s.* injeção.

inyectar; *v.* injetar.
ir; *v.* ir.
ira; *s.* ira, cólera, raiva, fúria.
iris; *s.* íris.
irisar; *v.* irisar, iriar.
irlandés; *adj.* irlandês.
ironía; *adj.* ironia, sarcasmo, zombaria.
irónico; *adj.* irônico, sarcástico.
irracional; *adj.* irracional.
irradiar; *v.* irradiar, propagar.
irreal; *adj.* irreal, imaginário.
irrebatible; *adj.* irrefutável.
irreconciliable; *adj.* irreconciliável.
irrecusable; *adj.* irrecusável.
irreductible; *adj.* irreduzível, irredutível.
irreflexivo; *adj.* irreflexivo.
irregular; *adj.* irregular, desigual.
irremediable; *adj.* irremediável, inevitável.
irreparable; *adj.* irreparável, irremediável.
irreprochable; *adj.* irrepreensível, incensurável, impecável.
irresistible; *adj.* irresistível.
irrespetuoso; *adj.* desrespeitador, irrespeituoso, irreverente.
irrespirable; *adj.* irrespirável.
irresponsabilidad; *s.* irresponsabilidade.
irresponsable; *adj.* irresponsável.
irreverencia; *s.* irreverência.
irrevocable; *adj.* irrevogável, irrevocável.
irrigación; *s.* irrigação.
irrisorio; *adj.* irrisório.
irritar; *v.* irritar, encolerizar.
irrumpir; *v.* irromper, invadir.
irrupción; *s.* irrupção.
isla; *s.* ilha.
islámico; *adj.* islâmico.
islamismo; *s.* islamismo.
islandés; *adj.* islandês.
isleño; *adj.* ilhéu.
israelí; *adj.* israelita, hebreu, judeu.
italiano; *adj.* italiano.
itinerario; *s.* itinerário, caminho, roteiro.
izar; *v.* içar, levantar, erguer.
izquierdo; *adj.* esquerdo, canhoto, mão esquerda.

J

j; *s.* décima primeira letra do alfabeto espanhol.
jabalí; *s.* javali.
jabalina; *s.* azagaia, dardo, fêmea do javali.
jabardillo; *s.* enxame, multidão de insetos ou pássaros.
jabato; *s.* javalizinho, porquinho-montês, cria do javali.
jabón; *s.* sabão.
jabonar; *v.* ensaboar.
jaboncillo; *s.* sabonete, pasta de sabão aromatizado, giz de alfaiate.
jabonera; *s.* saboneteira.
jabonoso; *adj.* saponáceo.
jaca; *s.* faca, cavalo ou égua pequenos.
jacinto; *s.* jacinto.
jacobino; *adj.* jacobino.
jactancia; *s.* jactância, vaidade, arrogância.
jactancioso; *adj.* jactancioso.
jactarse; *v.* jactar-se, vangloriar-se, gabar-se, ufanar-se.
jaculatoria; *s.* jaculatória, oração breve e fervorosa.
jade; *s.* jade.
jadeante; *adj.* ofegante, arquejante.
jadear; *v.* arquejar, ofegar.
jadeo; *s.* arquejo.
jaez; *s.* jaez.
jaguar; *s.* jaguar, onça pintada.
jaguey; *s.* lago, cova ou depósito grande para recolher água.
jalea; *s.* geléia.
jalear; *v.* animar, aplaudir, incitar, açular os cães.
jaleco; *s.* jaleco, jaqueta turca.
jaleo; *s.* animação, algazarra.
jalón; *s.* baliza, bandeirola, estaca usada em agrimensura.
jalonar; *v.* limitar, alinhar, balizar.
jamaicano; *adj.* jamaicano.
jamás; *adv.* jamais, nunca, em nenhum tempo.
jamba; *s.* jamba, ombreira de porta ou de janela.
jamelgo; *s.* sendeiro, cavalo magro e esfomeado.
jamón; *s.* presunto.
japonés; *adj.* japonês.
jaque; *s.* xeque, xeque-mate.
jaqueca; *s.* enxaqueca.
jarabe; *s.* xarope.
jarana; *s.* algazarra, gritaria.
jaranear; *v.* brigar, provocar desordem.
jardín; *s.* jardim.
jardinera; *s.* jardineira, suporte para vasos e plantas.
jardinería; *s.* jardinagem.
jardinero; *s.* jardineiro.
jarifo; *adj.* belo, bem adornado, bem preparado, vistoso, bem ataviado.
jarra; *s.* jarra.
jarrete; *s.* jarreta.

jarro; *s.* jarro.
jaspe; *s.* jaspe.
jaula; *s.* jaula, gaiola.
jauría; *s.* matilha, grupo de cães de caça.
javanés; *adj.* javanês.
jazmín; *s.* jasmim.
jefatura; *s.* chefatura.
jefe; *s.* chefe.
jeito; *s.* rede usada, para a pesca da anchova e da sardinha.
jengibre; *s.* gengibre.
jeque; *s.* xeque, governador muçulmano.
jerarquía; *s.* hierarquia.
jerárquico; *adj.* hierárquico.
jerga; *s.* xerga, espécie de burel, tecido grosso.
jerga; *s.* geringonça, gíria, calão, linguagem difícil de entender.
jerigonza; *s.* geringonça.
jeringa; *s.* seringa.
jeroglífico; *s.* hieróglifo.
jersey; *s.* casaquinho de agasalho, feito de malha.
jesuita; *adj.* jesuíta.
jeta; *s.* beiçada, beiços grossos e caídos.
jíbaro; *adj.* índio, camponês, rústico.
jibia; *s.* siba.
jícara; *s.* xícara, chávena.
jilguero; *s.* pintassilgo.
jinete; *s.* ginete, cavaleiro armado, cavaleiro.
jira; *s.* piquenique.
jirafa; *s.* girafa.
jirón; *s.* barra, debrum de roupa, farrapo.
jockey; *s.* jóquei.
jocoso; *adj.* jocoso, engraçado, divertido.
jornada; *s.* jornada, caminho que se anda em um dia.
jornal; *s.* jornal, salário que ganha o trabalhador por dia.
jornalero; *s.* jornaleiro, a quem se paga jornal.
joroba; *s.* corcunda, corcova.
jorobar; *v.* importunar, molestar.
jota; *s.* dança popular espanhola.
joven; *adj.* jovem, moço.
jovial; *adj.* jovial, engraçado, alegre, brincalhão.
jovialidad; *s.* jovialidade, alegria.
joya; *s.* jóia.
joyería; *s.* joalheria.
joyero; *s.* joalheiro.
juanete; *s.* joanete.
jubilación; *s.* aposentadoria.
jubilado; *adj.* aposentado.
jubilar; *v.* aposentar.
jubileo; *s.* jubileu.
júbilo; *s.* júbilo, alegria.
jubiloso; *adj.* jubiloso, cheio de alegria.
jubón; *s.* gibão.
judaísmo; *s.* judaísmo.
judas; *s.* judas, traidor.
judería; *s.* judiaria, bairro de judeus.
judía; *s.* judia, feijão.
judicatura; *s.* judicatura, exercício de julgar.
judicial; *adj.* judicial, forense, legal.
judío; *adj.* judeu, hebreu, semita.
juego; *s.* jogo.
juerga; *s.* diversão, brincadeira.
jueves; *s.* quinta-feira.
juez; *s.* juiz, árbitro.
jugada; *s.* jogada.
jugar; *v.* jogar.
jugarreta; *s.* jogada mal feita.
jugo; *s.* suco, sumo, seiva.
jugoso; *adj.* suculento.
juguete; *s.* brinquedo.
juguetear; *v.* brincar.
jugueteo; *s.* brincadeira, brinquedo.
juguetería; *s.* loja de brinquedos.
juguetón; *adj.* brincalhão, jovial.
juicio; *s.* juízo, prudência, sensatez.
julio; *s.* julho.
jumento; *s.* jumento, asno.
junco; *s.* junco, bengala.
junio; *s.* junho.
junior; *adj.* júnior.

junta; *s.* junta, articulação, reunião, assembléia, congresso.
junta; *v.* juntar, unir, reunir.
junto; *adj.* junto, unido, próximo.
juntura; *s.* juntura, comissura, junção, articulação.
jura; *s.* jura, juramento.
jurado; *s.* jurado, júri, tribunal.
juramentar; *v.* juramentar.
juramento; *s.* juramento.
jurar; *v.* jurar, declarar solenemente.
jurídico; *adj.* jurídico, legal.
jurisdicción; *s.* jurisdição, competência.
jurisprudencia; *s.* jurisprudência.
jurista; *s.* jurista.
justicia; *s.* justiça, direito, equidade.
justiciero; *s.* justiceiro.
justificación; *s.* justificação, desculpa, defesa, álibi.
justificar; *v.* justificar, provar.
justipreciar; *v.* avaliar, fixar um preço justo.
justo; *adj.* justo, imparcial.
juvenil; *adj.* juvenil.
juventud; *s.* juventude, mocidade.
juzgado; *s.* juízo, tribunal.
juzgar; *v.* julgar, deliberar, sentenciar, arbitrar.

K

k; *s.* décima segunda letra do alfabeto espanhol.
kan; *s.* cão, príncipe ou chefe entre os Tártaros.
kantismo; *s.* kantismo, sistema filosófico ideado por Kant no século XVIII.
kéfir; *s.* leite fermentada artificialmente.
kermés; *s.* quermesse.
kerosene; *s.* querosene.
kilo; *s.* quilo, abreviatura de quilograma.
kilogramo; *s.* quilograma, peso de mil gramas.
kilometraje; *s.* quilometragem.
kilométrico; *adj.* quilométrico, pertenecente ou relativo ao quilómetro.
kilómetro; *s.* quilômetro, que tem mil metros.
kilovatio; *s.* quilovate ou quilovátio, equivale a mil vates.
kimono; *s.* quimono.
kiosco; *s.* quiosque.
kirie; *s.* kirie, parte da missa em que se invoca três vezes Deus.
kurdo; *adj.* curdo.

L

l; *s.* décima terceira letra do alfabeto espanhol.
la; *art.* lá, sexta nota musical.
lábaro; *s.* lábaro, guião ou estandarte dos exércitos romanos.
laberíntico; *adj.* laberíntico.
laberinto; *s.* labirinto.
labia; *s.* lábia, manha, astúcia, graça no falar.
labio; *s.* lábio.
labor; *s.* labor, trabalho, adorno, bordado, lavoura.
laborar; *v.* trabalhar, lavrar, cultivar, bordar, costurar.
laboratorio; *s.* laboratório.
laborear; *v.* trabalhar, lavrar, escavar.
laboreo; *s.* lavra, cultivo de terra, lavoura.
laboriosidad; *s.* laboriosidade, afinco, apego ao trabalho.
laborioso; *adj.* laborioso, trabalhoso, penoso, árduo, difícil.
labra; *s.* lavra, lavoura.
labrador; *s.* lavrador, agricultor.
labranza; *s.* trabalho, lavoura, agricultura.
labrar; *v.* lavrar madeira, cultivar a terra, arar, bordar, costurar.
labriego; *s.* labrego, lavrador rústico.
laca; *s.* laca, verniz duro, laquê, fixador para cabelo.
lacayo; *s.* criado.
lacerar; *v.* lacerar, rasgar, dilacerar.
lacio; *adj.* murcho, desbotado, decaído, lasso, cabelo liso.
lacón; *s.* presunto, pernil defumado.
lacónico; *adj.* lacônico, conciso, breve.
lacra; *s.* marca, cicatriz, sinal, vestígio ou resto de um mal.
lacrar; *v.* contagiar, prejudicar a saúde.
lacrar; *v.* lacrar, fechar, pegar com lacre.
lacre; *s.* lacre.
lacrimal; *adj.* lacrimal.
lacrimógeno; *adj.* lacrimogêneo.
lacrimoso; *adj.* lacrimoso, choroso, aflito.
lactación; *s.* lactação, amamentação.
lactancia; *s.* lactação.
lactante; *adj.* lactante.
lactar; *v.* amamentar.
lácteo; *adj.* lácteo, leitoso.
lactosa; *lactose* açúcar do leite.
lacustre; *adj.* lacustre.
ladeado; *adj.* inclinado, torcido, desviado.
ladear; *v.* inclinar, desviar, inclinar-se.
ladera; *s.* ladeira, encosta, declive.
ladilla; *s.* ladilha, piolho ladro, chato.
ladino; *adj.* ladino, esperto, astuto.
lado; *s.* lado, costado, banda, parte.
ladrar; *v.* ladrar, latir.

ladrido; *s.* latido.
ladrillo; *s.* tijolo.
ladrón; *s.* ladrão, gatuno, assaltante.
lagar; *s.* lagar, onde se pisa a uva.
lagarta; *s.* lagarta.
lagartija; *s.* lagartixa.
lagarto; *s.* lagarto.
lago; *s.* lago.
lágrima; *s.* lágrima, gota, pingo.
lagrimoso; *adj.* lacrimoso, choroso.
laguna; *s.* lagoa.
laico; *adj.* laico, leigo, secular.
laja; *s.* laja, laje ou lájea.
lama; *s.* lama, lodo, areia miúda.
lama; *s.* lhama, tecido de prata ou de ouro.
lamaísmo; *s.* lamaísmo, seita do budismo tibetano.
lamentable; *adj.* lamentável, deplorável.
lamentación; *s.* lamentação.
lamentar; *v.* lamentar, sentir, ter pena, deplorar, lastimar.
lamento; *s.* lamento, gemido, lamentação, queixa.
lamer; *v.* lamber.
lamido; *s.* lamido, gasto, usado.
lámina; *s.* lâmina, chapa, estampa, prancha gravada.
laminado; *adj.* laminado, chapeado.
laminar; *v.* laminar, chapear.
lámpara; *s.* lâmpada, luminária, luz.
lamparilla; *s.* lamparina.
lampiño; *adj.* lampinho, imberbe.
lampión; *s.* lampião, lanterna grande.
lana; *s.* lã.
lance; *s.* lance, lançamento.
lanceta; *s.* lanceta.
lancha; *s.* lancha, barca, bote.
landa; *s.* landa, charneca, terreno baldio.
langosta; *s.* gafanhoto, lagosta.
langostino; *s.* lagostim.
languidecer; *v.* enlanguescer, adoecer.
languidez; *s.* languidez, apatia, abatimento, cansaço.
lánguido; *adj.* lânguido, fraco, débil, cansado, abatido.
lanilla; *s.* felpa, lã fina, penugem.
lanolina; *s.* lanolina.
lanudo; *adj.* lanoso, lanudo.
lanza; *s.* lança.
lanzacohetes; *s.* lança-foguetes.
lanzallamas; *s.* lança-chamas.
lanzamiento; *s.* lançamento.
lanzar; *v.* lançar, arremessar, atirar.
lapicero; *s.* lapiseira.
lápida; *s.* lápide ou lápida.
lapidar; *v.* lapidar, talhar, facetar pedras preciosas, matar a pedrada.
lapidario; *adj.* lapidário.
lapislázuli; *s.* lápis-lazúli.
lápiz; *s.* lápis.
lapso; *s.* lapso, decurso de tempo.
laqueado; *adj.* laqueado, envernizado com laca.
lar; *s.* lugar, hogar, casa.
lardo; *s.* lardo, toucinho, banha, gordura.
larga; *s.* calço.
largar; *v.* largar, soltar, deixar livre, afrouxar.
largo; *adj.* comprido, longo, que tem comprimento, extenso.
largometraje; *s.* filme de longametragem.
larguero; *s.* trave lateral na construção.
largueza; *s.* largueza, largura.
largura; *s.* comprimento.
laringe; *s.* laringe.
laringitis; *s.* laringite.
larva; *s.* larva.
lasca; *s.* lasca, fragmemento, estilhaço.
lascivia; *s.* lascívia, inclinação para a luxúria.
lascivo; *adj.* lascivo, voluptuoso, sensual, libidinoso.
láser; *s.* laser.
laso; *adj.* lasso, fatigado, cansado.
lástima; *s.* lástima, lamento, compaixão.

lastimar; *v.* lastimar, ferir, danificar.
lastimero; *adj.* lastimoso, deplorável.
lastimoso; *adj.* lastimoso, lamentável, deplorável.
lastre; *s.* lastro.
lata; *s.* lata, folha-de-flandres, vasilha ou caixa de lata.
latente; *adj.* latente, oculto, escondido.
lateral; *adj.* lateral.
látex; *s.* látex.
latido; *s.* batimento do coração, batida, pulsação.
latifundio; *s.* latifúndio.
látigo; *s.* látego, chicote, açoite.
latín; *s.* latim.
latinidad; *s.* latinidade.
latinizar; *v.* latinizar.
latino; *adj.* latino.
latinoamericano; *adj.* latino-americano.
latir; *v.* latir, ladrar, ganir, latejar, pulsar, palpitar, bater a artéria, pulsar o coração.
latitud; *s.* latitude, largura, extensão.
lato; *adj.* largo, amplo, dilatado.
latón; *s.* latão.
latoso; *adj.* fastidioso, enfadonho, pesado, chato, aborrecido.
latrocinio; *s.* latrocínio, roubo, furto.
laúd; *s.* alaúde.
láudano; *s.* láudano, extrato de ópio.
laudar; *v.* decidir, sentenciar, julgar.
laudatorio; *adj.* laudatório.
laudo; *s.* laudo, parecer.
laureado; *adj.* laureado, premiado, homenageado.
laurear; *v.* laurear, premiar, homenagear.
laurel; *s.* loureiro.
lava; *s.* lava, matéria em fusão.
lava; *s.* lavagem, banho que se dá aos metais.
lavable; *adj.* lavável.
lavabo; *s.* lavabo, pia de banheiro.
lavacoches; *s.* lavador de carros.
lavadero; *s.* lavadouro, local ou tanque onde se lava roupa.
lavadora; *s.* lavadora, máquina de lavar roupa.
lavanda; *s.* alfazema.
lavandería; *s.* lavanderia.
lavandero; *s.* lavadeiro.
lavar; *v.* lavar, banhar, limpar, assear.
lavativa; *s.* clister, ajuda lavativa.
lavavajillas; *s.* lava-louça, máquina de lavar pratos.
laxante; *adj.* laxante, laxativo, purgante.
laxitud; *s.* lassitude ou lassidão.
laxo; *adj.* laxo ou lasso, frouxo, relaxado.
lazada; *s.* laçada, laço de fitas, nó corrediço.
lazareto; *s.* lazareto, hospital de isolamento, de quarentena.
lazarillo; *s.* guia de cego.
lazo; *s.* laço, laçada ou nó de fitas, armadilha para caçar animais.
le; *pron.* lhe.
leal; *adj.* leal, fiel.
lealtad; *s.* lealdade, fidelidade.
lección; *s.* lição, aula, exposição.
lechada; *s.* argamassa, massa fina de cal ou gesso.
leche; *s.* leite.
lechería; *s.* leiteria.
lechero; *adj.* leiteiro, lácteo;
lechero; *s.* leiteiro.
lecho; *s.* leito, cama, leito de rio.
lechón; *s.* leitão.
lechoso; *adj.* leitoso, lácteo.
lechuga; *s.* alface.
lechuza; *s.* coruja.
lectivo; *adj.* letivo.
lector; *adj.* leitor.
lectura; *s.* leitura.
leer; *v.* ler.
legación; *s.* legação, missão diplomática.
legado; *s.* legado.
legajo; *s.* maço de papeis atados que tratam de um mesmo assunto.
legal; *adj.* legal, prescrito por lei.

legalizar; *v.* legalizar, legitimar, validar, autenticar.
legaña; *s.* remela.
legar; *v.* legar, deixar de herança.
legendario; *adj.* legendário.
legible; *adj.* legível.
legión; *s.* legião, multidão.
legionario; *adj.* legionário.
legislación; *s.* legislação.
legislador; *adj.* legislador.
legislar; *v.* legislar.
legislatura; *s.* legislatura.
legista; *s.* legista, jurista.
legítima; *s.* legítima.
legitimar; *v.* legitimar, reconhecer.
legitimidad; *s.* legitimidade.
legítimo; *adj.* legítimo, autêntico, verdadeiro.
lego; *adj.* leigo, laico.
legua; *s.* légua.
legumbre; *s.* legume, hortaliça.
leguminoso; *adj.* leguminoso.
leíble; *adj.* legível.
leído; *adj.* lido, erudito.
lejanía; *s.* lonjura, distância.
lejano; *adj.* longínquo, distante.
lejía; *s.* lixívia.
lejos; *adv.* longe, distante, remoto.
lema; *s.* lema, divisa.
lencería; *s.* roupa branca.
lengua; *s.* língua, idioma, linguagem.
lenguado; *s.* linguado.
lenguaje; *s.* linguagem, língua, idioma.
lengüeta; *s.* lingueta.
lenitivo; *adj.* lenitivo, alívio.
lente; *s.* lente, óculos.
lenteja; *s.* lentilha, planta leguminosa.
lentejuela; *s.* lantejoula.
lentilla; *s.* lente de contato.
lentitud; *s.* lentidão.
lento; *adj.* lento, lerdo, vagaroso, demorado.
leña; *s.* lenha.
leñador; *s.* lenhador.
leño; *s.* lenho, tronco de árvore cortado.
león; *s.* leão.
leonino; *adj.* leonino.
leopardo; *s.* leopardo.
lepra; *s.* lepra.
leprosería; *s.* leprosário.
leproso; *adj.* leproso, lazarento.
lerdo; *adj.* lerdo, lento.
les; *pron.* lhes, a eles, a elas.
lesbianismo; *s.* lesbianismo, homossexualismo feminino.
lesbiano; *adj.* lésbico.
lesión; *s.* lesão, dano.
lesionar; *v.* lesar, prejudicar.
letal; *adj.* letal, mortal, mortífero.
letanía; *s.* letania, ladainha.
letárgico; *adj.* letárgico.
letargo; *s.* letargia, torpor, indolência.
letificar; *v.* letificar, causar alegria, júbilo, animação.
letra; *s.* letra, forma de escrever, composição para música.
letrado; *adj.* letrado, instruído, erudito, sábio, perito em leis.
letrero; *s.* letreiro, inscrição, rótulo.
letrilla; *s.* letrinha, letra pequena.
letrina; *s.* latrina; privada, mictório.
leucemia; *s.* leucemia.
leucocito; *s.* leucócito, glóbulo branco do sangue.
leudar; *v.* levedar, fermentar.
leva; *s.* leva, saída de embarcações de um porto, recrutamento.
levadizo; *adj.* levadiço, que se pode levantar.
levadura; *s.* levedura, fermento.
levantamiento; *s.* levantamento, revolta, sedição.
levantar; *v.* levantar, alçar, erguer.
levante; *s.* levante, nascente, oriente, leste, oeste.
levantisco; *adj.* levantino, levantadiço, de gênio inquieto e turbulento.
levar; *v.* levantar ferro, fazer-se à vela, largar.
leve; *adj.* leve, ligeiro, ágil.
levita; *s.* sobrecasaca.

levitación; *s.* levitação.
léxico; *s.* léxico, dicionário, glossário, vocabulário.
lexicografía; *s.* lexicografia.
lexicología; *s.* lexicologia.
ley; *s.* lei, decreto, norma, doutrina.
leyenda; *s.* legenda, inscrições, fábula, novela, epígrafe.
lía; *s.* corda de esparto, fezes, borra.
liar; *v.* ligar, amarrar, atar.
libanés; *adj.* libanês.
libar; *v.* libar, beber, provar um licor, chupar levemente o suco de alguma coisa.
libelo; *s.* libelo.
libélula; *s.* libélula.
liberación; *s.* liberação, quitação de uma dívida, libertação.
liberal; *adj.* liberal, generoso, franco.
liberalidad; *s.* liberalidade, generosidade, desprendimento.
liberalismo; *s.* liberalismo.
liberalizar; *v.* liberalizar.
liberar; *v.* liberar, libertar, desobrigar, emancipar.
libertad; *s.* liberdade.
libertar; *v.* libertar, livrar, soltar, eximir.
libertinaje; *s.* libertinagem, devassidão, licenciosidade.
libertino; *adj.* libertino, devasso.
libidinoso; *adj.* libidinoso, luxurioso, lascivo.
libido; *s.* libido.
libio; *adj.* líbio.
libra; *s.* libra, peso, moeda, signo do zodíaco.
libranza; *s.* livramento, livrança, ordem de pagamento.
librar; *v.* livrar, salvar, defender, preservar.
libre; *adj.* livre, atrevido, desenfreado, licencioso, insubordinado, solteiro independente.
librea; *s.* libré, uniforme de criados.
librería; *s.* livraria, biblioteca.
librero; *s.* livreiro.
libreta; *s.* livrete, livro pequeno para apontamentos.
libro; *s.* livro.
licencia; *s.* licença, autorização, permissão.
licenciado; *adj.* licenciado.
licenciar; *v.* licenciar, liberar.
licenciatura; *s.* licenciatura, grau de licenciado.
licencioso; *adj.* licencioso, libertino, dissoluto, atrevido, depravado.
liceo; *s.* liceu, escola.
licitación; *s.* licitação.
licitar; *v.* licitar.
lícito; *adj.* lícito, permitido por lei, justo, legal.
licor; *s.* licor.
licorera; *s.* licoreira, jarro de cristal para licores.
licuable; *adj.* liquidificável.
licuadora; *s.* liquidificador.
licuar; *v.* liquidificar, tornar líquido.
lid; *s.* lide, lida, luta, peleja.
líder; *s.* líder, chefe, guia.
liderato; *s.* liderança.
lidiar; *v.* lutar, batalhar, pelejar.
liebre; *s.* lebre.
liendre; *s.* lêndea.
lienzo; *s.* tecido, lenço, pintura sobre tela, fachada de um edifício.
liga; *s.* liga, fita para prender a meia, venda, mistura, liga de metais, confederação associação.
ligadura; *s.* ligadura, atadura, ligamento.
ligamento; *s.* ligamento, ligação.
ligar; *v.* ligar, atar, unir, amarrar.
ligereza; *s.* ligeireza, rapidez, prontidão.
ligero; *adj.* ligeiro, veloz, rápido, ágil.
lija; *s.* lixa.
lijar; *v.* lixar, desbastar, raspar ou polir com lixa.
lila; *s.* lilás, arbusto, flor e cor.

liliáceo; *adj.* liliáceo.
lima; *s.* lima fruta, lima ferramenta.
limar; *v.* limar, desbastar ou polir com a lima.
limbo; *s.* limbo.
limitación; *s.* limitação, termo, fronteira, limites.
limitar; *v.* limitar, demarcar, estreitar, encurtar, diminuir, reduzir.
límite; *s.* limite, termo, fim, linha de demarcação.
limítrofe; *adj.* limítrofe, contíguo.
limo; *s.* limo, lodo.
limón; *s.* limão.
limonada; *s.* limonada, refresco de limão.
limonero; *adj.* limoeiro.
limosna; *s.* esmola.
limosnear; *v.* esmolar, mendigar.
limpiabotas; *s.* engraxate.
limpiador; *adj.* limpador.
limpiaparabrisas; *s.* limpador de pára-brisa.
limpiar; *v.* limpar, tornar limpo.
limpidez; *s.* limpidez, clareza.
límpido; *adj.* limpo, claro, diáfano.
limpieza; *s.* limpeza, esmero, perfeição.
limpio; *adj.* limpo, asseado.
linaje; *s.* linhagem, estirpe, ascendência.
linaza; *s.* linhaça.
linchamiento; *s.* linchamento.
linchar; *v.* linchar, justiçar e executar sumariamente.
lince; *s.* lince.
lindar; *v.* confinar, demarcar, limitar.
linde; *s.* limite, fronteira, divisa.
lindero; *adj.* confinante, limítrofe, vizinho.
lindo; *adj.* lindo, belo, formoso.
línea; *s.* linha, regra, raia, faixa, fio de linho.
linfa; *s.* linfa.
lingote; *s.* lingote, barra de metal.
lingüística; *s.* linguística.
linimento; *s.* linimento, unguento, pomada para fricções.
lino; *s.* linho, planta, fibra e tecido.
linóleo; *s.* linóleo.
linotipia; *s.* linotipo.
linterna; *s.* lanterna, lampião, farol.
lío; *s.* pacote, embrulho, envoltório de coisas, maço.
lío; *s.* confusão, embrulhada.
lipotimia; *s.* lipotimia.
liquen; *s.* líquen.
liquidación; *s.* liquidação, venda a preços baixos.
liquidar; *v.* liquidar, vender barato, pagar, quitar.
liquidez; *s.* liquidez, qualidade ou estado do que é líquido.
líquido; *s.* líquido.
lira; *s.* lira, antigo instrumento musical.
lira; *s.* moeda italiana.
lírico; *adj.* lírico.
lírico; *s.* poesia lírica.
lirio; *s.* lírio, açucena.
lirismo; *s.* lirismo, poesia.
lirón; *s.* arganaaz, espécie de roedor.
lirondo; *adj.* limpo, puro, sem mistura.
lis; *s.* lírio, flor-de-lis.
lisiado; *adj.* aleijado, inválido.
lisiar; *v.* aleijar, mutilar, lesar.
liso; *adj.* liso, plano, macio, franco, sincero.
lisonja; *s.* lisonja, adulação.
lisonjear; *v.* lisonjear, adular.
lista; *s.* listra, risca, tira, faixa, relação de nomes, catálogo.
listado; *adj.* listrado, riscado.
listo; *adj.* rápido, diligente, expedito, pronto, sagaz, esperto.
listón; *s.* fita de seda, listel, sarrafo.
lisura; *s.* lisura.
litera; *s.* liteira, bicama, beliche.
literal; *adj.* literal, textual.
literario; *adj.* literário.
literato; *adj.* literato.
literatura; *s.* literatura, conjunto das produções literárias.

litigante; *adj.* litigante, contestador.
litigar; *v.* litigar, pleitear, demandar.
litigio; *s.* litígio, pleito, demanda, questão.
litografía; *s.* litografia.
litografiar; *v.* litografar.
litoral; *s.* litoral, beira-mar, costas do mar.
litosfera; *s.* litosfera.
litro; *s.* litro.
liturgia; *s.* liturgia, ritual.
liviandad; *s.* leviandade.
liviano; *adj.* leviano, ligeiro, leve, de pouco peso.
lividez; *s.* lividez, palidez.
lívido; *adj.* lívido, arroxeado, azulado.
liza; *s.* liça, lugar destinado a torneios.
ll; *s.* décima quarta letra do alfabeto espanhol.
llaga; *s.* chaga, úlcera.
llagar; *v.* chagar, ulcerar.
llama; *s.* chama, labareda.
llamada; *s.* chamada, chamamento.
llamado; *adj.* chamado.
llamador; *s.* chamador, botão da campainha elétrica.
llamamiento; *s.* chamamento, chamada, convocação.
llamar; *v.* chamar, convocar, citar, invocar, pedir auxílio, nomear, denominar.
llamarada; *s.* labareda, grande chama.
llamativo; *adj.* chamativo, atraente.
llameante; *adj.* chamejante, flamejante.
llamear; *v.* chamejar, arder.
llana; *s.* trolha, ferramenta para espalhar o gesso ou a cal amassada.
llanada; *s.* planura, planície, planalto.
llanero; *s.* habitante das planícies.
llaneza; *s.* franqueza no trato, simplicidade notável.
llano; *adj.* plano, raso.
llanta; *s.* aro, peça de ferro que guarnece as rodas do carro.
llanta; *s.* variedade de couve de todo o ano.
llantería; *s.* choradeira.
llanto; *s.* choro, pranto, lágrimas, gemido.
llanura; *s.* planície, superfície plana, lisa, rasa.
llave; *s.* chave de porta, chave de fenda, chave de aparelhos.
llavero; *s.* chaveiro.
llegada; *s.* chegada, vinda.
llegar; *v.* chegar, vir.
llenar; *v.* encher, fartar, satisfazer.
lleno; *adj.* cheio.
llevadero; *adj.* suportável, tolerável.
llevar; *v.* levar, conduzir, transportar, dirigir, usar, vestir, suportar, conseguir.
llorar; *v.* chorar.
lloriquear; *v.* choramingar, gemer.
lloriqueo; *s.* choradeira, lamúria.
llorón; *adj.* chorão.
lloroso; *adj.* choroso.
llover; *v.* chover.
llovizna; *s.* chuvisco, chuva miúda.
lloviznar; *v.* chuviscar, cair chuvisco.
lluvia; *s.* chuva, ação de chover.
lluvioso; *adj.* chuvoso, abundante em chuva.
lo; *art.* o, ele.
loa; *s.* loa, elogio, louvor.
lobato; *s.* lobacho, lobo pequeno.
lobo; *s.* lobo.
lóbrego; *adj.* lôbrego, sombrio, tenebroso, escuro, cavernoso.
lóbulo; *s.* lóbulo.
locación; *s.* locação, aluguel.
local; *adj.* local, lugar, lugar determinado.
localidad; *s.* localidade, povoação.
localidad; *s.* bilhete, entrada para um espetáculo.
localismo; *s.* bairrismo.
localizar; *v.* localizar, fixar ou limitar em lugar determinado.
locatario; *s.* locatário, arrendatário.

loción; *s.* loção, ablução, lavagem, ação de lavar.
loción; *s.* loção, perfume.
loco; *adj.* louco, demente, doido.
locomoción; *s.* locomoção.
locomotor; *adj.* locomotor.
locomotor; *s.* locomotiva.
locomotriz; *s.* locomotriz.
locuacidad; *s.* loquacidade, verbosidade.
locuaz; *adj.* loquaz, falador.
locución; *s.* locução.
locura; *s.* loucura, insensatez, disparate.
locutor; *s.* locutor.
lodazal; *s.* lodaçal, lamaçal, atoleiro.
lodo; *s.* lodo, lama.
logaritmo; *s.* logaritmo.
logia; *s.* loja maçônica.
lógica; *s.* lógica.
lógico; *adj.* lógico, racional, natural.
logotipo; *s.* logotipo, marca.
logrado; *adj.* obtido, conseguido.
lograr; *v.* lograr, obter, conseguir.
logrero; *s.* logreiro, agiota.
logro; *s.* lucro, ganho.
loma; *s.* lomba, lombada.
lombarda; *s.* repolho arroxeado.
lombriz; *s.* lombriga, parasita, minhoca.
lomo; *s.* lombo, dorso, espinhaço, lombada de livro.
lona; *s.* lona.
loncha; *s.* fatia, pedaço.
longaniza; *s.* linguiça.
longevidad; *s.* longevidade.
longitud; *s.* longitude, comprimento, extensão.
longitudinal; *adj.* longitudinal.
lonja; *s.* tira larga, fatia, talhada.
lonja; *s.* edifício da bolsa de comércio, mercado municipal, mercearia.
loor; *s.* louvor, glorificação, elogio.
loro; *s.* louro, papagaio.
losa; *s.* lousa, laje.
lote; *s.* lote, porção, quinhão, sorte, prêmio.
lotería; *s.* loteria, jogo de azar, rifa.
loto; *s.* loto, planta, flor e fruto.
loza; *s.* louça.
lozanía; *s.* viço, frescor.
lozano; *adj.* luxuriante, viçoso, garrido, frondoso.
lubina; *s.* robalo, peixe.
lubricán; *s.* crepúsculo, ocaso.
lubricante; *adj.* lubrificante.
lubricar; *v.* lubrificar, untar.
lúbrico; *adj.* lúbrico.
lubrificar; *v.* lubrificar.
lucero; *s.* luzeiro, astro brilhante.
lucha; *s.* luta, lide, combate, peleja.
luchar; *v.* lutar, combater, pelejar.
lucidez; *s.* lucidez, clareza.
lúcido; *adj.* lúcido, resplandecente, brilhante.
lucido; *adj.* luzido, pomposo, vistoso.
luciente; *adj.* reluzente, brilhante.
luciérnaga; *s.* vaga-lume, pirilampo.
lucimiento; *s.* luzimento, brilho.
lucir; *v.* luzir, reluzir, brilhar, resplandecer.
lucrarse; *v.* lucrar, ganhar.
lucrativo; *adj.* lucrativo, vantajoso.
lucro; *s.* lucro, ganho, proveito.
luctuoso; *adj.* lutuoso, digno de tristeza.
lucubración; *s.* lucubração, meditação.
lucubrar; *v.* lucubrar, passar a noite em trabalhos intelectuais.
ludibrio; *s.* ludíbrio, zombaria.
luego; *adv.* logo, em seguida.
lugar; *s.* lugar, sítio, cidade, vila, aldeia, tempo
lugareño; *adj.* aldeão, natural ou habitante de um lugar pequeno.
lugarteniente; *s.* lugar-tenente.
lúgubre; *adj.* lúgubre, triste, funesto, melancólico.
lujo; *s.* luxo, sumptuosidade.
lujoso; *adj.* luxuoso.

lujuria; *s.* luxúria, sensualidade, lascívia.
lujurioso; *adj.* luxurioso.
lumbago; *s.* lumbago.
lumbar; *s.* lombar.
lumbrada; *s.* fogueira grande, labareda.
lumbre; *s.* lume, luz, chama.
lumbrera; *s.* lumieira, luminoso, fogaréu.
luminaria; *s.* luminária.
luminosidad; *s.* luminosidade.
luminoso; *adj.* luminoso, brilhante, resplandecente.
luna; *s.* lua.
lunar; *s.* lunar, sinal na pele.
lunar; *adj.* luar.
lunático; *adj.* lunático, louco.
lunes; *s.* segunda-feira, segundo dia da semana.
lunfardo; *s.* gíria argentina.
lupa; *s.* lupa, lente de aumento.
lúpulo; *s.* lúpulo.
lusitano; *adj.* lusitano, português.
luso; *adj.* luso, lusitano.
lustrar; *v.* lustrar, polir, dar brilho.
lustre; *s.* lustro, brilho.
lustro; *s.* lustro, período de cinco anos.
lustroso; *adj.* lustroso, brilhante, reluzente.
luterano; *adj.* luterano.
luto; *s.* luto, dó, pena, pesar.
luxación; *s.* luxação, deslocamento de um osso.
luz; *s.* luz, claridade.

M

m; *s.* décima quinta letra do alfabeto espanhol.
maca; *s.* pisadura da fruta, nódoa, mancha nos tecidos.
macabro; *adj.* macabro, fúnebre.
macaco; *s.* macaco, mono, símio, primata.
macadán; *s.* macadame, sistema de empedramento de ruas ou estradas.
macana; *s.* macaná, arma ofensiva dos ameríndios.
macarrón; *s.* macarrão.
macarrónico; *adj.* macarrônico, aplica-se ao latim ou outra língua mal falado.
macarse; *v.* começar a apodrecer as frutas.
macedonia; *s.* salada de frutas.
macerar; *v.* macerar, amolecer.
maceta; *s.* vaso de barro para plantas, martelo, cabo de ferramentas.
macetero; *s.* suporte para os vasos de planta.
machacar; *v.* pilar, machucar, moer, esmagar, pisar.
machacón; *adj.* maçador, importuno, teimoso, enfadonho.
machete; *s.* machete, sabre, facão.
machihembrar; *v.* ensamblar, entalhar, embutir, emalhetar.
machismo; *s.* machismo.
machista; *adj.* machista.
macho; *adj.* macho, masculino.
machorra; *adj.* machorra, fêmea estéril.
machote; *s.* mascoto, maço de madeira, espécie de malho.
machucar; *v.* machucar, pisar, esmagar.
macilento; *adj.* macilento, pálido, descorado, triste.
macizo; *adj.* maciço, sólido, grupo de montanhas.
macrobiótico; *adj.* macrobiótico.
macrocosmo; *s.* macrocosmo.
mácula; *s.* mácula, nódoa.
macuto; *s.* mochila de soldado.
madeja; *s.* meada.
madera; *s.* madeira.
maderaje; *s.* madeirame, madeiramento.
maderería; *s.* madeireira.
maderero; *s.* madeireiro.
madero; *s.* madeiro, tronco, viga, trave, lenho.
madrastra; *s.* madrasta.
madre; *s.* mãe.
madreperla; *s.* madrepérola.
madreselva; *s.* madressilva.
madrigal; *s.* madrigal, galanteio, composição poética.
madriguera; *s.* madrigueira.
madrina; *s.* madrinha.
madrugada; *s.* madrugada.
madrugador; *adj.* madrugador.
madrugar; *v.* madrugar.
madurar; *v.* amadurecer.

madurez; *s.* maturidade,
maduro; *adj.* maduro.
maestranza; *s.* oficial de artilharia.
maestrazgo; *s.* mestrado.
maestresala; *s.* mestre-sala.
maestría; *s.* mestria, habilidade, perícia, título de mestre.
maestro; *s.* mestre, magistral, notável, perfeito, professor, educador.
mafia; *s.* máfia.
mafioso; *adj.* mafioso.
magazine; *s.* magazine, revista ilustrada.
magdalena; *s.* madalena, doce.
magia; *s.* magia.
mágico; *adj.* mágico, maravilhoso, encantado, enfeitiçado.
magisterio; *s.* magistério, cargo de professor.
magistrado; *s.* magistrado, juiz.
magistral; *adj.* magistral, perfeito.
magistratura; *s.* magistratura.
magnánimo; *adj.* magnânimo, generoso.
magnate; *s.* magnata.
magnesio; *s.* magnésio, magnésia.
magnético; *adj.* magnético.
magnetismo; *s.* magnetismo.
magnetizar; *v.* magnetizar.
magneto; *s.* gerador de eletricidade.
magnetofón; *s.* gravador.
magnificar; *v.* magnificar, engrandecer, louvar, glorificar.
magnificencia; *s.* magnificência, engrandecimento, glorificação.
magnífico; *adj.* magnífico, esplêndido, excelente.
magnitud; *s.* magnitude, grandeza, importância.
magno; *adj.* magno, grande.
magnolia; *s.* magnólia.
mago; *s.* mago, feiticeiro.
magro; *adj.* magro, delgado, enxuto.
magulladura; *s.* machucado, contusão, ferida.
magullamiento; *s.* machucado, ferimento.
magullar; *v.* machucar, magoar, pisar, contundir.
mahometano; *adj.* maometano.
maitines; *s.* matinas, que se reza antes do amanhecer.
maíz; *s.* milho.
majada; *s.* curral, esterco.
majadería; *s.* tolice, baboseira, asneira.
majadero; *adj.* malhadeiro, pateta, tolo, inoportuno.
majadero; *s.* maça, socador, pilão.
majar; *v.* malhar, pisar, maçar.
majestad; *s.* majestade, nobreza.
majestuoso; *adj.* majestoso.
majo; *adj.* vistoso, bem vestido, garrido.
majuelo; *s.* espinheiro-alvar, cardo-branco, vinha nova.
mal; *adj.* mau.
mal; *s.* mal, desgraça, calamidade, doença.
mal; *adv.* contrariedade, sem razão, de forma imprópria, insuficientemente.
malabarismo; *s.* malabarismo.
malacostumbrado; *adj.* mal-acostumado, mimado.
malagradecido; *adj.* mal-agradecido, ingrato.
malaventura; *s.* desgraça, adversidade.
malayo; *adj.* malaio.
malbaratar; *v.* esbanjar, desperdiçar, dissipar.
malcomer; *v.* comer escassamente ou com pouco gosto.
malcriado; *adj.* malcriado, descortês.
malcriar; *v.* malcriar, educar mal.
maldad; *s.* maldade, ruindade.
maldecir; *v.* maldizer.
maldición; *s.* maldição.
maldito; *adj.* maldito, mau.
maleable; *adj.* maleável, flexíbel.
maleante; *adj.* perverso, mau, malvado.
malear; *v.* estragar, danificar.

maledicencia; *s.* maledicência, difamação.
maleficio; *s.* malefício, prejuízo, feitiço.
maléfico; *adj.* maléfico, malfazejo.
malentendido; *s.* mal-entendido.
malestar; *s.* mal-estar, indisposição indefinida, incomodidade.
maleta; *s.* mala.
maletero; *s.* porta-malas.
maletín; *s.* maleta, valise.
malevolencia; *s.* malevolência.
maleza; *s.* maleza, moita, mata brava.
malformación; *s.* má formação, defeito congênito, deformação.
malgastar; *v.* malgastar, esbanjar.
malhablado; *adj.* malfalante, maldizente.
malhechor; *adj.* malfeitor.
malherir; *v.* malferir, ferir gravemente.
malhumorado; *adj.* mal-humorado.
malicia; *s.* malícia, maldade.
malicioso; *adj.* malicioso, mau.
maligno; *adj.* maligno, maldoso, malicioso.
malintencionado; *adj.* mal-intencionado.
malla; *s.* malha, tecido de rede.
mallo; *s.* malho, martelo, maço de madeira.
malo; *adj.* mau, má, nocivo, perverso, indisposto, doente, inferior, difícil, negativo.
malograr; *v.* malograr, fracassar.
malogro; *s.* malogro.
maloliente; *adj.* fedorento, fétido.
malparado; *adj.* maltratado.
malquistar; *v.* malquistar, tornar malquisto, inimizar.
malsano; *adj.* malsão, doentio, insalubre.
malsonante; *adj.* malsoante, que soa mal.
malta; *s.* malte.
maltratar; *v.* maltratar.
maltrecho; *adj.* maltratado.
malva; *s.* malva, planta, flor e cor.
malvado; *adj.* malvado, perverso.
malvender; *v.* malbaratar, vender a baixo preço.
malversar; *v.* malversar, esbanjar, delapidar.
mama; *s.* mama, teta.
mamá; *s.* mamãe, mãe.
mamada; *s.* mamada.
mamadera; *s.* mamadeira.
mamar; *v.* mamar, chupar.
mamarracho; *s.* mamarracho, figura defeituosa e ridícula, adorno, mal feito.
mamífero; *s.* mamífero.
mampara; *s.* anteparo, biombo.
mamparo; *s.* antepara, tabique divisório dos barcos, meio-fio.
mampostería; *s.* alvenaria, obra de pedreiro.
mamut; *s.* mamute, espécie de elefante fóssil.
maná; *s.* maná, alimento milagroso.
manada; *s.* manada.
manantial; *s.* manancial, nascente de águas.
manar; *v.* emanar um líquido, brotar.
mancar; *v.* mancar, aleijar, estropiar.
mancebo; *adj.* mancebo, moço, jovem.
mancha; *s.* mancha, nódoa, sinal, mácula.
manchar; *v.* manchar, sujar, denegrir.
mancilla; *s.* mancha, desonra.
manco; *adj.* maneta.
mancomunar; *v.* mancomunar, pactuar.
manda; *s.* oferta, promessa, legado.
mandado; *s.* mandado, ordem, recado.
mandamiento; *s.* mandamento, preceito, ordem.
mandar; *v.* mandar, ordenar.
mandarín; *s.* mandarim.
mandatario; *s.* mandatário.

mandato; *s.* mandato, ordem, encargo.
mandíbula; *s.* mandíbula, queixada.
mandil; *s.* avental grande.
mandioca; *s.* mandioca.
mando; *s.* mando, autoridade superior.
mandolina; *s.* bandolim.
mandril; *s.* mandril.
manducar; *v.* manducar, comer, tomar alimento.
manecilla; *s.* ponteiro do relógio.
manejar; *v.* manejar, governar, conduzir, dirigir.
manejo; *s.* manejo, gerência.
manera; *s.* maneira, modo, forma.
manga; *s.* manga, parte da roupa que cobre o braço.
manganeso; *s.* manganês.
manglar; *s.* mangue, brejo.
mango; *s.* manga fruta, cabo, asa de objetos.
mangonear; *v.* mangonear, estar ocioso, ter preguiça, vadiar.
manguera; *s.* mangueira de borracha.
manía; *s.* mania, espécie de loucura, extravagância, capricho, teima.
maníaco; *adj.* maníaco, louco.
maniatar; *v.* maniatar, atar as mãos.
maniático; *adj.* maníaco, que tem manias.
manicomio; *s.* manicômio, hospício.
manicuro; *s.* manicuro.
manido; *adj.* amolecido por efeito do tempo, murcho, passado, diz-se de frutas e carnes.
manifestación; *s.* manifestação.
manifestar; *v.* manifestar.
manifiesto; *adj.* manifesto, expresso, visível.
manija; *s.* cabo, punho de certos utensílios e ferramentas.
manilargo; *adj.* que tem mãos compridas.
manilla; *s.* bracelete, pulseira, algema.
maniobra; *s.* manobra, operação manual.
maniobrar; *v.* manobrar, executar manobras.
manipulación; *s.* manipulação, preparação manual.
manipular; *v.* manipular.
manípulo; *s.* manípulo.
maniqueísmo; *s.* maniqueísmo.
maniquí; *s.* manequim.
manirroto; *adj.* esbanjador, perdulário.
manivela; *s.* manivela.
manjar; *s.* manjar.
mano; *s.* mão, direção, ponteiro do relógio, camada de tinta ou cal, auxílio.
manojo; *s.* molho, feixe, faço de flores.
manómetro; *s.* manômetro.
manosear; *v.* manusear, apalpar, tatear.
manoseo; *s.* manuseio.
manotazo; *s.* palmada.
manotear; *v.* gesticular, dar palmadas.
mansedumbre; *s.* mansidão, paciência.
mansión; *s.* mansão, aposento, morada.
manso; *adj.* manso, dócil, paciente, pacato, pacífico.
manta; *s.* manta, cobertor.
manteca; *s.* banha de porco, gordura.
mantecada; *s.* espécie de bolo doce.
mantecado; *s.* bolo amassado com gordura de porco, espécie de sorvete.
mantel; *s.* toalha de mesa e de altar.
mantelería; *s.* jogo de toalhas de mesa e guardanapos.
mantener; *v.* manter, prover, conservar.
mantenimiento; *s.* manutenção, conservação, mantimento.
manteo; *s.* mantel, capa usada pelos eclesiásticos.
mantequilla; *s.* manteiga feita de leite batido.

mantilla; *s.* mantilha.
manto; *s.* manto, capa.
mantón; *s.* mantô, casaco, xale grande.
manual; *s.* manual, compêndio.
manual; *adj.* manual, caseiro, artesanal.
manubrio; *s.* manivela.
manufactura; *s.* manufatura.
manuscrito; *s.* manuscrito.
manutención; *s.* manutenção, conservação, sustento.
manzana; *s.* maçã.
manzana; *s.* quarteirão.
manzanilla; *s.* camomila, macela.
maña; *s.* manha, destreza, habilidade, astúcia, mau costume.
mañana; *s.* manhã.
mañana; *adv.* amanhã.
mañoso; *adj.* manhoso.
mapa; *s.* mapa.
maqueta; *s.* maquete, modelo.
maquiavélico; *adj.* maquiavélico.
maquillador; *s.* maquiador.
maquillaje; *s.* maquiagem, pintura.
maquillar; *v.* maquiar, pintar, aplicar cosméticos.
máquina; *s.* máquina.
maquinar; *v.* maquinar, tramar.
maquinaria; *s.* maquinaria, mecanismo.
maquinista; *s.* maquinista.
mar; *s.* mar.
maraña; *s.* maranha, fios enredados.
marasmo; *s.* marasmo, estagnação, apatia.
maratón; *s.* maratona.
maravilla; *s.* maravilha.
maravillar; *v.* maravilhar, admirar, deslumbrar.
maravilloso; *adj.* maravilhoso, admirável, extraordinário.
marca; *s.* marca, sinal.
marcado; *adj.* marcado, determinado.
marcador; *s.* marcador.
marcaje; *s.* marcação.
marcapasos; *s.* marcapasso.
marcar; *v.* marcar, assinalar.
marcha; *s.* marcha, velocidade.
marchante; *adj.* mercantil, traficante.
marchar; *v.* marchar, andar, caminhar, ir de um lugar.
marchitar; *v.* murchar, murchecer, emurchecer, privar do viço.
marchito; *adj.* murcho, flácido, sem vigor, amarrotado, desbotado.
marcial; *adj.* marcial, bélico.
marco; *s.* moeda alemã, moldura de quadro.
marea; *s.* maré.
marear; *v.* marear, dirigir o navio, enjoar, ficar mareado.
marejada; *s.* marejada.
maremoto; *s.* maremoto.
mareo; *s.* enjôo, náusea.
marfil; *s.* marfim, dentina.
margarina; *s.* margarina.
margarita; *s.* margarida.
margen; *s.* margem, borda.
marginado; *adj.* marginalizado, excluído.
marginal; *adj.* marginal.
marginar; *v.* marginar, apontar, notar à margem, posto à margem.
marido; *s.* marido, cônjuge, esposo.
marihuana; *s.* marijuana, maconha.
marimorena; *s.* rixa.
marina; *s.* marinha, costa, praia, beira-mar.
marinero; *s.* marinheiro, marujo.
marino; *adj.* marinho, marítimo.
marioneta; *s.* marionete, fantoche.
mariposa; *s.* mariposa, borboleta.
mariquita; *s.* joaninha.
mariscal; *s.* marechal.
marisco; *s.* marisco, crustáceo ou molusco comestível.
marisma; *s.* marisma, restinga.
marital; *s.* marital.
marítimo; *adj.* marítimo.
marjal; *s.* brejo, pântano, terreno pantanoso.
marmita; *s.* marmita.
mármol; *s.* mármore.

marmota; *s.* marmota.
maroma; *s.* maroma, corda grossa.
marqués; *s.* marquês.
marquesina; *s.* marquise, toldo.
marquetería; *s.* marchetaria, incrustação.
marranada; *s.* cochinada, porcaria.
marrano; *s.* marrano, porco.
marrar; *v.* errar, faltar.
marrón; *adj.* marrom, cor castanha.
marta; *s.* marta, animal e pele.
martes; *s.* terça-feira, terceiro dia da semana.
martillar; *v.* martelar, bater com martelo.
martillo; *s.* martelo, malho.
mártir; *s.* mártir, vítima.
martirio; *s.* martírio, tortura, aflição, sacrifício.
martirizar; *v.* martirizar, torturar, atormentar.
martirologio; *s.* martirológio, lista de todos os santos conhecidos.
marxismo; *s.* marxismo.
marzo; *s.* março.
mas; *conj.* mas, porém.
más; *adv.* mais.
masa; *s.* massa, mistura de farinha, volume, multidão, reunião.
masacrar; *v.* massacrar, matar, chacinar.
masacre; *s.* massacre, matança, chacina, carnificina.
masaje; *s.* massagem.
masajista; *s.* massagista.
mascar; *v.* mascar, mastigar.
máscara; *s.* máscara, disfarce.
mascota; *s.* mascote.
masculinidad; *s.* masculinidade, virilidade.
masculino; *adj.* masculino, viril.
mascullar; *v.* resmungar, falar entre dentes.
masificación; *s.* massificação.
masificar; *v.* massificar.
masilla; *s.* massa de vidraceiro.
masivo; *adj.* massivo.
masón; *adj.* maçom.
masonería; *s.* maçonaria.
masónico; *adj.* maçônico.
masoquismo; *s.* masoquismo.
masticación; *s.* mastigação.
masticar; *v.* mastigar, mascar.
mástil; *s.* mastro, haste.
mastín; *s.* mastim, cão de guarda.
mastodonte; *s.* mastodonte, mamífero paquiderme fóssil.
mastuerzo; *s.* mastruço, planta medicinal.
masturbación; *s.* masturbação.
masturbar; *v.* masturbar.
mata; *s.* mata, arvoredo.
matadero; *s.* matadouro, abatedouro de animais.
matador; *adj.* matador, toureiro.
matamoscas; *s.* mata-moscas.
matanza; *s.* matança.
matar; *v.* matar, eliminar, aniquilar, assassinar.
matarratas; *s.* mata-ratos.
mate; *adj.* mate, embaciado, fosco, sem brilho.
mate; *s.* mate, arbusto do Paraguai, infusão das folhas do mate, chá-mate.
matemáticas; *s.* matemática.
matemático; *adj.* matemático.
materia; *s.* matéria, substância.
material; *adj.* material.
materialismo; *s.* materialismo.
materializar; *v.* materializar, tornar concreto.
maternal; *adj.* maternal, materno.
maternidad; *s.* maternidade, condição de mãe, hospital para parturientes.
materno; *adj.* materno.
matinal; *adj.* matinal, matutino.
matiz; *s.* matiz, gradação de cor, nuance.
matizar; *v.* matizar, combinar cores, colorir, realçar.
matón; *s.* valentão.
matorral; *s.* mato, matorral, moita, brejo, brenha, matagal, campo inculto.

matraz; *s.* matrás, vaso de laboratório.
matriarca; *s.* matriarca.
matriarcado; *s.* matriarcado.
matrícula; *s.* matrícula, inscrição, lista, identificação, placa.
matricular; *v.* matricular, registrar, inscrever.
matrimonio; *s.* matrimônio, casamento, união.
matriz; *s.* matriz, madre, útero.
matrona; *s.* matrona, mulher respeitável, parteira, comadre.
matutino; *adj.* matutino, matinal.
maullar; *v.* miar.
maullido; *s.* miado.
mausoleo; *s.* mausoléu, túmulo, sepulcro, tumba.
maxilar; *s.* maxilar, mandíbula.
máxime; *adv.* principalmente.
máximo; *adj.* máximo, maior, melhor, superior.
maya; *adj.* maia.
mayar; *v.* miar, dar mios.
mayo; *s.* maio.
mayonesa; *s.* maionese.
mayor; *adj.* maior, superior em qualidade, tamanho e número, pessoa adulta, avós antepassados.
mayoral; *s.* maioral, capataz.
mayordomo; *s.* mordomo, administrador.
mayoría; *s.* maioria, maior parte, maioridade.
mayoridad; *s.* maioridade.
mayorista; *s.* atacadista.
mayúsculo; *adj.* maiúsculo.
maza; *s.* maça, arma antiga, bate-estaca.
mazapán; *s.* maçapão, marzipã.
mazmorra; *s.* masmorra, prisão subterrânea.
mazo; *s.* maço, martelo de madeira, marreta.
mazo; *s.* maço, molho de coisas, feixe.
mazorca; *s.* maçaroca, espiga de milho, baga do cacau.
me; *pron.* me, mim.
meada; *s.* mijada.
meado; *adj.* mijado.
meandro; *s.* meandro, sinuosidade de um caminho ou rio.
mear; *v.* mijar, urinar.
mecánica; *s.* mecânica, parte da física que trata do movimento e das forças e seus efeitos.
mecánico; *adj.* mecânico.
mecanismo; *s.* mecanismo.
mecanizar; *v.* mecanizar, automatizar.
mecanografía; *s.* mecanografia, datilografia.
mecanografiar; *v.* datilografar.
mecanógrafo; *adj.* datilógrafo.
mecedora; *s.* cadeira de balanço.
mecenas; *s.* mecenas, protetor, patrocinador.
mecer; *v.* mexer, mover, agitar, balançar.
mecha; *s.* mecha, pavio.
mechero; *s.* isqueiro, acendedor de bolso.
mechón; *s.* mecha, tufo de lã, fios de lã, mecha de cabelos.
medalla; *s.* medalha.
medallón; *s.* medalhão.
media; *s.* média, metade, meia hora, meia comprida.
mediación; *s.* mediação, intervenção.
mediador; *adj.* mediador, interventor.
medianero; *adj.* medianeiro, mediador.
medianía; *s.* mediania.
mediano; *adj.* mediano, medíocre, meão, moderado.
medianoche; *s.* meia-noite.
mediante; *adj.* mediante, que medeia.
mediante; *adv.* mediante, em atenção a, por razão de.
mediar; *v.* mediar, intermediar.
mediato; *adj.* imediato, próximo.
medicación; *s.* medicação.
medicamento; *s.* medicamento, remédio.
medicar; *v.* medicar.

medicina; *s.* medicina.
medicinal; *adj.* medicinal.
medición; *s.* medição, medida.
médico; *s.* médico.
medida; *s.* medida.
medieval; *adj.* medieval.
medio; *adj.* médio, metade.
mediocre; *adj.* medíocre.
mediocridad; *s.* mediocridade.
mediodía; *s.* meio-dia.
medir; *v.* medir, avaliar, regular.
meditabundo; *adj.* meditabundo, que medita em silêncio, meditativo.
meditación; *s.* meditação, reflexão.
meditar; *v.* meditar, refletir.
mediterráneo; *adj.* mediterrâneo.
médium; *s.* médium.
medrar; *v.* medrar, crescer plantas e animais.
medroso; *adj.* medroso, receoso.
médula; *s.* medula.
medusa; *s.* medusa.
megalito; *s.* megálito.
megalomanía; *s.* megalomania, mania de grandezas.
mejicano; *adj.* mexicano.
mejilla; *s.* bochecha, maçã do rosto.
mejillón; *s.* mexilhão.
mejor; *adj.* melhor, de superior qualidade.
mejora; *s.* melhora, melhoramento, melhoria.
mejorana; *s.* manjerona, planta medicinal.
mejorar; *v.* melhorar, acrescentar.
mejoría; *s.* melhoria, melhora, alívio.
mejunje; *s.* cosmético ou medicamento feitos de várias misturas.
melado; *s.* melado, da cor do mel, xarope da cana-de-açúcar.
melancolía; *s.* melancolia, tristeza, nostalgia.
melar; *v.* melar, melificar, fazer mel.
melaza; *s.* melaço.
melena; *s.* melena, cabelo comprido, juba.
melifluo; *adj.* melífluo, suave, de voz doce, que corre como o mel.
melindre; *s.* melindre, doce feito com farinha, ovos e açúcar.
melindre; *s.* melindres, modos afetados no trato, trejeitos.
melindroso; *adj.* melindroso, dengoso, afetado.
melisa; *s.* melissa, erva-cidreira.
mella; *s.* boca, falha, mossa no fio ou no gume de uma ferramenta.
mellizo; *adj.* gêmeo.
melocotón; *s.* pêssego.
melodía; *s.* melodia, composição musical agradável.
melódico; *adj.* melódico, melodioso.
melodioso; *adj.* melodioso, suave, agradável ao ouvido.
melodrama; *s.* melodrama, dramalhão.
melómano; *adj.* melomaníaco, melômano.
melón; *s.* melão.
meloso; *adj.* meloso, melado, adocicado.
membrana; *s.* membrana, pele fina.
membranoso; *adj.* membranoso, composto de membranas.
membrete; *s.* lembrete, anotação.
membrillo; *s.* marmelo, marmelada.
memo; *adj.* parvo, estúpido, tonto, bobo, mentecapto.
memorable; *adj.* memorável, inesquecível.
memorándum; *s.* memorando.
memoria; *s.* memória, lembrança, recordação.
memorial; *s.* memorial.
memorización; *s.* memorização, recordação.
menaje; *s.* utensílios e objetos de uma casa, material pedagógico de uma escola.
mención; *s.* menção, referência.
mencionar; *v.* mencionar, aludir, indicar.

mendicante; *adj.* mendicante, pedinte, mendigo.
mendigar; *v.* mendigar, pedir esmola.
mendigo; *s.* mendigo, pedinte.
mendrugo; *s.* mendrugo, pedaço de pão duro, restos de pão que se da aos mendigos.
menear; *v.* menear, mover de um lado para outro.
meneo; *s.* meneio.
menester; *s.* mister, falta, necessidade.
menestra; *s.* minestra, guiso de legumes com carne.
mengano; *s.* beltrano.
mengua; *s.* míngua, escassez, pobreza.
menguado; *adj.* minguado.
menguante; *adj.* minguante, lua minguante.
menguar; *v.* minguar, diminuir.
menhir; *s.* menir, monumento megalítico.
meninge; *s.* meninge.
meningitis; *s.* meningite.
menisco; *s.* menisco.
menopausia; *s.* menopausa.
menor; *adj.* menor, em tamanho e número, mínimo, mais novo em idade.
menos; *adv.* menos, exceto, salvo.
menoscabar; *v.* menosprezar, diminuir.
menoscabo; *s.* menoscabo, desprezo, desdém, detrimento.
menospreciable; *adj.* desprezível.
menospreciar; *v.* menosprezar, desprezar.
menosprecio; *s.* menosprezo, desprezo, desdém.
mensaje; *s.* mensagem, recado, notícia.
mensajero; *s.* mensageiro.
menstruación; *s.* menstruação.
menstruar; *v.* menstruar.
mensual; *adj.* mensal.
mensualidad; *s.* mensalidade, mesada, salário mensal.
mensurable; *adj.* mensurável.
menta; *s.* menta, hortelã-pimenta.
mental; *adj.* mental.
mentalidad; *s.* mentalidade.
mentar; *v.* memorar, lembrar.
mente; *s.* mente, inteligência, entendimento.
mentecato; *adj.* mentecapto.
mentir; *v.* mentir, enganar.
mentira; *s.* mentira, engano.
mentiroso; *adj.* mentiroso.
mentón; *s.* queixo, maxilar.
mentor; *s.* mentor, guia, conselheiro.
menú; *s.* menu, cardápio.
menudear; *v.* amiudar, repetir.
menudencia; *s.* minúcia, pequenez, minudência, bagatela, ninharia.
menudo; *adj.* miúdo, delgado, pequeno.
meñique; *s.* dedo mindinho.
meollo; *s.* miolo.
mequetrefe; *s.* mequetrefe, homem metido.
mercader; *s.* mercador, comerciante, negociante.
mercadería; *s.* mercadoria.
mercado; *s.* mercado.
mercancía; *s.* mercadoria, mercancia.
mercantil; *adj.* mercantil.
merced; *s.* mercê, graça, favor, perdão.
mercenario; *adj.* mercenário.
mercería; *s.* loja de miudezas, armarinho.
mercurio; *s.* mercúrio, substância e astro.
merecedor; *adj.* merecedor.
merecer; *v.* merecer.
merecido; *adj.* merecido, devido.
merecimiento; *s.* merecimento, mérito.
merendar; *v.* merendar, lanchar.
merendero; *s.* lugar onde se merenda.
merengue; *s.* merengue, doce.
meretriz; *s.* meretriz, prostituta.
meridiano; *adj.* meridiano.

meridional; *adj.* meridional, austral.
merienda; *s.* merenda, lanche da tarde, piquenique.
merino; *adj.* merino, raça de carneiros com lã muito fina.
mérito; *s.* mérito, merecimento, valor.
meritorio; *adj.* meritório, louvável.
merluza; *s.* merluza, pescada.
merma; *s.* diminuição, quebra, consumo.
mermar; *v.* diminuir, minguar.
mermelada; *s.* marmelada, doce de marmelo, doce de fruta cozida.
mero; *adj.* mero, puro, simples.
merodear; *v.* vaguear, andar pelo campo, vagabundear.
mes; *s.* mês, mensalidade, menstruação.
mesa; *s.* mesa.
mesar; *v.* arrepiar, arrancar os cabelos e a barba com as mãos.
meseta; *s.* patamar, meseta, pequeno planalto.
mesiánico; *adj.* messiânico.
mesnada; *s.* mesnada, gente de guerra assoldadada.
mesón; *s.* estalagem, hospedaria, pousada.
mestizaje; *s.* mestiçagem.
mestizo; *adj.* mestiço.
mesura; *s.* mesura, gravidade e compostura.
meta; *s.* meta, limite, termo.
metabolismo; *s.* metabolismo.
metafísica; *s.* metafísica.
metáfora; *s.* metáfora, alegoria.
metal; *s.* metal.
metálico; *adj.* metálico.
metalurgia; *s.* metalurgia.
metalúrgico; *adj.* metalúrgico.
metamorfosis; *s.* metamorfose.
metano; *s.* metano, gás metano.
meteorito; *s.* meteorito, aerólito.
meteoro; *s.* meteoro.
meteorología; *s.* meteorologia.
meteorológico; *adj.* meteorológico.
meter; *v.* meter, pôr, introduzir, colocar.
meticuloso; *adj.* meticuloso, minucioso.
metido; *adj.* metido, intrometido.
metódico; *adj.* metódico.
método; *s.* método, ordem, processo.
metodología; *s.* metodologia.
metraje; *s.* metragem.
metralla; *s.* metralha, estilhaço de bala.
metralleta; *s.* metralhadora.
métrico; *adj.* métrico, métrica.
metro; *s.* metro.
metrópoli; *s.* metrópole.
metropolitano; *adj.* metropolitano.
mezcla; *s.* mescla, mistura.
mezclar; *v.* mesclar, misturar.
mezquindad; *s.* mesquinharia.
mezquino; *adj.* mesquinho.
mezquita; *s.* mesquita.
mí; *pron.* mim.
mi; *s.* mi, terceira nota musical.
miasma; *s.* miasma, emanação de mau cheiro.
micción; *s.* micção, urina.
mico; *s.* mico.
microbiano; *adj.* microbiano.
microbio; *s.* micróbio.
microbiología; *s.* microbiologia.
microfilme; *s.* microfilme.
micrófono; *s.* microfone.
microorganismo; *s.* microrganismo.
microscópico; *adj.* microscópico.
microscopio; *s.* microscópio.
miedo; *s.* medo, terror, receio, temor.
miedoso; *adj.* medroso.
miel; *s.* mel.
miembro; *s.* membro.
miente; *s.* mente, pensamento.
mientras; *adv.* enquanto, entretanto, durante.
miércoles; *s.* quarta-feira, quarto dia da semana.
mierda; *s.* merda, excremento, fezes, bosta.
mies; *s.* messes, cereal maduro.
miga; *s.* miolo de pão, migalha.

migaja; *s.* migalha, fragmento, restos, sobejos, sobras que outros aproveitam.
migar; *v.* esfarelar, esmigalhar o pão.
migración; *s.* migração.
migraña; *s.* dor de cabeça.
migratorio; *adj.* migratório.
mijo; *s.* espécie de milho originário da India.
mil; *adj.* mil, dez vezes cem.
milagro; *s.* milagre.
milenario; *adj.* milenário.
milenio; *s.* milênio.
milésimo; *adj.* milésimo.
milicia; *s.* milícia.
miliciano; *adj.* miliciano.
miligramo; *s.* miligrama.
milímetro; *s.* milímetro.
militante; *adj.* militante.
militar; *adj.* militar.
militar; *v.* militar, combater.
milla; *s.* milha.
millar; *s.* milhar.
millón; *s.* milhão, mil milhares.
millonario; *adj.* milionário, muito rico.
mimar; *v.* mimar, amimar, afagar, acariciar.
mimbre; *s.* vime.
mimbrera; *s.* vimeiro, vime arbusto.
mimetismo; *s.* mimetismo.
mímica; *s.* mímica, pantomima.
mimo; *s.* mimo, carinho, ternura, especialmente com as crianças.
mimoso; *adj.* mimoso, delicado, melindroso.
mina; *s.* mina, de onde se extrai minerais, nascente de água.
minar; *v.* minar, abrir caminhos ou galerias por debaixo da terra.
mineral; *s.* mineral.
mineralogía; *s.* mineralogia.
minería; *s.* mineração, exploração de minérios.
minero; *adj.* mineiro.
miniatura; *s.* miniatura.
minifalda; *s.* minissaia.
minifundio; *s.* minifúndio.
minimizar; *v.* minimizar.
mínimo; *adj.* mínimo, o menor.
ministerial; *adj.* ministerial.
ministerio; *s.* ministério, cargo, organismo do governo.
ministro; *s.* ministro.
minorar; *v.* minorar, diminuir, tornar menor.
minoría; *s.* minoria, inferioridade em número.
minoridad; *s.* menoridade, estado de uma pessoa menor.
minoritario; *adj.* minoritário.
minucia; *s.* minúcia, ninharia, miuçalha.
minucioso; *adj.* minucioso.
minúsculo; *adj.* minúsculo, miúdo.
minusválido; *adj.* deficiente, inválido.
minuta; *s.* minuta, rascunho, apontamento.
minuto; *s.* minuto.
mío, mía, míos, mías; *pron.* meu, minha, meus, minhas.
miocardio; *s.* miocárdio.
miope; *adj.* míope.
miopía; *s.* miopia.
mira; *s.* mira.
mirada; *s.* mirada, ato de mirar, olhadela.
mirador; *s.* mirante, varanda envidraçada.
miramiento; *s.* miramento, olhada.
mirar; *v.* mirar, olhar.
miríada; *s.* miríada, grande quantidade indeterminada.
mirilla; *s.* vigia, abertura na porta para olhar.
mirlo; *s.* melro.
mirón; *adj.* mirão, que olha muito com curiosidade, curioso.
mirra; *s.* mirra.
misa; *s.* missa.
misal; *adj.* missal.
misantropía; *s.* misantropia.
misántropo; *adj.* misantropo.
miscelánea; *s.* miscelânea, mistura.
miserable; *adj.* miserável, desgraçado, infeliz.

miseria; *s.* miséria, pobreza, desgraça, infortúnio, calamidade.
misericordia; *s.* misericórdia, compaixão.
mísero; *adj.* mísero.
misil; *s.* míssil.
misión; *s.* missão, encargo.
misionero; *s.* missionário, evangelizador.
misiva; *s.* missiva, carta, mensagem.
mismo; *adj.* mesmo, semelhante, igual.
misterio; *s.* mistério, enigma.
misterioso; *adj.* misterioso.
misticismo; *s.* misticismo.
místico; *adj.* místico.
mistificación; *s.* mistificação.
mistificar; *v.* mistificar.
mitad; *s.* metade, meio.
mítico; *adj.* mítico.
mitigar; *v.* mitigar, moderar.
mitin; *s.* comício, reunião pública onde se discutem assuntos políticos ou sociais.
mito; *s.* mito.
mitología; *s.* mitologia.
mitológico; *adj.* mitológico.
mitomanía; *s.* mitomania.
mitra; *s.* mitra, ornamento que usam os arcebispos e bispos.
mixto; *adj.* misto, misturado, composto.
mixtura; *s.* mistura, mescla.
mobiliario; *s.* mobiliário, mobília.
mocasín; *s.* mocassim.
mocedad; *s.* mocidade, juventude.
mochila; *s.* mochila.
mochilero; *s.* mochileiro, que viaja com mochila.
mocho; *adj.* mocho, sem ponta.
moción; *s.* moção.
moco; *s.* muco, ranho que sai do nariz.
mocoso; *adj.* mucoso, ranhoso, ranhento.
moda; *s.* moda, maneira de vestir, uso, costume, voga.
modales; *s.* modo, maneira de ser.
modalidad; *s.* modalidade, modo de ser.
modelado; *s.* modelado, moldado.
modelar; *v.* modelar, moldar, contornar.
modelo; *s.* modelo, exemplo, imagem, molde, norma, regra representação, manequim.
moderación; *s.* moderação.
moderado; *adj.* moderado, comedido.
moderar; *v.* moderar, regular, regrar.
modernismo; *s.* modernismo.
modernista; *adj.* modernista.
modernizar; *v.* modernizar, atualizar.
moderno; *adj.* moderno, recente, atual.
modestia; *s.* modéstia, humildade, simplicidade.
modesto; *adj.* modesto, humilde, simples.
módico; *adj.* módico, moderado.
modificar; *v.* modificar, alterar.
modismo; *s.* modismo, modo de falar próprio de uma língua.
modista; *s.* modista, costureira.
modo; *s.* modo, maneira de ser, método.
modorra; *s.* modorra, sono muito pesado, sonolência, apatia, indolência.
modoso; *adj.* moderado, de boas maneiras, cortês, respeitoso.
modular; *v.* modular, passar de um tom a outro.
módulo; *s.* módulo, medida, padrão.
mofa; *s.* mofa, zombaria, escárnio, gozação.
mofar; *v.* mofar, zombar, escarnecer.
moflete; *s.* bochecha grande e carnuda.
mogollón; *s.* intrometido.
mogollón; *s.* grande quantidade, montão.

mohín; *s.* gesto, trejeito, esgar, careta.
mohíno; *adj.* mofino, triste, desgostoso.
moho; *s.* mofo, bolor, ferrugem, azinhavre.
mohoso; *adj.* bolorento, mofado, mofento.
mojadura; *s.* molhadela, molhadura, molhadinha.
mojama; *s.* moxama, atum seco e salgado.
mojar; *v.* molhar, humedecer.
moje; *s.* molho, tempero.
mojigato; *adj.* hipócrita, fingido, dissimulado, falso beato.
mojón; *s.* baliza, marco divisório.
molde; *s.* molde, matriz, modelo, forma.
moldeable; *adj.* amoldável, flexível, maleável.
moldear; *v.* moldar.
moldura; *s.* moldura, caixilho.
mole; *s.* mole, volume enorme.
molécula; *s.* molécula.
molecular; *adj.* molecular.
moler; *v.* moer, triturar, espremer, reduzir a pó.
molestar; *v.* molestar, incomodar, enfadar.
molestia; *s.* moléstia, incômodo, fadiga.
molicie; *s.* moleza, brandura.
molienda; *s.* moenda, moinho.
molinero; *adj.* moleiro.
molinete; *s.* molinete, cata-vento.
molino; *s.* moinho.
molleja; *s.* moela.
mollera; *s.* moleira, parte superior do crânio, fontanela.
mollete; *s.* molete, pãozinho de trigo.
molusco; *s.* molusco.
momentáneo; *adj.* momentâneo, instantâneo.
momento; *s.* momento, instante.
momia; *s.* múmia.
momificar; *v.* mumificar, embalsamar.
monacal; *adj.* monacal, monástico.
monacato; *s.* monacato.
monada; *s.* macacada, macaquice.
monaguillo; *s.* coroinha.
monarca; *s.* monarca, rei.
monarquía; *s.* monarquia.
monárquico; *adj.* monárquico.
monasterio; *s.* mosteiro, convento.
monda; *s.* monda, exumação de ossadas.
mondadientes; *s.* palito para limpar os dentes.
mondar; *v.* mondar, limpar, purificar, expurgar, limpar o leito de um rio, podar, descascar frutas, cortar o cabelo.
mondo; *adj.* limpo, mundo, purificado, livre de coisas postiças, misturadas ou supérfluas.
mondongo; *s.* mondongo, intestinos miúdos de certos animais.
moneda; *s.* moeda.
monedero; *s.* moedeiro, carteira para levar moedas.
monería; *s.* macaquice.
monetario; *adj.* monetário.
monigote; *s.* frade leigo.
monitor; *s.* monitor.
monja; *s.* monja, freira.
monje; *s.* monge, frade, frei.
mono; *adj.* bonito, polido, gracioso, delicado.
mono; *s.* mono, macaco.
monobloque; *s.* monobloco.
monocorde; *s.* monocórdio, de uma corda só.
monocromo; *adj.* monocromo, que tem uma só cor.
monóculo; *s.* monóculo.
monocultivo; *s.* monocultura.
monogamia; *s.* monogamia.
monógamo; *adj.* monógamo, casado com uma só mulher.
monografía; *s.* monografia.
monográfico; *adj.* monográfico.
monograma; *s.* monograma.
monolítico; *adj.* monolítico, feito de uma só peça.

monólogo; *s.* monólogo, solilóquio.
monomanía; *s.* monomania, idéia fixa.
monomio; *s.* monómio, expressão algébrica.
monopétalo; *s.* monopétalo, que tem uma só pétala.
monopolio; *s.* monopólio, exclusividade.
monopolizar; *v.* monopolizar, açambarcar.
monosílabo; *adj.* monossílabo.
monoteísmo; *s.* monoteísmo.
monotonía; *s.* monotonia.
monótono; *adj.* monótono.
monserga; *s.* algaravia, linguagem confusa, embrulhada.
monstruo; *s.* monstro.
monstruosidad; *s.* monstruosidade.
monstruoso; *adj.* monstruoso, disforme, execrável.
monta; *s.* montante, total, importância, valor.
montacargas; *s.* elevador de carga.
montaje; *s.* montagem.
montante; *s.* montante, pé direito, janela sobre uma porta, mar
montante; *s.* maré, enchente.
montaña; *s.* montanha.
montañés; *adj.* montanhês.
montañismo; *s.* montanhismo, alpinismo.
montañoso; *adj.* montanhoso.
montar; *v.* montar, subir em alguma coisa, armar, preparar.
montaraz; *adj.* montaraz, montês, montesino.
monte; *s.* monte.
montera; *s.* monteira, carapuça.
montería; *s.* montaria de caça grossa.
montés; *adj.* montês.
montón; *s.* montão, acumulação desordenada.
montuoso; *adj.* montanhoso.
montura; *s.* montada, cavalgadura, arreios.
monumental; *adj.* monumental, grandioso.
monumento; *s.* monumento, estátua, obra arquitetônica.
monzón; *s.* monção, vento periódico no oceano indico.
moño; *s.* monho, rolo de cabelo natural, topete, laço de fitas.
moquear; *v.* segregar muco ou ranho.
moquero; *s.* lenço para assoar o nariz.
moqueta; *s.* carpete.
mora; *s.* amora.
morada; *s.* morada, habitação, residência.
morado; *adj.* morado, da cor da amora, arroxeado.
moral; *adj.* moral.
moraleja; *s.* moral, lição, moralidade de uma fábula, moral da história.
moralidad; *s.* moralidade, moral.
moralista; *s.* moralista, puritano.
moralizar; *v.* moralizar, reformar os maus costumes.
morar; *v.* morar, habitar, residir.
morbidez; *s.* morbidez, morbideza, suave.
mórbido; *adj.* mórbido, enfermiço, doentio.
morbo; *s.* morbo, doença.
morboso; *adj.* morboso, que causa doença.
morcilla; *s.* morcela, espécie de chouriço.
mordacidad; *s.* mordacidade.
mordaz; *adj.* mordaz, irônico, que corrói, áspero, picante ao falar.
mordaza; *s.* mordaça.
mordedura; *s.* mordida.
morder; *v.* morder, dar dentadas.
mordisco; *s.* dentada, mordida leve, picada.
mordisquear; *v.* morder levemente, mordiscar.
moreno; *adj.* moreno, trigueiro.
morfina; *s.* morfina.
morfinómano; *adj.* morfinomaníaco.
morfología; *s.* morfologia.

moribundo; *adj.* moribundo.
morir; *v.* morrer, falecer.
moro; *adj.* mouro, muçulmano.
morondo; *adj.* pelado, sem pêlo ou sem folhas.
moroso; *adj.* moroso, lento, vagaroso.
morral; *s.* embornal, mochila para provisões.
morrillo; *s.* cachaço das reses, cascalho.
morriña; *s.* tristeza, melancolia.
morro; *s.* morro, monte, rochedo.
morsa; *s.* morsa, leão marinho.
mortadela; *s.* mortadela.
mortaja; *s.* mortalha.
mortal; *adj.* mortal, fatal, perigoso.
mortalidad; *s.* mortalidade.
mortandad; *s.* mortandade.
mortecino; *adj.* mortiço, apagado.
mortero; *s.* morteiro, concreto para construção.
mortífero; *adj.* mortífero.
mortificar; *v.* mortificar, castigar.
mortuorio; *adj.* mortuário.
mosaico; *s.* mosaico, pavimento feito de ladrilho colorido.
mosca; *s.* mosca.
moscatel; *adj.* moscatel, uva e vinho.
moscovita; *adj.* moscovita.
mosquiter; *s.* mosquiteiro, cortinado.
mosquito; *s.* mosquito.
mostaza; *s.* mostarda.
mosto; *s.* mosto, sumo das uvas sem fermentar.
mostrador; *s.* mesa, prateleira.
mostrar; *v.* mostrar, expor, exibir.
mostrenco; *adj.* bens sem dono conhecido.
mote; *s.* mote, apelido.
motejar; *v.* apelidar, satirizar, escarnecer.
motel; *s.* motel.
motín; *s.* motim, tumulto, arruaça.
motivar; *v.* motivar, originar, causar, ocasionar.
motivo; *s.* motivo, origem, causa, que determina.
motocicleta; *s.* motocicleta, moto.
motor; *adj.* motor.
motorizar; *v.* motorizar, mecanizar.
motriz; *adj.* motriz, motora.
movedizo; *adj.* movediço.
mover; *v.* mover, movimentar, agitar, mexer.
movible; *adj.* móvel, movível.
móvil; *adj.* móvel, movediço.
movilizar; *v.* mobilizar.
movimiento; *s.* movimento.
mozo; *adj.* moço, jovem.
mozo; *s.* moço, garçom, servente.
muchacho; *s.* rapaz, moço ou moça que servem como criados.
muchedumbre; *s.* multidão.
mucho; *adj.* muito, numeroso, abundante.
mucosidad; *s.* mucosidade.
mucoso; *adj.* mucoso.
muda; *s.* muda, mudança.
mudar; *v.* mudar, deslocar, transferir, renovar, variar, converter.
mudez; *s.* mudez, mutismo.
mudo; *adj.* mudo, calado, silencioso.
mueble; *s.* móvel, mobília.
mueca; *s.* trejeito.
muela; *s.* mó, pedra do moinho, dente molar.
muelle; *adj.* mole, brando delicado, suave.
muelle; *s.* mola.
muerte; *s.* morte, falecimento.
muerto; *adj.* morto, falecido, extinto.
muesca; *s.* entalhe, encaixe.
muestra; *s.* amostra, modelo, exemplar.
muestrario; *s.* mostruário.
muestreo; *s.* amostragem.
mugido; *s.* mugido.
mugir; *v.* mugir.
mugre; *s.* imundície, sujeira, porcaria.

mugriento; *adj.* sujo, ensebado, engordurado.
mujer; *s.* mulher, senhora, esposa, cônjuge.
mujeriego; *adj.* mulherengo.
muladar; *s.* muladar, monturo, esterqueira.
mulato; *adj.* mulato, moreno.
muleta; *s.* muleta.
mullir; *v.* afofar, tornar fofo, abrandar, moer.
mulo; *s.* mulo.
multa; *s.* multa.
multar; *v.* multar.
multicolor; *adj.* multicolor, colorido.
multicopista; *s.* máquina para tirar cópias.
multiforme; *adj.* multiforme.
multinacional; *adj.* multinacional.
múltiple; *adj.* múltiplo, complexo, variado.
multiplicación; *s.* multiplicação.
multiplicador; *s.* multiplicador.
multiplicar; *v.* multiplicar.
multiplicidad; *s.* multiplicidade.
múltiplo; *adj.* múltiplo.
multitud; *s.* multidão.
mundano; *adj.* mundano.
mundial; *adj.* mundial.
mundo; *s.* mundo, conjunto de tudo o que existe, globo terrestre.
munición; *s.* munição.
municipal; *adj.* municipal.
municipalidad; *s.* municipalidade, câmara municipal, município.
municipio; *s.* município.
muñeca; *s.* pulso, munheca, boneca.
muñeco; *s.* boneco.
muñón; *s.* coto, resto de um membro amputado em parte.
mural; *s.* mural.
muralla; *s.* muralha, muro que protege uma fortaleza.
murciélago; *s.* morcego.
murga; *s.* banda de músicos ordinários.
murmullo; *s.* murmúrio, sussurro de vozes.
murmuración; *s.* murmuração, detração, maledicência.
murmurar; *v.* murmurar, sussurrar.
muro; *s.* muro, parede.
musa; *s.* musa.
muscular; *adj.* muscular.
musculatura; *s.* musculatura.
músculo; *s.* músculo.
musculoso; *adj.* musculoso, robusto, forte.
muselina; *s.* musselina.
museo; *s.* museu.
musgo; *s.* musgo, limo.
música; *s.* música.
musical; *adj.* musical.
musitar; *v.* mussitar, falar em voz baixa.
muslo; *s.* coxa.
mustio; *adj.* melancólico, triste, lânguido, murcho.
musulmán; *adj.* muçulmano.
mutable; *adj.* mutável.
mutación; *s.* mutação, mudança.
mutilación; *s.* mutilação.
mutilar; *v.* mutilar, cortar uma parte do corpo.
mutismo; *s.* mutismo, mudez.
mutualidad; *s.* mutualidade.
mutuamente; *adv.* mutuamente, de modo mútuo.
mutuo; *adj.* mútuo.
muy; *adv.* muito.
muzárabe; *adj.* moçárabe.

N

n; *s.* décima sexta letra do alfabeto espanhol.
nabo; *s.* nabo.
nácar; *s.* nácar, madrepérola.
nacarado; *adj.* nacarado, nacarino.
nacer; *v.* nascer, sair do ventre materno ou do ovo, brotar, principiar.
nacido; *adj.* nascido.
naciente; *adj.* nascente.
naciente; *s.* nascente, oriente, este, leste.
nacimiento; *s.* nascimento.
nación; *s.* nação.
nacional; *adj.* nacional.
nacionalidad; *s.* nacionalidade.
nacionalismo; *s.* nacionalismo.
nacionalizar; *v.* nacionalizar.
nada; *s.* nada, a não existência, coisa nula.
nada; *pron.* nada, coisa nenhuma, não.
nadar; *v.* nadar, flutuar.
nadería; *s.* ninharia, coisa de pouca importância, bagatela.
nadie; *pron.* ninguém.
nafta; *s.* nafta, gasolina.
naftalina; *s.* naftalina.
nailon; *s.* náilon.
naipe; *s.* carta de baralho.
nalga; *s.* nádega.
nana; *s.* nana, canção de embalar, acalanto.
nao; *s.* nau, nave, navio.
napa; *s.* napa, pele de cabra curtida.
napalm; *s.* napalm.
naranja; *s.* laranja.
naranja; *adj.* alaranjado.
naranjado; *adj.* alaranjado.
naranjada; *s.* laranjada, sumo de laranja.
narcisismo; *s.* narcisismo.
narcótico; *adj.* narcótico.
narcotizar; *v.* narcotizar, entorpecer, anestesiar.
nardo; *s.* nardo, lírio.
nariz; *s.* nariz, narina.
narración; *s.* narração, narrativa.
narrar; *v.* narrar, contar, referir.
narrativo; *adj.* narrativo.
nasa; *s.* nassa, cesto de pescar, samburá.
nasal; *adj.* nasal.
nasalización; *s.* nasalização.
nata; *s.* nata, creme, creme chantilli, creme batido com açúcar.
natación; *s.* natação.
natal; *adj.* natal, referente ao nascimento.
natalicio; *adj.* natalício.
natalicio; *s.* aniversário.
natalidad; *s.* natalidade.
natividad; *s.* nascimento.
nativo; *adj.* nativo, natural.
natural; *adj.* natural, pertencente à natureza.
naturaleza; *s.* natureza.

naturalidad; *s.* naturalidade, normalidade.
naturalismo; *s.* naturalismo.
naturalizar; *v.* naturalizar, nacionalizar.
naufragar; *v.* naufragar, soçobrar, ir a pique.
naufragio; *s.* naufrágio.
náufrago; *adj.* náufrago.
náusea; *s.* náusea, enjôo, ânsia.
nauseabundo; *adj.* nauseabundo, nauseante, nojento, repugnante, nauseoso.
náutico; *adj.* náutico.
navaja; *s.* navalha.
navajada; *s.* navalhada.
naval; *adj.* naval.
nave; *s.* nave, navio, nau.
navegable; *adj.* navegável.
navegante; *adj.* navegante, navegador.
navegar; *v.* navegar.
navidad; *s.* natal, dia de Natal.
naviero; *s.* barqueiro, armador.
naviero; *adj.* naval.
navío; *s.* navio.
nazi; *adj.* nazista.
nazismo; *s.* nazismo.
neblina; *s.* neblina, nevoeiro, cerração.
nebulosa; *s.* nebulosa.
necedad; *s.* necedade, qualidade de néscio.
necesario; *adj.* necessário.
necesidad; *s.* necessidade.
necesitar; *v.* necessitar, precisar, carecer.
necio; *adj.* néscio, ignorante, imprudente, estúpido.
necrofilia; *s.* necrofilia.
necrología; *s.* necrologia.
necrópolis; *s.* necrópole, cemitério.
necropsia; *s.* necrópsia, autópsia.
necrosis; *s.* necrose, gangrena.
néctar; *s.* néctar, bebida dos deuses.
nefando; *adj.* nefando, execrável, abominável.
nefasto; *adj.* nefasto, funesto.
nefrítico; *adj.* nefrítico.
negación; *s.* negação.
negado; *adj.* negado.
negar; *v.* negar, recusar.
negativo; *adj.* negativo.
negligencia; *s.* negligência, preguiça, abandono, desmazelo.
negociar; *v.* negociar, comerciar.
negocio; *s.* negócio, transação comercial.
negro; *adj.* negro, preto, cor escura.
negrura; *s.* negrura, negror, negridão.
nene; *s.* nenê, bebê, criança, criancinha.
nenúfar; *s.* nenúfar.
neoclasicismo; *s.* neoclassicismo.
neófito; *adj.* neófito.
neolatino; *adj.* neolatino.
neolítico; *adj.* neolítico.
neologismo; *s.* neologismo.
neón; *s.* néon.
neonato; *s.* recém-nascido.
nepotismo; *s.* nepotismo, favoritismo.
nervio; *s.* nervo.
nerviosismo; *s.* nervosismo.
nervioso; *adj.* nervoso.
neto; *adj.* neto, limpo, nítido.
neumático; *adj.* pneumático, pneu.
neumonía; *s.* pneumonia.
neuralgia; *s.* nevralgia.
neurálgico; *adj.* nevrálgico.
neurastenia; *s.* neurastenia, nervosismo.
neurología; *s.* neurologia.
neurólogo; *s.* neurologista.
neurona; *s.* neurônio; célula nervosa.
neurosis; *s.* neurose.
neurótico; *adj.* neurótico.
neutral; *adj.* neutro, imparcial.
neutralidad; *s.* neutralidade, imparcialidade.
neutralizar; *v.* neutralizar.
neutro; *adj.* neutro.
neutrón; *s.* nêutron.
nevada; *s.* nevada.

nevado; *adj.* nevado, coberto de neve.
nevar; *v.* nevar, cair neve.
nevera; *s.* geleira, geladeira, frigorífico.
neviscar; *v.* neviscar, cair neve em pouca quantidade.
nexo; *s.* nexo, ligação, vínculo, conexão, elo.
ni; *conj.* nem, também não, até não.
nicaragüense; *adj.* nicaraguense.
nicho; *s.* nicho, vão, cavidade na parede para colocar alguma coisa.
nicotina; *s.* nicotina.
nidada; *s.* ninhada.
nido; *s.* ninho.
niebla; *s.* névoa, nevoeiro.
nieto; *s.* neto.
nieve; *s.* neve.
nihilismo; *s.* niilismo.
nimbo; *s.* nimbo, auréola das imagens.
ninfa; *s.* ninfa.
ninfomanía; *s.* ninfomania.
ningún; *adj.* nenhum.
ninguno; *adj.* nenhum, nem um só, ninguém.
niña; *s.* menina, pupila, menina do olho.
niñada; *s.* criancice, infantilidade.
niñería; *s.* criancice, ninharia.
niñez; *s.* infância, meninice, puerícia.
niño; *s.* menino, criança.
níquel; *s.* níquel.
niquelado; *adj.* niquelado.
nirvana; *s.* nirvana.
nitidez; *s.* nitidez, clareza, limpidez.
nítido; *adj.* nítido, claro, límpido.
nitrato; *s.* nitrato.
nitrogenado; *adj.* nitrogenado.
nitrógeno; *s.* nitrogênio.
nitroglicerina; *s.* nitroglicerina, dinamite.
nivel; *s.* nível, instrumento para verificar se um plano está horizontal, prumo.
nivelar; *v.* nivelar, medir, aplainar, aprumar.
níveo; *adj.* níveo, branco, alvo como a neve.
nobiliario; *adj.* nobiliário, pertencente ou relativo a nobreza.
noble; *adj.* nobre.
nobleza; *s.* nobreza.
noche; *s.* noite.
nochebuena; *s.* véspera de natal.
noción; *s.* noção, idéia, conhecimento.
nocivo; *adj.* nocivo, prejudicial, danoso, pernicioso.
nocturno; *adj.* noturno.
nodriza; *s.* nutriz, ama de leite.
nogal; *s.* nogueira.
nómada; *adj.* nômade, vagabundo.
nombradía; *s.* renome, fama, reputação, opinião, nome.
nombramiento; *s.* nomeação.
nombrar; *v.* nomear.
nombre; *s.* nome.
nomenclatura; *s.* nomenclatura, lista, catálogo, terminologia.
nómina; *s.* nômina, lista de pessoas ou coisas, relação de funcionários.
nonagenario; *adj.* nonagenário, que tem noventa anos de idade.
nonato; *adj.* nonato, quem nasceu por cesariana.
nono; *adj.* nono.
nordeste; *s.* nordeste.
nórdico; *adj.* nórdico.
norma; *s.* norma, regra, princípio.
normal; *adj.* normal, regular, ordinário.
normalizar; *v.* normalizar, regularizar.
noroeste; *s.* noroeste.
norte; *s.* norte.
nos; *pron.* nos, nós.
nosotros; *pron.* nós.
nostalgia; *s.* nostalgia, tristeza, saudade.
nostálgico; *adj.* nostálgico, saudoso, triste, melancólico.
nota; *s.* nota, marca, sinal, anotação, apontamento.
notable; *adj.* notável.

notar; *v.* notar, perceber, observar, reparar.
notaría; *s.* cartório.
notario; *s.* notário, escriturário, tabelião.
noticia; *s.* notícia, informação, informe.
noticiar; *v.* noticiar, dar notícia de, comunicar.
noticiario; *s.* noticiário.
notificar; *v.* notificar, intimar, avisar, informar.
notorio; *adj.* notório, conhecido, público e sabido de todos.
novatada; *s.* trote, recepção aos calouros.
novato; *adj.* novato, calouro, principiante, recém-chegado.
novecientos; *adj.* novecentos, nove vezes cem.
novedad; *s.* novidade, notícia, mudança, fato recente.
novel; *adj.* novel, novo, inexperiente, principiante.
novela; *s.* novela, pequeno romance, conto, narrativa.
novelar; *v.* compor ou escrever novelas.
novelista; *s.* novelista, autor de novelas.
novena; *s.* novena, rezas durante nove dias.
noveno; *adj.* nono.
noventa; *adj.* noventa.
noviazgo; *s.* noivado.
noviciado; *s.* noviciado.
noviembre; *s.* novembro.
novillo; *s.* novilho, bezerro.
novio; *s.* noivo.
nubarrón; *s.* nuvem grande e densa, separada das outras.
nube; *s.* nuvem.
nublado; *adj.* nublado, que ameaça tempestade.
nublar; *v.* nublar.
nuca; *s.* nuca.
nuclear; *adj.* nuclear.
núcleo; *s.* núcleo.
nudillo; *s.* nó dos dedos, malha, ponto, nó.
nudismo; *s.* nudismo.
nudista; *s.* nudista.
nudo; *s.* nó, laço, laçada.
nuera; *s.* nora.
nuestro; *pron.* nosso.
nueva; *s.* nova, novidade, notícia.
nueve; *adj.* nove.
nuevo; *adj.* novo, recente, moderno.
nuez; *s.* noz.
nulidad; *s.* nulidade.
nulo; *adj.* nulo, sem valor, incapaz, vão, inútil.
numerar; *v.* numerar.
número; *s.* número, quantidade, algarismo, cifra.
numeroso; *adj.* numeroso, abundante, em grande quantidade.
numismática; *s.* numismática.
nunca; *adv.* nunca, jamais.
nuncio; *s.* núncio, mensageiro.
nupcias; *s.* núpcias, bodas, casamento.
nutria; *s.* lontra.
nutrición; *s.* nutrição, alimentação, sustento.
nutrido; *adj.* nutrido, alimentado.
nutrir; *v.* nutrir, alimentar.
nutritivo; *adj.* nutritivo, alimentício.

Ñ

ñ; *s.* décima sétima letra do alfabeto espanhol.
ñaco; *s.* biscoito doce de farinha de milho.
ñacurutú; *s.* espécie de coruja domesticável americana.
ñame; *s.* inhame, semelhante à batata-doce.
ñandú; *s.* nandu, ema, avestruz americana.
ñandutí; *s.* tecido finíssimo feito pela mulheres do Paraguai, muito usado na América do Sul.
ñaña; *s.* ama-seca, irmã mais velha.
ñañigo; *adj.* negros cubanos filiados numa sociedade secreta.
ñaque; *s.* montão ou conjunto de coisas inúteis e ridículas.
ñeque; *adj.* na América Latina, pessoa forte e vigorosa.
ñiquiñaque; *s.* pessoa ou coisa muito desprezível.
ñoñería; *s.* bobeira, tolice.
ñoño; *adj.* tonto, bobo.
ñu; *s.* antílope próprio da Africa do Sul.

O

o; *s.* décima oitava letra do alfabeto espanhol.
oasis; *s.* oásis.
obcecación; *s.* obsessão, teimosia.
obcecar; *v.* obcecar, cegar, deslumbrar, ofuscar, desvairar.
obedecer; *v.* obedecer, cumprir ordens, acatar.
obediencia; *s.* obediência.
obelisco; *s.* obelisco, monumento.
obertura; *s.* abertura, introdução musical.
obesidad, *s.* obesidade, gordura excessiva.
obeso; *adj.* obeso, muito gordo.
óbice; *s.* óbice, obstáculo.
obispado; *s.* bispado, diocese.
obispo; *s.* bispo.
óbito; *s.* óbito, falecimento.
objeción; *s.* objeção, contestação.
objetar; *v.* objetar, opor, contestar.
objetivo; *adj.* objetivo.
objeto; *s.* objeto.
oblea; *s.* obreia.
oblicuo; *adj.* oblíquo, inclinado, de través, de esguelha.
obligación; *s.* obrigação, dever.
obligar; *v.* obrigar, exigir, determinar.
obra; *s.* obra, ato, ação.
obrar; *v.* obrar, fazer, executar.
obrero; *s.* operário, trabalhador.
obsceno; *adj.* obsceno, indecente, indecoroso.
obscurecer; *v.* obscurecer, escurecer.
obscuridad; *adj.* escuridão.
obsequiar; *v.* obsequiar, presentear.
obsequio; *s.* obséquio, presente, dádiva.
observación; *s.* observação, atenção.
observar; *v.* observar, estudar, examinar, olhar, reparar.
observatorio; *s.* observatório.
obsesión; *s.* obsessão.
obsoleto; *adj.* obsoleto, antiquado, arcaico.
obstáculo; *s.* obstáculo, empecilho, estorvo, embaraço, impedimento.
obstante; *adj.* obstante.
obstar; *v.* obstar, impedir.
obstinación; *s.* obstinação.
obstinarse; *v.* obstinar-se, teimar, persistir.
obstruir; *v.* obstruir, impedir a passagem, tapar um conduto.
obtención; *s.* obtenção, conquista.
obtener; *v.* obter, conseguir.
obturación; *s.* obturação.
obturar; *v.* obturar, fechar, tapar, obstruir.
obtuso; *adj.* obtuso, rombo, sem ponta.
obviar; *v.* obviar, evitar, afastar.
obvio; *adj.* óbvio, evidente, patente, manifesto, claro.
oca; *s.* ganso.

ocasión; *s.* ocasião, oportunidade.
ocasional; *adj.* ocasional, inesperado, imprevisto, eventual.
ocasionar; *v.* ocasionar, causar, motivar.
ocaso; *s.* ocaso, pôr-do-sol.
occidental; *adj.* ocidental.
occidente; *s.* ocidente, oeste.
oceánico; *adj.* oceânico.
océano; *s.* oceano.
oceanografía; *s.* oceanografia.
ocho; *adj.* oito.
ocio; *s.* ócio, cessação do trabalho, inação ou total omissão da atividade.
ocioso; *adj.* ocioso.
ocluir; *v.* obstruir, fechar um conduto, fechar um orifício.
ocre; *s.* ocre.
octavilla; *s.* folha pequena de papel.
octogenario; *adj.* octogenário.
octubre; *s.* outubro.
ocular; *adj.* ocular, ótico.
oculista; *s.* oculista, oftalmologista.
ocultar; *v.* ocultar, esconder.
ocultismo; *s.* ocultismo.
oculto; *adj.* oculto, escondido, ignorado.
ocupación; *s.* ocupação, emprego.
ocupante; *adj.* ocupante.
ocupar; *v.* ocupar, preencher um lugar, desempenhar um cargo, habitar.
ocurrencia; *s.* ocorrência.
ocurrir; *v.* ocorrer, prevenir, vir à idéia, acontecer, suceder, sobrevir, aparecer, acudir, concorrer.
oda; *s.* ode.
odiar; *v.* odiar, ter ódio, detestar.
odio; *s.* ódio, antipatia, aversão, rancor.
odioso; *adj.* odioso, digno de ódio.
odisea; *s.* odisséia.
odontología; *s.* odontologia.
odontólogo; *s.* odontólogo, dentista.
odre; *s.* odre.
oeste; *s.* oeste.
ofender; *v.* ofender, fazer mal a, injuriar, lesar, melindrar.
ofensa; *s.* ofensa, agravo, afronta, injúria.
ofensivo; *adj.* ofensivo.
oferta; *s.* oferta, oferenda, dádiva, proposta.
ofertar; *v.* ofertar, oferecer.
oficial; *adj.* oficial.
oficina; *s.* oficina, escritório, laboratório.
oficinista; *s.* funcionário público, empregado de escritório.
oficio; *s.* ofício, ocupação habitual, cargo, dever.
ofidio; *s.* ofídio.
ofrecer; *v.* oferecer, ofertar, dar, presentear.
ofrecimiento; *s.* oferecimento.
ofrenda; *s.* oferenda, dádiva, oferta.
ofrendar; *v.* oferendar, ofertar, oferecer.
oftalmología; *s.* oftalmologia.
oftalmólogo; *s.* oftalmologista.
ofuscación; *s.* ofuscação, ofuscamento.
ofuscar; *v.* ofuscar, deslumbrar, turvar a vista.
oíble; *adj.* audível.
oído; *s.* ouvido, aparelho auditivo.
oír; *v.* ouvir, escutar.
ojal; *s.* casa do botão.
ojalá; *interj.* oxalá, queira Deus.
ojeada; *s.* olhada.
ojear; *v.* olhar por alto, dar uma olhada.
ojera; *s.* olheira.
ojeriza; *s.* ojeriza, antipatia, aversão, má vontade.
ojete; *s.* ilhós.
ojiva; *s.* ogiva.
ojo; *s.* olho, orgão da visão.
ola; *s.* onda, onda do mar, onda de frio, onda de calor, vaga.
olé; *interj.* olé, viva.
oleada; *s.* vaga, onda grande, vagalhão.

oleaginoso; *adj.* oleaginoso, oleoso.
óleo; *s.* óleo, azeite.
oleoducto; *s.* oleoduto.
oler; *v.* cheirar, sentir cheiro.
olfatear; *v.* farejar, cheirar com afinco.
olfativo; *adj.* olfativo.
olfato; *s.* olfato, sentido do cheiro, faro.
oligarquía; *s.* oligarquia.
oligofrenia; *s.* oligofrenia.
olimpiada; *s.* olimpíada.
olímpico; *adj.* olímpico.
olimpo; *s.* olimpo, morada dos deuses gregos.
oliva; *s.* azeitona.
olivo; *s.* oliveira.
olla; *s.* panela, caldeirada, cozido.
olmo; *s.* olmeiro, olmo, ulmo.
olor; *s.* olor, aroma, cheiro.
oloroso; *adj.* oloroso, aromático, perfumado, fragrante.
olvidar; *v.* olvidar, esquecer.
olvido; *s.* olvido, esquecimento.
ombligo; *s.* umbigo.
ombú; *s.* umbuzeiro, árvore da América Meridional.
omisión; *s.* omissão, falta.
omiso; *adj.* omisso, descuidado.
omitir; *v.* omitir, postergar, esquecer.
ómnibus; *s.* ônibus.
omnipotencia; *s.* onipotência.
omnipresencia; *s.* onipresença.
omnisciencia; *s.* onisciência.
omnívoro; *adj.* onívoro.
omóplato; *s.* omoplata.
once; *adj.* onze.
oncología; *s.* oncologia.
oncólogo; *s.* oncologista.
onda; *s.* onda, vaga.
ondear; *v.* ondear, ondular, fazer ondas.
ondulación; *s.* ondulação.
ondulado; *adj.* ondulado, frisado, crespo.
ondular; *v.* ondular, ondear, frisar, encrespar.
oneroso; *adj.* oneroso, dispendioso, pesado.
onírico; *adj.* onírico.
onomástico; *adj.* onomástico.
onomatopeya; *s.* onomatopéia.
ontología; *s.* ontologia.
onza; *s.* onça, peso equivalente a duzentos e oitenta e sete decigramas, antiga moeda de ouro.
onza; *s.* onça, mamífero felino.
opacidad; *s.* opacidade.
opaco; *adj.* opaco, fosco, turvo, sombrio, escuro.
opción; *s.* opção, escolha.
ópera; *s.* ópera.
operación; *s.* operação.
operar; *v.* operar.
operario; *s.* operário, trabalhador.
operatorio; *adj.* operatório.
opinar; *v.* opinar, entender, discorrer.
opinión; *s.* opinião, juízo, julgamento.
opio; *s.* ópio.
oponente; *adj.* oponente, opositor.
oponer; *v.* opor, contrapor, impugnar, objetar.
oportunidad; *s.* oportunidade, ensejo, ocasião própria.
oportunismo; *s.* oportunismo.
oportunista; *adj.* oportunista.
oportuno; *adj.* oportuno, conveniente, adequado, pertinente.
oposición; *s.* oposição, resistência, obstáculo.
opositor; *s.* opositor.
opresión; *s.* opressão.
oprimir; *v.* oprimir, reprimir.
oprobio; *s.* opróbrio, ignomínia, afronta.
optar; *v.* optar, escolher, preferir.
optativo; *adj.* optativo, facultativo.
óptica; *s.* óptica.
optimismo; *s.* otimismo.
óptimo; *adj.* ótimo, excelente.
opuesto; *adj.* oposto, contrário.
opugnar; *v.* opugnar.
opulencia; *s.* opulência, fausto, abundância, riqueza, magnificência.

opulento; *adj.* opulento, farto, abundante.
opúsculo; *s.* opúsculo, folheto.
oquedad; *s.* vão, vazio, espaço oco.
oración; *s.* oração.
orador; *s.* orador, pregador.
oral; *adj.* oral, verbal, vogal.
orangután; *s.* orangotango.
orar; *v.* orar, falar em público.
oratorio; *adj.* oratório, eloquente.
orbe; *s.* orbe, mundo, universo.
órbita; *s.* órbita, trajetória.
orden; *s.* ordem, regra, norma.
ordenación; *s.* ordenação.
ordenado; *adj.* ordenado, organizado, metódico.
ordenador; *s.* ordenador, arrumador, computador.
ordenamiento; *s.* ordem, coordenação, prescrição.
ordenanza; *s.* ordenança, estatuto.
ordenar; *v.* ordenar, mandar, dispor.
ordeñar; *v.* ordenhar, mungir, tirar o leite.
ordinal; *adj.* ordinal.
ordinario; *adj.* ordinário, habitual, comum, rotineiro, vulgar.
orear; *v.* arejar, refrescar.
orégano; *s.* orégano.
oreja; *s.* orelha, pavilhão do ouvido.
orfanato; *s.* orfanato.
orfandad; *s.* orfandade.
orfebrería; *s.* ourivesaria, arte do ourives.
orfeón; *s.* orfeão.
orgánico; *adj.* orgânico.
organigrama; *s.* organograma.
organismo; *s.* organismo.
organización; *s.* organização.
organizar; *v.* organizar, coordenar, arrumar, dispor, ordenar.
órgano; *s.* órgão.
orgasmo; *s.* orgasmo.
orgía; *s.* orgia, bacanal.
orgullo; *s.* orgulho, arrogância, vaidade, altivez, soberba.
orgulloso; *adj.* orgulhoso, vaidoso, arrogante.
oriental; *adj.* oriental.
orientar; *v.* orientar, dirigir, guiar.
oriente; *s.* oriente, este, leste, nascente.
orificio; *s.* orifício, buraco, abertura.
origen; *s.* origem, princípio, começo, nascimento, manancial.
original; *adj.* original.
originar; *v.* originar, causar, provocar, motivar.
originario; *adj.* originário, proveniente, oriundo, descendente.
orilla; *s.* borda, beira, orla, ourela.
orina; *s.* urina.
orinal; *s.* urinol, penico.
orinar; *v.* urinar.
oriundo; *adj.* oriundo, originário, procedente, proveniente.
orla; *s.* orla, ourela, cercadura, margem.
ornamental; *adj.* ornamental.
ornamento; *s.* ornamento, enfeite, adorno.
oro; *s.* ouro.
orografía; *s.* orografia.
orondo; *adj.* bojudo.
orquesta; *s.* orquestra.
orquestación; *s.* orquestração.
ortiga; *s.* urtiga.
ortodoxia; *s.* ortodoxia.
ortodoxo; *adj.* ortodoxo, dogmático.
ortografía; *s.* ortografia.
ortopedia; *s.* ortopedia.
ortopédico; *adj.* ortopédico.
oruga; *s.* lavra, lagarta.
orujo; *s.* bagaço, bagaço de uva, resíduo de frutas prensadas, aguardente.
orvallar; *v.* chuviscar, orvalhar.
orvallo; *s.* orvalho, chuvisco.
orza; *s.* talha, vaso de barro.
orzuelo; *s.* terçol.
os; *pron.* vós.
osadía; *s.* ousadia, atrevimento, audácia.
osado; *adj.* ousado, atrevido, decidido.
osar; *v.* ousar, atrever-se, empreender.

osario; *s.* ossário.
oscilar; *v.* oscilar, balançar.
ósculo; *s.* ósculo, beijo.
óseo; *adj.* ósseo, de osso.
osificar; *v.* ossificar.
ósmosis; *s.* osmose.
oso; *s.* urso.
ostensible; *adj.* ostensivo, manifesto, visível.
ostensivo; *adj.* ostensivo.
ostentación; *s.* ostentação, exibição, jactância, vanglória, luxo.
ostentar; *v.* ostentar, alardear, exibir.
ostra; *s.* ostra.
ostracismo; *s.* ostracismo, desterro.
otear; *v.* observar, explorar, investigar.
otero; *s.* outeiro, colina.
otomano; *adj.* otomano, turco.
otoñal; *adj.* outonal.
otoño; *s.* outono.
otorgar; *v.* outorgar, dar, conceder, doar.
otorrinolaringólogo; *s.* otorrino.
otro; *adj.* outro.
otrosí; *adv.* outrossim, também, igualmente, bem assim, do mesmo, modo.
ovación; *s.* ovação.
ovacionar; *v.* ovacionar, aplaudir.
oval; *adj.* oval.
óvalo; *s.* oval, curva geométrica.
ovario; *s.* ovário.
oveja; *s.* ovelha.
ovillo; *s.* novelo.
ovino; *adj.* ovino, gado lanar.
ovíparo; *adj.* ovíparo, animais que põem ovos.
ovulación; *s.* ovulação.
ovular; *v.* ovular.
óvulo; *s.* óvulo.
oxidable; *adj.* oxidável.
oxidar; *v.* oxidar.
oxigenación; *s.* oxigenação.
oxigenado; *adj.* oxigenado.
oxigenar; *v.* oxigenar.
oxígeno; *s.* oxigênio.
oyente; *adj.* ouvinte.
ozono; *s.* ozônio.

P

p; *s.* décima nona letra do alfabeto espanhol.
pabellón; *s.* pavilhão, tenda ou barraca, edifício isolado.
pabilo; *s.* pavio, mecha da vela.
paca; *s.* paca, mamífero roedor da América.
paca; *s.* fardo, especialmente de lã ou de algodão.
pachorra; *s.* pachorra, fleuma, indolência.
paciencia; *s.* paciência, calma.
paciente; *adj.* paciente, resignado, sofredor, tolerante, doente.
pacificar; *v.* pacificar, acalmar.
pacífico; *adj.* pacífico, calmo, tranquilo.
pacifismo; *s.* pacifismo.
pactar; *v.* pactuar, combinar, negociar.
pacto; *s.* pacto, acordo, convenção, contrato.
padecer; *v.* padecer, suportar, tolerar, sofrer.
padecimiento; *s.* padecimento, sofrimento.
padrastro; *s.* padrasto.
padre; *s.* pai.
padrinazgo; *s.* apadrinhamento,
padrino; *s.* padrinho.
padrón; *s.* padrão, recenseamento.
paella; *s.* paelha, prato de arroz, da região de Valência.
paga; *s.* paga, pagamento.
pagador; *s.* pagador, tesoureiro.
pagaduría; *s.* pagadoria.
paganismo; *s.* paganismo.
pagano; *adj.* pagão.
pagar; *v.* pagar, retribuir, remunerar.
página; *s.* página.
paginación; *s.* paginação, numeração de páginas.
paginar; *v.* paginar, enumerar as páginas.
pago; *s.* pagamento, recompensa, prêmio.
pago; *s.* extensão limitada de terras ou herdades de vinhas ou olivais.
pagoda; *s.* pagode, templo oriental.
país; *s.* país.
paisaje; *s.* paisagem.
paisajista; *s.* paisagista.
paisano; *adj.* paisano, patrício, compatrício.
paja; *s.* palha.
pajar; *s.* palheiro, palhal.
pajarera; *s.* gaiola, viveiro, passareira.
pájaro; *s.* pássaro.
paje; *s.* pajem, criado jovem.
pajilla; *s.* canudo, canudinho.
pajizo; *adj.* palhiço, cor de palha.
pala; *s.* pá, raquete, pala.
palabra; *s.* palavra, vocábulo.
palacete; *s.* palacete.
palaciego; *adj.* palaciano.
palacio; *s.* palácio, residência real.

paladar; *s.* paladar, palato, céu da boca.
paladear; *v.* saborear.
paladín; *s.* paladim, paladino.
paladino; *adj.* público, claro, evidente, notório, comum.
palafito; *s.* palafita.
palanca; *s.* alavanca.
palangana; *s.* bacia, tina.
palco; *s.* camarote de teatro, palco, frisa.
palenque; *s.* estacada, paliçada, trincheira.
paleografía; *s.* paleografia.
paleolítico; *adj.* paleolítico.
paleontología; *s.* paleontologia.
palestino; *adj.* palestino.
palestra; *s.* palestra, lugar para ginástica da antiguidade.
paleta; *s.* paleta, colher de pedreiro, pá de hélice.
paletó; *s.* paletó, sobretudo.
paleto; *adj.* homem grosseiro, aldeão.
paliar; *v.* paliar, atenuar, dissimular.
paliativo; *adj.* paliativo.
palidecer; *v.* empalidecer.
palidez; *s.* palidez.
pálido; *adj.* pálido, amarelado, descorado.
paliducho; *adj.* descorado.
palillero; *s.* paliteiro.
palillo; *s.* pauzinho, palito.
paliza; *s.* sova, surra, pancadaria.
palma; *s.* palma, folha da palmeira, tamareira, palmito, planta, palma da mão.
palmada; *s.* palmada.
palmario; *adj.* claro, patente, manifesto.
palmatoria; *s.* palmatória, castiçal com asa, espécie de castigo nas escolas.
palmear; *v.* aplaudir, bater as palmas.
palmera; *s.* palmeira, tamareira.
palmito; *s.* palmito, miolo da palmeira.
palmo; *s.* palmo, medida de comprimento.
palo; *s.* pau, madeira.
paloma; *s.* pomba.
palomar; *s.* pombal.
palpable; *adj.* palpável.
palpar; *v.* palpar, apalpar, tatear, tocar.
palpitar; *v.* palpitar, latejar.
paludismo; *s.* paludismo, impaludismo, malária.
pampa; *s.* pampa, planície sul-americana.
pan; *s.* pão.
pana; *s.* tecido de algodão que imita o veludo.
panacea; *s.* panaceia.
panadería; *s.* padaria.
panadero; *s.* padeiro.
panal; *s.* panal, favo de mel.
panameño; *adj.* panamenho.
páncreas; *s.* pâncreas.
panda; *s.* panda, urso panda.
pandereta; *s.* pandeireta, pandeiro pequeno.
pandero; *s.* pandeiro.
pandilla; *s.* bando, grupo, turma.
panecillo; *s.* pãozinho.
panegírico; *s.* panegírico, laudatório.
panel; *s.* painel.
pánfilo; *adj.* muito pausado, mole, tardo.
panfleto; *s.* panfleto.
pánico; *s.* pânico, pavor, medo.
panorama; *s.* panorama, vista, paisagem.
panorámico; *adj.* panorâmico.
pantalón; *s.* calça.
pantalla; *s.* pantalha, tela de projeção, quebra-luz, pára-fogo.
pantano; *s.* pântano, depósito artificial de águas.
pantanoso; *adj.* pantanoso, alagadiço.
panteísmo; *s.* panteísmo.
panteón; *s.* panteão, jazigo.
pantera; *s.* pantera.

pantomima; *s.* pantomima.
pantorrilla; *s.* panturrilha, barriga da perna.
pantuflo; *s.* pantufo, sapato ou chinelo para usar em casa.
panza; *s.* pança, barriga, ventre avultado, bojo de vasilha.
pañal; *s.* cueiro, fralda.
paño; *s.* pano, tecido, tela.
pañoleta; *s.* lenço, echarpe feminina.
pañuelo; *s.* lenço, lenço de assoar, lenço de cabeça, lenço de pescoço.
papa; *s.* papa, Sumo Pontífice.
papá; *s.* papai, pai.
papada; *s.* papada, queixo duplo.
papagayo; *s.* papagaio.
papel; *s.* papel, folha de papel.
papeleo; *s.* remeximento de papéis.
papelera; *s.* papeleira, papelada.
papelería; *s.* papelaria.
papeleta; *s.* papeleta, cédula.
papelón; *s.* papelão, papel ridículo, impostor.
papera; *s.* papeira.
papila; *s.* papila.
papilla; *s.* mingau, sopa cremosa, papinha para crianças.
papiro; *s.* papiro.
papo; *s.* papo, papada, bócio.
paquete; *s.* pacote, embrulho.
paquetería; *s.* gênero de mercadoria miúda.
par; *adj.* par, igual ou semelhante.
para; *prep.* para.
parabién; *s.* parabéns, felicitação.
parábola; *s.* parábola.
parabrisas; *s.* pára-brisa.
paracaídas; *s.* pára-quedas.
paracaidismo; *s.* páraquedismo.
paracaidista; *s.* páraquedista.
parachoques; *s.* pára-choque.
parada; *s.* parada, paragem.
paradero; *s.* parada, paradeiro.
paradigma; *s.* paradigma, modelo, exemplo.
parado; *adj.* parado, tímido, vagaroso, lento, desocupado, desempregado.
paradoja; *s.* paradoxo.
paradójico; *adj.* paradoxal.
parador; *s.* estalagem, albergue.
parafina; *s.* parafina.
parafrasear; *v.* parafrasear.
paraguas; *s.* guarda-chuva.
paraguayo; *adj.* paraguaio.
paraíso; *s.* paraíso.
paraje; *s.* paragem, parada.
paralelo; *adj.* paralelo.
parálisis; *s.* paralisia.
paralítico; *adj.* paralítico.
paralizar; *v.* paralisar.
parámetro; *s.* parâmetro.
paramilitar; *adj.* paramilitar.
páramo; *s.* páramo, terreno deserto, sem cultivar, local ermo.
parangón; *s.* comparação, semelhança.
paraninfo; *s.* paraninfo, padrinho, salão nobre nas universidades.
paranoia; *s.* paranóia, delírio, loucura.
paranormal; *adj.* paranormal, fora do normal.
parapeto; *s.* parapeito.
parar; *v.* parar, deter, cessar.
pararrayos; *s.* pára-raios.
parasicología; *s.* parapsicologia.
parasitario; *adj.* parasitário.
parásito; *s.* parasita.
parasol; *s.* pára-sol, guarda-sol, sombrinha.
parcela; *s.* parcela, porção pequena.
parcelar; *v.* parcelar, dividir.
parche; *s.* emplastro, remendo.
parcial; *adj.* parcial, relativo a uma parte.
parcialidad; *s.* parcialidade.
parco; *adj.* parco, poupado, sóbrio, frugal, moderado.
pardo; *adj.* pardo, escuro.
parecer; *s.* parecer, opinião, juízo, voto.
parecer; *v.* aparecer, mostrar-se, deixar-se ver.
parecido; *adj.* parecido, semelhante, similar, análogo.

pared; *s.* parede, muro, tabique.
pareja; *s.* casal, par de alguns animais, um par.
parejo; *adj.* parelho, igual, semelhante.
parentesco; *s.* parentesco, vínculo familiar.
paréntesis; *s.* parêntese.
paridad; *s.* paridade, semelhança, igualdade.
pariente; *adj.* parente, familiar.
parir; *v.* parir, dar à luz.
parlamentar; *v.* parlamentar, falar, propor.
parlamentario; *s.* parlamentário.
parlamento; *s.* parlamento, assembleia legislativa.
parlanchín; *adj.* falador, tagarela.
parlar; *v.* falar, tagarelar, falar com desembaraço, falar muito mas sem dizer nada de importante.
parloteo; *s.* tagarelice, conversação barulhenta.
paro; *s.* interrupção de um trabalho, situação de quem não tem trabalho, desemprego.
parodia; *s.* paródia, imitação burlesca.
parodiar; *v.* parodiar, imitar, caricaturar.
paroxismo; *s.* paroxismo, acesso violento de uma doença.
parpadear; *v.* pestanejar.
párpado; *s.* pálpebra.
parque; *s.* parque.
parqué; *s.* parquete, assoalho trabalhado, taco.
parquedad; *s.* sobriedade, moderação no uso das coisas.
parra; *s.* parreira, videira.
párrafo; *s.* parágrafo.
parranda; *s.* pândega, festa, folia.
parricidio; *s.* parricídio.
parrilla; *s.* grelha de ferro para assar.
párroco; *s.* pároco, cura, sacerdote.
parroquia; *s.* paróquia.
parroquiano; *s.* paroquiano.
parsimonia; *s.* parcimônia, moderação.
parsimonioso; *adj.* parcimonioso, moderado.
parte; *s.* parte, porção, seção, pedaço.
partera; *s.* parteira.
partero; *s.* parteiro, obstetra.
partición; *s.* partição, partilha.
participación; *s.* participação.
participar; *v.* participar, comunicar, avisar, notificar, tomar parte.
participio; *s.* particípio.
partícula; *s.* partícula, fragmento.
particular; *adj.* particular, próprio, peculiar, singular, individual.
partida; *s.* partida, saída.
partidario; *adj.* partidário, adepto.
partido; *adj.* partido, repartido, dividido.
partido; *s.* partido, agremiação, proveito, vantagem.
partir; *v.* partir, dividir, repartir, desfazer.
partir; *v.* partir, sair.
partitura; *s.* partitura, texto de uma obra musical.
parto; *s.* parto.
parturienta; *s.* parturiente.
parvulario; *s.* jardim-de-infância.
párvulo; *adj.* inocente, criança pequena.
pasa; *s.* passa, fruta seca.
pasadizo; *s.* passadiço, corredor, passagem estreita de casa ou de rua.
pasado; *adj.* passado, tempo decorrido.
pasaje; *s.* passagem, ação de passar de uma parte para outra.
pasaje; *s.* passagem, direito que se paga para passar em algum lugar.
pasaje; *s.* passagem de um livro ou de alguma coisa escrita.
pasaje; *s.* passadiço entre duas ruas.
pasajero; *adj.* passageiro, transitório.

pasajero; *adj.* passageiro, viajante que passa ou caminha de um lugar para outro.
pasaporte; *s.* passaporte, documento para sair de um país.
pasar; *v.* passar, levar, conduzir, mudar, trasladar.
pasarela; *s.* passarela, ponte pequena.
pasatiempo; *s.* passatempo, divertimento, entretenimento diversão.
pascua; *s.* páscoa.
pase; *s.* passe, licença, permissão.
pasear; *v.* passear, andar por diversão.
paseo; *s.* passeio, lugar própio para passeio.
pasillo; *s.* corredor.
pasión; *s.* paixão.
pasional; *adj.* passional.
pasividad; *s.* passividade.
pasivo; *adj.* passivo.
pasmado; *adj.* pasmado.
pasmar; *v.* pasmar, espantar, ficar admirado.
paso; *s.* passo, passada, modo de andar.
pasquín; *s.* pasquim, escrito anônimo, panfleto.
pasta; *s.* pasta, massa, massa comestível, capa de livro.
pastar; *v.* pastar.
pastel; *s.* pastel, torta, empada.
pastel; *s.* lápis de cores claras, tom pastel.
pastelería; *s.* pastelaria.
pasteurización; *s.* pasteurização, esterilização do leite.
pastilla; *s.* pastilha, tablete, remédio.
pasto; *s.* pasto, pastagem.
pastor; *s.* pastor, quem cuida do gado.
pastorear; *v.* pastorear.
pastosidad; *s.* pastosidade.
pastoso; *adj.* pastoso, mole e suave, viscoso.
pata; *s.* pata, perna de animais, fêmea do pato, pé de moveis.
patada; *s.* patada.
patalear; *v.* espernear, patear.
patán; *adj.* caipira, homem rude.
patata; *s.* batata.
paté; *s.* patê, pasta feita com fígado de animal.
patear; *v.* patear, chutar, bater o pé no chão em sinal de protesta.
patentar; *v.* patentear, registrar.
patente; *adj.* patente, evidente, claro, óbvio.
paternalismo; *s.* paternalismo.
paternidad; *s.* paternidade.
paterno; *adj.* paterno, paternal.
patético; *adj.* patético, comovedor, emocionante.
patíbulo; *s.* patíbulo, cadafalso.
patilla; *s.* costeletas, suíças.
patín; *s.* patim.
pátina; *s.* pátina, pátina dos objetos de bronze, tons suaves crosta que se forma nos objetos antigos.
patinaje; *s.* patinação.
patinar; *v.* patinar, deslizar com patins, derrapar, resvalar.
patio; *s.* pátio, recinto descoberto no interior de um edifício.
pato; *s.* pato.
patógeno; *adj.* patógeno, patogênico.
patología; *s.* patologia.
patraña; *s.* patranha, mentira, tapeação.
patria; *s.* pátria.
patriarca; *s.* patriarca, cabeça de família.
patrimonio; *s.* patrimônio, herança paterna.
patriota; *s.* patriota.
patriotismo; *s.* patriotismo.
patrocinador; *adj.* patrocinador.
patrocinar; *v.* patrocinar, defender, proteger, amparar, favorecer.
patrón; *s.* patrono, padroeiro, protetor, defensor, patrão.
patrulla; *s.* patrulha, ronda de soldados, grupo de vigilantes.

patrullar; *v.* patrulhar, rondar, vigiar.
paulatino; *adj.* paulatino, lento, pausado.
pausa; *s.* pausa, intervalo, lentidão.
pauta; *s.* pauta, regra, modelo.
pautar; *v.* pautar, riscar, marcar.
pavesa; *s.* faísca, fagulha.
pavimentar; *v.* pavimentar, calçar, solar.
pavimento; *s.* pavimento, chão, calçamento.
pavo; *s.* peru.
pavón; *s.* pavão.
pavonear; *v.* pavonear, fazer vã ostentação.
pavor; *s.* pavor, medo, terror, pânico.
pavoroso; *adj.* pavoroso, terrível.
payaso; *s.* palhaço.
paz; *s.* paz.
peaje; *s.* pedágio.
peana; *s.* peanha, base, pequeno pedestal.
peatón; *s.* pedestre.
peca; *s.* sarda, pinta, mancha na pele.
pecado; *s.* pecado, falta.
pecar; *v.* pecar, faltar, errar, ofender.
pecera; *s.* aquário.
pecho; *s.* peito, tórax, seio de mulher.
pechuga; *s.* peito das aves.
pectoral; *adj.* peitoral.
pecuario; *adj.* pecuário.
peculiar; *adj.* peculiar, particular, próprio de uma pessoa ou coisa.
peculiaridad; *s.* peculiaridade, particularidade.
peculio; *s.* pecúlio, fazenda, cabedal, bens.
pedagogía; *s.* pedagogia.
pedagogo; *s.* pedagogo, educador, mestre, professor.
pedal; *s.* pedal.
pedalear; *v.* pedalar.
pedante; *adj.* pedante.
pedazo; *s.* pedaço, parte de uma coisa, porção.
pederasta; *s.* pederasta, homossexual.
pederastia; *s.* pederastia, abuso sexual contra crianças.
pedestal; *s.* pedestal.
pedestre; *adj.* pedestre, que anda a pé.
pediatra; *s.* pediatra.
pediatría; *s.* pediatria.
pedido; *s.* pedido, lista de encomendas, petição.
pedigüeño; *adj.* pedinchão.
pedir; *v.* pedir, rogar, perguntar, informar-se, esmolar pôr preço, desejar.
pedo; *s.* peido, pum, gás que sai do intestino com ruído.
pedrada; *s.* pedrada.
pedregoso; *adj.* pedregoso.
pedrero; *s.* pedreiro, canteiro.
pedrisco; *s.* pedrisco, saraiva miúda.
pega; *s.* pegamento.
pegajoso; *adj.* pegajoso.
pegamento; *s.* cola.
pegar; *v.* pegar, colar, grudar, unir, atar, agarrar raízes, contagiar golpear, castigar.
peinado; *s.* penteado.
peinar; *v.* pentear.
peine; *s.* pente.
peineta; *s.* pente convexo que as mulheres usam para enfeite.
peladilla; *s.* amêndoa confeitada, lisa e redonda, pedrinha.
pelado; *adj.* pelado, nu.
pelagatos; *s.* pobre diabo, homem podre e desprezível.
pelaje; *s.* pelagem, pêlo ou lã dos animais.
pelar; *v.* pelar, descascar, arrancar, cortar o cabelo, despenar.
peldaño; *s.* degrau.
pelea; *s.* peleja, luta, batalha, briga, combate.
pelear; *v.* pelejar, combater, lutar, brigar, renhir.
pelele; *s.* boneco de palha ou de trapos.
peletería; *s.* peleteria, comércio de peles finas.
peliagudo; *adj.* muito difícil, espinhoso, árduo.

pelícano; *s.* pelicano.
película; *s.* película, pele fina e delicada, fita cinematográfica.
peligro; *s.* perigo, risco, ameaça.
peligroso; *adj.* perigoso.
pelirrojo; *adj.* ruivo.
pellejo; *s.* pele, couro.
pelliza; *s.* peliça, peça de vestir feita ou forrada de peles finas.
pellizcar; *v.* beliscar.
pellizco; *s.* beliscão.
pelo; *s.* pêlo, cabelo, penugem.
pelón; *adj.* pelado, calvo, careca.
pelota; *s.* pelota, péla pequeña. bola.
pelotera; *s.* rixa, briga, confusão, bate-boca.
pelotilla; *s.* bolinha de cera, adular, bajular.
peluca; *s.* peruca, cabeleira postiça.
peludo; *adj.* peludo, cabeludo.
peluquería; *s.* cabeleireira, barbearia.
peluquero; *s.* cabeleireiro, barbeiro.
pelusa; *s.* penugem, lanugem de algumas frutas.
pelvis; *s.* pélvis, bacia.
pena; *s.* pena, castigo, punição, tormento, dó, compaixão, aflição, desgosto.
penacho; *s.* penacho.
penal; *s.* penitenciária, prisão.
penalista; *s.* advogado criminalista.
penalizar; *v.* penalizar, castigar.
pendencia; *s.* pendência, divergência, desavença, rixa, briga.
pender; *v.* pender, pendurar, suspender.
pendiente; *adj.* pendente, dependurado, suspenso.
pendiente; *s.* brinco, pingente.
pendiente; *s.* inclinação de um terreno, ladeira, encosta, declive de um terreno.
pendón; *s.* pendão, bandeira, estandarte.
péndulo; *s.* pêndulo.
pene; *s.* pênis, falo, genital masculino.
penetración; *s.* penetração.
penetrante; *adj.* penetrante, profundo, que entra em alguma coisa.
penetrar; *v.* penetrar, entrar, invadir.
península; *s.* península.
penitencia; *s.* penitência, castigo, expiação.
penitenciaría; *s.* penitenciária, prisão, presídio.
penitenciario; *s.* penitenciário, presidiário.
penoso; *adj.* penoso, árduo, trabalhoso, difícil.
pensado; *adj.* pensado, refletido.
pensador; *s.* pensador.
pensamiento; *s.* pensamento.
pensar; *v.* pensar, refletir, meditar.
pensión; *s.* pensão, renda, rendimento.
pensión; *s.* pensão, hospedaria, casa de hóspedes.
pensionado; *s.* pensionato, internato, aposentado.
pensionista; *s.* pensionista, hóspede, aluno interno em colégio.
pentágono; *s.* pentágono.
pentagrama; *s.* pentagrama.
pentecostés; *s.* pentecostes.
penúltimo; *adj.* penúltimo.
penumbra; *s.* penumbra, sombra, meia-luz.
penuria; *s.* penúria, escassez, falta das coisas mais necessárias.
peña; *s.* penha, penhasco, penedo, pedra grande, rocha.
peña; *s.* sociedade, associação, grupo de amigos ou camaradas.
peñasco; *s.* penhasco, penha alta, rocha extensa, rochedo.
peón; *s.* peão, ajudante, trabalhador não especializado.
peonza; *s.* pião, piorra, pitorra.
peor; *adj.* pior.

pepinillo; *s.* pepino em conserva.
pepino; *s.* pepino.
pepita; *s.* semente de fruta.
pequeño; *adj.* pequeno.
pera; *s.* pêra.
percal; *s.* percal, tecido de algodão.
percance; *s.* percalço, contratempo.
percatarse; *v.* precatar, acautelar, precaver, prevenir.
percebe; *s.* perceba, marisco marinho.
percha; *s.* cabide.
percibir; *v.* perceber, sentir, receber, recolher, cobrar.
percusión; *s.* percussão.
percutir; *v.* percutir, ferir.
perder; *v.* perder, malgastar, dissipar, desperdiçar.
perdición; *s.* perdição, perda.
pérdida; *s.* perda, carência, prejuízo, dano.
perdido; *adj.* perdido.
perdigón; *s.* perdigão.
perdiz; *s.* perdiz.
perdón; *s.* perdão.
perdonar; *v.* perdoar, absolver, indultar, desculpar.
perdulario; *adj.* perdulário, dissipador, gastador.
perdurar; *v.* perdurar, subsistir, durar muito.
perecer; *v.* perecer, morrer, acabar.
peregrinación; *s.* peregrinação, romaria.
peregrinar; *v.* peregrinar.
peregrino; *s.* peregrino, viajante.
perejil; *s.* salsa, salsinha.
perenne; *adj.* perene, perenal, contínuo, incessante.
pereza; *s.* preguiça, lentidão, negligência, tédio.
perezoso; *adj.* preguiçoso.
perfección; *s.* perfeição.
perfeccionar; *v.* aperfeiçoar, melhorar.
perfecto; *adj.* perfeito.
perfidia; *s.* perfídia, deslealdade, traição.
pérfido; *adj.* pérfido, traidor, desleal, infiel.
perfil; *s.* perfil, contorno.
perfilado; *adj.* afilado, perfeito.
perfilar; *v.* perfilar.
perforación; *s.* perfuração.
perforar; *v.* perfurar, furar, abrir, esburacar.
perfumar; *v.* perfumar, aromatizar.
perfume; *s.* perfume, aroma, fragrância, cheiro agradável.
perfumería; *s.* perfumaria.
pergamino; *s.* pergaminho.
pericardio; *s.* pericárdio.
pericia; *s.* perícia, habilidade, destreza.
periferia; *s.* periferia, contorno.
periférico; *adj.* periférico.
perilla; *s.* barbicha.
perímetro; *s.* perímetro, contorno.
periódico; *adj.* periódico, período determinado, publicação de jornal ou revista.
periodismo; *s.* periodismo, jornalismo.
periodista; *s.* jornalista.
período; *s.* período, espaço de tempo, ciclo menstrual.
peripecia; *s.* peripécia, imprevisto.
periquito; *s.* periquito, louro.
periscopio; *s.* periscópio.
perito; *s.* perito, experto, conhecedor, experimentado.
perjudicar; *v.* prejudicar.
perjuicio; *s.* prejuízo, dano, desvantagem, perda.
perjurar; *v.* perjurar, jurar em falso.
perla; *s.* pérola.
permanecer; *v.* permanecer, ficar, continuar.
permanencia; *s.* permanência, duração.
permanente; *adj.* permanente, duradouro, estável.
permeable; *adj.* permeável.
permisivo; *adj.* permissivo, tolerante.

permiso; *s.* permissão, licença.
permitir; *v.* permitir, consentir.
permuta; *s.* permuta, troca, intercâmbio.
permutar; *v.* permutar, trocar, intercambiar.
pernear; *v.* espernear.
pernicioso; *adj.* pernicioso, nocivo.
pernil; *s.* pernil, coxa de animal, anca.
pernio; *s.* dobradiça, gonzo.
pernoctar; *v.* pernoitar.
pero; *conj.* porém, mas.
perol; *s.* tacho, vasilha de metal.
peroné; *s.* perônio.
perorata; *s.* peroração, arenga.
perpendicular; *adj.* perpendicular.
perpetrar; *v.* perpetrar, cometer. praticar ato condenável.
perpetuar; *v.* perpetuar, imortalizar, eternizar.
perpetuo; *adj.* perpétuo, eterno.
perplejidad; *s.* perplexidade, irresolução, indecisão.
perplejo; *adj.* perplexo, irresoluto, duvidoso, incerto, confuso, indeciso.
perro; *s.* cão, cachorro.
persecución; *s.* perseguição.
perseguir; *v.* perseguir, seguir.
perseverante; *adj.* perseverante, persistente.
perseverar; *v.* perseverar, persistir.
persiana; *s.* persiana.
persignar; *v.* persignar.
persistencia; *s.* persistência, insistência.
persistir; *v.* persistir, insistir.
persona; *s.* pessoa, indivíduo.
personaje; *s.* personagem, pessoa notável, figura dramática.
personal; *adj.* pessoal.
personalidad; *s.* personalidade.
personalizar; *v.* personalizar, personificar, individualizar.
personarse; *v.* apresentar-se pessoalmente.
personificar; *v.* personificar, personalizar.
perspectiva; *s.* perspectiva.
perspicaz; *adj.* perspicaz.
persuadir; *v.* persuadir, convencer, induzir.
pertenecer; *v.* pertencer.
pértiga; *s.* pértiga, vara comprida, varapau.
pertinaz; *adj.* pertinaz, obstinado, persistente.
pertinente; *adj.* pertinente, concernente.
pertrechar; *v.* petrechar, apetrechar.
pertrechos; *s.* petrechos, apetrechos.
perturbación; *s.* perturbação, distúrbio.
perturbar; *v.* perturbar, transtornar.
perversión; *s.* perversão, corrupção de costumes.
perverso; *adj.* perverso, que tem muito má índole.
pervertir; *v.* perverter, alterar, perturbar a ordem ou estado das coisas, viciar, depravar, corromper.
pesa; *s.* peso, peça da balança.
pesadilla; *s.* pesadelo.
pesado; *adj.* pesado.
pesadumbre; *s.* pesadume.
pésame; *s.* pêsames, condolência, pesar.
pesar; *s.* pesar, dor, mágoa, desgosto, arrependimento.
pesar; *v.* pesar, ter peso.
pesaroso; *adj.* pesaroso, magoado, triste, arrependido.
pesca; *s.* pesca, pescaria.
pescadero; *s.* peixeiro.
pescadilla; *s.* pescadinha.
pescado; *s.* pescado, peixe.
pescador; *s.* pescador.
pescar; *v.* pescar.
pescuezo; *s.* pescoço.
pesebre; *s.* presepe, presépio, estábulo, manjedoura.
peseta; *s.* peseta, unidade monetária espanhola.

pesimismo; *s.* pessimismo.
pesimista; *adj.* pessimista.
pésimo; *adj.* péssimo, que não pode ser pior.
peso; *s.* peso.
pespuntear; *v.* pespontar.
pesquería; *s.* pesca, ação de pescar, pescaria.
pesquero; *adj.* pesqueiro.
pesquisa; *s.* pesquisa, indagação, informação.
pesquisar; *v.* pesquisar, indagar, inquirir.
pestaña; *s.* pestana.
pestañear; *v.* pestanejar, piscar.
peste; *s.* peste, enfermidade contagiosa e grave, mau cheiro, fedor.
pesticida; *s.* pesticida.
pestilencia; *s.* pestilência.
pestillo; *s.* lingueta.
petaca; *s.* arca de couro ou de madeira, charuteira ou tabaqueira.
pétalo; *s.* pétala.
petardo; *s.* petardo.
petición; *s.* pedido, petição, súplica, requerimento, demanda.
petrificar; *v.* petrificar, empedernir.
petróleo; *s.* petróleo.
petrolero; *s.* petroleiro.
petulancia; *s.* petulância, atrevimento.
petulante; *adj.* petulante, vaidoso, insolente.
peyorativo; *adj.* pejorativo.
pez; *s.* peixe.
pezón; *s.* mamilo, bico do seio.
pezuña; *s.* dedos dos animais de pata fendida ou rachada.
piadoso; *adj.* piedoso, bondoso, devoto.
pianista; *s.* pianista.
piano; *s.* piano.
piar; *v.* piar.
pica; *s.* lança.
picadero; *s.* picadeiro.
picadillo; *s.* picado, iguaria com carne ou peixe, picadinho.
picado; *adj.* picado, furado.
picador; *s.* picador, domador de cavalos, toureiro a cavalo que pica o toro, cepo de cozinha.
picadura; *s.* picada, picadura, picadela.
picaflor; *s.* beija-flor, colibri.
picante; *adj.* picante, temperado, ardido.
picaporte; *s.* trinco, maçaneta.
picar; *v.* picar, ferir, furar, bicar, morder, dividir em bocadinhos, ter comichão.
picardía; *s.* picardia, baixeza, velhacaria, vileza, engano ou maldade.
picardía; *s.* picardia, traquinagem, travessura.
pícaro; *adj.* pícaro, ardiloso, astuto, patife, maroto, tratante.
pichón; *s.* pombinho implume.
pico; *s.* pico, cume de montanha, bico das aves, picareta.
picor; *s.* ardor.
picota; *s.* pelourinho.
picotada; *s.* picada, bicada.
picotear; *v.* picar, bicar.
picudo; *adj.* bicudo.
pie; *s.* pé, pata, base, medida, haste da planta, árvore, tronco, final de página.
piedad; *s.* piedade.
piedra; *s.* pedra.
piel; *s.* pele, derme, couro, casca de certos frutos.
pienso; *s.* penso, alimento seco para o gado.
pierna; *s.* perna, coxa, pata.
pieza; *s.* peça, parte de alguma coisa.
pigmentación; *s.* pigmentação.
pigmentar; *v.* pigmentar, colorir.
pigmeo; *adj.* pigmeu.
pijama; *s.* pijama.
pila; *s.* pia, pia para lavar, pia batismal, pia do banheiro.
pila; *s.* pilha, montão, grande quantidade.

pila; *s.* pilha, bateria.
pilar; *s.* pilar, coluna, baliza.
píldora; *s.* pílula, drágea, comprimido.
pillaje; *s.* pilhagem, saque, roubo.
pillar; *v.* pilhar, saquear, roubar.
pillo; *adj.* malandro, velhaco, patife.
pilón; *s.* pia grande, tanque, bebedouro de animais, pilão para pilar o grão.
pilotaje; *s.* pilotagem.
pilotar; *v.* pilotar, dirigir, conduzir navios ou aviões.
pilote; *s.* piloti, coluna de concreto, estaca.
piloto; *s.* piloto.
piltrafa; *s.* pelanca, pele caída e mole, carne magra e engelhada.
pimienta; *s.* pimenta.
pimiento; *s.* pimentão.
pimpollo; *s.* pimpolho, pinheiro novo, rebento, grelo, botão de rosa.
pinacoteca; *s.* pinacoteca.
pinar; *s.* pinhal, pinheiral.
pincel; *s.* pincel.
pinchar; *v.* picar, ferir com objeto pontiagudo, perfurar, furar.
pinchazo; *s.* picada, ferida, furo.
pinche; *s.* ajudante de cozinha.
pincho; *s.* ponta aguda.
pingajo; *s.* farrapo, frangalho.
pingüe; *adj.* gordo, gorduroso.
pingüino; *s.* pinguim.
pino; *s.* pinheiro.
pinta; *s.* pinta, mancha, sinal.
pintado; *adj.* pintado, colorido.
pintar; *v.* pintar, desenhar, colorir.
pintor; *s.* pintor.
pintoresco; *adj.* pitoresco.
pintura; *s.* pintura.
pinzas; *s.* pinças, tenazes pequenas.
piña; *s.* pinha, ananás, abacaxi.
piñón; *s.* pinhão.
piojo; *s.* piolho.
pionero; *adj.* pioneiro.
pipa; *s.* pipa, tonel, cachimbo, semente.
pipeta; *s.* pipeta, tubo de vidro.
piqueta; *s.* picareta.
piquete; *s.* piquete, grupo reduzido que faz a guarda.
pira; *s.* pira, fogueira.
pirámide; *s.* pirâmide.
piraña; *s.* piranha, peixe voraz.
pirata; *s.* pirata.
piratear; *v.* piratear.
piratería; *s.* pirataria.
pirómano; *adj.* pirômano, piromaníaco.
piropo; *s.* galanteria, lisonja.
pirueta; *s.* pirueta, cabriola, salto.
piscina; *s.* piscina.
piso; *s.* piso, solo, soalho.
piso; *s.* pavimento, andar.
piso; *s.* piso, apartamento.
pisotear; *v.* calcar, pisar repetidamente, espezinhar.
pisotón; *s.* pisão, pisada.
pista; *s.* pista, rastro de animal, pista para aterrizar aviões.
pistola; *s.* pistola, revólver.
pistón; *s.* pistom, êmbolo.
pita; *s.* piteira, planta oriunda do México.
pitar; *v.* apitar, tocar o apito.
pitido; *s.* assobio, silvo.
pitillo; *s.* cigarro.
pito; *s.* apito, assobio.
pivote; *s.* pivô, apoio.
pizarra; *s.* ardósia, piçarra, quadro-negro, pedra, lousa, escolar.
pizca; *s.* pisca, bocadinho, pouquinho.
placa; *s.* placa, lâmina, chapa de metal.
pláceme; *s.* felicitações, parabéns, congratulações.
placenta; *s.* placenta.
placer; *s.* prazer, contentamento, satisfação, gozo.
placer; *v.* prazer, agradar.
plácido; *adj.* plácido, sossegado, tranquilo.
plaga; *s.* praga, calamidade.
plagado; *adj.* ferido, castigado.

plagiar; *v.* plagiar, copiar, imitar.
plagio; *s.* plágio, cópia, imitação.
plan; *s.* plano, projeto, idéia.
plana; *s.* plaina de pedreiro.
plana; *s.* lauda, folha de papel.
plancha; *s.* plancha, lâmina, chapa, ferro de passar roupa.
planchar; *v.* passar roupa.
planeador; *s.* planador.
planear; *v.* planejar, fazer planos.
planeta; *s.* planeta.
planetario; *s.* planetário.
planicie; *s.* planície.
planificación; *s.* planificação, planejamento.
planificar; *v.* planificar, planejar.
planisferio; *s.* planisfério.
plano; *adj.* plano, liso, chão.
planta; *s.* planta, vegetal.
planta; *s.* planta, desenho arquitetônico, projeto.
plantación; *s.* plantação, cultivo.
plantar; *v.* plantar, semear, cultivar.
plantear; *v.* delinear, traçar, estabelecer, propor, suscitar, expor.
plantilla; *s.* palmilha de sapato, quadro de pessoal.
plantón; *s.* plantão.
plañidero; *adj.* choroso, lastimoso, lamentoso.
plañir; *v.* carpir, chorar, gemer.
plaqueta; *s.* plaqueta, lajota de cerâmica.
plasma; *s.* plasma.
plasmar; *v.* plasmar, criar, modelar.
plástico; *adj.* plástico, elástico, amoldável.
plástico; *s.* plástico.
plata; *s.* prata.
plataforma; *s.* plataforma.
plátano; *s.* plátano, árvore frondosa.
plátano; *s.* bananeira, árvore da banana.
platea; *s.* platéia.
plateado; *adj.* prateado.
platear; *v.* pratear.
plática; *s.* conversa.
platillo; *s.* pires, prato pequeno.
platino; *s.* platina.
plato; *s.* prato.
playa; *s.* praia.
plaza; *s.* praça.
plazo; *s.* prazo.
plazoleta; *s.* pracinha, largo.
plebe; *s.* plebe, gente comum e humilde.
plebeyo; *adj.* plebeu.
plebiscito; *s.* plebiscito.
plegar; *v.* pregar, preguear.
plegaria; *s.* prece, rogo, súplica.
pleitear; *v.* pleitear, demandar.
pleito; *s.* pleito, disputa, demanda, litígio.
plenario; *adj.* plenário, pleno, completo.
plenilunio; *s.* plenilúnio, lua-cheia.
plenitud; *s.* plenitude, totalidade.
pleno; *adj.* pleno, cheio, inteiro, completo, perfeito.
pleonasmo; *s.* pleonasmo, redundância.
pletórico; *adj.* pletórico, abundante, repleto.
pleura; *s.* pleura.
pliego; *s.* folha de papel dobrada no meio, carta, documentos.
pliegue; *s.* prega, dobra, vinco, ruga.
plisar; *v.* preguear, plissar, franzir.
plomada; *s.* prumo, chumbada, sonda.
plomo; *s.* chumbo.
pluma; *s.* pluma, pena, plumagem.
plumaje; *s.* plumagem.
plúmbeo; *adj.* plúmbeo.
plumero; *s.* espanador, penacho.
plural; *adj.* plural, múltiplo.
pluralidad; *s.* pluralidade, multiplicidade.
plusvalía; *s.* maior valor, mais-valia.
pluvial; *adj.* pluvial.
pluviómetro; *s.* pluviômetro.
pluvioso; *adj.* pluvioso, chuvoso.
población; *s.* povoação, população, povoado.

poblado; *s.* povoado, povoação, cidade, vila, lugar.
poblador; *adj.* povoador.
poblar; *v.* povoar.
pobre; *adj.* pobre, indigente, pedinte.
pobreza; *s.* pobreza, indigência, necessidade, miséria.
pocilga; *s.* pocilga, chiqueiro, curral.
poción; *s.* poção, beberagem.
poco; *adj.* pouco, escasso, limitado.
poco; *s.* pouco, pouca.
poco; *adv.* pouco.
poda; *s.* poda, corte, podadura.
podar; *v.* podar, cortar, desbastar.
poder; *s.* poder.
poder; *v.* poder, ter autoridade, ter meios.
poderío; *s.* poderio, domínio, império, potestade, faculdade, juridsição, vigor, grande poder.
podredumbre; *s.* podridão, putrefação.
podrido; *adj.* podre, apodrecido, putrefato, estragado.
poema; *s.* poema.
poesía; *s.* poesia.
poeta; *s.* poeta, trovador.
poético; *adj.* poético.
polar; *adj.* polar.
polarizar; *v.* polarizar.
polea; *s.* polia, roldana.
polémico; *adj.* polêmico.
polemizar; *v.* polemizar, discutir, debater.
polen; *s.* polem.
policía; *s.* polícia, policial.
policial; *adj.* policial.
policlínica; *s.* policlínica.
policromo; *adj.* policromo.
poliéster; *s.* poliéster.
polifonía; *s.* polifonia.
poligamia; *s.* poligamia.
polígamo; *adj.* polígamo.
políglota; *s.* poliglota.
polígono; *s.* polígono.
polígrafo; *s.* polígrafo.
polilla; *s.* traça.
polimorfismo; *s.* polimorfismo, mudança de forma.
polinización; *s.* polinização.
polinizar; *v.* polinizar, fecundar a flor.
polinomio; *s.* polinômio.
polisílabo; *adj.* polissílabo.
politécnico; *adj.* politécnico.
politeísmo; *s.* politeísmo.
política; *s.* política.
político; *adj.* político, cortês, delicado.
político; *s.* parentesco por afinidade.
polivalente; *adj.* polivalente.
póliza; *s.* apólice, título de contrato, documento.
polizón; *s.* vagabundo, vadio, passageiro clandestino.
polla; *s.* franga, galinha nova.
pollada; *s.* ninhada, principalmente de pintos.
pollería; *s.* mercado ou loja onde se vende galinha e outras aves.
pollero; *s.* galinheiro, criador de frangos.
pollo; *s.* pinto, frango.
polo; *s.* pólo, extremos do eixo da esfera.
polonés; *adj.* polaco.
polución; *s.* polução, emissão involuntária de sémen.
polución; *s.* poluição, contaminação.
polvareda; *s.* poeirada, poeirão.
polvo; *s.* pó, poeira.
pólvora; *s.* pólvora.
polvoriento; *adj.* poeirento, empoeirado.
polvorín; *s.* polvorim, polvorinho, paiol.
polvorizar; *v.* polvilhar, cobrir de pó.
pomada; *s.* pomada.
pomar; *s.* pomar, horto.
pómez; *s.* pedra-pomes.
pomo; *s.* pomo, fruto do pomo, bola odorífera, frasco pequeno ramalhete de flores.

pompa; *s.* pompa, aparato suntuoso, ostentação, fausto, vaidade, bolha na água.
pomposo; *adj.* pomposo, solene, vaidoso.
pómulo; *s.* pómulo, maça do rosto.
ponche; *s.* ponche.
poncho; *s.* poncho, abrigo sem mangas característico da América do Sul.
ponderación; *s.* ponderação, atenção, reflexão.
ponderar; *v.* ponderar, examinar com cuidado.
poner; *v.* pôr, colocar, dispor, estabelecer, atribuir, depositar, incutir, situar.
poniente; *s.* poente, ocidente.
pontificado; *s.* pontificado, papado.
pontífice; *s.* pontífice, papa.
ponzoña; *s.* peçonha, veneno.
ponzoñoso; *adj.* peçonhento, venenoso.
popa; *s.* popa, parte posterior dos navios.
populacho; *s.* populacho.
popular; *adj.* popular.
popularizar; *v.* popularizar.
populoso; *adj.* populoso, muito povoado.
por; *prep.* por, indica a causa, o meio, o estado, o tempo.
porcelana; *s.* porcelana, louça fina.
porcentaje; *s.* porcentagem, percentagem.
porche; *s.* alpendre.
porción; *s.* porção, parte de um todo.
pordiosear; *v.* esmolar, mendigar.
pordiosero; *adj.* mendigo, o que pede esmola em nome de Deus.
porfía; *s.* porfia, teima, obstinação.
porfiar; *v.* porfiar, instar, insistir, teimar, altercar obstinadamente.
pormenor; *s.* pormenor.
pormenorizar; *v.* pormenorizar, detalhar, descrever minuciosamente.
pornografía; *s.* pornografia.
pornográfico; *adj.* pornográfico.
poro; *s.* poro.
poroso; *adj.* poroso, permeável.
porque; *conj.* porque, por causa, motivo ou razão.
porqué; *s.* porquê, causa, razão, motivo.
porquería; *s.* porcaria, imundície, indecente, grosseria, falta, de respeito.
porra; *s.* porrete, bastão, cacete, martelo grande.
porrón; *s.* moringa.
portaaviones; *s.* porta-aviões.
portada; *s.* fachada, frontispício, página de rosto de um livro.
portador; *adj.* portador.
portaequipajes; *s.* porta-malas, bagageiro.
portaestandarte; *s.* porta-estandarte, porta-bandeira.
portafolio; *s.* pasta para papéis.
portal; *s.* portal, pórtico, saguão.
portamonedas; *s.* porta-moedas.
portaplumas; *s.* porta-penas, caneta.
portar; *v.* levar ou trazer.
portarretratos; *s.* porta-retratos.
portátil; *adj.* portátil.
portavoz; *s.* porta-voz.
portazo; *s.* bater a porta com força.
porte; *s.* porte, transporte, comportamento, qualidade, nobreza.
portear; *v.* portar, levar, conduzir, transportar.
portento; *s.* portento, prodígio.
portentoso; *adj.* portentoso, singular, estranho.
portería; *s.* portaria, saguão.
portero; *s.* porteiro.
pórtico; *s.* pórtico, galeria com arcadas.
portón; *s.* portão.
portorriqueño; *adj.* porto-riquenho.
portuario; *adj.* portuário.

portugués; *adj.* português, lusitano.
porvenir; *s.* porvir, futuro.
posada; *s.* moradia, morada, casa, estalagem, casa de hóspedes, hospedagem.
posaderas; *s.* nádegas.
posar; *v.* pousar, descansar, repousar.
posdata; *s.* pós-escrito.
poseedor; *adj.* possuidor.
poseer; *v.* possuir, ter, gozar.
posesión; *s.* possessão, posse, usufruto, gozo.
posesivo; *adj.* possessivo.
poseso; *adj.* possesso, endemoniado.
posibilidad; *s.* possibilidade, facilidade, eventualidade.
posibilitar; *v.* possibilitar, tornar possível.
posible; *adj.* possível.
posición; *s.* posição, postura do corpo, ação de pôr, suposição, categoria, condição social.
positivismo; *s.* positivismo.
positivo; *adj.* positivo, afirmativo.
poso; *s.* sedimento de um líquido, fezes, borra, descanso, quietude.
posología; *s.* posologia.
posponer; *v.* pospor, pôr, colocar depois.
postal; *adj.* postal, relativo ao correio.
postal; *s.* cartão postal.
poste; *s.* poste, suporte de madeira fincada no chão para sinalizar avisar ou indicar.
postergar; *v.* postergar, preterir, desprezar, adiar.
posteridad; *s.* posteridade.
posterior; *adj.* posterior.
postila; *s.* apostila.
postín; *s.* vaidade, presunção.
postizo; *adj.* postiço, artificial, falso.
postoperatorio; *adj.* pós-operatório.
postración; *s.* prostração, abatimento, enfraquecimento.
postrar; *v.* prostrar, debilitar, enfraquecer.
postre; *s.* sobremesa.
postrero; *adj.* postreiro, último, derradeiro.
postrimería; *s.* último período, últimos anos da vida.
postulación; *s.* postulação, pedido, solicitação.
postular; *v.* postular, pedir, solicitar.
póstumo; *adj.* póstumo.
postura; *s.* postura, atitude, ação, figura, posição.
potable; *adj.* potável, bebível.
potaje; *s.* potagem, caldo, sopa.
potasio; *s.* potássio.
pote; *s.* pote, vaso grande de barro para líquidos.
potencia; *s.* potência, vigor, força.
potencial; *adj.* potencial.
potencialidad; *s.* potencial, potencialidade.
potenciar; *v.* potencializar.
potentado; *s.* potentado, poderoso, opulento.
potente; *adj.* potente, forte, eficaz, vigoroso.
potestad; *s.* potestade, domínio, poder, jurisdição.
potingue; *s.* xarope, qualquer bebida de farmácia, cremes, pomadas em geral.
potranca; *s.* potranca, égua nova.
potro; *s.* potro, cavalo novo.
poyo; *s.* poial, banco fixo de pedra.
pozo; *s.* poço.
pozuelo; *s.* poço pequeno, pocinho, poçozinho.
práctica; *s.* prática, experiência, costume.
practicable; *adj.* praticável, fácil.
practicante; *adj.* praticante, ajudante.
practicar; *v.* praticar, exercitar, usar, exercer.
pradera; *s.* pradaria.
prado; *s.* prado, relva, pastagem.
pragmático; *adj.* pragmático.
preámbulo; *s.* preâmbulo, prefácio, rodeio, cerimônias.

prebenda; *s.* prebenda, renda anexa a um benefício eclesiástico.
precario; *adj.* precário, inseguro, incerto.
precaución; *s.* precaução, cuidado, cautela.
precaver; *v.* precaver, prevenir.
precavido; *adj.* precavido, previdente, prevenido, prudente.
precedente; *adj.* precedente, antecedente.
preceder; *v.* preceder, anteceder.
precepto; *s.* preceito, mandato, ordem.
preceptor; *s.* preceptor, mestre.
preces; *s.* preces, orações.
preciado; *adj.* prezado, estimado.
preciar; *v.* apreciar, prezar, estimar.
precintar; *v.* precintar, atar, cingir.
precio; *s.* preço, valor.
precioso; *adj.* precioso, excelente, primoroso.
precipicio; *s.* precipício, despenhadeiro.
precipitación; *s.* precipitação.
precipitado; *adj.* precipitado.
precipitar; *v.* precipitar, despenhar, atropelar, acelerar.
precisar; *v.* precisar, determinar, fixar, obrigar, forçar, calcular.
preciso; *adj.* preciso, necessário, indispensável, pontual, fixo, exato, certo, determinado, claro.
preclaro; *adj.* preclaro, esclarecido, ilustre, brilhante, famoso.
precocidad; *s.* precocidade.
preconcebir; *v.* preconceber.
preconizar; *v.* preconizar, louvar, tributar louvores publicamente.
precoz; *adj.* precoce, prematuro, antecipado.
precursor; *adj.* precursor, antecessor.
predecesor; *adj.* predecessor, precursor, antecessor.
predecir; *v.* predizer, prognosticar.
predestinar; *v.* predestinar.
predeterminar; *v.* predeterminar.
predicado; *s.* predicado.
predicar; *v.* predicar, pregar, aconselhar.
predicción; *s.* predição, prognóstico.
predilección; *s.* predileção, preferência.
predilecto; *adj.* predileto, preferido.
predio; *s.* prédio, imóvel.
predisponer; *v.* predispor, dispor antecipadamente.
predisposición; *s.* predisposição.
predispuesto; *adj.* predisposto.
predominación; *s.* predominação.
predominancia; *s.* predominância, predominação.
predominante; *adj.* predominante.
predominar; *v.* predominar, prevalecer, preponderar.
predominio; *s.* predomínio, império, poder, superioridade.
preelegir; *v.* pré-eleger.
preeminente; *adj.* preeminente, sublime, superior.
preexistir; *v.* preexistir.
prefacio; *s.* prefácio, prólogo.
preferencia; *s.* preferência, primazia, vantagem.
preferir; *v.* preferir.
prefijar; *v.* prefixar, determinar, assinalar, indicar.
prefijo; *adj.* prefixo.
pregón; *s.* pregão, divulgação, proclamação pública.
pregonar; *v.* apregoar, publicar, pregoar, proclamar.
pregonero; *adj.* pregoeiro.
pregunta; *s.* pergunta, interrogação.
preguntar; *v.* perguntar, interrogar, indagar, questionar, inquirir.
prehistoria; *s.* pré-história.
prejuicio; *s.* prejuízo, prejulgamento.
prejuzgar; *v.* prejulgar.
prelación; *s.* prelação, direito de preferência.
prelado; *s.* prelado, superior eclesiástico.
preliminar; *adj.* preliminar, preâmbulo.

preludio; *s.* prelúdio, introdução, iniciação.
prematuro; *adj.* prematuro, temporão.
premeditación; *s.* premeditação.
premeditado; *adj.* premeditado.
premeditar; *v.* premeditar.
premiar; *v.* premiar, remunerar, galardoar.
premio; *s.* prêmio, recompensa.
premolar; *s.* pré-molar.
premonición; *s.* premonição, pressentimento.
premura; *s.* pressa, urgência, apuro, instância.
prenatal; *adj.* pré-natal.
prenda; *s.* prenda, penhor, objeto, jóia, móvel, qualquer das partes do vestuário.
prendar; *v.* enamorar, afeiçoar, agradar, cativar.
prender; *v.* prender, pegar, agarrar, sujeitar, segurar.
prensa; *s.* prensa, máquina para comprimir.
prensar; *v.* prensar, comprimir, apertar.
prenunciar; *v.* prenunciar.
preñado; *adj.* prenhe, prenhada, grávida.
preñar; *v.* prenhar, fecundar, engravidar.
preñez; *s.* prenhez, gravidez.
preocupación; *s.* preocupação, idéia antecipada, prevenção, preconceito.
preocupar; *v.* preocupar, inquietar.
preparación; *s.* preparação, preparo, conhecimento.
preparar; *v.* preparar, prevenir, dispor.
preponderancia; *s.* preponderância, predomínio.
preponderar; *v.* preponderar, predominar.
preposición; *s.* preposição.
prepotente; *adj.* prepotente, poderoso.
prepucio; *s.* prepúcio.
prerrogativa; *s.* prerrogativa, privilégio, graça, isenção.
presa; *s.* presa, objeto apreendido ou roubado.
presagiar; *v.* pressagiar, predizer, vaticinar, prognosticar.
presagio; *s.* presságio, vaticínio, sinal, prognóstico.
prescindir; *v.* prescindir, renunciar.
prescribir; *v.* prescrever.
prescripción; *s.* prescrição.
presencia; *s.* presença, existência, assistência.
presenciar; *v.* presenciar, estar presente.
presentar; *v.* apresentar.
presente; *adj.* presente, que assiste pessoalmente.
presente; *s.* presente, dádiva.
presente; *s.* presente, tempo atual, atualidade.
presentimiento; *s.* pressentimento.
presentir; *v.* pressentir, prever.
preservar; *v.* preservar, defender, resguardar.
preservativo; *s.* preservativo.
presidencia; *s.* presidência, dignidade, cargo de presidente.
presidente; *s.* presidente, chefe ou superior de um conselho.
presidio; *s.* presídio, prisão, penitenciária.
presidir; *v.* presidir, dirigir, regular, superintender.
presilla; *s.* presilha, laço, tira de tecido.
presión; *s.* pressão.
presionar; *v.* pressionar.
preso; *adj.* preso, prisioneiro.
prestación; *s.* empréstimo.
prestado; *adj.* emprestado.
prestamista; *s.* prestamista, penhorista.
préstamo; *s.* empréstimo.
prestar; *v.* emprestar, ajudar, auxiliar, dar, comunicar, dedicar atenção, observar.

presteza; *s.* presteza, rapidez, agilidade, prontidão.
prestigiar; *v.* prestigiar.
prestigio; *s.* prestígio.
presto; *adj.* presto, prestes, pronto, diligente.
presumido; *adj.* presumido, vaidoso.
presumir; *v.* presumir, conjeturar, suspeitar, ter vaidade.
presunto; *adj.* presumido.
presuntuoso; *adj.* presunçoso, presumido, vaidoso.
presuponer; *v.* pressupor.
presupuesto; *s.* pressuposto, suposição, orçamento.
presuroso; *adj.* pressuroso, pronto, ligeiro, veloz.
pretender; *v.* pretender, desejar, aspirar.
pretensión; *s.* pretensão, solicitação, direito invocado.
preterir; *v.* preterir, excluir, omitir, pôr de lado.
pretérito; *adj.* pretérito, passado.
pretexto; *s.* pretexto, motivo ou causa simulada ou aparente desculpa.
pretil; *s.* mureta, parapeito.
pretor; *s.* pretor, antigo magistrado romano.
pretor; *s.* negrura das águas.
prevalecer; *v.* prevalecer, predominar, sobressair, preponderar.
prevaricar; *v.* prevaricar, faltar aos deveres.
prevenir; *v.* prevenir, evitar, prever, preparar.
preventivo; *adj.* preventivo, previdente.
prever; *v.* prever, pressupor, calcular, conjeturar, predizer.
previo; *adj.* prévio, preliminar, antecipado.
previsión; *s.* previsão, prever.
previsor; *adj.* previdente, prudente.
prima; *s.* prima, prêmio.
primacía; *s.* primazia, excelência, superioridade, vantagem.
primario; *adj.* primário, principal, primeiro, primitivo, prévio.
primavera; *s.* primavera.
primaveral; *adj.* primaveril.
primero; *adj.* primeiro.
primigenio; *adj.* primigênio, primitivo, originário.
primitivo; *adj.* primitivo.
primo; *adj.* primeiro.
primo; *s.* primo.
primogénito; *adj.* primogênito, o filho mais velho.
primor; *s.* primor, habilidade, esmero, apuro, perfeição.
primordial; *adj.* primordial, primitivo, primeiro.
princesa; *s.* princesa.
principal; *adj.* principal, essencial.
príncipe; *s.* príncipe.
principiante; *adj.* principiante, novato, aprendiz.
principiar; *v.* principiar, começar, iniciar.
principio; *s.* princípio, começo, origem.
pringar; *v.* besuntar, untar, engordurar.
pringoso; *adj.* gordurento, sujo, ensebado.
prior; *s.* prior, superior de um convento.
prioridad; *s.* prioridade, anterioridade, primazia.
prisa; *s.* pressa, rapidez, celeridade, presteza.
prisión; *s.* prisão, cárcere, cadeia.
prisionero; *adj.* prisioneiro.
prisma; *s.* prisma.
privación; *s.* privação.
privar; *v.* privar, proibir, vedar, tomar, tirar.
privilegiar; *v.* privilegiar.
privilegio; *s.* privilégio, direito, vantagem, prioridade.
proa; *s.* proa, parte anterior do navio.
probabilidad; *s.* probabilidade, possibilidade.

probable; *adj.* provável, possível.
probar; *v.* provar, demonstrar, justificar, experimentar, tentar.
probeta; *s.* proveta.
probidad; *s.* probidade, bondade, retidão do ânimo, integridade.
problema; *s.* problema, questão, proposição.
procaz; *adj.* procaz, insolente, descarado, petulante, impudente.
procedencia; *s.* procedência, origem, proveniência.
proceder; *s.* proceder, procedimento, comportamento.
proceder; *v.* proceder, seguir, nascer ou originar uma coisa de outra.
prócer; *adj.* prócer, alto, eminente, elevado.
procesal; *adj.* processual.
procesar; *v.* processar.
procesión; *s.* processão, ação de proceder.
procesión; *s.* procissão, cortejo religioso.
proceso; *s.* processo, seguimento, decurso.
proclamar; *v.* proclamar, declarar em público, afirmar em brados.
procrear; *v.* procriar, gerar, produzir.
procurar; *v.* procurar, investigar, buscar.
prodigar; *v.* prodigalizar, prodigar, dissipar, esbanjar, desperdiçar.
prodigio; *s.* prodígio, maravilha, milagre.
pródigo; *adj.* pródigo, esbanjador, dissipador.
producción; *s.* produção, produto, realização.
producir; *v.* produzir, engendrar, procriar, originar, ocasionar, dar frutos.
productivo; *adj.* produtivo.
producto; *s.* produto, resultado, lucro, rendimento.
proeza; *s.* proeza, façanha.
profanar; *v.* profanar, aviltar, desonrar, macular.
profano; *adj.* profano, leigo, secular.
profecía; *s.* profecia.
proferir; *v.* proferir, dizer, pronunciar, falar.
profesar; *v.* professar, exercer, praticar.
profesión; *s.* profissão.
profesor; *s.* professor, mestre, educador, pedagogo.
profesorado; *s.* professorado, corpo docente.
profeta; *s.* profeta.
profetizar; *v.* profetizar, prever, adivinhar, predizer.
profiláctico; *adj.* profilático, preventivo.
profilaxis; *s.* profilaxia, prevenção.
prófugo; *s.* prófugo, fugitivo, desertor.
profundidad; *s.* profundidade.
profundizar; *v.* aprofundar.
profundo; *adj.* profundo, fundo.
profusión; *s.* profusão, abundância, excesso, exuberância.
progenie; *s.* progênie, origem, ascendência, descendência, prole.
progenitor; *s.* progenitor, pai.
programa; *s.* programa, projeto, plano, prospecto, anúncio.
programación; *s.* programação.
programador; *s.* programador.
programar; *v.* programar, fazer um programa.
progresar; *v.* progredir, avançar.
progreso; *s.* progresso, ação de ir para diante.
prohibición; *s.* proibição, interdição, veto.
prohibir; *v.* proibir, vedar, impedir.
prohibitivo; *adj.* proibitivo.
prójimo; *adj.* próximo, semelhante.
prole; *s.* prole, progênie, linhagem, geração, descendência, família.
proletario; *adj.* proletário.
proliferación; *s.* proliferação, multiplicação.

proliferar; *v.* proliferar, multiplicar, abundar, reproduzir.
prolijo; *adj.* prolixo, difuso, dilatado em excesso, cuidadoso, esmerado.
prólogo; *s.* prólogo, prefácio, preâmbulo.
prolongar; *v.* prolongar, dilatar, estender.
promedio; *s.* meio, ponto médio, termo médio, média.
promesa; *s.* promessa.
prometer; *v.* prometer, assegurar, certificar.
prometido; *adj.* prometido.
prometido; *s.* prometido, noivo.
prominencia; *s.* proeminência, saliência.
promiscuidad; *s.* promiscuidade, mistura.
promoción; *s.* promoção, divulgação.
promontorio; *s.* promontório, altura grande de terra.
promotor; *s.* promotor.
promover; *v.* promover.
promulgar; *v.* promulgar, publicar oficialmente.
pronombre; *s.* pronome.
pronominal; *adj.* pronominal.
pronosticar; *v.* prognosticar, prever, adivinhar.
pronóstico; *s.* prognóstico, previsão.
prontitud; *s.* prontidão, celeridade, presteza, velocidade.
pronto; *adj.* pronto, veloz, acelerado, ligeiro, rápido.
pronunciación; *s.* pronunciação, pronúncia.
pronunciamiento; *s.* pronunciamento, sublevação, revolta, levante militar.
pronunciar; *v.* pronunciar, proferir, articular.
propaganda; *s.* propaganda.
propagar; *v.* propagar, multiplicar, espalhar, difundir, divulgar.
propalar; *v.* propalar, divulgar coisas ocultas.
propasarse; *v.* ultrapassar.
propensión; *s.* propensão, tendência.
propiciar; *v.* propiciar, proporcionar.
propicio; *adj.* propício, favorável.
propiedad; *s.* propriedade, direito ou faculdade de dispor de uma coisa.
propietario; *s.* proprietário, dono, possuidor.
propina; *s.* propina, gorjeta, gratificação.
propinar; *v.* propinar, ministrar, dar de beber, prescrever medicamentos.
propio; *adj.* próprio, peculiar, exclusivo, conveniente.
proponer; *v.* propor, apresentar, manifestar, expor, deliberar.
proporción; *s.* proporção, disposição das partes entre si.
proporcional; *adj.* proporcional.
proporcionar; *v.* proporcionar, facilitar, dispor, dar, fornecer.
proposición; *s.* proposição.
propósito; *s.* propósito, deliberação, resolução, intenção, desígnio, projeto.
propuesta; *s.* proposta.
propuesto; *adj.* proposto.
propugnar; *v.* propugnar, defender combatendo, amparar.
propulsar; *v.* propulsar, impelir.
propulsión; *s.* propulsão, impulso.
prórroga; *s.* prorrogação.
prorrogable; *adj.* prorrogável, adiável.
prorrogar; *v.* prorrogar, continuar, adiar, suspender.
prorrumpir; *v.* prorromper, irromper impetuosamente.
prosa; *s.* prosa.
prosaico; *adj.* prosaico, relativo à prosa.
proscribir; *v.* proscrever, banir, exilar, expulsar.
proscrito; *adj.* proscrito, banido, exilado, expulso.
proseguir; *v.* prosseguir, continuar.

proselitismo; *s.* proselitismo.
prosélito; *s.* prosélito, maometano ou sectário convertido à religião católica.
prosodia; *s.* prosódia.
prospecto; *s.* prospecto, programa.
prosperar; *v.* prosperar, progredir.
prosperidad; *s.* prosperidade, felicidade, fortuna.
próspero; *adj.* próspero, afortunado, venturoso.
próstata; *s.* próstata.
prosternarse; *v.* prosternar-se, prostrar-se.
prostíbulo; *s.* prostíbulo, lupanar, bordel.
prostitución; *s.* prostituição.
prostituir; *v.* prostituir, corromper, degradar.
prostituta; *s.* prostituta, rameira.
protagonista; *s.* protagonista, personagem principal de uma obra dramática.
protección; *s.* proteção, amparo, ajuda, auxílio.
proteccionismo; *s.* protecionismo.
protector; *adj.* protetor, defensor.
proteger; *v.* proteger, defender, auxiliar, ajudar, amparar.
proteína; *s.* proteína.
prótesis; *s.* prótese.
protesta; *s.* protesto.
protestante; *adj.* protestante, luterano.
protestantismo; *s.* protestantismo, religião dos protestantes, calvinismo, luteranismo, anglicanismo.
protestar; *v.* protestar.
protocolo; *s.* protocolo, cerimonial diplomático, livro de notas de tabelião.
protoplasma; *s.* protoplasma.
prototipo; *s.* protótipo, modelo, original.
protuberancia; *s.* protuberância.
provecho; *s.* proveito, benefício, interesse, utilidade, vantagem, aproveitamento, adiantamento.
provechoso; *adj.* proveitoso, útil.
proveer; *v.* prover, abastecer.
proveniente; *adj.* proveniente.
provenir; *v.* provir, nascer, derivar, proceder.
proverbial; *adj.* proverbial, notório.
proverbio; *s.* provérbio, sentença, adágio.
providencia; *s.* providência, prevenção.
providencial; *adj.* providencial.
provincia; *s.* província, divisão territorial.
provincial; *adj.* provincial.
provinciano; *adj.* provinciano.
provisión; *s.* provisão, fornecimento, suprimento, abastecimento.
provisional; *adj.* provisório, temporário, interino.
provisor; *s.* provedor, provisor.
provocar; *v.* provocar, estimular, incitar, desafiar, irritar.
proximidad; *s.* proximidade, vizinhança, cercania.
próximo; *adj.* próximo, vizinho, contíguo, imediato, junto.
proyectar; *v.* projetar, lançar, arremessar, planejar, traçar, estudar.
proyectil; *s.* projétil.
proyectista; *s.* projetista.
proyecto; *s.* projeto, plano, planta, desenhos e cálculos, intenção.
prudencia; *s.* prudência, cautela, moderação.
prudente; *adj.* prudente, cauteloso, moderado.
prueba; *s.* prova, testemunho, razão, argumento, ensaio, amostra, exame.
psicoanálisis; *s.* psicanálise.
psicología; *s.* psicologia.
psicológico; *adj.* psicológico.
psicópata; *s.* psicopata.

psicosis; *s.* psicose.
psicoterapia; *s.* psicoterapia.
psique; *s.* psique, alma humana.
psiquiatría; *s.* psiquiatria.
psíquico; *adj.* psíquico.
púa; *s.* pua, haste terminada em bico, ponta de arame farpado, dente de pente, palheta espinho.
púber; *adj.* púbere.
pubertad; *s.* puberdade, adolescência.
pubis; *s.* púbis.
publicación; *s.* publicação, edição.
publicar; *v.* publicar, editar, tornar público.
publicidad; *s.* publicidade, divulgação, propaganda comercial.
público; *adj.* público, notório, divulgado.
puchero; *s.* panela, caçarola.
pucho; *s.* ponta, resto, toco de cigarro.
púdico; *adj.* pudico, casto.
pudiente; *adj.* poderoso, rico, abastado.
pudor; *s.* pudor, honestidade, modéstia, recato, vergonha.
pudrimiento; *s.* apodrecimento, podridão, putrefação.
pudrir; *v.* apodrecer, descompor.
pueblo; *s.* povo, povoação, cidade, vila ou lugar, povoação pequena, vilarejo, região ou país, gente humilde.
puente; *s.* ponte.
puerco; *s.* porco.
puerco; *adj.* porco, sujo, imundo, vil.
pueril; *adj.* pueril, infantil, inocente.
puerro; *s.* porro, alho-porro.
puerta; *s.* porta.
puerto; *s.* porto, porto de mar, garganta ou desfiladeiro de montanha.
pues; *conj.* pois, já que, visto que.
puesta; *s.* ocaso.
puesto; *s.* posto, local, lugar, emprego, cargo.
pugilista; *s.* pugilista, boxeador.
pugna; *s.* pugna, luta, combate, peleja, briga.
pugnar; *v.* pugnar, lutar, combater, pelejar, brigar.
pujanza; *s.* pujança, vigor, potência, força.
pujar; *v.* pujar, fazer força para melhorar, subir, aumentar.
pujar; *v.* licitar, oferecer um lance no leilão.
pulcro; *adj.* pulcro, asseado, esmerado, belo, bem parecido, delicado.
pulga; *s.* pulga.
pulgada; *s.* polegada.
pulgar; *s.* polegar.
pulidor; *s.* polidor, lustrador.
pulimento; *s.* polimento.
pulir; *v.* polir, lustrar, brunir.
pulla; *s.* pulha, dito obsceno, sátira, gracejo picante.
pulmón; *s.* pulmão.
pulmonía; *s.* pneumonia.
pulpa; *s.* polpa.
púlpito; *s.* púlpito, altar.
pulpo; *s.* polvo.
pulsación; *s.* pulsação.
pulsar; *v.* pulsar, tocar, bater, palpitar, latejar.
pulsera; *s.* pulseira, bracelete.
pulso; *s.* pulso, pulsação das artérias, força, vigor.
pulular; *v.* pulular, brotar, germinar com rapidez, abundar.
pulverizar; *v.* pulverizar, reduzir a pó.
puma; *s.* puma, leão da América.
punción; *s.* punção.
pundonor; *s.* ponto de honra, decoro, brio.
punta; *s.* ponta, extremidade, princípio ou fim de uma série.
puntada; *s.* ponto, furo feito com agulha, ponto de costura, ponto de bordado, alinhavo.
puntal; *s.* escora de madeira.
puntapié; *s.* pontapé, chute.
puntear; *v.* pontear, pontuar.

puntera; *s.* ponteira, biqueira do sapato.
puntería; *s.* pontaria.
puntiagudo; *adj.* pontiagudo.
puntilla; *s.* renda estreita.
puntillo; *s.* pontinho, ninharia em que se repara.
puntilloso; *adj.* muito susceptível, exigente.
punto; *s.* ponto, furo, sinal de pontuação, lugar determinado instante, momento.
puntuación; *s.* pontuação, conjunto de sinais ortográficos.
puntual; *adj.* pontual, presto, diligente, exato.
puntualidad; *adj.* pontualidade, exatidão, presteza.
puntualizar; *v.* particularizar, aperfeiçoar.
puntuar; *v.* pontuar, acentuar.
punzar; *v.* punçar, ferir com uma ponta, aumentar a dor.
puñado; *s.* punhado, o que pode conter em uma mão, mão-cheia.
puñal; *s.* punhal.
puñalada; *s.* punhalada, golpe de punhal.
puñetazo; *s.* pancada com o punho, murro, soco.
puño; *s.* punho, mão fechada, pulso.
pupila; *s.* pupila, órfã, menina do olho.
pupilo; *s.* pupilo, hóspede, órfão.
pupitre; *s.* mesa escolar, carteira, móvel que serve para escrever.
puposo; *adj.* pustulento, que tem feridas.
puramente; *adv.* puramente, puro, com pureza.
puré; *s.* purê, sopa grossa feita com legumes.
pureza; *s.* pureza.
purga; *s.* purga, purgante, purgativo.
purgación; *s.* purgação, mênstruo, corrimento.
purgante; *adj.* purgante, purgativo.
purgar; *v.* purgar, limpar, purificar, expiar, padecer.
purgatorio; *adj.* purgatório.
purificante; *adj.* purificante.
purificar; *v.* purificar, tornar puro.
purismo; *s.* purismo, excessiva pureza de linguagem.
puritanismo; *s.* puritanismo, seita ou doutrina dos puritanos.
puritano; *adj.* puritano.
puro; *adj.* puro, sem mistura, genuíno.
púrpura; *s.* púrpura, cor vermelha forte.
purpurina; *s.* purpurina.
purulencia; *s.* purulência, supuração.
purulento; *adj.* purulento, que tem pus.
pus; *s.* pus, humor segregado pelos tecidos inflamados.
pusilánime; *adj.* pusilânime, tímido, covarde.
pústula; *s.* pústula, crosta, chaga.
putrefacción; *s.* putrefação, apodrecimento.
putrefacto; *adj.* putrefato, corrompido.
putridez; *s.* podridão, putrescência.
puya; *s.* pua.

Q

q; *s.* vigésima letra do alfabeto espanhol.
que; *pron.* que, o qual.
quebrada; *s.* quebrada, recôncavo, passagem entre montanhas.
quebradillo; *s.* salto, tacão de madeira, salto alto.
quebradizo; *adj.* quebradiço, fácil de quebrar, frágil.
quebrado; *adj.* quebrado, falido, despedaçado, terreno acidentado.
quebradura; *s.* quebradura, abertura, fenda, rotura.
quebrantar; *v.* quebrar, partir, fragmentar, rachar, fender.
quebranto; *s.* quebrantamento, rompimento, quebra, infração, afrouxamento, fraqueza, debilidade.
quebrar; *v.* quebrar, partir, violar uma lei, dobrar, torcer.
quechua; *adj.* quíchua.
queda; *s.* toque de recolher, hora de recolher.
quedar; *v.* ficar, estar, deter-se, subsistir, permanecer, restar, sobrar, parar, estacionar, cessar, terminar.
quedito; *adv.* quietinho, sossegadinho.
quedo; *adj.* quedo, quieto.
quehacer; *s.* ocupação, trabalho, negócio, canseira, afazeres.
queja; *s.* queixa, lamento, expressão de dor.
quejarse; *v.* queixar-se, lamentar-se.
quejido; *s.* queixume, queixa, lamentação, gemido.
quejoso; *adj.* queixoso.
quejumbroso; *adj.* lamuriante, lamuriento, lamurioso.
quema; *s.* queima, incêndio.
quemada; *s.* queimada, lugar onde o mato foi queimado.
quemadura; *s.* queimadura.
quemar; *v.* queimar, abrasar, consumir com fogo.
quena; *s.* flauta ameríndia.
querella; *s.* querela, discórdia, pendência.
querencia; *s.* querênça, ato de querer, tendência, vontade.
querer; *s.* querer, carinho, amor, afeto.
querer; *v.* querer, desejar, amar, ter carinho, ter desejo.
querido; *adj.* querido.
quermés; *s.* quermesse, feira de arraial, mercado festivo, feira, festa popular.
queroseno; *s.* querosene.
querubín; *s.* querubim, anjo.
quesadilla; *s.* queijadinha, doce feito com queijo.
quesera; *s.* queijeira.
quesería; *s.* queijaria, lugar onde se faz ou vende queijo.
queso; *s.* queijo.
quetzal; *s.* quetzal, ave americana.

quevedos; *s.* óculos que se segura no nariz, lunetas.
quicio; *s.* quiço, gonzo de porta ou janela.
quiebra; *s.* quebra, rompimento, fratura, perda de alguma coisa.
quien; *pron.* quem, qual.
quienquiera; *pron.* qualquer.
quieto; *adj.* quieto, que não se mexe.
quietud; *s.* quietude, sossego, repouso, descanso, tranquilidade, calma.
quijada; *s.* queixada, mandíbula.
quilatar; *v.* aquilatar, avaliar.
quilate; *s.* quilate, unidade de peso para pedras preciosas.
quilla; *s.* quilha dos navios.
quilombo; *s.* choça, cabana campestre, lupanar.
quimera; *s.* quimera, fantasia, utopia.
quimérico; *adj.* quimérico, fabuloso, fingido, imaginário.
química, *s.* química.
químico; *adj.* químico.
quimono; *s.* quimono, túnica japonesa.
quina; *s.* quinina.
quincalla; *s.* quinquilharia.
quincena; *s.* quinzena, espaço de quinze dias.
quinta; *s.* quinta, chácara, casa de campo.
quintal; *s.* quintal, peso de quatro arrobas.
quinteto; *s.* quinteto, composição musical.
quintuplicar; *v.* quintuplicar, tornar cinco vezes maior.
quiñón; *s.* quinhão, porção.
quiosco; *s.* quiosque.
quirófano; *s.* quirófano, sala de operações cirúrgicas.
quiromancia; *s.* quiromancia.
quirúrgico; *adj.* cirúrgico.
quisquilloso; *adj.* impertinente, rabugento, meticuloso.
quiste; *s.* quisto, tumor.
quitamanchas; *s.* tira-nódoas, tira-manchas.
quitar; *v.* tirar, desempenhar, resgatar, furtar, impedir, estorvar, arrebatar despojar.
quizás; *adv.* quiçá, talvez, possivelmente.
quórum; *s.* quórum.

R

r; *s.* vigésima primeira letra do alfabeto espanhol.
raba; *s.* isca de ovas de bacalhau.
rabada; *s.* rabada, quarto traseiro das reses abatidas.
rabadán; *s.* rabadão, maioral de pastores.
rábano; *s.* rábano, rabanete.
rabia; *s.* raiva, hidrofobia.
rabiar; *v.* enraivecer, enfurecer, padecer hidrofobia.
rabieta; *s.* raiva passageira, manha, birra.
rabino; *s.* rabino.
rabioso; *adj.* raivoso, irado, irritado, hidrófobo.
rabo; *s.* rabo, cauda.
racha; *s.* rajada, pé-de-vento.
racha; *s.* acha de lenha, astilha grande de madeira.
racial; *adj.* racial.
racimo; *s.* cacho, penca.
raciocinar; *v.* raciocinar, pensar.
raciocinio; *s.* raciocínio.
ración; *s.* ração, porção de alimento.
racional; *adj.* racional, dotado de razão.
racionalidad; *s.* racionalidade.
racionalismo; *s.* racionalismo.
racionalización; *s.* racionalização.
racionalizar; *v.* racionalizar.
racionamiento; *s.* racionamento.
racionar; *v.* racionar, limitar, distribuir rações.
racismo; *s.* racismo.
racista; *s.* racista.
rada; *s.* enseada, baía, porto abrigado.
radar; *s.* radar.
radiación; *s.* radiação, irradiação.
radiactividad; *s.* radiatividade.
radiactivo; *adj.* radiativo.
radiador; *s.* radiador, aquecedor.
radial; *adj.* radial.
radiante; *adj.* radiante, brilhante, luminoso.
radiar; *v.* irradiar, brilhar, difundir, emitir por rádio.
radical; *adj.* radical.
radicalización; *s.* radicalização.
radicalizar; *v.* radicalizar.
radicar; *v.* radicar, enraizar, firmar, infundir.
radio; *s.* rádio, osso do antebraço.
radio; *s.* rádio, metal.
radio; *s.* raio do círculo.
radio; *s.* rádio, aparelho de transmissão.
radío; *adj.* errante, vadio.
radiodifusión; *s.* radiodifusão.
radioescucha; *s.* rádioouvinte.
radiofonía; *s.* radiofonia.
radiografía; *s.* radiografia.
radiología; *s.* radiologia.
radiólogo; *s.* radiologista.
radioscopia; *s.* radioscopia.
radioso; *adj.* radioso, esplendoroso.

radioterapia; *s.* radioterapia.
raedera; *s.* raspadeira, raspador.
raer; *v.* raspar, rapar, cortar rente.
ráfaga; *s.* rajada, lufada, pé-de-vento.
raído; *adj.* raspado, puído, gasto, esgarçado.
raíl; *s.* trilho.
raíz; *s.* raiz.
raja; *s.* racha, fenda, greta, lasca.
rajá; *s.* rajá, marajá.
rajar; *v.* rachar, fender, abrir.
ralea; *s.* espécie, género, qualidade.
rallador; *s.* ralador, ralo de cozinha.
rallar; *v.* ralar.
ralo; *adj.* ralo, pouco espesso.
rama; *s.* ramo, galho.
ramaje; *s.* ramagem.
ramal; *s.* ramal, cabo, canal.
rambla; *s.* leito de águas pluviais.
ramera; *s.* rameira, prostituta.
ramificación; *s.* ramificação.
ramificar; *v.* ramificar, dividir.
ramillete; *s.* ramalhete, buquê, pequeno ramo de flores.
ramo; *s.* ramo, conjunto de flores, ramalhete.
rampa; *s.* rampa, ladeira, plano inclinado.
ranchero; *s.* rancheiro, fazendeiro.
rancho; *s.* rancho, granja, chácara, comida que se faz para muitas pessoas.
rana; *s.* rã.
rancio; *adj.* rançoso, velho.
rango; *s.* classe, categoria, qualidade.
ranura; *s.* ranhura, sulco, entalhe, encaixe.
rapar; *v.* rapar, tosar rente, barbear.
rapaz; *adj.* rapace, que rouba, que furta, aves de rapina.
rapaz; *s.* rapaz, jovem.
rapé; *s.* rapé, tabaco em pó.
rapidez; *s.* rapidez, velocidade.
rápido; *adj.* rápido, veloz, ligeiro.
rapiña; *s.* rapina, roubo, saque.
raposo; *s.* raposo.
raptar; *v.* raptar.
rapto; *s.* rapto, roubo, sequestro.
raqueta; *s.* raquete, palheta.
raquítico; *s.* raquítico, débil, atrofiado.
raro; *adj.* raro, pouco comum, pouco frequente.
rasante; *adj.* rasante.
rasar; *v.* rasar, roçar, raspar, nivelar, igualar.
rascacielos, *s.* arranha-céu.
rascar; *v.* coçar, esfregar, arranhar.
rasgado; *adj.* rasgado.
rasgar; *v.* rasgar, romper, lacerar, arrancar.
rasgo; *s.* rasgo, traço ao escrever, feições.
rasguñar; *v.* arranhar.
rasguño; *s.* arranhão leve.
raso; *adj.* raso, plano, liso.
raspa; *s.* pêlo, fiapo.
raspador; *s.* raspador, raspadeira.
raspar; *v.* raspar ligeiramente.
rasposo; *adj.* áspero.
rastrear; *v.* rastrear, rastejar, averiguar.
rastreo; *s.* rastreamento.
rastrero; *adj.* rasteiro.
rastrillo; *s.* ancinho.
rastro; *s.* rastro, pista, pegada.
rastrojo; *s.* restolho.
rasurar; *v.* barbear-se.
rata; *s.* rato, ratazana.
raticida; *s.* raticida, veneno para rato.
ratificación; *s.* ratificação, confirmação.
ratificar; *v.* ratificar, confirmar.
rato; *s.* momento, espaço curto de tempo.
ratón; *s.* rato.
ratonera; *s.* ratoeira.
raudal; *s.* caudal, torrente.
raudo; *adj.* impetuoso, violento, rápido, precipitado.
raya; *s.* raia, risco, termo, fronteira.
rayado; *adj.* rajado, riscado.
rayar; *v.* raiar, riscar, sublinhar.

rayo; *s.* raio, raio de luz, raio de uma circunferência.
raza; *s.* raça, casta, origem, estirpe.
razón; *s.* razão, faculdade de discernir.
razonable; *adj.* razoável, moderado, justo, aceitável.
razonar; *v.* raciocinar, arrazoar, razoar, falar, discorrer, expor, aduzir razões, documentar.
reacción; *s.* reação.
reaccionar; *v.* reagir, resistir.
reaccionario; *adj.* reacionário, conservador.
reacio; *adj.* renitente, teimoso, pertinaz.
reactivar; *v.* reativar, reagir.
reactivo; *adj.* reativo.
reactor; *s.* reator.
readaptación; *s.* readaptação.
readaptar; *v.* readaptar.
reajustar; *v.* reajustar.
reajuste; *s.* reajuste.
real; *adj.* real, que existe, verdadeiro.
real; *adj.* real, realeza.
realce; *s.* realce, destaque.
realeza; *s.* realeza, dignidade, soberania.
realidad; *s.* realidade, verdade, veracidade, existência real.
realismo; *s.* realismo.
realista; *adj.* realista.
realizable; *adj.* realizável, que se pode realizar.
realizador; *s.* realizador.
realizar; *v.* realizar, efetuar, verificar, fazer real uma coisa, efetivar.
realzar; *v.* realçar, salientar.
reanimar; *v.* reanimar, reavivar, confortar.
reanudar; *v.* retomar, continuar, reiniciar.
reaparecer; *v.* reaparecer, retornar.
rebajar; *v.* rebaixar, diminuir.
rebanada; *s.* rabanada, fatia de pão.
rebañar; *v.* recolher, arrebanhar.
rebaño; *s.* rebanho, porção de gado.
rebasar; *v.* transbordar, ultrapassar.
rebatir; *v.* rebater, repelir, rechaçar, redobrar, reforçar, descontar, deduzir, refutar.
rebato; *s.* rebate, alarme, alarma.
rebelarse; *v.* rebelar-se, sublevar.
rebelde; *adj.* rebelde, desobediente, indócil.
rebelión; *s.* rebelião, sublevação, insurreição.
reblandecer; *v.* abrandar.
rebobinar; *v.* rebobinar.
rebosar; *v.* transbordar.
rebotar; *v.* pular, ressaltar, rebater, ricochetear.
rebozar; *v.* rebuçar.
rebullir; *v.* reanimar-se, começar a mover o que estava quieto.
rebuscar; *v.* rebuscar, esquadrinhar, procurar com muita atenção.
rebuzno; *s.* zurro, relincho, ornejo.
recadero; *s.* mensageiro.
recado; *s.* recado, mensagem.
recaer; *v.* recair.
recaída; *s.* recaída.
recalcar; *v.* recalcar, ajustar, sublinhar, encher, enfatizar.
recalcitrante; *adj.* recalcitrante.
recalentar; *v.* reaquecer, requentar, escaldar, excitar, avivar.
recámara; *s.* antecâmara.
recambio; *s.* recâmbio, peças para repor.
recapacitar; *v.* recapacitar, relembrar.
recapitular; *v.* recapitular, resumir.
recarga; *s.* recarga, sobrecarga.
recargado; *adj.* recarregado, sobrecarregado.
recargar; *v.* recarregar, sobrecarregar.
recatado; *adj.* recatado, discreto.
recatar; *v.* recatar, esconder, ocultar.
recato; *s.* recato, cautela, reserva, resguardo, honestidade, modéstia.

recaudación; *s.* arrecadação.
recaudar; *v.* arrecadar, cobrar impostos.
recaudo; *s.* cobrança, preocupação, cuidado.
recelar; *v.* recear, desconfiar, suspeitar, temer.
recelo; *s.* receio, suspeita, desconfiança, temor.
receloso; *adj.* receoso, desconfiado, medroso.
recepción; *s.* recepção, admissão, festa oficial.
recepcionista; *s.* recepcionista.
receptividad; *s.* receptividade.
receptor; *adj.* receptor.
recesión; *s.* recessão.
receta; *s.* receita.
recetar; *v.* receitar, prescrever, ordenar, indicar, medicar.
recetario; *s.* receituário.
rechazar; *v.* rechaçar, expulsar, repelir, despedir, afugentar, devolver.
rechazo; *s.* rechaço, volta, retrocesso.
rechifla; *s.* assobio, vaia, zombaria.
rechinar; *v.* chiar, ranger.
rechoncho; *adj.* rechonchudo, gorducho.
recibir; *v.* receber, cobrar, acolher, hospedar, aceitar, admitir.
recibo; *s.* recibo, recebimento, quitação.
reciclaje; *s.* reciclagem, reaproveitamento.
recién; *adv.* recém, recente, recentemente.
reciente; *adj.* recente, novo, fresco.
recinto; *s.* recinto, espaço limitado, âmbito.
recio; *adj.* rijo, forte, vigoroso, grosso, gordo.
recipiente; *s.* recipiente, vasilha, receptáculo.
reciprocidad; *s.* reciprocidade, correspondência.
recíproco; *adj.* recíproco, mútuo.
recital; *s.* recital, concerto de um só artista.
recitar; *v.* recitar, declamar, narrar.
reclamación; *s.* reclamação, protesto.
reclamar; *v.* reclamar, exigir, reivindicar.
reclame; *s.* propaganda comercial.
reclamo; *s.* anúncio publicitário, reclamo, canto das aves para chamar as outras.
reclinar; *v.* reclinar, inclinar, encostar.
recluir; *v.* recluir, encerrar, recolher, pôr em reclusão, isolar.
recluso; *adj.* recluso, preso, prisioneiro.
recluta; *s.* recruta.
reclutar; *v.* recrutar, convocar, alistar.
recobrar; *v.* recobrar, recuperar.
recodo; *s.* ôngulo, cotovelo, volta, curva de caminho ou rua volta de rio ou estrada.
recogedor; *s.* recolhedor, máquina de recolher, pá de lixo.
recogedor; *adj.* acolhedor.
recoger; *v.* recolher, apanhar, guardar, fazer a colheita, encolher, estreitar, cingir, dar asilo, recluir.
recogido; *adj.* recolhido, retirado.
recogimiento; *s.* recolhimento.
recolección; *s.* colheita, recopilação, arrecadação.
recolectar; *v.* colher, fazer a colheita.
recomendable; *adj.* recomendável.
recomendar; *v.* recomendar, encarecer, solicitar.
recompensa; *s.* recompensa, retribuição, prêmio.
recompensar; *v.* recompensar, premiar, retribuir.
recomponer; *v.* recompor, compor, reparar.
reconcentrar; *v.* reconcentrar.

reconciliar; *v.* reconciliar, congraçar.
recóndito; *adj.* recôndito, muito escondido, reservado, oculto.
reconfortante; *adj.* reconfortante, confortador.
reconfortar; *v.* reconfortar, reanimar.
reconocer; *v.* reconhecer, examinar, registrar, verificar, advertir, agradecer.
reconocimiento; *s.* reconhecimento.
reconquista; *s.* reconquista.
reconquistar; *v.* reconquistar.
reconstitución; *s.* reconstituição.
reconstituir; *v.* reconstituir.
reconstrucción; *s.* reconstrução.
reconstruir; *v.* reconstruir.
reconvenir; *v.* reconvir, recriminar.
recopilar; *v.* recopilar, compendiar, recolher.
recordar; *v.* recordar, lembrar, memorizar.
recorrer; *v.* recorrer, percorrer.
recorrido; *s.* trajeto, percurso, itinerário, caminho.
recortable; *adj.* recortável.
recortar; *v.* recortar, cortar, aparar.
recorte; *s.* recorte.
recostar; *v.* recostar, reclinar, inclinar.
recoveco; *s.* voltas, reviravoltas de uma rua, ruela, beco, passagem e riacho.
recrear; *v.* recriar, recrear, divertir, alegrar.
recreativo; *adj.* recreativo, divertido.
recreo; *s.* recreio, recreação, entretenimento, área de lazer.
recriminar; *v.* recriminar, incriminar, repreender.
recrudecer; *v.* recrudescer, aumentar, agravar.
recrudecimiento; *s.* recrudescimento.
rectángulo; *s.* retângulo.
rectificar; *v.* retificar.
rectitud; *s.* retidão, integridade.
recto; *adj.* reto, direito, aprumado, exato.
rector; *s.* reitor, governante.
recua; *s.* récua.
recubrimiento; *s.* recobrimento.
recubrir; *v.* recobrir, cobrir.
recuento; *s.* reconto, contagem.
recuerdo; *s.* recordação, lembrança.
recular; *v.* recuar, retroceder.
recuperable; *adj.* recuperável.
recuperar; *v.* recuperar.
recurrir; *v.* recorrer, apelar.
recurso; *s.* recurso, volta, reversão, retorno, memorial, requerimento, petição expediente.
recusar; *v.* recusar, rejeitar.
red; *s.* rede para pescar e caçar, malha, grade, entrelaçamento.
redacción; *s.* redação.
redactar; *v.* redigir, escrever, lavrar.
redactor; *s.* redator.
rededor; *adv.* redor.
redención; *s.* redenção.
redil; *s.* redil, curral.
redimir; *v.* redimir, remir, resgatar.
rédito; *s.* renda, rendimento, juros.
redoblar; *v.* redobrar, reduplicar, dobrar, revirar, repetir, reiterar, rufar dos tambores.
redoma; *s.* redoma.
redomado; *adj.* astuto, cauteloso.
redondear; *v.* arredondar.
redondilla; *s.* redondilha.
redondo; *adj.* redondo, esférico, curvo.
reducción; *s.* redução, diminuição.
reducido; *adj.* reduzido, diminuído.
reducir; *v.* reduzir, diminuir, retrair, restringir.
reducto; *s.* reduto.
reductor; *s.* redutor.
redundancia; *s.* redundância, repetição.
redundar; *v.* redundar, transbordar, sobrar.
reduplicar; *v.* reduplicar, duplicar.
reeducar; *v.* reeducar, readaptar.
reelección; *s.* reeleição.
reelegir; *v.* reeleger.
reembolsar; *v.* reembolsar.

reembolso; *s.* reembolso.
reemplazar; *v.* substituir.
reemplazo; *s.* substituição.
reencarnar; *v.* reencarnar.
reestructurar; *v.* reestruturar.
refectorio; *s.* refeitório.
referencia; *s.* referência, informação.
referente; *adj.* referente, alusivo.
referir; *v.* referir, relatar, narrar, contar, atribuir.
refinado; *adj.* refinado, esmerado, requintado.
refinar; *v.* refinar, depurar.
refinería; *s.* refinaria.
reflectar; *v.* refletir.
reflector; *s.* refletor.
reflejar; *v.* refletir, repercutir.
reflejo; *adj.* refletido, reflexo, luz refletida.
reflexionar; *v.* refletir.
reflexivo; *adj.* reflexivo.
refluir; *v.* refluir, voltar, retroceder.
reflujo; *s.* refluxo.
reforma; *s.* reforma, concerto, reparação.
reformar; *v.* reformar, modificar, melhorar, consertar, reparar.
reformatorio; *s.* reformatório.
reformista; *s.* reformista.
reforzado; *adj.* reforçado, fortalecido, fortificado.
reforzar; *v.* reforçar, fortalecer, fortificar.
refractario; *adj.* refratário.
refrán; *s.* refrão, provérbio.
refregar; *v.* esfregar, roçar, friccionar.
refrenar; *v.* refrear, conter, reprimir, corrigir.
refrendar; *v.* referendar, autorizar, aprovar.
refrescante; *adj.* refrescante.
refrescar; *v.* refrescar, refrigerar.
refresco; *s.* refresco, refrigerante.
refriega; *s.* refrega, peleja, batalha de pouca importância.
refrigerador; *s.* refrigerador, frigorífico.
refrigerar; *v.* refrigerar, refrescar.
refuerzo; *s.* reforço, socorro, auxílio, ajuda.
refugiado; *adj.* refugiado, protegido.
refugiar; *v.* refugiar, abrigar, esconder.
refugio; *s.* refúgio, abrigo, amparo, proteção, asilo.
refulgir; *v.* refulgir, brilhar, resplandecer.
refundir; *v.* refundir, refazer.
refutar; *v.* refutar, contestar, rebater.
regadera; *s.* regador, aguador.
regalado; *adj.* agradável, prazenteiro.
regalar; *v.* presentear.
regalía; *s.* regalia, privilégio.
regalo; *s.* presente, dádiva, cortesia, convite, comodidade, descanso.
regañar; *v.* repreender.
regar; *v.* regar, molhar, aguar.
regatear; *v.* regatear, pechinchar.
regazo; *s.* regaço, seio.
regencia; *s.* regência.
regeneración; *s.* regeneração, reabilitação.
regenerar; *v.* regenerar, restabelecer, melhorar.
regentar; *v.* reger.
régimen; *s.* regime, modo de reger, de governar, dieta, alimentar.
regimiento; *s.* regimento, unidade militar.
regio; *adj.* régio, real.
región; *s.* região, território, lugar.
regional; *adj.* regional.
regir; *v.* reger, governar, dirigir, guiar, levar, conduzir.
registrar; *v.* registrar, verificar, examinar, copiar, assinalar, anotar.
registro; *s.* registro, análise, exame, análise, livro em que, se registra, escritura.
regla; *s.* régua, regra, norma, modelo, preceito, moderação, menstruação.
reglaje; *s.* regulagem.

reglamentación; *s.* regulamentação.
reglamentar; *v.* regulamentar, normatizar, instituir.
reglamentario; *adj.* regulamentar, institucional.
reglamento; *s.* regulamento, preceito.
reglar; *v.* regrar, regular, pautar, alinhar.
regocijar; *v.* regozijar, festejar, alegrar.
regocijo; *s.* regozijo, contentamento, júbilo.
regodearse; *v.* deleitar-se, recrear-se.
regordete; *adj.* atarracado, gorducho, gordinho.
regresar; *v.* regressar, retornar, voltar, retroceder.
regresión; *s.* regressão.
regresivo; *adj.* regressivo.
regreso; *s.* regresso, chegada, volta.
reguero; *s.* pequena corrente de água.
regulación; *s.* regulamento, ajustamento.
regular; *v.* regular, ajustar.
regularidad; *s.* regularidade.
regularizar; *v.* regularizar, regulamentar, ajustar.
regurgitar; *v.* regurgitar.
rehabilitación; *s.* reabilitação.
rehabilitar; *v.* reabilitar, habilitar de novo, restituir ao estado anterior.
rehacer; *v.* refazer, corrigir, consertar, repor, reparar.
rehén; *s.* refém.
rehogar; *v.* refogar, cozinhar em fogo lento.
rehuir; *v.* retirar, afastar, evitar, refugir.
rehusar; *v.* recusar, rejeitar.
reimprimir; *v.* reimprimir, reeditar.
reina; *s.* rainha, soberana.
reinado; *s.* reinado.
reinar; *v.* reinar.
reincidencia; *s.* reincidência.
reincidir; *v.* reincidir, repetir o erro ou delito.
reino; *s.* reino.
reintegrar; *v.* reintegrar.
reintegro; *s.* reintegração, reabilitação.
reír; *v.* rir.
reiteración; *s.* reiteração, confirmação.
reiterar; *v.* reiterar, confirmar.
reiterativo; *adj.* reiterativo.
reivindicar; *v.* reivindicar, reclamar um direito.
reja; *s.* grade, gelosia.
rejilla; *s.* ralo da pia, grelha.
rejo; *s.* ferrão, aguilhão.
rejuvenecer; *v.* rejuvenescer, remoçar.
relación; *s.* relação, conexão, correspondência, comunicação entre pessoas, narração descrição.
relacionar; *v.* relacionar, fazer relação de um fato, pôr em relação pessoa ou coisas.
relajante; *adj.* relaxante.
relajar; *v.* relaxar, abrandar, afrouxar, descontrair, distrair, depravar.
relamer; *v.* lamber.
ralámpago; *s.* relâmpago.
relampaguear; *v.* relampejar.
relanzamiento; *s.* relançamento.
relanzar; *v.* relançar, repelir.
relatar; *v.* relatar, contar, narrar, referir, mencionar.
relatividad; *s.* relatividade.
relativo; *adj.* relativo, que não é absoluto.
relato; *s.* relato, narração, descrição, conto.
relegar; *v.* relegar, separar, desterrar.
relevante; *adj.* relevante, importante, excelente, saliente.
relevar; *v.* relevar, exonerar de um cargo, remediar, absolver, perdoar, ressaltar.
relevo; *s.* rendição, substituição.
relicario; *s.* relicário, caixa ou estojo onde se guardam as relíquias.

relieve; *s.* relevo, destaque, realce.
religión; *s.* religião.
religioso; *adj.* religioso, crente, pio, devoto.
relinchar; *v.* relinchar, rinchar.
reliquia; *s.* relíquia.
rellano; *s.* patamar da escada.
rellenar; *v.* reencher, encher bem, rechear.
relleno; *adj.* recheio, muito cheio, recheado.
reloj; *s.* relógio.
relojería; *s.* relojoaria.
relojero; *s.* relojoeiro.
reluciente; *adj.* reluzente, brilhante, resplandecente.
relucir; *v.* reluzir, brilhar, resplandecer.
relumbrar; *v.* cintilar, reluzir, resplandecer.
remachar; *v.* arrebitar, rebitar pregos e rebites.
remanente; *adj.* remanescente, resíduo.
remangar; *v.* arregaçar.
remanso; *s.* remanso, estagnação.
remar; *v.* remar.
rematado; *adj.* rematado, concluído, completo, incurável.
rematar; *v.* rematar, arrematar, finalizar, concluir, terminar.
remate; *s.* arremate, conclusão, fim.
remedar; *v.* arremedar, imitar.
remediar; *v.* remediar, consertar, reparar, corrigir, emendar.
remedio; *s.* remédio, recurso, auxílio, solução, medicamento.
rememorar; *v.* rememorar, relembrar, lembrar, recordar.
remendar; *v.* remendar, consertar, reforçar, corrigir, emendar.
remero; *s.* remador.
remesa; *s.* remessa, expedição, despacho, envio.
remiendo; *adj.* remendo, conserto.
remilgo; *s.* afetação, gesto ou trejeito afetado, melindre, delicadeza excessiva.
reminiscencia; *s.* reminiscência, lembrança, recordação.
remisión; *s.* remissão, remitência, perdão.
remitente; *s.* remetente, expedidor.
remitir; *v.* remeter, mandar, expedir.
remo; *s.* remo.
remojar; *v.* molhar, embeber, empapar.
remojo; *s.* remolho.
remolacha; *s.* beterraba.
remolcador; *adj.* rebocador.
remolcar; *v.* rebocar.
remolino; *s.* redemoinho.
remolón; *adj.* preguiçoso, lento, vadio.
remolque; *s.* reboque.
remontar; *v.* remontar, encavalar.
remordimiento; *s.* remorso, arrependimento, remordimento.
remoto; *adj.* remoto, distante, afastado.
remover; *v.* remover, mover, mudar de lugar.
remozar; *v.* remoçar, rejuvenescer.
remuneración; *s.* remuneração, salário.
remunerar; *v.* remunerar, pagar, recompensar, premiar, galardoar, gratificar.
renacentista; *adj.* renascentista.
renacer; *v.* renascer, reviver.
renacimiento; *s.* renascimento.
renacuajo; *s.* girino da rã.
renal; *adj.* renal.
rencilla; *s.* rixa, desordem.
rencor; *s.* rancor, ódio inveterado.
rencoroso; *adj.* rancoroso.
rendición; *s.* rendição.
rendido; *adj.* rendido.
rendija; *s.* fenda, rachadura, greta, abertura comprida e estreita.
rendimiento; *s.* fadiga, cansaço, abatimento de forças, rendimento, submissão, subordinação.
rendir; *v.* render, vencer, sujeitar, obrigar a capitular, entregar, restituir, produzir, dar lucro.

renegado; *adj.* renegado, descrente.
renegar; *v.* renegar, negar, abominar, detestar.
reno; *s.* rena.
renombrado; *adj.* renomado, famoso, célebre.
renombre; *s.* renome, fama, celebridade.
renovable; *adj.* renovável.
renovar; *v.* renovar, recomeçar, repetir, reformar, consertar, melhorar, mudar, substituir.
renquear; *v.* coxear, claudicar.
renta; *s.* renda, rendimento.
rentabilidad; *s.* rentabilidade.
rentable; *adj.* rentável, rendoso, produtivo.
renuncia; *s.* renúncia, demissão, abandono.
renunciar; *v.* renunciar, abandonar, desistir.
reñido; *adj.* renhido, inimizado, zangado.
reñir; *v.* renhir, disputar altercando, combater, inimizar.
reo; *adj.* réu, criminoso, culpado.
reorganizar; *v.* reorganizar, reestruturar.
reparación; *s.* reparação, conserto.
reparar; *v.* reparar, consertar, arrumar.
reparo; *s.* reparo, conserto, restauração, advertência, observação.
repartir; *v.* repartir, dividir, distribuir.
reparto; *s.* repartição, partilha, divisão, distribuição.
repasar; *v.* repassar, olhar novamente, voltar a explicar, passar os olhos por.
repaso; *s.* repasse, estudo ligeiro, verificação.
repatriación; *s.* repatriação, extradição.
repatriar; *v.* repatriar, extraditar.
repelente; *adj.* repelente, asqueroso, repulsivo, nojento.
repeler; *v.* repelir, expulsar, recusar, rejeitar.
repentino; *adj.* repentino, súbito, inesperado.
repercusión; *s.* repercussão.
repercutir; *v.* repercutir.
repertorio; *s.* repertório, compilação.
repetir; *v.* repetir.
repicar; *v.* repicar, tanger, tocar o sino.
repique; *s.* repique, toque dos sinos.
repisa; *s.* suporte, estante.
replantear; *v.* propor novamente uma questão ou tema.
replegar; *v.* pregar novamente.
repleto; *adj.* repleto, muito cheio, abarrotado.
réplica; *s.* réplica, contestação, contra-argumento.
replicar; *v.* replicar, responder aos argumentos de outro.
repliegue; *s.* prega dupla.
repoblación; *s.* repovoação.
repoblar; *v.* repovoar, reflorestar.
repollo; *s.* repolho.
reponer; *v.* repor, restituir, substituir o que falta.
reportaje; *s.* reportagem.
reportar; *v.* refrear, reprimir, moderar.
reportero; *s.* repórter, jornalista.
reposar; *v.* repousar, descansar, sossegar, sedimentar, pousar um líquido.
reposición; *s.* reposição, restituição.
reposo; *s.* repouso, descanso, serenidade, sossego.
repostar; *v.* abastecer, reabastecer, repor.
repostería; *s.* confeitaria.
reprender; *v.* repreender, corrigir.
reprensible; *adj.* repreensível.
reprensión; *s.* repreensão.
represa; *s.* represa, açude, comporta.
represalia; *s.* represália.
representación; *s.* representação, exposição, exibição.

representar; *v.* representar, expor, exibir.
represión; *s.* repressão.
represivo; *adj.* repressivo, repressor.
reprimir; *v.* reprimir, conter, dominar, frear.
reprobable; *adj.* reprovável, censurável, condenável.
reprobar; *v.* reprovar, censurar, condenar.
reprochar; *v.* reprovar, desaprovar, censurar.
reproducir; *v.* reproduzir, multiplicar.
reptil; *s.* réptil.
república; *s.* república.
republicano; *adj.* republicano.
repudiar; *v.* repudiar, rechaçar, desamparar, enjeitar.
repudio; *s.* repúdio, abandono.
repuesto; *s.* reserva de provisões, reposição, peças de reposição.
repugnancia; *s.* repugnância, aversão, repulsa, nojo, asco.
repugnar; *v.* repugnar, contradizer.
repulsa; *s.* repulsa, recusa, aversão.
repulsión; *s.* repulsão, repulsa.
reputación; *s.* reputação, fama, celebridade, renome.
requerimiento; *s.* requerimento.
requerir; *v.* requerer.
requesón; *s.* requeijão.
requiebro; *s.* requebro.
requisar; *v.* requisitar.
requisito; *s.* requisito, condição necessária para alguma coisa.
res; *s.* rês, cabeça de gado.
resabio; *s.* ressaibo.
resaca; *s.* ressaca.
resaltar; *v.* ressaltar, sobressair.
resalte; *s.* saliência.
resarcir; *v.* ressarcir, compensar, indenizar.
resbalar; *v.* resvalar, deslizar, escorregar.
rescatable; *adj.* resgatável, recuperável, reaproveitável.
rescatar; *v.* resgatar.
rescate; *s.* resgate.
rescindir; *v.* rescindir, invalidar, anular um contrato.
rescisión; *s.* rescisão, anulação.
rescoldo; *s.* rescaldo, brasa miúda.
resecar; *v.* ressecar, secar.
reseco; *adj.* resseco, muito seco.
resentirse; *v.* ressentir-se.
reseña; *s.* resenha, narrativa curta, notícia breve.
reserva; *s.* reserva, prevenção, prudência.
reservado; *adj.* reservado, cauteloso, prudente, prevenido.
reservar; *v.* reservar, guardar para depois.
reservista; *s.* reservista.
resfriado; *s.* resfriado, gripe.
resfriarse; *v.* resfriar-se, esfriar-se, ficar resfriado, gripar-se.
resguardar; *v.* resguardar, proteger, defender, amparar.
resguardo; *s.* resguardo, segurança, precaução, cautela.
residencia; *s.* residência, moradia, domicílio.
residir; *v.* residir, morar, habitar.
residual; *adj.* residual.
residuo; *s.* resíduo, resto.
resignar; *v.* resignar, conformar-se, tolerar.
resina; *s.* resina.
resistencia; *s.* resistência, defesa, firmeza.
resistir; *v.* resistir, defender, contrariar, contradizer, tolerar, aguentar, sofrer.
resolución; *s.* resolução, atrevimento, valor, audácia, ânimo, coragem, atividade, viveza, prontidão.
resolver; *v.* resolver, solucionar, deliberar, resumir, compendiar, achar a solução.
resollar; *v.* resfolegar, ofegar.
resonancia; *s.* ressonância, repercussão.

resonar; *v.* ressonar, repercutir, fazer soar, retumbar, ecoar.
resoplar; *v.* soprar, assoprar, arfar.
resoplido; *s.* bufo, assopro, ofego.
resorte; *s.* mola.
respaldar; *v.* respaldar, proteger, amparar, apoiar.
respaldo; *s.* respaldo, espaldar, encosto.
respecto; *s.* respeito, razão, relação de uma coisa com outra.
respetable; *adj.* respeitável, digno, considerável.
respetar; *v.* respeitar, considerar.
respeto; *s.* respeito, consideração.
respetuoso; *adj.* respeitoso, respeitador.
respingar; *v.* respingar.
respingo; *s.* respingo.
respiración; *s.* respiração.
respirar; *v.* respirar.
respiro; *s.* respiração.
resplandecer; *v.* resplandecer, brilhar.
resplandor; *s.* resplendor, brilho, esplendor.
responder; *v.* responder, contestar.
responsabilidad; *s.* responsabilidade.
responsable; *adj.* responsável.
respuesta; *s.* resposta, réplica.
resquebrajar; *v.* fender, rachar, gretar.
resquicio; *s.* resquício, fenda.
resta; *s.* subtração, diminuição, resto.
restablecer; *v.* restabelecer, repor.
restablecimiento; *s.* restabelecimento.
restallar; *v.* estalar, estralar, ranger.
restante; *adj.* restante, resto, resíduo.
restar; *v.* restar, subtrair, diminuir, sobrar.
restauración; *s.* restauração, reparação, conserto, restabelecimento
restaurante; *s.* restaurante.
restaurar; *v.* restaurar, recuperar, recobrar.
restitución; *s.* restituição, devolução.
restituir; *v.* restituir, devolver.
resto; *s.* resto, resíduo.
restregar; *v.* esfregar com força.
restricción; *s.* restrição, limitação, redução.
restrictivo; *adj.* restritivo.
restringir; *v.* restringir, limitar, reduzir.
resucitado; *adj.* ressuscitado.
resucitar; *v.* ressuscitar, reviver.
resuelto; *adj.* resoluto.
resulta; *s.* resultado, efeito.
resultado; *s.* resultado, efeito e consequência de um fato.
resultar; *v.* resultar.
resumen; *s.* resumo, recapitulação.
resumir; *v.* resumir, abreviar, compilar.
resurgimiento; *s.* ressurgimento, reaparição.
resurgir; *v.* ressurgir, reaparecer, ressuscitar.
resurrección; *s.* ressurreição, ressurgimento.
retablo; *s.* retábulo, painel, decoração do altar.
retaguardia; *s.* retaguarda.
retahíla; *s.* fileira, fileira de coisas ou animais, série de muitas coisas.
retar; *v.* desafiar, provocar para um duelo.
retardado; *adj.* atrasado.
retardar; *v.* retardar, atrasar, prolongar.
retardo; *s.* retardamento, atraso.
retazo; *s.* retalho, fragmento, pedaço.
retemblar; *v.* estremecer, tremer.
retén; *s.* retém, provisão de coisas, reserva.
retención; *s.* retenção, demora, desconto.
retener; *v.* reter, demorar, guardar, conservar, deter.
retentiva; *s.* memória, voltar a lembrar.

reticencia; *s.* reticência.
reticente; *adj.* reticente, omisso.
retina; *s.* retina.
retirada; *s.* retirada, lugar de refúgio, volta, retorno, retrocesso.
retirado; *adj.* retirado, distante, afastado, isolado, separado, desviado, ermo.
retirar; *v.* retirar, separar, apartar, distanciar, esconder, ocultar, aposentar-se.
retiro; *s.* retiro, retirada, afastamento, recolhimento, exercício piedoso, militar reformado, aposentadoria.
reto; *s.* desafio, ameaça, provocação, insulto.
retocar; *v.* retocar, aperfeiçoar, restaurar, completar, arrumar, modificar.
retoñar; *v.* brotar de novo, rebentar ou abrolhar.
retoque; *s.* retoque.
retorcer; *v.* retorcer, torcer muito.
retorcimiento; *s.* retorcimento, retorcer.
retórica; *s.* retórica.
retornar; *v.* retornar, voltar, devolver, restituir.
retorno; *s.* retorno, regresso, volta, devolução.
retorta; *s.* retorta.
retozar; *v.* traquinar, saltar e brincar alegremente.
retracción; *s.* retração, contração.
retractar; *v.* retratar, desdizer.
retraer; *v.* retrair, afastar, distanciar, diminuir.
retraído; *adj.* retraído, tímido.
retransmisión; *s.* retransmissão.
retransmitir; *v.* retransmitir.
retrasar; *v.* atrasar, adiar, demorar.
retraso; *s.* atraso, demora, adiamento.
retratar; *v.* retratar, fotografar, descrever, detalhar.
retrato; *s.* retrato, pintura, fotografia.
retrete; *s.* latrina, privada, cloaca.
retribución; *s.* retribuição, pagamento, recompensa, salário.
retribuir; *v.* retribuir, pagar um serviço, remunerar, recompensar, gratificar.
retroactivo; *adj.* retroativo.
retroceder; *v.* retroceder, recuar, voltar atrás.
retroceso; *s.* retrocesso, regressão.
retrógrado; *adj.* retrógrado, partidário das instituições políticas ou sociais de tempos passados.
retrospectivo; *adj.* retrospectivo, que se refere ao passado.
retrovisor; *s.* retrovisor.
retumbar; *v.* retumbar, rebombar, estrondear.
reumático; *adj.* reumático.
reumatismo; *s.* reumatismo.
reumatólogo; *s.* reumatologista.
reunión; *s.* reunião, agrupamento.
reunir; *v.* reunir, juntar, agrupar, congregar, convocar.
reválida; *s.* revalidação.
revalidar; *v.* revalidar, confirmar, retificar.
revalorizar; *v.* revalorizar.
revancha; *s.* revanche.
revelación; *s.* revelação.
revelador; *adj.* revelador.
revelar; *v.* revelar, descobrir, manifestar.
revender; *v.* revender.
reventa; *s.* revenda.
reventar; *v.* rebentar, arrebentar, explodir.
reverberación; *s.* reverberação.
reverberar; *v.* reverberar, resplandecer, brilhar, refletir a luz.
reverdecer; *v.* reverdecer, tonar verde.
reverencia; *s.* reverência, respeito, veneração.
reverenciar; *v.* reverenciar, respeitar.

reverendo; *adj.* reverendo.
reversible; *adj.* reversível.
reverso; *s.* reverso, costas, lado oposto ao principal, face oposta ao anverso.
revés; *s.* revés, reverso, costas.
revestimiento; *s.* revestimento, cobertura.
revestir; *v.* revestir, cobrir.
revisar; *v.* revisar, rever, reexaminar.
revisión; *s.* revisão, reexame, releitura.
revisor; *adj.* revisor.
revista; *s.* revista, exame, inspeção, publicação periódica, magazine, teatro de revista.
revistar; *v.* revistar, inspecionar, passar revista.
revivir; *v.* reviver, ressuscitar.
revocar; *v.* revogar, anular desfazer, invalidar.
revolcar; *v.* derrubar, maltratar, revolver pelo chão.
revolotear; *v.* revolutear, revoltear, esvoaçar, voejar.
revoltijo; *s.* confusão, embrulhada, enredo, amontoamento, conjunto de muitas coisas em desordem.
revoltoso; *adj.* revoltoso, revoltado, travesso, inquieto.
revolución; *s.* revolução, mudança violenta das instituições políticas.
revolucionar; *v.* revolucionar.
revolucionario; *adj.* revolucionário.
revólver; *s.* revólver, pistola.
revolver; *v.* revolver, agitar, mexer, remexer, misturar.
revoque; *s.* reboco, argamassa para rebocar.
revuelo; *s.* revoada, rapidamente como um voo, agitação, rebuliço.
revuelta; *s.* reviravolta, pirueta, volta, rodeio de caminho.
revuelta; *s.* sedição, revolta, revolução, rixa, pendência, desordem.
revuelto; *adj.* revolto, revolvido, revoltoso, travesso, inquieto, intrincado.
rey; *s.* rei, monarca, príncipe reinante.
reyerta; *s.* rixa, contenda, briga, altercação.
rezagar; *v.* atrasar, retardar, protelar, adiar.
rezar; *v.* rezar, orar.
rezo; *s.* reza, oração.
rezongar, *v.* resmungar, rezingar, recalcitrar.
rezumar; *v.* ressumar, gotejar, coar.
ría; *s.* esteiro, braço de rio, parte do rio próximo ao mar.
riachuelo; *s.* riacho, ribeira, regato, rio pequeno.
riada; *s.* cheia, enchente, inundação.
ribazo; *s.* outeiro, ribanceira, encosta.
ribera; *s.* ribeira, margem do mar ou do rio.
ribereño; *adj.* ribeirinho.
ricamente; *adv.* ricamente, opulentamente, com abundância.
ricino; *s.* rícino.
rico; *adj.* rico, opulento, fértil, magnífico, belo, feliz, contente, delicioso saboroso.
ridiculizar; *v.* ridicularizar.
ridículo; *adj.* ridículo.
riego; *s.* rega, regadura, água para regar.
riel; *s.* barra de metal, trilho, estrada-de-ferro.
rienda; *s.* rédea, correia.
riesgo; *s.* risco, azar, perigo.
rifa; *s.* rifa, sorteio.
rifar; *v.* rifar, sortear.
rifle; *s.* rifle, espingarda.
rigidez; *s.* rigidez.
rígido; *adj.* rígido, inflexível, teso, hirto, rijo, forte.
rigor; *s.* rigor, severidade.
riguroso; *adj.* rigoroso, severo.
rima; *s.* rima, consonância.
rímel; *s.* rímel, máscara para os cílios.
rincón; *s.* rincão, canto, ângulo, espaço pequeno.

riña; *s.* rixa, briga, pendência, disputa.
riñón; *s.* rim.
río; *s.* rio.
riqueza; *s.* riqueza, abundância, opulência.
risa; *s.* riso, risada.
risible; *adj.* risível, ridículo.
ristra; *s.* réstia de alhos ou cebolas.
risueño; *adj.* risonho, alegre, jovial.
rítmico; *adj.* rítmico.
ritmo; *s.* ritmo.
rito; *s.* rito, culto, seita, costume, cerimônia.
ritual; *s.* ritual, cerimônia.
rival; *adj.* rival, antagonista, competidor, adversário.
rivalidad; *s.* rivalidade, antagonismo, competição.
rivalizar; *v.* rivalizar, competir, antagonizar.
rizar; *v.* frisar, ondear, encaracolar os cabelos.
rizo; *adj.* crespo, ondeado, frisado, cacheado.
róbalo; *s.* robalo, peixe marinho de carne muito apreciada.
robar; *v.* roubar, furtar.
roble; *s.* carvalho.
robustecer; *v.* robustecer, fortalecer, revigorar.
robusto; *adj.* robusto, forte, vigoroso.
roca; *s.* roca, rocha, rochedo.
rocalla; *s.* cascalho.
roce; *s.* roçadura, fricção, atrito muito leve.
rociar; *v.* rociar, cair orvalho.
rocío; *s.* orvalho, chuvisco, chuvinha.
rodaja; *s.* rodela.
rodaje; *s.* rodagem.
rodapié; *s.* rodapé, friso.
rodar; *v.* rodar, girar, rolar, circular.
rodear; *v.* rodear, andar em redor, fazer círculo.
rodeo; *s.* rodeio, desvio.
rodilla; *s.* joelho.
rodillo; *s.* cilindro, rolo.
roedor; *adj.* roedor.
roer; *v.* roer.
rogar; *v.* rogar, pedir, suplicar, implorar.
rogativa; *s.* rogativa, rogo.
rojo; *adj.* vermelho.
rol; *s.* rol, lista, catálogo.
roldana; *s.* roldana.
rollizo; *adj.* roliço, robusto e grosso.
rollo; *s.* rolo, cilindro.
romance; *adj.* línguas derivadas do latim.
románico; *adj.* românico.
romano; *adj.* romano.
romántico; *adj.* romântico, sentimental.
romería; *s.* romaria, peregrinação.
romo; *adj.* rombo, sem ponta.
rompecabezas; *s.* quebra-cabeças.
rompeolas; *s.* quebra-mar.
romper; *v.* romper, quebrar, despedaçar.
rompimiento; *s.* rompimento.
ron; *s.* rum.
roncar; *v.* roncar, ressonar.
ronco; *adj.* ronco, afônico.
ronda; *s.* ronda, vigilância.
rondar; *v.* rondar, vigiar.
ronquera; *s.* rouquidão, afonia.
ronquido; *s.* ronco.
roña; *s.* ronha, sarna, cascão, sujeira.
roñoso; *adj.* ronhoso, porco, sujo, oxidado, mesquinho.
ropa; *s.* roupa, vestimenta, veste.
ropaje; *s.* roupagem, vestimenta.
ropero; *s.* roupeiro, guarda-roupa.
rosa; *s.* rosa, flor da roseira, cor rosada, tom de vermelho.
rosal; *s.* roseira.
rosario; *s.* rosário.
rosca; *s.* rosca, parafuso, bolo ou pão torcido em forma de argola.
rostro; *s.* rosto, cara, face, fisionomia.
rotación; *s.* rotação, giro, volta.

rotativo; *adj.* rotativo.
rotatorio; *adj.* rotatório.
roto; *adj.* roto, rasgado, esfarrapado, quebrado.
rótula; *s.* rótula.
rotular; *v.* rotular, etiquetar.
rotulador; *adj.* rotulador.
rótulo; *s.* rótulo, letreiro, título, etiqueta, cartaz.
rotundo; *adj.* redondo.
rotura; *s.* ruptura, fratura, rompimento.
rozamiento; *s.* roçamento.
rozar; *v.* roçar, friccionar levemente.
rubí; *s.* rubi.
rubio; *adj.* louro ou loiro.
rubor; *s.* rubor, vermelhão.
ruborizar; *v.* ruborizar, corar.
rúbrica; *s.* rubrica, assinatura abreviada.
rubricar; *v.* rubricar, assinar.
rucio; *adj.* ruço, pardo.
rudeza; *s.* rudeza.
rudimentario; *adj.* rudimental.
rudimento; *s.* rudimento, elemento inicial.
rudo; *adj.* rude, tosco, áspero, sem polimento.
rueca; *s.* roca, utensílio para fiar.
rueda; *s.* roda.
ruedo; *s.* ação de rodar, rodagem, contorno, limite, orla, franja.
ruego; *s.* rogo, súplica.
rugir; *v.* rugir, bramir do leão, urrar.
rugoso; *adj.* rugoso, enrugado, encarquilhado.
ruido; *s.* ruído, barulho, rumor, fragor, bulício.
ruidoso; *adj.* ruidoso, barulhento.
ruin; *adj.* ruim, mau, vil, desprezível, mesquinho, avarento.
ruina; *s.* ruína, perda, destruição.
ruindad; *s.* ruindade, mesquinharia.
ruinoso; *adj.* ruinoso.
ruiseñor; *s.* rouxinol.
ruleta; *s.* roleta.
rulo; *s.* rolo, cilindro.
rumbo; *s.* rumo, caminho.
rumboso; *adj.* pomposo, faustuoso, dadivoso.
rumiante; *adj.* ruminante.
rumiar; *v.* ruminar.
rumor; *s.* rumor, sussurro, boato.
rupestre; *adj.* rupestre.
ruptura; *s.* ruptura, fratura.
rural; *adj.* rural, rústico.
rústico; *adj.* rústico, rural, rude.
ruta; *s.* rota, rumo, itinerário, roteiro.
rutina; *s.* rotina, hábito.
rutinario; *adj.* rotineiro, habitual.

S

s; *s.* vigésima segunda letra do alfabeto espanhol.
sábado; *s.* sábado, sétimo e último dia da semana.
sabana; *s.* savana, planície arenosa e extensa.
sábana; *s.* lençol.
sabandija; *s.* qualquer verme, réptil ou inseto imundo.
sabañón; *s.* frieira, inflamação causada pelo frio.
sabático; *adj.* sabático, relativo ao sábado.
sabedor; *adj.* sabedor, informado, instruído.
sabelotodo; *s.* sabichão.
saber; *v.* saber, conhecer uma coisa, ter conhecimento, ter habilidade, ser erudito, conhecer o caminho, saber ir.
saber; *s.* saber, sabedoria, conhecimento.
sabiamente; *adv.* sabiamente.
sabiduría; *s.* sabedoria, conhecimento, prudência.
sabihondo; *adj.* sabichão, que alardeia de sábio.
sabio; *adj.* sábio, que tem muita sabedoria, erudito.
sable; *s.* sabre, adaga.
sabor; *s.* sabor, gosto.
saborear; *v.* saborear, degustar.
sabotaje; *s.* sabotagem.
sabroso; *adj.* saboroso.
sabueso; *adj.* sabujo, cão de caça.
sacacorchos; *s.* saca-rolhas.
sacamuelas; *s.* mau dentista, charlatão.
sacapuntas; *s.* apontador.
sacar; *v.* tirar, extrair, fazer sair, separar, apartar, descobrir, eleger tirar, ganhar.
sacarina; *s.* sacarina, adoçante artificial que se extrai do alcatrão da hulha.
sacarosa; *s.* sacarose, açúcar.
sacerdocio; *s.* sacerdócio.
sacerdote; *s.* sacerdote, religioso.
saciable; *adj.* saciável.
saciar; *v.* saciar, encher, fartar de bebida ou comida.
saciedad; *s.* saciedade, fartura.
saco; *s.* saco, saco de papel, tecido ou couro, roupa folgada, paletó.
sacralizar; *v.* sacralizar, tornar sagrado.
sacramento; *s.* sacramento.
sacrificar; *v.* sacrificar.
sacrificio; *s.* sacrifício, oferenda a uma divindade.
sacrilegio; *s.* sacrilégio, profanação do que é sagrado.
sacrílego; *adj.* sacrílego, ultrajante, ímpio.
sacristán; *s.* sacristão.
sacristía; *s.* sacristia.
sacro; *adj.* sacro, sagrado.
sacrosanto; *adj.* sacrossanto, sagrado e santo.

sacudida; *s.* movimento brusco.
sacudir; *v.* sacudir, agitar muitas vezes, abalar, abanar, arremessar, atirar, repelir.
sádico; *adj.* sádico.
sadismo; *s.* sadismo.
saeta; *s.* seta, flecha, ponteiro do relógio, bússola, copla.
safari; *s.* safári.
saga; *s.* saga, bruxa ou feiticeira, lendas escandinavas.
sagacidad; *s.* sagacidade.
sagaz; *adj.* sagaz, perspicaz, arguto, astuto.
sagrado; *adj.* sagrado, sacro.
sagrario; *s.* sacrário, onde se guarda coisas sagradas.
sagú; *s.* sagu, fécula alimentícia.
sahumador; *s.* perfumador, vaso em que se queimam perfumes, defumador.
sahumar; *v.* perfumar com fumo aromático, defumar.
saín; *s.* banha, gordura, sebo de animal, porcaria, sujeira, gordurosa.
sainete; *s.* sainete, molho para condimentar iguarias, peça dramática e jocosa.
sajar; *v.* sarjar, golpear para produzir escoamento de sangue ou humores.
sajón; *adj.* saxão, saxônio.
sal; *s.* sal.
sala; *s.* sala.
salado; *adj.* salgado.
salamandra; *s.* salamandra.
salame; *s.* salame, embutido de carne de porco.
salar; *v.* salgar, temperar com sal, impregnar de sal, pôr em salmoura.
salariar; *v.* assalariar.
salario; *s.* salário, pagamento, ordenado.
salazón; *s.* salgadura, carnes e peixes salgados, conservas, salgadas.
salchicha; *s.* salsicha, embutido de tripa fina.
salchichería; *s.* salsicharia.
salchichón; *s.* salsichão, paio.
saldar; *v.* saldar, liquidar, vender a baixo preço.
saldo; *s.* saldo, pagamento, liquidação.
salero; *s.* saleiro.
saleroso; *adj.* engraçado, gracioso, elegante, donairoso.
salida; *s.* saída.
salidizo; *s.* sacada, saliência, parte do edifício que sobressai da parede.
salido; *adj.* saído, saliente.
saliente; *adj.* saliente, saliência.
salina; *s.* salina, mina de sal.
salinidad; *s.* salinidade.
salir; *v.* sair, ir para fora, partir, desviar, afastar-se, nascer, brotar, desaparecer, acabar.
salitre; *s.* salitre, nitrato de potássio.
salitroso; *adj.* salitroso.
saliva; *s.* saliva, cuspe.
salivación; *s.* salivação.
salivar; *v.* salivar, cuspir.
salmo; *s.* salmo, cântico.
salmón; *s.* salmão.
salmuera; *s.* salmoura.
salobre; *adj.* salobre, salobro.
salón; *s.* salão, sala grande.
salpicadero; *s.* painel de comando dos carros.
salpicadura; *s.* salpicadura.
salpicar; *v.* salpicar, manchar, borrifar.
salpicón; *s.* salpicão, picado de carne e paio.
salpimentar; *v.* temperar com sal e pimenta.
salsa; *s.* molho, tempero.
saltador; *adj.* saltador.
saltamontes; *s.* gafanhoto.
saltar; *v.* saltar, pular.
salteador; *s.* salteador, ladrão de estrada, bandoleiro.

saltear; *v.* assaltar, sair do caminho para roubar.
saltimbanqui; *s.* saltimbanco, acrobata.
salto; *s.* salto, pulo, queda de água, cascata, cachoeira, omissão na leitura de uma lista.
salubre; *adj.* saudável, salubre, salutar.
salubridad; *s.* salubridade.
salud; *s.* saúde.
saludable; *adj.* saudável, bom, sadio.
saludar; *v.* saudar, cumprimentar.
saludo; *s.* saudação, cortesia, cumprimento.
salutación; *s.* saudação, cumprimento.
salva; *s.* salva de artilharia, saudação.
salvación; *s.* salvação, salvamento.
salvado; *adj.* salvo.
salvado; *s.* farelo, sêmea, casca de cereais.
salvadoreño; *adj.* salvadorenho.
salvaguardar; *v.* salvaguardar, proteger, garantir.
salvaguardia; *s.* salvaguarda, salvo-conduto.
salvaje; *adj.* selvagem, inculto, bravio.
salvajismo; *s.* selvageria, brutalidade.
salvamento; *s.* salvamento.
salvar; *v.* salvar, livrar de um risco ou perigo.
salvavidas; *s.* salva-vidas, bóia.
salve; *interj.* salve.
salvedad; *s.* escusa, desculpa, salvaguarda.
salvo; *adj.* salvo, ileso, livre de perigo, excetuado, omitido.
salvoconducto; *s.* salvo-conduto.
samurai; *s.* samurai.
sanar; *v.* sanar, curar, sarar, melhorar, recuperar a saúde.
sanatorio; *s.* sanatório, hospital.
sanción; *s.* sanção, estatuto ou lei.
sancionar; *v.* sancionar, força de lei, aprovar usos e costumes.
sandalia; *s.* sandália.
sándalo; *s.* sândalo.
sandez; *s.* sandice, tolice, parvoíce, necedade.
sandía; *s.* melancia.
sandwich; *s.* sanduíche.
saneamiento; *s.* saneamento.
sanear; *v.* sanear, limpar, purificar, consertar, reparar.
sangrar; *v.* sangrar.
sangre; *s.* sangue.
sangría; *s.* sangria, perda de sangue, refresco preparado com vinho, água, açúcar e frutas.
sangriento; *adj.* sangrento.
sanguijuela; *s.* sanguessuga.
sanguinario; *adj.* sanguinário.
sanguíneo; *adj.* sanguíneo.
sanguinolento; *adj.* sangrento, sanguinolento.
sanidad; *s.* sanidade, saúde, higiene.
sanitario; *s.* sanitário.
sano; *adj.* são, saudável.
santiamén; *s.* santiamém, num santiamém, num instante, num momento.
santidad; *s.* santidade.
santificación; *s.* santificação.
santificar; *v.* santificar, tornar santo, abençoar.
santiguar; *v.* benzer, persignar-se.
santo; *adj.* santo, perfeito e livre de toda a culpa.
santuario; *s.* santuário, templo.
saña; *s.* sanha, ira, cólera, raiva.
sapo; *s.* sapo, batráquio.
saquear; *v.* saquear, depredrar, pilhar.
saqueo; *s.* saque, pilhagem, depredação, roubo.
sarampión; *s.* sarampo.
sarcasmo; *s.* sarcasmo, ironia mordaz.
sarcástico; *adj.* sarcástico, irônico.
sarcófago; *s.* sarcófago, túmulo, ataúde.

sardina; *s.* sardinha.
sargento; *s.* sargento.
sarmiento; *s.* sarmento, broto da videira.
sarna; *s.* sarna.
sarro; *s.* sarro, borra, sedimento, tártaro dos dentes, saburra, da língua.
sarta; *s.* enfiada, fileira.
sartén; *s.* frigideira.
sastre; *s.* alfaiate.
sastrería; *s.* alfaiataria.
satán; *s.* satã, satanás.
satanismo; *s.* satanismo.
satélite; *s.* satélite.
satén; *s.* cetim.
satinado; *adj.* acetinado, sedoso, brilhante.
satinar; *v.* acetinar, amaciar, tornar sedoso.
sátira; *s.* sátira, discurso ou dito para censurar ou pôr em ridículo.
satírico; *adj.* satírico.
satirizar; *v.* satirizar, ridicularizar, criticar.
satisfacción; *s.* satisfação, reparação, expiação, presunção, confiança.
satisfacer; *v.* satisfazer, reparar, pagar, contentar, agradar, cumprir, saciar, tranquilizar.
satisfactorio; *adj.* satisfatório, suficiente, aceitável.
satisfecho; *adj.* satisfeito, farto, contente, feliz.
saturación; *s.* saturação.
saturar; *v.* saturar, fartar, saciar, impregnar.
sauce; *s.* salgueiro, árvore.
saúco; *s.* sabugueiro.
sauna; *s.* sauna.
savia; *s.* seiva.
saxofón; *s.* sax, saxofone.
saya; *s.* saia, vestidura antiga, espécie de túnica.
sayal; *s.* tecido de lã tosca.
sayo; *s.* antiga veste larga e folgada.
sazón; *s.* madureza, maturação, tempo oportuno.
sazonar; *v.* temperar uma iguaria.
se; *pron.* se.
sebáceo; *adj.* sebáceo, sebento.
sebo; *s.* sebo, gordura.
secadero; *s.* local para secar.
secador; *s.* secador.
secano; *s.* terreno que não tem regadio.
secante; *adj.* secante.
secar; *v.* secar, enxugar, murchar, esgotar.
sección; *s.* seção, parte, divisão, corte.
seccionar; *v.* seccionar, cortar, dividir, fracionar.
seco; *adj.* seco, enxuto, murcho, ressecado, árido, magro, descarnado.
secreción; *s.* secreção.
secretar; *v.* segregar, secretar.
secretario; *s.* secretário.
secreto; *adj.* secreto, oculto, escondido.
secta; *s.* seita.
sectario; *s.* sectário.
sector; *s.* setor.
secuaz; *adj.* sequaz, partidário de uma doutrina.
secuela; *s.* sequela, consequência, efeito, resultado.
secuencia; *s.* sequência, sucessão.
secuestrador; *s.* sequestrador, raptor.
secuestrar; *v.* sequestrar, raptar, penhorar, executar judicialmente.
secular; *adj.* secular, que tem um século, sacerdote que não vive em clausura.
secularizar; *v.* secularizar.
secundar; *v.* secundar, auxiliar, ajudar, favorecer.
secundario; *adj.* secundário, segundo.
sed; *s.* sede, vontade de beber, secura.
seda; *s.* seda.
sedante; *adj.* sedativo, calmante.

sedar; *v.* sedar, acalmar.
sede; *s.* sede, capital de uma diocese, sede de um partido.
sedentario; *adj.* sedentário, inativo, ocupação de pouco movimento.
sedición; *s.* sedição, sublevação, revolta, rebelião.
sediento; *adj.* sedento, que tem sede, sequioso.
sedimentar; *v.* sedimentar, depositar-se.
sedimento; *s.* sedimento, depósito.
sedoso; *adj.* sedoso, macio, acetinado, lustroso.
seducción; *s.* sedução.
seducir; *v.* seduzir, persuadir, cativar, atrair.
seductor; *adj.* sedutor, cativante, tentador.
segar; *v.* segar, ceifar.
seglar; *adj.* secular, mundano, leigo.
segmentación; *s.* segmentação, fragmentação.
segmentar; *v.* segmentar, fragmentar.
segmento; *s.* segmento, parte de uma coisa.
segregación; *s.* segregação, separação.
segregar; *v.* segregar, separar, afastar.
seguida; *adv.* em seguida.
seguido; *adj.* contínuo, sucessivo, direto.
seguido; *adv.* em seguida.
seguimiento; *s.* seguimento, prosseguimento, continuação.
seguir; *v.* seguir, ir à procura de uma pessoa ou coisa, perseguir.
según; *prep.* segundo, conforme.
segundo; *adj.* segundo.
segundo; *s.* segundo, sexagésima parte do minuto.
seguridad; *s.* segurança, certeza, confiança.
seguro; *adj.* seguro, confiável, firme, certo, certeza.
seis; *adj.* seis.
selección; *s.* seleção, escolha, eleição.
seleccionar; *v.* selecionar, escolher, eleger.
selectivo; *adj.* seletivo.
selecto; *adj.* seleto, selecionado, escolhido, o melhor.
selector; *s.* seletor, classificador.
sellar; *v.* selar.
sello; *s.* selo, estampilha, carimbo.
selva; *s.* selva, floresta.
selvático; *adj.* selvático, selvagem.
semáforo; *s.* semáforo, sinhal para veículos.
semana; *s.* semana.
semanal; *adj.* semanal.
semanario; *s.* semanário, semanal.
semántica; *s.* semântica, estudo da significação das palavras.
semblante; *s.* semblante, cara, face, rosto.
semblanza; *s.* biografia.
sembrado; *adj.* semeado.
sembrar; *v.* semear.
semejante; *adj.* semelhante, parecido, similar.
semejar; *v.* semelhar, parecer.
semen; *s.* sêmen, esperma.
sementera; *s.* sementeira.
semestral; *adj.* semestral.
semestre; *s.* semestre.
semicircular; *adj.* semicircular.
semicírculo; *s.* semicírculo.
semilla; *s.* semente, grão.
seminario; *s.* seminário.
seminarista; *s.* seminarista.
semiología; *s.* semiologia.
semita; *adj.* semita.
sémola; *s.* sêmola, farinha de cereal.
senado; *s.* senado, assembléia.
senador; *s.* senador.
sencillez; *s.* simplicidade.
sencillo; *adj.* simples, singelo, sincero, ingênuo, crédulo.
senda; *s.* senda, caminho, vereda, atalho.
sendero; *s.* senda, atalho.

senil; *adj.* senil, idoso.
senilidad; *s.* senilidade.
seno; *s.* seio, ventre materno, peito da mulher, enseada.
sensación; *s.* sensação, impressão.
sensacional; *adj.* sensacional, impressionante.
sensacionalismo; *s.* sensacionalismo.
sensatez; *s.* sensatez, prudência, juízo.
sensato; *adj.* sensato, prudente, ajuizado, discreto.
sensibilidad; *s.* sensibilidade.
sensibilizar; *v.* sensibilizar.
sensible; *adj.* sensível.
sensitivo; *adj.* sensitivo, sensível.
sensorio; *adj.* sensório.
sensual; *adj.* sensual, sensitivo, voluptuoso.
sensualidad; *s.* sensualidade.
sentado; *adj.* sentado, assentado.
sentar; *v.* sentar, assentar.
sentencia; *s.* sentença, parecer, ditame, provérbio.
sentenciar; *v.* sentenciar, decidir, resolver, arbitrar.
sentido; *adj.* sentido, suscetível, sensível.
sentimental; *adj.* sentimental, afetuoso.
sentimentalismo; *s.* sentimentalismo.
sentimiento; *s.* sentimento.
sentir; *v.* sentir.
seña; *s.* senha, sinal, indício.
señal; *s.* sinal, marca.
señalar; *v.* assinalar, indicar, marcar, mencionar.
señor; *adj.* senhor, dono, amo, proprietário, chefe, patrão Deus.
señorear; *v.* assenhorear-se, dominar, mandar.
señorío; *s.* senhorio, direito de senhor.
señuelo; *s.* chamariz, reclamo.
separable; *adj.* separável.
separación; *s.* separação, desunião.
separar; *v.* separar, apartar.
separata; *s.* separata, impresso feito à parte.
separatismo; *s.* separatismo, partido separatista.
sepelio; *s.* enterro, inumação de defuntos, sepultamento.
septentrional; *adj.* setentrional, que fica para o norte.
septicemia; *s.* septicemia, infecção.
séptico; *adj.* séptico, que produz putrefação, infecto.
septiembre; *s.* setembro.
séptimo; *adj.* sétimo.
septuagenario; *s.* setuagenário, que tem setenta anos.
sepulcro, *s.* sepulcro, tumba, túmulo, jazigo.
sepultar; *v.* sepultar, enterrar.
sepultura; *s.* sepultura, sepulcro, jazigo.
sepulturero; *s.* coveiro.
sequedad; *s.* secura, sequidão.
sequía; *s.* seca, tempo seco de muita duração, estiagem.
séquito; *s.* séquito, cortejo, comitiva.
ser; *v.* ser, existir, haver, servir, estar, suceder, valer, custar pertencer, fazer parte de.
ser; *s.* essência, natureza, ser, ente, criatura, modo de ser.
serafín; *s.* serafim, anjo.
serenar; *v.* serenar, tornar sereno, aclarar, sossegar, acalmar, esfriar água ao relento.
serenata; *s.* serenata, concerto musical noturno e ao ar livre.
serenidad; *s.* serenidade, tranquilidade, calma, sossego.
sereno; *adj.* sereno, calmo, claro, limpo, quieto, tranquilo.
sereno; *s.* sereno, orvalho, relento, guarda-noturno.
serial; *s.* série.
serie; *s.* série, conjunto de coisas relacionadas entre si.
seriedad; *s.* seriedade, gravidade, decoro, formalidade.
serigrafía; *s.* serigrafia.

serio; *adj.* sério, grave, prudente, circunspecto, severo, sisudo, real, sincero, verdadeiro, importante.
sermón; *s.* sermão.
sermonear; *v.* pregar, fazer sermões, admoestar, repreender, ralhar.
serpentear; *v.* serpentear.
serpentina; *s.* serpentina.
serpiente; *s.* serpente, cobra.
serrallo; *s.* serralho, harém.
serranía; *s.* serrania, serra, cordilheira.
serrano; *adj.* serrano, montanhês.
serrar; *v.* serrar, cortar com serra.
serrín; *s.* serragem.
serrucho; *s.* serrote.
servicial; *adj.* serviçal, criado, servente.
servicio; *s.* serviço.
servidor; *s.* servidor, criado, servente.
servidumbre; *s.* servidão, trabalho próprio de servo, criadagem.
servil; *adj.* servil, humilde e de pouca estimação.
servilismo; *s.* servilismo, subserviência.
servilleta; *s.* guardanapo.
servir; *v.* servir, estar ao serviço de outro.
sesión; *s.* sessão, reunião de uma assembléia.
seso; *s.* miolo, cérebro.
sestear; *v.* dormir a sesta, fazer a sesta.
sesudo; *adj.* sisudo.
seta; *s.* cogumelo.
seudónimo; *s.* pseudônimo.
severidad; *s.* severidade, rigor, gravidade, seriedade.
severo; *adj.* severo, rigoroso, áspero, pontual, grave, sério.
sexo; *s.* sexo, gênero.
sexología; *s.* sexologia.
sexólogo; *s.* sexólogo.
sexteto; *s.* sexteto, grupo de seis.
sexto; *adj.* sexto, sexta parte.
sexuado; *adj.* sexuado.
sexual; *adj.* sexual.
sexualidad; *s.* sexualidade.
sheriff; *s.* xerife.
shock; *s.* choque.
short; *s.* short.
show; *s.* show, espetáculo.
sí; *adv.* sim, partícula afirmativa.
si; *conj.* se, exprime condição ou suposição, dúvida, motivo, oposição.
siamés; *adj.* siamês.
sibarita; *adj.* sibarita.
siberiano; *adj.* siberiano.
sibila; *s.* sibila, profetisa.
sibilante; *adj.* sibilante.
sida; *s.* aids.
sideral; *adj.* sideral.
siderurgia; *s.* siderurgia.
siderúrgico; *adj.* siderúrgico.
sidra; *s.* cidra, bebida feita de maçã.
siega; *s.* sega, ceifa.
siembra; *s.* semeadura, sementeira.
siempre; *adv.* sempre.
sien; *s.* têmpora.
sierpe; *s.* serpente, cobra.
sierra; *s.* serra, serrote, cordilheira.
siervo; *s.* servo, escravo.
siesta; *s.* sesta, tempo depois do meio-dia em que aperta mais o calor, tempo destinado a dormir depois de comer.
siete; *adj.* sete.
sífilis; *s.* sífilis.
sifilítico; *adj.* sifilítico.
sifilógrafo; *s.* sifilígrafo, médico especialista em sífilis.
sifón; *s.* sifão.
sigilo; *s.* sigilo, segredo.
sigiloso; *adj.* sigiloso.
sigla; *s.* sigla, abreviatura.
siglo; *s.* século, cem anos.
signar; *v.* assinar, firmar, subscrever.
signatario; *s.* signatário, quem assina.
signatura; *s.* assinatura.
significación; *s.* significação, sentido de uma palavra ou frase, importância.

significado; *adj.* significado.
significar; *v.* significar.
significativo; *adj.* significativo.
signo; *s.* signo, indício, sinal, estigma, signo do Zodíaco.
siguiente; *adj.* seguinte, posterior.
sílaba; *s.* sílaba.
silabear; *v.* silabar, dividir em sílabas.
silábico; *adj.* silábico.
silbar; *v.* assobiar.
silbato; *s.* apito.
silbido; *s.* assobio.
silbo; *s.* assobio.
silencio; *s.* silêncio.
silencioso; *adj.* silencioso.
sílice; *s.* sílica.
silicona; *s.* silicone.
silicosis; *s.* silicose.
silla; *s.* cadeira, assento.
sillar; *s.* silhar, pedra lavrada em esquadria.
sillería; *s.* conjunto de cadeiras iguais.
sillón; *s.* cadeira de braços, poltrona.
silo; *s.* silo, tulha.
silogismo; *s.* silogismo.
silueta; *s.* silhueta, perfil.
silvestre; *adj.* silvestre, agreste.
silvicultor; *s.* silvicultor.
silvicultura; *s.* silvicultura, cultura dos bosques e dos montes.
sima; *s.* abismo.
simbiosis; *s.* simbiose.
simbólico; *adj.* simbólico, alegórico.
simbolismo; *s.* simbolismo, alegoria.
simbolista; *adj.* simbolista.
simbolizar; *v.* simbolizar, representar.
símbolo; *s.* símbolo, representação.
simbología; *s.* simbologia.
simetría; *s.* simetria, harmonia, proporção.
simétrico; *adj.* simétrico.
simiente; *s.* semente, germe.
símil; *s.* símile, comparação.
similar; *adj.* similar, semelhante.
similitud; *s.* similitude, semelhança, analogia.
simio; *s.* símio, macaco.
simonía; *s.* simonia.
simpatía; *s.* simpatia, conformidade.
simpático; *adj.* simpático.
simpatizante; *adj.* simpatizante.
simpatizar; *v.* simpatizar.
simple; *adj.* simples, puro, único, singelo.
simplicidad; *s.* simplicidade.
simplificar; *v.* simplificar.
simplista; *adj.* simplista.
simplón; *adj.* simplório.
simposio; *s.* simpósio.
simulación; *s.* simulação, fingimento, dissimulação.
simulacro; *s.* simulacro.
simular; *v.* simular, fingir, aparentar.
simultáneo; *adj.* simultâneo.
sin; *prep.* sem, indica falta, exclusão, condição.
sinagoga; *s.* sinagoga.
sincerar; *v.* inocentar, justificar, provar a inculpabilidade de alguém.
sinceridad; *s.* sinceridade, franqueza.
sincero; *adj.* sincero, franco, ingênuo, verdadeiro.
síncopa; *s.* síncope, metaplasmo.
sincopar; *v.* sincopar.
síncope; *s.* síncope, supressão de uma letra, perda súbita dos sentidos, desmaio.
sincretismo; *s.* sincretismo.
sincronía; *s.* sincronia, simultaneidade.
sincrónico; *adj.* sincrônico, simultâneo.
sincronizar; *v.* sincronizar.
sindical; *adj.* sindical.
sindicalismo; *s.* sindicalismo.
sindicalista; *s.* sindicalista.
sindicato; *s.* sindicato.
síndico; *s.* síndico, procurador, representante de um grupo.
síndrome; *s.* síndrome, conjunto de sintomas.
sinfonía; *s.* sinfonia.

sinfónico; *adj.* sinfônico.
singular; *adj.* singular, único, individual, só.
singularidad; *s.* singularidade, originalidade.
singularizar; *v.* singularizar.
siniestra; *s.* sinistra, esquerda.
siniestro; *adj.* esquerdo.
sinnúmero; *s.* sem-número, número ilimitado, número incalculável.
sino; *s.* sina, destino, sorte.
sínodo; *s.* sínodo, concílio dos bispos.
sinónimo; *adj.* sinônimo.
sinopsis; *s.* sinopse, resumo.
sinrazón; *s.* sem-razão, injustiça.
sinsabor; *s.* sensaboria, insipidez.
sintáctico; *adj.* sintático.
sintaxis; *s.* sintaxe.
síntesis; *s.* síntese, resumo.
sintético; *adj.* sintético, resumido.
sintetizar; *v.* sintetizar, resumir.
síntoma; *s.* sintoma.
sintomático; *adj.* sintomático, característico.
sintonía; *s.* sintonia.
sintonizar; *v.* sintonizar.
sinuosidad; *s.* sinuosidade, tortuosidade.
sinuoso; *adj.* sinuoso, ondulado, tortuoso, curvo.
sinvergüenza; *adj.* sem-vergonha.
sionismo; *s.* sionismo.
siquiera; *conj.* ainda que, se bem que, mesmo que.
sirena; *s.* sereia.
sirena; *s.* sirene de navio, de ambulância.
sirimiri; *s.* chuvisco, chuva miúda.
sirvienta; *s.* servente, criada.
sirviente; *adj.* servente, criado, servidor.
sisa; *s.* cava de blusa.
sisar; *v.* diminuir, ajustar uma roupa.
sísmico; *adj.* sísmico.
sismógrafo; *s.* sismógrafo.
sistema; *s.* sistema, método.
sistemático; *adj.* sistemático, metódico.
sístole; *s.* sístole.
sitiar; *v.* sitiar, assediar, cercar.
sitio; *s.* sítio, lugar, espaço.
situación; *s.* situação, lugar, disposição, estado ou constituição das coisas ou pessoas.
situar; *v.* situar, pôr, colocar.
slogan; *s.* slogan.
snob; *adj.* esnobe.
sobaco; *s.* sovaco, axila.
sobar; *v.* sovar, amassar.
soberanía; *s.* soberania.
soberano; *adj.* soberano, supremo, excelente, elevado.
soberbia; *s.* soberba, soberbia, ufania, altivez, orgulho, arrogância.
soberbio; *adj.* soberbo, altivo, arrogante, ufano, orgulhoso.
sobón; *adj.* enfadonho, maçante, chato.
sobornable; *adj.* subornável, corruptível.
sobornar; *v.* subornar, corromper, aliciar.
soborno; *s.* suborno.
sobra; *s.* sobra, excesso.
sobrado; *adj.* que sobra demasiado, abastado, rico.
sobrar; *v.* sobrar, exceder, superar, ultrapassar.
sobre; *s.* envelope.
sobre; *prep.* sobre, na parte superior de, em cima de, por cima de, próximo de.
sobreabundancia; *s.* superabundância.
sobrealimentar; *v.* superalimentar.
sobrecama; *s.* colcha, coberta de cama.
sobrecarga; *s.* sobrecarga.
sobrecargar; *v.* sobrecarregar.
sobrecargo; *s.* sobrecarga.
sobrecoger; *v.* sobressaltar, surpreender.
sobreexcitar; *v.* superexcitar.

sobrehumano; *adj.* sobre-humano.
sobrellenar; *v.* encher em abundância, transbordar.
sobrellevar; *s.* aguentar, suportar.
sobremanera; *adv.* sobremaneira, extraordinariamente.
sobremesa; *s.* toalha de mesa, tempo que se está à mesa conversando após a refeição.
sobrenatural; *adj.* sobrenatural, prodigioso.
sobrenombre; *s.* alcunha, sobrenome, apelido.
sobrentender; *v.* subentender, compreender
sobrepaga; *s.* sobrepaga.
sobreparto; *s.* sobreparto, depois do parto.
sobrepasar; *v.* ultrapassar, exceder, avantajar.
sobreponer; *v.* sobrepor.
sobrepujar; *v.* sobrepujar, superar.
sobresaliente; *adj.* sobressalente.
sobresalir; *v.* sobressair, destacar.
sobresaltar; *v.* sobressaltar.
sobresalto; *s.* sobressalto.
sobrestimar; *v.* superestimar.
sobresueldo; *s.* retribuição além do ordenado, gratificação.
sobretodo; *s.* sobretudo, casacão de frio.
sobrevenir; *v.* sobrevir, suceder, vir, acontecer.
sobrevolar; *v.* sobrevoar.
sobriedad; *s.* sobriedade, moderação, austeridade.
sobrino; *s.* sobrinho.
sobrio; *adj.* sóbrio, moderado, parco, frugal.
socarrón; *adj.* socarrão, astuto, dissimulado.
socavar; *v.* socavar, escavar, solapar.
socavón; *s.* socava, cova escavada na ladeira de um monte.
sociable; *adj.* sociável.
social; *adj.* social, sociável.
socialismo; *s.* socialismo.
socialista; *adj.* socialista.
socializar; *v.* socializar, coletivizar.
sociedad; *s.* sociedade, associação, agremiação, estado social.
socio; *s.* sócio, associado.
sociología; *s.* sociologia.
sociólogo; *s.* sociólogo.
socorrer; *v.* socorrer, ajudar, auxiliar.
socorro; *s.* socorro, ajuda, auxílio.
soda; *s.* soda, refrigerante.
sodio; *s.* sódio.
sodomía; *s.* sodomia.
soez; *adj.* soez, vil, torpe, baixo, grosseiro.
sofá; *s.* sofá, divã.
sofisma; *s.* sofisma, argumento falso.
sofisticación; *s.* sofisticação.
sofisticar; *v.* sofisticar, adulterar, falsificar.
soflama; *s.* chama ténue, rubor nas faces.
soflamar; *v.* fingir.
sofocar; *v.* sufocar, asfixiar, apagar, extinguir.
sofoco; *s.* sufoco, asfixia.
sofreír; *v.* frigir, fritar ligeiramente.
sofrito; *s.* malpassado.
soga; *s.* corda grossa de esparto.
soja; *s.* soja.
sojuzgar; *v.* subjugar, submeter, dominar.
sol; *s.* sol.
solamente; *adv.* somente, unicamente, apenas.
solapa; *s.* lapela.
solapar; *v.* pôr lapelas nos casacos.
solar; *adj.* solar, relativo ao sol.
solar; *s.* casa, terreno para edificar.
solar; *v.* assoalhar, soalhar, ladrilhar, lajear, pôr solas no, calçado.
solario; *s.* solário, terraço ensolarado.
solaz; *s.* distração, prazer.
soldada; *s.* soldo, remuneração dos militares.
soldado; *s.* soldado, militar.

soldador; *s.* soldador, ferro de soldar.
soldar; *v.* soldar, unir com solda.
soledad; *s.* solidão.
solemne; *adj.* solene, majestoso, imponente.
solemnidad; *s.* solenidade.
soler; *v.* soer, costumar, ter por hábito.
solera; *s.* soleira, chão.
solfa; *s.* solfa, solfejo.
solicitar; *v.* solicitar, pedir, requerer, pretender.
solícito; *adj.* solícito, prestativo, cuidadoso.
solicitud; *s.* solicitude, cuidado, petição, requerimento.
solidariedad; *s.* solidariedade, cooperação.
solidario; *adj.* solidário.
solidarizar; *v.* solidarizar.
solidez; *s.* solidez, resistência, firmeza.
solidificación; *s.* solidificação, endurecimento.
solidificar; *v.* solidificar, congelar, endurecer.
sólido; *adj.* sólido, firme, denso, compacto, forte.
soliloquio; *s.* solilóquio, monólogo.
solio; *s.* trono.
solista; *adj.* solista.
solitaria; *s.* tênia.
solitario; *adj.* solitário, desamparado, deserto, só, retirado.
soliviantar; *v.* sublevar, incitar, induzir à revolta.
soliviar; *v.* ajudar a levantar, aliviar, soerguer.
sollozar; *v.* soluçar, chorar.
sollozo; *s.* soluço.
solo; *adj.* só, único na sua espécie, isolado, sozinho, abandonado, desamparado.
sólo; *adv.* só, somente.
solomillo; *s.* lombo, lombinho de gado de corte.
solsticio; *s.* solstício, época em que o sol está em num dos trópicos.
soltar; *v.* soltar, desprender, desatar, libertar.
soltería; *s.* celibato.
soltero; *adj.* solteiro, celibatário.
solterón; *adj.* solteirão.
soltura; *s.* soltura, agilidade, destreza.
soluble; *adj.* solúvel.
solución; *s.* solução, dissolução, resolução, resultado.
solucionar; *v.* solucionar, resolver.
solvencia; *s.* solvência, garantia, responsabilidade.
solventar; *v.* solver, pagar dívidas, dar solução a um assunto difícil.
solvente; *adj.* solvente, desobrigado de dívidas.
somático; *adj.* somático, relativo ao corpo.
somatología; *s.* somatologia.
sombra; *s.* sombra, obscuridade.
sombrear; *v.* sombrear.
sombrero; *s.* chapéu.
sombrilla; *s.* sombrinha, guarda-sol.
sombrío; *adj.* sombrio, lúgubre.
somero; *adj.* superficial, ligeiro, aparente.
someter; *v.* submissao, subjugar, humilhar, subordinar.
sometimiento; *s.* submetimento.
somnífero; *s.* sonífero.
somnolencia; *s.* sonolência, desejo forte de dormir.
son; *s.* som, ruído.
sonado; *adj.* famoso, célebre.
sonambulismo; *s.* sonambulismo.
sonámbulo; *adj.* sonâmbulo.
sonar; *v.* soar, ecoar, produzir som.
sonata; *s.* sonata.
sonda; *s.* sonda.
sondear; *v.* sondar, explorar, examinar.
soneto; *s.* soneto.
sonido; *s.* som, ruído.
sonoridad; *s.* sonoridade.

sonorizar; *v.* sonorizar, pôr som em filme.
sonoro; *adj.* sonoro, que soa.
sonreír; *v.* sorrir, rir.
sonrisa; *s.* sorriso, riso.
sonrojar; *v.* corar, ruborizar, enrubescer.
sonrosar; *v.* ruborizar, corar, rosar-se, tornar cor de rosa.
sonsacar; *v.* furtar, surripiar, subtrair.
soñador; *adj.* sonhador, devaneador.
soñar; *v.* sonhar, devanear, fantasiar.
soñolencia; *s.* sonolência, soneira.
soñoliento; *adj.* sonolento.
sopa; *s.* sopa.
sopapo; *s.* sopapo, bofetada, bofetão.
sopera; *s.* sopeira, tigela para sopa.
sopero; *adj.* sopeiro, prato fundo para sopa.
sopesar; *v.* sopesar, verificar o peso.
sopetón; *s.* bofetão, sopapo
soplar; *v.* assoprar, soprar, bafejar, inflar, respirar, ventar.
soplete; *s.* maçarico, aparelho para soldar.
soplo; *s.* sopro, ar, lufada.
soplón; *adj.* delator.
sopor; *s.* torpor, modorra, adormecimento, sonolência.
soporífero; *adj.* soporífero, sonífero.
soportar; *v.* suportar, sustentar, tolerar, aguentar.
soporte; *s.* suporte, apoio, sustentação.
soprano; *s.* soprano.
sor; *s.* soror, sor, irmã freira.
sorber; *v.* sorver, absorver, aspirar.
sorbete; *s.* sorvete, refresco gelado.
sorbo; *s.* sorvo, trago, gole.
sordera; *s.* surdez, perda da audição.
sordidez; *s.* sordidez.
sórdido; *adj.* sórdido, sujo, nojento, imundo, mesquinho.
sordina; *s.* surdina.
sordo; *adj.* surdo, que não escuta.
sordomudo; *adj.* surdo-mudo.
sorna; *s.* indolência, molenga, preguiça, lentidão, inércia.
sorna; *s.* velhacaria.
sorprendente; *adj.* surpreendente, maravilhoso, raro, estranho, esquisito, peregrino, magnífico.
sorprender; *v.* surpreender, sobressaltar, espantar, maravilhar.
sorpresa; *s.* surpresa, admiração, assombro, espanto.
sortear; *v.* sortear, rifar.
sorteo; *s.* sorteio.
sortija; *s.* anel.
sortilegio; *s.* sortilégio, adivinhação supersticiosa.
sosa; *s.* soda, óxido de sódio.
sosegado; *adj.* sossegado, tranquilo, calmo, quieto.
sosegar; *v.* sossegar, tranquilizar, acalmar, aquietar, descansar.
sosiego; *s.* sossego, calma, tranquilidade, paz, quietude, serenidade.
soslayar; *v.* esguelhar.
soslayo; *adj.* esguelhado.
soso; *adj.* insosso, insípido.
sospecha; *s.* suspeita, desconfiança, dúvida.
sospechar; *v.* suspeitar, desconfiar, duvidar.
sospechoso; *adj.* suspeitoso, suspeito, equívoco.
sostén; *s.* sustento, apoio, arrimo, encosto.
sostén; *s.* sutiã, porta-seios.
sostener; *v.* sustentar, apoiar, suster.
sostenido; *adj.* sustentado, apoiado, amparado, firme, seguro.
sotana; *s.* batina de padre.
sótano; *s.* porão.
soterrar; *v.* soterrar, enterrar.
soviético; *adj.* soviético.
status; *s.* status.
stress; *s.* stress, esgotamento.
suave; *adj.* suave, liso, polido, fino, leve, delicado, melodioso.
suavidad; *s.* suavidade.

suavizar; *v.* suavizar.
subalterno; *adj.* subalterno, subordinado.
subasta; *s.* leilão.
subastar; *v.* leiloar.
subconsciente; *adj.* subconsciente.
subcutáneo; *adj.* subcutâneo, sob a pele.
subdesarrollo; *s.* subdesenvolvimento.
súbdito; *adj.* súdito, vassalo.
subdividir; *v.* subdividir, dividir.
subestimar; *v.* subestimar.
subida; *s.* subida, ladeira.
subir; *v.* subir, elevar, levantar, endireitar, ascender, crescer, aumentar.
súbito; *adj.* súbito, repentino, inesperado, imprevisto.
subjetivismo; *s.* subjetivismo.
subjetivo; *adj.* subjetivo.
subjuntivo; *adj.* subjuntivo.
sublevar; *v.* sublevar, amotinar.
sublimar; *v.* sublimar, exaltar.
sublime; *adj.* sublime, elevado, eminente, excelso, esplêndido.
submarino; *adj.* submarino.
subordinar; *v.* subordinar, sujeitar.
subproducto; *s.* subproduto.
subrayar; *v.* sublinhar.
subrepticio; *adj.* sub-reptício, furtivo.
subrogar; *v.* sub-rogar.
subsanar; *v.* desculpar, escusar.
subscribir; *v.* subscrever.
subscripto; *s.* subscrito.
subsidiario; *adj.* subsidiário, auxiliar.
subsidio; *s.* subsídio, ajuda oficial.
subsiguiente; *adj.* subsequente.
subsistencia; *s.* subsistência, existência.
subsistir; *v.* subsistir, existir.
substancia; *s.* substância.
substancial; *adj.* substancial, essencial.
substancioso; *adj.* substancioso, nutritivo.
substantivo; *s.* substantivo.
substitución; *s.* substituição, troca, permuta.
substituir; *v.* substituir, permutar, trocar, repor.
substituto; *s.* substituto, suplente.
substracción; *s.* subtração, dedução.
substraer; *v.* subtrair, deduzir.
substrato; *s.* substrato, camada inferior.
subsuelo; *s.* subsolo.
subterfugio; *s.* subterfúgio, pretexto.
subterráneo; *adj.* subterrâneo.
suburbano; *adj.* suburbano.
suburbio; *s.* subúrbio.
subvención; *s.* subvenção, subsídio.
subvencionar; *v.* subvencionar, subsidiar.
subvenir; *v.* auxiliar, ajudar.
subversión; *s.* subversão.
subvertir; *v.* subverter.
subyacente; *adj.* subjacente.
subyugar; *v.* subjugar, dominar.
succión; *s.* sucção.
sucedáneo; *adj.* sucedâneo, similar.
suceder; *v.* suceder, seguir, substituir, descender, herdar.
sucesión; *s.* sucessão, continuação.
sucesivo; *adj.* sucessivo, consecutivo.
suceso; *s.* sucesso, êxito, acontecimento, fato, evento.
sucesor; *s.* sucessor, descendente, herdeiro.
suciedad; *s.* sujeira, imundície.
sucinto; *adj.* sucinto, resumido, breve.
sucio; *adj.* sujo, imundo.
suculento; *adj.* suculento.
sucumbir; *v.* sucumbir, render.
sucursal; *s.* sucursal, filial.
sudamericano; *adj.* sul-americano.
sudar; *v.* suar, transpirar.
sudario; *s.* sudário.
sudeste; *s.* sudeste.
sudoeste; *s.* sudoeste.
sudor; *s.* suor, transpiração.
suegro; *s.* sogro.
suela; *s.* sola de calçado, planta do pé.
sueldo; *s.* soldo de militar, pagamento, remuneração, honorários.

suelo; *s.* solo, chão, terreno, terra, território.
suelto; *adj.* solto, livre, desembaraçado, ligeiro, veloz, desagregado.
sueño; *s.* sono, ação de dormir, vontade de dormir.
suero; *s.* soro.
suerte; *s.* sorte, destino, estado, condição.
suéter; *s.* suéter, malha, blusa.
suficiencia; *s.* suficiência, capacidade.
suficiente; *adj.* suficiente, capaz, competente, apto.
sufijo; *adj.* sufixo.
sufragar; *v.* sufragar, ajudar, custear, satisfazer.
sufragio; *s.* sufrágio, ajuda, favor, voto.
sufrido; *adj.* sofrido.
sufrimiento; *s.* sofrimento, padecimento, dor, aflição.
sufrir; *v.* sofrer, padecer.
sugerencia; *s.* sugestão.
sugerir; *v.* sugerir, insinuar, inspirar, lembrar, evocar.
sugestión; *s.* sugestão, idéia.
sugestionar; *v.* sugestionar, dominar, influir.
sugestivo; *adj.* sugestivo.
suicida; *s.* suicida.
suicidarse; *v.* suicidar-se, matar-se.
suicidio; *s.* suicídio.
suite; *s.* suíte.
sujeción; *s.* sujeição, submissão.
sujetar; *v.* sujeitar, submeter ao domínio de alguém.
sujeto; *adj.* sujeito.
sulfato; *s.* sulfato.
sulfúrico; *adj.* sulfúrico.
sulfuro; *s.* sulfureto.
sultán; *s.* sultão.
suma; *s.* soma, adição.
sumar; *v.* somar, adicionar.
sumario; *s.* sumário, resumo, síntese.
sumario; *adj.* abreviado, reduzido.
sumergible; *adj.* submersível.
suministrar; *v.* subministrar, ministrar.
suministro; *s.* provisão, abastecimento.
sumir; *v.* sumir, afundar, desaparecer.
sumisión; *s.* submissão, sujeição, acatamento.
sumiso; *adj.* submisso, obediente, subordinado, rendido, subjugado.
sumo; *adj.* sumo, altíssimo, supremo.
suntuosidad; *s.* suntuosidade, luxo, pompa.
suntuoso; *adj.* suntuoso, magnífico, pomposo, luxuoso.
supeditar; *v.* sujeitar, oprimir, dominar.
superable; *adj.* superável.
superación; *s.* superação.
superar; *v.* superar, exceder, ultrapassar, vencer.
superchería; *s.* embuste, engano, fraude.
superdotado; *adj.* superdotado.
superestructura; *s.* superestrutura.
superficial; *adj.* superficial.
superficie; *s.* superfície.
superfluo; *adj.* supérfluo, desnecessário, inútil.
superhombre; *s.* super-homem.
superintendencia; *s.* superintendência.
superior; *adj.* superior, mais elevado.
superiora; *s.* superiora.
superioridad; *s.* superioridade, vantagem.
superlativo; *adj.* superlativo, muito grande, excelente.
supermercado; *s.* supermercado.
superpoblación; *s.* superpopulação.
superponer; *v.* sobrepor, pôr acima.
superposición; *s.* superposição, sobreposição.
superproducción; *s.* superprodução.
supersónico; *adj.* supersônico.
superstición; *s.* superstição, crença.
supersticioso; *adj.* supersticioso, crédulo.

supervalorar; *v.* supervalorizar.
supervisar; *v.* supervisionar, verificar, examinar.
supervisión; *s.* supervisão, verificação, exame.
supervivencia; *s.* sobrevivência.
superviviente; *s.* sobrevivente.
suplantar; *v.* suplantar, falsificar, usurpar.
suplemento; *s.* suplemento, complemento, acréscimo.
suplencia; *s.* suplência, substituição.
suplente; *s.* suplente, substituto.
súplica; *s.* súplica, pedido, prece.
suplicar; *v.* suplicar, implorar, pedir, rogar.
suplicio; *s.* suplício, tortura, tormento.
suplir; *v.* suprir, completar, substituir.
suponer; *v.* supor, imaginar, fingir, presumir.
suposición; *s.* suposição, hipótese.
supositorio; *s.* supositório.
supremacía; *s.* supremacia, grau superior.
supremo; *adj.* supremo, grau máximo, altíssimo, último.
supresión; *s.* supressão, eliminação.
suprimir; *v.* suprimir, anular, eliminar.
supuesto; *adj.* suposto, hipotético.
supurar; *v.* supurar, inflamar, formar pus.
sur; *s.* sul.
surcar; *v.* sulcar, riscar, caminhar, navegar.
surco; *s.* sulco, rego, risco, raia, ruga.
sureño; *adj.* sulino.
sureste; *s.* sudeste.
surf; *s.* surfe.
surgir; *v.* surgir, aparecer, emergir, nascer, brotar, despontar.
suroeste; *s.* sudoeste.
surtido; *adj.* sortido, misturado, variado.
surtir; *v.* sortir, prover, abastecer, fornecer, jorrar água.
susceptibilidad; *s.* suscetibilidade, sensibilidade, delicadeza.
susceptible; *adj.* suscetível, sensível, delicado.
suscitar; *v.* suscitar, promover, levantar.
suspender; *v.* suspender, pendurar, suster, reprovar em um exame.
suspensión; *s.* suspensão, demora, privação de emprego, molas do carro.
suspicacia; *s.* suspicácia, suspeita, desconfiança.
suspirar; *v.* suspirar.
suspiro; *s.* suspiro.
sustancia; *s.* substância, essência, parte nutritiva.
sustancial; *adj.* substancial.
sustancioso; *adj.* substancioso, suculento.
sustantivo; *adj.* substantivo.
sustentar; *v.* sustentar, manter.
sustento; *s.* sustento, alimento, manutenção.
sustitución; *s.* substituição.
sustituir; *v.* substituir.
sustituto; *s.* substituto.
susto; *s.* susto, sobressalto, espanto.
sustraer; *v.* subtrair.
susurrar; *v.* sussurrar, murmurar.
susurro; *s.* sussurro, murmúrio.
sutil; *adj.* sutil, fino, delicado.
sutileza; *s.* sutileza.
sutura; *s.* sutura, costura cirúrgica.
suyo; *pron.* seu, dele.
svástica; *s.* suástica, diagrama místico de bom agouro.

T

t; *s.* vigésima terceira letra do alfabeto espanhol.
tabacal; *s.* tabacal, lugar semeado de tabaco.
tabacalero; *adj.* tabaqueiro.
tabaco; *s.* tabaco.
tabal; *s.* barrica onde se conserva o arenque.
tabalear; *v.* mexer, mover, agitar, tamborilar.
tabaleo; *s.* agitação, movimento.
tabanco; *s.* banca, barraca, tenda nas ruas ou mercados.
tábano; *s.* mosquito grande.
tabaquera; *s.* tabaqueira, bolsa ou caixa para tabaco, caixa de rapé.
tabaquería; *s.* tabacaria.
tabaquismo; *s.* tabagismo, intoxicação por tabaco.
tabardo; *s.* abrigo, casaco de tecido grosso.
taberna; *s.* taverna, bodega, casa onde se vende vinho e outras bebidas.
tabernáculo; *s.* tabernáculo.
tabernero; *s.* taverneiro.
tabique; *s.* tabique, parede fina.
tabla; *s.* tábua.
tablado; *s.* tablado, estrado, andaime, palco, , tábuas da camas, patíbulo.
tablero; *s.* tabuleiro.
tableta; *s.* tablete, pastilha.
tablilla; *s.* tabuleta.
tabloide; *s.* tablóide, jornal em tamanho reduzido.
tabloza; *s.* paleta de pintor.
tabú; *s.* tabu.
tabuco; *s.* cubículo, quarto pequeno.
tabular; *v.* tabular.
taburete; *s.* tamborete, pequeno assento sem espaldar e braços.
tacaño; *adj.* tacanho, sovina, avarento, mesquinho, miserável.
tacha; *s.* tacha, nódoa, mancha, defeito.
tacha; *s.* tacha, prego pequeno.
tachar; *v.* tachar, notar, censurar, borrar, apagar, riscar, apagar o escrito.
tacho; *s.* tacho, vasilha de metal para fazer guisados, caldeirão para cozer o melaço.
tachuela; *s.* tachinha, percevejo.
tácito; *adj.* tácito, implícito, silencioso, subentendido, secreto.
taciturno; *s.* taciturno, tristonho, melancólico, triste.
taco; *s.* taco, pau roliço, cacete, pedaço de madeira, taco de bilhar.
taco; *s.* palavrão.
tacón; *s.* salto de sapato.
taconear; *v.* bater os tacões, pisar duro.
táctica; *s.* tática, arte de combater.
táctico; *adj.* tático, arte de pôr em ordem as coisas.
tacto; *s.* tato, toque, apalpar.
tafetán; *s.* tafetá, tecido de seda muito brilhante.

tahona; *s.* atafona, moinho para farinha, padaria.
taimado; *adj.* taimado, malicioso, astuto, velhaco, matreiro.
tajada; *s.* talhada, fatia.
tajar; *v.* talhar, cortar.
tajo; *s.* talho, corte profundo.
tal; *adj.* tal, semelhante.
tal; *adv.* tal, assim mesmo, desta maneira.
tala; *s.* tala, corte de árvores.
taladrador; *s.* máquina para furar, furadeira, broca, verruma perfuradora.
taladrar; *v.* perfurar, furar.
taladro; *s.* broca, verruma.
talante; *s.* talante, desejo, vontade, gosto.
talar; *v.* talar, cortar árvores, destruir, assolar, devastar.
talaya; *s.* carvalho novo.
talco; *s.* talco, pó.
talento; *s.* talento, capacidade intelectual, aptidão.
talentoso; *adj.* talentoso.
talismán; *s.* talismã, amuleto.
talla; *s.* talha, entalhe, escultura.
talla; *s.* talha, altura de um homem, porte, estatura.
tallado; *adj.* talhado, cortado.
tallar; *v.* talhar, cortar, esculpir, entalhar.
tallarín; *s.* talharim, massa de macarrão em tiras muito finas.
talle; *s.* talhe, feitio, feição, talho, estatura.
taller; *s.* oficina de trabalhos manuais.
tallista; *s.* entalhador, escultor.
tallo; *s.* talo, haste, caule.
talón; *s.* calcanhar, parte do recibo.
talonario; *s.* talonário.
tamaño; *adj.* tamanho.
tambalearse; *v.* cambalear, oscilar.
tambaleo; *s.* cambaleio, oscilação.
también; *adv.* também, inclusive, do mesmo modo, da mesma forma, realmente, tanto assim.
tambor; *s.* tambor.
tampoco; *adv.* também não, tampouco.
tampón; *s.* tampão, absorvente feminino.
tan; *adv.* tão.
tanda; *s.* turno, vez.
tanga; *s.* tanga.
tangente; *adj.* tangente.
tangible; *adj.* tangível, sensível, palpável, que se pode tocar.
tango; *s.* tango.
tanino; *s.* tanino.
tanque; *s.* própolis, própole, da colmeia, substância segregada pelas abelhas para calafetar o cortiço.
tanque; *s.* tanque, carro blindado, reservatório para líquidos.
tantear; *v.* medir, comparar, calcular, ensaiar.
tanto; *adj.* tanto, tão grande, muito grande.
tañer; *v.* tanger, tocar um instrumento musical, tanger o sino.
tapa; *s.* tampa.
tapar; *v.* tapar, cobrir, fechar com tampa, proteger.
taparrabo; *s.* tanga, calção muito curto.
tapera; *s.* tapera, ruínas de um povoado, habitação em ruína, pardieiro.
tapete; *s.* tapete pequeno, pano para enfeitar os moveis.
tapia; *s.* taipa, muro, cerca, parede de barro, tapume.
tapiar; *v.* taipar, murar, fechar com taipas.
tapicería; *s.* tapeçaria.
tapicero; *s.* tapeceiro.
tapioca; *s.* tapioca, fécula de mandioca.
tapiz; *s.* tapete, tapeçaria.
tapón; *s.* tampão, tampa, rolha.
taponar; *v.* tapar, fechar, arrolhar.
tapujo; *s.* rebuço, embuço, bico.
taquicardia; *s.* taquicardia.

taquigrafía; *s.* taquigrafia.
taquígrafo; *s.* taquígrafo.
taquilla; *s.* bilheteria, onde se vende entradas de cinema e metrô.
tara; *s.* tara, peso de mercadorias.
tarabilla; *s.* taramela, fecho de portas e janelas.
tarado; *adj.* tarado, degenerado.
tarántula; *s.* tarântula, aranha venenosa.
taracea; *s.* marchetaria, arte de marchetar.
tararear; *v.* cantarolar.
tardanza; *s.* tardança, demora, lentidão, atraso.
tardar; *v.* tardar, demorar, retardar, atrasar.
tarde; *s.* tarde, últimas horas do dia.
tarde; *adv.* tarde, a hora avançada do dia ou da noite.
tardecer; *v.* entardecer.
tardecica; *s.* tardinha, o fim da tarde.
tardíamente; *adv.* tardiamente, tarde, depois do tempo oportuno.
tardío; *adj.* tardio, que vem fora do tempo, pausado, lento.
tardo; *adj.* tardo, vagaroso, lento, preguiçoso.
tarea; *s.* tarefa.
tarifa; *s.* tarifa, tabela de preços.
tarifar; *v.* tarifar, taxar.
tarima; *s.* tarimba, estrado de madeira.
tarjeta; *s.* tarjeta, cartão de visitas, cartão postal.
tarro; *s.* vaso bojudo, boião.
tarta; *s.* torta, pastel.
tartamudear; *v.* gaguejar.
tartamudo; *adj.* gago.
tártaro; *adj.* tártaro dos dentes, sarro.
tartera; *s.* torteira.
tarugo; *s.* tarugo, prego de madeira.
tasa; *s.* taxa, preço, preço legal, tarifa oficial.
tasar; *v.* taxar, fixar taxa ou preço.
tatarabuelo; *s.* tataravô.
tatuaje; *s.* tatuagem.
tatuar; *v.* tatuar.
tautología; *s.* tautologia, repetição.
taxi; *s.* táxi.
taxidermia; *s.* taxidermia.
taxímetro; *s.* taxímetro.
taxista; *s.* taxista.
taza; *s.* xícara.
té; *s.* chá.
tea; *s.* teia, facho, archote.
teatral; *adj.* teatral.
teatro; *s.* teatro.
techar; *v.* cobrir, construir o teto.
techo; *s.* teto.
tecla; *s.* tecla.
técnico; *adj.* técnico.
tecnocracia; *s.* tecnocracia.
tecnología; *s.* tecnologia.
tecnológico; *adj.* tecnológico.
tedio; *s.* tédio, fastio, aborrecimento.
teja; *s.* telha.
tejado; *s.* telhado.
tejar; *v.* telhar, cobrir.
tejer; *v.* tecer.
tejido; *s.* tecido.
tela; *s.* tecido, pano.
telar; *s.* tear, máquina para tecer.
telaraña; *s.* teia de aranha.
telecomunicación; *s.* telecomunicação.
telediario; *s.* telejornal.
teleférico; *s.* teleférico.
telefonear; *v.* telefonar.
telefonía; *s.* telefonia.
telefonista; *s.* telefonista.
teléfono; *s.* telefone.
telegrafía; *s.* telegrafia.
telegrafiar; *v.* telegrafar.
telegráfico; *adj.* telegráfico.
telégrafo; *s.* telégrafo.
telegrama; *s.* telegrama.
teleobjetivo; *s.* teleobjetiva.
telepatía; *s.* telepatia.
telescopio; *s.* telescópio.
telespectador; *s.* telespectador.
teletipo; *s.* teletipo.
televidente; *s.* espectador de televisão.
televisar; *v.* televisar.
televisión; *s.* televisão.

televisor; *s.* televisor.
telex; *s.* telex.
telón; *s.* pano de fundo do teatro, cenário.
tema; *s.* tema, assunto, argumento.
temático; *adj.* temático.
temblar; *v.* tremer, estremecer.
temblor; *s.* tremor, estremecimento.
temblor; *s.* terremoto.
temer; *v.* temer, recear, duvidar.
temerario; *adj.* temerário, imprudente, ousado, arriscado.
temeridad; *s.* temeridade, imprudência, ousadia.
temeroso; *adj.* temeroso.
temor; *s.* temor, medo, receio.
temperamental; *adj.* temperamental.
temperamento; *s.* temperamento, caráter, índole.
temperatura; *s.* temperatura, clima, grau de calor dos corpos.
tempestad; *s.* tempestade, tormenta, temporal.
tempestuoso; *adj.* tempestuoso.
templado; *adj.* temperado, moderado, comedido, sóbrio, tépido, morno.
templanza; *s.* temperança, moderação.
templar; *v.* temperar, moderar, amenizar, suavizar, amornar.
templario; *s.* templário, ordem de cavalalaria para proteger os Lugares Santos de Jerusalém.
temple; *s.* ordem dos templários.
temple; *s.* tempérie, temperatura, têmpera, temperamento.
templo; *s.* templo, igreja.
temporada; *s.* temporada, período, época, espaço de tempo.
temporal; *adj.* temporal, transitório, temporário, passageiro, tempestade, tormenta.
temporalmente; *adv.* temporariamente, temporalmente.
temporero; *adj.* interino, provisório.
tempranero; *adj.* prematuro, antecipado, temporão.
temprano; *adj.* temporão, antecipado, prematuro, adiantado, precoce.
tenacidad; *s.* tenacidade, persistência, contumácia, pertinácia.
tenacillas; *s.* tenazes, pinça.
tenaz; *adj.* tenaz, muito aderente.
tenaza; *s.* tenaz, torquês.
tendel; *s.* cordel de pedreiro.
tendencia; *s.* tendência, inclinação, propensão, queda, vocação.
tendencioso; *adj.* tendencioso.
tender; *v.* tender, desdobrar, estender, desenrolar, espalhar, alargar.
tenderete; *s.* barraca para vender ao ar livre.
tendero; *s.* tendeiro, lojista, retalhista.
tendón; *s.* tendão.
tenebroso; *adj.* tenebroso, escuro, cheio de trevas.
tenedor; *s.* possuidor.
tenedor; *s.* garfo de mesa.
tener; *v.* ter, posivir.
tenia; *s.* tênia, solitária, verme.
teniente; *s.* tenente.
tenis; *s.* tênis.
tenista; *s.* tenista.
tenor; *s.* tenor.
tensión; *s.* tensão, pressão.
tenso; *adj.* tenso, esticado, estirado.
tentación; *s.* tentação, impulso repentino.
tentáculo; *s.* tentáculo.
tentar; *v.* tentear, tatear, examinar, tentar, instigar, seduzir, sondar.
tentativa; *s.* tentativa.
tenue; *s.* adj. tênue, delicado, delgado, sutil, ligeiro.
teñir; *v.* tingir, mudar a cor.
teología; *s.* teologia.
teólogo; *s.* teólogo.
teorema; *s.* teorema.
teoría; *s.* teoria.

teorizar; *v.* teorizar, tratar de um assunto só em teoria.
tequila; *s.* tequila, bebida alcoólica.
terapeuta; *s.* terapeuta, clínico.
terapéutica; *s.* terapêutica, tratamento das doenças.
terapia; *s.* terapia, tratamento.
tercero; *adj.* terceiro.
terceto; *s.* terceto, estância de três versos, composição para três vozes ou instrumentos.
terciar; *v.* atravessar, pôr em diagonal, cruzar, dividir uma coisa em três partes.
tercio; *adj.* terço, terça parte.
terciopelo; *s.* veludo.
terco; *adj.* teimoso, obstinado, pertinaz.
tergiversación; *s.* tergiversação, evasiva.
tergiversar; *v.* tergiversar.
termas; *s.* termas, banhos quentes, banhos termais.
térmico; *adj.* térmico, relativo a calor.
terminación; *s.* terminação, conclusão.
terminal; *adj.* terminal, final, último.
terminar; *v.* terminar, acabar, concluir, rematar.
término; *s.* término, fim, conclusão, remate, limite, marca, baliza, termo prazo.
termo; *s.* recipiente térmico, garrafa térmica.
termodinámica; *s.* termodinâmica.
termómetro; *s.* termômetro.
termonuclear; *adj.* termonuclear.
termostato; *s.* termostato.
terna; *s.* terno, trio, lista com três nomes, lista tríplice.
ternero; *s.* terneiro, bezerro, vitelo.
ternura; *s.* ternura, carinho, amor, afeição, doçura.
terquedad; *s.* teimosia, teima, obstinação, pertinácia.
terracota; *s.* terracota, barro cozido.
terraplén; *s.* terraplanagem, aterro.
terráqueo; *adj.* terráqueo, terrestre.
terrateniente; *s.* latifundiário, fazendeiro, dono de grandes extensões de terra.
terraza; *s.* terraço, balcão descoberto e amplo, varanda.
terremoto; *s.* terremoto, sismo.
terreno; *s.* terreno, solo, terra, campo, área de atuação.
terreno; *adj.* terreno, terrestre.
terrestre; *adj.* terrestre.
terrible; *adj.* terrível, horrível, desmesurado.
territorio; *s.* território, área de um país ou região.
terrón; *s.* torrão.
terror; *s.* terror, medo, espanto, horror, pavor.
terrorismo; *s.* terrorismo.
terrorista; *adj.* terrorista.
terso; *adj.* terso, puro, limpo, polido.
tertulia; *s.* tertúlia.
tesar; *v.* esticar, tesar.
tesis; *s.* tese.
tesón; *s.* rijeza, firmeza, constância, vontade.
tesorería; *s.* tesouraria.
tesorero; *s.* tesoureiro.
tesoro; *s.* tesouro.
test; *s.* teste, prova.
testa; *s.* testa, cabeça, fronte.
testaferro; *s.* testa-de-ferro.
testamento; *s.* testamento.
testar; *v.* testar, fazer testamento, legar.
testarudo; *adj.* cabeçudo, teimoso.
testículo; *s.* testículo, escroto.
testificar; *v.* atestar, declarar, testemunhar.
testigo; *s.* testemunha, testemunho, depoimento.
testimoniar; *v.* testemunhar.
testimonio; *s.* testemunho, depoimento.
teta; *s.* teta, mama, úbre de animais, seio humano, peito.

tétano; *s.* tétano.
tetera; *s.* chaleira, bule de chá.
tétrico; *adj.* tétrico, triste, grave, melancólico.
textil; *adj.* têxtil.
texto; *s.* texto.
textual; *adj.* textual, conforme o texto.
textura; *s.* textura, disposição dos fios do tecido.
tez; *s.* tez, epiderme do rosto, cútis.
ti; *pron.* ti.
tía; *s.* tia.
tiara; *s.* tiara, mitra.
tibetano; *adj.* tibetano.
tibia; *s.* tíbia, osso principal da perna.
tibio; *adj.* tépido, morno.
tiburón; *s.* tubarão.
tiempo; *s.* tempo, época, estação do ano, idade.
tienda; *s.* tenda, barraca de campanha ou feira, loja, comércio.
tiento; *s.* tento, tino, tato.
tierno; *adj.* terno, mole, brando, delicado, flexível, fresco.
tierra; *s.* terra, planeta terra, solo, chão, área para cultivo, região, país.
tieso; *adj.* teso, rígido, firme.
tiesto; *s.* vaso de barro para plantas.
tifón; *s.* tufão, furacão.
tifus; *s.* tifo.
tigre; *s.* tigre.
tijera; *s.* tesoura.
tila; *s.* tíla, chá de tília.
tildar; *v.* pontuar.
tilde; *s.* til.
timar; *v.* enganar, iludir, surrupiar, furtar.
timbrar; *v.* timbrar, selar, carimbar.
timbre; *s.* timbre, selo.
timbre; *s.* campainha.
tímido; *adj.* tímido, acanhado.
timo; *s.* conto do vigário, vigarice.
timón; *s.* timão, leme.
timorato; *adj.* tímido, indeciso, medroso.
tímpano; *s.* tímpano.
tina; *s.* tina, talha de barro, cuba, banheira.
tinaja; *s.* talha, vasilha de barro cozido de bojo muito grande.
tinglado; *s.* enredo, trama, artifício, maquinação.
tiniebla; *s.* treva, escuridão.
tino; *s.* tino, juízo, tato, destreza.
tinta; *s.* tinta.
tinte; *s.* tintura.
tintero; *s.* tinteiro.
tinto; *adj.* tinto, uva de cor escura, tingido.
tintorería; *s.* tinturaria.
tintorero; *s.* tintureiro.
tintura; *s.* tintura, pintura no rosto.
tiña; *s.* traça, lagarta, tinha doença de pele.
tío; *s.* tio.
tiovivo; *s.* carrossel.
típico; *adj.* típico, característico, simbólico.
tipo; *s.* tipo, modelo, exemplar, original.
tipografía; *s.* tipografia.
tipógrafo; *s.* tipógrafo.
tira; *s.* tira, pedaço comprido e estreito de pano ou papel.
tirada; *s.* tirada, arremesso, série de coisas que se diz ou se escreve de uma vez.
tirador; *s.* puxador.
tiraje; *s.* tiragem, impressão.
tiranía; *s.* tirania, opressão, despotismo.
tiranizar; *v.* tiranizar, oprimir, escravizar.
tirano; *adj.* tirano, déspota, opressor, dominador.
tirante; *s.* suspensório.
tirar; *v.* tirar, arremessar, esticar, estender, estirar, alongar, puxar, arrastar, traçar linhas.
tiritar; *v.* tiritar, tremer de frio.
tiro; *s.* tiro, disparo.
tiroides; *s.* tiróide.
tirolés; *adj.* tirolês.

tirón; *s.* puxão, grande distância.
tirotear; *v.* tirotear.
tirria; *s.* birra, pirraça, teima, mania, zanga, antipatia, ódio.
tisis; *s.* tísica, tuberculose.
titán; *s.* titã, gigante.
títere; *s.* títere, fantoche, boneco.
tití; *s.* mico.
titilar; *v.* titilar, palpitar.
titiritar; *v.* tremer de frio ou medo.
titubear; *v.* titubear, cambalear, oscilar.
titular; *adj.* titular, dar nome.
título; *s.* título, epígrafe, inscrição, letreiro, denominação.
tiza; *s.* giz.
tizne; *s.* tisne, fuligem, tição.
tiznón; *s.* nódoa de carvão ou fuligem.
tizón; *s.* tição, pedaço de lenha meio queimada.
tizonear; *v.* atiçar, atear o lume.
toalla; *s.* toalha.
tobillo; *s.* tornozelo.
tobogán; *s.* tobogã, escorregador.
toca; *s.* touca.
tocadiscos; *s.* toca-discos.
tocado; *s.* penteado, adorno da cabeça para mulheres.
tocador; *s.* penteadeira.
tocar; *v.* tocar, palpar, atingir, chegar, fazer soar.
tocayo; *s.* xará, homônimo.
tocino; *s.* toucinho, carne gorda e salgada do porco.
tocología; *s.* obstetrícia.
tocólogo; *s.* obstetra, parteiro, ginecologista.
todavía; *adv.* ainda, todavia, contudo, não obstante, porém.
todo; *adj.* todo, inteiro, tudo.
todo; *adv.* sobre tudo, antes de tudo, contudo.
todopoderoso; *adj.* todo-poderoso.
toga; *s.* toga, traje de cerimônia.
toldo; *s.* toldo, cobertura de lona, madeira ou zinco.
tolerancia; *s.* tolerância, indulgência, consentimento, paciência.
tolerar; *v.* tolerar, suportar, consentir, resignar-se.
tolvanera; *s.* poeirada, torvelinho de pó, poeira.
toma; *s.* tomada, ação de tomar ou receber, conquista, ocupação.
tomar; *v.* tomar, pegar, agarrar, conquistar, ocupar, abranger, receber, aceitar, comer ou beber, contrair, adquirir.
tomate; *s.* tomate.
tómbola; *s.* tômbola, rifa.
tomillo; *s.* tomilho.
tomo; *s.* tomo, volume.
ton; *s.* tom.
tonada; *s.* toada, composição musical.
tonalidad; *s.* tonalidade.
tonel; *s.* tonel, barrica, barril, pipa.
tonelada; *s.* tonelada.
tonicidad; *s.* tonicidade.
tónico; *adj.* tônico, fortificante.
tonificar; *v.* tonificar, fortalecer, revigorar.
tono; *s.* tom, som, modo, maneira, inflexão da voz, expressão, entonação.
tonsura; *s.* tonsura.
tontería; *s.* tolice, bobagem, idiotice.
tonto; *adj.* tonto, parvo, idiota, doido, bobo, pateta
topacio; *s.* topázio.
topar; *v.* topar, encontrar, bater, tropeçar.
tope; *s.* tope, topo, tropeço, estorvo, impedimento.
tope; *adv.* inteiramente, plenamente, até onde se pode chegar.
tópico; *adj.* tópico.
topo; *s.* toupeira.
topografía; *s.* topografia.
topógrafo; *s.* topógrafo.
topónimo; *s.* topônimo.
toque; *s.* toque, contato, pincelada ligeira, toque de sinos.
toquetear; *v.* tocar repetidamente.

toquilla; *s.* lenço pequeno que as mulheres usam na cabeça.
tórax; *s.* tórax, peito.
torbellino; *s.* torvelinho, redemoinho, pé-de-vento.
torcer; *v.* torcer, dar voltas, entortar, dobrar, azedar-se, avinagrar o vinho.
toreador; *s.* toureiro.
torear; *v.* tourear.
toreo; *s.* toureio, ação de tourear.
torero; *s.* toureiro.
tormenta; *s.* tormenta, tempestade, mau tempo.
tormento; *s.* tormento, suplício.
tornado; *s.* tornado, furacão no golfo da Guiné.
tornar; *v.* tornar, devolver, restituir, regressar, voltar.
tornasol; *s.* girassol, tornassol, furta-cor.
torneo; *s.* torneio, competição.
tornero; *s.* torneiro, que trabalha com torno.
tornillo; *s.* parafuso, torno pequeno.
torniquete; *s.* torniquete, catraca.
torno; *s.* torno, máquina para tornear.
toro; *s.* touro.
torpe; *adj.* torpe, trôpego, desajeitado, inábil, rude, feio, tosco, grosseiro.
torpedear; *v.* torpedear.
torpedo; *s.* torpedo.
torrar; *v.* torrar, tostar, queimar.
torre; *s.* torre.
torrefacción; *s.* torrefação.
torrencial; *adj.* torrencial.
torrente; *s.* torrente, corrente de água muito forte e muito rápida.
torreón; *s.* torreão, torre grande para defesa.
torrezno; *s.* torresmo, toicinho frito.
tórrido; *adj.* tórrido, ardente, muito quente.
torsión; *s.* torção.
torso; *s.* torso, tronco do corpo humano.
torta; *s.* torta, pastel, pastelão.
tortícolis; *s.* torcicolo.
tortilla; *s.* omelete, fritada de ovos batidos.
tortuga; *s.* tartaruga.
tortuoso; *adj.* tortuoso, sinuoso.
tortura; *s.* tortura.
torturar; *v.* torturar, dar tortura, atormentar.
torva; *s.* redemoinho, turbilhão de neve ou chuva.
torvo; *adj.* torvo, terrível à vista, iracundo, irado.
tos; *s.* tosse.
tosco; *adj.* tosco, grosseiro, sem polimento.
toser; *v.* tossir.
tostada; *s.* torrada, fatia de pão torrado.
tostar; *v.* tostar, torrar, queimar.
tostón; *s.* grão-de-bico torrado, leitão assado.
total; *adj.* total, geral, universal.
total; *adv.* em suma, em resumo.
totalidad; *s.* totalidade, soma, total.
totalitario; *adj.* totalitário.
totalitarismo; *s.* totalitarismo.
totalizar; *v.* totalizar, somar.
tóxico; *adj.* tóxico, venenoso.
toxicología; *s.* toxicologia.
toxicómano; *s.* toxicômano.
toxina; *s.* toxina.
tozudo; *adj.* teimoso, obstinado, porfiado.
traba; *s.* trava, peia, calço.
trabajador; *adj.* trabalhador.
trabajar; *v.* trabalhar.
trabajo; *s.* trabalho, ocupação, exercício, obra, produção.
trabar; *v.* travar, prender, agarrar, pegar, fazer parar.
trabazón; *s.* travamento, conexão, ligação.
traca; *s.* petardos, foguetes.
tracción; *s.* tração, puxar, deslocar, esticar, arrastar.
tractor; *s.* trator, máquina agrícola.
tradición; *s.* tradição, transmissão de notícias, costumes.

tradicional; *adj.* tradicional.
traducción; *s.* tradução, interpretação.
traducir; *v.* traduzir, interpretar.
traductor; *s.* tradutor, intérprete.
traer; *v.* trazer, trasladar, atrair.
traficante; *adj.* traficante, negociante.
traficar; *v.* traficar, negociar.
tráfico; *s.* tráfico, comércio, trânsito.
tragaluz; *s.* clarabóia.
tragar; *v.* tragar, engolir, ingerir, absorver, tolerar, dissimular.
tragedia; *s.* tragédia, drama, obra dramática.
trágico; *adj.* trágico.
trago; *s.* trago, gole, sorvo.
traición; *s.* traição, deslealdade, perfídia.
traicionar; *v.* trair, falsear, enganar.
traidor; *adj.* traidor, falso, desleal, infiel.
traje; *s.* vestuário, terno.
trajín; *s.* tráfego, transporte.
trajinar; *v.* transportar, carregar, trafegar, lidar.
tralla; *s.* corda, chicote.
trama; *s.* trama, tecido, confabulação.
tramar; *v.* tramar, intrigar, enredar, tecer, urdir.
tramitar; *v.* tramitar, proceder, formalizar.
trámite; *s.* trâmite, andamento, expediente, via.
tramo; *s.* trecho de escada, trecho de caminho.
tramoya; *s.* tramóia, máquina de teatro.
trampa; *s.* armadilha, alçapão, ardil, enredo, trapaça.
trampolín; *s.* trampolim.
tramposo; *adj.* embusteiro, caloteiro.
tranca; *s.* tranca de porta ou janela, cacete.
trancar; *v.* trancar, fechar com tranca.
trance; *s.* transe, momento crítico.
tranquilidad; *s.* tranquilidade, sossego, calma, serenidade paz.
tranquilizante; *adj.* tranquilizante.
tranquilizar; *v.* tranquilizar, acalmar, sossegar, serenar.
tranquilo; *adj.* tranquilo, calmo, sossegado, sereno.
transacción; *s.* transação, convênio, negócio, ajuste, contrato.
transatlántico; *adj.* transatlântico.
transbordar; *v.* transbordar, baldear.
transcendencia; *s.* transcendência.
transcender; *v.* transcender.
transcribir; *v.* transcrever, copiar, reproduzir.
transcripción; *s.* transcrição, cópia, reprodução.
transcurrir; *v.* transcorrer, decorrer, passar, deslizar.
transcurso; *s.* transcurso, decurso, voltar ao tempo.
transeúnte; *adj.* transeunte, passante, caminhante.
transexual; *adj.* transexual.
transferencia; *s.* transferência.
transferir; *v.* transferir, passar, transportar, mudar, diferir, dilatar, demorar, retardar, trasladar, adiar.
transfigurar; *v.* transfigurar, transformar, mudar, variar.
transformación; *s.* transformação, modificação, mudança alteração.
transformador; *s.* transformador, aparelho para mudar a corrente elétrica.
transformar; *v.* transformar, modificar, mudar de forma, reformar.
tránsfuga; *s.* trânsfuga, desertor.
transfundir; *v.* transfundir, derramar.
transfusión; *s.* transfusão, transfusão de sangue.
transgredir; *v.* transgredir, infringir, violar, desrespeitar.
transgresión; *s.* transgressão, infração.
transición; *s.* transição, mudança.
transido; *adj.* transido, fatigado, angustiado.

transigencia; *s.* transigência, condescendência, tolerância.
transigir; *v.* transigir, concordar, admitir, consentir, ceder, condescender, convir.
transistor; *s.* transístor, rádio.
transitar; *v.* transitar, passar, viajar, andar por um lugar público.
tránsito; *s.* trânsito, circulação, tráfego.
transitorio; *adj.* transitório, passageiro, provisório, efêmero.
translúcido; *adj.* translúcido, transluzente, diáfano.
transmigrar; *v.* transmigrar.
transmisión; *s.* transmissão, comunicação.
transmitir; *v.* transmitir, expedir, enviar, transladar, transferir, ceder.
transmudar; *v.* transmudar, trasladar, mudar.
transmundano; *adj.* supramundano.
transmutable; *adj.* transmutável.
transmutar; *v.* transmutar, transmudar, converter.
transoceánico; *adj.* transoceânico, além-mar, ultramarino.
transpacífico; *adj.* transpacífico.
transparencia; *s.* transparência, diafaneidade.
transparente; *adj.* transparente, diáfano.
transpirable; *adj.* transpirável.
transpiración; *s.* transpiração, suor.
transpirar; *v.* transpirar, suar.
transponer; *v.* transpor, ultrapassar.
transportación; *s.* transportação.
transportador; *adj.* transportador.
transportar; *v.* transportar, levar.
transporte; *s.* transporte.
transposición; *s.* transposição.
transubstanciación; *s.* transubstanciação.
transvasar; *v.* trasfegar, transvasar, mudar um líquido de um lugar para outro.
transversal; *adj.* transversal, atravessado.
tranvía; *s.* bonde.
trapacear; *v.* trapacear, fazer trapaça.
trapaza; *s.* trapaça, burla, fraude, engano.
trapecio; *s.* trapézio.
trapero; *s.* trapeiro, farrapeiro.
trapichear; *v.* comerciar em pequena escala.
trapo; *s.* trapo, farrapo.
tráquea; *s.* traqueia.
traqueotomía; *s.* traqueotomia, incisão da traqueia.
traqueteo; *s.* estalo, estouro, ruído continuo dos fogos arficiais.
tras; *prep.* atrás, detrás, após, depois de.
trasalpino; *adj.* transalpino.
trasbocar; *v.* vomitar, lançar pela boca.
trascendencia; *s.* transcendência, penetração, perspicácia.
trascendental; *adj.* transcendental.
trascender; *v.* transcender, exalar odor forte, transparecer.
trasegar; *v.* transvasar, revirar, transtornar, revolver.
trasero; *adj.* traseiro, nádegas.
trasladar; *v.* trasladar, levar de um lugar para outro.
traslucirse; *v.* transluzir-se.
trasluz; *s.* luz que passa através de um corpo translúcido.
trasnochar; *v.* tresnoitar, pernoitar.
traspasar; *v.* transpassar, trespassar, atravessar.
traspaso; *s.* traspasse.
trasplantar; *v.* transplantar, mudar uma planta de um lugar para outro.
trasplante; *s.* transplantação, transplante.
trasponer; *v.* transpor.
trasquilar; *v.* tosquiar, tosar.
trastada; *s.* tratada, fraude.
traste; *s.* trasto.

trastero; *s.* quarto de despejo.
trastienda; *s.* quarto atrás das lojas.
trasto; *s.* traste, móvel, móvel velho.
trastocar; *v.* transtornar, alterar, desordenar, revolver.
trastocar; *v.* inverter a ordem, subverter, confundir.
trastornar; *v.* transtornar, desordenar, perturbar, inverter a ordem.
trastorno; *s.* transtorno, contrariedade, alteração.
trasudar; *s.* suor ligeiro.
trata; *s.* tráfico de escravos.
tratado; *s.* tratado, ajuste, convênio.
tratamiento; *s.* tratamento.
tratante; *adj.* que trata, comerciante, negociante.
tratar; *v.* tratar, comunicar, relacionar-se, assistir, cuidar.
trato; *s.* trato, ajuste, pacto, tratamento, negócio, comércio.
traumatismo; *s.* traumatismo, lesão.
través; *s.* viés, través, obliquidade, esguelha, soslaio, flanco, inclinação, torção.
travesaña; *s.* travessão de um carro, travessa, rua estreita.
travesía; *s.* caminho transversal, travessa, rua estreita, viagem por mar.
travestí; *s.* travesti.
travestido; *adj.* disfarçado, encoberto.
travesura; *s.* travessura, traquinagem.
travieso; *adj.* travesso, atravessado, transversal, traquinas, buliçoso, inquieto, turbulento.
trayecto; *s.* trajeto, percurso, caminho.
trayectoria; *s.* trajetória, órbita.
traza; *s.* traçado, desenho de uma obra, planta, projeto.
trazar; *v.* traçar, descrever, delinear, desenhar, projetar.
trazo; *s.* traço, linha traçada, risco, linhas do rosto.
trébol; *s.* trevo.
trece; *adj.* treze, dez mais três.
trecho; *s.* trecho, distância, intervalo.
tregua; *s.* trégua, armistício, descanso.
tremebundo; *adj.* tremebundo, que faz tremer.
tremedal; *s.* tremedal, pântano, lodaçal.
tremendo; *adj.* tremendo, terrível, formidável, extraordinário.
trementina; *s.* terebintina.
tremer; *v.* tremer.
tremolar; *v.* tremular, ondear das bandeiras.
tren; *s.* trem.
trencilla; *s.* trancelim.
trenque; *s.* represa de um rio, açude.
trenza; *s.* trança.
trenzado; *adj.* entrançado.
trenzar; *v.* trançar.
trepanación; *s.* trepanação.
trepanar; *v.* trepanar.
trepar; *v.* trepar, elevar, subir, galgar.
trepidar; *v.* trepidar, tremer, estremecer.
trépido; *adj.* trêmulo.
tres; *adj.* três.
tresillo; *s.* conjunto de móveis, um sofá e duas poltronas.
treta; *s.* mutreta, artimanha, ardil, estratagema.
triángulo; *s.* triângulo.
tribu; *s.* tribo, clã.
tribulación; *s.* tribulação, aflição, pena, amargura, adversidade.
tribuna; *s.* tribuna, palanque.
tribunal; *s.* tribunal.
tributar; *v.* tributar, contribuir, pagar impostos.
tributo; *s.* tributo, imposto, ônus.
triciclo; *s.* triciclo.
tricotar; *v.* tricotar, tecer.
trienio; *s.* triênio.
trifulca; *s.* desordem, briga, rixa.
trigal; *s.* trigal.
trigo; *s.* trigo.
trigonometría; *s.* trigonometria.
trigueño; *adj.* trigueiro, triguenho, cor do trigo, entre moreno e louro.

trillado; *adj.* trilhado, caminho muito conhecido.
trillar; *v.* trilhar, percorrer.
trillizo; *adj.* trigêmeos.
trimestre; *s.* trimestre.
trinar; *v.* trinar.
trincar; *v.* trincar, partir, despedaçar, amarrar, atar, beber vinho ou licor.
trinchar; *v.* trinchar, cortar em pedaços.
trinchera; *s.* trincheira, barreira.
trineo; *s.* trenó.
trinidad; *s.* trindade.
trino; *s.* trino, gorjeio.
trío; *s.* trio, conjunto de três.
tripa; *s.* tripa, intestino, ventre, barriga.
triple; *adj.* triplo, tríplice.
trípode; *s.* tripé.
triptongo; *s.* tritongo.
tripulación; *s.* tripulação.
tripulante; *s.* tripulante.
tripular; *v.* tripular.
triquina; *s.* triquina.
triquiñuela; *s.* rodeio, subterfúgio, evasiva.
triste; *adj.* triste, melancólico, descontente, infeliz, amargo, funesto, aflito desgostoso.
tristeza; *s.* tristeza.
triturar; *v.* triturar, esmagar, moer, esmiuçar.
triunfal; *adj.* triunfal, vitorioso.
triunfar; *v.* triunfar, vencer, ganhar.
triunfo; *s.* triunfo, vitória, êxito, sucesso.
trivial; *adj.* trivial, vulgar, comum, banal.
triza; *s.* pedacinho, migalha.
trocado; *adj.* trocado, dinheiro trocado em miúdos.
trocar; *v.* trocar, cambiar, permutar, confundir, equivocar.
trochemoche; *adv.* atabalhoadamente, à toa, confusamente, disparatadamente.
trofeo; *s.* troféu.
troglodita; *adj.* troglodita, que habita em caverna.
trola; *s.* engano, mentira, falsidade.
trolebús; *s.* trolebus, ônibus elétrico.
tromba; *s.* tromba de água.
trombo; *s.* trombo, coágulo de sangue.
trombosis; *s.* trombose.
trompa; *s.* trompa, trombeta, tromba de elefante.
trompicar; *v.* tropicar, tropeçar.
tronada; *s.* trovoada.
tronado; *adj.* usado, desgastado.
tronar; *v.* troar, trovejar.
tronco; *s.* tronco, caule.
tronchar; *v.* tronchar, truncar, quebrar com violência.
troncho; *adj.* truncado, mutilado.
troncho; *s.* talo das hortaliças.
tronera; *s.* fresta, janelinha, caçapa da mesa de bilhar.
trono; *s.* trono, assento real, tabernáculo.
tropa; *s.* tropa, turba, multidão de gente, conjunto de soldados.
tropel; *s.* tropel, tumulto, balbúrdia de muita gente.
tropelía; *s.* excesso, desordem, abuso.
tropezar; *v.* tropeçar, esbarrar.
tropezón; *s.* tropeção, tropeço, esbarrão, encontrão.
tropical; *adj.* tropical.
trópico; *s.* trópico.
trotar; *v.* trotar, andar a trote, cavalgar.
trote; *s.* trote, marcha apressada do cavalo.
trova; *s.* trova, canção amorosa.
trovador; *s.* trovador, jogral, menestrel.
trozo; *s.* pedaço, parte, fragmento.
trucaje; *s.* trucagem.
truco; *s.* truque, ardil, treta.
truculento; *adj.* truculento, atroz, cruel, ferino.
trucha; *s.* truta.
trueno; *s.* trovão.

trueque; *s.* troca, permutação, câmbio.
trufa; *s.* trufa, túbera.
truhán; *adj.* trapaceiro, impostor, palhaço, bobo.
truncar; *v.* truncar, cortar, decepar.
trust; *s.* truste, cartel, consórcio de empresas.
tú; *pron.* tu.
tu; *adj.* apócope de tuyo, teu.
tubérculo; *s.* tubérculo.
tuberculosis; *s.* tuberculose, tísica.
tuberculoso; *adj.* tuberculoso, tísico.
tubería; *s.* conjunto de tubos, comércio de tubos.
tubo; *s.* tubo, cano.
tucán; *s.* tucano.
tueco; *s.* toco.
tuerca; *s.* porca do parafuso.
tuerto; *adj.* vesgo, zarolho.
tuétano; *s.* tutano, medula.
tufo; *s.* vapor, exalação, cheiro desagradável, fedor.
tugurio; *s.* tugúrio, choça de pastores.
tul; *s.* tule.
tulipán; *s.* tulipa.
tullido; *adj.* tolhido, paralítico, entrevado.
tullir; *v.* tolher, paralisar.
tumba; *s.* tumba, túmulo, sepulcro.
tumbar; *v.* tombar, derrubar.
tumbo; *s.* tombo, queda, solavanco.
tumefacto; *adj.* tumefato, túmido, inchado.
túmido; *adj.* túmido, inchado.
tumor; *s.* tumor, inchaço, abscesso.
tumoroso; *adj.* tumoroso, que tem vários tumores.
túmulo; *s.* túmulo, sepulcro.
tumulto; *s.* tumulto, confusão, alvoroço.
tumultuar; *v.* tumultuar.
tuna; *s.* tuna, vadiagem.
tunante; *adj.* tunante, patife.
tunda; *s.* tunda, sova, surra.
túnel; *s.* túnel.
túnica; *s.* túnica.
tupé; *s.* topete.
tupido; *adj.* espesso, muito denso, apertado.
turba; *s.* turfa, combustível de origem vegetal.
turba; *s.* turba, multidão confusa e desordenada.
turbación; *s.* turbação, confusão, desordem.
turbador; *adj.* turbador, que causa turbação.
turbante; *s.* turbante.
turbar; *v.* turbar, turvar, toldar, perturbar, comover, alterar, torvar.
turbina; *s.* turbina.
turbio; *adj.* turvo, opaco, escuro, embaciado.
turbulencia; *s.* turvação, opacidade.
turbulento; *adj.* turbulento, agitado, confuso.
turco; *adj.* turco.
turgencia; *s.* turgência.
turgente; *adj.* turgente, túrgido, túmido.
turismo; *s.* turismo.
turista; *s.* turista.
turmalina; *s.* turmalina.
turno; *s.* turno, ordem, vez.
turquesa; *s.* turquesa.
turrón; *s.* doce de nozes, amêndoas ou pinhões misturados com mel.
tutela; *s.* tutela, cargo de tutor.
tutelar; *v.* tutelar, proteger, amparar.
tuteo; *s.* tratamento de tu.
tutor; *s.* tutor.
tutoría; *s.* tutela.
tuyo; *pron.* teu.

U

u; *s.* vigésima quarta letra do alfabeto espanhol.
ubérrimo; *adj.* ubérrimo, fertilíssimo, muito abundante.
ubicar; *v.* ficar, situar-se, estar em determinado espaço ou lugar.
ubiquidad; *s.* ubiquidade.
ubre; *s.* úbere, teta.
ufanarse; *v.* ufanar-se, vangloriar-se, envaidecer-se.
ufano; *adj.* ufano, vaidoso, arrogante.
úlcera; *s.* úlcera, chaga, pústula.
ulcerar; *v.* ulcerar.
ulterior; *adj.* ulterior, que esta do outro lado, que esta além.
ultimar; *v.* ultimar, terminar, acabar, finalizar.
ultimátum; *s.* ultimátum, condições irrevogáveis.
ultimidad; *s.* extremidade, último.
último; *adj.* último, supremo, derradeiro, final.
ultra; *adv.* além, adiante, mais adiante, demais.
ultrajante; *adj.* ultrajante, injurioso, afrontoso.
ultrajar; *v.* ultrajar, insultar, difamar, afrontar, injuriar, desprezar.
ultraje; *s.* ultraje, afronta, injúria, insulto, desprezo.
ultramar; *s.* ultramar, ultramarino.
ultramarino; *adj.* ultramarino.
ultranza; *adv.* até à morte, resolutamente.
ultrapasar; *v.* ultrapassar, exceder.
ultrarrojo; *adj.* ultravermelho.
ultratumba; *adv.* além-túmulo.
ultravioleta; *adj.* ultravioleta.
umbilical; *adj.* umbilical.
umbral; *s.* umbral, soleira, limiar.
umbrío; *adj.* umbroso, sombrio.
un; *art.* um.
unánime; *adj.* unânime, geral.
unanimidad; *s.* unanimidade.
unción; *s.* unção.
uncir; *v.* atar os animais ao jugo.
ungir; *v.* ungir, untar.
ungüento; *s.* unguento, bálsamo.
unicelular; *adj.* unicelular.
unicidad; *s.* unicidade.
único; *adj.* único.
unicolor; *s.* unicolor.
unicornio; *s.* unicórnio.
unidad; *s.* unidade.
unido; *adj.* unido, junto, ligado, íntimo.
unificar; *v.* unificar, reunir.
uniformar; *v.* uniformizar, padronizar.
uniforme; *adj.* uniforme, semelhante.
uniformidad; *s.* uniformidade.
unilateral; *adj.* unilateral.
unión; *s.* união, vínculo, ligação.
unipersonal; *adj.* unipessonal.
unir; *v.* unir, unificar.
unisexual; *adj.* unissexual.

unísono; *adj.* uníssono.
unitario; *adj.* unitário.
universal; *adj.* universal.
universalizar; *v.* universalizar, generalizar.
universidad; *s.* universidade.
universitario; *adj.* universitário.
universo; *s.* universo, cosmo.
unívoco; *adj.* unívoco.
uno; *adj.* um.
untar; *v.* untar, friccionar, besuntar, engordurar.
unto; *s.* banha, gordura.
untuoso; *adj.* untado, pegajoso, engordurado.
uña; *s.* unha.
uñada; *s.* unhada, arranhão.
uranio; *s.* urônio.
urbanidad; *s.* urbanidade.
urbanismo; *s.* urbanismo.
urbanístico; *adj.* urbanístico.
urbanización; *s.* urbanização.
urbanizar; *v.* urbanizar.
urbano; *adj.* urbano.
urbe; *s.* urbe, cidade muito populosa.
urdidura; *s.* urdidura, trama.
urdimbre; *s.* urdimento.
urdir; *v.* urdir.
urea; *s.* uréia.
uremia; *s.* uremia.
uréter; *s.* ureter.
uretra; *s.* uretra.
urgencia; *s.* urgência, necessidade.
urgente; *adj.* urgente, necessário.
urgir; *v.* urgir.
urinario; *adj.* urinário.
urinario; *s.* mictório, urinol.
urna; *s.* urna, vaso, caixa.
urología; *s.* urologia.
urólogo; *s.* urologista.
urticaria; *s.* urticária.
urubú; *s.* urubu, abutre americano.
uruguayo; *adj.* uruguaio.
usado; *adj.* usado, deteriorado, gasto.
usanza; *s.* uso, costume.
usar; *v.* usar, utilizar, empregar, praticar, trajar, vestir desfrutar, gozar.
uso; *s.* uso, exercício, prática, moda, costume, jeito
usted; *pron.* senhor, senhora.
usual; *adj.* usual, ordinário, habitual.
usuario; *adj.* usuário.
usufructo; *s.* usufruto, fruição, lucro, proveito.
usura; *s.* usura, ágio, agiotagem.
usurero; *s.* usurário, agiota.
usurpar; *v.* usurpar.
utensilio; *s.* utensílio.
uterino; *adj.* uterino.
útero; *s.* útero.
útil; *adj.* útil, proveitoso, vantajoso.
utilidad; *s.* utilidade, serventia.
utilizar; *v.* utilizar, aproveitar, usar, empregar.
utopía; *s.* utopia, quimera.
utópico; *adj.* utópico.
uva; *s.* uva.

V

v; *s.* vigésima quinta letra do alfabeto espanhol.
vaca; *s.* vaca, fêmea do touro.
vacación; *s.* férias, descanso, folga.
vacante; *adj.* vacante, vago, vazio.
vaciar; *v.* esvaziar, vazar, despejar, verter.
vacilación; *s.* vacilação, hesitação, indecisão, incerteza.
vacilar; *v.* vacilar, oscilar, cambalear, hesitar, duvidar.
vacío; *adj.* vazio, oco, chocho, ocioso, deserto, desabitado.
vacuna; *s.* vacina.
vacunar; *v.* vacinar.
vacuno; *adj.* vacum, bovino.
vacuo; *adj.* vácuo, vazio.
vadear; *v.* vadear, passar a vau.
vado; *s.* vau.
vagabundear; *v.* vagabundear, vadiar.
vagabundo; *adj.* vagabundo, vadio.
vagancia; *s.* vacância, desocupação.
vagar; *v.* vagar, vaguear, andar errante.
vagar; *s.* vagar, ócio, descanso, sossego.
vagina; *s.* vagina.
vago; *adj.* vago, incerto, indefinido, indeterminado, incostante, volúvel, descuidado, desocupado, preguiçoso.
vagón; *s.* vagão, comboio.
vaguada; *s.* fundo de um vale.
vaguear; *v.* vaguear, perambular.
vaguedad; *s.* vacuidade.
vaharada; *s.* baforada.
vahido; *s.* vertigem, desmaio.
vaho; *s.* vapor, exalação.
vaina; *s.* bainha, estojo, vagem.
vainilla; *s.* baunilha.
vaivén; *s.* vaivém, balanço, movimento, oscilação.
vajilla; *s.* vasilha, baixela de mesa.
vale; *s.* vale, recibo.
valentía; *s.* valentia, coragem, valor.
valentón; *adj.* valentão, fanfarrão.
valer; *v.* valer, amparar, proteger, importar, custar, ter valor, render, ter poder, prevalecer.
valeroso; *adj.* valoroso, valente.
valía; *s.* valia, valor, preço.
validación; *s.* validação, legitimidade.
validar; *v.* validar, legalizar, legitimar, autorizar.
validez; *s.* validade, legitimidade.
válido; *adj.* válido, legal, legítimo.
valiente; *adj.* valente, corajoso, destemido.
valija; *s.* valise, maleta.
valioso; *adj.* valioso, estimado, poderoso, rico, opulento.
valor; *s.* valor, preço, valia, estima, coragem, audácia, valentia.
valorar; *v.* avaliar.
valoración; *s.* valoração, valorização.
valorizar; *v.* valorizar.
valuación; *s.* avaliação.

vals; *s.* valsa.
valuar; *v.* avaliar.
válvula; *s.* válvula.
valla; *s.* vala, fosso, estacada.
vallar; *v.* valar, tapar, fechar com valos.
valle; *s.* vale.
vampiro; *s.* vampiro.
vanagloriarse; *v.* vangloriar-se, jactar-se.
vandalismo; *s.* vandalismo.
vándalo; *adj.* vândalo, bárbaro.
vanguardia; *s.* vanguarda.
vanidad; *s.* vaidade, orgulho, pompa vã, presunção, jactância, futilidade.
vanidoso; *adj.* vaidoso.
vano; *adj.* vão, fantástico, inexistente, oco, vazio, inútil, arrogante, presunçoso, fútil, frívolo, falso, chocho.
vapor; *s.* vapor.
vaporizador; *s.* vaporizador.
vaporizar; *v.* vaporizar.
vaporoso; *adj.* vaporoso.
vapulear; *v.* açoitar.
vaquero; *s.* vaqueiro.
vara; *s.* vara, bastão.
variable; *adj.* variável.
variación; *s.* variação, mudança, modificação.
variado; *adj.* variado, diversificado, mesclado.
variante; *s.* variante, variedade, diferença.
variar; *v.* variar, mudar, alterar, transformar.
variedad; *s.* variedade.
varilla; *s.* varinha, vareta.
vario; *adj.* vário, variado, diverso, diferente.
varón; *s.* varão, homem.
varonil; *adj.* varonil.
vasallo; *adj.* vassalo.
vaselina; *s.* vaselina.
vasija; *s.* vasilha, recipiente para líquidos.
vaso; *s.* copo.
vasto; *adj.* vasto, extenso, amplo.
vaticano; *adj.* vaticano, papal.
vaticinar; *v.* vaticinar, profetizar, adivinhar, predizer, prognosticar.
vaticinio; *s.* vaticínio, profecia, adivinhação, predição, prognóstico.
vatio; *s.* watt.
vecinal; *adj.* vicinal.
vecindario; *s.* vizinhança.
vecino; *adj.* vizinho.
veda; *s.* veda, proibição.
vedado; *adj.* vedado, proibido, interditado.
vedar; *v.* vedar, proibir, interditar.
vedette; *s.* vedete, atriz.
vega; *s.* várzea.
vegetación; *s.* vegetação.
vegetal; *s.* vegetal.
vegetar; *v.* vegetar, germinar.
vegetariano; *adj.* vegetariano.
vegetativo; *adj.* vegetativo.
vehemencia; *s.* veemência, vigor, violência, ardor, energia, impetuosidade.
vehículo; *s.* veículo.
vejar; *v.* vexar, maltratar, molestar, criticar, humilhar, zombar, vaiar.
vejatorio; *adj.* vexatório.
vejez; *s.* velhice, senilidade.
vejiga; *s.* bexiga.
vela; *s.* vela.
velada; *s.* serão, sarau musical.
velar; *v.* velar, cobrir com véu.
velar; *adj.* que vela ao escurecer.
velatorio; *s.* velório.
veleidad; *s.* veleidade, leviandade.
velero; *s.* veleiro, barco a vela.
velo; *s.* véu.
velocidad; *s.* velocidade.
velocímetro; *s.* velocímetro.
velocípedo; *s.* velocípede.
velódromo; *s.* velódromo.
veloz; *adj.* veloz, rápido, ligeiro.
vello; *s.* pêlo, penugem.
velludo; *adj.* peludo, aveludado.
vena; *s.* veia, vaso sanguíneo, veio de minério, lençol subterrâneo de água.

venado; *s.* veado, cervo, gamo.
venal; *adj.* venal, subornável.
vencer; *v.* vencer, dominar, ganhar, derrotar, superar.
vencido; *adj.* vencido, derrotado.
venda; *s.* venda, tira, atadura, faixa.
vendar; *v.* vendar, cobrir com vendas.
vendaval; *s.* vendaval, temporal.
vendedor; *adj.* vendedor.
vender; *v.* vender.
vendimia; *s.* vindima, colheita de uvas.
veneno; *s.* veneno.
venenoso; *adj.* venenoso.
veneración; *s.* veneração, respeito, culto, reverência.
venerar; *v.* venerar, respeitar, cultuar, adorar, reverenciar.
venério; *adj.* venéreo.
venezolano; *adj.* venezuelano.
vengador; *s.* vingador.
venganza; *s.* vingança, desforra, represália, desagravo, castigo.
vengar; *v.* vingar, desforrar, desagravar.
vengativo; *adj.* vingativo.
venia; *s.* vênia, desculpa, perdão, remissão, licença, reverência.
venial; *adj.* venial.
venida; *s.* vinda, chegada, regresso, enxurrada, enchente.
venidero; *adj.* vindouro.
venir; *v.* vir, chegar, regressar, voltar, concordar, acompanhar, nascer, proceder.
venoso; *adj.* venoso.
venta; *s.* venda, contrato de venda, estalagem, loja.
ventaja; *s.* vantagem, superioridade, melhoria.
ventajoso; *adj.* ventajoso.
ventana; *s.* janela.
ventana; *s.* venta, narina.
ventanal; *s.* janela grande.
ventanilla; *s.* janelinha, guichê.
ventar; *v.* ventar.
ventilación; *s.* ventilação.
ventilador; *s.* ventilador.
ventilar; *v.* ventilar.
ventisca; *s.* nevada, neve acompanhada de vento.
ventolera; *s.* lufada, rajada de vento.
ventosa; *s.* ventosa.
ventrículo; *s.* ventrículo.
ventrílocuo; *adj.* ventríloquo.
ventura; *s.* ventura, felicidade, sorte, fortuna.
venturoso; *adj.* venturoso, feliz, afortunado.
ver; *v.* ver, observar, examinar, avistar.
vera; *s.* borda, beira, beirada.
veracidad; *s.* veracidade, verdade.
veranda; *s.* varanda, balcão, sacada, terraço.
veraneante; *adj.* veraneante.
veranear; *v.* veranear, passar o verão em algum lugar.
veraneo; *s.* veraneio, férias de verão.
verano; *s.* verão.
veraz; *adj.* veraz, verídico, verdadeiro.
verbal; *adj.* verbal, oral.
verbena; *s.* arrail noturno.
verbigracia; *adv.* por exemplo.
verbo; *s.* verbo, palavra, linguagem.
verborragia; *s.* verborreia, loquacidade, verbosidade.
verdad; *s.* verdade, veracidade, exatidão, realidade.
verdadero; *adj.* verdadeiro, verídico, real, exato.
verde; *adj.* verde.
verdear; *v.* verdejar.
verdor; *s.* verdor, cor verde das plantas.
verdugo; *s.* verdugo, carrasco, algoz.
verdulero; *s.* verdureiro, hortelão.
verdura; *s.* verdura, hortaliça.
vereda; *s.* vereda, senda, caminho estreito.
veredicto; *s.* veredicto, sentença.
verga; *s.* verga, membro viril.
vergel; *s.* jardim, pomar.
vergonzoso; *adj.* vergonhoso.

vergüenza; *s.* vergonha, pudor, pundonor, timidez.
verídico; *adj.* verídico, verdadeiro.
verificar; *v.* verificar, comprovar, confirmar, controlar.
verja; *s.* grade, gradil.
verme; *s.* verme, lombriga intestinal.
vermicida; *adj.* vermicida, que mata vermes, vermífugo.
vermut; *s.* vermute.
vernáculo; *adj.* vernáculo, nacional, nativo, pátrio.
verosímil; *adj.* verossímil, possível, provável.
verruga; *s.* verruga.
versado; *adj.* versado, instruido, entendido, conhecedor.
versar; *v.* versar.
versátil; *adj.* versátil, inconstante.
versículo; *s.* versículo, divisão de alguns livros.
versificar; *v.* versificar, fazer versos.
versión; *s.* versão, tradução, interpretação, explicação.
verso; *s.* verso.
vértebra; *s.* vértebra, osso da coluna vertebral.
vertebrado; *adj.* vertebrado.
vertedero; *s.* desaguadouro, depósito de lixo.
verter; *v.* verter, desaguar, derramar.
verter; *v.* traduzir.
vertical; *adj.* vertical.
vértice; *s.* vértice.
vertiente; *s.* vertente, ladeira, declive, encosta.
vertiginoso; *adj.* vertiginoso, rápido, veloz.
vértigo; *s.* vertigem.
vesícula; *s.* vesícula.
vespertino; *adj.* vespertino, relativo à tarde.
vestíbulo; *s.* vestíbulo, porta de entrada.
vestido; *s.* vestido, indumentária.
vestigio; *s.* vestígio, sinal, pegada.
vestimenta; *s.* vestimenta, roupa.
vestir; *v.* vestir, trajar.
vestuario; *s.* vestuário, traje, vestimenta.
veta; *s.* beta, filão mineral, veia das madeiras e pedras.
veterano; *adj.* veterano.
veterinario; *adj.* veterinário.
veto; *s.* veto, proibição.
vetusto; *adj.* vetusto, velho, antigo.
vez; *s.* vez, época, ocasião, tempo, turno.
vía; *s.* via, caminho, rua, estrada, rota, método, sistema.
viable; *adj.* viável, possível.
viaducto; *s.* viaduto.
viajante; *adj.* viajante.
viajar; *v.* viajar.
viaje; *s.* viagem.
vianda; *s.* vianda, sustento, comida, manjar.
viandante; *s.* viandante, caminhante.
viático; *s.* viático, provisão para uma jornada, ajuda de custo.
víbora; *s.* víbora, cobra venenosa.
vibración; *s.* vibração, oscilação.
vibrar; *v.* vibrar, oscilar.
vibratorio; *adj.* vibratório.
viceversa; *adv.* vice-versa.
viciar; *v.* viciar, corromper, deteriorar, perverter.
vicio; *s.* vício.
vicisitud; *s.* vicissitude, alternativa, eventualidade, variação.
víctima; *s.* vítima.
victoria; *s.* vitória, triunfo.
vicuña; *s.* vicunha.
vid; *s.* videira.
vida; *s.* vida.
vídeo; *s.* videocassete.
vidente; *adj.* vidente, que vê.
vidriera; *s.* vidraçaria, vitral, vitrine.
vidrio; *s.* vidro, frasco, garrafa.
viejo; *adj.* velho, idoso, ancião, antigo.
viento; *s.* vento, corrente de ar, ar.
vientre; *s.* ventre, barriga.
viernes; *s.* sexta-feira, sexto dia da semana.

viga; *s.* viga, trave.
vigencia; *s.* vigência, duração.
vigente; *adj.* vigente, que esta em vigor.
vigía; *s.* vigia, sentinela.
vigilancia; *s.* vigilância.
vigilar; *v.* vigiar, cuidar, observar.
vigilia; *s.* vigília, serão, véspera, insônia.
vigor; *s.* vigor, força, energia.
vigorizar; *v.* vigorizar, fortalecer, robustecer.
vigoroso; *adj.* vigoroso, forte, robusto, enérgico.
vil; *adj.* vil, ruim, infame, indigno, torpe.
vilipendiar; *v.* vilipendiar, desprezar, aviltar.
vilipendio; *s.* vilipêndio, desprezo.
villa; *s.* vila, casa de campo, povoação.
villancico; *s.* canção própria de Natal.
villanía; *s.* vilania, qualidade de vilão.
villano; *adj.* vilão, plebeu.
vinagre; *s.* vinagre.
vinagreta; *s.* molho vinagrete.
vincular; *v.* vincular, unir.
vínculo; *s.* vínculo, união.
vindicar; *v.* vingar, reivindicar.
vinícola; *adj.* vinícola.
vinicultura; *s.* vinicultura.
vino; *s.* vinho.
viña; *s.* vinha.
viñedo; *s.* vinhedo.
viñeta; *s.* vinheta, estampa, desenho.
viola; *s.* viola.
violáceo; *adj.* violáceo, cor de violeta.
violación; *s.* violação, estupro.
violar; *v.* violar, profanar, violentar, estuprar.
violencia; *s.* violência, agressão.
violentar; *v.* violentar, violar.
violento; *adj.* violento, impetuoso, iracível, arrebatado.
violeta; *s.* violeta.
violín; *s.* violino.
violón; *s.* violão.
viperino; *adj.* viperino, de víbora.
virar; *v.* virar, voltar, dar voltas, mudar de rumo.
virgen; *s.* virgem.
virginal; *adj.* virginal, puro, imaculado.
virginidad; *s.* virgindade, pureza, castidade.
virgo; *s.* virgem, virgindade, hímen.
viril; *adj.* viril, masculino, varonil.
virilidad; *adj.* virilidade.
virrey; *s.* vice-rei.
virtual; *adj.* virtual, implícito, tácito.
virtud; *s.* virtude, eficácia, força, vigor, valor, retidão.
viruela; *s.* variola, bexiga.
virulento; *adj.* virulento, venenoso, purulento.
virus; *s.* vírus.
viruta; *s.* apara de madeira ou metal.
visado; *s.* visto.
visar; *v.* visar, pôr o visto, mirar.
víscera; *s.* víscera, entranha.
viscoso; *adj.* viscoso, pegajoso.
visera; *s.* viseira.
visible; *adj.* visível.
visillo; *s.* cortina para janela.
visión; *s.* visão, faculdade de ver, aparição, fantasma.
visionario; *adj.* visionário, sonhador.
visita; *s.* visita.
visitar; *v.* visitar, ir ver alguém em sua casa, ir ao médico, inspecionar, examinar, frequentar, reconhecer.
vislumbrar; *v.* vislumbrar, entrever, divisar.
viso; *s.* viso, reflexo, lampejo, sombra.
visor; *s.* visor de máquina fotográfica.
víspera; *s.* véspera.
vista; *s.* vista, sentido da visão, paissagem, panorama.
vistazo; *s.* olhar rápido.
visto; *s.* visto, visado.
vistoso; *adj.* vistoso, chamativo.
visual; *adj.* visual.
vital; *adj.* vital, essencial, fundamental.

vitalicio; *adj.* vitalício, que dura toda a vida.
vitalidad; *s.* vitalidade, atividade.
vitamina; *s.* vitamina.
vitaminado; *adj.* vitaminado.
vítreo; *adj.* vítreo.
vitrificar; *v.* vitrificar.
vitrina; *s.* vitrina, vitrine, mostrador, cristaleira.
vitualla; *s.* mantimento, provisão.
vituperar; *v.* vituperar, injuriar, afrontar.
viudez; *s.* viuvez.
viudo; *adj.* viúvo.
vivacidad; *s.* vivacidade, viveza.
vivaz; *adj.* eficaz, vigoroso, agudo, perspicaz.
vivencia; *s.* vivência.
víveres; *s.* víveres, comestíveis.
vivero; *s.* viveiro.
viveza; *s.* viveza, vivacidade, atividade, esperteza, esplendor.
vivienda; *s.* vivenda, morada, modo de vida.
vivificar; *v.* vivificar, animar, reanimar, confortar.
vivir; *v.* viver, existir, manter, morar, habitar, durar.
vivo; *adj.* vivo, que tem vida, intenso, forte, brilhante, ardente, fogoso.
vizconde; *s.* visconde.
vocabolo; *s.* vocábulo, palavra, voz.
vocabulario; *s.* vocabulário, glossário, léxico.
vocación; *s.* vocação, talento, inclinação.
vocal; *adj.* vocal, da voz.
vocal; *s.* vogal, membro de um tribunal ou junta.
vocalista; *s.* vocalista, cantor.
vocear; *v.* vozear, gritar, clamar, chamar, aclamar.
vocero; *s.* pregoeiro, porta-voz.
vociferar; *v.* vociferar, chamar, esbravejar, bradar.
vodka; *s.* vodca.
volante; *adj.* voante, voador, errante.
volante; *s.* guidao, enfeite.
volar; *v.* voar.
volátil; *adj.* volátil.
volatizar; *v.* volatizar.
volcán; *s.* vulcão.
volcar; *v.* voltar, tombar, virar, entornar, pertubar, transtornar, estontear, aturdir.
voltaje; *s.* voltagem, tensão elétrica.
voltear; *v.* voltear, dar voltas, virar, pôr ao contrário, inverter a ordem.
voltereta; *s.* cambalhota.
voltímetro; *s.* voltímetro.
voltio; *s.* volt.
voluble; *adj.* volúvel, inconstante.
volumen; *s.* volume, corpulência, tomo de um livro impresso.
voluminoso; *adj.* volumoso, avultado, corpulento.
voluntad; *s.* vontade, livre arbítrio, escolha, intenção, carinho, amor, afeição, desejo, ordem.
voluntario; *adj.* voluntário.
voluptuoso; *adj.* voluptuoso.
volver; *v.* volver, voltar, girar, devolver, restituir, repor, por do avesso, vomitar, regressar.
vomitar; *v.* vomitar.
vómito; *s.* vômito.
voracidad; *s.* voracidade, sofreguidão, apetite, gula.
voraz; *adj.* voraz, sôgrego, ávido, guloso.
vos; *pron.* vós.
vosotros; *pron.* vós.
votación; *s.* votação, sufrágio.
votar; *v.* votar, prometer, jurar.
voto; *s.* voto, promessa, consagração, sufrágio, parecer.
voz; *s.* voz, fala, timbre, grito, queixa, fonema, vocábulo.
vuelco; *s.* tombo, sobressalto.
vuelo; *s.* vôo.
vuelta; *s.* volta, giro, circuito, curva, regresso, devolução, recompensa, troco, turno, avesso.
vuestro; *pron.* vosso.

vulcanizar; *v.* vulcanizar, emborrachar.
vulgar; *adj.* vulgar, trivial, comum.
vulgaridad; *s.* vulgaridade, banalidade, mediocridade.
vulgarizar; *v.* vulgarizar, banalizar.
vulgarmente; *adv.* vulgarmente.
vulgo; *s.* vulgo, povo, plebe.
vulnerable; *adj.* vulnerável.
vulnerar; *v.* vulnerar, ferir, prejudicar, ofender.
vulpino; *adj.* vulpino, relativo à raposa.
vulturno; *s.* vulturno, vento quente.
vulva; *s.* vulva, parte exterior do órgão genital feminino.

W

w; *s.* letra que não pertence ao alfabeto espanhol, usada apenas em palavras estrangeiras.
wat; *s.* watt, unidade de potência.
water-closet; *s.* retrete, latrina, banheiro.
whisky; *s.* bebida alcoólica de cereais fermentados.
whist; *s.* jogo de cartas de origem inglesa.

X

x; *s.* vigésima sexta letra do alfabeto espanhol.
xenofobia; *s.* xenofobia, ódio, aversão, repugnância aos estrangeiros.
xenófobo; *adj.* xenófobo.
xifoides; *adj.* xifóideo, apêndice do esterno.
xilografía; *s.* xilografia, arte de gravar em madeira.
xilográfico; *adj.* xilográfico.

Y

y; *s.* vigésima sétima letra do alfabeto espanhol.
ya; *adv.* já, agora.
yaca; *s.* jaqueira, árvore da India que produz jaca.
yacaré; *s.* jacaré, espécie de crocodilo.
yacer; *v.* jazer, estar deitado, estar sepultado, existir, ter, relações carnais com uma pessoa.
yacija; *s.* leito, cama, jazida.
yacimiento; *s.* jazigo, lugar onde abundam os minerais.
yacio; *s.* seringueira.
yaguar; *s.* jaguar, espécie de leopardo.
yambo; *s.* jambeiro, árvore grande procedente da India Oriental que produz jambo.
yanqui; *adj.* ianque, pessoas da América do Norte.
yantar; *s.* jantar, comida, manjar, iguarias.
yarda; *s.* jarda, medida linear inglesa.
yatay; *s.* iatai, espécie de palmeira.
yate; *s.* iate, navio de recreio.
yedra; *s.* hera, planta trepadeira.
yegua; *s.* égua, fêmea do cavalo.
yelmo; *s.* elmo.
yema; *s.* gema; olho, botão, parte amarela do ovo.
yerba; *s.* erva, planta, grama.
yerbajo; *s.* erva daninha.
yermo; *adj.* ermo, desabitado, baldio.
yerno; *s.* genro.
yerro; *s.* erro, delito, equívoco, engano.
yerto; *adj.* hirto, teso, rígido, áspero.
yesar; *s.* mina de gesso.
yesca; *s.* isca.
yesería; *s.* fábrica de gesso, obra feita de gesso.
yeso; *s.* gesso.
yo; *pron.* eu.
yodado; *adj.* iodado.
yodo; *s.* iodo.
yoga; *s.* ioga.
yogur; *s.* iogurte.
yuca; *s.* mandioca, planta da América tropical, se extrai uma farinha comestível.
yudo; *s.* judô.
yugo; *s.* jugo, canga.
yugoslavo; *adj.* iugoslavo.
yugular; *adj.* jugular, veias da garganta.
yunta; *s.* junta, parelha.
yuquerí; *s.* juquiri, planta do género das mimosas.
yute; *s.* juta, fibra extraída de uma planta, tecido feito com esta fibra.
yuxtaponer; *v.* justapor.
yuxtaposición; *s.* justaposição.
yuyo; *s.* joio.

Z

z; *s.* vigésima oitava letra do alfabeto espanhol.
zabullida; *s.* mergulho.
zabullir; *v.* mergulhar.
zafado; *adj.* safado, descarado, atrevido.
zafar; *v.* safar, escapar, evadir-se.
zafiro; *s.* safira, pedra preciosa azul.
zafo; *adj.* safo, livre, desembaraçado.
zafra; *s.* safra, colheita de cana-de-açúcar.
zaga; *s.* retaguarda.
zagal; *s.* mancebo, adolescente, jovem, moço forte.
zaguán; *s.* saguão, vestíbulo.
zaguero; *adj.* que vai em último lugar, que fica atrás.
zaherir; *v.* censurar, repreender, humilhar.
zahorí; *s.* vidente, adivinho.
zalamería; *s.* salamaleque, lisonja, bajulação.
zalamero; *adj.* lisonjeador, bajulador.
zalea; *s.* tosão.
zamarra; *s.* vestuário rústico, casaco de pele de cordeiro, pele de cordeiro.
zambo; *adj.* cambaio, torto, cambado das pernas.
zambomba; *s.* cuíca, ronca.
zambullir; *v.* mergulhar com ímpeto.
zampar; *v.* comer muito, comer depressa e sem compostura.
zampón; *adj.* comilão, glutão.
zampoña; *s.* flauta pastoril, instrumento rústico.
zanahoria; *s.* cenoura.
zanca; *s.* sanco, perna de ave.
zancada; *s.* pernada, passos lagos.
zancadilla; *s.* rasteira.
zancajo; *s.* calcanhar.
zanco; *s.* pernas de pau.
zancudo; *adj.* pernalto, pernilongo.
zángano; *s.* zangão, macho da abelha.
zanja; *s.* escavação para edificar, fundação, escoamento para água.
zanjar; *v.* abrir valas.
zapa; *s.* sapa, escavação, pá.
zapapico; *s.* picareta.
zapateado; *s.* sapateado.
zapatear; *v.* sapatear, bater o pé.
zapatero; *s.* sapateiro.
zapatilla; *s.* sapatilha.
zapato; *s.* sapato, calçado.
zar; *s.* czar, soberano da Rússia.
zarandear; *v.* sacudir, saracotear.
zarpa; *s.* sapata, parte saliente dos alicerces.
zarpar; *v.* sarpar, partir, levantar ferro, zarpar.
zarza; *s.* sarça, planta espinhosa, silva.
zarzamora; *s.* amora, fruto da silva e da amoreira.
zarzaparrilla; *s.* salsaparrilha.
zarzuela; *s.* zarzuela, opereta.

zepelín; *s.* zepelim, dirigível.
zigzag; *s.* ziguezague.
zinc; *s.* zinco.
zócalo; *s.* base, pedestal.
zoclo; *s.* tamanco.
zoco; *s.* mercado.
zodíaco; *s.* zodíaco.
zona; *s.* zona.
zonote; *s.* depósito de água no centro de uma gruta.
zonzo; *adj.* sensabor, insípido.
zoología; *s.* zoologia.
zoológico; *adj.* zoológico.
zoospermo; *s.* espermatozóide.
zoquete; *s.* toco, pedaço de madeira.
zorrería; *s.* astúcia de raposa.
zorrillo; *s.* raposinho.
zorro; *s.* zorro, raposo.
zozobra; *s.* soçobro, inquietação, aflição, angústia.
zueco; *s.* tamanco, calçado de madeira de uma só peça.
zumbar; *v.* zumbir.
zumbido; *s.* zumbido.
zumo; *s.* sumo, suco.
zurcir; *v.* cerzir.
zurdo; *adj.* canhoto.
zurra; *s.* surra, sova, tunda, castigo.
zurrar; *v.* surrar, castigar.
zurriago; *s.* chicote, látego.
zurrido; *s.* zoada, som rouco e confuso.
zurrir; *v.* zunir, soar rouco e confusamente.
zurumbático; *adj.* atordoado, pasmado, apatetado, apalermado.
zutano; *s.* beltrano, fulano, mengano e beltrano.